Dictionnaire DES MOTS CROISÉS

140 000 MOTS
NOMS PROPRES
NOMS COMMUNS

Données de catalogage avant publication (Canada)

Beaudry, Lise, 1950-

Dictionnaire des mots croisés

Nouvelle édition

ISBN 2-7640-0277-7

1. Mots croisés - Glossaires, vocabulaires, etc. 2. Français (langue) - Glossaires, vocabulaires, etc. I. Titre

GV1507.C7B42 1998 793.73'2'03 C98-940702-0

LES ÉDITIONS QUEBECOR
7, chemin Bates
Outremont (Québec)
H2V 1A6
Tél.: (514) 270-1746

Bibliothèque nationale du Québec
Bibliothèque nationale du Canada
ISBN: 2-7640-0277-7

Éditeur: Jacques Simard
Conception de la page couverture: Bernard Langlois
Impression: Imprimerie L'Éclaireur

Nous reconnaissons l'aide financière du gouvernement par l'entremise du Programme d'Aide au Développement de l'Industrie de l'Édition pour nos activités d'édition.

Dictionnaire DES MOTS CROISÉS

Lise Beaudry

140 000 MOTS
NOMS PROPRES
NOMS COMMUNS

A

ABACA. Bananier, chanvre, fibre, musa.
ABAISSE-LANGUE. Palette.
ABAISSEMENT. Avilissement, baisse, chute, décadence, déchéance, déclin, dégénération, dégradation, déraser, descente, diminution, écrasement, fermeture, flexion, gelée, hypothermie, platitude.
ABAISSER. Amoindrir, aplanir, avilir, baisser, descendre, déprécier, déraser, diminuer, écraser, humilier, rabaisser, rabattre, ravaler.
ABANDON. Apostasie, cessation, cession, défection, divorce, don, donation, épave, forfait, fuite, passation, reculade, rejet, trahison.
ABANDONNÉ. Cédé, délaissé, laissé, quitté, seul, vacant, vide.
ABANDONNER. Abdiquer, céder, confier, délaisser, déserter, évacuer, flancher, fuir, jeter, lâcher, laisser, larguer, livrer, luxure, négliger, oublier, partir, rencart, renier, renoncer, semer, trahir, vider.
ABASOURDI. Coi, consterné, ébahi, hébété.
ABASOURDIR. Ahurir, ébahir, épater, étonner, méduser, sidérer.
ABÂTARDIR. Altérer, dégénérer, dénaturer, gâter, pourrir, vicier.
ABATIS. Abats, machette, volaille.
ABATTEMENT. Chagrin, coma, dégoût, ennui, fatigue, inertie, lâcheté.
ABATTRE. Anéantir, décourager, démâter, descendre, raser, tuer.
ABATTU. Accablé, anéanti, brisé, coupé, découragé, démoli, détruit, énervé, inerte, las, mou, morne, morose, scié, sombre, tué, vaincu.
ABBAYE. Cloître, couvent, église, monastère, solesme, thélème.
ABBAYE (n. p.). La Trappe.
ABBÉ. Aumônier, curé, pasteur, pontife, prélat, prêtre, vicaire.
ABBÉ (n. p.). Abbon.
ABCÈS. Adénite, dépôt, furoncle, plaie, pus, pustule, tumeur, ulcère.
ABDIQUER. Démettre, démissionner, destituer, laisser, renoncer.
ABDOMEN. Aine, bedon, diaphragme, foie, ombilic, poitrine, ventre.
ABDOMINAL. Appendice, intestin, ptôse, queue, uropode, ventral.
ABÉCÉDAIRE. Abc., alphabet, lettre.
ABEILLE. Apicole, apis, bourdon, cire, essaim, guêpe, mélipone, miel, mouche à miel, picorer, reine, ruche, sphécoïde, ventileuse, xylocope.
ABER. Ria.
ABERRANT. Absurde, anormal, déraisonnable, faux, idiot, insensé.
ABERRATION. Absurdité, bévue, erreur, folie, maldonne, méprise.
ABÊTIR. Abrutir, affaiblir, assoter, bêtifier, crétiniser, dégrader.
ABHORRER. Abjurer, haïr, détester, exécrer, maudire, ressentiment.
ABÎME. Abysse, aven, blason, caverne, cœur, gouffre, igue, précipice.
ABÎMER. Amocher, blesser, carier, casser, dégrader, démolir, ébrécher, endommager, gâcher, gâter, pourrir, rayer, saboter, salir, user.
ABJECT. Avilissant, bassesse, dégoûtant, dernier, grossier, honteux, ignoble, ilote, indigne, infâme, laid, odieux, méprisable, ord, ort, vil.
ABJECTION. Bassesse, crasse, fange, honte, ilotisme, infamie, saleté.
ABJURER. Abandonner, bénir, changer, déserter, renier, renoncer.

ABLATION. Abscision, abscission, amputation, ankylose, appendicectomie, artériectomie, autotomie, castration, chirurgie, cholécystectomie, excision, exérèse, gastrectomie, laryngectomie, lobectomie, néphrectomie, opération, ovariectomie, pneumectomie, prostatectomie, splénectomie, tarsectomie, thyroïdectomie, tomie.
ABLUTION. Bain, douche, lavage, lotion, nettoyage, rinçage, toilette.
ABOI. Cerf, chien, désespéré, glapissement, hurlement, jappement.
ABOLIR. Abroger, anéantir, annuler, détruire, extirper, ôter, proscrire.
ABOMINABLE. Affreux, atroce, damné, horrible, maudit, odieux, satané.
ABOMINER. Abhorrer, abjurer, détester, exécrer, haïr, sataner.
ABONDANCE. Affluence, amalthée, babil, boisson, chèvre, foisonner, flux, giboyeux, nombre, opulence, plénitude, pulluler, riche.
ABONDANT. Ample, commun, considérable, copieux, dense, exubérant, fécond, fertile, fructueux, généreux, nombreux, pullulant, surabondant.
ABONDER. Affluer, couler, combler, infester, remplir, saturer, soutenir.
ABONNEMENT. Camelot, carte, forfait, postier, souscription.
ABORD. Accès, accueil, alentour, approche, caractère, entour, réception.
ABORDAGE. Assaut, collision, gaffe, grappin, joindre, racolage, sabre.
ABORDER. Abord, accès, cogner, draguer, entrer, gaffe, grappin, joindre.
ABOUCHEMENT. Accouplement, anastomose, cholécystostomie, chystostomie, jonction, jumelage, raccordement, rapport, union.
ABOUTER. Accoupler, ajointer, enter, joindre, jumeler, réunir.
ABOUTIR. Affluer, arriver, but, finir, pu, réussir, tendre, terminer.
ABOUTISSEMENT. But, débouché, issue, résultat, terminaison.
ABOYER. Cerf, chien, crier, désespéré, glapisser, gueuler, hurler, japper.
ABRACADABRANT. Ahurissant, baroque, bizarre, invraisemblable.
ABRAHAM. Sacrifice, Our, Ur.
ABRASIF. Corindon, diatomite, émeri, grésoir, sablé.
ABRÉGÉ. Amoindri, aperçu, bref, compemdium, concis, court, cursif, diminué, épitomé, petit, plan, précis, résumé, sténo, topo, trachée.
ABRÉGER. Compendieux, écourter, exposer, épitamer, etc., résumer.
ABREUVOIR. Auge, baquet, bassin, fontaine.
ABRÉVIATION. Acronyme, aphérèse, apocode, initiale, raccourci, sigle.
ABRI. Aile, antre, asile, auvent, cabane, cagna, casemate, chenil, couvert, dais, égide, gare, gîte, guérite, hangar, havre, niche, parapluie, parasol, port, rade, refuge, retraite, ruche, taud, tente, toit, tutelle.
ABRIBUS. Auvent, édicule, gare, gîte.
ABRICOT. Alberge, oreillons.
ABRITER. Assurer, cacher, couvrir, défendre, héberger, protéger, serrer.
ABROGER. Abolir, annuler, effacer, éteindre, rapporter, supprimer.
ABRUPT. Acerbe, brutal, escarpé, inégal, raide, revêche, roide, stupide.
ABRUTI. Bête, borné, con, crétin, imbécile, sot, stupide.
ABRUTIR. Abattre, abêtir, bêtifier, crétiniser, engourdir, hébéter.
ABSENCE. Aboulie, acéphalie, acholie, agalaxie, agénésie, aisé, anaphrodisie, anodontie, anomie, anurie, apepsie, aplasie, apyrexie, azoospermie, crise, défaillance, défaut, frigidité, froid, idiotie, mutisme, objectivisme, omission, petitesse, sans, sécheresse, sécurité, sérénité.

ABSENT. Alibi, contumace, distrait, intérim, orthopédiste, rêveur.
ABSINTHE. Absin-menu, aluine, armoise, artemisia, herbe aux vers.
ABSOLU. Entier, exclusif, idéal, impérieux, infini, intègre, parfait, très.
ABSOLUMENT. Complètement, littéralement, pleinement, zéro.
ABSOLUTION. Abolution, grâce, pardon, péché, pénitence, rémission.
ABSORBER. Aspirer, avaler, boire, dissolution, éponger, humer, ingérer, manger, occuper, pénétrer, pomper, résorption, respirer, sécher, vider.
ABSTINENCE. Ascétisme, chasteté, continence, diète, jeûne, virginité.
ABSTRAIT. Axiomatique, irréel, isolation, paradoxe, profond, subtil.
ABSURDE. Aberrant, biscornu, dingue, farfelu, inepte, insensé, ridicule.
ABSURDITÉ. Aberration, bêtise, folie, idiotie, illogisme, ineptie, sottise.
ABUS. Alcoolisme, désordre, errements, exagération, excès, inconduite, injustice, intempérance, mal, népotisme, vexer, viol, violence.
ABUSER. Duper, exploiter, mystifier, surprendre, tromper, user, voiler.
ABYSSE. Abîme, fosse, gouffre, précipice.
ABYSSIN. Chef, négus, ras.
ACABIT. Catégorie, espèce, genre, manière, nature, qualité, sorte, type.
ACACIA. Boule, cachou, canéfier, cassier, mimosa, parasol, robinier.
ACADÉMIE. Cheval, collège, conservatoire, coupole, cygne, école, palme, institut, institution, lycée, modèle, palais, rectorat, université.
ACADIEN (n. p.). Cajun.
ACARE. Demodex, gale, phytopte, sarcope, ver.
ACARIÂTRE. Acerbe, bourru, grincheux, hargneux, maussade, mégère.
ACARUS. Gales, sarcope.
ACCABLANT. Brûlant, écrasant, étouffant, fatigant, lourd, orageux.
ACCABLER. Abattre, abrutir, affliger, agonir, assommer, atterrer, charger, combler, couvrir, cribler, écraser, engueuler, épuiser, grever, lasser, obérer, opprimer, surcharger, tondre, tuer, vanner.
ACCALMIE. Agité, ataraxie, béat, bonasse, bouillant, calme, coi, déchaîné, détendu, emporté, énervé, excité, flegme, froid, impatient, ire, irrité, modéré, paix, patient, posé, quiet, relax, sage, serein, tranquille.
ACCÉLÉRATION. Accroissement, activation, rythme, vitesse, sprint.
ACCÉLÉRÉ. Activé, dépêché, excité, grouillé, hâté, pressé, rapide.
ACCENT. Aigu, atone, circonflexe, emphase, grave, intensité, lettre, marque, prononciation, signe, tilde, ton, tonalité, tonique, voyelle.
ACCENTUER. Accuser, appuyer, augmenter, exagérer, insister, ponctuer.
ACCEPTABLE. Admissible, passable, supportable, tolérable, valable.
ACCEPTATION. Accord, approbation, oui, refus.
ACCEPTER. Accueillir, acquérir, admettre, agréer, endurer, eu, recevoir.
ACCÈS. Abord, accueil, arrivée, attaque, crise, entrée, herse, poussée.
ACCESSIBLE. Abordable, accort, affable, compréhensible, facile, ouvert.
ACCESSOIRE. Annexe, auxiliaire, épisodique, essentiel, figurant, fioriture, garniture, inutile, jeu, outil, principal, secondaire, ustensile.
ACCIDENT. Aléa, altéré, affaire, aventure, bémol, cas, dièse, épisode, esclandre, incident, malheur, naufrage, panne, pépin, péripétie, tuile.
ACCIDENTÉ. Abîmé, amoché, atteint, blessé, esquinté, touché.

ACCIDENTEL. Accessoire, adventice, brutal, casuel, fortuit, imprévu.
ACCLAMATION. Ban, cri, élection, hourra, joie, ovation, salutation.
ACCOLER. Adjoindre, amitié, coller, embrasser, joindre, lier, serrer.
ACCOMMODER. Apprêter, assaisonner, céder, fricoter, préparer.
ACCOMPAGNE. Guide, pianiste, sigisbée, suiveur.
ACCOMPAGNÉ. Chaperon, escorte, guide, suivi, surveillant.
ACCOMPAGNEMENT. Conduite, convoi, cortège, escorte, équipage, suite.
ACCOMPAGNER. Assister, conduire, convoyer, escorter, flanquer, guider, joindre, marcher, mener, protéger, quant, reconduire, suivre.
ACCOMPLIR. Effectuer, exécuter, faire, finir, opérer, réaliser, sonner.
ACCOMPLISSEMENT. Achèvement, couronnement, performance.
ACCORD. Amitié, amour, approuver, arpège, concert, concorde, convenir, convention, discord, do, entente, harmonie, la, marché, musique, oui, pacte, refus, rime, traité, unanimité, union, unisson.
ACCORDER. Aimer, attribuer, décerner, octroyer, permettre, renter.
ACCOSTER. Aborder, aboutir, arrêter, flirter, gaffe, jeter, rencontrer.
ACCOTER. Adosser, appuyer, endosser, étayer.
ACCOTOIR. Accoudoir, appui, bras.
ACCOUCHEMENT. Avortement, bas, crapaud, enfantement, eutocie, forceps, gésine, io, latone, part, parturition, réalisation, terme.
ACCOUPLEMENT. Coït, copulation, liaison, rapports, rut, saillie, sexe.
ACCOUTREMENT. Affiquet, costume, déguisement, fringue, vêtement.
ACCOUTUMER. Acclimater, acclimatiser, aguerrir, endurcir, façonner, habituer, immuniser, mithridatiser, prémunir, préparer, vacciner.
ACCRÉDITER. Affirmer, autoriser, confirmer, propager, répandre.
ACCROC. Anicroche, contretemps, déchirure, incident, obstacle, tache.
ACCROCHAGE. Accident, collision, escarmouche, incident, heurt.
ACCROCHÉ. Attaché, collé, immobile, pendu, retenu, suspendu.
ACCROCHER. Agrafer, atteler, crocher, gaffer, happer, heurter, prendre.
ACCROÎTRE. Accélérer, aggraver, agrandir, allonger, arrondir, augmenter, croître, diluer, élargir, extentionner, grossir, hypertrophier, monter, proliférer, prolonger, redoubler, relever, stimuler.
ACCROUPIR. Blottir, pelotonner, posture, ramasser, tasser.
ACCUEIL. Abord, accès, bienvenue, hospitalité, réception, traitement.
ACCUEILLI. Aimé, cordial, fêté, hué, paria, né, vu.
ACCUEILLIR. Conspuer, écouter, exaucer, huer, recevoir, siffler, voir.
ACCUMULATION. Épanchement, flatuosité, hydarthrose, hydropéricarde, hydropisie, moraine, pigmentation, ventosité.
ACCUMULER. Amasser, butiner, congestionner, entasser, ramasser.
ACCUSER. Arguer, dénigrer, dénoncer, disculper, excuser, incriminer, inculper, innocenter, justifier, mouler, nier, taxer, trahir, vendre.
ACER. Argenté, blanc, campestre, champêtre, circiné, érable, épis, floride, ginnala, grosseri, japon, japonicum, montagne, négondo, négundo, noir, norvège, palmé, pennsylvanie, plaine, platane, platanoïde, rouge, saccharinum, saccharum, sucre, sycomore.
ACERBE. Acariâtre, acéré, aigre, amer, dur, méchant, sarcastique.

ACÉRÉ. Aigre, aigu, dard, dur, incisif, mordant, pointu, tranchant.
ACÉTATE. Acétocellulose, rhodia, vert-de-gris, verdet, vinylite.
ACHALANDAGE. Clientèle, commerce, fonds.
ACHARNEMENT. Ardeur, fureur, obstination, opiniâtreté, volonté.
ACHARNER. Animer, enrager, exciter, irriter, opiniâtre, poursuivre.
ACHAT. Acquêt, chaland, commande, course, échange, emplette, rachat.
ACHE, Berle, céleri, sium.
ACHEMINER. Aller, amener, canaliser, diriger, marcher, préparer, vers.
ACHETER. Acquérir, capter, offrir, payer, prendre, racheter, vendre.
ACHETEUR. Acquéreur, adjudicataire, chaland, client, pratique.
ACHEVER. Clos, complet, fatal, fini, parfait, révolu, terminer, tuer.
ACHOPPEMENT. Confusion, difficulté, gêne, hic, peine, péril, subtilité.
ACHOPPER. Arrêter, broncher, buter, contre, échouer, heurter.
ACIDE. Âcre, ADN, ARN, aigre, alanine, amer, arsénique, asparagine, borique, bromique, caprylique, chlorique, citrique, eau-forte, glycérique, glycocolle, histidine, hyposulfureux, lactique, malique, oléum, oxacide, palmitique, phtalique, picrique, piquant, salicylique, sérine, silicique, stéarique, sulfurique, sur, thiosulfurique, tryptophane, tyrosine, urique, valine, vanadique, vitriol.
ACIER. Blindage, buse, coin, damas, détremper, elinvar, épée, fer, fonte, inox, inoxydable, invar, lime, œrstite, métal, nitruré, rail, scie, tôle.
ACNÉ. Bouton, folliculite, peau, peeling.
ACOLYTE. Aide, associé, cercle, clerc, compagnon, complice, ordre.
ACOMPTE. À-valoir, arrhes, avance, diminuer, provision, règle.
ACONIT. Capuce de moine, capuchon, napel, poison.
ACQUÉREUR. Acheteur, adjudicataire, chaland, client, pratique, preneur.
ACQUÉRIR. Acheter, avoir, cueillir, gagner, obtenir, payer, spécialiser.
ACQUIESCER. Accéder, adhérer, avouer, céder, consentir, permettre.
ACQUIT. Conquis, décharge, dévolu, infus, inné, natif, né, quittance.
ACQUISITION. Achat, action, fiducie, usucapion.
ACQUITTÉ. Amnistié, créance, facture, innocent, non coupable.
ACQUITTER. Absoudre, accomplir, exercer, libérer, payer, régler, solder.
ÂCRE. Acide, amer, aigre, empyreume, fort, rance, sur.
ACRIMONIE. Acariâtre, âcreté, amertume, hargne.
ACROBATE. Antipodiste, bateleur, batoude, cascadeur, contortionniste, équilibriste, funambule, gymnaste, matassin, trapéziste, voltigeur.
ACROBATIE. Chandelle, icarien, looping, pont, tonneau, voltige.
ACRONYME. Abrégé, abréviation, emblème, initiale, lettre, logo, monogramme, sigle, trigramme.
ACTE. Amnistie, attentat, bienfait, bill, déclinatoire, droit, écrit, écrou, effort, excès, folie, forfaiture, formalité, fraude, injustice, loi, neuvaine, offre, ordonnance, prière, protêt, qualité, ratification, réescompte, rire, rite, sceau, seing, sottise, sujet, testament, texte, titre, trahison, union.
ACTÉE. Cimicaire.
ACTEUR. Artiste, bouffon, clown, comédien, comique, doublure, étoile, histrion, mime, pensionnaire, ringard, rôle, star, vedette.

ACTEUR AMÉRICAIN (n. p.). Allen, Armstrong, Astaire, Bacall, Bakula, Baldwin, Belafonte, Belushi, Benedick, Bennet, Bogart, Boone, Brando, Bridges, Brosnan, Brown, Burton, Cage, Chandler, Clooney, Cole, Costner, Crosby, Cruise, Culkin, Curtis, Dafoe, Daniels, Danson, Darin, Day-Lewis, Dean, De Niro, DeVito, Douglas, Dreyfuss, Eastwood, Fonda, Ford, Gable, Gere, Gibson, Goldblum, Granger, Grant, Hackman, Hanks, Hardy, Harrelson, Heston, Hope, Hopkins, Hoskins, Hudson, Jackson, Jordan, Keitel, Kilmer, Kinski, Kline, Lancaster, Laurel, Leblanc, Lewis, O'Connor, Malkovich, Martin, McConaughey, McQueen, Mitchum, Montgomery, Moore, Murphy, Murray, Newman, Nicholson, Nolte, Peck, Penn, Pitt, Presley, Pryor, Quaid, Quinn, Randall, Reagan, Reeves, Ritchie, Rooney, Rourke, Savage, Schwarzenegger, Simmons, Sinatra, Sorbo, Stallone, Stewart, Taylor, Thomas, Travolta, Tyler, Van Damme, Van Dyke, Washington, Wayne, Weissmuller, Williams, Willis, Wyle, Young.

ACTEUR BRITANNIQUE (n. p.). Accolas, Arène, Aymar, Ayoub, Bard, Barry, Blanch, Burbage, Burton, Buza, Calderwood, Chaplin, Foote, Friesen, Garrick, Garrison, Gillett, Klanfer, Konig, Lawrence, Loftus, Martin, McKenna, Murphy, Nardi, Nerman, O'Connor, Parillo, Parson, Pearson, Pennington, Richard, Ross, Snider.

ACTEUR FRANÇAIS (n. p.). Auteuil, Baur, Belmondo, Blier, Boyer, Chevalier, Coquelin, Delon, Fernandel, Gabin, Guitry, Montand, Noiret, Piccoli, Raimu, Simon, Talman, Vanel, Vilar.

ACTEUR ITALIEN (n. p.). Bertinazzi, Mastroianni, Mezzetin, Toto.

ACTEUR QUÉBÉCOIS (n. p.). Adams, Alarie, Albert, Allaire, Allard, Archambault, Arsenault, Aubert, Auclair, Audet, Auger, Aumont, Barnard, Barrette, Bastarache, Bastien, Beauchamps, Beauchemin, Beaudet, Beaudry, Beaulieu, Beaulne, Beaupré, Bégin, Béland, Bélanger, Belhumeur, Belisle, Belzile, Benoit, Bergeron, Bernard, Bernier, Bérubé, Berval, Besré, Bessette, Biddle, Bienvenue, Bigras, Bilodeau, Binet, Bisson, Bissonnette, Bizier, Blais, Blanchard, Blanchet, Bluteau, Boie, Boilard, Boisvert, Boivin, Bolduc, Bombardier, Bonneau, Bouchard, Boucher, Boudreau, Bourgeault, Bourgeois, Bourque, Bousquet, Boutin, Bradet, Brassard, Bray, Briand, Brière, Brisson, Brosseau, Brouillet, Brouillette, Brousseau, Brunet, Buissonneau, Cabana, Campeau, Canuel, Cardin, Carez, Caron, Carrère, Carrière, Cartier, Cauchon, Cazelais, Chabot, Chagnon, Chamberlan, Champagne, Champoux, Chapados, Chapleau, Charest, Charette, Charles, Charron, Chartier, Chartrand, Chassé, Chenail, Chénier, Chevalier, Chouinard, Christian, Claveau, Clavet, Cloutier, Coallier, Collin, Comeau, Corbeil, Cormier, Côté, Cousineau, Coutu, Couture, Crête, Curzi, Cyr, D'Amours, D'Astou, Da Silva, Dagenais, Dallaire, Daviau, De Cespedes, Delasoie, Delcourt, Delmas, Demers, Denis, Denoncourt, Derek, Deschamps, Deschênes, Désilets, Desjardins, Desmarteau, Desrochers, Desroches, Desrosiers, Dessureault, Désy, Di Stasio, Dion, Dionne, Dô, Doucet, Doyon, Drainville, Drolet, Dubois, Ducharme, Duchesne, Duchesneau, Dufaux,

Dufour, Dumont, Dupuis, Durand, Dussault, Duval, Émond, Éthier, Farmer, Faubert, Faucher, Fauteux, Favreau, Ferland, Filion, Fontaine, Forest, Fortin, Fournier, Francoeur, Fruitier, Gadouas, Gagné, Gagnon, Galipeau, Gamache, Garceau, Gascon, Gaudreau, Gauthier, Gauvin, Gélinas, Gendron, Genest, Germain, Gignac, Giguère, Gingras, Girard, Giroux, Gobeil, Godin, Gougeon, Goyette, Graton, Gravel, Graveline, Grégoire, Grenier, Grimaldi, Grisé, Grondin, Groulx, Guay, Guévremont, Guilda, Guimond, Guy, Hamel, Hamelin, Hébert, Héroux, Hétu, Houde, Houle, Huard, Hurtubise, Imbault, Jacob, Jacques, Jean, Jetté, Jodoin, Jordan, Joubert, L'Écuyer, L'Espérance, L'Heureux, Labbé, Labelle, Labrèche, Labrie, Labrosse, Lachance, Lachapelle, Lacombe, Lacoste, Lacroix, Lafleur, Lafond, Lafontaine, Lafortune, Lajeunesse, Lalancette, Lalande, Laliberté, Lalonde, Lambert, Lamirande, Lamontagne, Lamoureux, Landry, Langelier, Langlois, Lapointe, Laprade, Laroche, Larocque, Larue, Latour, Latreille, Latulippe, Laurin, Lautrec, Lauzon, Lavallée, Lavergne, Lavigne, Lavoie, Leblanc, Leboeuf, Lecavalier, Leclerc, Ledoux, Leduc, Lefebvre, Lefrançois, Légaré, Legault, Legendre, Léger, Legris, Lelièvre, Lemay, Lemay-Thivierge, Lemieux, Lemire, Lepage, Leroux, Lessard, Létourneau, Levasseur, Léveillée, Lévesque, Lirette, Lizotte, Loiselle, Longpré, Lord, Lortie, Lussier, Maher, Maillot, Major, Maltais, Marchal, Marchand, Marcoux, Marsan, Martel, Martin, Massé, Massicotte, Masson, Mathieu, Mayer, Melançon, Mercier, Messier, Meunier, Michaud, Mignault, Millaire, Millette, Miron, Mongrain, Montmorency, Moreau, Morency, Morissette, Myron, Nadeau, Nadon, Nantel, Noël, Olivier, Ouellet, Ouellette, Pagé, Paiement, Pallascio, Paquette, Paquin, Paradis, Paré, Parent, Paris, Pascal, Pasquier, Patenaude, Pellerin, Pelletier, Perron, Pérusse, Petit, Picard, Piché, Pillet, Pilon, Pilote, Plante, Poirier, Poissant, Ponton, Poulain, Pratte, Préfontaine, Proteau, Proulx, Provencher, Provost, Quintal, Rainville, Ranger, Raymond, Renaud, Ricard, Richard, Richer, Rivard, Rivest, Roberge, Robert, Robidoux, Robitaille, Rollin, Ronfard, Rousseau, Roussel, Routhier, Roux, Roy, Royer, Sabouret, Sabourin, Salvail, Sauvage, Schreiber, Scott, Séguin, Sicotte, Simard, Talbot, Tanguay, Taschereau, Tassé, Tétreault, Thériault, Thibault, Thibodeau, Thiboutot, Thisdale, Toupin, Tremblay, Trudeau, Trudel, Turbide, Turcot, Turcotte, Turgeon, Vaillancourt, Valcour, Valiquette, Vanasse, Varin, Verville, Vézina, Viau, Viens, Villeneuve, Vincent, Zinko, Zouvi.

ACTEUR SOVIÉTIQUE (n. p.). Tairov.

ACTIF. Agissant, allant, ardent, diligent, efficace, énergique, increvable, laborieux, militant, pétulant, remuant, transitif, vif, violent, zélé.

ACTINIUM. Ac.

ACTION. Abattage, amerrissage, cession, chaînage, contact, coup, crime, cumul, délit, dételage, don, dotation, drame, effet, efficacité, émersion, énergie, erreur, éveil, faute, force, geste, initiative, intervention, jeu, legs, lestage, levée, quête, rangement, rapport, réaction, résorption, restitution, rétraction, ruade, soudage, suture, timbrer, viser, zèle.

ACTIONNÉ. Cité, justice, mû, plainte.
ACTIONNER. Entraîner, intenter, mouvoir, produire, requête.
ACTIVER. Agir, aviver, débattre, démener, exciter, hâter, lutter, remuer.
ACTIVITÉ. Action, agitation, ardeur, conduite, énergie, entrain, force, inertie, lenteur, marasme, œuvre, service, sève, vie, vigueur, zèle.
ACTRICE. Cantatrice, comédienne, diva, étoile, star.
ACTRICE AMÉRICAINE (n. p.). Abdul, Anderson, Andrews, Bacall, Basinger, Bassett, Baxter, Bingham, Birch, Brenneman, Bullock, Campbell, Cher, Collins, Crawford, Darnell, Davis, Day, Dee, Dickinson, Dors, Dunaway, Evangelista, Fonda, Fox, Gabor, Garland, Garner, Griffith, Hall, Kelly, Kidman, Lamour, Lane, Lansbury, Leigh, MacLaine, Madonna, Mansfield, Mantovani, Midler, Monroe, Moore, Morgan, Moss, Nolin, Novak, Parker, Paul, Powers, Powells, Rampling, Roberts, Rivers, Russell, Sarandon, Seagrove, Shalom, Shatner, Schell, Sheridan, Shields, Shue, Silverstone, Stafford, Stone, Streep, Streisand, Taylor, Temple, Tilton, Turner, Walsh, West, Wood, Zuniga.
ACTRICE CANADIENNE-ANGLAISE (n. p.). Basaraba, Benson, Clune, Ellwand, Ferney, Gruen, Hall, Hayle, Henry, Jordan, Kee, Lawrence, Mackenzie, Obonsawin, Racicot, Reh, Spiegel, Sprincis, Stankova, Verner, Victor, Zahalan, Zucco.
ACTRICE FRANÇAISE (n. p.). Arletty, Bardot, Darrieux, Dorval.
ACTRICE ITALIENNE (n. p.). Duse, Lollobrigida, Loren.
ACTRICE QUÉBÉCOISE (n. p.). Adam, Adams, Aktouf, Alber, Alepin, Allaire, Allard, Allen, Allison, Ally, Andrieu, Angers, Anthony, Aras, Araya, Arbour, Arcand, Armand, Arsenault, Aubé, Aubertin, Aubin, Aubry, Aubut, Auger, Aussant, Azar, Babeu, Baillargeon, Ballard, Banville, Baril, Barrette, Bartolucci, Basilières, Bastien, Beaubien, Beaudreau, Beaudry, Beaule, Beaulieu, Beaulne, Beaupré, Beauregard, Beauvais, Bédard, Bégin, Bélair, Bélanger, Belcourt, Belisle, Belleau, Bellemare, Benezra, Bérard, Berd, Berger, Bergeron, Bériault, Bernard, Bernier, Berryman, Berthiaume, Bertrand, Bérubé, Bessette, Bibeau, Biron, Bisaillon, Bisson, Blackburn, Blain, Blais, Blier, Bluteau, Bocan, Boislard, Boisjoli, Boisvert, Boivin, Bombardier, Bonneau, Bonneville, Bonnier, Bouchard, Boucher, Boudreau, Bourgeois, Bourque, Boyer, Brassard, Brault, Briand, Brind'Amour, Brisson, Brodeur, Brossard, Brouillette, Brousseau, Bussières, Cadieux, Camirand, Campbell, Cantin, Cardinal, Carel, Caron, Castel, Castonguay, Caya, Célestin, Chabot, Chagnon, Chailler, Chalifoux, Champagne, Chapleau, Charbonneau, Charest, Charlebois, Charpentier, Charron, Chartier, Chartrand, Chassé, Chatel, Chenier, Chevalier, Choinière, Choquette, Chouvalidzé, Claude, Clément, Cloutier, Collard, Collin, Comeau, Comtois, Corbeil, Corradi, Cossette, Côté, Cotton, Coupal, Courchesne, Courtois, Cousineau, Coutu, Couture, Croze, Cusson, Cyr, D'Aragon, Da Silva, Dallaire, Dalpé, Dansereau, Daoust, Daudelin, Dauphinais, Daviau, Delage, Delcourt, Delisle, Demers, Déry, Desbiens, Deschamps, Deschâtelets, Desjardins, Deslauriers, Desrochers, Desrosiers, Deyglun,

Dion, Dionne, Doré, Dorion, Dorval, Dostie, Drapeau, Drolet, Drouin, Dubé, Dubeau, Ducharme, Dufour, Dufresne, Dugas, Duguay, Dumas, Dumais, Dumont, Dupire, Durand, Durocher, Dutil, Esse, Eykel, Faucher, Filion, Fleury, Fontaine, Forestier, Fortin, Fournier, Francke, Gadouas, Gagné, Gagnon, Gallant, Gamache, Garceau, Garneau, Gascon, Gauthier, Gélinas, Gendron, Germain, Gervais, Godbout, Godin, Gosselin, Goyette, Grégoire, Grenier, Grenon, Guénette, Guérin, Guertin, Hamel, Hébert, Jalbert, Jean, Jodoin, Jolis, Jules, Julien, Labelle, Labonté, Lachance, Lachapelle, Lajeunesse, Lalande, Lalonde, Lamarche, Lambert, Lanctôt, Langlois, Laplante, Lapointe, Laporte, Latraverse, Laurent, Laurier, Lavallée, Laverdière, Lavergne, Lavoie, Lazure, Le Flaguais, Leblanc, Leduc, Lefebvre, Legault, Léger, Lemay, Lemelin, Lemieux, Leroy, Létourneau, Levac, Levasseur, Léveillé, Leyrac, Loiselle, Lomez, Longchamps, Lopez, Lorain, Lussier, Marchand, Marcotte, Marleau, Marois, Marquis, Martin, Matteau, Mauffette, Mercier, Mercure, Michaud, Michel, Miller, Miller, Mondoux, Montpetit, Morin, Morissette, Mousseau, Nadeau, Néron, Nolin, Normandin, Oddera, Oligny, Olivier, Orsini, Ouellet, Ouellette, Ouimet, Pallascio, Panneton, Paquette, Paquin, Paradis, Parent, Pasquier, Pauzé, Payette, Pelletier, Perreault, Perron, Phaneuf, Picard, Pilon, Pilote, Pimparé, Pinsonneault, Plourde, Poirier, Poitras, Portal, Potvin, Poulin, Poupart, Prégent, Proulx, Provost, Quesnel, Racicot, Ranger, Raymond, Renaud, Reno, Ricard, Richard, Richer, Riddez, Rinfret, Rioux, Robitaille, Rodrigue, Rousseau, Roussin, Rouzier, Roy, Sarrasin, Sauvé, Schmidt, Schneider, Scoffié, Séguin, Simard, Snyder, Sutto, Sylvain, Sylvestre, Taillefer, Thibault, Tifo, Tisdale, Tisseyre, Tougas, Tremblay, Trépanier, Tulasne, Turcot, Turgeon, Vallée, Valous, Venne, Vézina, Villeneuve, Vincent, Watters, Workman, Zacharie.

ACTUEL. Contemporain, courant, désormais, existant, maintenant, moderne, nouveau, présent, récent, statu quo, temps.

ADAGE. Aphorisme, dicton, maxime, pensée.

ADAM. Abel, Bible, Caïn, éden, Seth.

ADAPTER. Accorder, ajuster, approprier, arranger, cadrer, réadapter.

ADDITIF. Adjuvant, ajoutage, ajouture, rallonge, supplément.

ADDITION. Addenda, adjonction, ajout, annexe, appendice, calcul, facture, net, note, paradoxe, plus, prosthèse, pur, somme, total, viner.

ADDITIONNER. Ajouter, augmenter, compléter, rallonger, totaliser.

ADEPTE. Adhérent, allié, ami, clientèle, défenseur, disciple, école, initié, militant, partisan recrue, secte, soutien, sympathisant, tenant.

ADÉQUAT. Approprié, coïncident, concordant, congruent, convenable.

ADHÉRENCE. Accolement, agglutination, assemblage, collage, contact.

ADHÉRENT. Accolé, adepte, adhésif, assemblé, collé, cotisant, membre.

ADHÉRER. Affilier, approuver, coller, croire, rallier, suivre, union.

ADHÉSIF. Agglutinant, collage, collant, jonction, liaison, téflon, union.

ADIEU. Au revoir, bonjour, bonsoir, congé, quitter, renoncer, saluer.

ADJECTIF DÉMONSTRATIF. Ce, ces, cet, cette.

ADJECTIF INDÉFINI. Aucun, autre, certain, chaque, nul, maint, même, plusieurs, quel, quelconque, quelque, tel, tous, tout, toute, toutes, un.
ADJECTIF INTERROGATIF. Pourquoi, quel, quelle.
ADJECTIF POSSESSIF. Leur, leurs, nos, notre, ma, mes, mien, mon, nos, notre, sa, ses, sien, son, ta, tes, tien, ton, vos, votre.
ADJOINT. Adjuvant, aide, asserseur, assistant, associé, attaché, second.
ADJUGER. Approprier, attribuer, cautionner, demander, dire, priser.
ADJURATION. Exorcisme, imploration, invocation, obsécration, prière.
ADJURER. Conjurer, exorciser, implorer, invoquer, prier, supplier.
ADMETTRE. Accepter, accorder, accueillir, adopter, affilier, agréer, avouer, croire, initier, introduire, introniser, nier, reconnaître, voir.
ADMINISTRATEUR. Agent, doyen, gérant, préfet, recteur, pape, tuteur.
ADMINISTRATION. Bureau, douane, fisc, gestion, régie, régime, syndic.
ADMINISTRER. Cogérer, commander, conduire, contrôler, donner, diriger, étatiser, gérer, médicamenter, mener, mourant, régir.
ADMIRATEUR. Adorateur, fan, groupie, snob, sot, spectateur.
ADMIRATION. Beau, épatant, extase, fanatique, merveille, snobisme.
ADMIRER. Dédaigner, emballer, extasier, mépriser, mirer, piger.
ADMIS. Moral, plausible, recevable, reconnu, reçu, refusé.
ADMISSIBLE. Légitime, plausible, possible, recevable, valable.
ADMISSION. Adoption, agrément, audience, hospitalisation, réception.
ADMONESTER. Avertir, menacer, morigéner, réprimander, tancer.
ADN. Séquençage.
ADOLESCENT. Blanc-bec, chérubin, éphèbe, jeune, novice, scout.
ADONNER. Appliquer, consacrer, donner, habituer, plonger, pratiquer.
ADOPTER. Adhérer, attendre, choisir, consentir, partager, présumer.
ADORATEUR. Adulateur, amoureux, courtisan, dévot, fan, groupie.
ADORATION. Amour, culte, iconolâtrie, idolâtrie, religion, zoolâtrie.
ADORER. Aimer, iconolâtrier, idolâtrier, ignocoler, honorer, vénérer.
ADOUCIR. Alléger, amollir, apaiser, attendrir, atténuer, baisser, calmer, édulcorer, euphémisme, lénifier, limer, mitiger, panser, polir, sucrer.
ADOUCISSEMENT. Accoisement, allégement, amélioration, baume.
ADRESSE. Agilité, apostrophe, art, coordonnées, doigté, domicile, finesse, habileté, harangue, suscription, tir, tour, tri, truc, vagabond.
ADRESSER. Dédier, échanger, envoyer, haranguer, parler, poster, prier.
ADRET. Ombrée, soulane, ubac.
ADROIT. Agile, escroc, expert, fin, habile, intelligent, preste, rusé, vif.
ADVENIR. Arriver, échoir, passer, produire, survenir.
ADVENTICE. Accessoire, accidentel, marginal, parasite, secondaire.
ADVERBE. Alors, ci, déjà, guère, hors, ici, là, où, moins, oui, pas, plus, près, puis, tôt, très.
ADVERBE DE LIEU. Ça, ci, en, hors, ici, là, où.
ADVERBE DE NÉGATION. Ne, ni, non, pas.
ADVERBE DE QUANTITÉ. Autant, peu, si, très.
ADVERBE DE TEMPS. Alors, encore, ici.
ADVERSAIRE. Antagoniste, ennemi, jaloux, opposé, protagoniste, rival.

ADVERSE. Contraire, défavorable, hostile, opposé, transfuge.
ADVERSITÉ. Avatars, destin, détresse, difficulté, disgrâce, malheur.
AÉRAGE. Aération, canard, renouvellement, respiration.
AÉRER. Air, alléger, assainir, éclaircir, espacer, évent, façonner, oura, ouvrir, pur, purifier, renouveler, respirer, sain, sortir, ventiler.
AÉRIEN. Céleste, élancé, élevé, éthéré, léger, poétique, pur, svelte.
AÉRONEF. Aéroplane, avion, autogire, dirigeable, hélicoptère, zeppelin.
AÉROPLANE. Aéronef, avion, autogire, hydravion, hydroplane, planeur.
AÉROPORT. Aérogare, gare, héligare, héliport.
AÉROPORT ALLEMAGNE (n. p.). Berlin, Kloten, Tempelhof.
AÉROPORT ANGLETERRE (n. p.). Croydon, Londres.
AÉROPORT BELGIQUE (n. p.). Anvers, Bruxelles, Deurne, Haren.
AÉROPORT ÉTATS-UNIS (n. p.). Fairbanks, Idlewild, Kennedy, Logan.
AÉROPORT FRANCE (n. p.). Charles-de-Gaulle, Le Bourget, Orly.
AÉROPORT INTERNATIONAL DU CANADA (n. p.). Calgary, Diefenbaker, Dorval, Edmonton, Gander, Halifax, Jean-Lesage, Macdonald-Cartier, Mirabel, Montréal, Ottawa, Pearson, Québec, Toronto, Vancouver, Winnipeg.
AÉROPORT DU JAPON (n. p.). Itami, Narita.
AÉROPORT DU LUXEMBOURG (n. p.). Findel.
AÉROPORT NATIONAL DU CANADA (n. p.). Charlottetown, Fredericton, Regina, Saint John, Thunder Bay, Victoria, Windsor, Whitehorse, Yellowknife.
AÉROSOL. Atomisateur, inhalation.
AFFABLE. Aimable, amène, doux, facile, familier, gentil, poli, sociable.
AFFAIBLI. Abattu, abruti, anémie, amorti, asthénique, attendri, blasé, caduc, cassé, déprimé, faible, fatigué, gâteux, réduit, vieilli, usé.
AFFAIBLIR. Abattre, abrutir, adoucir, alanguir, altérer, amoindrir, amollir, anémier, aveulir, briser, casser, déprimer, diluer, ébranler, épuiser, étioler, lasser, miner, pâlir, ronger, ruiner, sénilité, user.
AFFAIBLISSEMENT. Amblyopie, anémie, dégénérescence, démence, exténuation, héméralopie, langueur, neurasthénie, psychasthénie.
AFFAIRE. Cause, commerce, gâchis, occupation, transaction, travail, va.
AFFAISSEMENT. Abattement, effondrement, faix, fantis, tassement.
AFFECTATION. Apprêt, assignation, attribution, cérémonie, consécration, désignation, destination, fatuité, pose, préciosité, prétention, pudibonderie, recherche, simagrée, singerie, tralala.
AFFECTÉ. Ému, fade, gêné, guindé, ostensoir, malade, poseur, prude.
AFFECTER. Assigner, blesser, nantir, minauder, obèse, saisir, toucher.
AFFECTION. Adoration, amour, amiantose, amitié, amour, angine, antipathie, byssinose, désir, érotomanie, gale, girie, ictus, imago, infirmité, froideur, haine, lithiase, lupus, maladie, manie, naturel, ophtalmie, ostentation, piété, préciosité, psoriasis, rhume, sentiment, sida, simplicité, tabès, tendresse, torticolis, valétudinaire, zona.
AFFECTIONNER. Adorer, aimer, amouracher, brûler, chérir, désirer, enflammer, espérer, estimer, favori, goûter, idolâtrer, raffoler.

AFFECTUEUX. Aimant, amoureux, bon, câlin, cordial, gentil, tendre.
AFFERMIR. Ancrer, asseoir, assurer, cimenter, fermeté, fortifier.
AFFICHE. Avis, écriteau, mural, pancarte, placard, poster, réclame.
AFFICHER. Accentuer, accuser, affecter, affirmer, annoncer, arborer, attester, aviser, déballer, étaler, inscrire, montrer, placarder, publier.
AFFICHISTE. Acteur, artisan, artiste, bohème, ciseleur, colleur, esthète, paysagiste, peintre, vedette.
AFFICHISTE (n. p.). Carlu, Cheret.
AFFILER. Affûter, aiguiser, appointer, appointir, émorfiler, émoudre.
AFFIRMATION. Certain, exact, formel, franc, oc, oil, oui, serment.
AFFIRMER. Articuler, dire, jurer, nier, maintenir, mentir, prétendre.
AFFLICTION. Amertume, chagrin, deuil, honte, mal, misère, peine.
AFFLIGÉ. Déshérité, désolé, gueux, infortuné, miséreux, miteux, triste.
AFFLIGER. Attrister, blesser, chagriner, frapper, navrer, peiner, percer.
AFFLUENT. Bord, eau, fleuve, lit, pont, rivière, ruisseau, torrent.
AFFLUENT DE L'AAR (n. p.). Sarine.
AFFLUENT DE L'AISNE (n. p.). Aire.
AFFLUENT DE L'ALLER (n. p.). Leine.
AFFLUENT DE L'ALLIER (n. p.). Sioule.
AFFLUENT DE L'AMAZONE (n. p.). Javari, Madeire, Negro, Purus, Tapajos, Ucayali, Xingu.
AFFLUENT DE L'EURE (n. p.). Iton.
AFFLUENT DE L'ISÈRE (n. p.). Arly.
AFFLUENT DU CHARI (n. p.). Logone.
AFFLUENT DU CONGO (n. p.). Kasai, Lomani, Oubangui, Sangha.
AFFLUENT DU DANUBE (n. p.). Abens, Altmuhl, Drave, Enns, Inn, Isar, Isker, Lech, Leitha, Olt, Prout, Prut, Raab, Siret, Tisza, Vah.
AFFLUENT DE LA DORDOGNE (n. p.). Isle, Saale, Vézère.
AFFLUENT DE LA GARONNE (n. p.). Ariège, Aveyroi, Baise, Dorlogne, Gers, Lot, Neste, Salat, Save, Tarn.
AFFLUENT DE LA LENA (n. p.). Aldan.
AFFLUENT DE LA LOIRE (n. p.). Allier, Beuvron, Boulogne, Cher, Erdre, Furens, Indre, Loiret, Maine, Nièvre, Thouet, Vienne.
AFFLUENT DE L'ORANGE (n. p.). Vaal.
AFFLUENT DU MISSISSIPPI (n. p.). Arkansas, Missouri, Ohio, Wisconsin.
AFFLUENT DE L'OUBANGUI (n. p.). Uele.
AFFLUENT DU PO (n. p.). Adda, Doire, Mincio, Sésia, Tanaro, Tessin.
AFFLUENT DU RHIN (n. p.). Aar, Lauter, Main, Moselle, Neckar, Ruhr.
AFFLUENT DU RHÔNE (n. p.). Ain, Ardèche, Arve, Cèze, Drome, Fier, Gard, Gier, Isère, Saône.
AFFLUENT DU SAINT-LAURENT (n. p.). Bécancour, Bergeronnes, Betsiamites, Chaudière, Godbout, Jacques-Cartier, Rivière-du-Loup, Maskinongé, Mille-Isles, Ottawa, Pentecôte, Richelieu, Rivière-des-Prairies, Saguenay, Saint-Charles, Saint-Maurice.
AFFLUENT DE LA SARTHE (n. p.). Huisne.

AFFLUENT DU SEBOU (n. p.). Fes.
AFFLUENT DU SÉNÉGAL (n. p.). Falème.
AFFLUENT DE LA SEINE (n. p.). Aisne, Andelle, Aube, Epte, Erdre, Essonne, Eure, Indre, Iton, Loing, Marne, Oise, Orge, Rille, Risle, Yvonne.
AFFLUENT DU TARN (n. p.). Agout, Dourbie.
AFFLUENT DU TIBRE (n. p.). Allia, Anio, Teverone, Zab.
AFFLUENT DE LA VISTULE (n. p.). Narew.
AFFLUX. Boom, bouchon, débordement, déferlement, flopée, flot, foule.
AFFOLANT. Angoissant, dangereux, dramatique, effrayant, terrible.
AFFOLEMENT. Agitation, angoisse, embarras, peine, scrupule, transe.
AFFRANCHIR. Dégager, émanciper, exempter, libérer, sauver, timbrer.
AFFRÉTER. Charger, louer, noliser, pourvoir, transport.
AFFREUX. Atroce, crime, effroyable, hideux, laid, terrible, vilain.
AFFRIANDER. Appâter, allécher, amorcer, plaire, séduire, tenter.
AFFRONT. Attaque, atteinte, avanie, blasphème, bravade, camouflet, fuite, gifle, humiliation, injure, insulte, offense, outrage, refus, vanne.
AFFRONTEMENT. Attaque, choc, combat, défi, échange, heurt, lutte.
AFFUBLER. Coller, déguiser, donner, fagoter, gratifier, habiller, vêtir.
AFFÛTER. Affiler, agacer, aiguiser, appointer, dégrossir, émoudre.
AFRIQUE ÉQUATORIALE. AE.
AGAÇANT. Contrariant, crispant, déplaisant, désagréable, rageant.
AGACER. Asticoter, crisper, énerver, ennuyer, exaspérer, fâcher, harceler, horripiler, irriter, énerver, exciter, taquiner, tourmenter.
AGAPES. Banquet, bombance, bombe, festin, fête, gueuleton, ripaille.
AGARIC. Balliote, champignon de Paris, pratella, psalliote.
AGATE. Bille, camée, cornaline, jaspe, onyx, sardoine, sardonyx, sisal.
AGAVE. Abécédaire, aloès, ixtle, pite, pitta, pulque, sisal, tampico.
ÂGE. Adolescence, cep, charrue, enfance, ère, labour, maturité, sep.
ÂGÉ. Aîné, ancien, ans, avancé, déclassé, démodé, doyen, gâteux, sénile, tard, temps, usé, vétéran, vie, vieillard, vieille, vieux.
AGENCE. Affaire, bureau, cabinet, chantier, commerce, succursale.
AGENCE (n. p.). Tass.
AGENCEMENT. Arrangement, combinaison, composition, contexture, décor, drapé, enchaînement, ordre, organisation, structure, texture.
AGENCER. Aménager, composer, décorer, lier, ordonner, organiser.
AGENDA. Année, calendrier, calepin, mémento, programme, registre.
AGENT. Action, affidé, âme, assureur, barbouze, bras, cause, cautère, cogne, commis, courtier, cycliste, émissaire, éon, espion, ferment, flic, gardien, îlotier, instrument, mouchard, moyen, objet, police, sbire.
AGENT SECRET (n. p.). Éon.
AGERATUM. Agérate, célestine, eupatoire.
AGGLOMÉRATION. Banlieue, bidonville, bloc, bourg, bourgade, camp, campement, capitale, centre, cité, colonie, conurbation, douar, écart, grappe, groupement, noyau, ruche, synderme, tribu, village, ville.
AGGLUTINER. Amasser, coller, réunir.
AGGRAVER. Accroître, alourdir, amplifier, augmenter, charger, compliquer, détériorer, développer, empirer, exciter, pire, récidiver.

AGHA. Aga, caïd, officier, sultan, turc.
AGILE. Alerte, dispos, fringant, léger, leste, preste, souple, valide, vif.
AGILITÉ. Adresse, aisance, grâce, légèreté, prestesse, vitesse, vivacité.
AGIR. Actionner, aller, animer, conduire, contribuer, coopérer, démériter, employer, faire, lambiner, lésiner, mener, militer, œuvrer, opérer, procéder, régner, remuer, ruser, trahir, traiter, user, venir.
AGITATEUR. Factieux, illégal, insurgé, révolté, sectaire, séditieux.
AGITATION. Activité, apaisement, barattement, calme, clapotement, coi, délire, émeute, émoi, émotion, flux, houle, inquiétude, ire, mouvement, nervosité, orage, pacification, quiet, reflux, tremblement.
AGITÉ. Animé, ému, éperdu, fiévreux, nerveux, troublé, vif.
AGITER. Activer, ballotter, battre, bercer, bouger, brandiller, brasser, brouiller, démener, ébranler, remuer, secouer, touiller, trépidant.
AGNEAU. Agnel, bélier, boucherie, monnaie, mouton, vassiveau.
AGRAFE. Attache, boucle, broche, clip, crochet.
AGRAIRE. Agrarien, agricole, aratoire, are, foncier, rural, terre.
AGRANDIR. Allonger, croître, dilater, élargir, étendre, évaser, gonfler.
AGRÉABLE. Beau, bon, doux, exquis, friand, gentil, joli, riant, suave.
AGRÉER. Accepter, accueillir, approuver, convenir, plaire, recevoir.
AGRÉGAT. Aggloméré, amas, assemblage, bloc, conglomérat, masse.
AGRÉMENT. Accord, attrait, charme, choix, grâce, oui, plaisir, séduction.
AGRÉMENTER. Décorer, égayer, embellir, enjoliver, garnir, orner, parer.
AGRÈS. Apparaux, appât, armement, gréement, grément, portique.
AGRESSIF. Acerbe, ardent, colérique, combatif, fou, méchant, violent.
AGRICOLE. Agraire, agreste, bucolique, campagnard, champêtre, rural.
AGRICULTEUR. Agrarien, agronome, colon, cultivateur, fermier, paysan.
AGRIPAUME. Cardiaire, cardiaque, cheneuse, créneuse, méliasse.
AGRIPPINE (n. p.). Claude, Narcisse.
AGUICHER. Affrioler, agacer, allécher, allumer, attirer, charmer, exciter.
AHURI. Abruti, absurde, ballot, bête, borné, effaré, demeuré, hébété.
AHURIR. Ébahir, ébaubir, étonner, hébéter, stupéfaire, troubler.
AI. Bradype, unau.
AICHE. Amorce, appât, asticot, devon, èche, esche, leurre, manne.
AIDE. Assistance, aumône, avance, bourse, cadeau, canne, charité, don, engrais, entraide, grâce, prêt, seconder, secours, servir, SOS, subside.
AIDE DE CAMP (n. p.). Murat.
AIDER. Agir, appuyer, assister, collaborer, concourir, épauler, servir.
AÏE. Ouille.
AÏEUL. Aîné, ancêtre, ascendant, parent, prédécesseur, tué.
AIGLE. Aétite, aire, circaète, doré, étendard, glatir, grégate, gypaète, harpie, pêcheur, pygargue, râle, rapace, royal, trompeter, uraète.
AIGRE. Acerbe, acide, âcre, amer, âpre, criard, rude, sur, suri, vif.
AIGREFIN. Coquin, escroc, filou, fourbe, kleptomane, rusé, voleur.
AIGRELET. Acidulé, alisé, ginglet, ginguet, piquant, piqué, sur, suret.
AIGREMOINE. Eupatoire, francormier, guillaume, soubeirette, thé des bois, thé du nord.

AIGRETTE. Bleue, garzette, neigeuse, panache, plume, roussâtre.
AIGREUR. Acidité, âcreté, amertume, dépit, goût, rancœur, verdeur.
AIGRIR. Aigre, altérer, dégoûté, désabusé, désenchanté, surir.
AIGU. Acéré, criard, fin, glapissant, grêle, musique, tranchant, vif.
AIGUILLE. Acupuncture, carature, carrelet, chas, clocher, dard, orphie, nageoire, obélisque, pin, pinacle, saperde, tarière, telson, tourillon.
AIGUILLER. Animer, encourager, exciter, inciter, stimuler, tricoter.
AIGUILLON. Arête, bec, bœuf, chas, crochet, dard, dent, épine, fémelot, fibule, incitation, inerme, œil, motivation, piquant, rostre, stimulant.
AIGUISER. Affiler, affûter, agacer, appointer, dégrossir, émoudre.
AIL. Allium, aulx, cébillon, cive, oignon, moly, pistou, rocambole.
AILE. Abri, aileron, aliforme, aviateur, élytre, flanc, empennage, pale, penne, plume, régime, spoiler, tache, talonnière, voilure, voler.
AIMABLE. Affable, agréable, avenant, délicat, doux, facile, gentil, poli.
AIMER. Adorer, affectionner, amouracher, attacher, brûler, chérir, désirer, espérer, estimer, favori, goûter, idolâtrer, raffoler.
AINSI. Amen, aussi, comme, conséquent, donc, façon, ita, manière, pareil, partant, résultat, sic, tel.
AINSI SOIT-IL. Amen.
AIR. Aérophagie, aria, ariette, arioso, aspect, atmosphère, azur, bouffée, brise, ciel, contenance, espace, figure, haleine, manière, mine, musique, prestance, ranz, tyrolienne, vapeur, vent, visage.
AIR, MUSIQUE. Aria, arioso, ariette, arioso, cantatrice, chanson, chant, couplet, marche, mélodie, mélomane, refrain, scie, ton, tube, voix.
AIRELLE. Atoca, canneberge, myrtille, vaccinier.
AISANCE. Agilité, assurance, facilité, grâce, habileté, légèreté, opulence.
AISE. Confort, euphorie, félicité, joie, liberté, relaxation, satisfaction.
AISÉ. Chic, délibéré, délicat, déterminé, facile, fragile, libre, lisible.
AJONC. Jan, jonc, lande, landier, thuie, ulex.
AJOURNEMENT. Réforme, refus, retardement, sursis, temporisation.
AJOURNER. Atermoyer, refuser, remettre, renvoyer, reporter, retarder.
AJOUT. About, addenda, addition, adjonction, ajutage, allonge, annexe, augmentation, boni, complément, gain, hausse, joint, profit, raccord.
AJUGA. Bugle, ivette.
AJUSTÉ. Bandé, collant, comprimé, contracté, corseté, gainé, serré.
AJUSTER. Accorder, adapter, affecter, agencer, appliquer, arranger, coller, combiner, disposer, égaliser, mouler, raccorder, serrer, souder.
AKÈNE. Anis, gland, noisette, polyakène, samare.
ALAISE. Alèse, paillot, planche.
ALANGUIR. Abattre, affaiblir, amollir, assouplir, nonchalant, paresseux.
ALARME. Alerte, antivol, appel, avertissement, cadran, crainte, cri, effroi, émoi, éveil, frayeur, frousse, inquiet, signal, tocsin, venette.
ALARMER. Affoler, alerter, effaroucher, effrayer, épeurer, terrifier.
ALBUM. Cahier, classeur, photo, recueil, registre.
ALBUMINURIE. Éclampsie, fibroïne, néphrite.
ALCALI. Ammoniaque, baryte, base, cendre, kali, savon, soude.

ALCALOÏDE. Aconitine, atropine, brucine, caféine, cantharidine, cicutine, cinchonine, cocaïne, codéine, colchicine, ergotine, ésérine, liqueur, mescaline, morphine, myscarine, narcéine, nicotine, papavérine, pilocarpine, pipérine, ptomaine, quassine, quinine, réserpine, scopolamine, strophantine, thébaine, vératrine.
ALCHIMIE. Ésotérisme, gnose, hermétisme, illumination, kabbale, magie, mystère, psychomancie, radiesthésie, spiritisme.
ALCHIMISTE (n. p.). Becher, Brand, Brandt.
ALCOOL. Allylique, amylique, brandevin, cognac, drink, flegme, gin, menthe, niole, kirsch, rhum, rye, scotch, stérol, vodka, whisky.
ALCOOLIQUE. AA, buveur, débauché, ivrogne, soûlard, soûlon.
ALDÉHYDE. Aldol, aldose, cinnamique, éthanal, imine, furfurol, glucose.
ALÉA. Chance, danger, douteux, hasard, incertitude, pari, péril, risque.
ALENTOUR. Abords, autour, entour, entourage, environs, parages.
ALERTE. Agile, alarme, allègre, danger, éveillé, fringant, gaillard, léger, leste, péril, pimpant, preste, prompt, rapide, sirène, souple, tocsin, vif.
ALERTER. Ameuter, appeler, attirer, avertir, aviser, donner, inquiéter.
ALÈSE. Alaise, alézé.
ALEVIN. Fretin, nourrain, poisson.
ALEVINER. Empoissonner, peupler.
ALGARADE. Altercation, attaque, colère, éclat, incartade, scène, sortie.
ALGÈBRE. Cours, équation, nombre, puissance, symbole, théorie, traité.
ALGUE. Agar-agar, bleue, chlorelle, chlorophycée, conferve, coralline, cyanophycée, floridée, fucus, goémon, janie, laminaire, macrocyste, navicule, némale, némalion, nostoc, padine, phéophycée, protocoque, rhodophycée, rouge, sargasse, sushi, ulve, varech, vauchérie.
ALIÉNATION. Abandon, cession, démence, folie, fou, legs, monomanie.
ALIÉNÉ. Dément, déséquilibré, détraqué, fol, fou, interné, maniaque.
ALIGNEMENT. Allée, guide, jalon, niveau, rampe, rangée, tabulateur.
ALIGNER. Accorder, ajuster, arranger, disposer, dresser, ranger, tracer.
ALIMENT. Analeptique, bouillie, bouillon, brouet, cétogène, comestible, datte, denrée, édule, fromage, manne, mets, nourriture, pain, pitance, poisson, provision, prétexte, sauté, soupe, subsistance, sucre, vivres.
ALIMENTER. Agrainer, gaver, manger, nourrir, ressourcer, sustenter.
ALITER. Allonger, coucher, étendre.
ALLAITER. Alimenter, lactation, mamelle, nourrir, sevrer, téter.
ALLÉCHANT. Affriolant, attirant, attrayant, miam, séduisant, tentant.
ALLÉCHER. Affrioler, appâter, attirer, plaire, séduire, tenter.
ALLÉE. Avenue, charmille, chemin, courses, démarches, déplacements, drève, labyrinthe, mail, nacettes, oullière, tortille, visites, voyages.
ALLÉGATION. Affirmation, diffamation, dire, excipation, réfutation.
ALLÉGER. Adoucir, aider, calmer, délester, écrémer, élégir, soulager.
ALLÈGRE. Actif, agile, alerte, bouillant, dispos, gai, gaillard, léger, vif.
ALLÉGRESSE. Bonheur, exultation, gaieté, joie, jubilation, liesse.
ALLÉGUER. Affirmer, apporter, arguer, avancer, citer, déposer, exciper, fournir, objecter, opposer, poser, prétexter, produire, rapporter.

ALLEMAND. Bavarois, boche, fritz, germain, nazi, prussien, teuton.
ALLER. Accélérer, acheminer, approcher, avancer, cheminer, chevaucher, circuler, converger, courir, descendre, errer, filer, ite, mener, monter, naviguer, passer, pédaler, péleriner, quérir, reculer, rejoindre, seoir, sortir, suivre, trotter, venir, voler, voyager.
ALLIAGE. Acier, airain, almasilium, almélec, alpax, amalgame, antifriction, argentan, brasure, bronze, chrysocal, constantan, cupronickel, duralumin, electrum, étamure, ferrite, ferrocérium, fonte, hastelloy, inconel, invar, laiton, maillechort, manganine, monel, nichrome, pacfung, platinite, potin, régule, ruolz, stellite, tombac.
ALLIANCE. Accord, affinité, amitié, anneau, association, axe, bague, coalition, concubinage, contrat, et, ligue, mariage, pacte, traité, union.
ALLIER. Accorder, apparenter, assembler, associer, coaliser, liguer.
ALLOCUTION. Adresse, discours, harangue, homélie, laïus, sermon.
ALLONGÉ. Couché, décontracté, effilé, elliptique, étendu, fin, long, mince, nématoïde, oblong, ovalaire, ovale, ovoïde, repos, sieste.
ALLONGER. Ajouter, augmenter, bander, déployer, développer, effiler, élonger, étendre, étirer, prolonger, raidir, rallonger, tendre, tirer.
ALLOUER. Accorder, attribuer, avancer, bâiller, céder, donner, doter.
ALLUMETTE. Allumettier, rallumer, soufrage, tison.
ALLURE. Air, amble, arroi, aspect, aubin, chic, désinvolture, erre, façon, galop, gésair, gueule, largue, mésair, mézair, mine, mise, pas, port, prestance, tempo, tenue, ton, tournure, train, trépidante, trot.
ALLUSION. Allégorie, allusif, comparaison, dire, insinuation, prétexte.
ALMANACH. Annuaire, calendrier, chronologie, éphéméride, moderne.
ALOÈS. Arborescens, bainesii, chicotin, ciliaris, éru, ferox, manille, pite, placatilis, pulque, tambac, vaombe, variegata, vera.
ALORS. Adonc, adonque, après, comme, comparaison, donc, lors, quand.
ALOUETTE. Alauda, calandre, calandrette, cochevis, delphinium, football, grisoller, lulu, mauviette, otocoris, passereau, sirli.
ALPAGE. Alpe, armailli, campagne, montagne, nature, pâturage.
ALPHABET. Abc., abécédaire, braille, index, lettre, lire, morse, table.
ALPISTE. Chiendent, fromenteau, graine, herbier.
ALTÉRATION. Agnosie, atteinte, avarie, bécarre, bémol, corruption, dièse, évent, flétrissure, graisse, maladie, muance, perversion, soif.
ALTERCATION. Chicane, contestation, controverse, débat, dispute.
ALTÉRER. Décolorer, déformer, éventer, gâter, indisposer, relayer, remplacer, rouiller, roulement, souiller, succéder, tarer, tourner.
ALTERNATEUR. Cryoalternateur, dynamo, génératrice.
ALTERNATIVE. Bourse, buridan, choix, dilemme, être, osciller, ou.
ALTERNER. Assoler, balancer, changer, chatoyer, enlier, deux, flotter, plaider, réagir, relayer, remplacer, renvoyer, succéder, tourner.
ALTIER. Arrogant, fier, hautain, noble, orgueilleux.
ALTITUDE. Alt, élévation, hauteur, montagne, niveau, plafond.
ALTO, CHANTEUSE (n. p.). Berthiaume, Brehmer, Darmont, Dind, Dubois, Harbour, Lalonde, Magnan, Mayer, Pelletier, Picard, Rose.

ALUMINIUM. Al, alun.
ALUMINOSILICATE. Almandine, néphéline, rose trémière.
ALUNER. Aluminage, alunage.
ALUVION. Dépôt, lemon.
ALVÉOLE. Abeille, capsule, cavité, cellule, miel.
ALYSSUM. Alpestre, alysse, alysson, argentum, aurinia, maritinum, montagne, saxatile, scardicum, spinosum, thiaspi.
AMABILITÉ. Affabilité, aménité, bonté, brutalité, courtoisie, délicatesse, froideur, galanterie, gentillesse, grâce, minauderie, politesse.
AMADOUER. Adoucir, amollir, apaiser, appâter, attirer, flatter, séduire.
AMAIGRI. Atrophié, creux, défait, efflanqué, émacié, étiré, hâve, tiré.
AMAIGRIR. Amincir, dépérir, diminuer, émacier, fondre, maigrir.
AMALGAME. Alchimie, alliage, alliance, amas, mélange, pâte, tain.
AMALGAMER. Confondre, emmêler, incorporer, mélanger, mêler.
AMANDE. Arachide, brou, cacao, copra, coprah, coque, dragée, monder, noix, nougat, noyau, pignon, pistache, pithiviers, praline.
AMANITE. Agaric, ciguë, citrine, coucoumelle, golmotte, oronge, phalloïde, panthère, phalline, phalloïde, rougissante, verna, volve.
AMANT. Adorateur, ami, amoureux, béguin, bien-aimé, céladon, chéri, copain, couple, idole, jules, favori, galant, gigolo, soupirant.
AMANTE. Amie, amoureuse, belle, chérie, concubine, copine, dame, dulcinée, favorite, fille, maîtresse, mignonne, môme, muse, poule.
AMARANTE. Andrinople, célosie, cinabre, queue-de-renard, rouge.
AMARRE. Aussière, câble, chaumard, étrive, garcette, jarretière, liure.
AMARYLLIS. Belladone, brunsvigia, crinum, hippeastrum, nerine, sprekelia, vallota, zephyranthe.
AMAS. Abattis, abcès, adipeux, banquise, bloc, boule, bourre, branchage, cal, chaton, dune, empyème, fatras, fétras, feu, foule, filasse, jar, jard, liasse, lithiase, lot, masse, meule, mitraille, monceau, mousse, névé, noyau, nuage, ossuaire, pannicule, paquet, pierraille, pierre, pile, plexus, ruée, salage, sécas, sérac, sore, tas, tout, trésor.
AMASSER. Butiner, cumuler, empiler, entasser, gerber, masser, réunir.
AMATEUR. Bouquiniste, cinéphile, connaisseur, cruciverbiste, curieux, fanatique, friand, mélomane, partisan, véliplanchiste, vélivole.
AMBASSADEUR. Attaché, député, envoyé, légat, missionnaire, nonce.
AMBIANCE. Air, ambiophonie, atmosphère, aura, cadre, climat, condition, décor, entourage, gaieté, lieu, milieu, sfumato, sphère.
AMBIGU. Douteux, équivoque, indécis, louche, net, obscur, repas.
AMBITION. Appétit, convoitise, cupidité, orgueil, passion, prétention.
AMBITIONNER. Aspirer, briguer, convoiter, désirer, prétendre, viser.
AMBRÉ. Ambrin, blond, carabe, doré, jais, jaune, phosphore, succin.
ÂME. Bouche, canon, cœur, conscience, ego, esprit, habitant, joie, lémure, mânes, obit, paix, psychopompe, revenant, sein, spirituel.
AMÉLIORER. Abonnir, bonifier, guérir, monter, orner, perfectionner.
AMÉNAGER. Agencer, arranger, composer, décorer, enchaîner, tisser.
AMENDER. Changer, corriger, dompter, épurer, policer, polir, réparer.

AMÈNE. Abordable, accort, adorable, aimable, bénin, doux, étier, si.
AMENER. Apporter, ariser, arriver, fondre, hâler, tirer, traîner, unifier.
AMER. Âcre, aigre, âpre, bière, cruel, dur, douleur, fiel, onde, pénible.
AMÉRICIUM. Am.
AMÉRICAIN. Amerlo, banjo, bingo, coton, ranch, rodéo, saloon, yankee.
AMÉRINDIENS. Autochtone, indien, indigène, manitou, yoga, yogi.
AMÉRINDIENS DU CANADA (n. p.). Abénaquis, Agnier, Algonquin, Apache, Cri, Etchemin, Goyogouin, Haidas, Huron, Iroquois, Malécite, Micmac, Mohack, Onneyout, Onnontagué, Outagami, Outaouais, Sioux, Souriquois, Tsonnontouan.
AMÉRINDIENS DES ÉTATS-UNIS (n. p.). Acolaopissas, Apache, Atakapas, Catawbas, Cherokee, Cheyenne, Chinook, Chitimachas, Choctaw, Comanche, Creek, Hidatsas, Illinois, Mandan, Mohawk, Navabo, Nez Percé, Paiute, Pawnee, Pieds-Noirs, Pomo, Séminole, Seneca, Shoshone, Sioux, Tête-Plate.
AMÉRINDIENS DU NOUVEAU-MEXIQUE (n. p.). Chickasaw, Choctaw, Hopis, Mimbre, Mohave, Natchez, Pueblos, Yumas.
AMÉRINDIENS DU PÉROU (n. p.). Incas.
AMERTUME. Affliction, aigreur, chagrin, douloureux, peine, tristesse.
AMEUBLEMENT. Armoire, bahut, banc, buffet, bureau, cabinet, chaise, classeur, coffre, commode, console, crédence, discothèque, divan, étagère, fauteuil, lit, mobilier, prie-dieu, pupitre, sétailier, siège, table.
AMEUBLIR. Amender, bêcher, biner, charrue, gratter, houe, pioche.
AMEUTER. Attrouper, coaliser, exciter, grouper, inviter, soulever.
AMI. Accoint, agape, allié, amant, camarade, collègue, confrère, copain, familier, fidèle, intime, lié, mec, œnophile, partisan, pote, proche, uni.
AMIANTE. Amiantifère, asbeste, asbestose, fibre, manchon.
AMIDON. Amyle, colle, empois, fécule, igname, jaque, maïs, pois, sagou.
AMIDONNER. Apprêter, coller, empeser, féculer, poudrer.
AMIE. Amante, blonde, copine, compagne, égérie, intime, mie, vieille.
AMINCIR. Alléger, amaigrir, amenuiser, dégrossir, diminuer, élimer.
AMINE. Alanine, aniline, cystine, diamine, histidine, valine, xylidine.
AMINOACIDE. Amine, polyamide.
AMIRAL. Commandant, galons, grade, officier.
AMIRAL ALLEMAND (n. p.). Canaris, Doenitz, Raeder, Tirpitz.
AMIRAL AMÉRICAIN (n. p.). Dewey, Leahy, Nimitz, Porter, Stirling.
AMIRAL BRITANNIQUE (n. p.). Blake, Byng, Mountbatten, Murray, Nelson, Rupert, Russell, Sturdee, Wolf.
AMIRAL FRANÇAIS (n. p.). Beaufort, Bruat, Chabot, Darlan, Duperre, Estaing, Roussin, Strozzi, Toulouse, Vienne, Villeneuve.
AMITIÉ. Accord, allié, amant, amour, camarade, chaîne, entente, copain, fidèle, intime, œnophile, paix, partisan, pote, union, visite.
AMMOBIUM. Alatum, immortelle.
AMMONIAQUE. Alcali, alcalescence, amide, nitrification.
AMMONITE. Scaphite.
AMNISTIE. Absoudre, condamner, excuser, expier, grâcier, oublier, reprendre, remettre, réprimander, réprouver, souffrir, stigmatiser.

AMOCHER. Abîmer, blesser, carier, casser, dégrader, démolir, ébrécher, endommager, gâcher, gâter, pourrir, rayer, saboter, salir, user.
AMOINDRIR. Atténuer, diminuer, minimiser, rabaisser, réduire, user.
AMOLLIR. Affaiblir, attendrir, aveulir, bruir, dissoudre, ramollir.
AMONCELLEMENT. Amas, embâcle, monceau, montagne, pile, sérac, tas.
AMORAL. Indifférent, immoral, laxiste, libertaire, libre, nature.
AMORCE. Appât, brûlure, commencement, évent, leurre, percuteur.
AMORCER. Appâter, attirer, écher, escher, entamer, pointer.
AMORPHE. Atone, énergique, forme, indécis, informe, mou, zombi.
AMOUR. Altruisme, amant, amitié, amor, amourette, ardeur, baise, charité, cœur, cour, dilection, égoïsme, épris, érotisme, feu, fleuve, flirt, herbe, idolâtrie, idylle, feu, gastronomie, narcissisme, passion, piété.
AMOUR (n. p.). Éros, Vénus.
AMOUREUX. Amant, cavaleur, céladon, épris, fiancé, galatin, pris.
AMOVIBLE. Clavette, clayette, coquille, détachable, mobile.
AMPÈRE. Ah, am, lumière, volt.
AMPHIBIEN. Anabas, anoure, batracien, castor, crapaud, grenouille, ichtyostéga, ichytoïde, paludarium, stégocéphale, triton, urodèle.
AMPHITHÉÂTRE. Aréna, arène, aula, cirque, colisée, forum, podium.
AMPLE. Grand, gros, houppelande, kimono, large, mante, pèlerine, toge.
AMPLEUR. Amplitude, grosseur, largesse, largeur, maigreur, volume.
AMPLIFICATEUR. Exagérer, grossir, mégaphone, répéteur, tuner.
AMPOULE. Argon, bulbe, cloche, cloque, culot, lampe, phlyctène, voyant.
AMPUTATION. Ablation, glossotomie, opération, retrait, sectionnement.
AMPUTER. Abscisser, couper, enlever, exciser, mutiler, ôter, transfixer.
AMULETTE. Anneau, bague, charme, effigie, fétiche, gris-gris, idole, médaille, or, phylactère, psellion, sachet, scapulaire, talisman.
AMUSANT. Comique, drôle, jeu, joli, marrant, plaisant, rigolo, tordant.
AMUSER. Divertir, drôle, égayer, jeu, jouer, récréer, réjouir, rire.
AN. Annal, année, calendrier, chronologie, jour, pige, saison, semestre.
ANACONDA. Boa, eunecte, serpent.
ANALOGIE. Affinité, conformité, exégène, parenté, rapport, similitude.
ANALOGUE. Contigu, homologue, isologue, semblable, série, similaire.
ANALPHABÈTE. Aïeul, ignare, ignorant, illettré, inculte.
ANALYSE. Abrégé, attribut, dialyse, disséquer, épithète, essai, étude, examen, exposé, lisage, objet, prise, proposition, sommaire, sujet.
ANASARQUE. Gonflement, œdème.
ANATIFE. Barnache, bernache, bernacle, crustacé.
ANATOMIE. Derme, nécrologie, ostéologie, paroi, sinus, tissu, zootomie.
ANCÊTRE. Aïeul, aîné, ancestral, anthropopithèque, ascendant, généalogie, mère, parent, père, prédécesseurs, race, totem.
ANCIEN. Âgé, ancestral, antique, archaïque, autrefois, bible, démodé, désuet, doyen, ex, obsolète, périmé, préhistoire, usé, vétéran, vétuste.
ANCOLIE. Aiglantine, aquilegia, clochette, cornette.

ANCRE. Boué, capon, collet, gatte, grappin, jas, orin, tige, trappe, verge.
ANDOUILLE. Bête, épais, imbécile, lent, niais, nigaud, saucisse.
ANDROSÈME. Souveraine, toute-bonne, toure-saine.
ÂNE. Bardot, baudet, bourrique, bourriquet, buridan, cadichon, cancre, cheval, grison, hémione, ignorant, mule, mulet, onagre, sommier.
ANÉANTIR. Abattre, détruire, écraser, écrouler, effacer, exterminer, massacrer, néantiser, nirvana, réduire, ruiner, sidérer, user, vaincre.
ANECDOTE. Conte, écho, échofacétie, facétie, écriture, histoire, nouvelle.
ANÉMIE. Ankylostomiase, biermer, chlorose, faiblesse, langueur.
ANÉMIER. Affaiblir, déprimer, épuiser, étioler, fatiguer, languir, lasser.
ANÉMONE. Actinie, adonis, astérie, coquelourde, coquerette, échiniderme, étoile, hépatique, ortie, paquerette, passefleur, pulsatille, ortie, sagartie, sylvie.
ÂNERIE. Bêtise, crétinerie, ineptie, ignorance, injure, niaiserie, sottise.
ANESTHÉSIE. Cocaïnisation, éther, péridurale, rachianesthésie, stovaïne.
ANETH. Anet, anis, cumin, écarlade, fenouil.
ANÉVRISME. Artère, baloune, cœur, dilatation.
ANGE. Archange, ariel, byzantin, chérubin, démon, docteur, monnaie, oiseau, poisson, ravi, séraphin, uriel, vertu.
ANGE (n. p.). Achaiah, Aladiah, Anauel, Aniel, Ariel, Asaliah, Cahétel, Caliel, Chavakhiah, Damabiah, Daniel, Elémiah, Eyael, Fah-Hel, Haaiah, Haamiah, Habuhiah, Hahahel, Hahaiah, Hahasiah, Haheuiah, Haiaiel, Hariel, Haziel, Hékamiah, Imamiah, Jabamiah, Jéliel, Karahel, Lauviah, Lécabel, Léhahiah, Léiazel, Lélahel, Leuviah, Mahasiah, Manakel, Mébahel, Mébahiah, Mehiel, Melahel, Ménadel, Mihael, Mikhael, Mitzrael, Mumiah, Nanael, Nelchael, Nith-Haiah, Nithael, Omael, Pahaliah, Poyel, Réhael, Reiyiel, Rochel, Séaliah, Séhéiah, Sitael, Vasariah, Véhuel, Véhuiah, Veuliah, Umabel, Yéhuiah, Yeiadel, Yéialel, Yéiayel, Yélahiah, Yérathel, Yézalel.
ANGINE. Amygdalite, poitrine, trinitrine.
ANGLAIS. Ale, argot, cuivre, héritier, queue, prince, titre.
ANGLAISE. Ale, blonde, brune, coiffure, end, gin, stout, thé.
ANGLE. Aberration, aisselle, arête, azimut, biais, cap, carne, coin, corne, côté, coude, droit, gèze, harpe, joint, larmier, rapporteur, sauterelle.
ANGOISSE. Affres, anxiété, claustrophobie, crainte, détresse, infortune, inquiétude, insomnie, peur, serre, stress, tourment, trac, transe.
ANGUILLE. Congre, lampresse, lycoris, matelote, pibale, sargasse.
ANHYDRIDE. Carbonique, manganique, sélénique, titanique.
ANICROCHE. Accroc, aventure, cas, complication, incident, obstacle.
ANILINE. Fuschine, induline, mauvéine, phénylamine, toluidine.
ANIMAL. Acare, actinie, affronté, agneau, alcyon, amibe, amphioxus, âne, animalcule, anoure, araignée, ascidie, avorton, bétail, bête, bipède, bisexué, bouc, brachiopode, brute, cabochard, catoblépas, cavernicole, ceste, chat, cheval, chien, ciron, cochon, coelenstéré, colleté, commensal, coq, corail, cordé, couveuse, daman, dindon, diurne, enkysté, éponge, étoile de mer, faon, faucheur, faune, fauve,

femelle, gallicole, gibier, girafe, gorgone, gorgonie, grégaire, griffon, hermaphrodite, hibernant, hippopotame, holothurie, homéotherme, hostie, hybride, hydre, insecte, iule, invertébré, lapin, larve, licorne, linguatule, lion, maçon, microcosme, millépore, mouton, mulet, musc, narval, nécrophage, oiseau, onguligrade, ophiure, otarie, oursin, ovovivipare, pachyderme, pédimane, phytophage, porc, poule, poulet, protozoaire, pterygote, pulmoné, quadrupède, raceur, rainette, sarcopte, saprophage, scorpion, singe, sonnailler, spermophile, tamandua, tamanoir, tardigrade, térébratule, tigre, tigron, totem, trombidion, truie, urticant, vache, veau, ver, vérétille, vivipare, volatile, physalie, vison, vivipare, zoophyte.

ANIMALCULE. Ciron, microscopique.

ANIMATEUR. Amuseur, meneur, moniteur, organisateur, protagoniste.

ANIMATEUR, RADIO ET TÉLÉVISION (n. p.). Allard, Arcand, Arpin, Arsenault, Arson, Aubry, Auger, Bacon, Baril, Barrette, Baulu, Beaudry, Beaulieu, Bélair, Béland, Béliveau, Benoît, Bergeron, Bertrand, Berval, Bisaillon, Blanchard, Blouin, Boivin, Bossy, Bouchard, Boucher, Boulanger, Boulard, Bourbeau, Bourgeault, Brassard, Brathwaite, Bruneau, Bureau, Caron, Cartier, Cazelais, Chagnon, Charland, Charron, Chartrand, Chevalier, Christian, Coallier, Corbeil, Cournoyer, Cousineau, Crevier, Dee, Delcourt, Delorme, Demers, Denis, Dereck, Désautels, Désilets, Desmarais, Dion, Doré, Drolet, Drouin, Dubé, Dubois, Duguay, Dupuis, Duval, Fauteux, Ferland, Ferron, Fortier, Fournier, Frégault, Fruitier, Gagnon, Garneau, Gauthier, Gay, Gélinas, Genest, Giguère, Girouard, Godin, Gougeon, Graton, Grenier, Guimond, Hains, Hamel, Homier-Roy, Houde, Jarraud, Jasmin, Johnson, Kiefer, Knight, Lafortune, Lalonde, Lambert, Lamontagne, Languirand, Lapointe, Laprade, Laurendeau, Le Bigot, Lebrun, Lecavalier, Leclerc, Leduc, Léger, Lejeune, Lemay, Lemieux, Lepage, L'Heureux, Lirette, Louvain, Lussier, Mailhot, Maisonneuve, Maltais, Marcotte, Marleau, McQuade, Mercier, Michaud, Mondoux, Mongrain, Moreau, Morency, Nadeau, Nolin, Normand, Pagé, Payer, Payette, Pilon, Pilote, Pinard, Plante, Poirier, Poulin, Pratte, Préfontaine, Proulx, Provost, Quenneville, Rafa, Rajotte, Reddy, Rémy, Richer, Rioux, Rivard, Roussier, Roy, Sabourin, Salvail, Sarrasin, Schraenen, Séguin, Senay, Simard, Sirois, Talbot, Taschereau, Thériault, Thisdale, Trahan, Tremblay, Trudel, Vallée, Varin, Vézina, Viau, Viens, Whelan.

ANIMATRICE, RADIO ET TÉLÉVISION (n. p.). Anthony, Arbour, Arnoldi, Arsenault, Aubry, Baillargeon, Bardier, Beaudoin, Beauregard, Bédard, Béland, Bélanger, Belcourt, Benezra, Bernier, Bertrand, Bibeau, Bisaillon, Bissonnette, Blais, Blanchette, Blondin, Bombardier, Bouchard, Boucher, Bourassa, Cahay, Campeau, Carel, Caron, Casabonne, Caya, Cazin, Ceuppens, Chalifoux, Champagne, Champoux, Charbonneau, Charette, Chasle, Choquette, Cliche, Cloutier, Colello, Collin, Côté, Cousineau, Daoust, D'Aragon, Desjardins, Despins, Dibello, Dubé, Dubreuil, Dufour, Dugas, Dussault,

Faure, Fournier, Gagnon, Gauthier, Ghalem, Godin, Gratton, Gravel, Grimaldi, Harpin, Jalbert, Jolis, Lacroix, Lafond, Lafrance, Lajeunesse, Lamarche, Lapointe, Laurendeau, Lauzon, Lavoie, Le Bel, Lefebvre, Lemelin, Lemieux, Lépine, Lessard, Letarte, Letendre, Lévesque, L'Heureux, Malo, Marithé, Marois, Massicotte, Matteau, McQuade, Miller, Mondoux, Morand, Murray, Nadeau, Normand, Ouimet, Pâquet, Paquin, Paradis, Parent, Payette, Pimparé, Plourde, Poirier, Poliquin, Potvin, Poulin, Provencher, Raymond, Rinfret, Rioux, Rouillé, Rouzier, Roy, Sarrazin, Simard, Snyder, Taillefer, Talbot, Tisseyre, Tougas, Thran, Turcot, Vachon, Valois, Verdon, Vézina, Watier.

ANIMÉ. Acharné, agité, amusant, ardent, bouillant, brûlant, chaud, coloré, excité, expressif, mû, organisé, vie, vif, vivace, vivant.

ANIMER. Aviver, chauffer, inspirer, mouvoir, stimuler, vivifier.

ANIMOSITÉ. Aigreur, aversion, colère, haine, rancune, ressentiment.

ANION. Anionique, ion.

ANIS. Badiane, boucage, carvi, faux-aneth, ouzo, vespétro.

ANNEAU. Anel, bague, beigne, boucle, cercle, chaînon, cricoïde, cucurbitain, écusson, erse, erseau, esse, étrier, embrayage, jonc, maille, maillon, manille, mésothorax, piton, proglottis, prothorax, telson, ténia.

ANNÉE. Âgé, agneau, an, annuel, cerf, date, lustre, millésime, noces, têt.

ANNEXER. Aboucher, abouter, accoler, accoupler, adjacent, agglutiner, ajointer, ajouter, annexer, assembler, coudre, enlier, latéral, lier, joindre, marier, mastiquer, mêler, nouer, relier, réunir, souder, unir.

ANNIHILER. Abattre, abîmer, abolir, abroger, anéantir, annuler, aviner, bousiller, briser, broyer, brûler, casser, chat, défaire, défleurir, dératiser, désinfecter, détruire, exterminer, gâter, massacrer, moissonner, neutraliser, ôter, renverser, raser, rayer, révoquer, ruiner, saper, supprimer, triturer, tuer, user.

ANNIVERSAIRE. Commémoration, fête, nativité, obit, souvenir.

ANNIVERSAIRES ANCIENS, NOCES. Papier (1 an), coton (2 ans), cuir (3 ans), fleurs (4 ans), bois (5 ans), sucre ou fer (6 ans), laine ou cuivre (7 ans), bronze ou faïence (8 ans), faïence ou osier (9 ans), fer ou aluminium (10 ans), acier (11 ans), soie ou lin (12 ans), dentelle (13 ans), ivoire (14 ans), cristal (15 ans), porcelaine (20 ans), argent (25 ans), perle (30 ans), corail (35 ans), rubis (40 ans), saphir (45 ans), or (50 ans), émeraude (55 ans), diamant (60 ans), platine (70 ans), diamant (75 ans), chêne (80 ans).

ANNIVERSAIRES MODERNES, NOCES. Horloge (1 an), porcelaine (2 ans), cristal ou verre (3 ans), appareils électriques (4 ans), argenterie (5 ans), bois (6 ans), ensemble de bureau (7 ans), dentelle (8 ans), cuir (9 ans), bijoux en diamant (10 ans), bijoux à la mode (11 ans), perle (12 ans), fourrure ou tissu (13 ans), bijoux en or (14 ans), montre (15 ans), platine (20 ans), argent (25 ans), perle (30 ans), jade (35 ans), rubis (40 ans), saphir (45 ans), or (50 ans), émeraude (55 ans), diamant (60 ans), chêne (70 ans).

ANNONCE. Avis, bluff, boniment, ceci, claironner, glas, hallali, indicatif, nouvelle, présage, pronostic, révéler, signal, signe, sirène, tinter.
ANNONCER. Avertir, citer, exhaler, prêcher, prédire, signaler, sonner.
ANNONCEUR. Afficheur, aviseur, journaliste.
ANNONCEUR FÉMININ, RADIO ET TÉLÉVISION (n. p.). Bélanger, Bertrand, Bisaillon, Blais, Bouchard, Charbonneau, Chartrand, Cliche, Cyr, Dauphin, Fenske, Ferron, Fournier, Gagnon, Gariépy, Harvey, Joly, Labelle, Lachapelle, Lacoste, Lafrance, Lang, Lavoie, Leblanc, Lemieux, Mac Rae, Malo, Marithé, Messadié, Pelletier, Provencher, Régimbald, Ross, Rouillé, Roy, St-Pierre, Schneider, Tardif, Therrien, Tremblay, Verdon, Viens, Watier, Yale.
ANNONCEUR MASCULIN, RADIO ET TÉLÉVISION (n. p.). Allard, Arcand, Archambault, Arson, Bacon, Beaudry, Bélair, Benoît, Bergeron, Bernard, Bertrand, Blais, Bouchard, Boulard, Brisebois, Bureau, Caron, Chailler, Champagne, Charette, Chartrand, Cloutier, Collin, Comeau, Dee, Desrochers, Doré, Doucet, Dubé, Dubois, Dufault, Duguay, Duval, Fauteux, Frégault, Gagnon, Garneau, Girard, Grondin, Hardy, Houde, Lacroix, Lauzon, Le Bigot, Ledoux, Marcotte, Marcoux, McQuade, Montreuil, Moreau, Morency, Nolet, Pagé, Plaisance, Pothier, Proulx, Quenneville, Rajotte, Raymond, St-Amand, Sénécal, Simard, Tétreault, Therrien, Turgeon, Vermette, Vinet, Whelan.
ANNOTATION. Apostille, écriture, massore, note, notule, scoliaste.
ANNOTER. Adorer, aimer, coter, estimer, évaluer, gloser, goûter, idéaliser, juger, louer, marginer, noter, prix, sentir.
ANNUAIRE. Almanach, agenda, bottin, calendrier, gotha.
ANNULAIRE. Auriculaire, bague, bijou, castagnette, dé, digital, digitopuncture, doigt, doigté, doigtier, douze, empan, index, majeur, montrer, ongle, orteil, palmé, phalange, phalangette, pouce, shiatsu, su.
ANNULATION. Abolir, abrogation, cassation, casser, casse, dirimer, dispense, divorce, éteindre, oblitération, rature, rescision, résoudre.
ANNULER. Abolir, anéantir, barrer, biffer, clore, néant, raser, rayer.
ANODIN. Bénin, calme, désarmé, doux, innocent, inoffensif, véniel.
ANOMALIE. Achylie, albinisme, amétropie, anormal, astigmatisme, daltonisme, dysplasie, ectopie, hémophilie, hypermétropie, nanisme, nyctalopie, prolifération, rareté, singularité, trisomie, trouble.
ÂNONNER. Âne, articuler, babiller, balbutier, bégayer, dire, lire, parler.
ANONYME. Caché, état, nomination, on, secret, signature, société.
ANSE. Abri, baie, broc, buire, godet, manne, portant, tasse.
ANTAGONISTE. Adversaire, ennemi, glucagon, jaloux, opposé, rival.
ANTAN. Ancien, anciennement, antan, autrefois, avant, conjonction, désuet, ex, hier, jadis, longtemps, naguère, ost, passé, vieux.
ANTARCTIQUE. Austral, chionis, méridional, midi, sud.
ANTE. Am.
ANTENAIS. Vacive.
ANTÉRIEUR. Antécédent, antéposé, antidaté, avant, devant, écart, front, passé, postérieur, précédent, préexistant, régression, tête, ultérieur.

ANTHÉMIS. Anacyclus, camomille, cladanthus, chrysanthème, œil-de-bœuf.
ANTHÈRE. Connectif, extorse, filet, fleur, introrse.
ANTHOFLE. Clou de girofle.
ANTHROPOPHAGIE. Cannibaliste, croquemitaine, géant, goule, lamie, ogre, vampire.
ANTHYLLIS. Anthyllide, trèfle, triolet, vulnéraire.
ANTIARIS. Ipo, pohoh, upas.
ANTIBIOTIQUE. Auréomycine, chloramphénicol, gramicidine, pénicilline, streptomycine, terrafungine, tyrothricine.
ANTIBLOCAGE. ABS.
ANTICIPER. Annoncer, devancer, espérer, prédire, sonder, usurper.
ANTILOPE. Addax, algazelle, bubale, cob, éland, gnou, kif, kob, nilgaut, okapi, oryx, saïga, springbok.
ANTIMOINE. Sb.
ANTIPATHIE. Acrimonie, androphobie, amertume, animosité, aversion, baver, fiel, grippe, haine, horreur, inimitié, rancune, xénophobie.
ANTIQUE. Ancien, actuel, âgé, ancien, cérame, contemporain, Égypte, grecque, massaliote, neuf, nouveau, passé, Rome, serrate, vieux.
ANTISEPTIQUE. Benjoin, eugénol, iode, mercurochrome, naphtol.
ANTITHÈSE. Antonymie, chiasme, contraire, contraste, opposition.
ANTRE. Abri, caverne, cavité, gîte, grotte, réduit, repaire, tanière, trou.
ANXIÉTÉ. Angoisse, chagrin, crainte, inquiétude, peur, transe.
ANXIEUX. Affolé, agité, alarmé, bileux, inquiet, peureux, tourmenté.
AORTE. Artère, coarctation, cœur, sang, sigmaoïde.
AOÛTÉ. Mûri.
APACHE. Bandit, kleptomane, malfaiteur, nervi.
APAISER. Adoucir, amadouer, amortir, assouvir, bercer, calmer, consoler, désaltérer, graver, ralentir, rendormir, soulager, tasser.
APATHIE. Atonie, inertie, langueur, marasme, paresse, veulerie.
APERCEVOIR. Aviser, entrevoir, idée, juger, visible, voir, vu, vue.
APERÇU. Chimère, concept, dada, dyade, ébauche, ectopie, fantaisie, fiction, idée, illusion, image, lubie, manie, mode, notion, opinion, pensée, phonétiquement, projet, rêve, songe, ton, tour, vue.
APÉRITIF. Apéro, colombo, kir, quassia, simaruba, tomate.
APEURER. Affoler, alerter, effaroucher, effrayer, épeurer, terrifier.
APLANIR. Battre, dégauchir, doler, dresser, égaliser, épaner, gratter, mater, nettoyer, niveler, polir, raboter, râcler, régaler, repasser, unir.
APLATIR. Dépression, écraser, palmer, presser, rabattre, river.
APLOMB. Assis, assurance, boiteux, cale, culot, durable, équilibre, ferme, fixe, habituel, hardiesse, image, larve, leste, solide, stable.
APODICTIQUE. Certain, sûr.
APOGÉE. Acmé, aphélie, apoastre, apothéose, apside, comble, culminant, faîte, gloire, point, sommet, summum, triomphe, zénith.
APOLLON. Apollinien, musagète, niobé, soleil.
APOLLON (n. p.). Aristée, Delos, Hyade, Hymen, Ion, Nome, Pythie.

APOLOGUE. Allégorie, conte, fable.
APOPHYSE. Acromion, apoplectique, bosse, cheville, coracoïde, crête, épicondyle, malléole, olécrane, ptérgyoïde, styloïde, tibia, zygomatique.
APOPLEXIE. Attaque, cérébrale, congestion, hémorragie, ictus.
APOSTASIER. Hérétique, infidèle, renégat, renier, schismatique.
APOSTROPHER. Appeler, élision, interpeller, invectiver, scène.
APOTHICAIRE. Alchimiste, pharmacien, potard.
APOTHICAIRE (n. p.). Hébert.
APÔTRE. Défenseur, disciple, missionnaire, prédicateur, prosélyte.
APÔTRE (n. p.). André, Barthélemy, Jacques, Jean, Judas, Jude, Matthieu, Pierre, Philippe, Paul, Simon, Thaddée, Thomas.
APPARAÎTRE. Éclore, éditer, émerger, lever, montrer, sortir, surgir.
APPARAT. Caftan, cérémonial, faste, gala, luxe, pompe.
APPAREIL. Agrès, alambic, altimètre, ampèremètre, anneau, asdic, autogire, avion, bathyscaphe, ber, bouclier, calorifère, caméra, chadouf, couveuse, cuisinière, démarreur, distillation, électroscope, élévateur, équipage, ergographe, étuve, étuveur, four, fourneau, frein, gabarit, gibet, hélice, hélicoptère, herse, instrument, lampe, laryngoscope, loch, manomètre, osmomètre, palan, photocomposeuse, pile, pilori, pipe, plafonnier, pompe, radar, râtelier, ridoir, robot, scaphandre, serrure, sirène, sondeur, téléphone, télévision, train, trapèze, tungar, vanne, vélocipède, vérin.
APPARENCE. Air, décor, forme, frime, idée, mine, mirage, ostensible, perceptible, semblant, simulacre, vernis, visible, vraisemblance.
APPARENTÉ. Acaule, allié, parapublic, parent, surpique.
APPARITEUR. Accense, bedeau, chaouch, dirigeant, huissier, massier.
APPARITION. Arrivée, éclosion, épiage, éruption, exposition, fantôme, lueur, parution, phénomène, simulacre, spectre, venue, vision, vue.
APPARU. Air, éclos, lueur, né, paru, revenu, semblé.
APPARTEMENT. Duplex, harem, logis, niche, pièce, salle, salon, studio.
APPARTENIR. Convenir, être, échoir, incomber, retourner, revenir.
APPÂT. Abet, aiche, amorce, allécher, attirer, boëtte, devon, èche, esche, filet, grappe, leurre, manne, mouche, piège, pêche, rogue, ver.
APPAUVRISSEMENT. Anémie, étiolement, paupérisation.
APPEL. Clamer, cri, écho, ici, ohé, SOS, sonner, viens, vocation.
APPELER. Attirer, baptiser, bénir, caser, citer, crier, élever, élire, enrôler, épeler, héler, intimer, maudire, rappeler, recruter.
APPELLATION. Attribut, connu, contrôlée, désignation, feu, nom, prénom, prête-nom, surnom, titre.
APPENDICE. Aile, barbe, bras, chélicère, cire, cirre, cirrhe, didactyle, doigt, griffe, luette, membre, nageoire, nez, palpe, patte, pédipalpe, queue, stipule, tentacule, typhlite, uropode, uvule, xiphoïde.
APPÉTENCE. Alléchant, appétit, envie, goût.
APPÉTISSANT. Alléchant, attrayant, envie, pica, plaisant, ragoûtant.
APPÉTIT. Anorexie, besoin, désir, faim, herbe, maladie, ogre, pica.

APPLAUDIR. Acclamer, admirer, approuver, ban, battre, bénir, bisser, bravo, célébrer, claque, encourager, louer, saluer, soutenir, trépigner.
APPLICATION. Adaptation, apposer, appuyer, art, attention, empresser, étude, infliger, mettre, minutie, onction, prosodie, soin, zélé.
APPLIQUER. Adapter, apposer, appuyer, baiser, donner, panser, sceller.
APPOINTER. Ajuster, arriver, braquer, contrôler, diriger, épointer, marquer, mirer, noter, orienter, paraître, régler, tirer, tendre, venir, vérifier, viser.
APPORTER. Amener, importer, pallier, porter, quérir, remédier, venir.
APPOSER. Appliquer, émarger, marquer, parapher, sceller, signer.
APPRÉCIATION. Avis, blâme, calcul, credo, dogme, école, erreur, estimé, examen, goût, hérésie, idée, imagination, jugement, juste, méconnu, note, opinion, paradoxe, prisée, rang, sens, sentiment, thèse.
APPRÉCIER. Adorer, aimer, coter, estimer, évaluer, goûter, idéaliser, jauger, jouir, juger, louer, mesurer, noter, palper, peser, prix, sentir.
APPRÉHENDER. Arrêter, craindre, épingler, redouter, saisir, trembler.
APPRÉHENSION. Angoisse, anxiété, crainte, intimidation, peur, transe.
APPRENDRE. Enseigner, étudier, mémoriser, montrer, préparer, savoir.
APPRENTI. Arpète, élève, initié, marmiton, mitron, novice, pilotin.
APPRENTISSAGE. Dyscalculie, dysgraphie, exercice, noviciat, stage.
APPRÊT. Cati, décati, dressage, glaçage, habillage, négligé, vaporisage.
APPRÊTER. Aménager, empeser, former, parer, préparer, relever.
APPRIVOISER. Affaiter, charmer, domestiquer, dompter, dresser.
APPROBATION. Accord, agrément, approuver, aveu, ban, bien, bon, bravo, consentement, convenir, entendu, mais, oui, sanction, soit, visa.
APPROCHE. Abord, accès, accessif, avoisiner, parage, rapprocher.
APPROCHER. Aborder, accès, accoster, arriver, attiser, côtoyer, entrée.
APPROFONDIR. Caver, creuser, étudier, explorer, fouiller, fouir, mûrir.
APPROPRIER. Apte, curer, écurer, idoine, nettoyer, propre, récurer.
APPROUVER. Abonder, accorder, agréer, approbation, avaliser, céder, convenir, entendu, entériner, goûter, opiner, oui, prêt, ratifier, signer.
APPROVISIONNEMENT. Achat, aiguade, alimentation, annone, distribution, fourniture, munition, provision, réserve, stock.
APPROVISIONNER. Alimenter, ensiler, fournir, nourrir, ravitailler.
APPROXIMATIF. Environ, exact, précis, rigoureux, strict.
APPUI. Défenseur, égide, éperon, pilier, protecteur, soutien, soutinet.
APPUYER. Accoter, accouder, adosser, baiser, baser, buter, coller, épauler, étayer, fonder, insister, peser, poser, sonner, soutenir, tenir.
ÂPRE. Aigu, amer, avare, cuisant, dur, rêche, rigoureux, rude, vif.
APRÈS. Avenir, cadet, délai, dès, ensuite, etc., futur, midi, passé, post, posthume, postiche, puîné, puis, succéder, suite, suivant, tard.
ÂPRETÉ. Amertume, avarice, raucité, rigueur, verdeur, virulence.
APTE. Art, capable, don, doué, facilité, habilité, oreille, talent, viable.
APTITUDE. Don, bosse, digestibilité, esprit, facilité, faculté, fécondité, finesse, génie, infus, inné, natif, né, qualité, réceptivité, talent, test.
AQUARELLE. Aquarelliste, peinture, torchon.

ARABE. Caïd, calife, cheik, cheval, coran, dar, dinar, douar, émir, fakir, harem, islam, méchoui, mosquée, pacha, Perse, pilaf, scheik, terre.
ARABE (n. p.). Asie, Bédouin, Berbère, Édomite, Gétule, Kabyle, Moabite, Musulman, Sarrasin.
ARABETTE. Corbeille d'argent.
ARACÉE. Aroïdée, arum, colcase, gouet, monstera, philodendron, taro.
ARACHIDE. Arachis, beurre, cacahuète, huile, mafé, noisette, pistache.
ARACHNIDÉ. Acarien, aranéide, ciron, faucheur, faucheux, opilion.
ARAIGNÉE. Arachné, arachnide, aragne, araigne, aranéide, arantèle, argyronète, épeire, faucheur, faucheux, galéode, halabé, hydromètre, latrodecte, lycose, maïa, malmignate, mygale, orbitèle, ségestrie, tarentule, tégénaire, théridion, thomise, tubitèle, vélie.
ARALIACÉE. Ginseng, hédéracée, lierre, panace, panax.
ARBITRAIRE. Caprice, despotique, équitable, illégal, injuste, pige.
ARBITRER. Amiable, compromis, conciliation, convention, entremise, expertise, juger, liberté, médiation, sentence.
ARBORER. Élever, hisser, montrer, planter, porter.
ARBORISATION. Arborisé, dentrite.
ARBRE. Abaca, abricotier, acacia, acajou, ailante, albergier, aleurite, alisier, alloucher, amandier, anacardier, anona, anone, araucaria, arec, artocarpe, aubépine, aubier, aulne, aune, avocatier, avodiré, axe, baliveau, bancoulier, baobab, bergamotier, bois, bonsaï, bouleau, brésillet, caïac, calamite, cacaotier, cacaoyer, cannelier, caroubier, carya, casse, cassier, catalpa, cèdre, cedrela, cerisier, charme, châtaignier, chêne, chicot, cognassier, cola, copalme, copayer, cormier, courbaril, croton, cycas, cyprès, dendrite, dichopsis, ébénier, écot, encroué, enté, épicéa, érable, érythrine, espalier, étêté, eucalyptus, fastigié, fau, fayard, févier, figuier, flamboyant, forêt, frêne, fromager, futaie, gaïac, gainier, gélif, généalogie, ginkgo, giroflier, goyavier, grenadier, hêtre, hévéa, hibiscus, hickory, houppier, if, ilang, ilang-ilang, jacaranda, jacquier, jaquier, jujubier, kaki, kapokier, karité, kola, kolatier, laurier, lépidodendron, letchi, lilas, magnolier, mai, mancenillier, manglier, manguier, marronnier, maté, mélèze, mélia, merisier, micocoulier, mirabellier, monbin, mûrier, muscadier, myrica, myroxylon, néflier, négondo, négundo, noisetier, noyer, okoumé, olivier, oranger, orme, osier, palmier, pamplemoussier, papayer, paulownia, pêcher, pérot, peuplier, phytéléphas, pin, pistachier, plante, plaqueminier, platane, pleureur, poirier, pommier, prunier, quebracho, quenouille, quinquina, ravenala, rhizophore, robinier, sapin, sapotier, sapotillier, sappan, saule, séné, sidéroxylon, sigilaire, simaruba, sophora, spondias, strychnos, sumac, surin, sycomore, tamarinier, tchitola, teck, tek, térébinthe, thuya, tilleul, tulipier, upas, végétal, ventis, virgilier, vomiquier, yeuse, ypréau, zamier.
ARBRE DU QUÉBEC. Aubépine, aulne, bouleau, cerisier, chêne, cornouiller, épinette, érable, frêne, genévrier, hêtre, if, mélèze, noisetier, noyer, orme, peuplier, pin, pruche, sapin, saule, sorbier, sumac, sureau, thuya, tilleul, viorne.

ARBRISSEAU. Airelle, ajonc, ambrette, ampélopsis, anone, arbousier, arbuste, aubépine, aucuba, aulne, aune, baguenaudier, bignone, buis, busserole, caféier, ciste, citronnier, coca, coronille, corroyère, daphné, églantier, épine, forsythia, fragon, fuchsia, fusain, fustet, garou, gattilier, gaulthérie, genêt, groseillier, hippophaé, hortensia, hysope, icaquier, ipéca, ipécacuana, lentisque, mahonia, mandarinier, myrtille, néflier, niaouli, noisetier, obier, osier, redoul, rhododendron, romarin, rosage, rosier, sainbois, santoline, saule, seringa, styrax, symphorine, tamaris, théier, vigne, viorne.

ARBUSTE. Angusture, arbrisseau, azalée, badiane, bourdaine, câprier, cassis, cirier, coca, cotonnier, croton, cubède, cytise, frangipanier, genévrier, hamamélis, henné, houx, jasmin, kerria, lantanier, lilas, néflier, nerprun, pittosporum, plante, rocouyer, qat, quassia, quassier, ronce, santal, seringa, seringat, sesbanie, staphylier, sureau, troène, ulex, végétal.

ARC. Anse, arcade, arceau, arche, arçon, arme, arqué, cercle, côte, courbe, degré, grade, halo, iris, minot, ogive, sinus, spire, verse, voûte.

ARC-EN-CIEL. Archer, couleurs, courbe, iris, irisation, spectre.

ARCADE. Arc, imposte, loge, piédroit, pleurant, vousseau, voûte.

ARCADIE. Âne, arcadien.

ARCEAU. Arcade, cercle, étrier, gabarit.

ARCHAÏQUE. Âgé, amorti, ancien, antique, autrefois, baderne, caduc, cassé, couros, décrépit, déjà, désuet, féodal, nouveau, vétéran, usé, vétuste, vieil, vieux.

ARCHE. Arceau, arcade, arqué, bateau, cambrure, coffre, croissant, culée, porte, propitiatoire, tabernacle, voûte.

ARCHÉOLOGUE. Explorateur, curieux, fouineur, orpailleur, scientiste.

ARCHÉOLOGUE (n. p.). Gsell, Lenoir.

ARCHER. Arc, arcanson, aster, Éros, flèche, rebec, sagittaire, Tell.

ARCHEVÊQUE. Abbé, aumônier, bonze, célébrant, chanoine, curé, druide, évêque, lama, missionnaire, monseigneur, pape, vicaire.

ARCHEVÊQUE (n. p.). Becket, Beckett, Isidore.

ARCHIPEL. Île, seul.

ARCHIPEL, AÇORES (n. p.). Egée, fayal, Flores, Jorge, Pico, Sao, Terceira.

ARCHIPEL, ANTILLES (n. p.). Antigua, Anguilla, Barbade, Cuba, Dominique, Grenade, Grenanide, Guadeloupe, Haïti, Jamaïque, Martinique, Montserrat, Nevis, Porto Rico, République dominicaine, Saint-Martin, Sainte-Croix, Sainte-Lucie, Tobago, Trinidad, Trinité.

ARCHIPEL, BAHAMAS (n. p.). Acklin, Andros, Caicos, Cat, Éleuthère, Grand-Abaco, Grand-Bahama, Grand-Inague, Long, Mayaguana, San Salvador, Turks, Turquoise.

ARCHIPEL, BALÉARES (n. p.). Cabrera, Conejera, Ibiza, Ivica, Majorque, Minorque.

ARCHIPEL, CANARIES (n. p.). Fuerteventura, Gomera, Hierro, Lanzarote, Palma, Ténériffe.

ARCHIPEL, CAP VERT (n. p.). Boa-Vista, Feu, Fogo, Maio, Sal, Santo-Antao, Sao-Nicolao, Sao-Thiago.
ARCHIPEL, CAROLINES (n. p.). Eauripik, Greenwich, Hall, Kusaie, Mokil, Namoluk, Namonuitp, Nomoi, Oroluk, Pikelot, Pingelap, Ponape, Pulusuk, Truk.
ARCHIPEL, CYCLADES (n. p.). Amorgos, Andros, Astipalaia, Délos, Ios, Kythnos, Makronisos, Milos, Paros, Santorin, Siros, Syra, Thira, Tinos.
ARCHIPEL, FIDJI (n. p.). Kandavu, Lau, Levu, Rotuma, Suva, Vanua, Viti.
ARCHIPEL, GALAPAGOS (n. p.). Cristobal, Isabela.
ARCHIPEL, GILBERT (n. p.). Abaiang, Abemama, Kuria, Maiana, Makin, Nukunau, Onotoa, Tabiteuea, Tamana, Tarawa.
ARCHIPEL, HAWAII (n. p.). Hawaii, Honolulu, Kauai, Maui, Necker, Oahu.
ARCHIPEL, IONIENNES (n. p.). Céphalonie, Corfou, Ithaque, Leucade, Sphactérie, Theaki, Thiaki, Zante.
ARCHIPEL, DE LA MADELEINE (n. p.). Allright, Amherst, Brion, Coffin, Grosse-Île, Meules.
ARCHIPEL, MARSHALLS (n. p.). Bikar, Majuro, Maloelap, Mejit, Mili, Taka.
ARCHIPEL, MÉDITERRANÉE (n. p.). Baléares.
ARCHIPEL, OCÉAN ARCTIQUE (n. p.). Aléoutiennes, François-Joseph, Liakhov, Lucayes, Reine-Elizabeth, Sverdrup.
ARCHIPEL, OCÉAN ATLANTIQUE (n. p.). Açores, Antilles, Britanniques, Calco, Canaries, Cayman, Hébrides, Orcades, Shetland, Turks.
ARCHIPEL, OCÉAN INDIEN (n. p.). Amirantes, Comores, Crozet, Kerguélen, Laquedives, Maldives, Mascareignes, Rodrigues, Seychelles, Tchagos.
ARCHIPEL, OCÉAN PACIFIQUE (n. p.). Aléoutiennes, Amirauté, Antipodes, Arou, Bismak, Chatham, Chesterfield, Chiloé, Chonos, Cook, Fidji, Futuna, Galapagos, Gambier, Gilbert, Hawaii, Indonésie, Loyalty, Macquarie, Mariannes, Marquises, Mendana, Marshall, Midway, Moluques, Nouvelles Hybrides, Ouvéa, Palaos, Pescadores, Philippines, Phoenix, Pomotou, Reine-Charlotte, Samoa, Sandwich, San Félix, Tokelau, Tonga, Touamotou, Wallis.
ARCHIPEL, OCÉANIE (n. p.). Samoa.
ARCHIPEL, PHILIPPINES (n. p.). Luçon, Luzon, Palaouan, Mindanao, Mindoro, Sulu.
ARCHIPEL, POLYNÉSIE (n. p.). Tonga.
ARCHIPEL, SAINT-LAURENT (n. p.). Mingan.
ARCHIPEL, VIERGES (n. p.). Leeward, Saint-Thomas, Sainte-Croix.
ARCHITECTE. Compas, équerre, ornement, règle, style, té, traçoir.
ARCHITECTE ALLEMAND (n. p.). Gropius, Hildebrandt, Klenze, Langhans.
ARCHITECTE ALSACIEN (n. p.). Erwin.

ARCHITECTE AMÉRICAIN (n. p.). Adler, Breuer, Dankmar, Eames, Kahn, Pei, Saarinen, Sullivan, Wright.
ARCHITECTE BELGE (n. p.). Horta.
ARCHITECTE BRITANNIQUE (n. p.). Barry, Chambers, Giggs, Jones, Kent, Paxton, Wren.
ARCHITECTE BRÉSILIEN (n. p.). Costa, Niemeyer.
ARCHITECTE CANADIEN (n. p.). Rose, Samuel.
ARCHITECTE DANOIS (n. p.). Utzon.
ARCHITECTE ESPAGNOL (n. p.). Berruguète, Cano, Égas, Gaudi.
ARCHITECTE FRANÇAIS (n. p.). Abadie, Antoine, Aubert, Baltard, Bullant, Ballu, Boullée, Brosse, Chalgrin, Cotte, Delorme, Dorbay, Duban, Dutert, Eiffel, Gabriel, Goujon, Labrouste, Le Corbusier, Ledoux, Lefuel, Le Nôtre, Lescot, Mansart, Métezeau, Mique, Oppenordt, Percier, Perret, Peyre, Prouvé, Rondelet, Soufflot.
ARCHITECTE FINLANDAIS (n. p.). Aalto, Alvar.
ARCHITECTE GREC (n. p.). Anthémios, Callicratès, Dédale, Ictinos, Mnésiclès, Polyclète.
ARCHITECTE ITALIEN (n. p.). Abbate, Alessi, Bernini, Borromini, Bramante, Brunelleschi, Filarete, Ghiberti, Michel-Ange, Palladio, Ponti, Primatice, Raphaël, Vignole.
ARCHITECTE JAPONAIS (n. p.). Isozaki, Tange.
ARCHITECTE QUÉBÉCOIS (n. p.). Baillargé, Beaulieu, Belzile, Blouin, Bourgeau, Brassard, Cayouette, Gallienne, Gauthier, Guité, Lambert, Longpré, Marchand, Perrault, Saia, Samuel, Roy, Taché.
ARCHITECTE ROMAIN (n. p.). Vitruve.
ARCHITECTE SUÉDOIS (n. p.). Asplund, Gunnar, Tessin.
ARCHIVE. Annales, document, histoire, livre, microfiche, tabularium.
ARDENT. Élan, fervent, feu, fièvre, flamme, fougue, furie, rapace, zélé.
ARDEUR. Amour, avidité, chaleur, courage, feu, frénésie, soin, zèle.
ARDILLON. Broquette, clou, déboucler, poinçon, pointe, rivet, semence.
ARDOISE. Bardeau, biset, délit, dette, dû, ive, levier, pic, schiste, touche.
ARDU. Escarpé, difficile, laborieux, pénible, raide, trapu, travail.
AREC. Aréquier, cachou, chou-palmiste.
ARÈNE. Amphithéâtre, calcul, carrière, castine, cirque, gravier, lice, lutèce, nîmes, pierre, podium, ring, sable, sablon, théâtre, toril.
ARÉQUIER. Arec, areca, noyer, palmier.
ARÊTE. Angle, ariste, couteau, crêt, délarder, grésoir, vif, voûte.
ARGENT. Ag, aloi, arrhes, avoir, bourse, cash, collargol, douille, écu, espèce, fonds, fric, galette, lingot, magot, métal, mise, oseille, pécune, pèze, pognon, radis, rond, saignée, sous, statère, taper, vermeil.
ARGENTÉ. Électrum, gris, grisonné, riche.
ARGILE. Banc, bauge, bentonite, bol, bille, brique, calamite, chamotte, erbue, gault, glaise, groie, kaolin, marne, ocre, pisé, sep, sil, terre, tuile.
ARGON. Ar.
ARGONAUTE. Céphalopode, mollusque, nacelle, octopode.

ARGONAUTE (n. p.). Castor, Héraclès, Jason, Lyncée, Oilée, Orphée, Pélée, Pollux, Télamont.
ARGOT. Calo, charabia, cockney, éperon, jar, jargon, jobelin, joual, langue, marollien, patois, pidgin, sabir, slang, verlan.
ARGUMENT. Abrégé, axiome, conclusion, dilemme, enthymème, épichérème, exemple, induction, logique, matière, prémisse, preuve, raison, raisonnement, rhétorique, sophisme, sorite, syllogisme.
ARGUMENTER. Arguer, conclure, discuter, ergoter, prouver, réfuter.
ARIA. Air, difficulté, embarras, mélodie, obstacle, souci.
ARIDE. Aréique, inculte, infécond, ingrat, piloselle, sec, stérile, ulex.
ARILLE. Macis.
ARISTOCRATE. Chevalier, élite, hidalgo, lord, magnat, noble, seigneur.
ARMATEUR. Affréteur, baraterie, charter, répartiteur, subrécargue.
ARMATEUR (n. p.). Ango, Noé.
ARMATURE. Antenne, arçon, base, carcasse, charpente, cordage, échafaudage, ossature, mât, ogive, soutien, squelette, support, tringle.
ARME. Angon, arbalète, arc, bâton, calibre, dague, dard, engin, épée, escopette, faux, fer, fronde, fusil, hache, hast, lance, légère, masse, missile, mitrailleuse, mousqueton, ogive, pistolet, raté, sabre, trait.
ARMÉE. Air, appel, brigade, camp, corps, galon, grade, légion, marine, milice, militaire, muet, ost, peloton, salut, stratégie, terre, troupe.
ARMÉE IRLANDAISE (n. p.). IRA.
ARMER. Adouber, désarmer, équiper, fortifier, fourbir, gréer, réarmer.
ARMILLE. Annelet.
ARMOIRE. Bahut, buffet, casier, coffre, glace, meuble, placard, tour.
ARMOISE. Citronnelle, génépi.
ARMURE. Adouber, bouclier, cu, faucre, poulaine, soleret, tassette.
ARNAQUEUR. Aigrefin, bandit, estampeur, filou, fripon, truand, voleur.
ARNICA. Arnique, bétoine, doronic, souci, plantain, tabac.
AROMATE. Absinthe, ail, aneth, angélique, anis, arôme, badiane, basilic, cannelle, cardamome, cari, carvi, cayenne, céleri, cerfeuil, ciboulette, coriandre, cumin, curcuma, échalote, épice, estragon, fenouil, genièvre, gingembre, girofle, herbe, hysope, laurier, livèche, macis, maniguette, marjolaine, mélisse, menthe, moutarde, muscade, oignon, origan, paprika, parfum, persil, piment, poivre, poivron, romarin, safran, sarriette, sauge, sel, serpolet, sésame, thym, vinaigre.
AROMATISER. Aniser, bouqueter, fragrance, framboiser, safraner.
ARÔME. Bouquet, essence, fumet, goût, odeur, parfum, saveur, senteur.
ARQUER. Busquer, cintrer, fléchir, plier, pont, recourber, voûter.
ARRACHER. Délainer, démarier, déplanter, déraciner, déterrer, échardonner, écobuer, édenter, effeuiller, emporter, enlever, épiler, essarter, essoucher, ôter, plumer, priver, rompre, sarcler, tirer.
ARRANGER. Accorder, adapter, coiffer, draper, entente, faire, manipuler, monter, organiser, orner, parer, poser, ranger, tresser.
ARRESTATION. Élargissement, empoigner, libération, rafle, relaxe.

ARRÊT. Anurie, apnée, assez, butée, caravane, cessez, cran, délai, escale, étape, frein, gel, halte, infantilisme, ischémie, panne, parade, pause, rémission, repos, souffrance, stase, station, stop, syncope, trêve.
ARRÊTÉ. Apuré, décision, décret, délibération, jugement, prononcé, vu.
ARRÊTE-BŒUF. Agaloussès, bugrane, bougrate, bouverance, ononis.
ARRÊTER. Ancrer, borner, buter, caler, camper, cesser, clore, couper, épingler, fixer, freiner, interrompre, juguler, limiter, maintenir, pincer, rayer, régler, reposer, retenir, stagner, stopper, suspendre, tarir, tenir.
ARRIÈRE. Cul, dos, envers, fesse, nuque, passé, poupe, queue, verso.
ARRIMER. Accorer, accrocher, affermir, amarrer, ancrer, charger, vrac.
ARRIVER. Aboutir, accéder, arrivage, coïncider, dû, due, échoir, finir, mener, mûrir, naître, parvenir, rendre, sonner, survenir, tomber, venir.
ARROCHE. Atriplex, belle-dame, épinard, follette, prudefemme.
ARROGANCE. Audace, dédain, désinvolture, fierté, impertinence, insolence, ironie, mépris, morguer, orgueil, outrecuidance, suffisance.
ARROGANT. Affable, aimable, courtois, déférent, fier, haut, hautain, insolent, modeste, outrecuidant, respectueux, rogne, rogue, rugue.
ARRONDI. Bombé, bosse, creux, fesse, gorge, grenu, lobe, obtus, rond.
ARRONDIR. Arquer, cintrer, courber, fléchir, plier, recourber, voûter.
ARROSER. Asperger, baigner, baptiser, bassiner, couler, dériver, doucher, humecter, imbiber, incendie, inonder, irriguer, mouiller, ondoyer, soudoyer, submerger, traverser, tremper, verser.
ARSENAL. Affaire, équipage, magasin, panoplie, réserve, stock.
ARSENIC. As.
ART. Aéronautique, alchimie, alevinage, aquiculture, architecture, cabale, cartomancie, chevaucher, cinéma, culinaire, cynégétique, diagnose, dosologie, écriture, escrime, fauconnerie, gastronomie, glyptique, hippiatrique, hippiatrie, horticulture, imprimerie, lecture, lithographie, magie, manœuvre, mégie, natation, nécromancie, obstétrique, origami, photographie, pisciculture, plaidoirie, poliorcétique, reliure, scène, sculpture, sidérographie, stratégie, tauromachie, taxidermie, tir, vénerie, zootechnie, zymotechnie.
ARTÉMISIA. Abrotone, absinthe, absin-menu, alliène, alvive, armoise, artémise, aurone, barbotine, citronnelle, cistain, garde-robe, génépi, ivrogne, pontic.
ARTÈRE. Aorte, artériosclérose, avenue, boulevard, carotide, diastole, pédicule, pontage, pouls, rue, sang, systole, tronc cœliaque, voie.
ARTHRITE. Athérome, coxalgie, herpétisme.
ARTHROPODE. Crabe, exuvie, ommatidie, péripate, sternite.
ARTICHAUT. Acanthe, cardon, cardonnette, chardon, chardonnette, cynars, écheveria, foin, joubarbe, pied, strobile, talon, topinambour.
ARTICLE. Au, aux, de, défini, des, du, indéfini, la, le, les, un, une.
ARTICULATION. Amphiarthrose, cardan, cheville, condyle, cotyle, coude, déboité, diarthrose, engrenure, épaule, genou, genouillère, gomphose, hanche, joint, jointure, ménisque, nœud, poignet, prononciation, rotule, suture, symphyse, synarthrose, synovie, tophus.

ARTICULER. Anarthrie, balbutier, bégayer, communiquer, débiter, dire, déclamer, énoncer, joindre, mâchonner, parler, proférer, prononcer.
ARTIFICE. Astuce, fusée, leurre, pétard, piège, ralenti, ruse, truc.
ARTISAN. Artiste, cause, charron, ciseleur, compagnon, façon, ivoirier, layetier, marbreur, orfèvre, ouvrier, peignier, serrurier, tôlier.
ARTISTE. Acteur, artisan, bohème, ciseleur, esthète, étoile, fantaisiste, imprésario, palme, paysagiste, peintre, raté, sculpteur, solo, vedette.
ARTISTE COMÉDIEN AMÉRICAIN (n.p.). Allen, Armstrong, Astaire, Bacall, Bakula, Baldwin, Belafonte, Belushi, Benedick, Bennet, Bogart, Boone, Brando, Bridges, Brosnan, Brown, Burton, Cage, Chandler, Clooney, Cole, Costner, Crosby, Cruise, Culkin, Curtis, Dafoe, Daniels, Danson, Darin, Day-Lewis, Dean, De Niro, DeVito, Douglas, Dreyfuss, Eastwood, Ford, Gable, Gere, Gibson, Goldblum, Granger, Grant, Hackman, Hanks, Hardy, Harrelson, Heston, Hope, Hopkins, Hoskins, Hudson, Jackson, Jordan, Keitel, Kilmer, Kinski, Kline, Lancaster, Laurel, Leblanc, Lewis, O'Connor, Malkovich, Martin, McConaughey, McQueen, Mitchum, Montgomery, Moore, Murphy, Murray, Newman, Nicholson, Nolte, Peck, Penn, Pitt, Presley, Pryor, Quaid, Quinn, Randall, Reagan, Reeves, Ritchie, Rooney, Rourke, Savage, Schwarzenegger, Simmons, Sinatra, Sorbo, Stallone, Stewart, Taylor, Thomas, Travolta, Tyler, Van Damme, Van Dyke, Washington, Wayne, Weissmuller, Williams, Willis, Wyle, Young.
ARTISTE COMÉDIEN ANGLAIS (n. p.). Accolas, Aymar, Ayoub, Bard, Barry, Blanch, Burbage, Buza, Calderwood, Chaplin, Foote, Friesen, Garrick, Garrison, Gillett, Klanfer, Konig, Lawrence, Loftus, Martin, McKenna, Murphy, Nardi, Nerman, O'Connor, Parillo, Parson, Pearson, Pennington, Richard, Ross, Snider.
ARTISTE COMÉDIEN FRANÇAIS (n. p.). Auteuil, Belmondo, Boyer, Chevalier, Coquelin, Devos, Fernandel, Gabin, Got, Guitry, Montand.
ARTISTE COMÉDIEN ITALIEN (n. p.). Bertinazzi, Mastroianni, Mezzetin.
ARTISTE COMÉDIEN QUÉBÉCOIS (n. p.). Adams, Alarie, Albert, Allaire, Allard, Archambault, Arsenault, Aubert, Auclair, Audet, Auger, Aumont, Barnard, Barrette, Bastarache, Bastien, Beauchamp, Beauchemin, Beaudet, Beaudry, Beaulieu, Beaulne, Beaupré, Bégin, Béland, Bélanger, Belhumeur, Belisle, Belzile, Benoit, Bergeron, Bernard, Bernier, Bérubé, Berval, Besré, Bessette, Biddle, Bienvenue, Bigras, Bilodeau, Binet, Bisson, Bissonnette, Bizier, Blais, Blanchard, Blanchet, Bluteau, Boie, Boilard, Boisvert, Boivin, Bolduc, Bombardier, Bonneau, Bouchard, Boucher, Boudreau, Bourgeault, Bourgeois, Bourque, Bousquet, Boutin, Bradet, Brassard, Bray, Briand, Brière, Brisson, Brosseau, Brouillet, Brouillette, Brousseau, Brunet, Buissonneau, Cabana, Campeau, Canuel, Cardin, Carez, Caron, Carrère, Carrière, Cartier, Cauchon, Cazelais, Chabot, Chagnon, Chamberlan, Champagne, Champoux, Chapados, Chapleau, Charest, Charette, Charles, Charron, Chartier, Chartrand, Chassé, Chenail, Chénier,

Chevalier, Chouinard, Christian, Claveau, Clavet, Cloutier, Coallier, Collin, Comeau, Corbeil, Cormier, Côté, Cousineau, Coutu, Couture, Crête, Curzi, Cyr, D'Amours, D'Astou, Da Silva, Dagenais, Dallaire, Daviau, De Cespedes, Delasoie, Delcourt, Delmas, Demers, Denis, Denoncourt, Derek, Deschamps, Deschênes, Désilets, Desjardins, Desmarteaux, Desrochers, Desroches, Desrosiers, Dessureault, Désy, Di Stasio, Dion, Dionne, Dô, Doucet, Doyon, Drainville, Drolet, Dubois, Ducharme, Duchesne, Duchesneau, Dufaux, Dufour, Dumont, Dupuis, Durand, Dussault, Duval, Émond, Éthier, Farmer, Faubert, Faucher, Fauteux, Favreau, Ferland, Filion, Fontaine, Forest, Fortin, Fournier, Francœur, Fruitier, Gadouas, Gagné, Gagnon, Galipeau, Gamache, Garceau, Gascon, Gaudreau, Gauthier, Gauvin, Gélinas, Gendron, Genest, Germain, Gignac, Giguère, Gingras, Girard, Giroux, Gobeil, Godin, Gougeon, Goyette, Graton, Gravel, Graveline, Grégoire, Grenier, Grimaldi, Grisé, Grondin, Groulx, Guay, Guèvremont, Guilda, Guimond, Guy, Hamel, Hamelin, Hébert, Héroux, Hétu, Houde, Houle, Huard, Hurtubise, Imbault, Jacob, Jacques, Jean, Jetté, Jodoin, Jordan, Joubert, L'Écuyer, L'Espérance, L'Heureux, Labbé, Labelle, Labrèche, Labrie, Labrosse, Lachance, Lachapelle, Lacombe, Lacoste, Lacroix, Lafleur, Lafond, Lafontaine, Lafortune, Lajeunesse, Lalancette, Lalande, Laliberté, Lalonde, Lambert, Lamirande, Lamontagne, Lamoureux, Landry, Langelier, Langlois, Lapointe, Laprade, Laroche, Larocque, Larue, Latour, Latreille, Latulippe, Laurin, Lautrec, Lauzon, Lavallée, Lavergne, Lavigne, Lavoie, Leblanc, Leboeuf, Lecavalier, Leclerc, Ledoux, Leduc, Lefebvre, Lefrançois, Légaré, Legault, Legendre, Léger, Legris, Lelièvre, Lemay, Lemay-Thivierge, Lemieux, Lemire, Lepage, Leroux, Lessard, Létourneau, Levasseur, Léveillée, Lévesque, Lirette, Lizotte, Loiselle, Longpré, Lord, Lortie, Lussier, Maher, Maillot, Major, Maltais, Marchal, Marchand, Marcoux, Marsan, Martel, Martin, Massé, Massicotte, Masson, Mathieu, Mayer, Melançon, Mercier, Messier, Meunier, Michaud, Mignault, Millaire, Millette, Miron, Mongrain, Montmorency, Moreau, Morency, Morissette, Myron, Nadeau, Nadon, Nantel, Noël, Olivier, Ouellet, Ouellette, Pagé, Paiement, Pallascio, Paquette, Paquin, Paradis, Paré, Parent, Paris, Pascal, Pasquier, Patenaude, Pellerin, Pelletier, Perron, Pérusse, Petit, Picard, Piché, Pillet, Pilon, Pilote, Plante, Poirier, Poissant, Ponton, Poulain, Pratte, Préfontaine, Proteau, Proulx, Provencher, Provost, Quintal, Rainville, Ranger, Raymond, Renaud, Ricard, Richard, Richer, Rivard, Rivest, Roberge, Robert, Robidoux, Robitaille, Rollin, Ronfard, Rousseau, Roussel, Routhier, Roux, Roy, Royer, Sabouret, Sabourin, Salvail, Sauvage, Schreiber, Scott, Séguin, Sicotte, Simard, Talbot, Tanguay, Taschereau, Tassé, Tétreault, Thériault, Thibault, Thibodeau, Thiboutot, Thisdale, Toupin, Tremblay, Trudeau, Trudel, Turbide, Turcot, Turcotte, Turgeon, Vaillancourt, Valcour, Valiquette, Vanasse, Varin, Verville, Vézina, Viau, Viens, Villeneuve, Vincent, Zinko, Zouvi.

ARTISTE-PEINTRE ALLEMAND (n. p.). Durer, Ernst, Holbein, Klee.
ARTISTE-PEINTRE AMÉRICAIN (n. p.). Morse, West, Whistler.
ARTISTE-PEINTRE ANGLAIS (n. p.). Blake, Brown, Hunt, Morris, Turner.
ARTISTE-PEINTRE BELGE (n. p.). Delvaux, Ensor, Meunier, Wiertz.
ARTISTE-PEINTRE CANADIEN (n. p.). Bolduc, Bonnet, Borduas, Leduc, Lemieux, Krieghoff, Fortin, Pelland, Riopelle.
ARTISTE-PEINTRE ESPAGNOL (n. p.). Dali, Goya, Mirò, Moralès, Velasquez.
ARTISTE-PEINTRE FLAMAND (n. p.). Bruegel, Rubens, Vos.
ARTISTE-PEINTRE FRANÇAIS (n. p.). Buffet, Fouquet, Gaugin, Ingres, Legros, Masson, Matisse, Monet, Renoir, Watteau.
ARTISTE-PEINTRE GREC (n. p.). Apelle, Greco, Protogénès.
ARTISTE-PEINTRE HOLLANDAIS (n. p.). Brauwer, Rembrandt.
ARTISTE-PEINTRE ITALIEN (n. p.). Moretto, Rosselli, Sarto, Vinci.
ARTISTE DE VARIÉTÉS FÉMININE (n. p.). Adam, Adams, Aktouf, Alber, Alepin, Allaire, Allard, Allen, Allison, Ally, Andrieu, Angers, Anthony, Aras, Araya, Arbour, Arcand, Armand, Arsenault, Aubé, Aubertin, Aubin, Aubry, Aubut, Auger, Aussant, Azar, Babeu, Baillargeon, Ballard, Banville, Baril, Barrette, Bartolucci, Basilières, Bastien, Beaubien, Beaudreau, Beaudry, Beaule, Beaulieu, Beaulne, Beaupré, Beauregard, Beauvais, Bédard, Bégin, Bélair, Bélanger, Belcourt, Belisle, Belleau, Bellemare, Benezra, Bérard, Berd, Berger, Bergeron, Bériault, Bernard, Bernier, Berryman, Berthiaume, Bertrand, Bérubé, Bessette, Bibeau, Biron, Bisaillon, Bisson, Blackburn, Blain, Blais, Blier, Bluteau, Bocan, Boislard, Boisjoli, Boisvert, Boivin, Bombardier, Bonneau, Bonneville, Bonnier, Bouchard, Boucher, Boudreau, Bourgeois, Bourque, Boyer, Brassard, Brault, Briand, Brind'Amour, Brisson, Brodeur, Brossard, Brouillette, Brousseau, Bussières, Cadieux, Camirand, Campbell, Cantin, Cardinal, Carel, Caron, Castel, Castonguay, Caya, Célestin, Chabot, Chagnon, Chailler, Chalifoux, Champagne, Chapleau, Charbonneau, Charest, Charlebois, Charpentier, Charron, Chartier, Chartrand, Chassé, Chatel, Chenier, Chevalier, Choinière, Choquette, Chouvalidzé, Claude, Clément, Cloutier, Collard, Collin, Comeau, Comtois, Corbeil, Corradi, Cossette, Côté, Cotton, Coupal, Courchesne, Courtois, Cousineau, Coutu, Couture, Croze, Cusson, Cyr, D'Aragon, Da Silva, Dallaire, Dalpé, Dansereau, Daoust, Daudelin, Dauphinais, Daviau, Delage, Delcourt, Delisle, Demers, Déry, Desbiens, Deschamps, Deschâtelets, Desjardins, Deslauriers, Desrochers, Desrosiers, Deyglun, Dion, Dionne, Doré, Dorion, Dorval, Dostie, Drapeau, Drolet, Drouin, Dubé, Dubeau, Ducharme, Dufour, Dufresne, Dugas, Duguay, Dumas, Dumais, Dumont, Dupire, Durand, Durocher, Dutil, Esse, Eykel, Faucher, Filion, Fleury, Fontaine, Forestier, Fortin, Fournier, Francke, Gadouas, Gagné, Gagnon, Gallant, Gamache, Garceau, Garneau, Gascon, Gauthier, Gélinas, Gendron, Germain, Gervais, Godbout, Godin, Gosselin,

Goyette, Grégoire, Grenier, Grenon, Guénette, Guérin, Guertin, Hamel, Hébert, Jalbert, Jean, Jodoin, Jolis, Jules, Julien, Labelle, Labonté, Lachance, Lachapelle, Lajeunesse, Lalande, Lalonde, Lamarche, Lambert, Lanctôt, Langlois, Laplante, Lapointe, Laporte, Latraverse, Laurent, Laurier, Lavallée, Laverdière, Lavergne, Lavoie, Lazure, Le Flaguais, Leblanc, Leduc, Lefebvre, Legault, Léger, Lemay, Lemelin, Lemieux, Leroy, Létourneau, Levac, Levasseur, Léveillé, Leyrac, Loiselle, Lomez, Longchamps, Lopez, Lorain, Lussier, Marchand, Marcotte, Marleau, Marois, Marquis, Martin, Matteau, Mauffette, Mercier, Mercure, Michaud, Michel, Millaire, Miller, Mondoux, Montpetit, Morin, Morissette, Mousseau, Nadeau, Néron, Nolin, Normandin, Oddera, Oligny, Olivier, Orsini, Ouellet, Ouellette, Ouimet, Pallascio, Panneton, Paquette, Paquin, Paradis, Parent, Pasquier, Pauzé, Payette, Pelletier, Perreault, Perron, Phaneuf, Picard, Pilon, Pilote, Pimparé, Pinsonnault, Plourde, Poirier, Poitras, Portal, Potvin, Poulin, Poupart, Prégent, Proulx, Provost, Quesnel, Racicot, Ranger, Raymond, Renaud, Reno, Ricard, Richard, Richer, Riddez, Rinfret, Rioux, Robitaille, Rodrigue, Rousseau, Roussin, Rouzier, Roy, Sarrasin, Sauvé, Schmidt, Schneider, Scoffié, Séguin, Simard, Snyder, Sutto, Sylvain, Sylvestre, Taillefer, Thibault, Tifo, Tisdale, Tisseyre, Tougas, Tremblay, Trépanier, Tulasne, Turcot, Turgeon, Vallée, Valous, Venne, Vézina, Villeneuve, Vincent, Watters, Workman, Zacharie, Zouvi.

ARTISTE COMÉDIENNE CANADIENNE-ANGLAISE (n. p.). Basaraba, Benson, Clune, Ellwand, Ferney, Gruen, Hall, Hayle, Henry, Jordan, Kee, Lawrence, Mackenzie, Obonsawin, Racicot, Reh, Spiegel, Sprincis, Stankova, Verner, Victor, Zahalan, Zucco.

ARTISTE FÉMININE AMÉRICAINE (n. p.). Abdul, Anderson, Andrews, Bacall, Basinger, Bassett, Baxter, Bingham, Birch, Brenneman, Bullock, Campbell, Cher, Collins, Crawford, Darnell, Davis, Day, Dee, Dickinson, Dors, Dunaway, Evangelista, Fonda, Fox, Gabor, Garland, Garner, Griffith, Hall, Kelly, Kidman, Lamour, Lane, Lansbury, Leigh, MacLaine, Madonna, Mansfield, Mantovani, Midler, Monroe, Moore, Morgan, Moss, Nolin, Novak, Parker, Paul, Powers, Powells, Rampling, Roberts, Rivers, Russell, Sarandon, Seagrove, Shalom, Schell, Sheridan, Shields, Shue, Silverstone, Stafford, Stone, Streep, Streisand, Taylor, Temple, Tilton, Turner, Walsh, West, Wood, Zuniga.

ARTISTE FÉMININE FRANÇAISE (n. p.). Darrieux, Dorval, Bardot.

ARTISTE FÉMININE ITALIENNE (n. p.). Lollobrigida, Loren.

ARTISTE DE VARIÉTÉS FÉMININE CANADIENNE-ANGLAISE (n. p.). Basaraba, Benson, Clune, Ellwand, Ferney, Gruen, Hall, Hayle, Henry, Jordan, Kee, Lawrence, Mackenzie, Obonsawin, Racicot, Reh, Spiegel, Sprincis, Stankova, Verner, Victor, Zahalan, Zucco.

ARTISTE DE VARIÉTÉS FÉMININE AMÉRICAINE (n. p.). Abdul, Anderson, Bacall, Basinger, Bassett, Bingham, Birch, Brenneman, Bullock, Campbell, Cher, Collins, Dickinson, Dunaway, Evangelista, Fox, Griffith, Hall, Kidman, Houston, Keaton, Lansbury, MacLaine, Madonna, Mantovani, Midler, Moore, Moss, Nolin, Novak, Paul,

Powers, Rampling, Roberts, Rivers, Sarandon, Seagrove, Shalom, Sheridan, Shields, Shue, Silverstone, Stafford, Stone, Streep, Streisand, Taylor, Tilton, Turner, Walsh, Zuniga.

ARTISTE DE VARIÉTÉS ANGLAIS, HOMME (n. p.). Accolas, Arène, Aymar, Ayoub, Bard, Barry, Blanch, Buza, Calderwood, Friesen, Garrison, Gillett, Klanfer, Konig, Lawrence, Loftus, Martin, McKenna, Murphy, Nardi, Nerman, O'Connor, Parillo, Parson, Pearson, Pennington, Richard, Ross, Snider.

ARUM. Calla, chandelle, cornet, gouet, pied-de-veau, richardie.

ASARUM. Asaret, cabaret, gingembre, oreillette, roussin, rondelle.

ASCENDANCE. Consanguinité, naissance, origine, race, unilinéaire.

ASCENDANT. Aïeul, aïeux, autorité, emprise, influence, pouvoir, titre.

ASCENSION. Gravir, inalpage, montée, progrès, rogations.

ASCÈTE. Anachorète, ermite, fakir, mahatma, santon, soufi, yogi.

ASIATIQUE. Afghan, arménien, asiate, birman, cambodgien, coréen, chinois, eurasien, indien, irakien, iranien, japonais, jordanien, laotien, libanais, malais, mongol, népalais, persan, philippin, syrien, tibétain.

ASILE. Abri, enfermer, fou, havre, interner, refuge, salle, zaouïa.

ASPE. Asple.

ASPECT. Abord, air, allure, angle, cachet, côté, couleur, décor, face, faciès, figure, forme, jour, mine, phase, train, tour, tournure, vue.

ASPERGER. Arroser, baigner, baptiser, bassiner, doucher, humecter, imbiber, inonder, irriguer, mouiller, répandre, soudoyer, submerger, sulfater, traverser, tremper, verser.

ASPÉRITÉ. Aléser, énouer, gazer, inégalité, prise, rudesse, rugosité, uni.

ASPERSION. Affusion, arrosage, goupillon.

ASPHALTER. Bétuminer, goudronner, macadam, paver, revêtement.

ASPHYXIER. Absorber, cyanoser, étouffer, gazer, humer, inhaler, noyer.

ASPIC. Spic, lavande, vipère.

ASPIRER. Absorber, ambitionner, asphyxier, briguer, fumer, happer, humer, idéaliser, inhaler, inspirer, noyer, pomper, prétendre, priser, renâcler, renifler, souhaiter, soupirer, sucer, téter, vouloir.

ASPLE. Aspe.

ASSAILLIR. Agresser, attaquer, insulter, miter, mordre, ruer, salir.

ASSAISONNER. Apprêter, épicer, pimenter, poivrer, saler, vinaigrer.

ASSAISONNEMENT. Condiment, épice, poivre, sauce, sel, vinaigre.

ASSASSIN. Chanvre, criminel, escarpe, éventreur, fratricide, homicide, meurtrier, mouche, œillade, régicide, séide, sicaire, tueur.

ASSASSINAT. Assises, atrocité, attentat, brigandage, complot, cour, crime, délit, faute, forfait, justice, méfait, meurtre, piraterie, procès.

ASSASSINER. Butter, exécuter, occire, supprimer, trucider, tuer.

ASSAUT. Abordage, attaque, combat, concours, ruade, rush, tournoi.

ASSEAU. Assette.

ASSÉCHER. Assainir, drainer, essorer, étancher, sec, sécher, tarir.

ASSEMBLAGE. Adent, amas, appareil, armature, bouquet, bruit, caillebotis, corde, empatture, ennéade, enture, esse, gerbe, grappe, grille, jonction, mosaïque, natis, noulet, panache, phrase, phraséologie, pilée, radeau, toron, tortis, touffe, trémie, triade, troche, vers, ville.
ASSEMBLÉE. Arène, aréopage, bal, club, comice, concile, conclave, congrès, consistoire, convention, diète, douma, ecclésia, diète, fête, meeting, plaid, quorum, regroupement, réunion, sénat, synode.
ASSEMBLER. Adent, ameuter, attacher, bâtir, carreler, clouer, coller, coudre, enter, épisser, esse, grouper, joindre, lier, lire, monter, nouer, rabouter, rallier, relier, réunir, river, sertir, souder, unir, voisin.
ASSENTIMENT. Accord, approbation, aveu, oui, ratification, sanction.
ASSERVIR. Enchaîner, entraver, lier, maîtriser, opprimer, tyranniser.
ASSERVISSEMENT. Assuétude, captif, esclavage, joug, sujet, sujétion.
ASSETTE. Asseau.
ASSEZ. Adéquat, congru, convenable, marre, passable, suffisant.
ASSIDUITÉ. Absentéisme, assidûment, concordance, congruence, convenance, cour, exactitude, fréquentation, importunité, présence.
ASSIETTE. Budget, écuelle, équilibre, hypothèque, imposition, marli, plat, position, soucoupe, suage, tenue, terrain, vaisselle.
ASSIGNATION. Ajournement, appel, attribution, citation, convocation, doter, indiction, invitation, justice, réassignation, semonce, situer.
ASSIGNER. Attraire, citer, destiner, doter, douer, interner, sommer.
ASSIMILÉ. Appareillé, approché, comparé, digéré, élaboré, rapparier.
ASSISE. Base, fondement, hérisson, jambage, margelle, strate, tambour.
ASSISTANCE. Aide, appui, assesseur, charité, foule, secours, servir.
ASSISTANT. Acolyte, adjoint, aide, associé, compère, complice, second.
ASSISTER. Aider, entendre, épauler, inviter, seconder, secourir, suivre.
ASSOCIATION. Blastodème, cercle, club, comité, corporation, covenant, fédération, fusion, guilde, hanse, jumelage, ligue, macle, mafia, ordre, pacte, parti, regroupement, société, syndicalisation, triumvirat, union.
ASSOCIÉ. Acolyte, adjoint, affilié, agrégé, camarade, collègue, compère, complice, confrère, covendeur, membre, mutuelle, syndiqué, uni.
ASSOCIER. Adhérer, adjoindre, allier, fusionner, regrouper, réunir, unir.
ASSOIFFER. Affamer, altérer, besoin, boire, désaltérer, désir, envie, or.
ASSOMBRIR. Attrister, embrumer, enténébrer, obscurcir, ternir.
ASSOMMANT. Contrariant, désagréable, ennuyant, ennuyeux, tuant.
ASSOMMER. Abattre, barber, battre, boxer, ennuyer, estourbir, étourdir, fesser, fouetter, gauler, K.O., rosser, rouer, sonner, tuer.
ASSONANCE. Allitération, concordance, consonance, écho, rime.
ASSORTI. Appareillement, approprié, décision, échelle.
ASSORTIMENT. Beaucoup, bigarrure, classification, dialecte, différence, disparité, diversité, espèce, lot, mélange, multiplicité, race, riche, uni.
ASSORTIR. Accorder, accoupler, apparier, marier, nuancer, nuer.
ASSOUPISSEMENT. Coma, dormir, endormir, hypnose, sommeil.
ASSOUPLIR. Freiner, désarticuler, ralentir, réserver, retenir, tempérer.

ASSOUPLISSEMENT. Apathie, coma, dépression, diminuer, dormir, engourdissement, léthargie, narcose, sommeil, somnolence, torpeur.
ASSOURDIR. Couvrir, enrayer, éteindre, étouffer, noyer, refréner.
ASSOUVIR. Apaiser, étancher, manger, rassasier, remplir, satisfaire.
ASSUJETTIR. Asservir, caler, conquérir, opprimer, plier, régler, river.
ASSUMER. Endosser, entreprendre, occuper, prendre, revendiquer.
ASSURANCE. Confiance, courage, culot, foi, hardiesse, gage, garant, garantie, police, prime, promesse, protection, sûr, sûreté, toupet.
ASSURÉ. Certain, confiant, convaincu, décidé, ferme, résolu, stable, sûr.
ASSURÉMENT. Certainement, certes, évidemment, sûrement.
ASSURER. Affirmer, attester, endosser, garantir, fixer, renter, saurer.
ASTATE. At.
ASTER. Acris, alpellus, alpinus, amellus, dumosus, pâquerette, sibiricus.
ASTÉROÏDE. Comète, étoile, météorite, planétoïde, quasar, téléscope.
ASTÉROÏDE (n. p.). Cérès, Euphrosyne, Hygéa, Intermamnia, Pallas, Vesta.
ASTÉRISQUE. Étoile, gaulois, renvoi.
ASTICOT. Appât, ver.
ASTICOTER. Acculer, appâter, ennuyer, embêter, exciter, harceler, huer, obséder, suivre, taquiner, tourmenter.
ASTILBE. Hoteia.
ASTIQUER. Briller, briquer, cirer, frotter, laver, patience, polir, reluire.
ASTRAGALE. Cheville, corbeille, réglisse, sainfoin.
ASTRAL. Céleste, sidéral, stellaire.
ASTRE. Anneau, auréole, bord, ciel, comète, disque, étoile, feu, galaxie, limbe, lune, météore, planète, quasar, soleil, univers, zodiaque.
ASTREIGNANT. Exact, étroit, littéral, mitigé, sévère, strict, vrai.
ASTREINDRE. Assujettir, atteler, brusquer, condamner, contraindre, enchaîner, engager, exiger, forcer, habituer, lier, obliger, servir.
ASTRINGENT. Alun, butée, orpin, renouée, styptique, tanin.
ASTROLOGIE. Décan, devin, divination, généthliaque, géomancie, hermétisme, horoscope, médium, sidéromancie, voyant, zodiaque.
ASTROLOGIE, SIGNE AZTÈQUE. Aigle, âne, chevreuil, chien, crocodile, eau, fleur, jaguar, lapin, lézard, maison, mort, pluie, roseau, serpent, silex, singe, tremblement de terre, vautour, vent..
ASTROLOGIE, SIGNE CHINOIS. Buffle, chat, cheval, chèvre, chien, cochon, coq, dragon, poule, rat, serpent, singe, tigre.
ASTROLOGIE, SIGNE ÉGYPTIEN. Amon-ra, anubis, bastet, geb, horus, isis, Nil, mout, osiris, sekhmett, seth, thöt.
ASTROLOGIE, SIGNE OCCIDENDAL. Balance, Bélier, Cancer, Capricorne, Gémeaux, Lion, Poissons, Sagittaire, Scorpion,Taureau, Verseau, Vierge.
ASTROLOGUE. Chaldée, devin, mage.
ASTROLOGUE (n. p.). Aubry, Chalifoux, Charland, Charpentier, D'Amour, Nostradamus, Savard.
ASTRONAUTE. Cosmonaute, spationaute.

ASTRONAUTE (n. p.). Aldrin, Amstrong, Carpenter, Cooper, Gagarine, Garneau, Glen, Grissom, Leonov, Manarov, Shepard, Terechkova, Titov.
ASTRONOME. Abréviation, astre, muses, observateur.
ASTRONOME (n. p.). Adams, Aristarque, Baade, Bayer, Bessel, Celsius, Copernic, Ératosthène, Eubage, Flammarion, Flamsteed, Galilée, Hall, Halley, Herschel, Hevelius, Hipparque, Hubble, Huyghens, Kepler, La Caille, Lalande, Laplace, Leavitt, Lockyer, Messier, Méton, Nonius, Nostradamus, Oort, Piazzi, Philolaos, Ptolémée, Römer, Schwabe, Snelvanroyen, Sosigêne, Théon, Tombaugh.
ASTROPHYSICIEN (n. p.). Hubble.
ASTUCE. Combine, escamotage, escroquerie, habileté, ruse, truc, tour.
ASTUCIEUX. Fallacieux, fin, insidieux, malin, retors, rusé, trompeur.
ATAVISME. Ancestral, génération, génotype, hérédité, ressemblance.
ATAXIE. Désordre, dysarthrie, tabès.
ATELIER. Couture, forge, garage, ouvroir, laverie, lavoir, studio, usine.
ATHÉE. Agnostique, impie, incrédule, incroyant, indévot, irréligieux.
ATHLÈTE. Boxeur, champion, coureur, discobole, gymnaste, lanceur, lutteur, nageur, recordman, sauteur, soigneur, sportif, supporter.
ATLANTE (n. p.). Telamon.
ATLAS. Carte.
ATMOSPHÈRE. Air, ambiance, aura, baromètre, climat, milieu, temps.
ATOCA. Airelle, atocatière, canneberge.
ATOLL. Corail, île, lagon, nauru.
ATOME. Anion, aryle, atomique, corpuscule, deuton, électron, ion, neutron, noyau, petit, particule, proton, redox, unité.
ATOMISER. Disperser, fractionner, pulvériser, vaporiser, vitrifier.
ATOMISEUR. Brumisateur, pulvérisateur, spray, vaporisateur.
ATONIE. Abattement, apathie, engourdi, faiblesse, paralysie, paresse.
ATOURS. Arranger, bijou, ornement, parure, tissu, vêtement.
ÂTRE. Cheminée, foyer, manteau, trémie.
ATROCITÉ. Aversion, barbarie, brutalité, cauchemar, dégoût, effroi, émotion, épouvantable, exécrer, frisson, haine, horreur, hydrophobie, peur, photophobie, sadisme, stupeur, terreur, vide.
ATROPHIE. Amyotrophie, faiblesse, étiole, maigreur, paralysie.
ATTACHE. Adné, amitié, ancré, ars, boucle, calé, chaîne, collé, corde, épris, et, fixé, hart, lacé, laisse, lie, lien, ligament, noué, rivé, vissé.
ATTACHEMENT. Amitié, amour, avarice, dévotion, enticher, fidélité, intérêt, liaison, lié, moi, nœud, piété, sensualité, ténacité, véracité.
ATTACHER. Accouder, accouer, accrocher, agrafer, amarrer, ancrer, atteler, botteler, brêler, caler, cheviller, clouer, coller, coudre, coupler, cramponner, dévoter, enchaîner, engager, enjuguer, ficeler, fixer, lacer, lier, ligoter, nouer, palisser, pendre, plaire, river, souder, visser.
ATTAQUABLE. Bénin, bon, chétif, débile, débile, énervé, épuisé, étiolé, faible, fatigué, grêle, léger, menu, mou, pâle, petit, fluet, précaire, usé, veule, vil, vulnérable.

ATTAQUE. Accusation, agression, assaut, attentat, braquage, chant, charge, combat, congestion, crise, critique, ictus, interception, mord, nerf, paralysie, raid, ruade, rescousse, saignée, sangsue, scène, sus.
ATTAQUER. Aborder, agresser, assaillir, combattre, défier, exécuter, insulter, livrer, miter, mordre, pourfendre, quereller, ruer, salir.
ATTARDÉ. Arriéré, déficient, demeuré, retardé.
ATTEINDRE. Accéder, arriver, but, calomnier, culmuner, décrocher, égaler, intact, obtenir, rater, rejoindre, toucher, venir, viser.
ATTEINTE. Contrainte, coup, crise, centorse, épidémie, offense, outrage.
ATTELLE. Attache, brancard, éclisse, lacs, mancelle, timon.
ATTENANT. Adjacent, avoisinant, contigu, joignant, jouxtant, prochain.
ATTENDRE. Bayer, durer, épier, espérer, guetter, languir, poser, traîner.
ATTENDRIR. Amollir, apitoyer, émeuter, émouvoir, fléchir, toucher.
ATTENDRISSEMENT. Compatissant, déplorant, fumeste, généreux, mal, médiocre, méprisable, minable, misérable, moche, navrant, pitié, triste.
ATTENDU. Considérant, efficace, inattendu, parce que, vu.
ATTENTAT. Assises, assassinat, atrocité, attentat, brigandage, complot, cour, délit, faute, forfait, justice, méfait, meurtre, piraterie, procès.
ATTENTAT (n. p.). Orsini.
ATTENTE. Affût, calme, délai, désir, espérance, expectance, expectation, expectative, lapin, orme, pause, présomption, remise, sursis.
ATTENTIF. Appliqué, complaisant, curieux, prévenant, vigilant.
ATTENTION. Concentration, dissipation, distraction, égard, esprit, étourderie, étude, garde, gare, inattention, œil, soin, vigilance, zèle.
ATTENTIONNÉ. Aimable, affable, agréable, appliqué, attentif, avenant, curieux, délicat, doux, facile, gentil, poli, prévenant, vigilant.
ATTÉNUATION. Antalgie, diminution, rémission, rémittence.
ATTÉNUER. Adoucir, calmer, diluer, édulcorer, émousser, tempérer.
ATTERRIR. Aboutir, arriver, poser.
ATTERRISSAGE. Arrivée, crash, stol, train.
ATTESTATION. Certificat, quittance, référence, satisfaction, témoin.
ATTESTER. Affirmer, avérer, contresigner, jurer, signer, témoigner.
ATTIÉDIR. Diminuer, refroidir, modérer, rafraîchir, tiédir.
ATTIRAIL. Appareil, bagage, bataclan, bazar, fourbi, outil, train.
ATTIRANCE. Appât, attrait, élan, faible, intérêt, penchant, séduction.
ATTIRANT. Alléchant, attachant, attrayant, engageant, piquant.
ATTIRER. Affrioler, aguicher, allécher, amener, appâter, aspirer, attraction, attraire, capter, charmer, drainer, enrôler, humer, leurrer, occasionner, piéger, plaire, ravir, recruter, sucer, tenter, tirer, venir.
ATTISER. Accroître, activer, allumer, augmenter, exciter, tisonner.
ATTITUDE. Action, air, allure, carrure, conduite, contorsion, effet, geste, hanchement, ligne, maintien, négativisme, port, pose, position, positivisme, posture, prestance, procédé, tenue, ton, tournure.
ATTOUCHEMENT. Caresse, chatouillement, contact, coup, pression, tact.
ATTRACTION. Aimant, allèchement, attirance, attrait, bal, charme, clou, gravité, manège, or, pesanteur, séduction, spectacle, tendance, tir.

ATTRAIT. Appât, charme, goût, grâce, prestige, séduction, tentation.
ATTRAPER. Agrafer, agripper, appâter, atteindre, blâmer, contracter, gober, gripper, happer, injurier, obtenir, piéger, piger, pogner, prendre, rattraper, rejoindre, réprimander, saisir, toucher, tromper.
ATTRIBUÉ. Adjugé, affecté, alloué, choisi, dévolu, réservé.
ATTRIBUER. Accorder, accuser, adjuger, allouer, appeler, assigner, dater, décerner, dédier, déférer, donner, ériger, impartir, imputer, jeter, lancer, livrer, nommer, porter, prêter, rendre, taxer, vouer.
ATTRIBUT. Copule, emblème, guivré, pedum, qualité, symbole.
ATTRIBUTION. Appel, don, emploi, octroi, plagiat, subvention.
ATTRISTER. Affecter, affliger, désoler, éplorer, fâcher, navrer, peiner.
ATTROUPEMENT. Assemblée, bande, foule, groupe, masse, meute.
ATTROUPER. Ameuter, assembler, rassembler, réunir, troupe.
AUBAINE. Bonheur, chance, escompte, hasard, profit, solde.
AUBE. Ailette, aurore, commencement, crépuscule, palette, sacerdotal.
AUBÉPINE. Azérolier, cenelle, crataegus, épine, ergot, mespilus, pyracantha, rosacée, rhynchite.
AUBERGE. Cambuse, caravansérail, crèche, hall, hôtel, logis, lupanar, maison, motel, palace, pension, posada, rambouillet, relais, restaurant, taule, taverne.
AUBERGINE. Albergine, contractuelle, courge, mélongène, morelle, solanum, viédase.
AUBERGISTE. Cabaretier, hôtelier, patron, tavernier, tenancier.
AUCUBA. Chinensis, himalaica, japonica, panaché.
AUCUN. Nul, personne, plusieurs, repic, sans, zéro.
AUDACE. Aplomb, assurance, bravoure, cœur, courage, cran, culot, encourager, fierté, hardiesse, oser, témérité, timidité, toupet.
AUDACIEUX. Brave, courageux, fier, hardi, intrépide, osé, téméraire.
AUDIENCE. Auditoire, entrevue, plaid, prétoire, salle, séance.
AUDITEUR. Audit, public, rote, vérificateur.
AUDITION. Acoustique, auditorium, bruit, concert, corti, entendre, épreuve, essai, oreille, ouïe, phonétique, présentation, récital, test.
AUDITOIRE. Assistance, audience, galerie, public, salle, spectateur.
AUGE. Abreuvoir, auget, bac, bassin, binée, bouloir, crèche, laye, mangeoire, maye, oiseau, ripe, trémie, vaisseau.
AUGMENTATION. Accélération, accrue, aggravation, anaphylaxie, cétose, croissance, crue, dilatation, échauffement, élongation, enchère, goitre, hausse, hépatomégalie, hydrémie, hypertonie, leucocytose, poussée, progrès, recrudescence, surcroît, tumeur, urémie.
AUGMENTER. Accélérer, accroître, agrandir, ajouter, croître, dilater, élever, enfler, étendre, germer, lever, monter, sprinter, valoriser.
AUGURER. Aruspice, prédire, présager, présenter, présumer, supposer.
AUJOURD'HUI. Actuellement, anhui, hui, présentement.
AULNE. Alnus, aulnaie, aunaie, aune, bergne, cordata, glutonosa, incana, vergne, viridis.
AUMÔNE. Aide, charité, don, obole, mendiant, quête, secours, tronc.

AUNE. Aulne, vergne.
AUPARAVANT. Ancien, avant, déjà, préalablement, précédemment.
AUPRÈS. Comparaison, entourage, par, para, près, proche, raser.
AUQUEL. Où.
AURA. Aura, auréole, cerne, couronne, diadème, gloire, halo, nuage.
AURÉOLE. Aura, cercle, couronne, gloire, halo, louange, nimbe.
AURICULAIRE. Annulaire, bague, bijou, castagnette, dé, digital, digitopuncture, doigt, doigté, doigtier, douze, empan, index, majeur, montrer, ongle, orteil, palmé, phalange, phalangette, pouce, shiatsu, su.
AURICULE. Lobe.
AUROCHS. Ure, urus.
AURORE. Aube, commencement, crépuscule, éos, est, matin, rose.
AUSCULTER. Analyser, apprécier, approfondir, arraisonner, critiquer, débattre, étudier, examiner, inspecter, langueyer, observer, peser, regarder, réviser, revoir, scruter, sonder, stéthoscope, tâter, vérifier, visiter, voir.
AUSSI. Alors, également, itou, même, pareillement, si, sitôt, tant.
AUSSITÔT. Dès, illico, immédiatement, instantanément, sitôt, soudain.
AUSTÈRE. Abrupt, âpre, ascète, chaste, décent, dur, frugal, grave, prude, pur, raide, rance, rigide, rude, sage, sévère, simple, stoïque.
AUSTÉRITÉ. Gravité, mortifier, puritanisme, rigidité, sévérité, vertu.
AUTANT. Centuple, octuple, quadruple, sextuple, tant, aussi.
AUTEUR. Conteur, créateur, écrivain, essayiste, historien, narrateur, nouvelliste, parolier, poète, prosateur, romancier, scénariste, scripteur.
AUTEUR ALLEMAND (n. p.). Bettelheim, Brecht, Durrenmatt, Hamsun, Hegel, Hesse, Jung, Jünger, Mann, Marx, Nietzsche, Singer, Süskind, Zweig.
AUTEUR AMÉRICAIN (n. p.). Asimov, Brunner, Capote, Carnegie, Clancy, Clarke, Clavell, Cook, Coonts, Crichton, Cussler, Daley, DeMille, Dick, Fitzgerald, Follett, Forsyth, Gray, Greene, Hailey, Hemingway, Higgins, Hitchcock, King, Lawrence, Ludlum, Mailer, Michener, Miller, Poe, Puzo, Segal, Steinbeck, Twain, Wells, West, Wilde.
AUTEUR BRITANNIQUE (n. p.). Arden, Doyle, Defoe, Greene, Lawrence, Lillo, Norton, Otway, Richardson, Stevenson, Wells.
AUTEUR DANOIS (n. p.). Abell.
AUTEUR ESPAGNOL (n. p.). Cervantès, Garcia Marquez.
AUTEUR FRANÇAIS (n. p.). Achard, Alain-Fournier, Apollinaire, Aristote, Attali, Aymé, Balzac, Baudelaire, Bazin, Beaumarchais, Berger, Bernanos, Bodard, Camus, Chateaubriand, Clavel, Cocteau, Corneille, Curel, Daninos, Daudet, Descartes, Diderot, Dumas, Exbrayat, Feydeau, Flaubert, Frossard, Gallo, Gide, Giono, Giraudoux, Green, Hémon, Hugo, Jacquard, Kessel, Laborit, La Fontaine, Leblanc, Leroux, Lévy, Maupassant, Mauriac, Maurois, Mérimée, Molière, Montaigne, Monteilhet, Montesquieu, Musset, Nourissier, Péguy, Platon, Prévost, Proust, Rabelais, Racine, Radiguet, Renard, Rolland, Romains, Rostand, Rousseau, Sade, Sartre, Stendhal, Sue, Sulitzer, Troyat, Vercors, Verlaine, Verne, Villon, Voltaire, Zola.

AUTEUR ITALIEN (n. p.). Eco.

AUTEUR QUÉBÉCOIS (n. p.). Aquin, Aktouf, Alain, Anderson, Andrès, Angers, Antoine, Archambault, Arnau, Assiniwi, Aubin, Audet, Babineau, Baillargeon, Baillie, Barcelo, Beauchamp, Beauchemin, Beaudet, Beaudoin, Beaudry, Beaulieu, Beausoleil, Bédard, Bégin, Béguin, Bélanger, Bélec, Bergeron, Bernier, Berthiaume, Bertrand, Bérubé, Bessette, Bigras, Blackburn, Blais, Boissay, Boisvert, Boivin, Bonenfant, Boulerice, Boulizon, Bourdon, Brassard, Brière, Brillant, Brochu, Brodeur, Brossard, Brouillard, Brouillette, Bruens, Bujold, Bureau, Bussières, Cadet, Caron, Chabot, Chamberland, Champagne, Champetier, Charbonneau, Charland, Charron, Chatillon, Choquette, Chrétien, Claveau, Clavet, Comeau, Coppens, Corriveau, Cossette, Côté, Cyr, Daignault, Dansereau, Day, De Lorimier, De Vernal, Delisle, Delorme, Des Rosiers, Des Ruisseaux, Descheneaux, Désy, Dion, Dionne, Dor, Doré, Drache, Dubois, Ducharme, Duguay, Duhaime, Dumont, Dupont, Dupuis, Dussault, Duval, Fasciano, Favreau, Ferland, Filion, Findley, Folch-Ribas, Fournier, Francoeur, Gaboury, Gagnon, Garneau, Garon, Gaudet, Gauthier, Gay, Gélinas, Gemme, Gendreau, Gendron, Genest, Gérin, Germain, Gervais, Gobeil, Godbout, Godin, Gosselin, Gratton, Gravel, Graveline, Grignon, Guillemet, Haeck, Hazelton, Hébert, Hénault, Hétu, Homel, Horic, Hus, Isabelle, Jacob, Jacques, Jasmin, Julien, Kattam, Kemp, Laberge, Labrie, Lacasse, Laferrière, Lalonde, Languirand, Laplante, Lavoie, Leblond, Leclerc, Lemelin, Lemieux, Lemoine, Léveillé, Lévesque, Mainville, Major, Malenfant, Marchand, Martin-Laval, Mathieu, Matteau, Meunier, Miron, Monette, Mongrain, Montmorency, Morissette, Noël, Ohl, Olivier, Ollivier, Ouellet, Ouellette, Paradis, Paré, Pelchat, Piché, Plante, Poissant, Poliquin, Poulin, Poupart, Pratte, Prieur, Proulx, Roy, Saïa, Savard, Simard, Smith, Soucy, Soulières, Stanké, Thériault, Tremblay, Turgeon, Vadeboncoeur, Vaillancourt, Vallières, Vanasse, Vastel, Vigneault, Zumthor.

AUTEUR RUSSE (n. p.). Boulgakov, Dostoïevski, Soljenitsyne, Tchekhov, Tolstoï.

AUTEURE ALLEMANDE (n. p.). Frank.

AUTEURE AMÉRICAINE (n. p.). Brontë, Chase-Riboud, French, Higgins-Clark, Jong, Kubler-Ross, Lessing, MacLaine, McCullough, Nin, Oates, Rendell, Steel, Susann, Taylor-Bradford.

AUTEURE ANGLAISE (n. p.). Cartland, Christie, Cornwell, Highsmith, James, Westmacott, Woolf.

AUTEURE ESPAGNOLE (n. p.). Allende.

AUTEURE FRANÇAISE (n. p.). Arnothy, Avril, Boissard, Bourin, Cardinal, Chapsal, Charles-Roux, Colette, Collange, Deforges, Dolto, Dorin, Frain, Groult, Lacamp, Laclos, Le Varlet, Mallet-Joris, Monsigny, Pisier, Rivoyre, Sagan, Sand.

AUTEURE QUÉBÉCOISE (n. p.). Allard, Alonzo, Anctil, Aubry, Baillargeon, Bazin, Beaudry, Bersianik, Bissonnette, Blais, Blouin, Boisjoli, Boisvert, Bombardier, Bouchard, Boucher, Brault, Brière, Brossard, Bussières, Cadieux, Cardinal, Champagne, Cholette, Claudais, Cloutier, Corbeil, Côté, Cousture, Cyr, D'Amour, Daveluy, De Gramont, De Lamirande, Demers, Déry, Desrochers, Doyon, Dubé, Dumont, Ferretti, Ferron, Gagnon, Gauvin, Ghalem, Grisé, Harvey, Hébert, Jacob, Juteau, Laberge, Lacasse, Lanctôt, Larouche, Larue, Lasnier, Lavigne, Lemieux, Lévesque, Loranger, Maillet, Major, Mallet, Marchessault, Marineau, Martin, Michel, Miville-Deschênes, Monette, Noël, Ouellette, Ouellette-Michalska, Ouvrard, Paquette, Paris, Payette, Pelland, Plamondon, Poisson, Proulx, Rainville, Renaud, Robert, Roy, Ruel, Saint-Denis, Sarfati, Sauriol, Simard, Thériault, Tremblay, Villemaire, Villeneuve.

AUTHENTICITÉ. Bien-fondé, certitude, contresigner, estampille, faux, ita, légaliser, seing, sic, véracité, vérité, visa, vrai.

AUTHENTIQUE. Certain, évident, officiel, réel, sceau, sincère, visa, vrai.

AUTISTIQUE. Autisme, autiste, déréel.

AUTO. Automobile, bazou, char, limousine, voiture.

AUTOBUS. Autocar, bus, car, gyrobus, impérial, patache, plateforme.

AUTOCAR. Autobus, bus, car, gyrobus, impérial, minicar.

AUTOCHTONE. Aborigène, cipaye, habitant, indigène, local, supplétif.

AUTOCHTONES DU CANADA (n. p.). Abénaquis, Agnier, Algonquin, Apache, Cri, Etchemin, Goyogouin, Huron, Iroquois, Malécite, Micmac, Mohack, Onneyout, Onnontagué, Outagami, Outaouais, Sioux, Souriquois, Tsonnontouan.

AUTOCHTONES DES ÉTATS-UNIS (n. p.). Acolaopissas, Apache, Atakapas, Catawbas, Cherokee, Cheyenne, Chinook, Chitimachas, Choctaw, Comanche, Creek, Hidatsas, Illinois, Mandan, Mohawk, Navabo, Nez Percé, Paiute, Pawnee, Pieds-Noirs, Pomo, Séminole, Seneca, Shoshone, Sioux, Tête-Plate.

AUTOCHTONES DU NOUVEAU-MEXIQUE (n. p.). Chickasaw, Choctaw, Hopis, Mimbre, Mohave, Natchez, Pueblos, Yumas.

AUTOCHTONES DU PÉROU (n. p.). Incas.

AUTOMATE. Androïde, fantoche, guignol, machine, pantin, robot.

AUTOMOBILE. Bagnole, bazou, berline, char, jeep, tacot, taxi, voiture.

AUTOMOBILE, IMMATRICULATION INTERNATIONALE. A (Autriche), ADN (Yémen), AL (Albanie), AND (Andorre), AUS (Australie), B (Belgique), BDS (Barbade), BG (Bulgarie), BH (Honduras), BR (Brésil), BRN (Bahrein), BRU (Brunei), BS (Bahamas), BUR (Birmanie), C (Cuba), CDN (Canada), CH (Suisse), CI (Côte d'Ivoire), CL (Sri Lanka), CO (Colombie), CR (Costa Rica), CS (Tchécoslovaquie), CY (Chypre), D (Allemagne), DK (Danemark), DOM (République dominicaine), DY (Bénin), DZ (Algérie), E (Espagne), EAK (Kenya), EAT (Tanzanie), EAU (Ouganda), EC (Équateur), ET (Égypte), ES (El Salvador), F (France), FJI (Fidji), FL (Liechtenstein),

GB (Grande-Bretagne), GBZ (Gibraltar), GCA (Guatemala), GH (Ghana), GR (Grèce), GUY (Guyane), H (Hongrie), HK (Hong-Kong), HKJ (Jordanie), I (Italie), IL (Israël), IND (Inde), IRL (Irlande), IS (Islande), J (Japon), JA (Jamaïque), K (Kamputchea ou Cambodge), KWT (Koweit), L (Luxembourg), Lao (Laos), LAR (Libye), LB (Libéria), LS (Lesotho), M (Malte), MA (Maroc), MAL (Malaysia), MC (Monaco), MEX (Mexique), MS (Île Maurice), N (Norvège), NA (Antilles néerlandaises), Nic (Nicaragua), NL (Pays-Bas), NR (Niger), NZ (Nouvelle-Zélande), P (Portugal), PA (Panama), PAK (Pakistan), Pe (Pérou), PI (Philippines), PL (Pologne), PY (Paraguay), R (Roumanie), RA (Argentine), RC (Chine), RCA (République Centrafricaine), Rch (Chili), Rh (Haïti), RI (Indonésie), RL (Liban), RMM (Mali), ROK (Corée du Sud), RSM (Saint-Martin), RSD (Zimbabwe), RU (Burundi), RWA (Rwanda), S (Suède), SF (Finlande), SGP (Singapour), SN (Sénégal), SY (Seychelles), SYR (Syrie), T (Thaïlande), TG (Togo), TN (Tunisie), Tr (Turquie), TT (Trinité et Tobago), U (Uruguay), USA (États-Unis), V (Vatican), VN (Vietnam), Wag (Gambie), WAN (Nigéria), WG (Grenade), WL (Sainte-Lucie), WV (Saint-Vincent), YU (Yougoslavie), YV (Venezuela), Z (Zambie), ZA (Afrique du Sud), ZRE (Zaïre).

AUTONOMIE. Assujettissement, choix, dépendance, droit, faculté, indépendance, liberté, subordination, succursale, tutelle, vassalité.

AUTOPSIE. Analyse, anatomie, dissection, docimasie, nécropsie.

AUTORISATION. Licence, obédience, ouverture, permis, permission.

AUTORISER. Accepter, admettre, approuver, consacrer, consentir, désavouer, investir, permettre, pouvoir, prévaloir, prohiber, tolérer.

AUTORITAIRE. Absolu, cassant, coupant, impérieux, sévère, strict.

AUTORITÉ. Appel, chef, dépendre, empire, fermeté, férule, for, force, loi, ordre, otage, main, maîtrise, pouvoir, règne, royal, sujet, tyran.

AUTOUR. Alentour, circonscrire, enrouler, entourer, environ, graviter, rôder, ronde, rotation, tournailler, vautour.

AUTRE. Autrement, autrui, couple, différent, émule, étranger, eux, identique, lui, même, opposé, pareil, rival, semblable, soi, un.

AUTREFOIS. Adverbe, ancien, antan, avant, conjonction, désuet, ex, hier, jadis, longtemps, naguère, olim, ost, passé, vieux.

AUTREMENT. Alias, autre, différemment, mal, ou, sinon.

AUTRUCHE. Aptéryx, casoar, échassier, émeu, kiwi, nandou, ratite.

AUTRUI. Altruisme, autre, écornifler, empathie, envie, prochain.

AUVENT. Abri, avant-toit, marquise, toit.

AUXILIAIRE. Aide, assistant, avocat, avoir, complice, être, secondaire.

AVACHI. Accablé, assommé, déformé, fatigué, flasque, ramolli, veule.

AVACHIR. Briser, crever, déformer, déprimer, échiner, écraser, user.

AVALER. Absorber, aspirer, boire, croire, déglutir, engamer, engloutir, gober, humer, ingérer, manger, ravaler, sec, sucer, user, vide.

AVANCE. Acompte, arrhes, à-valoir, concluant, distant, fromage, go, marche, préformer, prêt, progression, semer, tâter, thèse, va.

AVANCER. Affirmer, aller, dire, émettre, évoluer, flâner, glisser, nager, pénétrer, pousser, prêter, ramer, sautiller, tendre, touer, virer, voile.
AVANT. Ancien, antan, av, bec, cap, front, joue, nez, oser, pré, préfixe, premier, préséance, recto, rétro, science, tenter, tête, total, vêpres.
AVANT-DERNIER. Antépénultième, paraxyton, pénultième.
AVANT-MIDI. AM.
AVANT-PROPOS. Introduction, préambule, préface.
AVANT-TOIT. Abri, auvent, marquise, toit.
AVANT-TRAIN. Armon, timon.
AVANTAGE. Atout, attribut, aubaine, bien, dessus, don, droit, faveur, fruit, gain, intérêt, plus, prééminence, prérogative, profit, succès.
AVANTAGER. Bonifier, doter, douer, favoriser, flatter, primer, ressortir.
AVANTAGEUX. Bel, chic, commode, intéressant, mieux, profitant, utile.
AVARE. Chiche, dépensier, dissipateur, gaspilleur, gredin, grigou, grimelin, grippe-sou, harpagon, ladre, lésineur, liard, liardeur, molière, pingre, prodigue, radin, rapiat, rat, séraphin, serré, vautour, vil, vilain.
AVARIE. Dommage, mouille, panne, sapiteur, tare, vilenie.
AVARIER. Altérer, endommager, gâter, meurtrir, pourrir, tarer, vicier.
AVEC. De, par, parmi, partager.
AVELINE. Noisette.
AVEN. Abîme, abysse, bétoire, cloup, emposieu, fosse, gouffre, igue.
AVENANT. Accort, adjonction, affable, aimable, codicille, engageant.
AVÈNEMENT. Accession, apparition, arrivée, élévation, venue.
AVENIR. Astrologie, aventure, débouché, demain, désormais, destin, devin, éternité, futur, lot, météorologie, prophète, semer, sort, vocation.
AVENTURE. Affaire, conte, errer, héros, mésaventure, revers, roman.
AVENTURIER. Aventureux, boucanier, corsaire, errant, hasardeux, imprévoyant, intrigant, mandrin, osé, risqueur, téméraire.
AVENTURIER (n. p.). Cagliostro, Éon, Oates, Raspoutine, Vidocq.
AVENUE. Allée, boulevard, chemin, drève, paver, pontage, rue, voie.
AVÉRER. Attester, confirmer, notoire, prouver, vérifier, vrai.
AVERS. Face, obvers, obverse.
AVERSE. Abat, arc-en-ciel, drache, grain, nuée, ondée, orage, pluie.
AVERSION. Animosité, antipathie, dégoût, haine, inimitié, répulsion.
AVERTIR. Alarmer, alerter, aviser, dire, diriger, gronder, informer, insinuer, menacer, prévenir, rappeler, semoncer, signaler, sommer.
AVERTISSEMENT. Alerte, avis, blâme, conseil, gare, klaxon, leçon, lettre, marque, menace, préavis, remontrance, semonce, signe, voix.
AVERTISSEUR. Junon, klaxon, prophète, signal, sirène, sonnerie, trompe.
AVETTE. Abeille, apidé, apis, hyménoptère.
AVEU. Candeur, confession, gêne, mea-culpa, naïveté, oui, remords.
AVEUGLE. Braille, cataracte, chauvin, clos, ébloui, non-voyant, nuit.
AVEUGLER. Bander, boucher, crever, éblouir, priver, tromper, voiler.
AVIATEUR. Aile, as, icare, navigant, navigateur, pilote, raid, vol.
AVIATEUR (n. p.). Coli, Costes.

AVIDE. Affamé, altéré, âpre, avare, cupide, curieux, friand, glouton, goulu, intéressé, mercenaire, passionné, rapace, rapiat, vorace.
AVIDITÉ. Convoitise, cupidité, désir, rapacité, vampirisme, voracité.
AVILIR. Abaisser, abâtardir, bas, dégrader, déprécier, ennoblir, galvauder, honte, humilier, infâmie, profaner, ravaler, souiller.
AVINER. Dipsomane, éméché, ivre, gris, noir, paf, rond, saoul, soûl.
AVION. Adac, adav, aérobus, airbus, biplace, biplan, coucou, hydravion, jet, mirage, nez, piper, piqué, raid, ressource, stol, triplan, zinc.
AVIRON. Canot, dame, erseau, godille, pagaie, pale, rame, scull, tolet.
AVIS. Annonce, avertissement, conseil, dénonciation, éveil, idée, note, notification, opinion, préface, préavis, proclamation, sens, urne, vote.
AVISER. Annoncer, avertir, conseiller, déclarer, estimer, éveiller, inculquer, informer, notifier, opiner, oser, pourvoir, trouver, voir.
AVIVER. Accélérer, aiguiser, attiser, augmenter, déchaîner, embraser, enflammer, exalter, exciter, fanatiser, irriter, ouvrir, plâtrer, vivifier.
AVOCAT. Barreau, défenseur, fruit, maître, orateur, robe, robin, toge.
AVOINE. Céréale, fromental, grumel, houque, picotin, poche, volée.
AVOIR. Accéder, actif, bien, compte, crédit, demander, détenir, doit, eu, jouir, marre, obtenir, partager, prévaloir, propriété, tenir, tirer.
AVORTEMENT. Brucellose, millerandage, salmonecelle.
AVORTER. Chuter, échouer, foirer, louper, manquer, rater.
AVORTON. Faible, embryon, fœtus, germe, homoncule, nabot, nain.
AVOUER. Accuser, admettre, avocat, concéder, constater, confesser, confier, convenir, dire, nier, parler, reconnaître, trahir, vider.
AVRIL. Blé, poisson.
AXE. Arbre, essieu, hampe, ligne, pivot, pôle, rachis, tige, vecteur.
AXER. Aiguiller, diriger, orienter, piloter, pivoter, tourner, traverser.
AXIOME. Argument, certitude, évidence, pensée, prémisse, vérité.
AZALÉE. Amaena, arendsii, canadensis, crouxii, kaempferi, kurume, malvatica, macrantha, macrostemon, maxwellii, mollis, mucronatum, pontique, rhododendron, viscosa, vuykiana.
AZOTE. Az, chitine, N, nitre, nitrogène, nylon, soja, urée, urique.
AZUR. Air, bleu, céleste, ciel, éther, lapis, outremer, voûte.
AZURITE. Alchimie.

B

BABA. Abasourdi, ahuri, bée, bol, croupe, cul, derrière, dos, ébahi, étonné, fessier, gâteau, marquise, savarin, sidéré, stupéfait, surpris.
BABEL. Nemrod, tour, Ziggourat.
BABIL. Babillard, bruit, caquet, jaserie, murmure, placotage, ramage.
BABILLARD. Bavard, causeur, commère, éloquent, jaseur, phraseur.
BABILLER. Bavarder, cailleter, caqueter, gazouiller, jaser, parler.
BABINE. Balèvre, bord, joue, labre, lèvre, lippe, masque, moue.
BABIOLE. Affichet, breloque, bricole, broutille, colifichet, flirt, rien.
BAC. Auget, baccalauréat, bachot, caisse, cuve, passeur, pile, toue.

BACCALAURÉAT. Bac, bachot, diplôme, premier, terminale.
BACCARA. Banco, carte, floche, ponte, pot.
BACCHANTE. Bassaride, éleide, éviade, ménade, mimalonide, thiyade.
BACCHUS. Louange, sommelier, vin.
BACCHUS (n. p.). Dionysos, Dithyrambe, Évohé, Ménades, Thyades, Thyrse.
BACILLE. Botulique, éberth, lèpre, microbe, typhique, virgule, yersin.
BÂCLER. Expédier, fermer, finir, gâcher, gâter, inattention, saboter.
BACTÉRIE. Azotobacter, bacille, champignon, colibacille, coque, germe, microbe, nitreux, nitrique, pneumocoque, rhizobium, sarcine, spirille.
BADAUD. Barguineur, crédule, curieux, flâneur, oisif, promeneur.
BADIANE. Anis.
BADGE. Cocarde, emblème, étole, insigne, macaron, rosette, sceptre.
BADIGEONNER. Barbouiller, enduire, farder, oindre, peindre, recouvrir.
BADIN. Bouffon, espiègle, fol, folâtre, folichon, fou, gai, léger, pétulant.
BADINER. Amuser, folâtrer, jouer, plaisanter, railler, rigoler, rire.
BAFOUER. Abaisser, cocu, conspuer, huer, mépriser, moquer, railler.
BAGAGE. Affaires, arroi, attirail, bâche, bagot, barda, effets, équipage, fourbi, frusque, malle, nippe, pacotille, train, trousseau, valise.
BAGARRE. Aiflette, altercation, baroufle, baston, bataille, combat, dispute, échauffourée, grabuge, lutte, mêlée, rif, riffe, rififi, rixe.
BAGATELLE. Amusette, babiole, baliverne, bêtise, bibelot, bricole, colifichet, minutie, misère, niaiserie, plaisanterie, rien, sornette, vétille.
BAGNARD. Détenu, forçat, galérien, interné, pénitencier, prisonnier.
BAGOU. Baratin, bavardage, boniment, éloquence, jactance, tchatche.
BAGUE. Anneau, chaton, chevalière, cigare, jonc, marquise, triboulet.
BAGUETTE. Aine, antebois, archet, badine, listeau, listel, liston, liteau.
BAGUETTISANT. Enchantement, radiesthésiste, sourcier.
BAHUT. Appui, armoire, buffet, camion, chaperon, coffre, collège, dressoir, école, huche, lycée, maie, semainier, vaisselier.
BAIE. Airelle, akène, anse, atoca, bleuet, calanque, cap, cenelle, conche, crique, drupe, fenêtre, fraise, framboise, fronteau, golfe, graine, havre, lucarne, mûre, myrtille, pamplemousse, sorbe, table, verrière.
BAIE D'AFRIQUE (n. p.). Biafra, Delagoa, Sainte-Hélène, Walvis.
BAIE D'ANGLETERRE (n. p.). Lyme.
BAIE D'AUSTRALIE (n. p.). Albatros, Halifax.
BAIE DU BRÉSIL (n. p.). Marajo, Rio, Turiacu.
BAIE DU CANADA (n. p.). Baffin, Burlington, Caraquet, Cardigan, Chedabouctou, Cobequid, Cumberland, Des Chaleurs, Egmont, Frobisher, Fundy, Georgienne, Green, Hudson, James, Quinté, Saginaw, Shepody, Trinity, Ungava.
BAIE DE CHINE (n. p.). Kiao-Tchéou, Yinglo.
BAIE DES ÉTATS-UNIS (n. p.). Chesapeake, Galveston, San Francisco.
BAIE D'ISRAËL (n. p.). Ako, Haïfa.
BAIE DU JAPON (n. p.). Ise.

BAIE DU QUÉBEC (n. p.). Cascapédia, Des Chaleurs, Gaspé, Ha Ha, James, Missisquoi, Trinité, Ungava.
BAIE DU VIETNAM (n. p.). Along.
BAIGNADE. Baigner, bain, douche, étuve, mégis, sauna, pataugeoire.
BAIGNER. Arroser, asperger, baigner, baptiser, bassiner, doucher, étuver, guéer, humecter, imbiber, inonder, irriguer, laver, mouiller, nager, nettoyer, plonger, submerger, traverser, tremper, verser.
BAIGNOIRE. Bain, loge, mezzanine, piscine, sabot, salle.
BAIL. Amodiation, contrat, convention, emphytéotique, fermage, loyer.
BAILLEUR. Concessionnaire, créancier, preneur, prêteur, propriétaire.
BÂILLONNER. Empêcher, étouffer, fermer, museler, réduire.
BAIN. Douche, étuve, mégis, sauna, siège, thermes, trempette, tub.
BAISER. Baise-main, bec, bécot, bécoter, bise, bisou, bizou, embrasser.
BAISSER. Abaisser, abattre, affaisser, bas, caler, céder, chuter, courber, décliner, décroître, déflation, faiblir, fléchir, incliner, pencher.
BALAFRE. Blessure, cicatrice, coupure, entaille, estafilade, taillade.
BALAI. Aspirateur, brosse, épuration, houssoir, sorcière, vadrouille.
BALANCE. Ajustoir, bascule, berce, caudrette, crochet, filet, fléau, pèse-personne, peson, romaine, seste, solde, trébuchet, truble, verge.
BALANCEMENT. Bercement, dandinement, mutation, roulis, tangage.
BALANCER. Battre, bercer, berner, branler, compenser, dandiner, dodeliner, frémir, hésiter, jeter, osciller, peser, rouler, sauter, vaciller.
BALANÇOIRE. Balancelle, bascule, escarpolette, baliverne, sornette.
BALAYER. Brosser, essuyer, frotter, housser, laver, nettoyer, ramoner.
BALCON. Balustrade, corbeille, galerie, loggia, oriel, saillie, véranda.
BALDAQUIN. Ciborium, ciel, dais.
BALEINE. Baleineau, baleinier, busc, cétacé, crinoline, épaulard, fanon, huile, jubarte, léviathan, mégaptère, orque, rorqual, rorque, verge.
BALISE. Amer, bouée, clignotant, délinéateur, émetteur, feu, vigie.
BALISIER. Canna.
BALISTE. Bricole, catapulte, espringale, machine, onagre, scorpion.
BALIVERNE. Bagatelle, coquecigrue, facétie, faribole, sornette.
BALLE. Auget, ballon, baseball, bastos, boule, but, cible, colis, croquet, éteuf, farde, golf, jeu, let, marbre, polo, projectile, pruneau, smash.
BALLET. Chorégraphie, coryphée, danse, spectacle.
BALLON. Aéronaute, ancre, bombe, délester, essai, filet, gaz, gonfler, lest, nacelle, passe, rumeur, saucisse, saut, sommet, sonde, zeppelin.
BALLONNER. Aérophagie, arrondir, augmenter, bomber, emphysème, enfler, flatulence, gonfler, grouiller, météoriste, tendre, tympanite.
BALLOT. Attirail, baluchon, colis, équipement, paquet, remballer.
BALLOTTER. Agiter, balancer, baller, cahoter, remuer, secouer, tirailler.
BALOURD. Balustre, bête, cruche, lourdaud, niais, rustaud, sot, stupide.
BALOURDISE. Énormité, gaffe, gaucherie, grossièreté, lourdeur, sottise.
BALSAMINE. Impatiens, impatiente.
BALUSTRADE. Balcon, épi, grille, limon, rampe, ridelle, socle, travée.

BALZAC, PERSONNAGE (n. p.). Chanbert, Grandet, Gaudissart, Mirouet, Nucingen, Peau de chagrin.
BAMBIN. Bébé, chérubin, enfant, gamin, gosse.
BAMBOU. Auréa, bambusa, fastuosa, henonis, japonica, mitis, murielae, nigra, nitida, sasa, simonii.
BANAL. Commun, courant, médiocre, ordinaire, plat, stéréotypé, usé.
BANANIER. Abaca, bananeraie, musa, régime.
BANC. Chaise, congère, corail, dressoir, escabeau, établi, exèdre, huîtrier, gradin, montoir, neige, poissons, sable, selle, siège, tréteau.
BANDAGE. Attelle, bande, écharpe, glisse, plâtre, pneu, spica, toile.
BANDE. Aine, banderole, brayer, bride, ceinture, courroie, épaulette, épitoge, étole, film, galon, gang, gîte, lien, loup, marmaille, meute, penture, rail, rivage, rive, sangle, séton, sous-pied, surdos, volée, zone.
BANDEAU. Archivolte, bâillon, diadème, fronteau, serre-tête, verseau.
BANDER. Érection, étirer, gîter, lier, panser, raidir, rouler, tendre.
BANDEROLE. Calicot, drapeau, étendard, gonfalon, gonfanon, marque.
BANDIT. Apache, escarpe, escroc, filou, forban, gangster, larron, nervi, pillard, pirate, séide, sicaire, truand, vaurien, voleur.
BANDOULIÈRE. Assurage, baudrier, ceinture, écharpe.
BANLIEUE. Agglomération, alentours, ceinture, environs, faubourg.
BANNIÈRE. Banderole, couleurs, drapeau, enseigne, étendard, fanion, flamme, gonfalon, gonfanon, marque, oriflamme, pavillon, sigle.
BANNIR. Annoncer, ban, chasser, déporter, émigrer, exiler, expatrier, expulser, interdire, ostracisme, proscrire, refouler, reléguer, renvoyer.
BANQUE NATIONALE. BN.
BANQUET. Agapes, épulon, festin, fête, lectisterne, partie, repas.
BANQUETTE. Chaise, congère, corail, dressoir, escabeau, établi, exèdre, huîtrier, gradin, montoir, neige, poissons, sable, selle, siège, tréteau.
BAPTISER. Appeler, arroser, bénir, conférer, diluer, exorciser, ondoyer.
BAQUET. Bac, baille, corpulent, cuve, gros, jale, sapine, seillon, tonneau.
BAR. Alcool, bistrot, brasserie, buvette, cabaret, café, discothèque, loubine, loup, loup de mer, lubin, saloon, taverne, troquet, zinc.
BARAQUE. Bicoque, cabane, cassine, guérite, habitation, loge, masure.
BARATIN. Abattage, bagou, blablabla, boniment, brio, charme, jactance.
BARBADINE. Passiflore.
BARBARE. Avare, brute, clan, cruel, dur, horde, maure, sauvage, tribu.
BARBARIE. Atrocité, bestialité, férocité, oponce, raquette, sauvagerie.
BARBE. Arête, barbiche, barbichette, barbillons, barbu, blaireau, bouc, collier, favoris, imberbe, moustache, penne, plume, poils, royale.
BARBE-BLEUE. Capucin, glabre, impériale, mouche, royale.
BARBEAU. Barbillon, barbus, bleuet, insecte, proxénète.
BARBICHE. Bouc, chèvre, barbichette, barbillons, barbu, blaireau.
BARBIER. Coiffeur, figaro, merlan, perruquier.
BARBOUILLER. Gribouiller, gribouillis, griffonnage, grimoire, salir.
BARBU. Capucin, glabre, grison, imberbe, poilu, rasé, sapeur, velu.
BARDANE. Arctium, glouteron, gratteron, peignerolle.

BARDEAU. Aisseau, shingle, tuile.
BARDOT. Âne, bardeau, cabot, cheval, métis, mulet.
BARIL. Barillet, barrique, barrot, boucault, caque, feuillette, foudre, fût, futaille, hareng, lité, quartaut, tine, tinette, tonne, tonneau, tonnelet.
BARIOLER. Bigarrer, chamarrer, jasper, marbrer, panacher, veiner.
BARON. Baronnet, baronnie, boucherie, tortil.
BAROQUE. Abracadabrant, bizarre, bouffob, choquant, kitsch, rococo.
BARQUE. Arche, bac, bachot, barcasse, barge, bateau, bélandre, boom, brick, caïque, cange, canot, caron, chaloupe, drakkar, esquif, galère, nocher, périssoire, pirogue, ponton, rafiot, steamer, trimaran, vedette.
BARRAGE. Barrière, centrale, clôture, déversoir, écluse, écran, embâcle, épi, évacuateur, jetée, obstacle, réservoir, ressaut, serrement, truyère.
BARRAGE D'ALLEMAGNE (n. p.). Ottmachau.
BARRAGE D'AUSTRALIE (n. p.). Murrumbidgee.
BARRAGE DE BELGIQUE (n. p.). Eupen.
BARRAGE D'ÉGYPTE (n. p.). Assouan, Camarasa.
BARRAGE D'ESPAGNE (n. p.). Canelles, Esla, Jandula, Pallaresa.
BARRAGE DES ÉTATS-UNIS (n. p.). Alder, Arrowrock, Ashokan, Boulder, Buffalo Bill, Conowingo, Coolidge, Detroit, Diablo, Fontana, Fort Peck, Grand Coulee, Harrodsburg, Hoover, Hungry Horse, Kensico, Martin, Norris, Osage, Owyhee, Pardee, Pathfinder, Pine Flat, Roosevelt, Ross, Saluda, Schoharie, Shasta, Shoshone, Wilson.
BARRAGE DE FRANCE (n. p.). Chambon, Génissiat, Sautet, Tigues.
BARRAGE DU QUÉBEC (n. p.). Baie-de-James, Beauharnois, Des-Joachims, Johnson, LG 1, LG 2, Radisson, Robert-Bourassa, Shipshaw.
BARRAGE DE RUSSIE (n. p.). Dnieper, Inguri, Kuibyshev.
BARRAGE DE SUISSE (n. p.). Barberine, Grimsel, Mauvoisin, Zeuzier.
BARRE. Ancre, bâcle, bâton, chenet, chien, cintre, épar, épart, fêle, gouge, gouvernail, huit, jas, levier, mors, obel, péri, témoin, tige.
BARREAU. Aimant, balustre, échelon, orgue, pilastre, sommier.
BARRER. Biffer, boucher, fermer, effacer, obstruer, radier, rayer.
BARRIÈRE. Barrage, barricade, claie, clôture, digue, douve, grille, haie, herse, ligne, obstacle, palissade, rampe, ridelle, seuil, treillis.
BARRIQUE. Baril, benne, botte, boucaut, caque, charge, cuve, flotte, foudre, fût, futaille, mèche, muid, pièce, pipe, récipient, seau, tonneau, tine, tune, vase.
BARROT. Bau, caque, baril, épontille.
BARYTON, CHANTEUR (n. p.). Allard, Arres, Beauchemin, Belleau, Biron, Bisson, Boie, Boivin, Boucher, Campbell, Chiosa, Claude, Côté, Couturier, Cyr, Duguay, Erkoreka, Ferland, Fournier, Funicelli, Gaudet, Gobeil, Gosselin, Grosser, Julien, Kulish, Labbé, Lagrenade, Langlois, Laperrière, Larouche, Latour, Lecky, Leclerc, Lefebvre, Lepage, Létourneau, Levasseur, Levert, Lortie, Major, McAuley, McMillan, Miron, Mollet, Montpetit, Oland, Patenaude, Poirier, Richard, Robie, Sasseville, Savoie, Sever, Trempe, Viau, Wolny, Zinko.

BARYUM. Ba.
BAS. Abject, accoucher, avili, cave, dessous, élevé, feuille, fond, grivois, grossier, haut, honteux, ignoble, impur, infâme, inférieur, jarretelle, lâche, laid, noble, pays, pédale, pied, petit, taré, trivial, vêtement, vil.
BAS-CÔTÉ. Collatéral.
BAS-RELIEF. Anaglyphe, estampage, diptyque, médaillon, rude.
BASANÉ. Bronzé, escafignon, foncé, grillé, kroumir, noir, tanné.
BASCULER. Balancer, benne, culbuter, renverser.
BASE. Appui, assise, clé, clef, centre, dessous, empattement, ergot, fond, fondement, patin, pied, pivot, plan, point, principe, socle, sol, support.
BASIQUE. Alcalin, amine, ampholyte, anionique, basiphile, métal.
BASSE, CHANTEUR (n. p.). Beauchemin, Béland, Belleau, Benoît, Bisson, Callender, Corbeil, De Forge, Deschamps, Desjardins, Dionne, Funicelli, Germain, Gosselin, Gramescu, Grenier, Guérette, Harbour, Hébert, Julien, Kulish, Lareau, Lefebvre, Légaré, Martin, McNamara, McRae, Pratt, Rouleau, Saint-Amant, Saucier, Scott, Sigmen, Trudeau, Victor.
BASSESSE. Abjection, petitesse, platitude, saloperie, servilité, vilenie.
BASSIN. Auge, bac, ber, claire, cuvette, darce, darse, dock, étang, étier, évier, fonts, gare, pelvien, port, rade, rond, sacrum, sas, tin, tub.
BASTRINGUE. Bal, boîte, guinche, guinguette, musette, soirée, surboum.
BATACLAN. Appareil, attirail, bagage, bazar, fourbi, outil, train.
BATAILLE. Accrochage, affrontement, bagarre, bandière, combat, coursier, destrier, dispute, lutte, grabuge, guerre, rixe, turbulence.
BATAILLON. Brigade, cohorte, quartier, régiment, soldat, troupe.
BÂTARD. Baguenaudier, boulanger, champi, corniot, métis, séné, roi.
BATARDEAU. Digue, palplanche.
BATEAU. Arche, bac, bâche, barge, barque, bâtiment, caboteur, canoë, canot, cargo, chaloupe, chalutier, chebec, corvette, doris, drakkar, flotte, frégate, galère, gondole, jonque, kayac, langoustier, margota, monitor, navire, nef, péniche, pinasse, pirogue, polacre, ponton, prao, radeau, rafiot, skiff, sous-marin, steamer, terre-neuvas, vedette, yacht.
BATELEUR. Baladin, bouffon, cabotin, dompteur, histrion, pitre.
BATELIER. Barcarolle, gondolier, marin, marinier, matelot, passeur.
BATIFOLER. Counilller, folâtrer, lutiner, marivauder, niaiser.
BÂTIMENT. Abattoir, abbaye, caboteur, cargo, caserne, chebec, colombarium, corvette, dôme, édifice, écurie, étable, ferme, frégate, gare, grange, hourque, logis, navire, poulailler, sous-marin, yacht.
BÂTIR. Construire, échafauder, édifier, élever, ériger, établir, fonder.
BÂTISSEUR. Architecte, constructeur, créateur, maçon, promoteur.
BÂTISSE. Construction, dôme, édifice, hôtel, odéon, musée, temple.
BÂTON. Baguette, barre, batte, bois, brigadier, canne, crosse, digon, épieu, férule, gaule, gorge, gourdin, hampe, houlette, jalon, jauge, jonc, lituus, massue, pédum, pieu, sceptre, théâtre, thyrse, tige, verge.

BÂTONNET. Coton-tige, craie, crayon, frite, surimi, témoin.
BATRACIEN. Agua, alyte, amphibien, amphiume, anoure, apode, axolotl, cécilie, coasser, crapaud, frai, grenouille, larve, pipa, protée, raine, rainette, ranidé, salamandre, têtard, triton, urodèle, uroplate.
BATTANT. Battement, bélière, bluff, brayer, bruit, éventail, réclame.
BATTEMENT. Batillage, barillon, ictus, palpiter, pouls, pulsation.
BATTERIE. Appel, babord, canon, casseroles, charge, diane, général, marmites, pile, plats, réveil, sabord, tambour, tribord, ustensile.
BATTEUR. Drummer, fouette, moussoir, percussionniste.
BATTRE. Boxer, cogner, damer, errer, fesser, fouetter, frapper, fustiger, gauler, léser, mêler, piler, punir, rosser, rouer, tabac, taper, vanner.
BAU. Barrot.
BAUDET. Aliboron, âne, bardot, bourrique, grison, roussin, sot, tréteau.
BAUDRIER. Assurage, bandoulière, ceinturon, écharpe.
BAUME. Dictame, gomme, onguent, résine, styrax, teinture, tolu.
BAVARD. Ara, avocat, causeur, commère, crécelle, discret, indiscret, jacasseur, loquace, margot, orateur, pie, silencieux, taciturne.
BAVARDAGE. Babil, bagou, cancan, jactance, japotage, jaspinage, margotage, papotage, potin, racontar, ragot, verbiage.
BAVARDER. Causer, commérer, jacasser, jacter, jaser, papoter, parler.
BAVE. Bavette, écume, mucus, salive, spumosité, venin.
BAVER. Bavocher, béer, couler, écumer, juter, postillonner, saliver.
BAVETTE. Bavoir, boucher, boucherie, serviette.
BAYARD. Pierre, terraille.
BAYER. Bader, bâiller, béer, rêvasser, rêver.
BÉANT. Bée, béance, grand, large, ouvert.
BÉAT. Bienheureux, bigot, canonisé, content, élu, heureux, ravi, saint.
BÉATIFIÉ. Béat, bienheureux, canonisé, élu, saint.
BEAU. Affreux, bel, coquet, divin, élégant, épouvantable, esthète, gai, gentil, hideux, horrible, ignoble, joli, laid, mignon, monstrueux, vilain.
BEAUCOUP. Énormément, fort, foule, légion, maint, moult, multitude, nombre, nuée, plusieurs, prou, quantité, sec, tant, tas, tout, très, trop.
BEAUTÉ. Apollon, astre, charme, chic, élégance, fraîcheur, glamour, grâce, féerie, idéal, jolie, joliesse, ornement, séduction, toilette.
BÉBÉ. Enfant, flô, lardon, mioche, môme, nouveau-né, poupon, têtard.
BEC. Ambès, auer, baiser, becqueter, brûleur, cap, cire, clapet, coque, goule, goulot, gueule, oncirostre, onglet, papillon, plume, rostre.
BEC-DE-PERROQUET. Ostéophyte.
BÉCANE. Bicycle, bicyclette, cycle, tandem, triporteur, vélo.
BÉCASSE. Barge, bécassine, bécasseau, canard, croule, crouler.
BÉCASSEAU. Aléoutienne, baird, chevalier, cocorli, cendré, échasse, maritime, maubèche, minuscule, ressac, roussâtre, roux, sanderling, semi-palmé, variable, violet.
BÉCASSINE. Aiguille, marais, orphie.
BÊCHE. Fourche, houlette, louchet, palot, pelle, tallandier, trident.

BÉCOT. Ambès, auer, baiser, becqueter, brûleur, cap, clapet, coque, goule, goulot, gueule, oncirostre, onglet, papillon, plume, rostre.
BÉCOTER. Baiser, biser, choisir, embrasser, enlacer, étreindre, serrer.
BECQUETER. Baiser, bécoter, becquetage, embrasser, mordiller, picoter.
BEDONNANT. Adipeux, baquet, grassouillet, gros, obèse, pansu, ventre.
BÉER. Admirer, bayer, ébahir, rêvasser, rêver, stupéfaction, stupeur.
BÉGONIA. Bertinii, discolor, gracilis, masoniana, tubéreux.
BEIGNET. Beigne, muffin, pet, pet-de-sœur, pomme.
BÉLIER. Animelles, blatérer, brebis, demoiselle, mouton.
BELLE-DAME. Belladone.
BELLE-DE-NUIT. Mirabilis, prostituée.
BELLE-FILLE. Bru.
BELLIQUEUX. Agressif, batailleur, guerrier, martial, mordant, pacifique.
BÉLUGA. Dauphin, marsouin.
BÉNÉFICE. Agio, avantage, boni, commission, dividende, émolument, gain, intérêt, martingale, obédience, profit, reste, revenu, ristourne.
BÉNÉFICIAIRE. Adjudicataire, gagnant, légataire, nominataire.
BÉNÉFICIER. Avoir, fructifier, gagner, jouir, profiter, rapporter.
BENÊT. Andouille, bêta, bobet, éveillé, futé, malin, niais, nigaud, sot.
BÉNÉVOLAT. Bénévole, complaisant, gracieux, volontaire, volontariat.
BÉNIN. Anodin, bon, calme, doux, inoffensif, sarcoïde, stéatome.
BÉNIR. Anict, baptiser, consacrer, corporal, exorciser, patafioler, sacrer.
BÉNITIER. Tridacne.
BENNE. Berline, caisse, chariot, hotte, mine, panier, récipient, wagonnet.
BÉQUILLE. Bâton, cale, canne, étai, étançon, soutien, support, tin.
BERBÈRE. Arabe, kabyle, maure, targui, touareg.
BERCEAU. Ber, berce, chariot, cité, couffin, crèche, lit, moïse, nacelle, origine, panier, naissance, nef, nid, tin, tonnelle, treille, voûte.
BERCER. Agiter, balancer, branler, cadence, calmer, charmer, consoler, dodeliner, endormir, espérer, ondoyer, onduler, remuer, soulager.
BÉRET. Calot, calote, coiffure, faluche, galette, galons, toque.
BERGE. An, année, batillage, berme, bord, levée, port, rivage, rive, talus.
BERGER. Bouvier, gardeur, lapri, pasteur, pâtre, porcher, vacher, vénus.
BERGER (n. p.). Acis, Endymion.
BERGERONNETTE. Bergerette, hochequeue, lavandière, passereau.
BERKÉLIUM. Bk.
BERLINE. Automobile, benne, chariot, decauville, hotte, récipient.
BERMUDA. Culotte, short.
BERNACHE. Oie, outarde.
BERNER. Abuser, duper, jobarder, leurrer, moquer, tricher, tromper.
BERNICLE. Patelle.
BÉRYLLIUM. Be, béryl, chrysobéryl, émeraude, glucinium.
BESOGNE. Affaire, boulot, corvée, labeur, pensum, pièce, tâche, travail.
BESOGNER. Agir, bosser, bricoler, bûcher, chiner, cultiver, œuvrer, piocher, rendre, produire, suer, tracer, travailler, trimer.

BESOIN. Appétit, désir, envie, exigence, faim, jeûne, laver, manque, misère, narcolepsie, nécessité, prier, privation, soif, sommeil, urgence.
BESSON. Double, jumeau, menechme, pareil, siamois, sosie, univitellin.
BESTIAL. Âpre, barbare, bas, bourru, brusque, cru, cruel, direct, dur, féroce, franc, grossier, mufle, rude, truculent, violent, vulgaire.
BÊTA. Bêtasse, bête, sot.
BÊTE. Animal, attelage, bestiole, bétail, cambrai, charogne, dromadaire, fauve, horde, ignorance, monture, morné, obtus, sauvagine, sot, train.
BÊTISE. Ânerie, bourde, connerie, énormité, esprit, fadaise, finesse, ingéniosité, intelligence, niaiserie, sornette, sottise, stupidité, subtilité.
BÉTON. Bétonnière, ciment, coffrage, faïence, mortier, pervibration.
BETTERAVE. Bette, carde, cardon, cossette, sucre.
BEUGLER. Appeler, brailler, bramer, crier, hurler, meugler, mugir.
BEURRER. Baratter, enrichir, prospérer, tartiner.
BEUVERIE. Bacchanale, bombance, bringue, festin, guindaille, orgie.
BÉVUE. Ânerie, bourde, brioche, connerie, erreur, étourderie, gaffe.
BIAIS. Aspect, biseau, détour, escaloper, frisant, indirect, oblique.
BIAISER. Fausser, louvoyer, obliquer, ruser, tergiverser, tournoyer.
BIBI. Moi.
BIBLE (n. p.). Gemara, Genèse, Mishna, Moïse, Pentateuque, Talmud, Torah.
BIBLIOTHÈQUE. Bibliobus, enfer, iconothèque, musée, rayon.
BIBLIQUE. Aaron, Aba, Abel, Abner, Adam, Agag, Agar, Ammon, Asa, Aser, Booz, Caïn, Cham, Dan, Éla, Élie, Éliezer, Énoch, Ésaü, Ève, Glad, Isaac, Jacob, Japhet, Job, Judas, Laban, Lia, Loth, Moïse, Noé, Onan, Ruth, Sarah, Sem, Seth, Sulamite, Tobie, Urie, Zabulon.
BICHONNER. Chouchouter, choyer, dorloter, fignoler, gâter, traiter.
BICOQUE. Baraque, cabane, cassine, chalet, maison, pavillon, taudis.
BICYCLETTE. Bécane, bi, bicycle, cycle, tandem, triporteur, vélo.
BIDE. Bedaine, bedon, flop, gâcher, louper, omettre, patiner, rater.
BIDET. Bourrin, cob, cuvette, mule, mulet, postier, toilette.
BIDOCHE. Barbaque, cuir, semelle, viande.
BIDON. Boille, cuve, fût, gourde, insuccès, nourrice, réservoir, sein.
BIDULE. Amulette, but, chef, chose, gadget, ivoire, onde, outil, machin, maroquinerie, objet, stérilet, talisman, trésor, truc, ulve, ustensile.
BIEN. Assez, avoir, ben, bonté, bravo, désir, digne, domaine, dot, droit, héritage, légal, mal, net, patrimoine, revenu, séparation, très, zest.
BIEN-AIMÉ. Amant, amoureux, chéri, chouchou, dulciné, élu, fiancé.
BIENFAISANT. Généreux, humain, maléfique, malfaisant, pernicieux.
BIENFAIT. Aide, appui, aumône, bénéfice, bien, bonté, charité, don, faveur, grâce, largesse, obole, patronnage, pitié, politesse, service.
BIENFAITEUR. Dispensateur, donateur, mécène, patron, protecteur.
BIENHEUREUX. Béat, bonheur, ciel, élu, heureux, paradis, saint.
BIENNAL. Bisannuel.
BIENSÉANT. Bel, beau, décent, laid, poli, propre, respectueux, séant.
BIENTÔT. Futur, incessamment, prochainement, rapidement, tantôt.

BIENVEILLANCE. Amitié, amour, bonté, cordialité, générosité, grâce.
BIENVEILLANT. Aimable, bénin, bon, clément, complaisant, compréhensif, cordial, fléchissable, généreux, indulgent, paterne.
BIENVENUE. Abord, accès, accueil, hospitalité, réception, traitement.
BIÈRE. Ale, amidon, blonde, bock, boisson, cannette, cercueil, cervoise, chope, demi, faro, feu, gueuse, houblon, lambic, malt, mort, orge, pâle, porter, stout, zython, zythum.
BIFFER. Annuler, barrer, effacer, enlever, raturer, rayer, sabrer.
BIGARREAU. Burlat, cerise.
BIGARRER. Barioler, jasper, chamarrer, disparate, diversifier, marbrer, mélanger, mêler, rayer, tacher, taveler, tigrer, varier, veiner, zébrer.
BIGLER. Ciller, cligner, loucher, mater, mirer, regarder, zieuter.
BIGORNEAU. Coquillage, écouteur, littorine, téléphone, vignot.
BIGOT. Béat, cafard, cagot, calotin, croyant, dévot, mômier, tartuffe.
BIGREMENT. Amplement, beaucoup, copieusement, fort, très.
BIJOU. Alliance, anneau, bague, barrette, boucle, breloque, broche, chaîne, colifichet, collier, diadème, épingle, jonc, médaillon, pendentif.
BIJOUTERIE. Chaîniste, joaillerie, marcasite, orfèvre, triboulet.
BILE. Aigreur, amer, atrabile, chagrin, colère, fiel, foie, glaire, humeur, mécontentement, mélancolie, venin.
BILLARD. Bande, boule, coulé, massé, queue, rétro, série, truc.
BILLE. Auge, bic, boule, calot, carambole, effet, gobille, plot, queue.
BILLET. Bon, carte, coupon, devise, lettre, ordre, tessère, ticket, traite.
BIOGRAPHIE. Biobibliographie, histoire, journal, mémoires, notice, vie.
BIOME. Océan.
BIOXYDE. Étain, dioxyde, oxyde, oxygène, oxylithe, pyrolusite.
BIS. Acclamation, beige, bravo, deux, encore, gris, hourra.
BISANNUEL. Biennal, carvi, colza.
BISCUIT. Biscotin, boudoir, craquelin, croquet, galette, gâteau, gaufrette, macaron, massepain, porcelaine, sablé, soda, spéculos, toast.
BISE. Baiser, bec, bécot, bisette, bisou, blizzard, poutou, retient, vent.
BISEAU. Burin, écoté, entaillé, hoyau, oblique, pied-de-biche, sifflet.
BISOU. Baiser, bec, bécot, bisette, bisou, retient.
BISMUTH. Bi.
BISON. Bœuf, ure, urus.
BISQUE. Potage, bouillie, bouillon, cille, consommé, crème, coulis, julienne, lavasse, lavure, louche, minestrone, oille, philtre, soupe.
BISQUER. Asticoter, ennuyer, enrager, rager, râler, taquiner, vexer.
BISSER. Acclamer, applaudir, ovation, rappeler, réclamer, répéter.
BISTOURI. Couteau, lame, scalpel.
BISTROT. Brasserie, cabaret, café, taverne.
BISULFURE. Marcasite, marcassite.
BITUMER. Asphalter, enrober, goudronner, macadamiser, revêtir.
BIVOUAC. Abrivent, camp, halte, tente.
BIZARRE. Anormal, baroque, bigarré, cocasse, comique, curieux, drôle, étrange, farfelu, hétéroclite, inouï, insolite, lunatique, saugrenu, spécial.

BLACKBOULER. Contester, décliner, dénier, éconduire, étendre, évincer, nier, priver, rebeller, rebiffer, recaler, récuser, refuser, regimber, renier, résister, retaper.
BLAFARD. Blanc, blême, élavé, livide, pâle, terne.
BLAGUE. Attrape, bêtise, bobard, canular, craque, erreur, exagération, farce, gag, galéjade, hâblerie, mensonge, plaisanterie, sornette, tabac.
BLAGUEUR. Bouffon, farceur, joueur, mystificateur, plaisantin, rieur.
BLAIREAU. Brosse, carcajou, pinceau, rate.
BLÂME. Critique, désaveu, huée, satire, savon, sermon, tirade, tollé.
BLÂMER. Désapprouver, incriminer, flétrir, reprendre, stigmatiser.
BLANC. Albâtre, api, aube, blême, candidat, candide, canitie, céruse, chenu, clair, craie, cygne, écru, glaire, innocent, laiteux, mégi, neige, net, opium, pâle, pavot, pie, spermacéti, zinc.
BLANC-BEC. Arrogant, béjaune, insolent, niais, morveux, prétentieux.
BLANCHEUR. Albâtre, canitie, ivoire, leucome, lymphatisme, pâleur.
BLANCHIR. Défendre, disculper, excuser, innocenter, justifier, résigner.
BLASÉ. Brisé, claqué, crevé, épuisé, excédé, fatigué, fourbu, las, repu.
BLASER. Dégoûter, désabuser, fatiguer, lasser, rassasier, soûler.
BLASON. Abîme, armes, azur, écu, orle, parti, sinople, tau, timbre.
BLASPHÈME. Grossièreté, impiété, imprécation, injure, insulte, juron.
BLASPHÉMER. Jurer, malédiction, maudir, outrager, sacrer.
BLÉ. Amidonnier, céréale, froment, gerbe, grain, gruau, foin, ivraie, maïs, minot, moucheté, orge, pain, sarrasin, son, touselle, triticum.
BLED. Affût, arrêt, asile, cédraie, cinéma, clairière, creuset, emplacement, endroit, entrée, envers, flottaison, germoir, glaisière, gué, héronnière, ici, là, légumier, lieu, mangeure, melonnière, noiseraie, parage, patelin, paysage, place, pondoir, précipice, recto, resserre, rouissoir, rucher, séjour, silo, site, soudure, source, tabagie, tir, vasière.
BLÊME. Blafard, décoloré, exsangue, faible, hâve, livide, pâle, terne.
BLESSANT. Âcre, agressif, amer, aigre, âpre, bière, choquant, cruel, cuisant, déplaisant, dur, douleur, fiel, offensant, onde, pénible.
BLESSER. Contusionner, écorcher, encorner, entaille, étriper, froisser, geler, léser, luxer, mordre, mutiler, navrer, offenser, ulcérer, vexer.
BLESSURE. Bleu, boutonnière, coup, coupure, décousure, écorchure, égratignure, enclouure, entaille, lésion, morsure, piqûre, plaie.
BLEU. Azur, béryl, bleuet, bolet, cobée, conservateur, cyan, iode, induline, iris, lapis, lilas, marine, pâle, pers, safre, sauge, vert, zinc.
BLEUET. Bluet, barbeau, centaurée, myrtille.
BLEU-MAUVE. Pervenche.
BLINDER. Amer, ardu, brutal, calleux, coriace, dur, épais, impitoyable, implacable, inexorable, métallique, rassis, roc, rude, sec, sévère.
BLOC. Amas, bille, cube, culasse, délit, enclume, ensemble, iceberg, igloo, masse, monolithe, ouvrage, pavé, roche, sérac, tablette, tout.
BLOC-NOTES. Agenda, cahier, calepin, carnet, livret, mémorandum.
BLOCAGE. Arrêt, barrage, bloc, frein, gel, remplage, stabilisation.
BLOND. Blondasse, blondinet, doré, galant, jaune, lin, platine.

BLONDE. Amie, bière, dentelle, fille, parque, platine.
BLOQUER. Amasser, caler, cerner, coincer, condamner, entasser, fermer, geler, grouper, investir, masser, obstruer, réunir, serrer, suspendre.
BLOUSE. Camisole, chemisier, corsage, jabot, marinière, sarrau, vareuse.
BLUFF. Appât, char, charre, frime, imposteur, leurre, tromperie.
BLUTOIR. Crible, filtre, passoire, sas, sasser, tamis, vanne.
BOBARD. Attrape, bêtise, bobard, canular, craque, erreur, exagération, farce, gag, galéjade, hâblerie, mensonge, plaisanterie, sornette, tabac.
BOBINAGE. Cryoalternateur, dévidoir, enroulement.
BOBINE. Broche, diabolo, espolin, fusée, fuseau, marionnette, moue, moulinet, navette, nille, noyau, rochet, roquetin, rouleau.
BŒUF. Api, aurochs, bison, bourguignon, bouvier, bouvillon, bovin, bovril, buffle, butor, gaur, génisse, goulasch, ladre, mufle, ovibos, ovin, rosbif, sacrifice, taureau, ure, urus, vache, veau, yack, yak, zébu.
BOHÉMIEN. Gipsy, gitan, romanichel, tsigane, tzigane, vagabond.
BOIRE. Absorber, avaler, buvoter, déguster, gobelotter, goûter, humer, ingurgiter, lamper, laper, licher, lipper, picoler, pinter, prendre, régalade, sabler, savourer, siroter, toast, trait, trinquer, vider.
BOIS. Acajou, arsin, balsa, bocage, bosquet, bourdillon, braise, brasil, calambac, campêche, chablis, châlit, châtaigneraie, chêne, cœur, cor, dague, douvain, ébène, forêt, gibet, noyer, palissandre, perchis, pernambouc, pin, pinède, pinière, pineraie, ramure, ronceux, rondin, sappan, sarment, sidéroxylon, sipo, taillis, teck, tin, vermoulu.
BOISSON. Alcool, apéro, bichof, bière, bischof, breuvage, café, cerisette, cidre, citronnade, coco, eau, genévrette, gin, grog, halbi, hydromel, hypocras, kava, kawa, kéfir, kvas, kwas, lait, limonade, liqueur, nectar, orangeade, piquette, poiré, poison, pulque, remontantrhum, râpé, rye, saké, saki, sangria, scotch, soda, sorbet, thé, tisane, vin, vodka.
BOÎTE. Bonbonnière, boîtier, cagnotte, caisse, caque, carton, case, casier, coffre, crâne, custode, écrin, étui, justice, lanterne, pandore, pochette, poubelle, serinette, tiroir, tronc, urne, voûte.
BOITER. Boitiller, claudiquer, clocher, cloper, clopiner, feindre, marcher.
BOL. Bolée, coupe, jatte, récipient, rince-doigts, tasse.
BOLÉRO. Blouson, cardigan, coiffure, danse, dolman, hoqueton, veste.
BOLÉRO (n. p.). Ravel.
BOLET. Blafard, bronzé, cèpe, champignon, fiel, nonette, satan.
BOMBANCE. Bombe, boustifaille, bringue, festin, nocer, ribote.
BOMBARDE. Canon, flageolet, hautbois, mortier, musique, turlurette.
BOMBARDER. Canonner, écraser, lancer, marmiter, mitrailler, tirer.
BOMBAX. Fromager, kapokier.
BOMBER. Arrondir, cambrer, enfler, goder, gondoler, gonfler, renfler.
BON. Correct, exquis, juste, parfait, propre, rigoureux, soigneux, talent.
BONASSE. Bénin, bon, faible, modeste, mou, niais, simple, timoré.
BONBON. Berlingot, bouchée, caramel, crotte, douceur, fondant, nanan, papillotte, pastille, praline, sucette, suçon, sucrerie, tamar.
BOND. Assaut, boom, furet, gambade, rebond, ricochet, saltation, saut.

BONDIR. Cabrioler, cahoter, cascader, marcher, sauter, sursauter.
BONHEUR. Adversité, aise, amulette, aubaine, calamité, chance, confort, délice, désastre, douceur, douleur, échec, extase, félicité, heur, infortune, joie, jouissance, malchance, misère, peine, plaisir, prospérité, rayonner, revers, satisfaction, souffrance, succès, veine.
BONIFICATION. Commission, guelte, primage, remise, ristourne, salaire.
BONIFIER. Améliorer, fertiliser, gratifier, primer, valoriser.
BONIMENT. Baratin, blague, bruit, blablabla, parde, publicité, réclame.
BONITE. Pectoral, pélamide, pélamyde, thon.
BONJOUR. Bonsoir, ciao, courbette, hommage, révérence, salamec, salut.
BONNE. Affable, aide, bonniche, douce, gouvernante, infirmière, nurse.
BONNET. Attifet, béret, calot, calotte, capuchon, képi, toque, tuque.
BONSOIR. Bonjour, ciao, courbette, hommage, révérence, salamec, salut.
BORASSUS. Borasse, lontar, palmier, palmyre, rondier, ronier.
BORD. Alèse, amure, arête, bande, berge, biseau, bordure, cercle, cordon, côté, extrémité, flanc, grève, haie, lèvre, limbe, limite, lisière, marge, marli, orée, ourlet, paroi, plage, rebord, rive, virer, zone.
BORDAGE. Congère, dame, fargues, portemanteau, vaigre, virure.
BORDEL. Lupanar.
BORDER. Encadrer, entourer, limiter, longer, marger, ourler, rogner.
BORDURE. Berme, berge, bord, borne, cadre, contour, encadrement, hiloire, lé, lice, limite, lisière, marge, orée, orle, quai, rain, rive, trottoir.
BORDURER. Cadrer, crépiner, enrubanner, galonner, garnir, mouler.
BORE. B.
BORÉAL. Aurore, austral, magnétique, nordique, polaire, pôle.
BORNE. Barrière, bordure, court, douane, étroit, excès, fin, frein, frontière, limite, lisière, mesuré, obtus, orée, pôle, rétréci, terme.
BORNÉ. Bouché, con, étroit, intolérant, limité, mesquin, rétréci, sot.
BORNER. Cadastrer, cantonner, délimiter, limiter, localiser, terminer.
BOSSE. Apostume, beigne, bigne, cabosse, don, enflure, tumeur, zébu.
BOTANISER. Herboriser.
BOTTE. Bottillon, bottine, bouquet, carotte, chaussure, claque, escrime, gerbe, heuse, lieur, ligot, meule, soulier, tabac, talon, tas, tige.
BOUC. Bélier, chèvre, émissaire, hircin, menon, musc, ovin, peau.
BOUCANÉ. Conservé, desséché, fumé, saur, sauré, séché.
BOUCANIER. Aventurier, bandit, brigand, contrebandier, corsaire, écumeur, escroc, filou, flibustier, forban, requin, voleur.
BOUCHE. Âme, aphte, bave, bec, canon, gueule, margoulette, mors, muguet, obusier, oral, ouverture, palais, reverche, rot, ulite, voix.
BOUCHÉE. Béatilles, entrée, goulée, lippée, petit-four, salpicon.
BOUCHER. Aveugler, caboche, calfeutrer, clore, colmater, étouper, fermer, luter, mastiquer, murer, obstruer, obturer, occulter, sceller.
BOUCHERIE. Abattoir, échaudoir, étal, fusil, hansart, toilette, tuerie.
BOUCHON. Bonde, bondon, capsule, capuchon, muselet, tampon, tape.
BOUCHONNER. Chiffonner, frictionner, froisser, frotter, panser, tordre.

BOUCLE. Agrafe, anneau, ardillon, chape, crolle, éfrison, erse, fermoir, fibule, frison, girandole, glène, lobe, maille, nœud,œil, spirale.
BOUCLIER. Arme, broquel, carapace, écu, égide, guige, ombon, orle, parme, pavois, pelte, rempart, rondache, rondelle, targe, tortue.
BOUDDHA (n. p.). Fô, Jataka, Zen.
BOUDER. Grogner, ignorer, maussade, moue, rechigner, refuser.
BOUDINER. Comprimer, entortiller, étouffer, étriquer, serrer, tordre.
BOUDOIR. Bureau, cabinet, salon, vivoir.
BOUE. Argile, bourbe, crotte, currure, dépôt, fange, frange, gadoue, illuter, immondice, lie, limon, lut, merde, rebut, tourbe, salse, vase.
BOUÉE. Balise, clignotant, délinéateur, émetteur, feu, flotte, orin, vigie.
BOUFFANT. Ample, ballonnant, blousant, bouillon, crinoline, gonflant, gonflé, tournure, vertugadin, tutu.
BOUFFÉE. Émanation, exhalaison, haleine, pouf, respiration, taffe.
BOUFFER. Absorber, avaler, becter, bouffer, brouter, consommer, croquer, déguster, dévorer, dîner, gaver, goûter, grignoter, happer, ingérer, mâcher, manger, paître, pignocher, ronger, sustenter, vider.
BOUFFI. Adipeux, boursouflé, enflé, gonflé, gros, joufflu, mafflé, mafflu.
BOUFFON. Arlequin, baladin, bête, bouffe, clown, comédie, drôle, fol, fou, gracioso, joyeux, opérette, paillasse, pitre, triboulet, zani, zanni.
BOUFFONNERIE. Arlequinade, drôlerie, facétie, farce, parodie, sottise.
BOUGER. Agiter, aller, avancer, broncher, changer, ciller, déplacer, déranger, gesticuler, mouvoir, partir, réagir, remuer, venir, voyager.
BOUGONNER. Geindre, grogner, grommeler, gronder, ronchonner.
BOUILLE. Berthe, bille, binette, figure, hotte, récipient, pot, tête, vase.
BOUILLIE. Cataplasme, chyme, compote, consommé, coulis, couscous, crème, emplâtre, gadou, magma, millas, polenta, porridge, purée.
BOUILLON. Aisy, brouet, chaudeau, chaudrée, concentré, consommé, court-bouillon, décoction, échouer, gargotte, lavure, potage, soupe.
BOULE. Balle, bille, boulet, boulette, bulle, croquette, globe, godiveau, hâtereau, mail, mie, obier, pelote, perle, pois, quenelle, tête.
BOULEAU. Betula, blanc, bleu, jaune, fontimal, gris, noir, papier, yukon.
BOULEDOGUE. Dogue.
BOULETTE. Croquette, godiveau, hâtereau, pellet, quenelle, vitoulet.
BOULEVERSEMENT. Cataclysme, chambardement, émotion, séisme.
BOULEVERSER. Abattre, agiter, brouiller, casser, changer, chavirer, contester, dérégler, émouvoir, ravager, renverser, saccager, troubler.
BOULE-DE-NEIGE. Obier.
BOULON. Attache, écrou, lien, moise, pas, rivet, tareau, vis, visse.
BOULOT. Court, gros, emploi, job, métier, travail.
BOUQUET. Aigrette, apothéose, bois, botte, bouquin, brassée, comble, écrevisse, crevette, fleur, gale, gerbe, groupe, lapin, lièvre, mèche, palémon, parfum, queue, réunion, rose, senteur, touffe, trochet.
BOUQUIN. Bouc, bouquet, grimoire, lapin, lièvre, livre, ouvrage.
BOUQUINER. Accoupler, bouquineur, lire, magasiner.
BOUQUINISTE. Libraire, soldeur.

BOURDE. Ânerie, bêtise, bévue, connerie, erreur, faribole, mensonge.
BOURDONNEMENT. Bruissement, cornement, murmure, ronflement.
BOURDONNER. Fredonner, murmurer, ronfler, sonner, tinter, travailler.
BOURG. Bourgade, hameau, localité, trou, village, ville.
BOURGEOIS. Cadre, monsieur, nanti, pékin, philistin, rentier, supérieur.
BOURGEON. Acné, agassin, axillaire, bouton, bulbille, caïeu, cayeu, chaton, chou-palmiste, drageon, embryon, gemme, gemmule, greffe, greffon, maille, œil, pousse, rejeton, scion, stolon, tendron, turion.
BOURGEONNER. Croître, épanouir, fleurir, grandir, prospérer, réussir.
BOURRASQUE. Cyclone, orage, ouragan, rafale, trombe, typhon, vent.
BOURRE. Coco, étoupe, fagot, laine, matos, ouate, ploc, soie, strasse.
BOURREAU. Assassin, capeluche, cruel, exécuteur, guillotine, meurtrier, sadique, sanguinaire, supplice, tortionnaire, tueur, valet.
BOURRELET. Circonvolution, graisse, tortil, tortillon, vertugadin.
BOURRELIER. Carrelet, manicle, manique, sellier, tire-pied, trépointe.
BOURRER. Emplir, farcir, garnir, gaver, rembourrer, remplir, truffer.
BOURRIQUE. Âne, bête, policier, sot.
BOURRU. Abrupt, acariâtre, bougon, brusque, brut, cru, dégrossi, grossier, hargneux, hirsute, lait, mal, maussade, renfrogné, rude.
BOURSE. Agiot, aide, argent, aumônière, avance, don, escarcelle, eunuque, parquet, poche, prêt, prime, réticule, sac, secours, subside.
BOURSOUFLER. Ballonner, bouffir, dilater, enfler, gonfler, grossir, ru.
BOURSOUFLURE. Ampoule, apostème, ballonner, cloche, cloque, enflure, gonflement, œdème, phlyctène, tension, tumeur, vésicule.
BOUSCULER. Battre, brutaliser, lapider, malmener, molester, sabouler.
BOUSILLER. Abîmer, amocher, bâtir, blesser, carier, casser, dégrader, démolir, ébrécher, endommager, gâcher, gâter, pourrir, saboter, user.
BOUSSOLE. Compas, déclinatoire, rose.
BOUT. Auricule, bord, borne, cordon, extrémité, fin, lobe, mèche, mégot, moucheron, naine, ongle, pointe, raban, tenon, terme, tétine, tette.
BOUTEILLE. Balthazar, bidon, bocal, cannette, carafe, fiole, flacon, gourde, if, jéroboam, magnum, nabuchodonosor, pichet, thermos.
BOUTIQUE. Agence, animalerie, bazar, commerce, débit, épicerie, essencerie, étal, galerie, herboristerie, librairie, magasin, papeterie.
BOUTON. Acné, bourgeon, bulbe, câpre, déboutonner, fermoir, galon, girofle, mouche, œil, œillet, populage, rivet.
BOUTURE. Greffe, mailleton, marcotte, plantard, rejeton.
BOUVERIE. Abri, bercail, bergerie, écurie, étable, porcherie, soue, tect.
BOXE. Coq, crochet, direct, jab, léger, lourd, mouche, moyen, plume.
BOXEUR POIDS LOURD (n. p.). Ali, Baer, Braddock, Burns, Carnera, Clay, Corbett, Dempsey, Ezzard, Fitzsimmons, Foreman, Frasier, Holmes, Jeffries, Johansson, Johnson, Hart, Liston, Louis, Marciano, Patterson, Schmeling, Sharkey, Sullivan, Tunney, Tyson, Walcott, Willard.
BOXEUR POIDS MOYEN (n. p.). Antuofermo, Apostoli, Basilio, Benvenuti, Brouillard, Cerdan, Chip, Corro, Dempsey, Downes, Dundee, Fitzsimmons, Flowers, Fullmer, Garcia, Giardello, Graziano, Greb,

Griffith, Hagler, Hostak, Jeby, Jones, Ketchell, Klaus, Krieger, La Motta, Leonard, McCoy, Minter, Monzon, O'Dowd, Olson, Overlin, Papke, Pender, Risco, Robinson, Ryan, Soose, Steele, Thil, Thompson, Tiger, Turpin, Valdès, Walker, Wilson, Yarosz, Zale.

BOYAU. Andouille, baudruche, boudin, canal, catgut, conduit, entrailles, fraise, intestin, rognon, saucisse, trac, tripe, tuyau, viscères.

BRACELET. Armille, breloque, chaîne, gourmette, psellion, puntarelle.

BRACHIOPODE. Rhynchonelle, spirifer.

BRACONNAGE. Absidiole, affût, bannir, battue, chasse, cimicaire, cor, chien, drag, épervier, fouée, gibier, louveterie, muette, panneautage, piégeage, piper, poursuite, safari, traque, vénerie, volerie.

BRACTÉE. Bractéole, calicule, glume, glumelle, involucre.

BRADYPE. Ai, singe.

BRAILLER. Braire, chialer, chigner, crier, gémir, lamenter, larmoyer, miauler, plaindre, pleurnicher, pleurer, sangloter, vagir, zerver.

BRAISE. Argent, brandon, charbon, chaufferette, rouable, tison.

BRAISIÈRE. Cocotte, daube, daubière, faitout, huguenote, marmite.

BRAMER. Appeler, chanter, crier, dorat, plaindre, raire, raller, réer.

BRAN. Excrément, sciure, son.

BRANCARD. Civière, dossière, limon, limonière, longeron, palanquin.

BRANCHAGE. Branche, broutille, fagot, haie, houssoir, ramée, ramure.

BRANCHE. Bois, brindille, chiffonne, corne, courson, crossette, écotée, ergot, éperon, ès, feuillage, feuillard, gluau, greffe, marcotte, plançon, plantard, rameau, ramée, rejeton, rotin, scion, tronc, uélé, vinée.

BRANCHÉ. Câblé, connecté, couplé, cri, in, mode, vogue.

BRANLER. Battre, bercer, berner, compenser, dandiner, dodeliner, frémir, glander, hésiter, jeter, osciller, peser, rouler, sauter, vaciller.

BRAQUE. Bizarre, brindezingue, chien, écervelé, étourdi, lunatique.

BRAS. Affluent, biceps, brassée, coude, craw, cubitus, jelinde, pompe.

BRAS DE MER. Détroit, fleuve, manche, mer.

BRAS DE MER (n. p.). Bristol, Cattegat, Déroute, East-River, Irlande, Lombok, Magellan, Manche, Palk, Yssel, Waal.

BRASIER. Ardeur, âtre, brûler, bûcher, cendres, chaleur, feu, flamme, fournaise, foyer, funéraire, fuser, igné, incendie, passion, poêle.

BRASSER. Agiter, orienter, ourdir, pétrir, remuer, secouer, touiller.

BRAVACHE. Bravade, brave, bravo, capitan, défi, fanfaron, fendant, hâbleur, mâchefer, matamore, olibrius, sabre, vantard.

BRAVE. Couard, courageux, fanfaron, hardi, héros, lâche, malhonnête, mauvais, poltron, preux, pusillanime, rodomont, tartarin, vaillant.

BRAVER. Affronter, attaquer, crâner, menacer, moquer, narguer, oser.

BRAVO. Bis, bravissimo, cri, encore, félicitations, hourra, vivat.

BRAVOURE. Ardeur, audace, cœur, courage, cran, front, nerf, valeur.

BREBIS. Agneau, chrétiens, feta, mouton, niolo, ouailles, ovin, vacive.

BREDOUILLER. Ânonner, balbutier, bégayer, cafouiller, déconner.

BREF. Abrégé, brutal, concis, court, enfin, résumé, sommaire, succinct.

BRETELLE. Balancines, bandoulière, bifurcation, brassière, bricole, courroie, échangeur, embranchement, lanière, raccord, trèfle.
BRETTE. Bretteler, duel, épée, estafe.
BREUVAGE. Bichof, bière, bischof, boisson, buvée, café, cerisette, cidre, citronnade, coco, eau, genévrette, gin, grog, halbi, hydromel, hypocras, kava, kawa, kéfir, kvas, kwas, lait, limonade, liqueur, médicament, nectar, orangeade, oxymel, philtre, piquette, poiré, poison, pulque, râpé, rye, saké, saki, scotch, sorbet, thé, tisane, vin, vodka.
BRIBE. Citation, extrait, fragment, miette, morceau, partie, zéro.
BRIC-À-BRAC. Bazar, capharnaüm, désordre, hétéroclite, méli-mélo.
BRIDER. Attacher, atteler, ficeler, hybrider, nettoyer, seller, serrer.
BRIGADE. Équipe, escouade, formation, groupe, peloton, quart, troupe.
BRIGADIER. Aide, caporal, chef, général, surveillant, théâtre.
BRIGAND. Bandit, coquin, kleptomane, maraudeur, pilleur, voleur.
BRILLANT. Ara, brio, ciré, éclatant, étoile, fard, faste, gloire, luisant, lustre, or, radieux, relief, rutilant, splendeur, toc, ver, vermeil, vif.
BRILLE. Coruscant, éclat, luit, lumineux, phosphorescent, rutile.
BRILLER. Chatoyer, dorer, étinceler, flamboyer, luire, parer, scintiller.
BRIMER. Berner, flouer, priver, railler, taquiner, tourmenter, vexer.
BRIN. Atome, fétu, fil, miette, natte, peu, pleyon, quillette, tortis.
BRIQUE. Aggloméré, briquette, chantignole, livre, roman.
BRIQUET. Allumette, fusil, sabre.
BRIS. Casse, débris, éclat, fin, morceaux, ostéoclasie, rupture, viol.
BRISE-GLACE. Bâche, barge, barque, bâtiment, caboteur, cargo, corvette, flotte, frégate, galère, navire, rafiot, steamer, terre-neuvas.
BRISE-GLACE (n. p.). Camsell, Howe, Ernest-Lapointe, Iberville, Macdonald, Labrador, Montcalm, Saurel, Simon-Fraser, Tupper, Wolfe.
BRISER. Broyer, casser, éclater, écraser, édenter, effondre, éreinter, fracasser, fractionner, gruger, mouler, péter, pulvériser, rompre, stèle.
BRISTOL. Carte.
BRISURE. Brèche, cassure, clase, éclat, entaille, faille, fêlure, lambel.
BROCANTEUR. Antiquaire, bouquiniste, camelot, casseur, chiffonnier, chineur, ferrailleur, fripier, regrattier.
BROCHET. Bécard, brocheton, ésociculture, ésocidé, esox, lanceron, lucius, maskinongé, muskellunge, niger, pickerel, vermiculatus.
BROCHETTE. Barbecue, chiche-kebah, hâtelet, lardoise, souvlaki.
BROCHEUSE. Agrafeuse, brocheur, couseuse.
BRODEQUIN. Bottillon, bottine, chaussure, godillot, napolitain, soulier.
BROCHURE. Catalogue, livre, opuscule, pamphlet, prospectus, tract.
BRODERIE. Fanfreluche, filet, oripeau, point, tapisserie, verdurette.
BROME. Br.
BRONCHE. Bronchite, apnée, expectorer, pneumonie, toux.
BRONZÉ. Basané, brun, cuivré, doré, étain, grillé, hâlé, noir, talé.
BROSSE. Balai, carde, écouvillon, goret, hérisson, saie, tapis, veinette.
BROUHAHA. Bruit, chahut, charivari, cohue, foire, tapage, tumulte.
BROUILLARD. Brume, fog, frimas, givre, halo, nuage, nuée, smog.

BROUILLE. Confus, désaccord, froideur, haine, inimitié, nuage, querelle.
BROUILLÉ. Confus, désuni, disparate, ennemi, fâché, incertain, oeuf.
BROUILLER. Confondre, désunir, emmêler, fâcher, mêler, troubler.
BROUILLON. Agité, canevas, dissipé, ébauche, esquisse, manuscrit.
BROUSSAILLE. Ardent, bois, bosquet, buisson, fourré, haie, taillis.
BROUSSE. Bled, bush, forêt, savane, scrub.
BROUTER. Gagner, manger, paître.
BROYER. Aplatir, briser, casser, concasser, écanguer, écraser, émietter, mâcher, mastiquer, moudre, piler, râper, réduire, renverser, triturer.
BRUANT. Azuré, blanc, bréant, indigo, lapon, lazuli, nonpareil, oiseau, ortolan, Smith.
BRUIT. Borborygme, boucan, brouhaha, bourdonnement, bruissement, cancan, chahut, clapotis, clappement, cornage, coup, crépitation, crépitement, cri, déclic, détonation, drelin, écho, éclat, esclandre, fracas, friture, galop, gargouillement, gazouillement, grabuge, grincement, huée, hurlement, murmure, pet, pétard, potin, râle, ronflement, ronron, rot, rumeur, son, stridulation, tac, tapage, tic, tintamarre, toc, tocsin, tonnerre, tumulte, vacarme.
BRÛLANT. Ardent, caustique, chaud, torride.
BRÛLER. Ambitionner, arder, bronzer, calciner, carboniser, cautériser, consommer, convoiter, crématoire, cuire, détruire, distiller, ébouillanter, échauder, embraser, enflammer, griller, fondre, fusion, hâler, havir, incinérer, phlogistiquer, rôtir, roussir, torréfier, ustion.
BRUME. Buée, gris, mélancolie, nébuleux, spleen, tristesse, vapeur.
BRUMISATEUR. Atomisateur, fixateur, pulvérisateur, sublimateur.
BRUN. Auburn, bai, beige, bis, bistre, bronzé, châtain, drabe, ocre.
BRUNE. Bière, brunissure, crépuscule, italienne, parque.
BRUNIR. Bronzer, griller, hâler, matir.
BRUSQUE. Abrupt, bourru, bref, crise, irruption, ressac, rude, sec.
BRUT. Barbare, bestial, écru, fort, frais, fruste, grège, grossier, ort, naturel, net, neutre, nu, rude, sauvage, terne, vierge, violent, vulgaire.
BRUTAL. Âpre, barbare, bas, bestial, bourru, brusque, cru, cruel, direct, dur, féroce, franc, grossier, mufle, rude, truculent, violent, vulgaire.
BRUTALISER. Battre, brusquer, malmener, molester, rosser, rudoyer.
BRUYANT. Borborygme, boucan, brouhaha, bourdonnement, bruissement, cancan, chahut, clapotis, clappement, cornage, coup, crépitation, crépitement, cri, déclic, détonation, drelin, écho, éclat, esclandre, fracas, friture, galop, gargouillement, gazouillement, grabuge, grincement, huée, hurlement, murmure, pet, pétard, potin, râle, ronflement, ronron, rot, rumeur, son, stridulation, tac, tapage, tic, tintamarre, toc, tocsin, tonnerre, tumulte, vacarme.
BU. Absorber, avaler, boire, buvoter, déguster, gobelotter, goûter, humer, lamper, laper, licher, lipper, ingurgiter, picoler, régalade, sabler, savourer, siroter, toast, trait, trinquer, vider.
BUANDERIE. Blanchisserie, laverie, lavoir, nettoyeur, souillarde.
BUCCAL. Aphte, bouche, mâchoire, mandibule, oral, stomatite, trompe.

BÛCHER. Appentis, battre, bosser, buriner, cave, étudier, oeta, resserre.
BUDGET. Assiette, balance, compte, comptabilité, crédit, dépense, gain, plan, prévision, recette, rentrée, répartition, revenu, salaire.
BUFFET. Armoire, bahut, buvette, cabinet, café, cantine, commode, crédence, danser, desserte, dressoir, organiste, placard, vaisselier.
BUFFLE. Bœuf, gaur, gayal, karabau, karbau, kérabeau, yac, yack.
BUGLE. Alto, baryton, ive, ivette.
BUISSON. Ardent, bois, bosquet, broussaille, écrevisse, fourré, taillis.
BULBE. Caïeu, cayeu, cervelet, coupole, oignon, olive, tunique.
BULGARE. Bogomile, dialecte, monnaie, slavon.
BULLE. Boule, bref, décrétale, mandement, rescrit, sceau.
BULLETIN. Annonce, avis, billet, carnet, communiqué, rapport, reçu.
BUNGALOW. Chartreuse, coloniale, habitation, maison, véranda, villa.
BUNKER. Abri, aile, antre, asile, auvent, cabane, cagna, casemate, chenil, couvert, dais, égide, gare, gîte, guérite, hangar, havre, niche, parapluie, parasol, port, rade, refuge, retraite, ruche, taud, tente, toit, tutelle.
BUREAU. Cabinet, étude, local, meuble, pupitre, régie, secrétariat, table.
BURGAUDINE. Burgau, burgo, nacre.
BURIN. Bédane, charnière, ciseau, drille, échoppe, guilloche, pointe.
BURINER. Chiffrer, écrire, entailler, graver, imprimer, inscrire, orfèvre.
BURLESQUE. Baroque, bouffon, comique, farce, parodie, ridicule, risible.
BURNOUT. Dépression, épuisement, fatigue.
BUSE. Bondrée, busaigle, busard, crabière, grise, harpaye, harpie, multiraie, noire, obscure, pattue, prairie, rapace, rouilleuse, Swainson.
BUSTE. Busc, corsage, piédestal, poitrine, sein, socle, sphinge, torse.
BUT. Afin, fin, intention, mire, pour, prétention, terme, vers, visée, vue.
BUTÉ. Arrêté, braqué, bloqué, entêté, étroit, fermé, obstiné, têtu.
BUTÉE. Arrêtoir, butoir, contrefort, culée, massif, taquet.
BUTIN. Capture, confiscation, conquête, dépouille, prise, proie, rançon.
BUTOIR. Arrêtoir, banane, butée, cale-pied, culée, heurtoir.
BUTOR. Bête, grossier, impoli, maladroit, mufle, rustre.
BUTTE. Colline, côte, dune, erg, mont, monticule, motte, talus, tertre.
BUVABLE. Acceptable, passable, possible, potable, sain, tolérable.
BYSANCE. Ange, cygne.
BYZANTIN. Chinois, compliqué, entortillé, farfelu, futile, oiseux, pédant.
BYTE. Octet.

C

C. Camargue, Comtat, Crau, trois.
CA. Calcium.
CABALE. Complot, élection, ésotérisme, kabbale, intrigue, talisman.
CABANE. Baraque, cabanon, chaume, clapier, couveuse, hutte, niche.
CABARET. Boîte, bistrot, buvette, café, cave, club, taverne, tripot.
CABAS. Couffe, couffin, panier, sac, sachet, sacoche, scouffin.

CABESTAN. Amolette, arbre, câble, carlingue, mèche, palan, treuil.
CABILLAUD. Morue.
CABINE. Abri, cabinet, cagibi, confessionnal, cockpit, isoloir, réduit.
CABINET. Agence, bahut, buffet, bureau, cabine, chiotte, étude, fourre-tout, gloriette, kiosque, latrines, pièce, studio, toilette, tonnelle.
CÂBLE. Amarre, bleu, chaîne, clavette, corde, crin, dépêche, écoute, élingue, exprès, filin, fune, liure, orin, pneu, remorque, torsade.
CABOCHARD. Entêté, opiniâtre, têtu.
CABOCHE. Cap, cerveau, chef, chevet, cîme, cou, crâne, début, épi, esprit, file, froc, guillotine, hauteur, hure, mental, mine, occiput, premier, roi, sinciput, sommet, supérieur, test, têt, tête, turc.
CABOT. Caporal, chabot, chien, clebs, cotte, muge, mulet, poisson.
CABOTAGE. Circumpolaire, éclaireur, galiote, haut-fond, hauturière, lougre, marine, nautique, navigation, périple, sloop, yachting.
CABOTIN. Acteur, bigot, bouffon, cabot, charlatan, comédien, histrion.
CABRIOLE. Caracoler, culbute, galipette, gambade, pirouette, saut.
CABRIOLET. Automobile, boghei, cab, tandem, tilbury, tonneau.
CACAHUÈTE. Arachide, beurre, peanut.
CACATOÈS. Rosalbin, rosalbine.
CACHE. Arcane, cachette, cave, celé, coin, enfoui, fond, hermétique, huis clos, incognito, insu, latent, mussé, niche, privé, recoin, repli, secret, taire, tapi, tu.
CACHE-SEXE. Culotte, slip, sous-vêtement, string.
CACHER. Abriter, afficher, camoufler, celer, couvrir, déceler, découvrir, déguiser, dévoiler, dissimuler, éclipser, enterrer, étaler, exposer, feindre, garder, masquer, mentir, montrer, muser, nu, occulter, omettre, planquer, soustraire, taire, tapir, terrer, tramer, voiler.
CACHET. Lettre, marque, paye, pilule, salaire, sceau, scel, tampon, visa.
CACHETER. Clore, coller, estampiller, fermer, marquer, sceller, timbrer.
CACHETTE. Abri, antre, cache, cape, catimini, dérobée, recoin, tapinois.
CACHEXIE. Abattement, amaigrissement, carence, langueur, pourriture.
CACHOT. Casemate, cellule, coin, fosse, oubliette, prison, tullianum.
CACHOU. Arec.
CACOPHONIE. Chahut, charivari, sérénade, tapage, tintamarre, tumulte.
CACTÉE. Nopal, oponce.
CADAVRE. Carcasse, charnier, charogne, corps, dépouille, goule, hyène, macchabée, momie, mort, noyé, ossements, pendu, restes, sujet.
CADEAU. Anet, avantage, don, dot, envoi, étrenne, fleur, offre, largesse, offrande, pot-de-vin, présent, prime, prix, souvenir, surprise.
CADENCE. Accord, danse, harmonie, mouvement, poésie, rythme.
CADET. Benjamin, caddie, jeune, junior, puîné, sororat.
CADENETTE. Baderne, cordon, couette, macaron, natte, soutache, tresse.
CADMIUM. Cd.
CADRAN. Aiguille, boussole, gnomon, heure, horloge, plan, rosette.
CADRE. Bordure, châssis, coffrage, décor, encadreur, patron, sommier.

CADUC. Âgé, annulé, cassé, démodé, dépassé, nul, obsolète, passager.
CAESIUM. Cs.
CAFARD. Aria, avanie, avaro, avatar, contrariété, déboire, dégoût, désagrément, difficulté, embarras, embêtement, enquiquinement, épine, épreuve, hic, lassitude, os, panne, pépin, souci, tracas, tuile.
CAFÉ. Arabica, arôme, bar, brasserie, buvette, cabaret, cafétéria, caoua, champoreau, colombien, comptoir, déca, express, farde, gloria, java, jus, mazagran, moka, orge, pub, restaurant, taverne, terrasse.
CAFOUILLER. Déroger, gâcher, louper, manquer, omettre, patiner, rater.
CAGE. Ascenseur, épinette, juchoir, mue, nichoir, vara, varus, volière.
CAGEOT. Cagette, caisse, carton, cave, coffre, colis, paquet, tambour.
CAGNEUX. Bancal, bancroche, inégal, noueux, tordu, tors, varus.
CAGNOTTE. Boîte, bourse, caisse, coffret, corbeille, somme, tirelire.
CAHIER. Agenda, album, calepin, carnet, écart, livre, livret, registre.
CAILLE. Brouisse, calorifère, coagule, margauder, margot, pituiter, puron, tirasse, tome, yaourt, yogourt.
CAILLE-LAIT. Gaillet.
CAILLER. Brousse, coaguler, condenser, durcir, prendre, présurer, surir.
CAILLOT. Embolie, flocon, grumeau, phlébite, thrombose, thrombus.
CAILLOU. Aspre, galet, gravier, palet, pierre, rocaille, roche, silex.
CAISSE. Carrosserie, carton, cave, coffre, colis, paquet, tambour.
CAISSIER. Argentier, avare, chevalier, comptable, payeur, trésorier.
CAISSON. Benne, billot, boîte, boîtier, cadre, colis, emballage, harasse.
CAJOLER. Amadouer, caresser, choyer, dorloter, enjôler, flatter, séduire.
CALAISON. Tirant.
CALAMITÉ. Catastrophe, fléau, mal, malheur, maux, misère, peste.
CALANDRE. Golfe, lisse, moire.
CALCAIRE. Chaux, cipolin, craie, dolomie, groie, liais, marbre, marne, merl, molasse, oolithe, spicule, stalactite, stalagmite, test.
CALCÉDOINE. Agate, cornaline, héliotrope, jaspe, saphirine, silex.
CALCINER. Brûler, carboniser, chaux, cuire, décrépiter, dessécher.
CALCIUM. Ca.
CALCUL. Arithmétique, compte, mathématique, pierre, preuve, somme.
CALCULER. Chiffrer, compter, dénombrer, estimer, évaluer, supputer.
CALCULOT. Macareux.
CALÉ. Bon, débile, déficient, faible, ferme, grand, haut, malingre, nerveux, plein, puissant, redoutable, résistant, solide, vigoureux.
CALEÇON. Bobette, calcif, chausse, culotte, pantalon, slip, tutu.
CALENDRIER. Agenda, almanach, annuaire, chronologie, comput, éphéméride, jour, ménologue, mois, ordo, programme, table, tableau.
CALEPIN. Agenda, cahier, carnet, chéquier, livret, mémorandum.
CALER. Baisser, bloquer, caner, céder, filer, rabattre, recaler, reculer.
CALFAT. Bouchon, étoupe, goudron, patarasse, poix, résine.
CALIBRER. Aléser, cercer, classer, dilater, mesurer, proportionner.
CALICE. Bilabié, coupe, dialysépale, fleur, patène, tube, vase.
CALIFE. Bagdad, émir, omar, Mahomet.

CALIFORNIUM. Cf.
CÂLINERIE. Accolade, attentions, becquetage, caresse, chatterie, soin.
CALLISIA. Éphémère, misère.
CALLOSITÉ. Cal, calus, cor, durillon,œil-de-perdrix, oignon.
CALMANT. Apaisant, baume, diacode, dictame, morphine, sédatif.
CALMAR. Belemnite, encornet, seiche, supion.
CALME. Accalmie, agité, ataraxie, béat, bonace, bouillant, coi, cool, déchaîné, détendu, emporté, énervé, excité, flegme, froid, impatient, ire, irrité, modéré, paix, patient, placidité, posé, quiet, relax, sage, serein, sérénité, silence, tranquille, turbulent, violent.
CALMER. Adoucir, alléger, amortir, apaiser, assagir, cesser, endormir.
CALOMNIER. Baver, blâmer, cracher, critiquer, déchirer, décrier, dénigrer, diffamer, discréditer, insinuer, mépriser, noircir, raconter.
CALONNETTE. Balustre.
CALORIE. Cal, hypocalorique, joule, microthermie.
CALOTTE. Baffe, bonnet, casquette, claque, cornée, fez, tape, tuque.
CALUMET. Bouffarde, cachotte, chibouque, kalioun, narguilé, pipe.
CALVITIE. Alopécie, chauve, tonsure.
CAMAÏEU. Camée, clair-obscur, grisaille, racinage.
CAMARADE. Allié, ami, compagnon, copain, copine, labades, pote.
CAMARADERIE. Amitié, entente, entraide, liaison, union, solidarité.
CAMBOUIS. Graisse, huile.
CAMBRAI. Bêtise, cambrésien, cygne.
CAMBRER. Arc-bouter, arquer, arrondir, bomber, busquer, cintrer, couder, courber, creuser, infléchir, plier, ployer, recourber, voûter.
CAMBRIOLER. Attraper, brigander, démunir, dérober, dévaliser, voler.
CAMBRIOLEUR. Aigrefin, bandit, brigand, canaille, casseur, voleur.
CAMBRIOLEUR (n. p.). Arsène Lupin.
CAMBUSE. Baraque, cabanon, chaume, clapier, couveuse, hutte, niche.
CAME. Acide, cocaïne, drogue, goure, haschich, héroïne, LSD, lève, marijuana, morphine, neige, onguent, orviétan, remède, seng, speed.
CAMELOT. Bonimenteur, charlatan, livreur, motorisé, vêtement.
CAMELOTE. Imitation marchandise, saleté, toc.
CAMION. Autopompe, bahut, benne, bétaillère, chariot, citerne, fardier, fourgon, seau, tombereau, van, véhicule, voiture.
CAMIONNEUR. Déménageur, routier, transporteur, voiturier.
CAMOMILLE. Allemande, anthémide, anthémis, marouette, maroute, matricaire, puante, pyrèthre, romaine, sauvage, tisane.
CAMOUFLER. Abriter, afficher, celer, couvrir, déceler, découvrir, déguiser, dévoiler, dissimuler, éclipser, enterrer, étaler, exposer, feindre, garder, masquer, mentir, montrer, muser, nu, occulter, omettre, planquer, soustraire, taire, tapir, terrer, tramer, voiler.
CAMOUFLET. Affront, avanie, calotte, nasarde, offense, vexation.
CAMP. Armée, bivouac, chalet, ennemi, oflag, ost, quartier, stalag.
CAMP DE CONCENTRATION (n. p.). Mauthausen, Oflag.

CAMPAGNE. Agreste, bled, brousse, cabale, champ, clôture, croisade, forestier, guerre, nature, pays, plaine, pré, publicité, rural, sillon.
CAMPANULACÉE. Cloche, cobéa, cobée, lobélie, raiponce, spéculaire.
CANAILLE. Arsouille, crapule, fripouille, racaille, vaurien, vermine.
CANAL. Abée, aqueduc, arroyo, artère, berme, bief, chenal, cholédoque, conduite, cours, dalot, drain, eau, écluse, égout, étier, évent, évier, fistule, fossé, lé, naville, passe, rachidien, rigole, sillon, trachée, tube, tuyau, uretère, urètre, vagin, veine, voie.
CANAL D'AMÉRIQUE CENTRALE (n. p.). Panama.
CANAL DE BELGIQUE (n. p.). Albert.
CANAL DU CANADA (n. p.). Carillon, Cornwall, Galops, Greenville, Murray, Pointe-Farran, Rapides-Plats, Rideau, Sault-Ste-Marie, Trent, Welland.
CANAL DE CHINE (n. p.). Impérial.
CANAL D'ÉGYPTE (n. p.). Suez.
CANAL DES ÉTATS-UNIS (n. p.). Cape Cod, Érié, Houston.
CANAL DE FRANCE (n. p.). Berry, Bourgogne, Briare, Carhaix, Centre, Garonne, Lunel, Midi, Nantes, Nivernais, Roanne, Robine, Saint-Martin.
CANAL DU QUÉBEC (n. p.). Beauharnois, Chambly, Lachine, Saint-Laurent, Soulanges.
CANAPÉ. Causeuse, crapaud, divan, fauteuil, ottomane, sofa.
CANARD. Arlequin, bec-scie, blé, brancheur, branchu, brun, cacaoui, cancan, carolin, chipeau, colvert, duvet, eider, fauve, fuligule, garrot, halbran, harle, huppé, journal, kakawi, macreux, malard, mare, marin, mexicain, milouin, morillon, mulard, noir, pilet, plongeur, pommelé, routoutou, roux, sarcelle, siffleur, souchet, surface, tadorne, vaucanson.
CANCAN. Calomnie, canard, médisance, on, potin, racontar, ragot.
CANCER. Cancérigène, carcinoïde, carcinome, épithéliome, fongus, leucémie, malin, métastase, néoplasme, sarcome, squirrhe, tumeur.
CANCRE. Âne, élève, ignorant, paresseux.
CANCRELAT. Coquerelle.
CANDEUR. Crédulité, innocence, naïveté, pureté, simplicité, sincérité.
CANDIDAT. Aspirant, impétrant, postulant, prétendant, stagiaire.
CANDIDE. Blanc, crédule, franc, ingénu, naïf, puéril, pur, simple.
CANETTE. Balthazar, bidon, bocal, bouteille, cane, carafe, fiole, flacon, gourde, if, jéroboam, magnum, nabuchodonosor, pichet, thermos.
CANEVAS. Croquis, ébauche, modèle, scénario, schéma, tableau, toile.
CANICULE. Chaleur, été.
CANIF. Amassette, arme, bistouri, couteau, eustache, grattoir, lame, machette, mollusque, navaja, onglet, poignard, soie, solen, surin.
CANINE. Croc, défense, dent, lanière, prémolaire.
CANNE. Bambou, bâton, béquille, club, fêle, gaule, jonc, rhum, roseau.
CANNEBERGE. Ataca, atoca, baie, confiture.
CANNELURE. Canal, creux, gorge, goujure, moulure, raie, rainure, strie.

CANON. Airain, âme, bistrot, bombarde, bouche, boulet, cheval, chœur, crosse, culasse, droit, église, fauconneau, gorge, gueule, liturgie, loi, modèle, obus, obusier, pétoire, pièce, poudre, veuglaire, volée.
CANONISER. Béatifier, encenser, louer, saint, sanctifier, vénérable.
CANOPE. Urne.
CANOT. Barque, batelet, berthon, bombard, canadienne, canoë, chaloupe, esquif, kayak, racer, runabout, tapecul, yole, zodiac.
CANOTER. Avironner, godiller, nager, pagayer, ramer.
CANTALOUP. Brodé, cucurbitacée, d'eau, miel, melon, pastèque.
CANTATRICE. Chanteuse, cigale, diva, mezzo, rainette, soprano.
CANTATRICE (n. p.). Alarie, Albani, Baket, Berganza, Caballé, Callas, Crespin, Forrester, Freni, Hendricks, Melba, Mitchel, Nilsson, Norman, Price, Rhodes, Robin, Schwarzkopf, Sutherland, Tebaldi, Watts.
CANTINE. Auberge, bistrot, brasserie, brassette, buffet, buvette, cabaret, cafétéria, carte, mobile, pizzéria, popote, taverne.
CANTIQUE. Chant, hymne, messe, motet, Noël, psaume, te deum.
CANTON. Blason, cercle, coin, de l'Est, lieu, saint, suisse, ville.
CANTON SUISSE (n. p.). Appenzell, Argovie, Bâle, Bâle-campagne, Bâle-ville, Berne, Ensor, Fribourg, Genève, Glaris, Grisons, Jura, Lucerne, Neuchâtel, Nidwald, Obwald, Rhodes-Extérieures, Rhodes-Intérieures, Saint Gall, Schaffhouse, Schwyz, Soleure, Tessin, Thurgovie, Unterwald, Uri, Valais, Vaud, Zoug, Zurich.
CANTONNER. Camper, établir, fortifier, isoler, renfermer, retirer.
CAOUTCHOUC. Crêpe, ébonite, élastique, ficus, gomme, hévéa, latex.
CAP. Ail, béar, bon, nez, pointe, promontoire, raz, sicié, tête, vert.
CAP D'AFRIQUE (n. p.). Blan, Bojador, Guardafui.
CAP D'AMÉRIQUE DU SUD (n. p.). Horn, San-Antonio, San-Diego, Sao-Roque, Sao-Tomé.
CAP D'ANGLETERRE (n. p.). Lizard, Raz.
CAP D'AUSTRALIE (n. p.). Grand, Howe, Melville, Talbot, York, Zeeuwin.
CAP DU CANADA (n. p.). Bathurst, Breton, Canso, Chidley, De Sable, Race, Ray, Sambro, Tourmentin.
CAP D'ESPAGNE (n. p.). Creus, Palos, Trafalgar.
CAP DES ÉTATS-UNIS (n. p.). Blanco, Charles, Cod, Flattery, May, Mendocino, Prince de Galles, Sable.
CAP DE FRANCE (n. p.). Antifer, Croisette, Grave, Jobourg, Raz, Sicié.
CAP DU GROENLAND (n. p.). Alexandre, Atholl, Barclay, Bismark, Discorde, Farewell, Lowenorn, Melville, Mosting, Seddon, York.
CAP D'ITALIE (n. p.). Misène.
CAP DU JAPON (n. p.). Benten, Irozaki, Osezaki.
CAP DU PORTUGAL (n. p.). Roca.
CAP DU QUÉBEC (n. p.). Chat, Diamant, Gaspé, de-la-Madeleine, Rouge, Tourmente, Trinité.
CAPABLE. Adroit, apte, averti, bon, compétent, doué, expert, habile, impropre, inapte, incapable, incompétent, inhabile, intelligent, qualifié.

CAPACITÉ. Aptitude, attitude, cubage, efficience, faculté, force, grosseur, litre, mesure, portée, pouvoir, pu, saâ, savoir, talent.
CAPE. Cachette, cigare, épée, manteau, mantelet, voile.
CAPILLAIRE. Adiante, cheveux, circulation, cosmétique, lotion.
CAPITAINE. Capiston, capitainerie, chef, corsaire, patron, pirate.
CAPITAL. Argent, bien, central, clé, clef, essentiel, fonds, important, intérêt, ire, péché, placement, primordial, principal, revenu, terre, tête.
CAPITALE (n. p.), Pays (capitale). Afghanistan (Kaboul), Afrique du Sud (Pretoria), Albanie (Tirana), Algérie (Alger), Allemagne (Berlin), Andorre (Andorre), Angola (Luanda), Arabie Saoudite (Riyadh), Argentine (Buenos Aires), Australie (Canberra), Autriche (Vienne), Bahamas (Nassau), Bahrein (Manamah), Bangladesh (Dacca), Barbade (Bridgetown), Belgique (Bruxelles), Bélize (Belmopan), Bénin (Porto Novo), Bhoutan (Thimbu), Birmanie (Rangoon), Bolivie (La Paz), Bosnie-Herzégovine (Sarajevo), Botswana (Gaborone), Brésil (Brasilia), Brunei (Bandar Seri Begawan), Bulgarie (Sofia), Burkina Faso (Ouagadougou), Burundi (Bujumbura), Cameroun (Yaoundé), Canada (Ottawa), Cap-Vert (Praia), Chili (Santiago), Chine (Beijing), Chypre (Nicosie), Colombie (Bogota), Comores (Moroni), Congo (Brazzaville), Corée du Nord (Pyongyang), Corée du Sud (Séoul), Costa Rica (San José), Côte-d'Ivoire (Yamoussoukro), Croatie (Zagreb), Cuba (La Havane), Danemark (Copenhague), Djibouti (Djibouti), Dominique (Roseau), Égypte (Le Caire), El Salvador (San Salvador), Émirats arabes unis (Abu Dhabi), Équateur (Quito), Espagne (Madrid), Estonie (Tallin), États-Unis (Washington), Éthiopie (Addis Abeba), Finlande (Helsinki), France (Paris), Gabon (Libreville), Gambie (Banjul), Géorgie (Tbilissi), Ghana (Accra), Grèce (Athènes), Grenade (Saint-Georges), Guatemala (Guatemala), Guinée (Conakry), Guinée Bissau (Bissau), Guinée équatoriale (Malabo), Guyana (Georgetown), Haïti (Port-au-Prince), Honduras (Tégucigalpa), Hongrie (Budapest), Inde (New Delhi), Indonésie (Djakarta), Iran (Téhéran), Irak (Bagdad), Irlande (Dublin), Islande (Reykjavik), Israël (Jérusalem), Italie (Rome), Jamaïque (Kingston), Japon (Tokyo), Jordanie (Amman), Kenya (Nairobi), Koweït (Koweït), Laos (Vientiane), Lesotho (Maseru), Lettonie (Riga), Liban (Beyrouth), Libéria (Monrovia), Libye (Tripoli), Liechtenstein (Vaduz), Lituanie (Vilnius), Luxembourg (Luxembourg), Madagascar (Antananarivo), Malawi (Lilongwé), Malaisie (Kuala Lumpur), Maldives (Male), Mali (Bamako), Malte (La Valette), Maroc (Rabat), Maurice (Port Louis), Mauritanie (Nouakchott), Mexique (Mexico), Monaco (Monaco), Mongolie (Oulan-Bator), Mozambique (Maputo), Namibie (Windhoek), Népal (Katmandou), Nicaragua (Managua), Niger (Niamey), Nigéria (Lagos), Norvège (Oslo), Nouvelle-Zélande (Wellington), Oman (Mascate), Ouganda (Kampala), Pakistan (Islamabad), Panama (Panama), Papouasie Nouvelle-Guinée (Port Moresby), Paraguay (Asuncion), Pays-Bas (Amsterdam), Pérou (Lima), Philippines (Manille), Pologne (Varsovie), Portugal (Lisbonne), Puerto Rico (San Juan),

Qatar (Doha), République centrafricaine (Bangui), République dominicaine (Santo Domingo), République populaire de Kampuchéa (Phnom Penh), Réunion (Saint-Denis), Roumanie (Bucarest), Rwanda (Kigali), Royaume-Uni (Londres), Sainte-Lucie (Castries), Saint Kitts (Basseterre), Saint-Marin (Saint-Marin), Saint-Vincent (Apia), Samoa (Kingstown), Sao Tome (Sao Tome), Sénégal (Dakar), Seychelles (Victoria), Sierra Leone (Freetown), Singapour (Singapour), Slovénie (Ljubljana), Somalie (Mogadiscio), Soudan (Khartoum), Sri Lanka (Colombo), Suède (Stockholm), Suisse (Berne), Surinam (Paramaribo), Swaziland (Mbabane), Syrie (Damas), Taiwan (Taipeh), Tanzanie (Dodoma), Tchad (N'djamena), Tchécoslovaquie (Prague), Thaïlande (Bangkok), Togo (Lomé), Trinadad et Tobago (Port of Spain), Tunisie (Tunis), Turquie (Ankara), Uruguay (Montevideo), Vatican (Vatican), Venezuela (Caracas), Vietnam (Hanoi), Yémen (Aden), Yougoslavie (Belgrade), Zaïre (Kinshasa), Zambie (Lusaka), Zimbabwe (Harare).

CAPITALISER. Butiner, cumuler, empiler, entasser, masser, réunir.

CAPITULER. Abandonner, accommoder, céder, lâcher, reddition.

CAPORAL. Brigadier, cabot, crabe, escouade, gradé.

CAPOTER. Ahurir, culbuter, étonner, renverser, stupéfait, troubler.

CAPRICE. Accès, arbitraire, boutade, chimère, dada, fantaisie, folie, frasque, gré, idée, lubie, lune, marotte, mode, na, plaisir, rat, tocade.

CAPRICORNE. Aegosome, ascendant, astrologie, coléoptère, longicorne.

CAPSULE. Bouchon, cachet, couronne, enveloppe, gélule, macis, sachet.

CAPTIVER. Attacher, charmer, ensorceler, fasciner, intéresser, séduire.

CAPTURE. Butin, clé, clef, ciseau, conquête, dispute, emprise, enlèvement, levée, moyen, proie, querelle, rafle, saisie, scène, unité.

CAPTURER. Arrêter, emparer, emprisonner, prendre, saisir.

CAPUCHON. Béguin, bonnet, caban, cagoule, camail, capot, chapeau, chaperon, coiffe, coltin, couvercle, cuculle, tapador, tarbouche.

CAPUCIN. Franciscain, lièvre, moine, nonain, saï, sajou, singe.

CAQUE. Baril, barrique, barrot, foudre, fût, futaille, hareng, muid.

CAQUETER. Causer, commérer, jacasser, jacter, jaser, papoter, parler.

CARABE. Cicindèle, jardinière, vinaigrier.

CARABIN. Étudiant, médecin.

CARABINE. Arme, arquebuse, artillerie, busc, chassepot, chien, crosse, escopette, espingole, flingue, fusil, hammerless, infanterie, lebel, mitraillette, mousquet, mousqueton, pétoire, rifle, tromblon.

CARABOSSE. Fée.

CARACTÈRE. Acabit, air, aphteux, aréisme, banalité, beauté, bestialité, brutalité, coin, corps, critère, critérium, dimorphisme, empreinte, épidémicité, féminité, ferme, fluidité, gravité, indépendance, inflammabilité, inscription, lettre, modération, mou, nasalité, nature, nervosité, note, nuisance, originalité, pudicité, putrescibilité, placidité, rénitence, runes, sampi, sceau, ton, toxicité, type, unicité, vinosité.

CARAFE. Balthazar, bidon, bocal, bouteille, cannette, fiole, flacon, gourde, if, jéroboam, magnum, nabuchodonosor, pichet, thermos.

CARAPACE. Coquille, cuirasse, dossière, écaille, protection, test.
CARAVANE. Charroi, convoi, enterrement, file, obsèques, rame, train.
CARAVELLE de COLOMB (n. p.). Nina, Pinta, Santa Maria.
CARBONATE. Aragonite, azurite, calcite, céruse, cérusite, craie, dolomie, dolomite, hydrocarbonate, malachite, natron, natrum, sidérite, sidérose, smithsonite, soude, zinc.
CARBONE. C, carbure, charbon, graphite, plombagine.
CARBONISER. Ambitionner, arder, bronzer, brûler, calciner, cautériser, consommer, convoiter, crématoire, cuire, détruire, distiller, ébouillanter, échauder, embraser, enflammer, griller, fondre, fusion, hâler, havir, incinérer, phlogistiquer, rôtir, roussir, torréfier, ustion.
CARBURANT. Benzol, cétane, essence, éthane, gaz, huile, tétraline.
CARBURE. Anthracène, austénite, bicarbure, carborundum, cémentite, cétane, citrène, éthane, limonène, paraffine.
CARCAJOU. Blaireau, furet.
CARCAN. Cangue, chaîne, cheval, collier, harnais, joug, pilori, servitude.
CARCASSE. Ber, charpente, châssis, coque, corps, os, ossature, squelette.
CARDAMINE. Cressonnette, dentaire.
CARDIGAN. Anorak, blazer, blouson, boléro, caban, cabi, canadienne, carmagnole, défaite, dolman, doudoune, échec, gilet, hoqueton, jaquette, pourpoint, saharienne, tunique, vareuse, veste, vêtement.
CARDINAL. Baseball, conclave, éminence, est, oiseau, ouest, nord, sud.
CARDINAL ANGLAIS (n. p.). Beaufort, Fisher, Manning, Newman, Wolsey.
CARDINAL BELGE (n. p.). Mercier.
CARDINAL FRANÇAIS (n. p.). Amboise, Bausset, Bellay, Courcon, Lemoine, Maury, Polignac, Richelieu.
CARDINAL QUÉBÉCOIS (n. p.). Léger, Turcotte, Villeneuve.
CARENCE. Absence, acabit, aloi, anomalie, anoxémie, asialie, aspect, athrepsie, atrophie, bêtise, contumace, crapaud, défaut, défectuosité, déficience, devers, dureté, étroitesse, faible, gendarme, illégitimité, imperfection, inadaptation, inadvertance, incurie, inexistence, insensibilité, instabilité, lunure, manque, mésentente, mort, nasillement, paille, paresse, pénurie, préfixe, prosaïsme, raideur, retassure, ridicule, sottise, tare, verbosité, verdeur, vice, zézaiement.
CARESSANT. Accolade, câlin, embrassade, enlacement, étreinte.
CARESSER. Cajoler, câliner, enlacer, flatter, frôler, nourrir, peloter.
CARGAISON. Apige, bagage, charge, fret, lège, nolage, nolis, réserve.
CARGO. Argo, bac, bateau, brick, brûlot, butanier, câblier, caravelle, cargo, corsaire, croiseur, drague, dromon, galère, galion, galiote, nef, paquebot, patrouilleur, rafiot, ravitailleur, sacoléva, sacolève, sloop, tanker, torpilleur, tramp, traversier, trière, vaisseau, vedette, yacht.
CARGUER. Accoler, appuyer, comprimer, étrangloir, plier, serrer.
CARIBOU. Alcool, boisson, renne, ti-blanc.
CARIER. Abîmer, altérer, avarier, bruiner, gâter, infecter, nécroser.
CARILLONNER. Appeler, résonner, retentir, sonner, tinter, vibrer.

CARNAGE. Boucherie, chair, hécatombe, holocauste, massacre, tuerie.
CARNASSIER. Aï, belette, blaireau, caracal, chacal, chat, chaus, chien, civette, coati, colocolo, coyote, créodonte, dhole, édenté, ermine, euphère, félidé, fennec, fossa, fossane, fourmillier, furet, kodlkod, léopard, linsang, lion, loup, loutre, lycaon, lynx, mangouste, manul, martre, mouffette, ocelot, ours, panda, pangolin, panthère, paresseux, pichi, protèle, puma, putois, ratel, raton, renard, serval, suricate, tamanoir, tatou, tayra, tigre, unau, vison, xenarthre, zibeline, zorille.
CARNET. Agenda, cahier, calepin, chéquier, livret, mémorandum.
CARNIVORE. Belette, blaireau, canidé, carcajou, caracal, carnassier, cervier, chacal, chat, chat sauvage, chat-tigre, civette, coati, couguar, coyote, dhole, fauve, félidé, félin, genette, guépard, hermine, hyène, hyénidé, jaguar, léopard, lion, loup, loutre, lycaon, lynx, ours, mangue, mangouste, martre, mouffette, musaraigne, mustélidé, ocelot, ours, panda, panthère, pékan, procyonidé, puma, putois, ratel, raton, renard, suricate, tigre, ursidé, vison, viverridé.
CARPE. Arête, barbeau, brème, carpillon, cyprin, gardon, herbivore, loche, pisiforme, scaphoïde, sésamoïde, tanche, trapézoïde.
CARPETTE. Jeu, mise, moquette, natte, paillasson, tapis.
CARPOCAPSE. Papillon, pyrale.
CARRÉ. Carreau, case, coin, corbeille, échiquier, foulard, lange, massif, morceau, parterre, pièce, quadrilatère, quadrillé, ravioli, rectangle.
CARREAU. Azulejo, carrelage, dalle, malade, matras, tuile, vitre.
CARREFOUR. Bifurcation, croisement, embranchement, intersection.
CARRELER. Briqueter, couvrir, daller, damer, macadam, paver.
CARRELET. Ableret, ablier, araignée, colichemarde, filet, plie.
CARRIÈRE. Ardoisière, arène, ambassade, cours, état, filon, fonction, glaisière, latomie, liberté, lice, métier, mine, profession, stade.
CARROUSEL. Manège, parade, quadrille, reprise, ronde, tournoi.
CARTE. As, atout, banque, battre, brelan, brisque, cagnotte, capot, carré, contrat, couleur, coup, coupe, couper, coupeur, couverte, dame, défausse, donne, donneur, écart, écarter, enjeu, entame, entamer, étaler, fiche, figure, forcer, fou, fournir, jeton, levée, main, maldonne, manche, mappemonde, marqueur, mise, mort, paire, paquet, parole, partie, passe, passe-partout, pile, pli, poule, quinte, relance, relancer, renonce, retourne, roi, rubicon, séquence, suivre, talon, taroté, tierce, tour, trio, valet, valeur.
CARTE (SORTE DE JEU). Bataille, beigne, bésigue, black-jack, boodle, bridge, canasta, chicago, chouette, cinq-cents, cochon, cœurs, concentration, concierge, cribbage, cuillère, dime, dix, dominos, école, fan-tan, gin, gin-rami, golf, huit, knock-rami, mémoire, michigan, neuf, newmarket, paquet-voleur, parlement, pêche, piquet, pisseuse, poker, rami, romain, rumoli, salade, samba, saratoga, sept, slapjack, soixante-cinq, sorcière, tête-et-queue, trente et un, trifouille, trio, trou-du-cul, valets, vieille, vingt-et-un, whist.
CARTILAGE. Aryténoïde, chondrocostal, cricoïde, tendron.

CARTON. Boîte, bristol, carte, encart, mayfair, pâle, pancarte, pochoir.
CARTOUCHE. Balle, bande, barillet, chargeur, culot, fusil, munition.
CARYATIDE. Télamon.
CAS. Alors, circonstance, événement, occasion, occurrence, récidive.
CASANIER. Bannir, bourru, ours, pantouflard, sédentaire, solitaire.
CASAQUE. Corsage, cotte, hoqueton, jaquette, manteau, sayon.
CASCADE. Abondance, chute, eau, fontaine, jet, nappe, saut, tomber.
CASCADEUR. Acrobate, acteur, casse-cou, culbuteur, hardi.
CASE. Alvéole, cabane, compartiment, hutte, paillotte, subdivision.
CASER. Aligner, installer, loger, marier, mettre, placer, ranger, serrer.
CASIER. Boîte, classeur, fichier, nasse, rayons, réservation, tiroir.
CASQUE. Apex, armet, bombe, cabasset, calotte, cimier, coiffure, crête, heaume, képi, morion, salade, timbre, toque, ventaille.
CASSANT. Absolu, aigre, cassable, chétif, délicat, faible, fragile, frêle, friable, grêle, menu, mince, ostéoporose, périssable, précaire, vain.
CASSÉ. Bris, caduc, dommage, erre, faible, fraction, nase, pauvre, séné.
CASSE-PIEDS. Accablant, agaçant, geurre, importun, pesant, raseur.
CASSER. Abolir, briser, broyer, crever, épointer, fendre, péter, rompre.
CASSEROLE. Chaudron, chevrette, marguerite, poêle, poêlon, sauteuse.
CASSOLETTE. Brûle-parfum, encensoir.
CASSOULET. Blanquette, bourguignon, civet, fricassée, gibelotte, mets, navarin, pot-pourri, rata, ratatouille, salmis, salpicon.
CASTE. Classe, condition, degré, échelon, étage, file, haie, lieu, rang.
CASTOR. Barrage, bièvre, branche, fiber, hutte, monticule, ondatra.
CASTRER. Chaponner, châtrer, couper, démascler, émasculer, mutiler.
CATACLYSME. Catastrophe, déluge, fléau, lèpre, malheur, peste, plaie.
CATALOGUE. État, index, liste, pamphlet, répertoire, rôle, rubrique.
CATAPLASME. Bandage, crêpe, compresse, gaze, ouate, sparadrap.
CATAPULTE. Baliste, espringale, mangonneau, onagre, scorpion.
CATARRHE. Influenza, grippe, monfondure, refroidissement, rhume.
CATASTROPHE. Apocalypse, désastre, drame, fléau, malheur, ruine.
CATÉGORIE. Classe, couche, espèce, genre, ordre, rang, série, variété.
CATÉGORIQUE. Clair, classe, entier, espèce, étage, évident, explicite, formel, genre, groupe, net, ordre, positif, précis, race, rang, série.
CATHARE. Albigeois, bogomile, patarin.
CATHÉTER. Canule, sonde.
CATHOLIQUE. Abbé, amen, archevêque, archidiocèse, auréole, bedeau, bible, bulle, canon, canoniser, cardinal, clergé, couvent, curé, diocèse, encyclique, évangéliste, évêque, hérésie, indulgence, I.N.R.I., latin, maronite, moine, nonne, pape, pasteur, pontife, relique, révérend, romain, vicaire.
CAUCHEMAR. Apparaître, crainte, délire, peur, rêve, songe, tourment.
CAUSE. Germe, idée, mobile, motif, parle, procès, raison, source, sujet.
CAUSER. Alarmer, charmer, donner, ennuyer, influer, jaser, parler.

CAUSERIE. Allocution, boniment, discours, dissertation, dit, éloge, énigme, exorde, exposé, harangue, homélie, laïus, mensonge, oraison, parole, péroraison, plaidoyer, prêche, sermon, sornette, topo.
CAUSTIQUE. Acéré, corrosif, créosote, décapant, mordant, sublimé.
CAUTELEUX. Adroit, défiant, flatteur, hypocrite, méfiant, rusé.
CAUTÉRISATION. Adustion, brûlant, escarre, ignipuncture, moxa.
CAUTION. Arrhes, assurance, aval, consigne, gage, garantie, sûreté.
CAUTIONNER. Avaliser, couvrir, garantir, garder, répondre, sûreté.
CAVALE. Cheval, course, évasion, fuite, haquenée, jument, pouliche.
CAVALIER. Amazone, camisard, carabin, cheval, échec, écuyer, étrier, format, hardi, jockey, picador, reître, selle, sinapisé, spahi, vaisseaux.
CAVE. Caveau, cellier, chai, creux, nigaud, rentre, silo, sous-sol, tin.
CAVERNE. Abîme, abri, antre, grotte, repaire, spélonque, tanière.
CAVITÉ. Acétabule, aisselle, alvéole, anfractuosité, barillet, bouche, conceptacle, cotyle, cotyloïde, crâne, diverticule, excavation, fossette, géode, glénoïde, loge, méat, nombril, orbite, oreillette, pallale, saccule, sigmoïde, sinus, terrier, thorax, trou, utricule, vacuole, ventricule.
CÉANS. Dedans, ici.
CECI. Ce.
CÉCIDIE. Galle.
CÉCITÉ. Amaurose, aveuglement, cataracte, goutte, obscurcissement.
CÉDER. Abandonner, caner, capituler, condescendre, échanger, faiblir, flancher, incliner, obéir, plier, prêter, résigner, soumettre, vendre.
CÉGEP. Cégépien, collège, institut, lycée.
CEINDRE. Attacher, auréoler, boucler, embrasser, entourer, serrer.
CEINTURE. Bande, banlieue, ceinturon, ceste, cordon, corset, dan, écharpe, gaine, obi, pelvienne, ruban, sangle, soutien, taille, zone.
CELA. Ça, ad hoc, pour.
CÉLADON. Adorateur, amant, ami, amoureux, astrée, soupirant, vert.
CÉLÉBRATION. Cérémonie, épousailles, fête, mariage, noce, service.
CÉLÈBRE. Célébrité, glorieux, illustre, notoire, renommé, réputé, star.
CÉLÉBRER. Amuser, chanter, chômer, dire, fêter, louer, nocer, vanter.
CÉLÉBRITÉ. Célèbre, éclat, faveur, gloire, marque, renom, vedette, star.
CELER. Arrêter, bâcler, barrer, barricader, boucher, boucler, cadenasser, cicatriser, ciller, claquer, cligner, clore, coudre, lacer.
CÉLERI. Ache.
CÉLÉRITÉ. Activité, agilité, promptitude, rapidité, vélocité, vitesse.
CÉLESTE. Angélique, année, astral, chine, ciel, divin, li, parsec.
CELLE. Celui, ci, là.
CELLIER. Caveau, chai, creux, hangar, nigaud, rentre, silo, sous-sol, tin.
CELLULE. Acinus, adamantin, alvéole, anthéridie, asque, baside, blastomère, bloc, cachot, chondroblaste, comité, crib, érythroblaste, fibre, gamète, globule, œuf, ovule, mégacaryocyte, neurone, noyau, oogone, ostéoblaste, ovule, phagocyte, plasmode, polynucléaire, prison, section, spore, thèque, violon, zoospore, zygote.
CELLULOSE. Cellophane, pellicule, soie, viscose.

CÉLOSIE. Amarante, crête de coq, passe-velours.
CELTE. Barde, breton, celtique, gallois, galate, gaulois, sylphe, vouge.
CELTIUM. Ct, hafnium.
CÉMENTATION. Calorisation, chromisation, sulfinisation.
CÉNACLE. Cercle, chapelle, club, école, groupe, pléiade, réunion.
CENDRE. Charrée, gravelée, fraisil, lave, mâchefer, poussière, résidu.
CENSURE. Blâme, contrôle, critique, filtre, index, punition, suspension.
CENTAURÉE. Ambrette, barbeau, bleuet, jacée.
CENTENAIRE. Âge, ans, cycle, durée, époque, ère, étape, moment, siècle.
CENTIÈME. Cent, centenaire, centiare, centilitre, centille, centimètre.
CENTIMÈTRE. Cm, klystron.
CENTRAL. Âme, axe, cité, cœur, focal, intérieur, noyau, ombilic, ronde.
CENTRALE. Aciérie, atelier, entreprise, fabrique, fonderie, forge, industrie, maïserie, manufacture, raffinerie, scierie, usine, verrerie.
CENTRE. Âme, axe, base, cerveau, cheville, cœur, fort, foyer, giron, lieu, milieu, mitan, nœud, nombril, noyau, ombilic, pôle, sein, siège.
CEP. Orne, treille, vigne.
CÉPAGE. Aligoté, aragon, cabernet, carignan, chardonnay, chenin, cinsault, gamay, gewurztraminer, grenache, malbec, merlot, muscat, nebbiolo, picardan, pinot, riesling, sangiovese, sarment, sauvignon, sémillon, syrah, tempranillo, vigne, vin, zinfandel.
CEPENDANT. Alors, malgré, néanmoins, nonobstant, pourtant, toutefois.
CÉPHALOPODE. Calmar, mollusque, nautile, pieuvre, poulpe, seiche.
CÉRAMIQUE. Azulejo, biscuit, émail, faïence, ferrite, grès, terre.
CERBÈRE. Concierge, garde, gardien, geôlier, molosse, portier, sentinelle.
CERCLE. Abside, almicantarat, anneau, arc, arcade, aréole, auréole, boucle, cerceau, cerne, cirque, disque, équidistant, halo, jante, listel, lobe, lune, nimbe, orbe, orbiculaire, pi, rayon, rond, rouet, sinus, tour.
CERCUEIL. Bière, capule, cisse, coffin, mort, sarcophage, tombe.
CÉRÉALE. Avoine, blé, farine, fonio, froment, graminée, gruau, ivraie, maïs, mil, millet, orge, piétin, riz, sarrazin, seigle, sorgho, zizanie.
CÉRÉMONIAL. Apparat, étiquette, ite, pompe, protocole, règle, rite.
CÉRÉMONIE. Anniversaire, apparat, cortège, culte, défilé, derviches, étiquette, fête, formalité, gala, inauguration, ite, liturgie, office, onction, ordre, messe, parade, pompe, prescrit, règles, rite, sacre, taffetas.
CERF. Axis, biche, bois, brocard, chevreuil, cor, daguet, daim, élan, époi, faon, fauve, hallali, harde, hère, muntjac, orignal, renne, sica, wapiti.
CERF-VOLANT. Coléoptère, lucane.
CERFEUIL. Anthriscus, musqué, tubéreux.
CERISE. Bigarreau, cerisette, griotte, guigne, guignon, mahaleb, marasque, merise, montmorency.
CERISIER. Amer, bigarreautier, catalina, clafoutis, griottier, guignier, merisier, Mississippi, pennsylvanie, prunus, tardif, virginie.
CÉRIUM. Ce.
CERNER. Assiéger, bloquer, contourner, encercler, entourer, investir.

CERTAIN. Absolu, admis, avéré, constant, contestable, douteux, évident, illusoire, incertain, infaillible, positif, quelque, réel, sûr, tel, un, vrai.
CERTAINEMENT. Absolument, formellement, oui, sûrement, vraiment.
CERTIFICAT. Acte, attestation, brevet, licence, passeport, preuve.
CERTIFIER. Abriter, assurer, couvrir, donner, protéger, soutenir.
CERTITUDE. Absolu, axiome, doctrine, dogme, évidence, oracle, vérité.
CÉRUMEN. Cire, cérumineux, oreille.
CERVEAU. Aqueduc, cérébral, cervelle, crâne, encéphale, siège, tête.
CÉSAR (n. p.). Iule, sénat.
CESSATION. Arrêt, fin, mort, relâche, repos, silence, suspension, trêve.
CESSER. Abandonner, arrêter, briser, classer, débrayer, dételer, finir, lever, mourir, négliger, ôter, perdre, renoncer, retirer, sevrer, tarir.
CÉTACÉ. Baleine, béluga, cachalot, dauphin, épaulard, évent, lamantin, marsouin, narval, orque, requin, rorqual, souffleur, squale.
CÉTONE. Imine, ionone, irone.
CHACAL. Anubis, carnassier, coyote, crabier.
CHAFOUIN. Cauteleux, dissimulateur, faux, hypocrite, rusé, sournois.
CHAGRIN. Abattu, affecté, affligé, aigre, bourru, consterné, cuir, dégoût, dépit, déplaisir, ennui, éploré, mal, marri, peau, peine, spleen, tristesse.
CHAGRINER. Affecter, affliger, désoler, éplorer, fâcher, navrer, peiner.
CHAH. Cadeau, chef, empereur, justice, lion, mage; monarque, pair, pharaon, prince, reine, royal, royaume, sire, souverain, triboulet, tsar.
CHAH (n. p.). Abas, Ismail.
CHAHUT. Bacchanale, bruit, chambsard, tapage, tumulte, vacarme.
CHAÎNE. Acatème, anneau, châtelaine, clavier, collier, cordage, fer, giletière, léontine, lien, montagnes, montre, récif, sautoir, trame.
CHAÎNE DE MONTAGNES (n. p.). Adirondacks, Alpes, Andes, Appalaches, Atlas, Balkans, Cordillères, Himalaya, Ida, Laurentides, Nevada, Oural, Rocheuses, Sierra, Vosges.
CHAIR. Carne, cerneau, charnel, charnu, charogne, dodu, fraise, libido, luxure, maigre, muscle, plie, pulpe, sens, sexuel, tissu, viande.
CHAIRE. Ambon, cathère, estrade, homilétique, pupitre, siège, tribune.
CHAISE. Banc, filanzane, litière, palanquin, siège, trorote, vinaigrette.
CHALAND. Acon, bette, client, coche, flette, halé, lé, mahonne, péniche.
CHALDÉE. Astrologie, Our, Ur.
CHALEUR. Ardeur, canicule, chaud, feu, fièvre, joule, rut, vie, zèle.
CHALEUREUX. Animé, ardent, chaud, enthousiaste, fervent, passionné.
CHALLENGE. Compétition, championnat, concours, concurrence, défi.
CHALOUPE. Barque, batelet, berthon, bombard, canadienne, canoë, canot, esquif, kayak, racer, runabout, tapecul, yole, zodiac.
CHALUMEAU. Flûte, flûteau, galoubet, paille, pipe, pipeau, roseau.
CHALUT. Bateau, chalutier, filet, traille.
CHAMARRER. Barioler, bigarrer, dorer, orner, veiner, zébrer.
CHAMBARDER. Changer, déplacer, gêner, nuire, importuner, perturber.
CHAMBRE. Assemblée, cellule, cubiculaire, étuve, galetas, harem, loi, mansarde, odalisque, piaule, pièce, pneu, sénat, taule, tribunal, turne.

CHAMEAU. Blatérer, camélidé, chamelier, dromadaire, méhari.
CHAMOIS. Bouquetin, isard, mouflon.
CHAMP. Campagne, chènevière, clos, duel, friche, hippodrome, lopin, luzernière, plantation, prairie, pré, rizière, tréflière, turf, verger.
CHAMPAGNE. Aï, ay, bouteille, dry, flûte, soyer, tocane, vintage.
CHAMPAGNE (n. p.). Ay.
CHAMPÊTRE. Agréste, bucolique, campagnard, rural, rustique.
CHAMPIGNON. Acrosperme, agaric, agaricacée, amadouvier, amanite, amanitopsis, armillaire, ascomycètes, basidiomycètes, bolet, bolétin, botrytis, chanterelle, clavaire, clitocybe, collybie, coprin, cortinaire, coucoumelle, craterelle, entolome, eumycètes, fistuline, gastéromycète, géaster, géastre, girolle, gomphide, gyromitre, hébélome, helvelle, hydne, hygrophore, hyménomycète, hypholome, lactaire, lentine, lépiote, levure, lycoperdon, marasme, mérule, moisissure, morille, mousseron, mycène, mycorhize, myxomycètes, oidium, omphalie, oreille, pane, panéole, paxille, pézize, phallus, pholiote, phycomycètes, phytophthora, plasmopara, pleurote, plutée, polypore, psalliote, puccinie, pyrénomycète, rhizoctone, russule, scléroderme, souchette, strophaire, trémelle, tricholome, trompette, truffe, vesse-de-loup, volvaire, zygomycète.
CHAMPIGNON ÉTRANGLEUR. Asclepias, cephalotus, darlingtonia, dionaea, nepenthes, papaye.
CHAMPION. As, défenseur, leader, maître, tenant, vainqueur, vedette.
CHANCE. Aléa, atout, filon, guigne, hasard, heur, pot, sort, veine, verni.
CHANCELER. Balancer, branler, chavirer, tituber, trembler, vaciller.
CHANCEUX. Aléatoire, hasardeux, heureux, incertain, risqué, veinard.
CHANDAIL. Aiguille, gilet, lainage, macramé, maillot, tricot, veste.
CHANDELLE. Binet, bougie, candélabre, chandelier, cierge, flambeau, fusée, lampillon, lumignon, luminaire, mèche, oribus, rat, sabot.
CHANGEANT. Arlequin, bizarre, caméléon, capricieux, divers, flottant, inégal, instable, io, léger, mobile, protée, us, variable, versatile, volage.
CHANGEMENT. Abandon, avatar, détour, évolution, oscillation, métagramme, métamorphose, métastase, modification, mue, mutation, nuance, phase, saute, subit, tel, transmutation, variation, virage.
CHANGER. Aérer, altérer, amender, commuer, décaler, dégénérer, déliter, dévier, émigrer, évoluer, falsifier, innover, inverser, lignifier, métamorphoser, momifier, muer, muter, ossifier, permuter, pétrifier, raviser, remanier, remuer, revenir, saccharifier, tourner, varier, virer.
CHANSON. Bacarolle, berceuse, chant, clip, complainte, comptine, couplet, parolier, pot-pourri, refrain, rengaine, romance, ronde, tube.
CHANSONNIER. Auteur, chanteur, compositeur, humoriste, mélodiste.
CHANT. Air, cantatrice, capella, chœur, choral, introït, lied, mélopée, monodie, motet, musique, nénies, Noël, ode, oiseau, orphéon, péan, pluriel, poème, prose, psaume, ramage, rhapsodie, solea, voceri, vocero.
CHANTAGE. Alerte, danger, fureur, injure, nuage, outrage, ultimatum.
CHANTEPLEURE. Robinet.

CHANTER. Attaquer, brailler, bramer, capella, chantonner, coqueriquer, détonner, fredonner, grisoller, hurler, injurier, iodler, iouler, jodler, ramager, roucouler, solfier, ténoriser, vocaliser.
CHANTEUR. Aède, alto, artiste, barde, basse, castrat, chantre, chœur, choriste, idole, lutrin, ménestrel, rocker, soprano, ténor, tyrolien.
CHANTEUR BARYTON (n. p.). Allard, Arres, Beauchemin, Belleau, Biron, Bisson, Boie, Boivin, Boucher, Campbell, Chiosa, Claude, Côté, Couturier, Cyr, Duguay, Erkoreka, Ferland, Fournier, Funicelli, Gaudet, Gobeil, Gosselin, Grosser, Julien, Kulish, Labbé, Lagrenade, Langlois, Laperrière, Larouche, Latour, Lecky, Leclerc, Lefebvre, Lepage, Létourneau, Levasseur, Levert, Lortie, Major, McAuley, McMillan, Miron, Mollet, Montpetit, Oland, Patenaude, Poirier, Richard, Robie, Sasseville, Savoie, Sever, Trempe, Viau, Wolny, Zinko.
CHANTEUR BASSE (n. p.). Beauchemin, Béland, Belleau, Benoît, Bisson, Callender, Corbeil, De Forge, Deschamps, Desjardins, Dionne, Funicelli, Germain, Gosselin, Gramescu, Grenier, Guérette, Harbour, Hébert, Julien, Kulish, Lareau, Lefebvre, Légaré, Martin, McNamara, McRae, Pratt, Rouleau, Saint-Amant, Saucier, Scott, Sigmen, Trudeau, Victor.
CHANTEUR BELGE (n. p.). Brel.
CHANTEUR CONTRE-TÉNOR (n. p.). Lagranade, McLean.
CHANTEUR FOLKLORISTE HOMME (n. p.). Beaudoin, Collard, Cormier, Daignault, Gosselin, Grenier, Labrecque, Mignault.
CHANTEUR QUÉBÉCOIS POP (n. p.). Adams, Bédard, Berthiaume, Campeau, Chale, Charlebois, Comeau, Cousineau, Couture, Essiambre, Éthier, Fasano, Ferland, Fugère, Galtier, Gatignol, Gauthier, Hua, Javelin, Knight, Ladouceur, Lapointe, Lebel, Legendre, Lemay-Thivierge, Louvain, Martin, Mignault, Pagé, Price, Pringle, Ravel, St-Clair, Sauro, Scott, Soutière, Stanké, Williams.
CHANTEUR QUÉBÉCOIS DE VARIÉTÉS (n. p.). Allard, Aubé, Barbe, Beaulne, Béland, Bélanger, Béliveau, Bigras, Boivin, Brouillet, Cagelet, Campagne, Carse, Catellier, Charles, Chouinard, Corcoran, De Cespedes, Demontigny, Desjardins, Donovan, Dorion, Duguay, Dulac, Faber, Farago, Ferland, Fortin, Francoeur, Gagnon, Gauthier, Germain, Gérome, Gignac, Gilbert, Gingras, Girouard, Groulx, Guay, Guindon, Hachey, Hovington, Huet, Jacques, Jean, Jordan, Labbé, Labrecque, Lalonde, Lapierre, Lapointe, Laroche, Leloup, Major, Mandanici, Mervil, Nolin, Normand, Oland, Olivier, Pelchat, Peters, Poulin, Prévost, Roger, Roy, Scott, Sénécal, Simard, Stax, Sylvain, Tessier, Tremblay, Trudeau, Vigneault, Voisine, Zabé.
CHANTEUR-COMPOSITEUR QUÉBÉCOIS (n. p.). Antonin, Baillargeon, Barbe, Bélanger, Bernier, Bertrand, Biddle, Bouchard, Bourgeois, Brault, Brousseau, Brown, Calvé, Canuel, Carse, Charlebois, Chenart, Cousineau, Cyr, De Larochellière, Dhavernas, Dionne, Dompierre, Duguay, Éthier, Faulkner, Flynn, Fournier, Gabriel, Gauthier, Gélinas, Guy, Huard, Joanness, Labbé, Lalonde, Lavoie, Le Boeuf, Lefrançois, Lelièvre, Lemay, Lessard, Létourneau, Le Tourneux, Léveillé,

Lever, Mandeville, Manseau, Martin, Massé, McKenzie, Medile, Minville, Miron, Mondor, Norman, Olivier, Pagliaro, Paquette, Pelchat, Pelletier, Piché, Pringle, Rivard, Roche, Roy, Sarrasin, Séguin, Tadros, Torr, Trudel, Valente, Valiquette, Vigneault, Voisine.

CHANTEUR TÉNOR (n. p.). Aubry, Barrette, Bélanger, Bernier, Bilodeau, Bisson, Bizier, Blanchette, Blouin, Boisvert, Boutet, Cantin, Champoux, Charette, Comeau, Corbeil, Côté, Coulombe, De Hêtre, Denys, Desbiens, Desmeules, Dionne, Doane, Dubord, Duguay, Duval, Fortin, Fournier, Gagnon, Gauvin, Glogowski, Gosselin, Gray, Guérin, Guillemette, Guinard, Guindon, Hargreaves, Joanness, Jodry, Lacourse, Laflamme, Landry, Langelier, Lanouette, Laperrière, Latour, Leclerc, Legault, Léonard, Lessard, Lortie, McAuley, McLean, Morin, Nolet, Ouellette, Panneton, Pellerin, Pelletier, Perras, Perreault, Perron, Peters, Philipp, Piché, Pilon, Robitaille, Rompré, Saint-Gelais, Schrey, Simard, Smith, Tardif, Tremblay, Trépanier, Turcotte, Vallée, Verreau, Webber.

CHANTEUSE. Cantatrice, diva, geisha, prima donna, rockeuse.

CHANTEUSE ALTO (n. p.). Berthiaume, Brehmer, Darmont, Dind, Dubois, Harbour, Lalonde, Magnan, Mayer, Pelletier, Picard, Rose.

CHANTEUSE COLORATURE (n. p.). Arpin, Bilodeau, Choquette, Côté, Fortin, Hurley, Leclerc, Lespérance.

CHANTEUSE-COMPOSITEURE QUÉBÉCOISE (n. p.). Agostinucci, Béland, Biddle, Boucher, Brousseau, Butler, Chevrier, Cloutier, Cousineau, Des Rochers, Desrosiers, Dufresne, Dugas, Dyson, Forestier, Gallant, Grenier, Jacob, Jalbert, Jasmin, Joli, Labelle, Lapointe, Lemay, Maufette, Mercure, Miville-Deschênes, Morin, Paquette, Paradis, Paris, Pelletier, Philippe, Raymond, Richards, St-Clair, Ste-Croix, Saintonge, Séguin, Tell, Thério, Théroux, Tremblay, Young, Zacharie.

CHANTEUSE CONTRALTO (n. p.). Beaulieu, Catudal, Champagne, Couture, Dumontet, Ferland, Gignac, Jalbert, Lambert, Lanouette, Paquet, Parent, Puiu, Rioux.

CHANTEUSE QUÉBÉCOISE POP (n. p.). Agostinucci, Andrieu, Aubut, Beauchamp, Béliveau, Bergeron, Blanchet, Blouin, Breton, Brossoit, Brunet, Butler, Chaskin Love, Choquette, Clément, Cloutier, Corradi, Dagenais, Duguay, Faure, Gauthier, Gélinas, Gendron, Guérin, Jasmin, Karnas, Labelle, Lambert, Leblanc, Lemire, Lomez, Mailho, Martel, Martinez, Massicotte, Morel, Olivier, Pallascio, Perini, Piché, Raymond, Sabaz, Sage, Sergerie, Thouin, Vermeil, Vermont.

CHANTEUSE FOLKLORISTE, FEMME (n. p.). Baillargeon, Breton, Cadrin, Chailler, Charlebois, Guannel, Lemay, Pascal, Tremblay.

CHANTEUSE MEZZO-SOPRANO (n. p.). Amos, Aubé, Beaudry, Beaulieu, Beaupré, Bédard, Bergeron, Boucher, Bovet, Brehmer, Brodeur, Cartier, Chaput, Chartier, Chiocchio, Choinière, Clavet, Comtois, Corbeil, Couture-Joachim, Dansereau, Dind, Dion, Dufour, Duguay, Dumont, Dumontet, Duval, Fay, Ferland, Fillion-Biro, Fleury, Flibotte, Gaudreau, Girard, Girouard, Guyot, Harbour, Keklikian, Laferrière, Lamarche, Lambert, Lapointe, Lavigne, Leblanc, Lemelin, Lessard,

Levac, Marchand, Martin, Martineau, Matteau, Mayer, Mizera, Murray, Nelson, Novembre, Ouellet-Gagnon, Paltiel, Paquet, Pavelka, Pelletier, Poulain, Poulin-Parizeau, Racine, Rioux, Robert, Rose, Roy, St-Jean, Samson, Sanders, Senécal, Sevadjian, Tardif, Vachon, Vaillancourt, Verschelden.

CHANTEUSE QUÉBÉCOISE DE VARIÉTÉS (n. p.). Alber, Aras, Araya, Armand, Arsenault, Aubry, Ball, Baril, Bédard, Bellégo, Bergeron, Bisson, Bocan, Boeki, Bouchard, Boucher, Boulay, Brault, Burla, Campagne, Carle, Caron, Carrier, Castel, Chartrand, Chatelaine, Claude, Cotton, Coulombe, Coupal, Couture, D'Amour, Daraîche, Dassylva, Déry, Desjardins, Désy, Dion, Dorice, Dorion, Dostie, Dubeau, Dubois, Dufault, Dufresne, Dugal, Émond, Esse, Fabian, Gagnon, Gingras, Gray, Grenier, Guérin, Harvey, Hébert, Joli, Jourdan, Julien, Juster, Kathleen, Labelle, Labonté, Labreck, Lachance, Lachapelle, Lange, Lapierre, Lapointe, Laure, Lavigne, Lavoie, Léa, Leblanc, Lee, Lefebvre, Legault, Lenormand, Lessard, Levac, Leyrac, Lockwell, Lomez, Magdalena, Mai, Major, Marchand, Marquis, Martel, Martin, Martineau, Martinez, Masse, Millard, Montour, Montpetit, Myriam, Oddera, Oxley, Paquin, Paradis, Parent, Paris, Pary, Pauzé, Pelletier, Perron, Pilon, Poitras, Portal, Reno, Richard, Rigaud, Robi, Rock, Rousseau, Roy, Royer, Sabaz, St-Clair, Sainte-Marie, Salvador, Sanscartier, Sergerie, Simard, Taillon, Tremblay, Trudeau, Vachon, Valade, Viger, Vincent, Young.

CHANTEUSE SOPRANO (n. p.). Allison, Amos, Arpin, Arsenault, Baillargeon, Banini-Giroux, Barrette, Bastien, Beauchamp, Beaumier, Bédard, Bélanger, Bellavance, Bellégo, Bernard, Berthiaume, Bilodeau, Blier, Boky, Boucher, Burla, Cadbury, Camirand, Caron, Carrier, Chalfoun, Charbonneau, Cimon, Claude, Côté, Cousineau, Couture, Crépeau, Dansereau, Daviault, D'Éon, De Repentigny, Desmarais, Desrosiers, Dion, Drolet, Duchemin, Dugal, Duguay, Dulude, Dumontier, Dussault, Duval, Edwards, Fabien, Figiel, Findlay, Forget, Fortin, Frenette, Gagné, Gagnier, Gates, Gauthier, Gendron, Gingras, Grenier, Guay, Guérard, Guérin, Hurley, Husaruk, Jolin-Laurencelle, Karam, Katazian, Kinslow, Kutz, Laberge, Lachance, Lafontaine, Lalonde, Lambert, Lamoureux, Lapointe, Laterreur, Leboeuf, Lebrun, Legault, Lemay, Lemieux, Le Myre, Lespérance, Lessard, Longpré, Lord, Marchand, Marcotte, Marquette, Martel, Martin, Masella, McGuire, Mercier, Murray, Nadeau, Ohlmann, Pagé, Parent, Paulin, Pelletier, Phaneuf, Picard, Pilon, Plante, Postill, Poulin-Parizeau, Poulyo, Robert, Saint-Denis, Savoie, Séguin, Selkirk, Simard, Sperano, Tiernan, Tremblay, Trudeau, Vachon, Vaillancourt, Vallée-Jalbert, Van Der Hoeven, Verret.

CHANTIER. Arsenal, atelier, dépôt, fabrique, magasin, ouvrier, tas.

CHANTONNER. Bourdonner, chanter, détonner, fredonner, moduler.

CHANTRE. Barde, chansonnier, chanteur, scalde, sisymbre, velar.

CHANVRE. Abaca, bananier, bidens, canebière, cannabis, chènevière, chènevis, corde, étoupe, filasse, filin, haschisch, kif, maque, marijuana, rouet, rouir, textile, tissu, toile, treillis.
CHAPEAU. Béret, bob, bibi, bicorne, bolivar, cape, capuchon, charlotte, cinglé, claque, coiffure, feutre, galurin, gibus, képi, manille, melon, mître, modiste, panama, pétase, sombrero, suroît, tricorne, tube.
CHAPEAUTER. Accompagner, acheminer, animer, axer, conduire, gêner, gouverner, guider, mener, orienter, router, senestrer, tenir, viser.
CHAPELET. Ave, clane, dizaine, glane, grain, neuvaine, psautier, rosaire.
CHAPELLE. Absidiole, baptistère, crypte, église, oratoire, pagode.
CHAPITEAU. Cirque, corbeille, échine, orle, ove, tente.
CHAPITRE. Article, assemblée, chanoine, conseil, division, doyen, épigraphe, exergue, livre, matière, objet, partie, poste, primicier, question, réunion, section, sujet, surate, titre.
CHAPON. Blanc, coq, poule, poulet.
CHAQUE. Chacun, élément, exemplaire, respectif, tous, tout, unité.
CHAR. Auto, automobile, bazou, bige, corbillard, engin, panzer, tank.
CHARABIA. Argot, baragouinage, bizarre, galimatias, jargon, obscur.
CHARADE. Devinette, énigme, jeu, question, rébus.
CHARANÇON. Anthonome, apion, calandre, rhynchite.
CHARBON. Anthracite, boghead, boulet, briquette, coke, diamant, fusain, gailleterie, gril, houille, lignite, maladie, noisette, tourbe.
CHARCUTERIE. Andouille, boudin, cochonnaille, confis, pâtisserie, porc.
CHARDON. Acanthe, bosse, carde, carline, cirse, difficulté, kentrophylle, oiseau, panicaut, pédane, piquant.
CHARGE. Ânée, dette, devoir, édilité, encrer, emploi, étude, excès, faix, fardeau, franco, humide, imager, impôt, lester, mine, peser, poids, port.
CHARGEMENT. Augée, bolée, ci-inclus, cuvée, dedans, inclus, teneur.
CHARGER. Déléguer, engager, facturer, imposer, recharger, transborder.
CHARIOT. Binard, callisto, camion, charrette, diable, fardier, wagon.
CHARITABLE. Bon, compatissant, généreux, humain, obligeant, sensible.
CHARITÉ. Aumône, bonté, clémence, don, générosité, quête, tolérance.
CHARIVARI. Bastringue, bazar, bruit, chahut, sérénade, tapage.
CHARLATAN. Camelot, forain, imposteur, menteur, parleur, trompeur.
CHARMANT. Adorable, attrayant, beau, bel, coquet, divin, enchanteur, ensorcelant, exquis, fascinant, gai, joli, ravissant, séducteur, séduisant.
CHARME. Appas, appât, arbre, attrait, beauté, délice, élégance, goût, grâce, magie, pouvoir, serpent, sirène, sort, sortilège, tournure.
CHARMER. Attirer, captiver, conjurer, délecter, éblouir, émerveiller, enchanter, ensorceler, envoûter, épater, fasciner, plaire, séduire.
CHARNEL. Corporel, physique, sensible, sensuel, tangible, temporel.
CHARNIÈRE. Articulation, axe, combe, gond, paumelle, penture.
CHARNU. Corpulent, dodu, épais, gras, grassouillet, potelé, replet, rond.
CHAROGNE. Barbaque, bidoche, cadavre, carne, carogne, chair, mort.

CHARPENTE. Arêtier, armature, bâti, ber, cadre, carcasse, composition, if, os, ossature, pan, pilier, poteau, poutre, sapin, squelette, tin.
CHARPENTIER. Abeille, équerre, menuisier, ossu, rénette, tarière, vrille.
CHARRETTE. Atteloire, carriole, char, chariot, chartil, diable, gerbière, hayon, haquet, ridelle, tombereau, voiture, wagon.
CHARRIER. Abuser, attiger, charroyer, emporter, exagérer, dramatiser, forcer, grossir, moquer, outrer, traîner, transporter.
CHARRUE. Araire, binet, brabant, buttoir, cep, coutre, cultivateur, dombasle, houe, labour, pelle, rets, ritte, sep, soc, trisoc.
CHASSE. Absidiole, affût, bannir, battue, cimicaire, cor, chien, drag, épervier, fauconnerie, fouée, gibier, louveterie, muette, panneautage, piégeage, piper, poursuite, safari, to, traque, vénerie, volerie.
CHASSER. Bannir, écarter, exclure, déloger, exiler, rejeter, vider, voler.
CHASSEUR. Boucanier, braconnier, corvette, fauconnier, nemrod, piégeur, piqueur, pisteur, portier, pourboire, trappeur, veneur.
CHÂSSIS. Bâti, cadre, encadrement, fenêtre, moustiquaire, structure.
CHASTE. Abstinent, ascétique, décent, continent, prude, puceau, pucelle, pudique, pur, sage, vertueux, vierge, virginal.
CHASTETÉ. Décence, pudeur, honneur, retenue, sagesse, vertu, vœu.
CHAT. Angora, chartreux, couguar, félin, haret, lion, lynx, margay, matou, mimi, minet, ocelot, once, rodilard, serval, tigre.
CHÂTAIGNE. Aulne, bogue, cheval, hérisson, marron, oursin, porc, tan.
CHÂTEAU. Castel, eu, if, citadelle, donjon, manoir, navire, palais, Ussé.
CHÂTEAU DE LA LOIRE (n. p.). Amboise, Anet, Angers, Azay-le-Rideau, Blois, Chambord, Chaumont, Chenonceaux, Cheverny, Chinon, Langeais, Loches, Ussé, Valençay, Villandry.
CHÂTEAU D'ORLÉANS (n. p.). Eu.
CHÂTEAU DES PRINCES DE GUISE (n. p.). Eu.
CHÂTEAU DE ROME (n. p.). Saint-Ange.
CHÂTIER. Corriger, fouetter, fustiger, parfaire, polir, punir, venger.
CHÂTIMENT. Dam, exemple, peine, pénitence, punition, sanction.
CHATOUILLEMENT. Agacerie, caresse, papouille, prurit, titillation.
CHATOYER. Briller, étinceler, jeter, luire, miroiter, pétiller, rutiler.
CHÂTRER. Castrer, chaponner, couper, démascler, eunuque, hongrer.
CHATTERIE. Câlinerie, caresse, douceur, friandise, gâterie, sucrerie.
CHAUD. Ardent, bouillant, brûlant, canicule, thermos, tiède, torride.
CHAUFFAGE. Biénergie, bûche, chaudière, foyer, feu, poêle, surchauffe.
CHAUFFER. Bouillir, cuire, échauffer, griller, réchauffer, rôtir, souder.
CHAUFFEUR. Aurige, automédon, chauffard, chef, cocher, cornac, fil, isolant, mécanicien, métal, musagète, pilote, postillon, routier.
CHAUME. Cabane, chaumière, éteule, étrape, glui, paille, tige.
CHAUSSÉE. Asphalte, digue, duit, jetée, pavée, route, rue, voie.
CHAUSSON. Babouche, bas, gosette, kroumir, mule, pantoufle, savate.
CHAUSSURE. Bas, botte, bottine, derby, espadrille, galoche, grole, grolle, mocassin, mule, pantoufle, patin, sabot, sandale, savate, soulier.

CHAUVE-SOURIS. Céphalote, chiroptère, harpie, myoptère, noctule, oreillard, pipistrelle, rhinolophe, roussette, vampire, verspertillon.
CHAUX. Calcaire, ciment, craie, gypse, lapis, plâtre, stuc.
CHAVIRER. Abîmer, basculer, cabaner, capoter, couler, culbuter, dessaler, émouvoir, renverser, sombrer, tanguer, tituber, vaciller.
CHEF. Amman, as, caïd, calife, chancelier, cheik, curion, despote, dey, duc, duce, émir, hérésiarque, iman, maire, maître, ovate, pacha, pape, parrain, père, prote, rapin, sachem, satan, shah, shérif, roi, tête, vizir.
CHEF-LIEU. Aï, Ain, Aisne, Allier, Alpes-Maritimes, Ans, Apt, Ardèche, Ardennes, Ariège, Ars, Aude, Aups, Ax, Ay, Ayr, Bar, Bas-Rhin, Bastia, Buc, Calcados, Cantal, Charente, Charente-Maritime, Corrèze, Corse, Cox, Creuse, Die, Dol, Dordogne, Doubs, Drôme, Dun, Elne, Eu, Eure, Eure-et-Loire, Ezy, Finistère, Flers, Fos, Foy, Gard, Gers, Gif, Gironde, Gy, Hal, Ham, Haut-Rhin, Haute-Garonne, Haute-Loire, Haute-Marne, Haute-Saône, Haute-Savoie, Haute-Vienne, Haute-Alpes, Hédé, Hérault, Ille-et-Vilaine, Indre, Indre-et-Loire, Is, Isère, Jura, Landes, Loires, Loir-et-Cher, Loire-Maritime, Loiret, Loo, Lot, Lot-et-Garonne, Lozère, Luz, Maine-et-Loire, Manche, Marne, Mayenne, Mée, Meurthe-et-Moselle, Meuse, Morbihan, Moselle, Nay, Nérondes, Nièvre, Nord, Oise, Oô, Orne, Oye, Pas-de-Calais, Puy-de-Dôme, Pyrénées-Orientales, Ry, Saône-et-Loire, Sarthe, Savoie, Seine, Seine-Maritime, Seine-et-Marne, Sin, Somme, Tarn, Uri, Us, Var, Vaucluse, Vienne, Vosges, Wy, Yonne, Zug.
CHEF-LIEU, FRANCE (n. p.). Ajaccio, Amiens, Angers, Angoulême, Avignon, Bastia, Besançon, Béziers, Bordeaux, Boulogne, Bourges, Brest, Brive, Caen, Châteauroux, Clermont-Ferrand, Calais, Colmar, Dijon, Dunkerque, Grenoble, La Rochelle, Le Havre, Le Mans, Lille, Limoges, Lyon, Marseille, Metz, Montluçon, Montpellier, Mulhouse, Nancy, Nantes, Nevers, Nices, Nîmes, Orléans, Paris, Pau, Périgueux, Perpignan, Poitiers, Reims, Rennes, Rouen, Saint-Étienne, Strasbourg, Toulon, Toulouse, Tours, Troyes, Valence, Vichy.
CHEF-LIEU, SUISSE (n. p.). Aarau, Altdorf, Appenzell, Bâle, Bellinzona, Berne, Coire, Delémont, Frauenfeld, Fribourg, Genève, Glaris, Lausanne, Liestal, Lucerne, Neuchâtel, Saint-Gall, Sarnen, Schaffhouse, Schwyz, Sion, Soleure, Stans, Zoug, Zurich.
CHEF RELIGIEUX (n. p.). Abraham, Booth, Bouddha, Calvin, Confucius, Hus, Imam, Jésus-Christ, Knox, Lao, Luther, Mahâvira, Mahomet, Nânak, Smith, Wesley, Wyclif, Young, Zarathoustra, Zoroastre, Zwingli.
CHEMIN. Accès, allée, artère, avenue, cavée, chenal, descente, détour, fer, funiculaire, guide, itinéraire, jeu, laie, layon, lé, passage, piste, rail, rampe, ravin, route, rue, sente, sentier, traverse, trimard, via, vie, voie.
CHEMINÉE. Âtre, conduit, feu, foyer, fumée, hotte, puit, suie, trou.
CHEMISE. Brassière, camisard, camisole, chèvre, crin, cylindre, dossier, farde, gilet, haire, jabot, jaquette, obus, parure, plastron, polo, puce.
CHEMISIER. Blouse, camisole, corsage, jabot, marinière, sarrau, vareuse.

CHENAL. Abée, aqueduc, arroyo, artère, berme, bief, canal, chemin, cholédoque, conduite, cours, dalot, drain, eau, écluse, égout, étier, évent, évier, fistule, fossé, grau, lé, lit, naville, passe, rachidien, rigole, sillon, trachée, tube, tuyau, uretère, urètre, vagin, veine, voie.
CHENAL (n. p.). Euripe, Rideau.
CHENAPAN. Bandit, brigand, canaille, polisson, vaurien, vicieux, voyou.
CHÊNE. Amérique, bicolore, blanc, bleu, bourgogne, brosse, buis, californie, chapman, chênaie, chevelu, chinquapin, commun, douglas, eau, écarlate, émory, engelman, femelle, gambel, gris, gui, imbriqué, kellogg, kermès, liège, marais, marécages, nuttall, pédonculé, prin, quercitron, quercus, rouge, rouvre, saule, shumard, tauzin, teinturier, vélani, vert, yeuse.
CHENILLE. Arpenteuse, bombyx, chenillette, cocon, coque, épite, larve, mue, nymphe, papillon, patin, processionnaire, tordeuse, ver.
CHÉNOPODE. Ansérine, vulvaire.
CHEPTEL. Animaux, bergerie, bétail, capital, écurie, étable, troupeau.
CHER. Adoré, adulé, affectionné, agréable, aimé, chéri, coûteux, dispendieux, estimable, onéreux, précieux, prix, rare, salé, surpayer.
CHERCHER. Autopsier, courtiser, étudier, fouiller, fureter, picorer, quérir, quêter, rechercher, scruter, tâtonner, tenter, troller, viser.
CHERCHEUR. Explorateur, curieux, fouineur, orpailleur, scientiste.
CHÈRE. Amie, bombance, festoyer, lie, menu, ripaille.
CHÉRIR. Aimer, adorer, affectionner, amouracher, attacher, brûler, choyer, désirer, espérer, estimer, favori, goûter, idolâtrer, raffoler.
CHÉRUBIN. Amour, ange, angelot, bara, bébé, champi, démon, diablotin, doux, enfant, gamin, fille, fils, môme, moutard, négrillon, nouveau-né, oblat, orphelin, part, peste, polisson, poupon, têtard.
CHERVIS. Sium.
CHÉTIF. Faible, fragile, gringalet, malingre, mauviette, misérable.
CHEVAL. Amble, anglo-arabe, anglo-normand, arzel, aubère, bai, baillet, balzan, barbe, bas-jointé, bégu, bouleté, bourrin, brassicourt, cagneux, cavale, cavecé, cob, courbattu, coursier, court-jointé, crinière, dada, demi-sang, encastré, ensellé, étalon, genet, goussaut, haridelle, hippocampe, hongre, limonier, mésair, mézair, mors, mule, mustang, outsider, panard, pégase, percheron, piaffeur, pinçard, polo, poney, pur-sang, racer, ramingue, relais, rosse, rouan, roussin, rubican, ruer, sommier, stepper, steppeur, trotteur, turf, yearling, zain.
CHEVAL-VAPEUR. CH, CV, HP, joule.
CHEVALET. Banc, baudet, étai, râtelier, sourdine, support, tréteau.
CHEVALIER. Adouber, asas, bachelier, bière, cavalier, Éon, honneur, industrie, légion, noble, oiseau, omble, palatin, preux, templier, vassal.
CHEVELURE. Alopécie, cheveux, coiffure, crêpé, crinière, frisure, guiche, laine, natte, perruque, postiche, scalp, tif, tignasse, toison.
CHEVESNE. Able, cabot, meunier.

CHEVEUX. Afro, albinos, alopécie, canitie, chignon, coiffure, crolle, épi, frange, natte, perruque, pou, scalpe, sixtus, tif, tignasse, xérasie.
CHEVILLE. Atteloire, axe, cabillot, chevron, clavette, clou, épite, esse, fiche, goujon, goupille, malléole, ouvrière, pléonasme, tee, trenail.
CHÈVRE. Bique, biquette, bouc, bouquetin, cabri, camelot, caprin, chevreau, chevrette, grue, haire, haricot, laine, menon, ovin, treuil.
CHEVREAU. Bicot, biquette, cabri, chevrette, chevrotin, faon.
CHEVRETTE. Bicot, biquette, capri, chevreau, faon.
CHEVREUIL. Brocard, cerf, chevrette, chevrillard, chevrotin, cuisse.
CHEVRON. Ais, brisque, cheville, colombage, coyau, faîtage, poutre, tige.
CHEVRONNÉ. Ancien, capable, doyen, émérite, expert.
CHIC. Aimable, chouette, classe, élégant, habilité, huppé, sélect.
CHICANE. Argument, argutie, artifice, bagarre, bataille, bisbille, conflit, détour, dispute, ergotage, équivoque, incident, noise, scène, tracasserie.
CHICANER. Arguer, argumenter, contredire, critiquer, disputer, ergoter.
CHICHE. Dépensier, dissipateur, économe, gaspilleur, gredin, grigou, grimelin, grippe-sou, harpagon, ladre, lésineur, liard, liardeur, molière, pingre, prodigue, radin, rapiat, rat, séraphin, serré, vautour, vil, vilain.
CHICORÉE. Endive, escarole, mignonnette, scarole, trévise, witloof.
CHICOT. Ars, billot, branche, chott, colonne, corps, croc, débris, dent, écot, fragment, fût, lignée, morceau, stipe, tige, tirelire, torse, tronc.
CHICOTIN. Aloès, amer.
CHIEN. Aboyeur, aiguillat, barbet, basset, bâtard, beagle, berger, bouvier, boxer, braque, briard, briquet, bull-terrier, cabot, cabéru, caniche, chenil, chiot, chin, chow-chow, clabaud, cocker, colley, corneau, corniaud, danois, dingo, dogue, épagneul, fox-hound, griffon, groenendael, havanais, houret, husky, king-charles, labri, lévrier, limier, loulou, malinois, mastiff, meute, molosse, niche, pataud, pékinois, pointer, ratier, retriever, roquet, roussette, saint-bernard, scottish-terrier, setter, teckel, terre-neuve, toutou, tsin, turquet, zain.
CHIENDENT. Alpiste, arrenatherum, panaché, ruban.
CHIFFON. Drapeau, drille, guenille, haillon, lambeau, peille, torchon.
CHIFFONNER. Friper, froisser, manier, plisser, remuer, tourmenter.
CHIFFRE. Arabe, calcul, marque, nombre, note, numéro, romain, tomer.
CHIFFRER. Compter, escompter, espérer, estimer, évaluer, nombrer.
CHIMÈRE. Fantastique, idée, illusion, monstre, rêve, roman, utopie.
CHIMÉRIQUE. Allégorique, fabuleux, fantaisiste, imaginaire, irréel.
CHIMISTE ALLEMAND (n. p.). Alder, Baeyer, Becher, Bergius, Bosch, Bunsen, Glauber, Haper, Hahn, Liebig, Meyer, Nernst, Stahl.
CHIMISTE AMÉRICAIN (n. p.). Boyle, Dalton, Ficher, Hopkins, Ostwald, Robinsom, Rumford, Urey.
CHIMISTE ANGLAIS (n. p.). Davy, Hales, Haworth, Marsh, Perkin, Ramsay.
CHIMISTE AUTRICHIEN (n. p.). Auer.
CHIMISTE CANADIEN (n. p.). Barzen, Black, Douglas, Dow, Graham, Heaffy, Reily, Smith.

CHIMISTE FRANÇAIS (n. p.). Arcet, Balard, Bayen, Chaptal, Curie, Darcet, Debray, Dumas, Gautier, Laurent, Lavoisier, Lebon, Lumière, Pasteur, Rey, Sabatier, Turpin.
CHIMISTE RUSSE (n. p.). Mendeléev.
CHIMISTE SUÉDOIS. (n. p.). Bergman, Nobel.
CHINER. Acheter, barioler, chercher, critiquer, railler, taquiner.
CHINOIS. Asiate, asiatique, Asie, bonze, céleste, compliqué, coolie, gong, jaune, mandarin, mongol, nettoyeur, opium, original, sino, tamis.
CHINOIS (n. p.). Mao.
CHINOISE, MESURE. Fen, hao, hou, pou, li, yu.
CHIP. Croustille, puce.
CHIPER. Cambrioler, chaparder, démunir, déposséder, dérober, voler.
CHIPIE. Commère, cotillon, fébosse, furie, garce, maquerelle, mégère.
CHIQUENAUDE. Croquignole, nasarde, pichenette.
CHIROMANCIEN. Annonciateur, aruspice, astrologue, augure, auspice, cartomancien, Cassandre, clarvoyant, devin, diseur, mage, médium.
CHIRURGIE. Érine, médecin, neurochirurgie, praticien, rugine, sonde.
CHIRURGIEN (n. p.). Barnard, Péan, Ricord.
CHITON. Amphineure, oscabrion.
CHLORE. Cl.
CHLOROVANADATE. Vanadinite.
CHLORURE. Ammoniac, calomel, gemme, halite, perchlorure, potasse, sel, sylvinite.
CHOC. Abordage, accident, assaut, attaque, cahot, charge, collision, contrecoup, coup, émotion, heurt, ictus, impact, lutte, percussion.
CHOIR. Abattre, débouler, dévaler, effondrer, étendre, tomber.
CHOISIR. Adopter, arbitre, élire, nommer, opter, sélectionner, trier.
CHOIX. Alternative, anthologie, appareillement, décision, échelle, élection, élimination, éventail, gratin, option, recueil, sélection, tri.
CHOLÉRA. Bacille, méchant, morbus, nostras, peste, virgule.
CHÔMER. Arrêter, cesser, férié, fêter, oisif, suspendre.
CHOPE. Cornet, quart, rince-bouche, sol, tasse, timbale, verre.
CHOQUANT. Cru, fâcheux, indécent, offensant, nu, osé, révoltant.
CHOQUER. Agacer, ennuyer, fouetter, heurter, offusquer, ulcérer, vexer.
CHORAL. Air, cantatrice, capella, chœur, introït, lied, mélopée, monodie, motet, musique, nénies, Noël, ode, oiseau, orphéon, péan, pluriel, poème, prose, psaume, ramage, rhapsodie, solea, voceri, vocero.
CHORÉGRAPHE, FEMME (n. p.). Auger, Bergeron, Bisson, Boudot, Boutin, Cadrin, Chiriaeff, Cloutier, Dauphinais, Del Rio, DesRuisseaux, Dionne, Dorice, Gagnon, Gélinas, Giraldeau, Giroux, Graff, Horowitz, Hotte, Lachance, Lamarche, Lamontagne, Lamoureux, Lapierre, Laurin, Leclair, Lussier, Martineau, Moretti, Morin, Nolet, Pélissier, Poulin, Rénélique, Riopelle, Ross, Roy, Saario, St-Arnaud, Sturk, Tardif, Teekman, Tremblay, Vincent.

CHORÉGRAPHE, HOMME (n. p.). Bain, Bastarache, Bélanger, Bertrand, Boudot, Bourgault, Charpentier, Déom, Drolet, Émard, Fortier, Gorski, Guay, Guillemette, Meyer, Mondor, Pilon, Sauvé, Soulières, Tremblay, Zanetti.

CHORISTE POP, FEMME (n. p.). Barrette, Bélanger, Benoy, Bédard, Bernard, Boucher, Boudreau, Brémault, Cadbury, Carbonneau, Carle, Chaput, Chartier, Choquette, Corradi, Dassylva, Daviau, De Pontbriand, Deschamps, Dufresne, Duguay, Dyson, Faure, Fauteux, Gauthier, Gendron, Goulet, Grenier, Hughes, Jacques, Labelle, Lambert, Landry, Lapointe, Leblanc, L'Écuyer, Lefebvre, Lemire, Levasseur, Léveillé, Lomez, Mailho, Marchand, Méthot, Michaud, Morin, Paiement, Paradis, Paré, Perini, Poudrier, Primeau, Raby, Raymond, Richards, Richardson, Ringuette, Robert, Robitaille, Ryan, Ste-Croix, St-Jean, Sanscartier, Sohier, Soucy, Vallée.

CHORISTE POP, HOMME (n. p.). Baillargeon, Bédard, Béliveau, Berthiaume, Bouchard, Campeau, Carbonneau, Chale, Chapados, Chartrand, Comeau, Couture, Cyr, Dozier, Émond, Ferland, Forcier, Fraser, Gagné, Gilbert, Groulx, Habib, Lacourse, Ladouceur, Landry, Lapointe, Larouche, Lebel, Leclerc, Leduc, Lefrançois, Legault, Lemay, Lepage, Mervil, Messier, Minville, Morel, Ouellette, Paradis, Péloquin, Piché, Potel, Scott, Tremblay, Vaillancourt, Vigneault, Vyvial.

CHOSE. Amer, amulette, but, chef, chose, dinanderie, épave, objet, onde, outil, machin, stérilet, talisman, trésor, truc, ulve, ustensile, vétille.

CHOSIFIER. Dépersonnaliser, déshumaniser, réifier.

CHOU. Brassica, Bruxelles, cabus, chou-fleur, chou-navet, chou-rave, fourrager, marin, palmiste, profiterole, rouge, rutabaga, vert.

CHOU-FLEUR. Brocoli.

CHOU-RAVE. Rutabaga.

CHOUCAS. Corbeau, freux, grole.

CHOUCHOU. Chéri, choisi, élu, favori, gagnant, mignon, préféré.

CHOUCHOUTER. Choyer, dorloter, fignoler, gâter, panser, traiter.

CHOUETTE. Beau, brune, cendrée, chevêche, effraie, épervière, harfang, hulotte, lapone, limard, naine, ravins, rayée, rousse, saguaros, tachetée, Tengmalm, terriers.

CHOYER. Aduler, aimer, cajoler, caresser, gâter, materner, soigner.

CHRÉTIEN. Baptisé, brebis, catholique, copte, croix, fidèle, homme, orthodoxe, ouaille, païen, paroissien, protestant, schismatique.

CHRIST. Calvaire, chrétien, croix, église, Jésus, ouailles, messie, Noël.

CHROMATISME. Coloration.

CHROME. Cr.

CHRONOLOGIE. Ab, âge, agenda, almanach, an, annales, calendes, calendrier, condita, date, épacte, ère, hégires, histoire, ides, indiction, jour, nones, ordo, parachronisme, urbe.

CHRYSANTHÈME. Alpinum, arcticum, carinatum, catananche, coronarium, frutescens, indicum, morifolium, rubellum, segetum.

CHUCHOTER. Bourdonner, fredonner, marmonner, murmurer, susurrer.

CHUTE. Alopécie, cabriole, cascade, culbute, défaite, défeuillaison, défloraison, défoliation, dégringolade, descente, desquamation, éboulement, écroulement, effeuillaison, effeuillement, effondrement, exfoliation, gadin, glissade, plongeon, pluie, ptôse, saut, tombé.
CHUTER. Baisser, culbuter, glisser, sauter, tomber.
CIBLE. But, carton, mire, mouche, papegai, quintaine.
CIBOULE. Ail, allium, ciboulette, cive, civette, oignon, tête.
CIBOULETTE. Allium, ciboule, cive, civette, fausse échalote, oignon.
CIBOULOT. Tête.
CICATRICE. Balafre, brèche, cal, couture, entaille, hile, lézarde, marisque, marque, nombril, ombilic, signe, souvenir, stigmate, tracé.
CICÉRONE. Accompagnateur, conducteur, cornac, gouverneur, guide, introducteur, mène, mentor, péon, phare, pilote, rêne, sherpa.
CIEL. Air, arc, astre, azur, calotte, céleste, cieux, climat, coupole, éther, exil, firmament, frise, lit, mythologie, olympe, paradis, séjour, voûte.
CIERGE. Chandelle, cire, fiche, flambeau, if, molène, pointe, souche.
CIGARE. Cape, havane, londrès, manille, panatela, robe, senorita, tripe.
CIGARETTE. Blonde, cape, cartouche, clope, mégot, pof, robe, sèche.
CIGARILLO. Ninas.
CIL. Centrosome, cirre, ensille, mascara, protozoaire, rimmel.
CIME. Crête, dôme, faîte, hauteur, pinacle, sommet, tête, volis.
CIMENT. Béton, chaux, crépi, dalle, joint, liant, lien, lut, mastic, stuc.
CIMENTER. Bétonner, crépir, joindre, maçonner, raffermir, sceller.
CIMER. Écrêter, étêter.
CIMETIÈRE. Catacombe, charnier, columbarium, nécropole, ossuaire.
CINÉASTE. Dialoguiste, opérateur, producteur, réalisateur, scénariste.
CINÉASTE (n. p.). Allen, Brault, Capra, Carle, Dansereau, Dassin, Demers, Disney, Eisenstein, Eustache, Grierson, Lauzon, Léan, Leone, Losey, Malle, Pagnol, Pasolini, Penn, Ray, Renoir, Rosi, Sen, Tati, Taviani, Vidor.
CINÉMA. Art, caméra, ciné-parc, copie, décor, écran, figurant, salle.
CINGLÉ. Aliéné, cinoque, dingo, fada, fêlé, fou, maboul, timbré, toqué.
CINGLER. Attiser, battre, blesser, chapeau, couper, cravacher, flageller, fouailler, fouetter, frapper, fustiger, naviguer, sangler, sévère, vexer.
CINQ. Ans, cinquième, Dionne, lustre, pentagone, quine, quintette, quintuple, quintupler, sens, sec, V.
CINQUANTE. Cinquantaine, danaïdes, L, néréides, pentecôte, États-Unis.
CINQUIÈME. Cinq, han, jeudi.
CIPPE. Stèle.
CIRCONFÉRENCE. Aube, auge, cercle, orbiculaire, pi, rayon, rond, tour.
CIRCONSCRIPTION. Arrondissement, canton, cité, comté, dème, division, district, doyenné, finage, igamie, pagus, préfecture, secteur, zone.
CIRCONSCRIPTION, ASSEMBLÉE NATIONALE. Abitibi-Est, Abitibi-Ouest, Anjou, Argenteuil, Arthabaska, Beauce-Nord, Beauce-Sud, Beauharnois-Huntingdon, Bellechasse, Berthier, Bertrand, Blainville, Bonaventure, Borduas, Bourassa, Bourget, Brome-Missisquoi, Chambly,

Champlain, Chapleau, Charlesbourg, Charlevoix, Châteauguay, Chauveau, Chicoutimi, Chomedey, Chutes-de-la-Chaudière, Crémazie, D'Arcy-McGee, Deux-Montagnes, Drummond, Dubuc, Duplessis, Fabre, Frontenac, Gaspé, Gatineau, Gouin, Groulx, Hochelaga-Maisonneuve, Hull, Iberville, Îles-de-la-Madeleine, Jacques-Cartier, Jeanne-Mance, Jean-Talon, Johnson, Joliette, Jonquière, Kamouraska-Témiscouata, Labelle, L'Acadie, Lac-Saint-Jean, Lafontaine, La Peltrie, La Pinière, Laporte, Laprairie, L'Assomption, Laurier-Dorion, Laval-des-Rapides, Laviolette, Lévis, Limoilou, Lotbinière, Louis-Hébert, Marguerite-Bourgeoys, Marguerite-d'Youville, Marquette, Marie-Victorin, Maskinongé, Masson, Matane, Matapédia, Mégantic-Compton, Mercier, Mille-Îles, Montmagny-L'Islet, Mont-Royal, Montmorency, Nelligan, Nicolet-Yamaska, Notre-Dame-de-Grâce, Orford, Outremont, Papineau, Pointe-aux-Trembles, Pontiac, Portneuf, Prévost, Richelieu, Richmond, Rimouski, Rivière-du-Loup, Robert-Baldwin, Roberval, Rosemont, Rousseau, Rouyn-Noranda-Témiscamingue, Saguenay, Saint-François, Saint-Henri — Sainte-Anne, Saint-Hyacinthe, Saint-Jean, Saint-Laurent, Sainte-Marie — Saint-Jacques, Saint-Maurice, Salaberry-Soulanges, Sauvé, Shefford, Sherbrooke, Taillon, Taschereau, Terrebonne, Trois-Rivières, Ungava, Vachon, Vanier, Vaudreuil, Verchères, Verdun, Viau, Viger, Vimont, Westmount— Saint-Louis.

CIRCONSCRIPTION DU QUÉBEC, CHAMBRE DES COMMUNES. Abitibi, Ahuntsic, Anjou — Rivière-des-Prairies, Argenteuil-Papineau, Beauce, Beauharnois-Salaberry, Beauport-Montmorency-Orléans, Bellechasse, Blainville — Deux-Montagnes, Bonaventure— Îles-de-la Madeleine, Bourassa, Brome-Missisquoi, Chambly, Champlain, Charlesbourg, Charlevoix, Châteauguay, Chicoutimi, Drummond, Frontenac, Gaspé, Gatineau — Le-Lièvre, Hochelaga-Maisonneuve, Hull — Aylmer, Lachine — Lac-Saint-Louis, Lac-Saint-Jean, Laprairie, LaSalle-Émard, Laurentides, Laurier — Sainte-Marie, Laval-Est, Laval-Centre, Laval-Ouest, Lévis, Longueuil, Lotbinière, Louis-Hébert, Manicouagan, Matapédia-Matane, Mégantic-Compton-Stanstead, Mercier, Mont-Royal, Notre-Dame-de-Grâce, Outremont, Papineau — Saint-Michel, Pierrefonds-Dollard, Pontiac-Gatineau-Labelle, Portneuf, Québec, Québec-Est, Richelieu, Richmond-Wolfe, Rimouski-Témiscouata, Roberval, Rosemont, Saint-Denis, Saint-Henri — Westmount, Saint-Hubert, Saint-Hyacinthe — Bagot, Saint-Jean, Saint-Laurent — Cartierville, Saint-Léonard, Saint-Maurice, Shefford, Sherbrooke, Témiscamingue, Terrebonne, Trois-Rivières, Vaudreuil, Verchères, Verdun — Saint-Paul.

CIRCONSCRIRE. Borner, délimiter, limiter, localiser, mesurer, paroi.

CIRCONSPECT. Avisé, mesuré, pesé, prudent, réservé, réticent, sage.

CIRCONSPECTION. Diplomatie, discrétion, égard, maîtrise, ménagement, mesure, précaution, prude, prudence, retenue, sagesse, sobre.

CIRCONSTANCE. Cas, condition, conjoncture, détail, donnée, face, impondérable, lieu, modalité, moment, occurrence, rencontre.

CIRCUIT. Aérodrome, bouclage, boucle, castellet, chelem, contour, circonférence, enceinte, homerun, microprocesseur, pourtour, randonnée, réseau, révolution, tour, voyage.

CIRCULAIRE. Couronne, jante, rond, rose, roue, tour, tuyau, venet.

CIRCULATION. Apoplexie, émission, mouvement, pontage, rue, trafic.

CIRCULER. Artère, courir, émettre, marcher, passer, tourner, veine.

CIRRHE. Cirre, vrille.

CIRE. Ambre, batik, fart, ozocérite, paraffine, polir, rayon, ruche.

CIRQUE. Acrobate, arène, chahut, chapiteau, gave, gavarnie, gradin, magicien, piste, podium, scène, soleil, stade, tauromachie, voltige.

CISAILLE. Bourriquet, ciseau, cueilloir, tailloir.

CISEAU. Bédane, berceau, biseau, bouchard, burin, cisaille, ciselet, cisoir, gouge, matoir, molette, onglet, orfèvre, poinçon, sculpteur.

CISSUS. Rhoicissus, vigne, vigne-vierge, vitis.

CITATION. Allégation, assignation, épigraphe, exergue, expression, extrait, passage, référence, sic, vagulation, vers.

CITÉ. Agglomération, bourg, bourgade, centre, hameau, justice, lieu-dit, localité, Our, Ur, village, ville.

CITÉ, ALGÉRIE (n. p.). Arris, Bône, Boufarik, Collo, Dellys, Frenda, Kerrata, Marnia, Mila, Oran, Sétif, Tablat, Ténès, Vialar.

CITÉ, ALLEMAGNE (n. p.). Aalan, Berlin, Bonn, Brême, Cologne, Dachau, Duren, Dusseldorf, Ems, Essens, Frankort, Freiberg, Gutersloh, Hagen, Hambour, Hanovre, Hildesheim, Hof, Lutzen, Munich, Munster, Nordhausen, Nuremberg, Ratisbonne, Stuttgart, Ulm, Witten, Worms, Zeitz.

CITÉ, ANGLETERRE (n. p.). Bath, Bedford, Bolton, Bristol, Bury, Cambridge, Carlisle, Chatham, Chelsea, Chester, Deal, Derby, Durham, Eton, Gloucester, Greenwich, Hove, Lancaster, Liberpool, Londres, Manchester, Norwich, Nottingham, Oxford, Preston, Richmond, Salford, Salisbury, Sheffield, Stafford, Taunton, Wakefield, Wells, Wimbledon, Winchester, Worcester, York.

CITÉ, ASIE (n. p.). Troie.

CITÉ, ASSYRIENNE (n. p.). Ebla, Kalakh, Ninive.

CITÉ, BABYLONIENNE (n. p.). Babylone.

CITÉ, BELGIQUE (n. p.). Alost, Anvers, Bruges, Dison, Gand, Geel, Liège, Mons, Namur, Olen, Spa, Ypres.

CITÉ, CANADA (n. p.). Brandon, Calgary, Chatham, Cornwall, Dartmouth, Edmonton, Edmunston, Fredericton, Guelph, Halifax, Hamilton, Kingston, Kitchener, London, Moncton, Oshawa, Regina, Sarnia, Saskatoon, Saint-Jean, Stratford, Sudbury, Timmins, Toronto, Trenton, Vancouver, Victoria, Welland, Winnipeg, Windsor.

CITÉ, CRÈTE (n. p.). Cnossos, Phaïstos.

CITÉ, CHINE (n. p.). Ngan-Yang

CITÉ, ÉGYPTE(n. p.). Akhénaton, Alexandrie, Memphis, Thèbes.

CITÉ, ESPAGNE (n. p.). Astorga, Barcelone, Cadix, Grenade, Irun, Jaca, Linares, Lugo, Mieres, Reus, Séville, Soria, Tolèdes, Valence, Vich, Vigo.

CITÉ, ÉTATS-UNIS (n. p.). Albany, Baltimore, Boston, Buffalo, Cambridge, Cheyenne, Chicago, Cincinnati, Cleveland, Concord, Dallas, Denver, Detroit, Erie, Hartford, Houston, Manchester, Memphis, Miami, Mobile, Montpelier, New York, Oakland, Pasadena, Phoenix, Pittsburgh, Portland, Providence, Reno, Sacramento, Salem, Seattle, Tampa, Toledo, Troy, Tucson, Tulsa, Washington, Wichita.

CITÉ, FRANCE (n. p.). Albertville, Paris.

CITÉ, GRÈCE (n. p.). Argos, Arta, Athènes, Corinthe, Drama, Patras, Sparte, Thèbes, Tripolis, Volo, Xanthi.

CITÉ, HONGRIE (n. p.). Baja, Eger, Sopron, Vac.

CITÉ, INDE (n. p.). Agra, Calcutta, Delhi, Mahé, Madras, Salem.

CITÉ, INDUS (n. p.). Harappa, Lothal, Mohenjo-Daro.

CITÉ, ITALIE (n. p.). Adria, Asti, Bari, Bologne, Cagliari, Côme, Florence, Foligno, Gela, Gênes, Imola, Lecco, Milan, Monza, Naples, Padoue, Palerme, Parme, Pise, Salerne, Sienne, Turin, Venise, Vérone.

CITÉ, JAPON (n. p.). Akita, Gifu, Hiroshima, Kobe, Kure, Kyoto, Nagano, Nagasaki, Nagoya, Osaka, Sakai, Saporo.

CITÉ, MÉSOPOTAMIE (n. p.). Our, Ur.

CITÉ, MEXIQUE (n. p.). Acapulco, Leon, Mérida, Mexico, Oaxaca, Puebla, Queretaro, Toluca, Veracruz.

CITÉ, PAYS-BAS (n. p.). Bergen, Breda, Delf, Ede, Zeist.

CITÉ, PERSE (n. p.). Persépolis, Suse.

CITÉ, PÉROU (n. p.). Cuzco, Lime, Tacna.

CITÉ, PHÉNICIENNE (n. p.). Byblos, Sidon, Tyr.

CITÉ, POLOGNE (n. p.). Bytom, Cracovie, Gdansk, Plock, Pila, Prague.

CITÉ, PORTUGAL (n. p.). Béja, Faro, Porto, Tomar.

CITÉ, QUÉBEC (n. p.). Acton Vale, Alma, Amos, Ancienne-Lorette, Anjou, Arthabaska, Arvida, Asbestos, Amqui, Ascot, Aylmer, Bagotville, Baie-Comeau, Batiscan, Beaconsfield, Beauceville, Beauharnois, Beauport, Bécancour, Bellefeuille, Beloeil, Bernières, Berthierville, Blainville, Boisbriand, Bois-des-Filion, Boucherville, Brossard, Buckingham, Candiac, Cap-de-la-Madeleine, Cap-Rouge, Carignan, Cartierville, Causapscal, Coaticook, Chambly, Charlemagne, Charlesbourg, Charny, Châteauguay, Chelsea, Chibougamau, Chicoutimi, Coaticook, Contrecoeur, Côte-Saint-Luc, Cowansville, Daveluyville, Delson, Deux-Montagnes, Dolbeau, Dollard-des-Ormeaux, Donnacona, Dorion, Dorval, Drummondville, East Angus, Farnham, Fleurimont, Gaspé, Gatineau, Granby, Grand-Mère, Greenfield Park, Hampstead, Hemmingford, Hull, Huntingdon, Iberville, Île-Perrot, Joliette, Jonquière, Kahnawake, Kénogami, Kirkland, La Baie, L'Acadie, Lachenaie, Lachine, Lachute, Lac-Mégantic, Lac-Noir, Lac-Saint-Charles, Lafontaine, La Pêche, La Plaine, Laprairie, La Sarre, LaSalle, L'Assomption, La Tuque, Lauzon, Laval-des-Rapides, Laval, Le Gardeur, LeMoyne, Lennoxville, Lévis, L'Islet, Longueuil, Loretteville, Lorraine, Louiseville, Macamic, Magog, Marieville, Mascouche, Masson-Angers, Matane, Mégantic, Mercier, Mirabel, Mistassini, Montebello, Mont-Joli,

Mont-Laurier, Montmagny, Mont-Royal, Mont-Saint-Hilaire, Montréal, Montréal-Nord, Neuville, New-Carlisle, Nicolet, Noranda, Notre-Dame-de-l'Île-Perrot, Notre-Dame-des-Prairies, Otterburn Park, Outremont, Papineauville, Pierreville, Pincourt, Pintendre, Plessisville, Pointe-Claire, Pointe-aux-Trembles, Pointe-du-Lac, Port-Alfred, Port-Cartier, Portneuf, Prévost, Princeville, Québec, Rawdon, Repentigny, Richmond, Rigaud, Rimouski, Rivière-du-Loup, Roberval, Rock Forest, Roquemaure, Rosemère, Rouyn, Roxboro, Saint-Amable, Saint-Antoine, Saint-Athanase, Saint-Augustin-Desmaures, Saint-Basile-le-Grand, Saint-Césaire, Saint-Charles-Borromée, Saint-Bruno-de-Montarville, Saint-Chrysostôme, Saint-Constant, Saint-Émile, Saint-Étienne-de-Lauzon, Saint-Eustache, Saint-Félicien, Saint-François-du-Lac, Saint-Georges, Saint-Hubert, Saint-Hyacinthe, Saint-Jean-sur-Richelieu, Saint-Jean-Deschaillons, Saint-Jérôme, Saint-Joseph-d'Alma, Saint-Joseph, Saint-Joseph-de-Sorel, Saint-Jovite, Saint-Lambert, Saint-Lazare, Saint-Léonard, Saint-Lin, Saint-Louis-de-France, Saint-Luc, Saint-Nicéphore, Saint-Nicolas, Saint-Ours, Saint-Pierre-aux-Liens, Saint-Raphaël-de-l'Île-Bizard, Saint-Rédempteur, Saint-Rémi, Saint-Romuald, Saint-Timothée, Saint-Tite, Saint-Vincent-de-Paul, Sainte-Agathe-des-Monts, Sainte-Anne-de-Beaupré, Sainte-Anne-de-Bellevue, Sainte-Anne-de-la-Pérade, Sainte-Anne-de-la-Pocatière, Sainte-Anne-des-Monts, Sainte-Anne-des-Plaines, Sainte-Catherine, Sainte-Julie, Sainte-Julienne, Sainte-Foy, Sainte-Marie, Sainte-Marthe-sur-le-Lac, Sainte-Marthe-du-Cap, Sainte-Rose, Sainte-Sophie, Sainte-Thérèse, Salaberry-de-Valleyfield, Senneterre, Sept-Îles, Shawinigan, Sherbrooke, Sillery, Sorel, Stanstead, Sweetsburg, Témiscamingue, Terrebonne, Thetford-Mines, Tracy, Trois-Pistoles, Trois-Rivières, Val-Bélair, Val-des-Monts, Val-d'Or, Valleyfield, Vanier, Varennes, Vaudreuil, Verchères, Verdun, Victoriaville, Waterloo, Westmount, Windsor.

CITÉ, ROMAINE (n. p.). Byzance, Pompéi, Rome.

CITÉ, ROUMANIE (n. p.). Arad, Bacau, Brashov, Craiova, Sibiu, Turda.

CITÉ, SUÈDE (n. p.). Boras, Calmar, Falun, Upsal.

CITÉ, SUISSE (n. p.). Bâle, Berne, Fribourg, Genève, Lausanne, Montreux, Orbe, Sion, Wil, Zoug, Zurich.

CITÉ, SUMÉRIE (n. p.). Kish, Lagash, Sumer, Ur.

CITÉ, TUNISIE (n. p.). Béja, Gabes, Gafsa, Nabeul, Sousse, Stax.

CITÉ, TURQUIE (n. p.). Adana, Antioche, Kars, Van.

CITÉ, URUGUAY (n. p.). Montevideo, Salto.

CITÉ, VENEZUELA (n. p.). Caracas, Maracay, Valencia.

CITÉ, VIETNAM (n. p.). Dalat, Hanoï, Hue, Saïgon.

CITÉ, YOUGOSLAVIE (n. p.). Ohrid, Pula, Raguse, Sarajevo, Senta, Split, Zagreb.

CITER. Alléguer, intimer, indiquer, nommer, rapporter, signaler, viser.

CITHARE. Citharède, lyre, pandore, vina.

CITOYEN. Habitant, pauvre, paysan, plébéien, prolétaire, prolo, salarié.

CITRON. Agrume, bergamote, cédrat, citrine, citronnier, citrus, lime, limette, limon, limonade, pamplemousse, poncire, punch, zeste.
CITRONNELLE. Andropogon, artémisia, cymbopogon, mélisse, verveine.
CITRONNIER. Cédratier, citrus, limonier.
CITROUILLE. Carabaça, courge, cuje, potiron.
CITRUS. Agrume, bergamotier, bigaradier, cédratier, citronnier, fortunella, limettier, mandarinier, oranger, pamplemoussier, poncirus.
CIVE. Ciboule, ciboulette.
CIVIÈRE. Bard, bast, bayart, brancard, litière, oiseau.
CIVIL. Convenable, correct, état, gentil, laïque, liste, mariage, militaire.
CIVILISER. Adoucir, corriger, éduquer, former, humaniser, organiser, policer, polir, raffiner, réglementer.
CLAIE. Clayonnage, clisse, douve, éclisse, grille, jonc, natte, osier, parc.
CLAIR. Aigu, apparent, bien, blanc, calme, confus, connu, déchiffré, embrouillé, épais, évident, fluide, foncé, manifeste, net, obscur, opaque, perçant, précis, pur, serein, sombre, transparent, trouble.
CLAIRE-VOIE. Bard, claie, clayette, filet, gril, râtelier, triforium.
CLAIREMENT. Net, nettement.
CLAIRON. Clique, diane, fanfare, mademoiselle, trompette, troupe.
CLAIRVOYANT. Acuité, argus, astrologue, astucieux, Cassandre, divinateur, éclairé, flair, intelligent, lucide, numérologue, pénétrant.
CLAMER. Acclamer, appeler, avertir, crier, dire, gueuler, proclamer.
CLAMEUR. Ahan, aïe, barrir, beuglement, bis, braillement, bramer, cri, croassement, dia, évoé, évohé, exclamation, glapissement, gloussement, haïe, han, haro, hue, huée, hurlement, jargon, réclame, roucoulement, rugissement, taïaut, tollé, vacarme, vagissement, vocifération.
CLAN. Classe, coterie, famille, groupe, horde, parti, partisan, race, tribu.
CLANDESTIN. Anonyme, cacher, contrebande, noir, pègre, secret.
CLAQUE. Acteur, applaudir, battre, botte, cède, chapeau, gifle, tape.
CLAQUER. Dépenser, éreinter, fatiguer, frapper, mourir, rompre.
CLAQUETTE. Clap, claquoir.
CLARIFIER. Déchiffrer, éclaircir, élucider, épurer, expliquer, purifier.
CLARIFICATION. Défécation, éclaircir, embrouiller, obscurcir.
CLARTÉ. Jour, limpidité, lueur, lumière, luminosité, netteté, précision.
CLASSE. Amide, caste, catégorie, clan, degré, division, espèce, étude, famille, groupe, niveau, ordre, ptéropode, rang, salle, seconde, section.
CLASSER. Archiver, calibrer, numéroter, ranger, séparer, sérier, trier.
CLASSEUR. Album, cahier, filière, recueil, registre.
CLASSIFICATION. Choix, hiérarchie, nosologie, ordre, posologie, rang.
CLAUSE. Condition, convention, réméré, réserve, stipulation.
CLAVAIRE. Clavaria, clavulina, champignon, ramaria, sparassis.
CLÉ. Clef, mystère, passe-partout, rossignol, sûreté, trousseau.
CLEF. Do, fa, sol.
CLÉOME. Araignée, arborea, gigantea, lutea, speciosissima.

CLÉMATITE. Alpina, armandii, atragène, chrysocoma, comète, flammula, florida, jackmannil, kermesina, lanuginosa, montana, orientalis, patens, rubens, tangutica, tetrarose, viorne, viticella, wilsonii.
CLERC. Acolyte, diacre, gaffe, lai, portier, sacerdotal, thuriféraire.
CLICHÉ. Banalité, épreuve, image, négatif, pellicule, poncif, simili.
CLIENT. Acheteur, consommateur, habitué, pratique, prospect.
CLIGNER. Bornoyer, ciller, clignoter, papilloter, vaciller.
CLIGNOTANT. Danger, feu, nictation, nictitant, urgence.
CLIMAT. Atmosphère, ciel, météo, régime, température, temps.
CLIN D'ŒIL. Accord, battement, clignement, œillade.
CLINIQUE. Hôpital, hospice, polyclinique, préventorium, refuge.
CLIP. Actualité, bande, film, métrage, pellicule, projection.
CLOCHARD. Chemineau, cloche, clodo, mendiant, robineux, vagabond.
CLOCHE. Abri, airain, bourdon, campane, campanulacée, chapeau, clarine, clochette, glas, gong, grelot, sonnerie, sonnette, timbre, tocsin.
CLOCHER. Beffroi, bulbe, campanile, clocheton, flèche, tour.
CLOCHETTE. Ancolie, campane, campanule, clarine, drelin, grelot, muguet, perce-neige, sonnette, timbre.
CLOISON. Ais, bardis, brise-vent, charpente, clos, clôture, diaphragme, émail, épi, judas, mur, muret, paroi, séparation, voile, voûte, zeste.
CLOÎTRE. Couvent, église, monastère, préau, solesme, thélème, trappe.
CLOQUE. Ampoule, apostème, boursouflure, bulle, enflure, œdème.
CLORE. Boucher, cadenasser, celer, classer, déboucher, entourer, fermer, finir, lever, limiter, ouvrir, percer, terminer, verrouiller.
CLOS. Champ, cour, enceinte, enclos, fermé, geôle, huis, vigne.
CLÔTURE. Balustrade, barricade, barrière, chaîne, claie, clos, échalier, enceinte, haie, mur, palissade, rampe, saut-de-loup, trêve, vitrage.
CLOU. Abcès, attraction, bec, bouquet, broquette, cavalier, crampon, furoncle, goujon, piton, pointe, rivet, semence, tricouni, tumeur, vis.
CLOU DE GIROFLE. Anthofle.
CLOUER. Enfoncer, ficher, fixer, rabattre, reclouer, river, visser.
COAGULER. Cailler, congeler, cristalliser, figer, grumeler, liguer.
COALITION. Association, bloc, complot, fédération, front, ligue, union.
COBALT. Co.
COBRA. Naja, serpent, uraueus.
COCAÏNE. Came, coca, coke, coco, crack, neige.
COCCYX. Os.
COCHE. Berline, carosse, chaise, courrier, cran, diligence, entaille, malle.
COCHENILLE. Kermès, nopal, pou de San Jose.
COCHER. Aurige, automédon, collignon, conducteur, patachier, phaéton.
COCHON. Cobaye, cochonnet, croustillant, débauché, goret, groin, nourrain, obscène, ord, orictérope, ort, pécari, porc, truie, verrat.
COCHONNER. Abîmer, altérer, avarier, bâcler, corrompre, endommager, gâcher, gâter, polluer, saloper, souiller, tacher, tarer, ternir, vicier.
COCON. Aspe, asple, coque, grège.
COCOS. Arecastrum, butia, cocotier, rhyticocos, syagrus.

COCOTTE. Autocuiseur, crémaillère, cuiseur, marmite, mijoteuse, poule.
COCTION. Assation, cuisson, jus.
COCUFIER. Abuser, berner, décevoir, dol, duper, égarer, enjôler, errer, flouer, frauder, gourer, gruger, induire, léser, leurrer, mentir, méprendre, piper, posséder, refaire, rouler, trahir, tricher, truc.
CODE. Code-barres, cryptage, décalogue, deuteronome, loi, règle, titre.
COEFFICIENT. Cz, facteur, masse, module, pourcentage, ratio.
COELENTÉRÉ. Acalèche, alcyon, anthozoaire, corail, gorgone, hydre, hydroméduse, hydrozoaire, madrépore, méduse, mollusque.
CŒUR. Abîme, âme, amour, aorte, arythmie, auricule, cardiologue, carte, centre, chagrin, courage, digitaline, duramen, énergie, fressure, milieu, oreillette, ouabaïne, sang, sein, spartéine, trognon, ventricule.
COFFIN. Étui.
COFFRE. Bahut, bière, boîte, boîtier, caisse, carton, case, layette, malle.
COFFRET. Boîte, cassette, coffre, écrin, écriture, épi, ménagère.
COGITER. Aviser, comprendre, conscience, contempler, croire, délibérer, espérer, imaginer, juger, méditer, penser, peser, rêver, songer.
COGNER. Assèner, assommer, battre, boxer, châtier, cingler, corriger, ébahir, étonner, férir, fesser, frapper, geler, heurter, infliger, marteler, matraquer, plaquer, poignarder, sonner, taper, tapoter, trépigner.
COHÉRENT. Adhérence, cohésion, homogène, liaison, unité.
COHUE. Affluence, amas, armée, essaim, foule, masse, mêlée, meute, monde, multitude, nuée, peuple, populace, presse, tale, tas.
COIFFE. Bigouden, béguin, bonnet, cale, colinette, cornette, têtière.
COIFFURE. Bavolet, béret, bonnet, calot, capeline, cornette, épi, figaro, képi, mitre, pschent, tarbouch, tarbouche, tiare, toque, truffe, turban.
COIN. Amure, angle, angrois, biseau, cachet, caractère, corne, encoignure, empreinte, estampille, marque, poinçon, recoin, sceau.
COÏNCIDENCE. Aléa, aventure, bonheur, chance, dé, destin, déveine, errant, fortune, hasard, imprévu, jeu, occasion, pile, sort, veine.
COÏT. Accouplement, copulation, liaison, rapports, rut, saillie, sexe.
COL. Bocal, collet, colposcopie, cou, défilé, encollure, entonnoir, gorge, goulot, mousse, pas, passage, port, tende, tibi, utérus, vagin.
COL (n. p.). Arlberg, Brenner, Heckman, Iseran, Sinclair, Stelvio, Susten, Vars.
COLCHIQUE. Safran, tue-vaches, veilleuse, veillotte, vératre.
COLÉOPTÈRE. Adéphage, agriote, altise, apion, archostemate, artison, ateuchus, blap, bombardier, bousier, carabe, capricorne, cérambycidé, cétoine, charançon, cicindèle, ciron, cléride, coccinelle, coque, doryphore, élater, escarbot, eumolpe, hanneton, hister, histéride, insecte, ips, longicorne, lucane, lucanidé, luciole, myxophage, polyphage, scarabée, scolyte, taret, taupin, vrillette.
COLÈRE. Agitation, agressivité, aigri, atrabile, avertin, bile, dépit, ému, foudres, fureur, furie, hargne, ire, irritation, rage, rogne, ruade, tollé.
COLÉREUX. Agité, agressif, emporté, irascible, rageur, susceptible.

COLIBRI. Allen, anna, californie, calliope, costa, lucifère, oiseau-mouche, magnifique, rivoli, roux, sasin, trochile, vieillot.
COLIFICHET. Amusette, babiole, bagatelle, breloque, bricole, vétille.
COLIMAÇON. Escalier, escargot, gastéropode, hélix, limace, limaçon.
COLIS. Bagage, balle, ballot, ballotin, baluchon, boîte, paquet.
COLLABORATION. Association, contribution, coopération, participation.
COLLANT. Agglutinant, bas, étroit, gluant, gommé, pantalon, poisseux.
COLLATION. En-cas, goûter, lunch, mâchon, réfection, régal, repas, thé.
COLLATIONNER. Attribuer, comparer, confronter, différencier, distribuer, gabarier, peser, rapprocher, relire, remettre, vidimer.
COLLE. Adhésif, charade, empois, épreuve, glu, gomme, goudron, ichtyocolle, mastic, poix, question, résine, retenue, supplice, torture.
COLLECTE. Aumône, cueillette, levée, quête, ramasser, récolte.
COLLECTER. Chercher, demander, mendier, rechercher, solliciter.
COLLECTIF. Commun, général, public, standard, usuel.
COLLECTION. Assortiment, bibliothèque, ensemble, fichier, galerie, ménagerie, musée, panoplie, philatéliste, recueil, suite, varia.
COLLECTIONNEUR. Amateur, chercheur, fouineur, numismate.
COLLÈGE. Bahut, cégep, corporation, école, institut, lycée, polyvalente.
COLLÉGIEN. Écolier, élève, étudiant.
COLLÈGUE. Acolyte, adjoint, affilié, agrégé, associé, camarade, compère, complice, confrère, covendeur, membre, mutuelle, syndiqué, uni.
COLLER. Adhérer, agglutiner, attacher, encoller, gommer, recoller, tenir.
COLLERETTE. Bride, fraise, gorgerette, pèlerine.
COLLIER. Barbe, boa, carcan, chaîne, fraise, misère, rivière, torque.
COLLINE. Aspre, butte, côte, coteau, dune, hauteur, mont, montagne.
COLLINE DE ROME (n. p.). Aventin, Caelius, Capitole, Esquilin, Palatin, Quirinal, Viminal.
COLLISION. Abordage, accident, choc, heurt, impact, tamponnage.
COLLOÏDALE. Aérosol, gel, empois, floculation, humus, sol.
COLLOQUE. Causerie, conférence, conversation, débat, échange, forum.
COLLUSION. Accord, association, complicité, connivence, entente.
COLMATER. Boucher, calfeutrer, clore, colmater, étouper, fermer, luter, mastiquer, murer, obstruer, obturer, occulter, sceller.
COLOMB, CARAVELLE (n. p.). Nina, Pinta, Santa Maria.
COLOMBIER. Format, fuie, pigeon.
COLOMBIUM. Cb.
COLONIE. Concession, fourmi, planteur, possession, protectorat, ruche.
COLONIE BRITANNIQUE (n. p.). Aden, Bahamas, Barbade, Bermudes, Chypre, Falkland, Fidji, Gibraltar, Gilbert, Guyane, Honduras, Hong-Kong, Jamaïque, Maurice, Rhodésie, Seychelles, Singapour, Trinité.
COLONIE FRANÇAISE (n. p.). Algérie, Guyanne, Maroc, Nouvelle-France, Sénégal, Somalie.
COLONNE. Aiguille, base, calcaire, ciel, cippe, coccyx, columelle, échine, épine, escouade, fût, invertébré, montant, pilier, poteau, pylône, rachis, rostrale, section, soutien, stèle, style, support, torse, trompe, vertébré.

COLOPHANE. Arcanson.
COLOQUINTE. Barbarine, chicotin, coloquinelle, courge, courgoudette, orangine, patisson, tête.
COLORANT. Coloris, couleur, éosine, gaude, indigo, ocre, rocou, smalt.
COLORATURE, CHANTEUSE (n. p.). Arpin, Bilodeau, Choquette, Côté, Fortin, Hurley, Leclerc, Lespérance.
COLORER. Barbouiller, barioler, colorier, farder, injecter, iriser, orner, panacher, peindre, pigmenter, rehausser, relever, teindre, teinter.
COLORIAGE. Colorier, coloriste, couleur, lavis, laqué, teindre.
COLORIS. Colorant, couleur, guide, teint, teinte.
COLOSSAL. Démesuré, énorme, gros, immense, monstre, monumental.
COLOSSE. Énorme, géant, grand, mastodonte, monstre, ogre, titanique.
COLPORTER. Bavarder, cancan, commérage, médiser, potiner, ragot.
COMBAT. Assaut, bataille, boxe, choc, duel, engagement, guerre, joute, lutte, match, mêlée, opération, pugilat, querelle, rif, riffe, salve.
COMBATTRE. Assaillir, battre, lutter, militer, réfuter, toréer.
COMBINAISON. Calcul, carbure, chlorure, coffre-fort, cotte, coup, hydrate, hydrocarbure, hydroxyde, hydrure, nitrure, mélange, oxydation, phosgène, poule, projet, réussite, spéculation, sulfure.
COMBINER. Allier, arranger, assembler, hydrater, hydrogéner, joindre, oxyder, marier, mêler, mettre, mixer, ourdir, oxider, sulfurer, unir.
COMBLE. Apogée, attique, bourré, empli, excès, extrême, faîte, ferme, limite, plein, pinacle, sommet, summum, surplus, toit, zénith.
COMBLER. Bourrer, emplir, entourer, gâter, gorger, remblayer, remplir.
COMBUSTIBLE. Aliment, boulet, carburant, charbon, coke, fuel, houille, mazout, méta, semi-coke, tourbe.
COMÉDIE. Bouffonnerie, drame, farce, mime, muse, pièce, plaisanterie, rire, saynète, scène, sketch, sotie, spectacle, théâtre, vaudeville.
COMÉDIEN. Acteur, artiste, cabotin, comique, doublure, figurant.
COMÉDIEN CANADIEN-ANGLAIS (n. p.). Accolas, Arène, Aymar, Ayoub, Bard, Barry, Blanch, Buza, Calderwood, Friesen, Garrison, Gillett, Klanfer, Konig, Lawrence, Loftus, Martin, McKenna, Murphy, Nardi, Nerman, O'Connor, Parillo, Parson, Pearson, Pennington, Richard, Ross, Snider.
COMÉDIEN AMÉRICAIN (n. p.). Allen, Armstrong, Astaire, Bacall, Bakula, Baldwin, Belafonte, Belushi, Benedick, Bennet, Bogart, Boone, Brando, Bridges, Brosnan, Brown, Burton, Cage, Chandler, Clooney, Cole, Costner, Crosby, Cruise, Culkin, Curtis, Dafoe, Daniels, Danson, Darin, Day-Lewis, Dean, De Niro, DeVito, Douglas, Dreyfuss, Eastwood, Ford, Gable, Gere, Gibson, Goldblum, Granger, Grant, Hackman, Hanks, Hardy, Harrelson, Heston, Hope, Hopkins, Hoskins, Hudson, Jackson, Jordan, Keitel, Kilmer, Kinski, Kline, Lancaster, Laurel, Leblanc, Lewis, O'Connor, Malkovich, Martin, McConaughey, McQueen, Mitchum, Montgomery, Moore, Murphy, Murray, Newman, Nicholson, Nolte, Peck, Penn, Pitt, Presley, Pryor, Quaid, Quinn, Randall, Reagan, Reeves, Ritchie, Rooney, Rourke, Savage, Schwarzenegger, Simmons, Sinatra,

Sorbo, Stallone, Stewart, Taylor, Thomas, Travolta, Tyler, Van Damme, Van Dyke, Washington, Wayne, Weissmuller, Williams, Willis, Wyle, Young.

COMÉDIEN ANGLAIS (n. p.). Accolas, Arène, Aymar, Ayoub, Bard, Barry, Blanch, Burbage, Buza, Calderwood, Chaplin, Foote, Friesen, Garrick, Garrison, Gillett, Klanfer, Konig, Lawrence, Loftus, Martin, McKenna, Murphy, Nardi, Nerman, O'Connor, Parillo, Parson, Pearson, Pennington, Richard, Ross, Snider.

COMÉDIEN FRANÇAIS (n. p.). Auteuil, Belmondo, Boyer, Chevalier, Coquelin, Fernandel, Gabin, Guitry, Montand.

COMÉDIEN ITALIEN (n. p.). Bertinazzi, Mastroianni, Mezzetin.

COMÉDIEN QUÉBÉCOIS (n. p.). Adams, Alarie, Albert, Allaire, Allard, Archambault, Arsenault, Aubert, Auclair, Audet, Auger, Aumont, Barnard, Barrette, Bastarache, Bastien, Beauchamp, Beauchemin, Beaudet, Beaudry, Beaulieu, Beaulne, Beaupré, Bégin, Béland, Bélanger, Belhumeur, Belisle, Belzile, Benoit, Bergeron, Bernard, Bernier, Bérubé, Berval, Besré, Bessette, Biddle, Bienvenue, Bigras, Bilodeau, Binet, Bisson, Bissonnette, Bizier, Blais, Blanchard, Blanchet, Bluteau, Boie, Boilard, Boisvert, Boivin, Bolduc, Bombardier, Bonneau, Bouchard, Boucher, Boudreau, Bourgeault, Bourgeois, Bourque, Bousquet, Boutin, Bradet, Brassard, Bray, Briand, Brière, Brisson, Brosseau, Brouillet, Brouillette, Brousseau, Brunet, Buissonneau, Cabana, Campeau, Canuel, Cardin, Carez, Caron, Carrère, Carrière, Cartier, Cauchon, Cazelais, Chabot, Chagnon, Chamberlan, Champagne, Champoux, Chapados, Chapleau, Charest, Charette, Charles, Charron, Chartier, Chartrand, Chassé, Chenail, Chénier, Chevalier, Chouinard, Christian, Claveau, Clavet, Cloutier, Coallier, Collin, Comeau, Corbeil, Cormier, Côté, Cousineau, Coutu, Couture, Crête, Curzi, Cyr, D'Amours, D'Astou, Da Silva, Dagenais, Dallaire, Daviau, De Cespedes, Delasoie, Delcourt, Delmas, Demers, Denis, Denoncourt, Derek, Deschamps, Deschênes, Désilets, Desjardins, Desmarteaux, Desrochers, Desroches, Desrosiers, Dessureault, Désy, Di Stasio, Dion, Dionne, Dô, Doucet, Doyon, Drainville, Drolet, Dubois, Ducharme, Duchesne, Duchesneau, Dufaux, Dufour, Dumont, Dupuis, Durand, Dussault, Duval, Émond, Éthier, Farmer, Faubert, Faucher, Fauteux, Favreau, Ferland, Filion, Fontaine, Forest, Fortin, Fournier, Francoeur, Fruitier, Gadouas, Gagné, Gagnon, Galipeau, Gamache, Garceau, Gascon, Gaudreau, Gauthier, Gauvin, Gélinas, Gendron, Genest, Germain, Gignac, Giguère, Gingras, Girard, Giroux, Gobeil, Godin, Gougeon, Goyette, Graton, Gravel, Graveline, Grégoire, Grenier, Grimaldi, Grisé, Grondin, Groulx, Guay, Guévremont, Guilda, Guimond, Guy, Hamel, Hamelin, Hébert, Héroux, Hétu, Houde, Houle, Huard, Hurtubise, Imbault, Jacob, Jacques, Jean, Jetté, Jodoin, Jordan, Joubert, L'Écuyer, L'Espérance, L'Heureux, Labbé, Labelle, Labrèche, Labrie, Labrosse, Lachance, Lachapelle, Lacombe, Lacoste, Lacroix, Lafleur, Lafond, Lafontaine, Lafortune, Lajeunesse, Lalancette, Lalande, Laliberté, Lalonde, Lambert, Lamirande, Lamontagne,

Lamoureux, Landry, Langelier, Langlois, Lapointe, Laprade, Laroche, Larocque, Larue, Latour, Latreille, Latulippe, Laurin, Lautrec, Lauzon, Lavallée, Lavergne, Lavigne, Lavoie, Leblanc, Leboeuf, Lecavalier, Leclerc, Ledoux, Leduc, Lefebvre, Lefrançois, Légaré, Legault, Legendre, Léger, Legris, Lelièvre, Lemay, Lemay-Thivierge, Lemieux, Lemire, Lepage, Leroux, Lessard, Létourneau, Levasseur, Léveillée, Lévesque, Lirette, Lizotte, Loiselle, Longpré, Lord, Lortie, Lussier, Maher, Maillot, Major, Maltais, Marchal, Marchand, Marcoux, Marsan, Martel, Martin, Massé, Massicotte, Masson, Mathieu, Mayer, Melançon, Mercier, Messier, Meunier, Michaud, Mignault, Millaire, Millette, Miron, Mongrain, Montmorency, Moreau, Morency, Morissette, Myron, Nadeau, Nadon, Nantel, Noël, Olivier, Ouellet, Ouellette, Pagé, Paiement, Pallascio, Paquette, Paquin, Paradis, Paré, Parent, Paris, Pascal, Pasquier, Patenaude, Pellerin, Pelletier, Perron, Pérusse, Petit, Picard, Piché, Pillet, Pilon, Pilote, Plante, Poirier, Poissant, Ponton, Poulain, Pratte, Préfontaine, Proteau, Proulx, Provencher, Provost, Quintal, Rainville, Ranger, Raymond, Renaud, Ricard, Richard, Richer, Rivard, Rivest, Roberge, Robert, Robidoux, Robitaille, Rollin, Ronfard, Rousseau, Roussel, Routhier, Roux, Roy, Royer, Sabouret, Sabourin, Salvail, Sauvage, Schreiber, Scott, Séguin, Sicotte, Simard, Talbot, Tanguay, Taschereau, Tassé, Tétreault, Thériault, Thibault, Thibodeau, Thiboutot, Thisdale, Toupin, Tremblay, Trudeau, Trudel, Turbide, Turcot, Turcotte, Turgeon, Vaillancourt, Valcour, Valiquette, Vanasse, Varin, Verville, Vézina, Viau, Viens, Villeneuve, Vincent, Zinko, Zouvi.

COMÉDIENNE AMÉRICAINE (n. p.). Abdul, Anderson, Andrews, Bacall, Basinger, Bassett, Baxter, Bingham, Birch, Brenneman, Bullock, Campbell, Cher, Collins, Crawford, Darnell, Davis, Day, Dee, Dickinson, Dors, Dunaway, Evangelista, Fonda, Fox, Gabor, Garland, Garner, Griffith, Hall, Kelly, Kidman, Lamour, Lane, Lansbury, Leigh, MacLaine, Madonna, Mansfield, Mantovani, Midler, Monroe, Moore, Morgan, Moss, Nolin, Novak, Parker, Paul, Powers, Powells, Rampling, Roberts, Rivers, Russell, Sarandon, Seagrove, Shalom, Shatner, Schell, Sheridan, Shields, Shue, Silverstone, Stafford, Stone, Streep, Streisand, Taylor, Temple, Tilton, Turner, Walsh, West, Wood, Zuniga.

COMÉDIENNE CANADIENNE-ANGLAISE (n. p.). Basaraba, Benson, Clune, Ellwand, Ferney, Gruen, Hall, Hayle, Henry, Jordan, Kee, Lawrence, Mackenzie, Obonsawin, Racicot, Reh, Spiegel, Sprincis, Stankova, Verner, Victor, Zahalan, Zucco.

COMÉDIENNE FRANÇAISE (n. p.). Darrieux, Dorval, Bardot.

COMÉDIENNE ITALIENNE (n. p.). Lollobrigida, Loren.

COMÉDIENNE QUÉBÉCOISE (n. p.). Adam, Adams, Aktouf, Alber, Alepin, Allaire, Allard, Allen, Allison, Ally, Andrieu, Angers, Anthony, Aras, Araya, Arbour, Arcand, Armand, Arsenault, Aubé, Aubertin, Aubin, Aubry, Aubut, Auger, Aussant, Azar, Babeu, Baillargeon, Ballard, Banville, Baril, Barrette, Bartolucci, Basilières, Bastien, Beaubien, Beaudreau, Beaudry, Beaule, Beaulieu, Beaulne, Beaupré,

Beauregard, Beauvais, Bédard, Bégin, Bélair, Bélanger, Belcourt, Belisle, Belleau, Bellemare, Benezra, Bérard, Berd, Berger, Bergeron, Bériault, Bernard, Bernier, Berryman, Berthiaume, Bertrand, Bérubé, Bessette, Bibeau, Biron, Bisaillon, Bisson, Blackburn, Blain, Blais, Blier, Bluteau, Bocan, Boislard, Boisjoli, Boisvert, Boivin, Bombardier, Bonneau, Bonneville, Bonnier, Bouchard, Boucher, Boudreau, Bourgeois, Bourque, Boyer, Brassard, Brault, Briand, Brind'Amour, Brisson, Brodeur, Brossard, Brouillette, Brousseau, Bussières, Cadieux, Camirand, Campbell, Cantin, Cardinal, Carel, Caron, Castel, Castonguay, Caya, Célestin, Chabot, Chagnon, Chailler, Chalifoux, Champagne, Chapleau, Charbonneau, Charest, Charlebois, Charpentier, Charron, Chartier, Chartrand, Chassé, Chatel, Chenier, Chevalier, Choinière, Choquette, Chouvalidzé, Claude, Clément, Cloutier, Collard, Collin, Comeau, Comtois, Corbeil, Corradi, Cossette, Côté, Cotton, Coupal, Courchesne, Courtois, Cousineau, Coutu, Couture, Croze, Cusson, Cyr, D'Aragon, Da Silva, Dallaire, Dalpé, Dansereau, Daoust, Daudelin, Dauphinais, Daviau, Delage, Delcourt, Delisle, Demers, Déry, Desbiens, Deschamps, Deschâtelets, Desjardins, Deslauriers, Desrochers, Desrosiers, Deyglun, Dion, Dionne, Doré, Dorion, Dorval, Dostie, Drapeau, Drolet, Drouin, Dubé, Dubeau, Ducharme, Dufour, Dufresne, Dugas, Duguay, Dumas, Dumais, Dumont, Dupire, Durand, Durocher, Dutil, Esse, Eykel, Faucher, Filion, Fleury, Fontaine, Forestier, Fortin, Fournier, Francke, Gadouas, Gagné, Gagnon, Gallant, Gamache, Garceau, Garneau, Gascon, Gauthier, Gélinas, Gendron, Germain, Gervais, Godbout, Godin, Gosselin, Goyette, Grégoire, Grenier, Grenon, Guénette, Guérin, Guertin, Hamel, Hébert, Jalbert, Jean, Jodoin, Jolis, Jules, Julien, Labelle, Labonté, Lachance, Lachapelle, Lajeunesse, Lalande, Lalonde, Lamarche, Lambert, Lanctôt, Langlois, Laplante, Lapointe, Laporte, Latraverse, Laurent, Laurier, Lavallée, Laverdière, Lavergne, Lavoie, Lazure, Le Flaguais, Leblanc, Leduc, Lefebvre, Legault, Léger, Lemay, Lemelin, Lemieux, Leroy, Létourneau, Levac, Levasseur, Léveillé, Leyrac, Loiselle, Lomez, Longchamps, Lopez, Lorain, Lussier, Marchand, Marcotte, Marleau, Marois, Marquis, Martin, Matteau, Mauffette, Mercier, Mercure, Michaud, Michel, Millaire, Miller, Mondoux, Montpetit, Morin, Morissette, Mousseau, Nadeau, Néron, Nolin, Normandin, Oddera, Oligny, Olivier, Orsini, Ouellet, Ouellette, Ouimet, Pallascio, Panneton, Paquette, Paquin, Paradis, Parent, Pasquier, Pauzé, Payette, Pelletier, Perreault, Perron, Phaneuf, Picard, Pilon, Pilote, Pimparé, Pinsonnault, Plourde, Poirier, Poitras, Portal, Potvin, Poulin, Poupart, Prégent, Proulx, Provost, Quesnel, Racicot, Ranger, Raymond, Renaud, Reno, Ricard, Richard, Richer, Riddez, Rinfret, Rioux, Robitaille, Rodrigue, Rousseau, Roussin, Rouzier, Roy, Sarrasin, Sauvé, Schmidt, Schneider, Scoffié, Séguin, Simard, Snyder, Sutto, Sylvain, Sylvestre, Taillefer, Thibault, Tifo, Tisdale, Tisseyre, Tougas, Tremblay, Trépanier, Tulasne, Turcot, Turgeon, Vallée, Valous, Venne, Vézina, Villeneuve, Vincent, Watters, Workman, Zacharie, Zouvi.

COMESTIBLE. Analeptique, bouillie, bouillon, brouet, cétogène, datte, denrée, édule, fromage, manne, mets, nourriture, pain, pitance, poison, provision, prétexte, sauté, soupe, subsistance, sucre, vivre.
COMÈTE. Astéroïde, astre, étoile filante, météorite, quasar, téléscope.
COMÈTE (n. p.). Encke, Balais, Halley, Kohoutek.
COMIQUE. Absurde, amusant, bizarre, bouffe, bouffon, burlesque, cocasse, drôle, falot, farceur, gai, hilare, loufoque, opéra, rigolo.
COMMANDANT. Architecte, berger, chef, despote, directeur, dirigeant, dominateur, entraîneur, gradé, guide, maître, meneur, patron, tête.
COMMANDANT, OFFICIER. Adjudant, amiral, brigadier, caporal, capitaine, colonel, général, lieutenant, maître, major, maréchal, sergent.
COMMANDE. Achat, autorité, demande, exige, manette, ordonne, ordre.
COMMANDEMENT. Amirauté, arrêté, autant, autorité, consigne, décret, direction, empire, état-major, loi, ordre, sommation, va, ultimatum.
COMMANDER. Acheter, contraindre, décréter, dicter, diriger, dominer, exiger, forcer, intimer, mener, ordonner, prier, régir, sommer.
COMME. Ainsi, autant, instar, même, pareillement, quand, tel.
COMMÉMORER. Célébrer, chômer, festoyer, fêter, pavoiser, sanctifier.
COMMENCEMENT. Alpha, aube, aurore, bout, début, entrée, lever, tête.
COMMENCER. Agir, amorcer, apercevoir, créer, dater, débuter, devenir, éclore, effleurir, engager, entamer, entonner, entreprendre, entrer, exorde, faire, gazouiller, germer, incipit, initial, liminaire, naître, origine, partir, poindre, premier, recommencer, seuil, vermouler.
COMMENTAIRE. Annotation, critique, exégèse, explication, glose, herméneutique, interprétation, massorah, note, paraphrase, scolie.
COMMENTER. Annoter, énoncer, expliquer, gloser, interpréter, noter.
COMMÉRAGE. Bavardage, cancan, médisance, potin, ragot.
COMMERÇANT. Ferrailleur, grainetier, marchand, mercanti, négociant.
COMMERCE. Affaires, boulangerie, bourse, buanderie, dentellerie, ébénisterie, échange, édition, essencerie, firme, gros, oisellerie, librairie, lingerie, maroquinerie, mercerie, meunerie, négoce, orfèvrerie, parfumerie, relation, trafic, traite, tribunaux, troc, vente.
COMMERCER. Accorder, arranger, convenir, discuter, négocier, parlementer, régler, trafiquer, traiter, transmettre, vendre.
COMMETTRE. Attenter, faire, faillir, frauder, gaffer, pécher, perpétrer.
COMMIS. Agent, calicot, employé, placier, représentant, vendeur.
COMMISSAIRE. Ablégat, condé, handicapeur, légat, zétète.
COMMISSION. Achat, boni, bonus, comité, course, courtage, gratification, jury, message, mission, remise, rogatoire, salaire.
COMMISSIONNAIRE. Courrier, courtier, émissaire, envoyé, estafette.
COMMODE. Aisé, bien, chic, coffre, doux, facile, meuble, sûr, utile.
COMMODÉMENT. Aisément, bien-être, convenu, utilement.
COMMODITÉ. Aisance, aise, confort, convenance, selle, toilette, utilité.
COMMUN. Abondant, banal, cliché, connu, courant, général, grossier, habituel, naturel, nom, pauvre, public, standard, usuel, vulgaire.

COMMUNAUTÉ. Église, jésuite, moine, nation, oblat, ordre, religieuse.
COMMUNE. Bourg, bourgade, centre, conseil, paroisse, ville, village.
COMMUNE, ALGÉRIE (n. p.). Sig.
COMMUNE, BELGIQUE (n. p.). Aalter, Alost, Ans, Anvers, Asse, Anvers, Balen, Beerse, Brabant, Bruges, Dison, Dour, Eisden, Eupen, Evere, Gand, Geel, Hainaut, Hornu, Lede, Liège, Limbourg, Manage, Meise, Mol, Mons, Namur, Neerpelt, Niel, Olen, Seneffe, Spa, Temse, Uccle, Ypres, Zemst.
COMMUNE, FRANCE (n. p.). Alet, Anglet, Anor, Arès, Ars, Auris, Avon, Aydat, Boué, Buc, Cléon, Déois, Elne, Etrétat, Eze, Hem, Ifs, Igny, Isle, Leers, Loos, Miramas, Murol, Nieppe, Oiron, Oissel, Olivet, Rézé, Riec, Somain, Tell, Trélazé, Vais, Uriage.
COMMUNE, SUISSE (n. p.). Bex, Ems, Nyon, Onex, Riehen, Sierre, Uster, Vernier, Wil.
COMMUNICATION. Anastomose, confidence, dépêche, lettre, note.
COMMUNION. Calice, cène, ciboire, hostène, pale, pâques, patène, rite.
COMMUNIQUÉ. Annonce, avertissement, conseil, dénonciation, éveil, idée, info, note, notification, opinion, préface, préavis, proclamation.
COMMUNIQUER. Aimanter, annoncer, commander, correspondre, écrire, imprimer, infuser, inoculer, magnétiser, publier, relier, révéler.
COMPACT. Concret, dense, dru, épais, ferme, lourd, mat, pesant, plein.
COMPACT DISC. CD, DC.
COMPACTER. Damer, entasser, pilonner, prendre, presser, tasser.
COMPAGNE. Amie, épouse, collègue, consœur, copine, femme.
COMPAGNIE. Amie, assemblée, avec, appui, biribi, cie, collège, comité, conseil, entourage, gavot, mie, moitié, réunion, société, troupe.
COMPAGNON. Acolyte, ami, associé, camarade, coéquipier, collègue, commensal, compère, complice, condisciple, copain, mari, mouton.
COMPAGNONNAGE. Accompagnement, labadens, syndicat, truste.
COMPARAISON. Aussi, comme, entre, mieux, moins, parabole, parallèle.
COMPARAÎTRE. Citer, comparoir, contumace, présenter, venir.
COMPARER. Confronter, différencier, gabarier, peser, rapprocher.
COMPARTIMENT. Alvéole, bulge, case, casier, casse, cellule, classeur, coffre, division, horst, loge, réduit, rumen, stalle, subdivision, tiroir.
COMPAS. Boussole, carte, guropilote, rose.
COMPASSION. Cœur, déplorable, intéresser, pitié, sensibilité, tendresse.
COMPATISSANT. Accommodant, apaisant, conciliant, humain, sensible.
COMPATISSER. Accorder, allier, déplorer, intéresser, plaindre, réunir.
COMPÈRE. Compagnon, complice, loriot, luron, orgelet, parrain.
COMPÉTENT. As, capable, expérimenté, habile, priseur, sapiteur.
COMPÉTITEUR. Adversaire, candidat, concurrent, émule, ennemi, joueur, participant, prétendant, rival.
COMPÉTITION. Challenge, championnat, concours, concurrence, conflit, coupe, course, épreuve, match, omnium, open, rivalité, tournoi.
COMPLAINTE. Chant, doléances, gémissement, lamentation, thrène.
COMPLÉMENT. Addenda, additif, ajout, appoint, quoi, supplément.

COMPLET. Absolu, accompli, adéquat, consommé, entier, exhaustif, fini, intégral, mûr, parfait, plein, ras, rempli, terminé, total, tout, unanime.
COMPLICATION. Chinoiserie, complexité, confusion, difficulté, nœud.
COMPLICE. Acolyte, affidé, auxiliaire, comparse, compère, mèche.
COMPLICITÉ. Accord, collusion, connivence, intelligence, recel, union.
COMPLIMENT. Congratulation, éloge, félicitation, louange, politesse.
COMPLIQUÉ. Ardu, chinois, complexe, confus, difficile, embrouillé.
COMPLIQUER. Brouiller, caler, confus, embrouiller, mêler, tarabiscoter.
COMPLOT. Attentat, cabale, conspiration, intrigue, ligue, machination.
COMPLOTER. Briguer, cabaler, concerter, conjurer, conspirer, intriguer, liguer, machiner, mijoter, ourdir, projeter, terminer, tramer.
COMPORTEMENT. Action, agissement, comporter, procédé, réaction.
COMPORTER. Composer, contenir, constituer, produire, rédiger.
COMPOSÉ. Étudié, compliqué, composant, mélange, mixté.
COMPOSER. Céder, compiler, constituer, créer, écrire, élucubrer, faire, imaginer, imprimer, inventer, lever, mélanger, produire, rédiger.
COMPOSITEUR ALLEMAND (n. p.). Bach, Beethoven, Brahms, Fux, Gluck, Haendel, Keiser, Henze, Mendelssohn, Offenbach, Reger, Schumann, Wagner.
COMPOSITEUR AMÉRICAIN (n. p.). Cage, Gershwin, Gould, Riley, Stravinski.
COMPOSITEUR ARGENTIN (n. p.). Ginastera.
COMPOSITEUR AUTRICHIEN (n. p.). Berg, Haydn, Mahler, Mozart, Schoenberg, Schubert, Strauss, Wolf.
COMPOSITEUR BELGE (n. p.). Absil.
COMPOSITEUR BRITANNIQUE (n. p.). Elgar, Purcell.
COMPOSITEUR FINLANDAIS (n. p.). Sibelius.
COMPOSITEUR FRANÇAIS (n. p.). Auric, Berlioz, Bizet, Boulez, David, Debussy, Franck, Gounod, Henry, Ibert, Indy, Jolivet, Lalo, Lambert, Lully, Ohana, Massenet, Pierné, Rameau, Ravel, Rebel, Saint-Saëns, Satie, Schaeffer.
COMPOSITEUR ESPAGNOL (n. p.). Pedrell.
COMPOSITEUR HONGROIS (n. p.). Bartok, Liszt.
COMPOSITEUR ITALIEN (n. p.). Amati, Arrigo, Berio, Cherubini, Clementi, Leoncavallo, Lulli, Monteverdi, Nono, Paer, Paesiello, Pasquini, Puccini, Rossini, Verdi, Vivaldi.
COMPOSITEUR POLONAIS (n. p.). Chopin.
COMPOSITEUR RUSSE (n. p.). Borodine, Chostakovich, Cui, Prokofiev, Rachmaninov, Rimski-Korsakov, Rubinstein, Stravinski, Tchaikowsky.
COMPOSITEUR SUISSE (n. p.). Martin.
COMPOSITEUR TCHÈQUE (n. p.). Dvorak, Reicha, Smetana.
COMPOSITEUR VIETNAMIEN (n. p.). Dao.
COMPOSITEUR-CHANTEUR QUÉBÉCOIS (n. p.). Antonin, Baillargeon, Barbe, Bélanger, Bernier, Bertrand, Biddle, Bouchard, Bourgeois, Brault, Brousseau, Brown, Calvé, Canuel, Carse, Charlebois, Chenart, Cousineau, Cyr, De Larochellière, Dhavernas, Dionne,

Dompierre, Duguay, Éthier, Faulkner, Flynn, Fournier, Gabriel, Gauthier, Gélinas, Guy, Huard, Joanness, Labbé, Lalonde, Lavoie, Le Boeuf, Lefrançois, Lelièvre, Lemay, Lessard, Létourneau, Le Tourneux, Léveillé, Lever, Mandeville, Manseau, Martin, Massé, Mc Kenzie, Medile, Minville, Miron, Mondor, Norman, Olivier, Pagliaro, Paquette, Pelchat, Pelletier, Piché, Pringle, Rivard, Roche, Roy, Sarrasin, Séguin, Tadros, Torr, Trudel, Valente, Valiquette, Vigneault, Voisine.

COMPOSITION. Ballet, cantate, chant, cire, concerto, construction, fard, galée, image, madrigal, motif, octuor, opéra, oratorio, pan, pièce, plan, potée, quatuor, ré, rhapsodie, sonate, stras, strass, stratus, texte.

COMPOSITRICE-CHANTEUSE QUÉBÉCOISE (n. p.). Agostinucci, Béland, Biddle, Boucher, Brousseau, Butler, Chevrier, Cloutier, Cousineau, Des Rochers, Desrosiers, Dufresne, Dugas, Dyson, Forestier, Gallant, Grenier, Jacob, Jalbert, Jasmin, Joli, Labelle, Lapointe, Lemay, Maufette, Mercure, Miville-Deschênes, Morin, Paquette, Paradis, Paris, Pelletier, Philippe, Raymond, Richards, St-Clair, Ste-Croix, Saintonge, Séguin, Tell, Thério, Théroux, Tremblay, Young, Zacharie.

COMPOST. Amendement, apport, cyanamide, engrais, fertilisant, fumier, gadoue, guano, humus, nourrain, poudrette, purin, urée.

COMPRÉHENSION. Connaissance, entendement, entente, tolérance.

COMPRENDRE. Concevoir, démêler, lire, pénétrer, piger, réaliser, saisir.

COMPRESSER. Compacter, damer, entasser, pilonner, prendre, presser.

COMPRIMÉ. Linguette, pellet, pilule.

COMPRIMER. Entasser, épais, masser, presser, pétrir, serrer, tasser.

COMPRIS. Admis, assimilé, enregistré, inclus, interprété, reçu, saisi, vu.

COMPTABILITÉ. Chiffrier, dû, écriture, garant, reçu, tenue, trésorier.

COMPTABLE. CA, CGA, CMA, commercial, crédit, débit, dû, impôt, redû.

COMPTANT. Argent, blé, cash, espèces, fric, liquide, roque, sonnant.

COMPTE. Actif, analyse, avare, avoir, bilan, calcul, crédit, débit, état, facture, lésé, note, passif, quantité, rat, talon, taux, taxe, total, zéro.

COMPTER. Attendre, dépouiller, escompter, espérer, estimer, nombrer.

COMPTOIR. Bar, caisse, établissement, guichet, loge, magasin, zinc.

COMTÉ, ASSEMBLÉE NATIONALE. Abitibi-Est, Abitibi-Ouest, Anjou, Argenteuil, Arthabaska, Beauce-Nord, Beauce-Sud, Beauharnois-Huntingdon, Bellechasse, Berthier, Bertrand, Blainville, Bonaventure, Borduas, Bourassa, Bourget, Brome-Missisquoi, Chambly, Champlain, Chapleau, Charlesbourg, Charlevoix, Châteauguay, Chauveau, Chicoutimi, Chomedey, Chutes-de-la-Chaudière, Crémazie, D'Arcy-McGee, Deux-Montagnes, Drummond, Dubuc, Duplessis, Fabre, Frontenac, Gaspé, Gatineau, Gouin, Groulx, Hochelaga-Maisonneuve, Hull, Iberville, Îles-de-la-Madeleine, Jacques-Cartier, Jeanne-Mance, Jean-Talon, Johnson, Joliette, Jonquière, Kamouraska-Témiscouata, Labelle, L'Acadie, Lac-Saint-Jean, La Fontaine, La Peltrie, La Pinière, Laporte, Laprairie, L'Assomption, Laurier-Dorion, Laval-des-Rapides, Laviolette, Lévis, Limoilou, Lotbinière, Louis-Hébert, Marguerite-Bourgeoys, Marguerite-d'Youville, Marquette, Marie-Victorin,

Maskinongé, Masson, Matane, Matapédia, Mégantic-Compton, Mercier, Mille-Îles, Montmagny-L'Islet, Mont-Royal, Montmorency, Nelligan, Nicolet-Yamaska, Notre-Dame-de-Grâce, Orford, Outremont, Papineau, Pointe-aux-Trembles, Pontiac, Portneuf, Prévost, Richelieu, Richmond, Rimouski, Rivière-du-Loup, Robert-Baldwin, Roberval, Rosemont, Rousseau, Rouyn-Noranda-Témiscamingue, Saguenay, Saint-François, Saint-Henri — Sainte-Anne, Saint-Hyacinthe, Saint-Jean, Saint-Laurent, Sainte-Marie — Saint-Jacques, Saint-Maurice, Salaberry-Soulanges, Sauvé, Shefford, Sherbrooke, Taillon, Taschereau, Terrebonne, Trois-Rivières, Ungava, Vachon, Vanier, Vaudreuil, Verchères, Verdun, Viau, Viger, Vimont, Westmount — Saint-Louis.

COMTÉ DU QUÉBEC, CHAMBRE DES COMMUNES. Abitibi, Ahuntsic, Anjou — Rivière-des-Prairies, Argenteuil-Papineau, Beauce, Beauharnois-Salaberry, Beauport-Montmorency-Orléans, Bellechasse, Blainville — Deux-Montagnes, Bonaventure — Îles-de-la Madeleine, Bourassa, Brome-Missisquoi, Chambly, Champlain, Charlesbourg, Charlevoix, Châteauguay, Chicoutimi, Drummond, Frontenac, Gaspé, Gatineau — Le-Lièvre, Hochelaga-Maisonneuve, Hull-Aylmer, Lachine — Lac-Saint-Louis, Lac-Saint-Jean, Laprairie, LaSalle-Émard, Laurentides, Laurier — Sainte-Marie, Laval-Est, Laval-Centre, Laval-Ouest, Lévis, Longueuil, Lotbinière, Louis-Hébert, Manicouagan, Matapédia-Matane, Mégantic-Compton-Stanstead, Mercier, Mont-Royal, Notre-Dame-de-Grâce, Outremont, Papineau — Saint-Michel, Pierrefonds-Dollard, Pontiac-Gatineau-Labelle, Portneuf, Québec, Québec-Est, Richelieu, Richmond-Wolfe, Rimouski-Témiscouata, Roberval, Rosemont, Saint-Denis, Saint-Henri — Westmount, Saint-Hubert, Saint-Hyacinthe — Bagot, Saint-Jean, Saint-Laurent — Cartierville, Saint-Léonard, Saint-Maurice, Shefford, Sherbrooke, Témiscamingue, Terrebonne, Trois-Rivières, Vaudreuil, Verchères, Verdun — Saint-Paul.

CON. Abruti, bête, borné, conard, crétin, débile, idiot, imbécile, sot.

CONCÉDER. Accorder, avouer, attribuer, céder, octroyer, permettre.

CONCENTRATION. Amas, cartel, contemplation, cuite, densité, effort.

CONCENTRER. Assembler, focaliser, polariser, rallier, ramasser, réunir.

CONCEPT. Air, aperçu, catégorie, chimère, dada, dyade, ébauche, ectopie, fantaisie, fiction, idée, illusion, image, implication, lubie, manie, mode, notion, opinion, pensée, projet, rêve, songe, ton, tour, vue.

CONCEPTEUR. Affichiste, connaisseur, ingénieur, théoricien.

CONCEPTION. Art, désir, idée, prévision, savoir, sens, théorie, utopie.

CONCERNER. Intéresser, propre, rapport, regarder, relever, toucher.

CONCERT. Accord, aubade, audition, chant, ensemble, sérénade, union.

CONCERTER. Coaliser, comploter, entendre, machiner, préparer.

CONCESSION. Boutique, claim, commerce, entreprendre, octroi, quoique.

CONCEVOIR. Comprendre, croire, former, imaginer, penser, sentir.

CONCIERGE. Cerbère, gardien, geôlier, pipelet, portier, prison.

CONCILIANT. Arrangement, comprendre, facile, indulgent, souple.
CONCILIER. Accommoder, accorder, allier, arrangement.
CONCIS. Bref, condensé, court, dense, précis, serré, sommaire, succinct.
CONCLUSION. Analyse, argument, conséquence, dénouement, donc, enfin, enseignement, épilogue, finir, issue, leçon, morale, péroraison.
CONCOMBRE. Coloquinte, cornichon, courge, cucurbitacées, ecballium, élatérion, holothurie, melon.
CONCORDER. Accorder, cadrer, correspondre, répondre, rimer.
CONCORDANCE. Accord, avenant, cadence, chœur, concert, équilibré, fanfare, harmonie, mélodie, musique, orchestre, rythme, symétrie.
CONCOURS. Aide, as, compétition, conjoncture, examen, loge, quiz.
CONCRET. Abstrait, épais, manifeste, positif, réel.
CONCRÉTION. Aégagropile, bézoard, calcul, nodule, otolithe, tophus.
CONCRÉTISER. Calculer, congeler, cristalliser, pétrifier, réaliser.
CONCURRENT. Adversaire, candidat, compétiteur, émule, favori, rival.
CONDAMNATION. Blâme, damnation, exil, forçat, peine, proscription.
CONDAMNER. Bannir, blâmer, damner, maudire, punir, réprouver.
CONDENSER. Abréger, compact, concentrer, concret, figer, résumer.
CONDESCENDANCE. Charité, complaisance, dédain, indulgence.
CONDIMENT. Achard, ail, assaisonnement, câpre, ciboule, ciboulette, échalote, épice, gingembre, ketchup, moutarde, NaCl, poivre, sel.
CONDITION. Clause, contrat, sceau, disposition, état, exigence, fange, loi, marasme, modalité, négritude, noble, qualité, rang, si, sorte, vie.
CONDOM. Capote, contraceptif, diaphragme, préservatif, stérilet.
CONDUCTEUR. Aurige, chauffard, chauffeur, chef, cocher, cornac, fil, isolant, mécanicien, métal, musagète, pilote, postillon, routier.
CONDUIRE. Aboutir, administrer, agir, aller, amener, conduite, diriger, emmener, entraîner, gouverner, guider, mener, piloter, surveiller.
CONDUIT. Allé, anier, boyau, bronche, canal, chemin, cheminée, collecteur, drain, égout, évent, fil, goullotte, guide, oura, ouverture, oviducte, méat, mène, métal, mû, pierrée, pipe, tube, tuyau, va, wagon.
CONDUITE. Action, autopunition, agissement, buse, canal, décente, direction, égout, manège, ouverture, procédé, reillère, ton, tuyau.
CÔNE. Adventif, bouclier, conifère, conirostre, coquillage, dé, if, strobile.
CONFECTIONNER. Broder, coudre, faire, ourler, ouvrer, piquer, tailler.
CONFÉDÉRATION. Allié, centrale, fédération, ligue, union.
CONFÉRENCE. Colloque, congrès, dire, entretien, expliquer, exposé, orateur, palabre, parler, pourparler, séance, séminaire, sermon.
CONFÉRENCIER. Avocat, baratineur, causeur, Cicéron, débateur, diseur, foudre, harangueur, orateur, prêcheur, prédicateur, rhéteur, tribun.
CONFÉRER. Anoblir, baptiser, comparer, déférer, dire, fonction, parler.
CONFESSER. Attrition, avouer, dire, pénitent, remords, repentir.
CONFESSION. Accusation, aveu, expiation, foi, pénitence, religion.
CONFIANCE. Aplomb, assurance, créance, crédit, croire, foi, sécurité.
CONFIANT. Assuré, communicatif, hardi, naïf, ouvert, sûr.
CONFIDENT. Affidé, ami, confesseur, dépositaire, intime.

CONFIDENTIEL. Abscons, anonyme, caché, clandestin, discret, secret.
CONFIER. Acheter, assurer, avouer, communiquer, confidence, croire, déléguer, épancher, laisser, livrer, ouvrir, prêter, transmettre.
CONFINER. Assigner, bannir, déporter, écarter, exiler, jeter, reléguer.
CONFIRMATION. Appui, certitude, ratification, renfort, théorie, visa.
CONFIRMER. Avérer, appuyer, assurer, plaider, prouver, ratifier, viser.
CONFISCATION. Annexion, embargo, gel, mainmise, prise, saisie.
CONFISERIE. Cédrat, lisse, loukoum, nougat, pâté, pistache, praline.
CONFISQUER. Accaparer, arracher, écumer, ôter, prendre, saisir, tenir.
CONFITURE. Compote, conserve, cotignac, gelée, marmelade, orangeat, pâte, poire, pomme, prune, prunelée, raisiné, roquille, tournures.
CONFLIT. Choc, crise, désaccord, dispute, guerre, lutte, mêlée, querelle.
CONFONDRE. Assimiler, démasquer, identifier, mélanger, percer, unir.
CONFORMATION. Anatomie, configuration, contour, forme, tracé.
CONFORME. Accord, convenable, exact, juste, légal, moral, précis, vrai.
CONFORMÉMENT. Fidèlement, forme, légitimement, même, selon, vrai.
CONFORMER. Adapter, complaire, modeler, observer, régler, soumettre.
CONFORMITÉ. Accord, affinité, analogie, harmonie, légalité, unité.
CONFORTABLE. Aisance, bourgeois, commode, cossu, doucet, douillet.
CONFRÈRE. Acolyte, adjoint, affilié, agrégé, associé, camarade, collègue, compère, complice, covendeur, membre, mutuelle, syndiqué, uni.
CONFRONTER. Comparer, différencier, gabarier, peser, rapprocher.
CONFUS. Ambigu, brouillamini, compliqué, galimatias, honteux, incohérent, indistinctif, mêlé, obscur, pathos, piteux, sot, trouble.
CONFUSION. Chaos, désordre, erreur, honte, imbroglio, pêle-mêle.
CONGÉ. Absence, amen, approuvé, campos, détente, été, exeat, ite, permission, pont, relâche, renvoi, repos, vacances, vacant, week-end.
CONGÉDIER. Chasser, envoyer, licencier, pousser, remercier, renvoyer.
CONGELER. Coaguler, figer, frapper, geler, glacer, prendre, regeler.
CONGÉNÈRE. Espèce, homologue, jumeau, même, parent, semblable.
CONGÉNITAL. Atavique, foncier, gêne, génétique, héréditaire, inconscient, infus, inné, instinctif, naissance, natif, naturel, spontané.
CONGÈRE. Banc de neige.
CONGESTION. Afflux, apoplexie, attaque, bouchon, érythème, fourbure.
CONGRATULATION. Adresses, applaudir, compliment, félicitations.
CONGRÉGATION. Communauté, compagnie, corps, frère, ordre, missionnaire, père, prêtre, religion, réunion, société, sœur.
CONGRÉGATION RELIGIEUSE, HOMME (n. p.). Assomptionniste, Bénédictin, Capucin, Carme, Clerc de Saint-Viateur, Dominicain, Eudiste, Franciscain, Frère de l'Instruction chrétienne, Frère de la Charité, Frère du Sacré-Cœur, Frère des Écoles chrétiennes, Frère Mariste, Jésuite, Oblat, Missionnaire d'Afrique, Père Blanc d'Afrique, Père du Saint-Sacrement, Père Mariste, Prêtre de Saint-Sulpice, Rédemptoriste, Trappiste.

CONGRÉGATION RELIGIEUSE, FEMME (n. p.). Augustine, Bénédictine, Carmélite, Clarisse, Fille du Calvaire, Fille de la Charité, Fille réparatrice du Divin-Cœur, Petite fille de Saint-Joseph, Petite Franciscaine de Marie, Petite Sœur des Pauvres, Religieuse du Sacré-Cœur, Sœur adoratrice du Précieux-Sang, Sœur de la Divine Providence, Sœur de la Providence, Sœur de l'Assomption de la Sainte-Vierge, Sœur de la Miséricorde, Sœur de Notre-Dame de Charité du Bon-Pasteur, Sœur de Notre-Dame-du-Bon-Conseil, Sœur de Notre-Dame-du-Perpétuel-Secours, Sœur Grise, Sœur missionnaire de l'Immaculée Conception, Sœur de Notre-Dame des Anges, Sœur missionnaire du Christ-Roi, Sœur Oblate, Ursuline.

CONGRÈS. Assemblée, assise, convention, réunion, symposium.

CONIFÈRE. Cèdre, cycadacée, cyprès, cupressacée, douglas, éphedra, épicéa, épinette, genévrier, gingko, gymnosperme, if, mélèze, pesse, pin, pinacée, pruche, résineux, sapin, séquoi, séquoia, taxacée, taxode, taxodiacée, taxus, thuya, torreya, tsuga, wellingtonia.

CONJECTURE. Attente, augure, hypothèse, maxime, opinion, préjugé, présage, présomption, prévision, prophétie, soupçon, supposition.

CONJOINT. Compagnon, consort, époux, futur, légitime, mari, moitié.

CONJOINTEMENT. Bloc, concert, concurremment, ensemble, total, tout.

CONJONCTION. Adonc, adoncques, ainsi, aussi, car, cependant, comme, donc, et, lorsque, mais, ne, néanmoins, ni, or, ou, pourquoi, pourtant, puisque, quand, que, quoique, si, sinon, soit, suit, toutefois, union.

CONJONCTIVITE. Collagène, collyre, flegmon, phlegmon, trachome.

CONJONCTURE. Cas, circonstance, concours, occasion, préjuger, situation.

CONJUGAISON. Aoriste, er, grammaire, ir, latine, oir, passé, re, verbe.

CONJURATION. Complot, déprécation, incantation, magie, prière.

CONJURER. Adjurer, adorer, charmer, chasser, comploter, exorcisme, exorciste, implorer, insister, invoquer, parer, prier, supplier.

CONNAISSANCE. Abc, ami, connu, conscience, éducation, érudition, évidence, expérience, gnose, idée, ignorance, instruction, lumière, notion, ontologie, savoir, science, sens, su, teinture, théorie, vu.

CONNAISSEUR. Amateur, expert, instruit, savant, spécialiste.

CONNAÎTRE. Apprendre, cognitif, compétent, lire, loi, posséder, savoir.

CONNERIE. Ânerie, bêtise, bourde, énormité, esprit, fadaise, finesse, ingéniosité, intelligence, niaiserie, sornette, sottise, stupidité, subtilité.

CONNIVENCE. Accord, association, collusion, complicité, entente.

CONNU. Attesté, célèbre, commun, découvert, escient, évident, incognito, insu, lu, notoire, personnalité, reconnu, réputé, su, vu.

CONQUÉRIR. Charmer, emparer, envahir, gagner, occuper, soumettre.

CONQUÊTE. Butin, capture, clé, clef, ciseau, dispute, emprise, enlèvement, levée, moyen, proie, querelle, rafle, saisie, scène, unité.

CONSACRER. Bénir, dédier, donner, entériner, oindre, sacrer, vouer.

CONSCIENCE. Âme, attention, cognition, conation, connaissance, for, impression, intuition, lucidité, moral, notion, sentiment, soin.

CONSCIENCE (n. p.). Abel, Caïn.
CONSCRIT. Adepte, appelé, engagé, novice, recrue, soldat, vétéran.
CONSEIL. Assemblée, avertissement, avis, divan, leçon, motion, opinion.
CONSEILLER. Aulique, avertir, déconseiller, défendre, détourner, diriger, dissuader, interdire, mentor, orienteur, recommander, sage.
CONSENTEMENT. Accord, acquiescement, adhésion, agrément, approbation, aveu, consensus, gré, opposition, permission, refus.
CONSENTIR. Accepter, adhérer, céder, permettre, prêter, toper, vouloir.
CONSÉQUENCE. Cause, contrecoup, éclaboussure, effet, fruit, impact, incidence, inconvénient, logique, répercussion, résultat, séquelle, suite.
CONSERVATEUR. Anglais, gardien, modéré, progressif, tan, tory.
CONSERVATION. Froid, garde, maintien, mémorisation, tutelle, vital.
CONSERVE. Boucan, choucroute, confit, corned-beef, ensemble, lunette, pec, pemmican, salé, saur, séché, secours, singe, sor.
CONSERVER. Détenir, entretenir, enveloppe, garantir, garder, maintenir, ménager, préserver, protéger, réserver, retenir, sauvegarder, soigner.
CONSIDÉRABLE. Abondant, ample, beaucoup, colossal, démesuré, grand, éléphantesque, énorme, géant, grand, gros, immense, monumental.
CONSIDÉRATION. But, développement, intention, pour, respect, vue.
CONSIDÉRÉ. Accueilli, classique, estimé, jugé, regardé, réputé, vu.
CONSIDÉRER. Admirer, espérer, estimer, isoler, présumer, trouver, voir.
CONSIGNATION. Caution, dépôt, gage, garantie, provision, transit.
CONSIGNE. Avertissement, écrit, instruction, note, ordre, punition.
CONSIGNER. Assigner, citer, constater, dépôt, enregistrer, noter.
CONSISTANT. Dense, dur, épais, gelé, gluant, massif, régulier, solide.
CONSOLANT. Apaisant, calmant, diversion, lénitif, réconfortant.
CONSOLATION. Allégement, baume, compensation, joie, prix, réconfort.
CONSOLER. Apaiser, calmer, dérider, diminuer, distraire, là, na, va.
CONSOLIDER. Affermir, assurer, cimenter, fortifier, renforcer, soutenir.
COMSOMMATEUR. Acheteur, client, habitué, pratique, prospect.
CONSOMMÉ. Achevé, bouillon, bu, commettre, détruire, dévoré, épuisé, fini, mangé, parfait, perpétré, potage, sec, tari, vidé, usé.
CONSONANCE. Assonance, concordance, écho, harmonie, rime, unisson.
CONSORTIUM. Blastodème, cercle, club, comité, corporation, covenant, fédération, fusion, guilde, hanse, jumelage, ligue, macle, mafia, ordre, pacte, parti, regroupement, société, syndicalisation, triumvirat, union.
CONSPIRATION. Attentat, cabale, complot, intrigue, ligue, machination.
CONSPUER. Abaisser, attaquer, honnir, huer, mépriser, salir, vilipender.
CONSTAMMENT. Assidûment, cesse, continuellement, relâche, toujours.
CONSTANCE. Continuation, habitude, fermeté, même, persévérance.
CONSTANT. Assidu, durable, ferme, fidèle, fixe, immuable, vertu.
CONSTATATION. Absolution, acte, procès-verbal, rapport, vérification.
CONSTATER. Apparoir, enregistrer, noter, remarquer, trouver, voir.
CONSTELLATION. Astéroïde, étoile, groupe, planète, pléiade, zodiaque.

CONSTELLATION (ABRÉVIATION INTERNATIONALE), (n. p.). Aigle (Aql), Andromède (And), Autel (Ara), Balance (Lib), Baleine (Cet), Bélier (Ari), Boussole (Pyx), Bouvier (Boo), Burin (Cae), Caméléon (Cha), Cancer (Cnc), Capricorne (Cap), Carène (Car), Cassiopée (Cas), Centaure (Cen), Céphée (Cep), Chevelure de Bérénice (Com), Chiens de chasse (Cvn), Cocher (Aur), Colombe (Col), Compas (Cir), Corbeau (Crv), Coupe (Crt), Couronne australe (Cra), Couronne boréale (Crb), Croix du Sud (cru), Cygne (Cyg), Dauphin (Del), Dorade (Dor), Dragon (Dra), Écu (Sct), Eridan (eri), Flèche (Sge), Fourneau (For), Gémeaux (Gem), Girage (Cam), Grand Chien (Cma), Grande Ourse (Uma), Grue (Gru), Hercule (Her), Horloge (Hor), Hydre Femelle (Hya), Hydre Mâle (Hyi), Indien (Ind), Le Sextant (Sex), Lézard (Lac), Licorne (Mon), Lièvre (Lep), Lion (Leo), Loup (Lup), Lynx (Lyn), Lyre (Lyr), Machine pneumatique (Ant), Microscope (Mic), Mouche (Mus), Octant (Oct), Oiseau du paradis (Aps), Orion (Ori), Paon (Pav), Pégase (Peg), Peintre (Pic), Persée (Per), Petit Cheval (Equ), Petit Chien (Cmi), Petit Lion (Lmi), Petit Renard (Vul), Petite Ourse (Umi), Phénix (Phe), Poisson austral (Psa), Poisson volant (vol), Poissons (Psc), Poupe (Pup), Règle (Nor), Réticule (Ret), Sagittaire (Sgr), Scorpion (Sco), Sculpteur (Scl), Serpent (Ser), Serpentaire (Oph), Table (men), Taureau (Tau), Télescope (Tel), Toucan (Tuc), Triangle boréal (Tri), Triangle austral (Tra), Verseau (Aqr), Vierge (Vir), Voiles (Vel).

CONSTERNANT. Bouleversant, changeant, chavirant, dérégler, émouvant, navrant, ravageant, renversant, saccageant, troublant.

CONSTERNER. Abattre, accabler, atterrer, attrister, bouleverser, désoler, émouvoir, épouvanter, navrer, renverser, stupéfier, terrasser, troubler.

CONSTITUER. Bâtir, créer, édifier, faire, fixer, fonder, former, monter.

CONSTITUTION. Composition, élu, loi, nature, règlement, rescrit, roi.

CONSTRICTION. Contraction, convultion, crampe, ligature, striction.

CONSTRUCTEUR. Architecte, bâtisseur, entrepreneur, faiseur, ingénieur, maître d'œuvre, promoteur, tabulé.

CONSTRUCTION. Bâtisse, ciste, composition, dôme, encorbellement, érection, expression, imagination, hypogée, maison, nid, phraséologie, pont, rhétorique, rouf, serre, structure, termitière, tour, trullo.

CONSTRUIRE. Bâtir, édifier, élever, ériger, nidifier, rebâtir, tisser.

CONSUL. Afer, ambassadeur, chancellier, cheval, symphonie, tribunaux.

CONSULTANT. Audit, aulique, conseiller, mentor, orienteur, sage.

CONSULTER. Avis, interroger, pouls, demander, référendum, voir.

CONSUMER. Absorber, brûler, détruire, dévorer, épuiser, miner, ronger.

CONTAGION. Choléra, gale, peste, rubéole, transmission, variole, virus.

CONTAMINER. Contagion, gâter, infecter, maculer, mélanger, salir.

CONTE. Bobard, fable, flirt, histoire, légende, nouvelle, récit, roman.

CONTEMPLATION. Attention, conception, entendement, extase, pensée.

CONTEMPLER. Admirer, examiner, méditer, mépriser, penser, regarder.

CONTEMPORAIN. Actuel, moderne, présent, réalité.

CONTENANCE. Air, allure, are, attitude, capacité, contenu, étendue, maintien, mesure, mine, port, posture, quantité, récipient, ton, volume.
CONTENANT. Boîte, bouteille, canon, enceinte, enveloppe, figure, vase.
CONTENIR. Avoir, inclure, mesurer, receler, renfermer, retenir, tenir.
CONTENT. Aisé, béat, enchanté, gai, heureux, joyeux, ravi, satisfait.
CONTENTEMENT. Aisé, fierté, joie, plaisir, satisfaction, veine.
CONTENTER. Accommoder, assouvir, nier, résigner, satisfaire, suffire.
CONTENU. Augée, boîte, bolée, ci-inclus, cuvée, dedans, inclus, teneur.
CONTER. Flirter, narrer, peindre, raconter, relater, retracer.
CONTESTATION. Chicane, conflit, débat, démêlé, discussion, litige.
CONTESTER. Chicaner, controverser, manifester, nier, plaider, renier.
CONTIGU. Attenant, direct, fréquent, joint, proche, proximité, voisin.
CONTINENT. Chaste, ferme, innocent, puceau, pur, vierge.
CONTINENT (n. p.). Afrique, Amérique, Asie, Atlantide, Eurasie, Europe, Océanie.
CONTINGENT. Accidentel, casuel, forfuit, part, quota, relatif, répartition.
CONTINUATION. Incessant, permanent, perpétuel, stabilité, série, suite.
CONTINUEL. Constant, durable, éphémère, éternel, immémorial, indéfectible, infinité, même, passager, perpétuel, sempiternel.
CONTINUER. Durer, ininterrompre, perpétuer, poursuivre, rester, suite.
CONTINUITÉ. Continuation, égalité, permanence, poursuite, reprise.
CONTORSION. Bistournage, courbure, distorsion, grimace, torsion.
CONTOUR. Bord, cerne, côté, forme, galbe, limite, lisière, tour, trace.
CONTOURNER. Border, déborder, détour, éviter, friser, tourner.
CONTRACTER. Attraper, choper, crisper, emprunter, enrhumer, gagner, lier, pincer, piquer, plisser, prendre, raidir, resserrer, rigide.
CONTRACTION. Angoisse, antipéristaltique, clonique, convulsion, crampe, crispation, éternuement, extra-systole, fibrillation, hoquet, rétraction, rictus, ride, sanglot, spasme, tétanos, tic, tonus, vaginisme.
CONTRADICTION. Antinomie, démenti, discordance, incompatibilité.
CONTRADICTOIRE. Absurde, codicille, contraire, opposé, rebours.
CONTRAINDRE. Asservir, exiger, forcer, gêner, lier, obliger, sommer.
CONTRAINTE. Carcan, coercition, gêne, joug, obligation, ordre, nécessité.
CONTRAIRE. Antithèse, antonyme, concurrent, contradictoire, divergent, envers, illégal, incompatible, inverse, opposé, paradoxe.
CONTRALTO. Alto, chanteuse, mezzo-soprano, voix.
CONTRALTO, CHANTEUSE (n. p.). Beaulieu, Catudal, Champagne, Couture, Dumontet, Ferland, Gignac, Jalbert, Lambert, Lanouette, Paquet, Parent, Puiu, Rioux.
CONTRARIER. Attrister, barrer, chagriner, contrecarrer, contrer, ennuyer, empêcher, fâcher, indisposer, mécontenter, opposer, vexer.
CONTRARIÉTÉ. Chagrin, dépit, ennui, mécontentement, tracas, tristesse.
CONTRASTE. Antithèse, combat, conflit, contraire, disparité, opposition.
CONTRAT. Acte, bail, donation, forfait, gage, pari, police, prêt.
CONTRAVENTION. Amende, entorse, infraction, peine, procès-verbal.

CONTRE. Anti, malgré, opposé, pour, protester, sur, tort, vice, voix.
CONTRECARRER. Attrister, barrer, chagriner, contrer, déjouer, ennuyer, empêcher, fâcher, indisposer, mécontenter, neutraliser, opposer, vexer.
CONTRECOUP. Rebondissement, répercussion, retour, ricochet, suite.
CONTREDIRE. Contester, dédire, démentir, désavouer, nier, réfuter.
CONTRÉE. Défiée, endémie, patrie, pays, région, tribu, verte.
CONTREFAÇON. Caricature, copie, faux, fraude, parodie, plagiat, trucage.
CONTREFAIRE. Affecter, caricaturer, faire, falsifier, feindre, imiter, mimer, moquer, parodier, pasticher, plagier, singer, travestir, truquer.
CONTREFAIT. Avorton, boiteux, bot, difforme, faux, imitation, malfait.
CONTREMAÎTRE. Chef, maîtrise, porion, prote.
CONTREMANDER. Annuler, arrêter, décommander, revenir, révoquer.
CONTREPOISON. Alexipharmaque, antidote, mithridatisation, remède.
CONTRE-TÉNOR, CHANTEUR (n. p.). Lagranade, McLean.
CONTREVENIR. Déroger, désobéir, pécher, transgresser, violer.
CONTREVENT. Déflecteur, extrados, intrados, jalousie, persienne, volet.
CONTRIBUER. Adhérer, apporter, coopérer, cotiser, participer, soutenir.
CONTRIBUTION. Appoint, apport, gabelou, imposition, impôt, matrice, part, prestataire, quota, quote-part, rat-de-cave, taxe, tribut.
CONTRÔLE. Arbitre, émoi, ire, orthogénie, souverain, suivi, vérification.
CONTRÔLER. Dominer, dompter, église, pouvoir, tester, vaincre, volonté.
CONTROVERSE. Avéré, contestation, discussion, éristique, polémique.
CONTUSION. Arnica, bigne, blessure, bleu, bosse, contus, coquard, coup, ecchymose, escarre, hématome, lésion, meurtrissure, pinçon, plaie.
CONVAINCANT. Concis, concluant, démonstratif, dissuadeur, éloquent.
CONVAINCRE. Amener, décider, démontrer, dissuader, entraîner, expliquer, persuader.
CONVAINCU. Assuré, certain, crédule, éloquent, entreprenant, sûr.
CONVALESCENCE. Analepsie, guérison, postcure, rétablissement.
CONVENABLE. Adéquat, allé, approprié, bon, conforme, congru, correct, décent, duire, idoine, net, opportun, plaire, séant, seoir, sied, va, vrai.
CONVENABLEMENT. Approbation, aptitude, congrûment, dignement.
CONVENANCE. Accord, adaptation, affinité, gré, mode, tact, utilité.
CONVENIR. Accord, adapter, agréer, aller, appliquer, avouer, décider, dire, entendre, faire, nier, noter, plaire, reconnaître, seoir, stipuler.
CONVENTION. Abonnement, accord, alliance, armistice, bail, cartel, clause, compromis, contrat, entente, forfait, marché, pacte, règle, traité.
CONVENU. Admis, confession, déclaration, dit, entendu, reconnu.
CONVERSATION. Aparté, badinage, bribe, cancan, causerie, causette, colloque, commérage, conférence, débat, devis, dialogue, discours, échange, entretien, exèdre, fiel, fil, muet, palabre, parlote, sel.
CONVERSER. Bavarder, causer, conférer, deviser, jaser, nouer, parler.
CONVERSION. Abjuration, adhésion, apostasie, changement, mutation, ossification, panification, reniement, transformation, virement.
CONVEXE. Bombé, busqué, creux, dos, galbé, quart-de-rond, talon.

CONVICTION. Certitude, croyance, foi, religion, persuasion.
CONVIENT. Habillé, messeoir, rêvé, va.
CONVIER. Appeler, demander, inviter, mander, réunir, prier, traiter.
CONVIVE. Commensal, écornifleur, hôte, invité, parasite, pique-assiette.
CONVIVIALITÉ. Commensal, convivial, facilité, invitation.
CONVOCATION. Appel, assignation, ban, indication, invitation, levée.
CONVOI. Caravane, charroi, enterrement, file, obsèques, rame, train.
CONVOITER. Briguer, désirer, envier, guigner, mirer, viser, vouloir.
CONVOLER. Contracter, épouser, établir, marier, unir.
CONVOQUER. Appeler, attirer, citer, convier, inviter, mander, solliciter.
CONVOYER. Charrier, déplacer, escorter, mener, porter, véhiculer.
CONVULSION. Agitation, clonique, colère, contraction, craquètement, crise, geste, muscle, remous, secousse, soubresaut, spasme, tic, toux.
COORDINATION. Combinaison, conjonction, copulative, et, ni, ou.
COPAIN. Acolyte, ami, camarade, coéquipier, compagnon, pote.
COPEAU. Brin, chips, morceau, râpe.
COPIE. Ampliatif, calque, double, duplicata, écrire, exemplaire, feuille, grosse, imitation, imprimerie, même, pille, plagiat, pseudo, photocopie.
COPIER. Écrire, feuille, imiter, plagier, pseudo, singer, transcrire.
COPISTE. Bureaucrate, écrivain, gratteur, greffier, logographe, scribe.
COPULATIF. Accoupler, coït, et, liaison, rapports, rut, saillie, sexe.
COQ. Boxe, camail, chapon, cochelet, cocorico, coq-à-l'âne, coqueriquer, cuisiner, ergot, grouse, perle, poule, rupicole, tétras.
COQUE. Bateau, cale, cap, coquille, écorce, navire, oothèque, tréhala.
COQUELICOT. Danebrogii, gravesolle, hookeri, papavéracée, pavot, ponceau, rouge, umbrosum.
COQUELUCHE. Beauté, célèbre, chloramphénicol, gloire, idole, star.
COQUERET. Alkekenge, physalis.
COQUET. Élégant, galant, important, joli, mignon.
COQUILLAGE. Bigorneau, carapace, cauris, clam, cône, coque, conque, couteau, crustacé, huître, mollusque, moule, pagure, perle, troche.
COQUILLAGE (n. p.). Clovisse, Shell, Vénus.
COQUILLARD. Œil.
COQUILLE. Burgau, burgo, carapace, cauris, conche, conque, écaille, erreur, format, imprimerie, ostracisme, pèlerin, perle, test, valve.
COQUIN. Bélître, drôle, espiègle, fripon, gredin, gueux, vaurien.
COR. Andouiller, bois, branche, cerf, cri, cuivre, épois, perche, œil-de-perdrix, oignon, olofant, pavillon, rameau, ramure, trochure, trompe.
CORAIL. Atoll, banc, purpurine, salabre, serpent, toraille.
CORBEAU. Choucan, corbillat, corbin, corneille, freux, grole.
CORBEILLE. Ciste, dot, faisselle, flein, ibéris, moïse, osier, panier.
CORDAGE. Agrès, amarre, amure, aussière, bastin, bitord, câble, câblot, caret, corde, cravate, drisse, écoute, élingue, erse, estrope, étai, filin, gesseau, grelin, guinderesse, haussière, laguis, lien, lisse, liure, lisin, merlin, palan, pantoire, ralingue, ride, saisine, sciasse, tresse.

CORDE. Arc, brin, câble, catgut, cordeau, cordon, danseur, étendoir, guitare, guzzla, hart, lacet, laisse, lasso, licou, lien, liure, longe, marguerite, musique, nœud, potence, ring, stère, théâtre, toue, violon.
CORDELIÈRE. Ceinture, ceste, corde, écharpe, fourragère, tresse, zone.
CORDER. Accumuler, amasser, classer, empiler, entasser, stère.
CORDIAL. Amical, bon, clair, cordial, cru, direct, entier, fortifiant, franc, loyal, naturel, net, oc, ouvert, parfait, pur, roi, rond, sincère, vif, vrai.
CORDON. Corde, crénelage, embrasse, enguichure, fil, funicule, ganse, insigne, lacet, lido, pédoncule, rang, tirant, tirette, tors, tresse.
CORDONNET. Câble, ganse, nerf.
CORDONNIER. Alène, astic, bottier, bouif, buis, chausseur, chaussure, gnaf, pignouf, point, rivetier, savetier, soulier, tire-pied, tranchet.
CORIACE. Dur, entêté, intrépide, persévérant, résistant, tenace, têtu.
CORINDON. Émeri, saphir.
CORNE. Abondance, acère, bois, cerf, coin, cor, défense, io, mât, sirène.
CORNEILLE. Bec, choucan, corbillat, corbin, corbeau, freux, grole, taie.
CORNEILLE (n. p.). Agésilas, Attila, Cid, Cinna, Horace, Polyeucte.
CORNEMUSE. Biniou, bombarde, cabrette, chabrette, chevrie, musette.
CORNET. Bégu, bugle, convoluté, corne, crème, éperon, huchet.
CORNICHE. Atalante, cymaise, frise, larmier, ove, statue, télamon.
CORNICHON. Bête, épais, con, conard, concombre.
CORNOUILLER. Benthamia, svida, thelycrania.
COROLLE. Biladiée, buglosse, calice, campanule, circée, enveloppe, labiée, ligulée, muflier, papilionacée, pentapétale, pétale, plantain.
CORPS. Aine, aisselle, allure, aqueduc, cadavre, caisse, carcasse, chair, cube, échine, momie, nœud, objet, organe, substance, torse, tronc.
CORPULENT. Adipeux, bouffi, charnu, fort, gros, large, obèse, pesant.
CORPUSCULE. Aleurone, atome, chloroplaste, chondriome, électron, ion, molécule, particule, poudre, poussière, proton, spicule, spore.
CORRECT. Chaste, convenable, décent, exact, moral, poli, propre, pur.
CORRECTION. Biffure, châtiment, erratum, erreur, faute, fessée, fouet, raclée, rature, refonte, repentir, retouche, révision, surcharge.
CORRESPONDANCE. Dépêche, échange, lettre, missive, pneu, poste.
CORRIDOR. Allée, artère, avenue, couloir, galerie, passage, vestibule.
CORRIGER. Amender, dresser, punir, rectifier, réformer, réviser, revoir.
CORROBORER. Affermir, confirmer, fortifier, prouver, vérifier.
CORRODER. Altérer, consumer, dégrader, détruire, éroder, ronger.
CORROMPRE. Acheter, croupir, débaucher, dépraver, flatter, gâter, graisser, pervertir, pourrir, putrifier, rancir, séduire, soudoyer, vicier.
CORROMPU. Aigre, éventé, immoral, mangé, piqué, putrifié, rance, taré.
CORROSIF. Acide, âcre, caustique, mordant, sublimé, usable.
CORROYER. Boutoir, cingler, cuir, écru, marguerite, vache.
CORRUPTIBLE. Biodégradable, destructible, fongible, vénal.
CORRUPTION. Débauche, dégradation, perversion, pourriture, vice.
CORSAGE. Blouse, buste, bustier, chemise, chemisier, corset, jaquette.
CORSAIRE. Boucanier, brigand, écumeur, flibustier, pirate, surcouf.

CORSELET. Hanche, prothorax, thorax.
CORSET. Busc, bustier, cadre, ceinture, corsage, gaine, lacet, lombostat.
CORTÈGE. Convoi, cour, défilé, deuil, escorte, ribambelle, suite.
CORVÉE. Devoir, ergomanie, étude, fonte, impôt, journée, maçonnerie, mal, œuvre, ouvrage, peine, pige, sueur, travail, tri, trime.
CORYZA. Catarrhe, écoulement, grippe, inflammation, rhinite, rhume.
COS. Kos.
COSINUS. Algèbre, angle, géométrie.
COSMIQUE. Cosmobiologie, méson, rayon, spatial.
COSMONAUTE. Astronaute, spationaute.
COSMONAUTE (n. p.). Aldrin, Amstrong, Carpenter, Cooper, Gagarine, Glen, Grissom, Leonov, Manarov, Shepard, Terechkova, Titov.
COSMOS. Ciel, dao, étoile, infini, macrocosme, monde, tout, univers.
COSSU. Abondant, aisé, cossu, crésus, fortuné, grenu, huppé, milliardaire, millionnaire, multimillionnaire, nanti, nourri, opulent, parvenu, possédant, pourvu, or, pactole, pauvre, pérou, rentier, riche.
COSTAUD. Fort, hercule, puissant, résistant, robuste, solide, vigoureux.
COSTUME. Complet, costard, domino, effets, ensemble, ganse, habit, Halloween, pièce, sari, smoking, tenue, toilette, tutu, vêtement.
COSTUMER. Accoutrer, couvrir, déguiser, enfiler, habiller, revêtir, vêtir.
CÔTE. Bord, carde, côtelette, hauteur, impôt, montée, rivage, taxe.
CÔTÉ. Aile, angle, bord, contribuable, égarer, flanc, lieu, près, versant.
COTON. Arcon, denim, duvet, laine, ouate, noces, piqué, tissus, toile.
COTONNEUX. Calocot, duvet, edelweiss, flanelle, gilet, laine, madapolam, ouate, percaline, perse, pilou, satin, tissu, toile, tomenteux, voile.
CÔTOYER. Border, connaître, longer, raser.
COTRE. Dandy, ketch, sloop.
COTTE. Arme, bleu, combinaison, haubert, jaseran, jupe, salopette.
COTYLEDON. Aracée, aromischus, blé, cacaloïde, crassulacée, écheveria, épigé, hypogé, macrantha, orbiculata, teretifolia, undulata.
COU. Bouteille, col, collet, crin, encolure, fanon, fichu, foulard, goître, gorge, hyoïde, jabot, kiki, licol, licou, minerve, nuque, tête, torticolis.
COUARD. Capon, craintif, dégonflé, lâche, peureux, pleutre, poltron.
COUCHANT. Crépuscule, océan, occident, ouest, ponant.
COUCHE. Assise, banc, cerne, crépi, croûte, derme, écorce, ectoderme, enduit, étage, feuillet, gîte, givre, hyménium, lamelle, lange, lit, moie, moye, nappe, repos, sauce, sieste, sphère, strate, thalamus, uvée.
COUCHER. Aliter, allonger, couver, étaler, étendre, gésir, tapir, verser.
COUCHETTE. Alèse, ber, chevet, ciel, coite, couchis, couette, divan, dodo, drap, épi, grabat, hamac, jar, jard, justice, lire, lit, litière, mariage, pageot, pieu, procuste, pucier, ravin, ru, ruelle, ruisseau, sofa, sultane.
COUDE. Accouder, angle, busc, courbe, cubital, détour, genou, olécrane.
COUDRE. Bâtir, brocher, découdre, faufiler, fil, linger, machine, monter, noisetier, ourler, piquer, raccommoder, rapiécer, suturer, tailler.
COUGUAR. Carnassier, cougouar, puma.

COULANT. Aisé, caloporteur, clair, courant, diffusion, eau, effluent, émersion, éther, fluide, flux, fréon, gaz, humeur, liquide, phlogistique.
COULÉE. Arcot, calmage, chaire, fausset, lave, ruisseau, sucre.
COULER. Affluer, arroser, baigner, courir, découler, écouler, filer, filtrer, fleuve, fluer, introduire, jaillir, rivière, ruisseler, sombrer, verser.
COULEUR. Abricot, ambre, aurore, atout, azur, azuré, bleu, bitume, brun, café, carné, céladon, citron, cœur, coloris, drapeau, ébène, écarlate, étendard, fauve, glacis, grigne, gris, inde, indigo, jais, jaune, kaki, lilas, louvet, mauve, noir, noisette, nuance, ocre, ombre, or, pâleur, pavillon, pers, pigment, poil, ponceau, robe, rose, rouan, rouge, roux, sable, sinople, teinte, teinture, ton, verdure, vert.
COULEUVRE. Anguille, bisse, coronelle, élaphis, serpent, vipérin.
COULIS. Ailloli, aïoli, framboise.
COULISSE. Cantonade, plan, rideau, théâtre, vanne.
COULOIR. Corridor, galerie, passage, rameau, seuil, soufflet, vestibule.
COUP. Appel, atémi, atout, besas, beset, blessure, botte, charge, choc, claque, coquard, dentée, estocade, événement, feinte, fessée, gifle, gnon, heurt, horion, lob, œillade, paf, piccolo, putsch, ra, rafale, raté, soudain, soufflet, talmousse, taloche, tape, tarte, tornade, volée.
COUPABLE. Concussionnaire, criminel, délinquant, fautif, responsable.
COUPAGE. Couper, fendre, refendre, séparer, sciage, zigouiller.
COUPANT. Acéré, aigu, criard, fin, glapissant, grêle, tranchant, vif.
COUPE. As, atout, censure, cratère, émonde, fend, hémistiche, jatte, rogne, scinde, section, séparation, tête, tranche, trophée, vase, vin.
COUPELLE. Inquartation, rochage, test, têt.
COUPER. Amputer, cisailler, croiser, diviser, ébarber, ébouqueter, ébouter, écimage, écouter, émarger, émincer, émonder, entamer, essoriller, étêter, étraper, expurgation, hacher, inciser, mâcher, raser, rénetter, ronger, scier, sectionner, segmenter, tailler, trancher.
COUPLE. Apparier, duo, dyade, élément, paire, pariade, tandem.
COUPLET. Chant, épode, poème, stance, strophe, tirade.
COUPOLE. Académie, bulbe, dôme, pendentif, tambour, tholos, voûte.
COUPURE. Blessure, billet, cicatrice, cluse, coupe, enlevé, entaille, estafilade, havage, incision, plaie, scarification, scission, section.
COUR. Assises, atrium, aulique, cloître, côté, crime, droit, instance, jardin, justice, pair, patio, préau, prétoire, témoin, théâtre, tribunal.
COURAGE. Ardeur, audace, bravoure, cœur, confiance, constance, cran, décision, énergie, force, hardiesse, intrépidité, oser, va, vaillance.
COURAGEUX. Ardent, audacieux, brave, couard, craintif, hardi, héroïque, intrépide, lâche, peureux, poltron, téméraire, timoré, vaillant.
COURANT. Aération, commun, connaître, électrique, fil, fleuve, jus, marée, mer, normal, ordinaire, présent, raz, rivière, vent, usité, usuel.
COURANTE. Eau, fluide, main.
COURBATURE. Ankylose, arc, fatigue, flexion, moulure, torsion.

COURBE. Anse, aquilin, arc, arqué, arrondi, auduigramme, axe, busqué, cambré, cassé, cercle, concave, détour, ellipse, géométrie, lemniscate, myogramme, orbe, orbite, ovale, ove, pôle, plie, spirale, tordu, voûte.
COURBER. Fléchir, incliner, incurver, infléchir, lordose, ployer, voûter.
COURBURE. Arcure, bosse, cambrure, cassure, ensellure, galbe, humilation, lordose, méplat, pliure, renflure, ressaut, voûte.
COURCAILLET. Cri.
COUREUR. Autruche, chameau, cycliste, débauché, dératé, désert, dinornis, ératé, grimpeur, marathonien, pistard, relais, sprinter.
COURGE. Coloquinte, courgette, citrouille, cucurbitacée, giraumon.
COURIR. Accourir, bondir, bruit, cavaler, circuler, colique, court, détaler, dévorer, dribbler, dropper, filer, galoper, pédaler, trotter.
COURONNE. Abysse, abysson, auréole, bandeau, caramel, carret, diadème, format, goura, guirlande, pape, roi, tiare, timbre, tortil.
COURRIER. Correspondance, envoi, estafette, lettre, messager, poste.
COURROIE. Bretelle, enguichure, étrivière, lanière, lien, longe, rêne.
COURROUX. Atrabilaire, bilieux, chagrin, colère, exaspéré, fureux, ire.
COURS. Classe, cote, déroulement, enseignement, fil, leçon, taux, union.
COURS D'EAU. Affluent, alluvion, amont, aval, canal, confluer, crue, défluent, épi, fleuve, flottage, oued, quai, rivière, ru, ruisseau, torrent.
COURSE. Achat, corrida, cross, derby, drag, épreuve, galopade, incursion, longueur, marathon, marche, omnium, promenade, régate, rodéo, sprint, steeple, sulky, tauromachie, trajet, transat, trial, turf.
COURT. Abrégé, bref, concis, courir, direct, étroit, limité, mince, petit, près, ragot, raidillon, ras, rétréci, sagum, succinct, tassé, tennis, trapu.
COURTIER. Agent, assureur, entremetteur, intermédiaire, représentant.
COURTISAN. Cajoleur, caudataire, enjôleur, flatteur, hétaïre, prostitué.
COURTISER. Badiner, coqueter, draguer, flatter, galantiser, mugueter.
COURTOIS. Aimable, affable, arrogant, civil, discourtois, galant, poli.
COURTOISIE. Affabilité, amabilité, civilisé, galanterie, joute, politesse.
COUSIN. Culex, germain, maringouin, moustique, proche.
COUSSIN. Boudin, crin, duvet, édredon, laine, oreiller, plume, pouf, sac.
COÛT. Charge, cotation, cours, estimation, prix, revient, tarif, taux.
COUTEAU. Amassette, arme, bistouri, canif, entoir, eustache, machette, mollusque, navaja, plume, poignard, scramasaxe, soie, solen, surin.
COUTELAS. Arme, couperet, épée, eustache, machette, manche, mollusque, najava, plume, poignard, rasoir, sabre, saccagne.
COÛTER. Atteindre, égaler, équivaloir, faire, mériter, peser, valoir.
COÛTEUX. Cher, dispendieux, inabordable, onéreux, ruineux, salé.
COUTUME. Errement, habitude, habituel, manie, mode, mœurs, ordre, penchant, pratique, règle, rite, routine, sati, souloir, tradition, us, usage.
COUTUMIER. Accoutumé, apprivoisé, habitué, ordinaire, routinier.
COUTURE. Bâti, coudre, cousu, remmaillage, rentraiture, suture.
COUTURIER. Cousette, jupier, modéliste, tailleur, théâtre, trottin.
COUTURIER (n. p.). Cardin, Cardinal, Chanel, Dior, Patou, St Laurent.
COUVENT. Abbaye, chartreuse, cloître, lamaserie, monastère, moutier.

COUVERCLE. Cloche, couvre-plat, couvrir, moraillon, opercule.
COUVERT. Abri, buissonneux, chargé, enterré, épineux, erbue, farineux, gris, ioduré, lanugineux, nacré, ombre, ridé, salpêtreux, table, tomenteux, ulcéreux, vaisselle, vaseux, vêtement, vêtu, voilé.
COUVERTURE. Abri, aile, bâche, capote, courtepointe, couverte, dôme, housse, libre, mante, pavage, plaid, prétexte, reliure, toit, toiture.
COUVEUSE. Couvoir, incubateur, poule.
COUVRE-CHAUSSURE. Claque.
COUVRE-LIT. Couverture, couvre-pied, édredon.
COUVREUR. Asseau, football, hockey.
COUVRIR. Argenter, barder, beurrer, cacher, cocher, combler, complanter, dissimuler, enchausser, enduire, enfaîter, envelopper, garantir, habiller, housser, immuniser, inonder, iodurer, métalliser, moisir, ombrager, peindre, placarder, plâtrer, prémunir, préserver, recouvrir, revêtir, rocher, salpêtrer, semer, terrer, vêtir, voiler.
CRABE. Appelant, cancre, chinois, crustacé, enragé, étrille, fantôme, fouisseur, limule, nageur, pinnothère, portune, poupart, sacculine, tourteau, vert.
CRACHAT. Expuition, glaviot, graillon, hémoptyse, salivation, sputation.
CRACHER. Crachailler, crachoter, donner, expectorer, payer, vomir.
CRACHIN. Brouillard, brouillasse, bruine, goutte d'eau, nuée, pluie.
CRAIE. Chaux, crayon, silicate, stuc, talc, tufeau, tuffeau.
CRAINDRE. Appréhender, éprouver, épouvanter, redouter, trembler.
CRAINTE. Alarme, angoisse, anxiété, appréhension, claustrophobie, défiance, effroi, émoi, éreuthophobie, peur, phobie, trac, zoophobie.
CRAINTIF. Apeuré, embarrassé, inquiet, peureux, poltron, timoré.
CRAMPE. Colique, contraction, spasme, spasmophilie.
CRAMPON. Agrafe, attache, clou, croc, crochet, grappin, griffe, happe.
CRAN. Ardeur, audace, bravoure, cœur, confiance, constance, courage, décision, énergie, force, hardiesse, intrépidité, oser, va, vaillance.
CRÂNE. Brachycéphale, cran, crête, fier, front, oser, tesson, têt, tête.
CRAPAUD. Accoucheur, agua, alyte, américain, anoure, atélope, batracien, bave, bœuf, calamite, cornu, criquet, doré, frai, géant, grenouille, houston, loche, pélobate, pélodyte, piano, tannant, têtard.
CRAPULE. Débauché, fripouille, kleptomane, vaurien, vil, voyou.
CRAQUELER. Casser, craquer, crisser, crouler, fendiller, rompre.
CRAQUER. Bruit, casser, craqueler, crisser, crouler, fendiller, rompre.
CRASSE. Bassesse, chiche, épais, malpropre, ordure, saleté.
CRATÈRE. Coupe, cratérisé, égueule, trou, vase, volcan.
CRATÈRE DE LA LUNE (n. p.). Alphonse, Copernic, Juliot-Curie, Lomonossov, Tziolkoski.
CRATÈRE SUR TERRE (n. p.). Araguainhai, Carswell, Charlevoix, Kara, Manicouagan, Popigai, Puchezh-Katunki, Siljan, Sudbury, Vredefort.
CRAVACHE. Aile, fouet, garcette, knout, martinet, nerf, sangle, verge.
CRAVATE. Commandeur, lavallière, régate.
CRAWL. Nage.

CRAYON. Ardoise, dessin, ébauche, fusain, gomme, pastel, stylo, trait.
CRÉANCE. Dette, gage, garantie, hypothèque, nantissement, traite.
CRÉATEUR. Artiste, auteur, bâtisseur, cause, dieu, fondateur, père.
CRÉATION. Fondation, genèse, invention, monde, œuvre, origine.
CRÉCERELLE. Émouchet.
CRÉDENCE. Armoire, buffet, camion, chaperon, coffre, collège, desserte, dressoir, école, huche, lycée, maie, semainier, vaisselier.
CRÉDIT. Cr, créance, débit, dette, estime, faveur, prêt, solde, vogue.
CRÉDULE. Amulette, bon, confiant, fou, innocent, jobard, naïf, simplet.
CRÉER. Accoucher, causer, composer, concevoir, donner, enfanter, engendrer, ériger, établir, faire, former, imaginer, lancer, naître.
CRÈME. Alexandra, cassate, choix, élite, flan, fleur, frangipane, glace, mousse, onguent, pâtissière, pommade, sabayon, tarte.
CRÉMERIE. Barratage, beurrerie, cabaret, chantilly, laiterie.
CRÊPE. Blinis, brassard, crépon, galette, matefaim, ruban.
CRÉPINETTE. Atriau.
CRÉPU. Annelé, aplati, bichonné, bouclé, cannelé, frisé, frisotté, laine, lissé, moutonné, ondulé, permanente, rasé.
CRÉPUSCULE. Aube, brunante, brune, déclin, noir, ombre, soir, tombée.
CRESSON. Alénois, cardamine, nasiller, nasitort.
CRÊTE. Bréchet, col, contre-pente, serre, saillie, sommet, touffe.
CRÊTE-DE-COQ. Passe-velours, rhinanthe, sainfoin.
CRÉTIN. Andouille, bête, con, conard, idiot, imbécile, niais, sot, stupide.
CREUSER. Bêcher, caver, chever, évider, excaver, fileter, forer, fouiller, fouir, labourer, miner, percer, tarauder, térébrer, trou, vider, vriller.
CREUSET. Culot, têt, verre.
CREUX. Abîme, anse, arrondi, baie, bombé, cave, cavité, convexe, gousset, paume, proéminent, rebondi, rentre, saillant, trou, vide.
CREVANT. Agaçant, claquant, ennuyant, éreintant, soûlant, tuant.
CREVASSE. Cassure, coupure, craque, déchirure, faille, fêlure, fente, fissure, gerce, gerçure, lézarde, mourusse, perâsse, rape, rimaye.
CREVER. Ampoule, éreinter, fatiguer, mourir, percer, rompre.
CREVETTE. Bouc, bouquet, chevrette, gammare, grise, matane, nettoyeuse, palémon, pistolet, rose, salicoque, scampi, zébrée.
CRI. Ahan, aïe, appel, barrir, beuglement, bis, braillement, bramer, clameur, croassement, dia, évoé, évohé, exclamation, glapissement, gloussement, haïe, han, hue, huée, hurlement, jargon, réclame, roucoulement, rugissement, taïaut, tollé, vagissement, vocifération.
CRI D'ANIMAL. Aigle (glatit, trompette), alouette (grisolle), âne (brait), bécasse (croule), bélier (blatère), bœuf (beugle, meugle, mugit), brebis (bêle), buffle (beugle, souffle), caille (carcaille, margotte), canard (cancane, nasille), cerf (brame), chacal (jappe), chameau (blatère), chat (miaule), cheval (hennit), chèvre (bêle), chien (aboie, hurle, jappe), chouette (chuinte, hulule), cigale (craquette, stridule), cigogne (craquette, glottale), cochon (grogne), colombe (roucoule), coq (chante), corbeau (croasse), corneille (craille), crocodile (lamente, vagit), cygne

(siffle, trompette), dindon (glouglote, glougloute), éléphant (barrit), faisan (criaille), faon (râle), geai (cajole), gélinotte (glousse), grenouille (coasse), grue (glapit, trompette), hibou (hue), hirondelle (gazouille), hyène (hurle), jars (jargonne), lagopède (cacabe), lapin (clapit), lièvre (vagit), lion (rugit), loup (hurle), marcassin (grogne), merle (siffle), moineau (pépie), mouche (bourdonne), mouton (bêle), oie (criaille, siffle), orignal (brame), ours (grogne), paon (braille, criaille), perdrix (cacabe), perroquet (parle), pie (jacasse, jase), pigeon (roucoule), pinson (ramage), pintade (criaille), poule (caquette, glousse), poulet (piaule), poussin (pépie), ramier (roucoule), renard (glapit), rhinocéros (barrit), rossignol (chante), sanglier (grogne), serpent (siffle), souris (chicote), taureau (mugit), tigre (feule, miaule, rate, rauque), tourterelle (gémit, roucoule), vache (beugle, meugle, mugit), veau (beugle, meugle, mugit), yack (beugle, meugle, mugit), zèbre (hennit), zébu (beugle, meugle, mugit).

CRIANT. Aveuglant, constant, drôle, éclatant, évident, révoltant.

CRIBLE. Bâtée, claie, grille, sas, secoueur, tamis, tarare, trémis, trier.

CRIC. Cabestan, caliorne, levier, palan, treuil, vérin, vindas.

CRIER. Acclamer, appeler, avertir, brailler, bramer, clabauder, clamer, coasser, dire, glatir, gueuler, hululer, hurler, meugler, piailler, trisser.

CRIEUR. Camelot.

CRIME. Assises, assassinat, atrocité, attentat, brigandage, complot, cour, délit, faute, faux, forfait, justice, méfait, meurtre, piraterie, procès.

CRIMINEL. Assassin, bandit, brigand, forban, forçat, pirate, scélérat.

CRIMINOLOGUE. Barreau, défenseur, fruit, maître, orateur, robin.

CRIMINOLOGUE (n. p.). Beccaria, Bertillon, Ferri, Lombroso.

CRIN. Cheveux, crinière, florence, haire, poil, souci, tampico.

CRINOLINE. Cotillon, cotte, écossaise, jupette, jupon, paréo, robe, tutu.

CRIQUET. Acridien, locuste, pèlerin, sauterelle, stridulation.

CRISE. Attaque, atteinte, aura, bouffée, colère, colique, danger, embarras, krach, manque, passion, pouffée, récession, syncope, tension.

CRISPER. Convulser, énerver, resserrer, spasme, tendu, tension.

CRISSEMENT. Bourdonnement, bruit, grincement, hiement, stridulation.

CRISTAL. Baccarat, druse, macle, nicol, noces, quartz, uniaxe, verre.

CRISTAUX. Épitaxine, pendeloque, raphide.

CRITÈRE. Classification, exemple, idée, modèle, norme, pragmatisme.

CRITIQUE. Analyse, censeur, commentateur, crucial, décisif, diatribe, difficile, étude, grave, juge, observateur, sérieux, soupçonneux, zoïle.

CRITIQUE (n. p.). Auger, Bauer, Eco, Martel, Suard, Vinet.

CRITIQUER. Analyser, blâmer, calomnier, censurer, décrier, dénigrer, éreinter, étudier, examiner, redire, réfuter, réprimander, stigmatiser.

CROC. Abcès, appétit, bouche, bridge, canine, carie, chaîne, couronne, défense, dent, dentelure, dentition, édenté, émail, gomphose, incisive, mâchoire, molaire, morfil, odontologie, or, osanore, pince, quenotte.

CROCHET. Allonge, araignée, bec, crampon, croc, dent, détour, esse, harpon, inerme, parasite, pélican, rossignol, unciforme, unciné.

CROCODILE. Alligator, caïman, croco, gavial, lamenter, morelet, orénoque, saurien, siam, sténéosaure, téléosaure, vagir.
CROCUS. Ancyrensis, asturicus, aureus, balansae, biflorus, byzantinus, chrysanthus, corsicus, dalmaticus, etruscus, hyemalis, iridacée, kotschyanus, longiflorus, medius, niveus, nudiflorus, ochroleucus, safran, sativus, speciosus, susianus, vernus, versicolor.
CROIRE. Admettre, avaler, confiance, foi, gober, juger, penser, supposer.
CROISEMENT. Asine, bardot, carrefour, chiasme, hybride, métis, métissage, mulâtre, mulet, nœud, quarteron.
CROISER. Décroiser, entrecroiser, entrelacer, couper, hybrider, mâtiner, mélanger, mêler, métisser, montrer, naviguer, rencontrer, traverser.
CROISÉS. Cruciverbiste, fer, grille, potence.
CROISEUR. Destroyer.
CROISSANCE. Augmentation, développement, géotropisme, poussée.
CROISSANT. Corne, crescendo, gui, lune, luth, ménisque, pain.
CROÎTRE. Augmenter, baisser, décliner, décroître, diminuer, gagner, grandir, invaginer, naître, pousser, rabougrir, renaître, repousser.
CROIX. Blason, crucifix, décoration, gammée, gibet, potence, signe.
CROIX-ROUGE (n. p.). Dunant, Suisse.
CROQUE-MORT. Embaumeur, entrepreneur, fossoyeur.
CROQUER. Attendre, broyer, concasser, croustiller, dépenser, dessiner, ébaucher, écrabouiller, écraser, gruger, manger, mastiquer, mordre.
CROQUIS. But, canevas, dessin, ébauche, esquisse, étude, projet, topo.
CROTTE. Bourre, caca, chiure, crasse, débris, déchets, détritus, étron, excrément, fange, fiente, fumier, gadoue, merde, poussière, rebut.
CROTTÉ. Cochon, malpropre, négligé, ordure, porc, sale, taché, vilain.
CROULANT. Âgé, bécasse, dépassé, gâteux, sénile, vétéran.
CROULER. Craquer, débouler, défoncer, ébouler, effondrer, ruiner.
CROUPE. Avant, croupion, cul, derrière, fesse, fessier, fond, sommet.
CROUPIR. Chancir, gâter, moisir, pourrir, rancir, séjourner, stagner.
CROÛTE. Bousin, calcin, croustade, escarre, morceau, peau, tarte.
CROÛTON. Aillade, meurette, morceau, pain, tableau, talon.
CROYANCE. Certitude, conviction, déisme, défiance, dogme, doute, foi, incroyance, objectivisme, superstition, totémisme, vampirisme.
CRU. Crudité, cuit, écouté, leste, libre, osé, raide, salé, selle, vert, vin.
CRUAUTÉ. Atrocité, barbarie, bestialité, brutalité, carnage, douleur, excès, férocité, furie, humanité, mansuétude, sadisme, tyran.
CRUCHE. Bouteille, buire, imbécile, jacqueline, niais, pot, sol, stupide.
CRUCIFÈRE. Alysse, cameline, dentaire, drave, sénévol.
CRUEL. Atroce, barbare, brute, dur, féroce, rude, sadique, sanguinaire.
CRUSTACÉ. Amphipode, anatife, anostracé, balane, brachiopode, branchioure, céphalocaridé, cloporte, copépode, crabe, crevette, cyclope, daphnie, écrevisse, entomostracée, étrille, galathée, gammare, homard, isopope, langouste, langoustine, ligie, malacostracé, mystacocarida, ostracodepagure, pagure, portune, pouce-pied, remipédia, sacculine, talitre, tantulocarida.

CRYPTE. Abri, antre, baume, calcaire, caveau, caverne, cavité, tanière.
CRYPTOGAME. Champignon, cistule, entomostracé, équisétinée, filicinée, lycopode, lycopodinée, mildiou, rouille, soie, sore, spore, stipe, urne.
CUBE. Dé, mosaïque, peintre, stère.
CUCURBITACÉE. Citrouille, concombre, courge, éponge, gourde, melon.
CUEILLIR. Arrêter, collecter, grappiller, mûr, ramasser, récolter.
CUILLER. Cuillère, cuilleron, écrémoir, écumoir, louche, poche, truelle.
CUIR. Affalter, agneau, bâche, basane, box, chagrin, corroyer, daim, lapsus, leurre, liaison, peau, saladero, suède, tan, vachette.
CUIRASSE. Arme, blindage, carapace, cotte, plastron, réduit.
CUIRE. Brûler, cuisiner, étuver, frire, mijoter, mitonner, rôtir, sauter.
CUISINE. Ail, bouffe, coquerie, culinaire, évier, fourneau, gastronomie, gril, marmite, mets, office, poêle, popote, repas, sel, soupe, table.
CUISINIER. Chef, coq, cordon-bleu, cuire, cuistot, fricasseur, gargotier, maître, marmiton, mitron, queux, rôtisseur, saucier, traiteur.
CUISSE. Aine, bacul, cuisseau, cuissot, gigot, gigue, jambon, pilon.
CUISSE (n. p.). Jupiter.
CUIVRE. Cor, cu, dinanderie, filigrane, laiton, musique, oripeau, théâtre.
CUL. Anus, avant, cæcum, croupe, derrière, fesse, fessier, fond.
CUL-DE-SAC. Accul, courée, danger, difficulté, impasse, rue, venelle.
CULBUTE. Cabriole, capotage, cumulet, galipette, pirouette, tonneau.
CULOT. Audace, bravoure, confiance, courage, fougue, hardiesse, obus.
CULOTTE. Barboteuse, bobette, boucherie, caleçon, collant, défaite, échec, froc, pantalon, robe, salopette, short, slip, trousses, veste.
CULTE. Dieu, dulie, égotisme, honorer, hyperdulie, idole, latrie, mythologie, ophiolâtrie, piété, prêtre, religion, respect, rite, vaudou.
CULTIVATEUR. Agriculteur, agronome, colzatier, fermier, paysan.
CULTIVER. Arboriser, assoler, bêcher, biner, exploiter, planter.
CULTURE. Agriculture, âne, aquiculture, arboculture, assoler, béotien, biner, grossier, herse, ignare, instruction, monoculture, oléiculture, osiériculture, riziculture, rural, savoir, sec, sot, spongiculture, vaccin.
CUMULUS. Altocumulus, altostratus, brouillard, brume, cirrocumulus, cirrostratus, cirrus, ennui, nébulosité, nimbostratus, nimbus, nuage, nue, nuée, obnubiler, panne, stratus, vapeurs, voile.
CUPIDE. Avare, avide, chiche, intéressé, mesquin, rapace, rapiat, vénal.
CUPIDON. Amour, Éros.
CURE. Guérison, médication, paroisse, presbytère, prêtre, recteur, soin.
CURER. Abraser, astiquer, cure-dent, draguer, écurer, nettoyer, ruer.
CURIE. Ci, dicastère.
CURIEUX. Bizarre, étrange, furet, indiscret, particulier, singulier, rare.
CURIOSITÉ. Attention, avidité, examen, intérêt, recherche, reluquer.
CURIUM. Cm.
CURRICULUM VITÆ. Es, CV.
CUVE. Abîme, bac, baquet, évier, hotte, papier, pétrin, tub, vendage.
CUVETTE. Baquet, bassinette, bidet, doline, évier, lavabo, tub, vasque.

CYANURE. Prussiate.
CYCLADE (n. p.). Céos, cyladique, Délos, Ios, Nio, Paros, Sériphos, Zéa.
CYCLAMEN. Coum, elegans, rose, vernale.
CYCLAMEN (n. p.). Afrique, Europe, Liban, Naples, Perse.
CYCLE. Célérifère, draisienne, époque, ère, poème, rond, tandem, vélo.
CYCLISTE. Coureur, cyclotouriste, grimpeur, pistard, routier.
CYCLISTE (n. p.). Egg, Maertens, Merckx, Moser.
CYCLONE. Bourrasque, orage, ouragan, tempête, tornade, typhon.
CYCLOPE. Géant, copépode, crustacé, polyphème.
CYCLOPE (n. p.). Acis, Gaia, Galatée, Ouranos, Ulysse.
CYLINDRAXE. Axone.
CYLINDRE. Aléser, bobine, culasse, pompe, rouleau, tambour, treuil.
CYNIQUE. Chien, Diogène, éhonté, indifférent, philosophe, satyre.
CYNIQUE (n. p.). Antisthène, Diogène, Ménippe.
CYNODON. Chiendent, pied-de-poule, herbe des Bermudes.
CYPÉRUS. Amande de terre, laiche, papyrus, scirpel, souchet.
CYTISE. Aubour, ébénier, faux ébénier.
CYTOPLASME. Hyaloplasme, protoplasme, sarcoplasme.
CZAR. Tsar.

D

DAB. Papa, parent, paternel, père, vieux.
DACRON. Polyester.
DACTYLO. Doigt, secrétaire, taper, tapuscrit, télex.
DADA. Caprice, délire, démence, égarement, fantaisie, folie, frénésie, goût, habituel, hobby, manie, marotte, passion, tâte, tic, tocade.
DAGOBERT (n. p.). Éloi, Ouen.
DAHLIA. Arvor, aumônier, bacchanal, chandelon, dahl, furka, lilliputs, pompons.
DALLE. Carreau, céramique, foyer, gouttière, patio, pavé, pierre, radier.
DAME. Demoiselle, douairière, épouse, femme, hie, lady, marraine, matrone, menine, mie, milady, ovale, quatre, reine, touret.
DAMNATION. Châtiment, dam, enfer, peine, perte, punition, réprouvé.
DAMNÉ. Déchu, frappé, interdit, maudit, paria, rejeté, repoussé, satané.
DANGER. Détresse, gravité, menace, perdition, péril, piège, risque.
DANGEREUX. Aléatoire, hasardeux, imprudent, mauvais, scabreux.
DANS. Avertissement, chez, dedans, en, entre, intérieur, intra, milieu.
DANSE. Bal, ballet, boléro, boston, cha-cha-cha, chorégraphie, classique, cracovienne, csardas, czardas, figures, forlane, galop, gigue, gopak, hopak, java, jerk, jota, lambada, mambo, mazurka, menuet, mouvements, one-step, polka, polonaise, pop, rigaudon, rock, ronde, rumba, samba, sarabande, tango, tarentelle, twist, valse, zorongo.
DANSER. Compas, coryphée, dansotter, évoluer, exécuter, valser.
DANSEUR. Baladin, boy, cavalier, équilibriste, étoile, funambule, gigoteux, gigueux, matassin, mime, partenaire, pétauriste, valseur.

DANSEUR (n. p.). Astaire, Lifar, Tudor.
DANSEUSE. Aimée, almée, ballerine, étoile, girl, partenaire, rat, tutu.
DANUBLE, AFFLUENT (n. p.). Ems, Enns, Inn, Isar, Nab, Vah.
DAPHNÉ. Garou, lauréole, malherbe, sainbois.
DARD. Abeille, aiguille, aiguillon, angon, flèche, harpon, javeline, pointe.
DARDER. Aiguillonner, harponner, lancer, piquer, pointer.
DATE. An, année, chronologie, époque, en, événement, hier, jour, millésime, moment, période, postdaté, quantième, rubrique, temps.
DATTE. Lithodome.
DAUPHIN. Béluga, cétacé, épaulard, inia, marsouin, menin, orque, prince, souffleur.
DAUPHINELLE. Pied-d'alouette, staphisaigre.
DAVANTAGE. Beaucoup, bis, encore, excès, item, maximum, mieux, outre, plus, prime, rab, supérieur, surplus, surtout, sus, trop.
DAVID (n. p.). Goliath, Grande Ourse, Urie.
DÉ. As, besas, cochonnet, cornet, cube, doublet, hasard, jeu, main, palamède, poker, quine, rafle, terne, trictrac, zanzi.
DÉAMBULER. Aller, arpenter, arquer, avancer, balader, cheminer, clopiner, courir, enjamber, errer, flâner, fouler, longer, marcher, mener, passer, pavaner, piéter, rôder, suivre, trotter, trottiner.
DÉBÂCLE. Bouscueil, chute, débandade, défaite, dégel, déroute, krach.
DÉBALLER. Confier, emballer, étaler, montrer, ouvrir, parler.
DÉBANDADE. Chute, débâcle, défaite, dégel, déroute, krach.
DÉBARBOUILLETTE. Linge, serviette.
DÉBARCADÈRE. Appontement, cale, dock, embarcadère, gare, quai.
DÉBARQUER. Abandonner, décharger, embarquer, sortir, venir.
DÉBARRASSER. Alléger, arracher, balayer, déblayer, décaféiner, déchlorurer, dénicotiser, dératiser, désulfiter, écurer, égoutter, énouer, éravillonner, émonder, énouer, épouiller, épucer, essorer, extirper, guérir, jeter, nettoyer, purger, sarcler, sécher, soulager, stériliser.
DÉBAT. Contestation, démêlé, discussion, huis clos, procès, querelle.
DÉBAUCHE. Bamboche, libertinage, orgie, noce, ribaud, ripaille, vice.
DÉBILE. Bête, faible, fragile, chétif, délicat, grave.
DÉBIT. Bar, bistrot, buvette, crédit, doit, étiage, magasin, ru, vente.
DÉBITER. Déclamer, écouler, fendre, psalmodier, réciter, scier, vendre.
DÉBITEUR. Acheteur, dette, escompte, paye, saisi, terme, vendre.
DÉBLAIEMENT. Débarrasser, décharger, déneigement, préparation.
DÉBLATÉRER. Accuser, attaquer, bavarder, calomnier, cancan, clabaudage, commérage, discréditer, invectiver, médire.
DÉBOIRE. Déception, désappointement, désillusion, dessillé, tristesse.
DÉBOÎTER. Déclinquer, démancher, détraquer, disloquer, fausser, luxer.
DÉBORDANT. Abondant, actif, animé, coulant, exubérant, gonflé.
DÉBORDEMENT. Crue, débord, déluge, dépassement, embarras, excès, flot, flux, inondation, ire, irruption, pléonasme, sortie, trop-plein.
DÉBORDER. Déchaîner, déferler, dépasser, exulter, regorger, saillir.

DÉBOUCHER. Canaliser, éclore, entrouvrir, éventrer, ouvrir, soutirer.
DÉBOURSÉ. Coût, défrayé, dépense, frais, payé, remboursement.
DEBOUT. Allure, dressé, droit, érigé, levé, métatarse, redresser, stèle.
DÉBRAYAGE. Embrayage, grève.
DÉBRIS. Calcin, décombres, épave, moraine, rebus, ruines, tesson.
DÉBROUILLER. Défricher, dégager, démêler, distinguer, éclaircir.
DÉBROUSSAILLER. Démêler, élucider, essarter, expliquer, tailler.
DÉBUT. Abc, âge, alpha, aura, commencement, départ, entête, entrée, ère, exorde, fondu, gong, idée, initiale, matin, nouaison, novice, origine, our, ouverture, préambule, premier, puberté, ré, seuil, tête, ur.
DÉBUTANT. Apprenti, arpète, aspirant, débutant, élève, initié, marmiton, mitron, neuf, novice, nouveau, pilotin, recrue, stagiaire.
DEÇÀ. Antérieur, au-delà, da, delà, en.
DÉCADENCE. Abaissement, crise, déchéance, déclin, dépérissement.
DÉCALER. Arrêter, canon, différer, ralentir, reculer, retenir, tarder.
DÉCALITRE. Dal.
DÉCAMPER. Abandonner, défiler, détaler, fuir, large, partir, plier, sortir.
DÉCANTER. Abaisser, décuver, épurer, soutirer, transvaser, verser.
DÉCAPER. Abraser, astiquer, blanchir, brosser, nettoyer, poncer, sabler.
DÉCAPITER. Couper, décoller, écimer, étêter, guillotiner, trancher, tuer.
DÉCÉDÉ. Défunt, disparu, feu, macchabée, mort, mourir, trépassé.
DÉCELER. Découvrir, détecter, montrer, trouver, voir.
DÉCENCE. Bienséance, chasteté, congruité, convenance, dignité, vertu.
DÉCENT. Bien, convenable, correction, digne, séant, sentiment, tenue.
DÉCEPTION. Déboire, désappointement, désillusion, dessillé, tristesse.
DÉCERNER. Adjuger, affecter, allouer, attribuer, couronner, louer.
DÉCÈS. Faire-part, fin, mort, mortalité, perte, posthume, trépas.
DÉCEVOIR. Attrister, dégoûter, frustrer, manquer, peiner, tromper.
DÉCHAÎNER. Colère, exciter, fureur, furie, ire, soulever, violence.
DÉCHARGE. Arc, bordée, coup, éclair, feu, foudre, reçu, salve, tir, volée.
DÉCHARGER. Alléger, dégrever, éjaculer, libérer, licencier, renvoyer.
DÉCHARNÉ. Efflanqué, étique, gras, maigre, pauvre, sec, squelettique.
DÉCHÉANCE. Abaissement, avilissement, déposition, destitution, honte.
DÉCHET. Chute, copeau, détritus, freinte, résidu, riblon, rognure, urée.
DÉCHIFFRER. Analyser, apprendre, décrypter, lire, lu, traduire.
DÉCHIRER. Casser, chagrin, couper, égratigner, érailler, lacérer, souffrir.
DÉCHIRURE. Accroc, crevasse, éraflure, fente, fragment, morsure, plaie.
DÉCIBEL. Db.
DÉCIDÉ. Assuré, audacieux, brave, fixé, indécis, prêt, résolu, tergiversé.
DÉCIDER. Choisir, décréter, déterminer, juger, régler, résoudre, voter.
DÉCILITRE. Dl.
DÉCIMÈTRE. Dm.
DÉCISIF. Capital, concis, concluant, critique, crucial, probant, trachant.
DÉCISION. Acte, arrêt, arrêté, bien-jugé, caprice, choix, fiat, jugement, oracle, psychologie, relate, relaxe, sentence, sort, ultimatum, vote.
DÉCLAMATOIRE. Académique, affecté, bouffi, emphatique, ronflant.

DÉCLAMER. Chanter, débiter, dire, invectiver, prononcer, réciter.
DÉCLARATION. Acte, affidavit, affirmation, annonce, attestation, aveu, ban, dire, discours, énonciation, législation, nuncupation, verdict.
DÉCLARER. Affirmer, annoncer, annuler, apprendre, assurer, attester, celé, insu, intimer, invalider, né, proclamer, renier, révoquer, tu.
DÉCLIN. Âge, agonie, automne, crépuscule, décours, diminution, soir.
DÉCLINAISON. Boussole, déclivité, grammaire, pente, solstice.
DÉCLINER. Abaisser, abréger, agoniser, aléser, alléger, altérer, amaigrir, amoindrir, amputer, ariser, atrophier, atténuer, attiédir, baisser, céder, écourter, décarburer, décroître, détendre, diluer, éligir, faiblir, rapetisser, réduire, restreindre, rétrécir, rogner, ronger, user.
DÉCLIVITÉ. Déclinaison, descente, dévers, oblique, penchant, pente.
DÉCOCTION. Apozème, bouillon, hydrolé, racinage, remède, tisane.
DÉCOIFFER. Dépeigner, ébouriffer, écheveler, hérisser.
DÉCOLLAGE. Commencer, choisir, début, démarrage, départ, do, envol, exode, fuite, go, la, méhul, origine, partance, partir, premier, ré, ur.
DÉCOLORANT. Délavé, embu, émoi, enfumé, éteint, fade, flétri, terne.
DÉCOLORATION. Altération, étiolement, oxygénation, tache, terne.
DÉCOMPOSER. Analyser, anatomiser, corrompre, débloquer, déflagrer, désagréger, désintégrer, dissocier, dissoudre, diviser, électrolyser, épeler, fuser, ion, iriser, pourrir, résoudre, saponifier, spectre.
DÉCOMPOSITION. Analyse, cracking, dénitrification, désagrégation, désintégration, division, humus, putréfaction, pyrolyse, séparation.
DÉCONCERTER. Abattement, dérouter, embarras, étonnement, sidérer.
DÉCONFIT. Confus, contrit, déconcerté, embarrassé, gêné, penaud.
DÉCONSEILLER. Admonester, décourager, dissuader, renoncer.
DÉCONTRACTION. Dégagement, détente, diastole, relaxation, souple.
DÉCOR. Arrière-plan, atmosphère, cadre, fond, milieu, praticable.
DÉCORATION. Croix, écusson, enluminure, ornement, rosette, ruban.
DÉCORER. Aster, garnir, médailler, orner, parer, récompenser, styliser.
DÉCORTIQUER. Analyser, ausculter, critiquer, désosser, écaler, écorcer, écosser, éplucher, étudier, examiner, gratter, lire, nettoyer, peler.
DÉCOUDRE. Battre, épée, gagner, obtenir, remporter, vaincre.
DÉCOULER. Argument, couler, dépendre, effet, émaner, résulter, tenir.
DÉCOUPER. Ciseler, couper, débiter, dépecer, équarrir, hacher, tailler.
DÉCOUPURE. Barbille, dentelure, hachure, incisure, redan, redent.
DÉCOURAGEANT. Accablant, affligeant, démoralisant, désespérance.
DÉCOURAGER. Abattre, accabler, affaiblir, briser, céder, dégoûter, démoraliser, déprimer, désespérer, écœurer, lasser, perdre, rebuter.
DÉCOUVERT. Brûlé, connu, décolleté, dégagé, dette, nu, repère, révélé.
DÉCOUVERTE. Astuce, eurêka, invention, nue, science, trouvaille.
DÉCOUVREUR. Chercheur, dépisteur, trouveur.
DÉCOUVREUR ANGLAIS (n. p.). Cook, Frobisher, Hudson, Vancouver.
DÉCOUVREUR ESPAGNOL (n. p.). Colomb, Ojeta, Nunez, Torres.
DÉCOUVREUR FLORENTIN (n. p.). Vespucci.

DÉCOUVREUR FRANÇAIS (n. p.). Cartier, Champlain, LaSalle, LaVérendry, Maisonneuve.
DÉCOUVREUR ITALIEN (n. p.). Cabot.
DÉCOUVREUR PORTUGAIS (n. p.). Dias, Gama, Magellan.
DÉCOUVRIR. Apercevoir, chercher, déceler, décoiffer, dégager, dégotter, démasquer, dénicher, dénuder, dépister, deviner, dévoiler, enlever, épier, inventer, laisser, ôter, percer, repérer, révéler, trouver, voir.
DÉCRASSER. Dégrossir, écurer, laver, nettoyer.
DÉCRET. Amnistie, attentat, bienfait, bill, dahir, déclinatoire, droit, écrit, écrou, effort, forfaiture, formalité, fraude, injustice, loi, offre, ordonnance, protêt, qualité, ratification, réescompte, rescrit, rite, sceau, seing, sujet, testament, texte, titre, trahison, union.
DÉCRÉTER. Classer, commander, consigner, décerner, dire, disposer, harmoniser, imposer, mander, obliger, organiser, prescrire, sommer.
DÉCRIER. Blâmer, critiquer, dénigrer, discréditer, mépriser, raconter.
DÉCRIRE. Analyser, blason, dire, expliquer, peindre, raconter, sinuer.
DÉCROCHER. Abdiquer, céder, confier, délaisser, déserter, évacuer, flancher, fuir, jeter, lâcher, laisser, larguer, livrer, luxure, négliger, oublier, partir, rencart, renier, renoncer, semer, trahir, vider.
DÉCROISSANCE. Abaissement, agranulocytose, amenuisement, amortissement, anhépatie, amnésie, anémie, anosmie, collapsus, décours, détente, détumescence, encroûtement, frai, hypochlorhydrie, hypoglycémie, hypotonie, leucopénie, oligurie, paralysie, presbytie, réduction, retrait, soulagement, surdité, xérophtalmie.
DÉÇU. Dégoûté, désabusé, difficile, écœuré, fatigué, ignoble, las, nausée.
DÉDAIGNER. Mépriser, récuser, refuser, repousser.
DÉDAIN. Arrogance, condescendance, crânerie, cynisme, dérision, discrédit, fi, injure, litière, mépris, misérable, moue, vilipender.
DEDANS. Céans, centre, cœur, corps, dans, fond, ici, inclus, inséré, intérieur, intimité, intrinsèque, intro, milieu, parmi, sein, tuf.
DÉDICACER. Consécration, dédier, invocation, signer.
DÉDIER. Consacrer, dédicacer, don, envoi, offrir, présenter, vouer.
DÉDOMMAGER. Compenser, désintéresser, indemnité, payer, réparer.
DÉDOUBLEMENT. Deux, hydrolyse, jumeau, personnalité.
DÉDUCTION. Abattement, défalcation, mathématique, réflexion.
DÉDUIRE. Conclure, enlever, énoncer, inférer, ôter, retenir, soustraire.
DÉESSE (n. p.). Aphrodite, Apsara, Astarté, Astrée, Artémis, Athéna, Beauté, Cérès, Cybèle, Déjanire, Diane, Dryade, Eir, Flore, Gé, Gorgones, Hébé, Héra, Io, Isis, Kali, Léda, Minerve, Muse, Némésis, Nymphes, Ondine, Ops, Pallas, Proserpine, Psyché, Tanit, Thémis, Vénus, Vesta.
DÉESSE DE L'AGRICULTURE (n. p.). Cérès.
DÉESSE DE L'AMOUR (n. p.). Vénus.
DÉESSE DE LA CHASSE (n. p.). Artémis, Diane.
DÉESSE ÉGYPTIENNE (n. p.). Hathor, Isis.
DÉESSE DE LA FERTILITÉ (n. p.). Tanit.

DÉESSE GRECQUE (n. p.). Amphitrite, Aphrodite, Artémis, Astrée, Athéna, Chloris, Déméter, Éos, Hébé, Héra, Hestia, Hygie, Iris, Mnémosyne, Naïades, Némésis, Nymphes, Perséphone, Proserpine, Sémélé, Thémis, Téthys.

DÉESSE HINDOUE (n. p.). Apsara, Apsaras, Douga, Kali.

DÉESSE DE LA JUSTICE (n. p.). Thémis.

DÉESSE DE LA MER (n. p.). Diane, Ino, Tethys.

DÉESSE DE LA MUSIQUE (n. p.). Euterpe.

DÉESSE DE LA VOLUPTÉ (n. p.). Rati.

DÉESSE ROMAINE (n. p.). Bellone, Céres, Diane, Flore, Furies, Iéna, Junon, Lucine, Minerve, Pallas, Pomone, Proserpine, Vénus, Vesta.

DÉFAILLANCE. Absence, évanouissement, faiblesse, fiasco.

DÉFAILLIR. Affaiblir, évanouir, fiabilité, pâmer, trébucher.

DÉFAIRE. Briser, déballer, débâtir, déboucler, déclouer, découdre, défalquer, déficeler, détruire, effiler, ennemi, ôter, ouvrir, vaincre.

DÉFAITE. Débâcle, débandade, déconfiture, dégelée, déroute, dessous, échec, écrasement, fuite, insuccès, retraite, revers, vaincu, veste.

DÉFALQUER. Ôter, rabattre, retrancher, soustraire, tarer.

DÉFAUT. Absence, acabit, aloi, anomalie, anoxémie, asialie, aspect, athrepsie, atrophie, bêtise, contumace, crapaud, défectuosité, déficience, devers, dureté, étroitesse, faible, gendarme, illégitimité, imperfection, inadaptation, inadvertance, incurie, inexistence, insensibilité, instabilité, lunure, manque, mésentente, mort, nasillement, paille, paresse, préfixe, prosaïsme, raideur, retassure, ridicule, sottise, tare, verbosité, verdeur, vice, zézaiement.

DÉFECTUOSITÉ. Asialie, aspect, bêtise, contumace, déficience, devers, dureté, étroitesse, faible, illégitimité, imperfection, inadaptation, inadvertance, incurie, inexistence, insensibilité, instabilité, lunure, manque, mésentente, paresse, prosaïsme, raideur, retassure, ridicule, sottise, tare, verbosité, verdeur, vice, zézaiement.

DÉFENDRE. Excuser, interdire, plaider, protéger, secourir, soutenir.

DÉFENDU. Illégal, illicite, interdit, irrégulier, permettre, prohibé.

DÉFENSE. Aide, apologie, broche, corne, dague, DCA, dent, fortification, interdiction, ivoire, mire, nier, parade, plaidoirie, plaidoyer, prohibition, protection, remparts, retranchement, secours, soutien.

DÉFENSEUR. Allié, apôtre, avocat, avoué, bloqueur, conseillé, défense, gardien, libéro, partisan, procureur, protecteur, soutien, tenant, tuteur.

DÉFÉRER. Accuser, céder, conférer, dénoncer, inculper, respecter.

DÉFI. Appel, bravade, crânerie, gageure, menace, provocation.

DÉFIANT. Craintif, dissimulé, jaloux, louche, méfiant, ombrageux, prudent, soupçonneux, sournois, suspect, timoré, véreux.

DÉFICIENCE. Agrammatisme, faiblesse, insuffisance, manque.

DÉFICIT. Aliénation, amnésie, analgésie, anorexie, apraxie, coma, décès, deuil, échec, hémorragie, ire, mal, manque, mue, naufrage, ruine.

DÉFIER. Affronter, attaquer, braver, contrer, narguer, provoquer.

DÉFIGURER. Amocher, changer, déformer, enlaidir, vitrioler.

DÉFILÉ. Canon, cluse, col, couloir, faille, gorge, pas, passage, port, porte.
DÉFINIR. Caractériser, délimiter, exposer, préciser, qualifier, spécifier.
DÉFINITIF. Déterminé, ferme, irrémédiable, irrévocable, radical.
DÉFONCER. Briser, détériorer, droguer, enfoncer, éventrer, rompre.
DÉFORMATION. Cortorsion, cypho-scoliose, équin, fluage, mongolisme.
DÉFORMÉ. Anormal, bancal, bossu, bot, estropié, infirme, tordu.
DÉFORMER. Altérer, bosser, cabosser, caricaturer, défigurer, dénaturer, détériorer, dévier, distordre, écorcher, éculer, endommager, estropier, falsifier, massacrer, modifier, mutiler, tordre, transformer, travestir.
DÉFRAÎCHIR. Déformer, éculer, fatiguer, ternir, usager, user.
DÉFRICHER. Arracher, cultiver, débroussailler, dégrossir, démêler, éclaircir, essarter, essoucher, fertiliser, jachère, ratisser, sarcler.
DÉFUNT. Avertissement, feu, litre, mort, nécrologie, obit, tué.
DÉGAGER. Avancer, débarrasser, délivrer, émaner, exhaler, extraire, fumer, isoler, libérer, obligation, ôter, retirer, rétracter, spiritualiser.
DÉGARNIR. Absence, débarrasser, découvrir, déménager, démeubler, démunir, dépailler, dépaver, élaguer, émonder, ôter, tailler, vider.
DÉGÂT. Abîmer, avarie, détériorer, dommage, méfait, pillage, ravage.
DÉGEL. Apaisement, débâcle, fonte.
DÉGÉNÉRER. Abâtardir, biser, changer, détériorer, espèce, tomber.
DÉGÉNÉRESCENCE. Alzheimer, athétose, cancérisation, môle, stéatose.
DÉGLUTIR. Avaler, dysphagie.
DÉGOBILLER. Chasser, cracher, dégorger, dégueuler, détester, évacuer, expectorer, expulser, régurgiter, rejeter, rendre, restituer.
DÉGONFLÉ. Abattu, bas, capon, cerf, couard, craintif, détendu, faible, froussard, fuyard, lâche, mou, peureux, pleutre, poltron, vague, vil.
DÉGOURDI. Actif, conscient, délié, espiègle, éveillé, lutin, mutin, vif.
DÉGOÛT. Antipathie, aversion, chagrin, écœurement, éloignement, ennui, haut-le-cœur, horreur, lassitude, nausée, répugnance, répulsion.
DÉGOÛTÉ. Dépravé, difficile, écœuré, fatigué, ignoble, las, nausée.
DÉGOÛTER. Blaser, choquer, décourager, écœurer, répugner, soûler.
DÉGRADATION. Abrutissement, bris, dégât, délabrement, dommage, effritement, éraflure, érosion, fermentation, ruine, tache, usure.
DÉGRADER. Abaisser, abîmer, avilir, détériorer, égratigner, pervertir.
DEGRÉ. Angle, catégorie, cote, dan, échelon, escalier, étage, étape, grade, gradation, gradin, graduation, hiérarchie, lissé, marche, marchepied, niveau, nuance, perron, rang, rangée, stade, superlatif, teinte, ton.
DÉGRINGOLER. Basculer, choir, chuter, culbuter, débouler, ébouler, écrouler, glisser, périr, pleuvoir, succomber, valdinguer.
DÉGROSSISSAGE. Affinage, amaigrir, diminuer, limage, smillage.
DÉGUERPIR. Abandonner, aller, cavaler, décamper, défiler, déloger, départ, détaler, émigrer, exiler, filer, fuir, quitter, rogner, sortir.
DÉGUISEMENT. Accoutrement, artifice, costume, fard, fraude, travesti.
DÉGUSTER. Boire, gourmand, goûter, manger, savourer, siroter, tâter.
DEHORS. Apparence, aspect, dessus, éjection, extérieur, extra, hors.
DÉJÀ. Jà, ores.

DÉJEUNER. Céréale, manger, menu, mets, plat, premier, repas, soleil.
DÉJOUER. Abuser, berner, décevoir, dol, duper, égarer, enjôler, errer, flouer, frauder, gourer, gruger, induire, léser, leurrer, mentir, méprendre, piper, posséder, refaire, rouler, trahir, tricher, truc.
DELÀ. Au, deçà, en, postérieur, trans.
DÉLABREMENT. Affaiblissement, décrépitude, dépérissement, ruine.
DÉLAI. Atermoiement, crédit, dilatoire, échéance, limite, prolongation, relâche, remise, répit, retard, retardement, sursis, temps, terme.
DÉLAISSER. Abandonner, lâcher, laisser, négliger, partir, sacrifier, seul.
DÉLASSER. Amuser, distraire, divertir, récréer, reposer.
DÉLATEUR. Accusateur, dénonciateur, espion, indic, indicateur, traître.
DÉLATION. Accusation, dénonciation, imputation, mensonge, rumeur.
DÉLAYER. Ajouter, couler, détremper, diluer, étendre, gâcher, laver.
DÉLECTER. Déguster, festoyer, plaire, régaler, réjouir, savourer.
DÉLÉGUÉ. Agent, député, envoyé, légat, nonce, représentant, sénateur.
DÉLÉGUER. Attribution, détacher, envoyer, mandater, remplacer.
DÉLESTER. Alléger, calmer, délester, écrémer, élégir, soulager.
DÉLIBÉRATION. Avis, conseil, débat, discussion, lecture, pensée, vote.
DÉLICAT. Bon, difficulté, doux, faible, fin, finesse, fluet, friand, galant, gentil, grossier, mignon, petit, pur, robuste, scabreux, vigoureux.
DÉLICATESSE. Discrétion, finesse, goût, pudeur, sensibilité, tact.
DÉLICE. Bon, charme, épicurisme, euphorie, hédonisme, plaisir, régal.
DÉLICE (n. p.). Éden, Eldorado, Élysée, Oasis, Titus.
DÉLICIEUX. Agréable, bon, charmant, délice, exquis, joie, suave.
DÉLIÉ. Dégagé, effilé, fin, grêle, menu, mince, subtil, svelte, ténu.
DÉLIER. Défaire, dégager, détacher, élargir, libérer, pardon, relever.
DÉLIMITER. Borner, cantonner, déterminer, fixer, jalonner, intercepter.
DÉLINQUANT. Coupable, dévoyé, receleur, usurier.
DÉLIRE. Aliénation, folie, hallucination, mégalomanie, perturbation.
DÉLIT. Crime, escroquerie, faute, outrage, vagabondage, vice, vol.
DÉLIVRER. Dégager, désensorceler, désintoxiquer, guérir, libérer, quitter, purger, remettre, tirer.
DÉLOGER. Bannir, chasser, éjecter, évacuer, exiler, renvoyer, virer.
DÉLOYAL. Félon, faux frère, infidèle, judas, perfide, renégat, traître.
DÉLUGE. Cataclysme, crue, débord, déferlement, expansion, flux, pluie.
DÉLURÉ. Actif, conscient, dégourdi, délié, espiègle, lutin, mutin, vif.
DEMAIN. Avenir, bientôt, futur, incessamment, jour, lendemain.
DEMANDE. Commande, exigence, instance, plainte, prière, question, quête, réclamation, reconvention, requête, sollicitation, SOS, supplique.
DEMANDER. Chercher, commander, exiger, implorer, interroger, prier, questionner, réclamer, requérir, revendiquer, solliciter, sonder.
DEMANDEUR. Appelant, quémandeur, requérant, serveur, tapeur.
DÉMANGER. Brûler, désirer, gratter, griller, picoter, piquer.
DÉMANGEAISON. Chatouillement, gale, prunit, trombidiose.
DÉMARCHE. Air, allure, aspect, course, demande, effort, marche, pas.
DÉMARRAGE. Anticabreur, antidémarreur, départ, partir, redémarrer.

DÉMASQUER. Brûler, découvrir, démêler, dénouer, griller.
DÉMÊLER. Dénouer, distinguer, éclaircir, expliquer, peigner, trier.
DÉMEMBRER. Découper, disloquer, diviser, partager.
DÉMÉNAGER. Bannir, chasser, éjecter, évacuer, exiler, renvoyer, virer.
DÉMENCE. Aliéné, Alzheimer, démentiel, folie.
DÉMENT. Aliéné, demeuré, fol, fou, insensé, nie.
DÉMENTIR. Contredire, couper, dédire, infirmer, nier, réfuter.
DÉMESURÉ. Effréné, énorme, excessif, gigantesque, immense, outrance.
DEMEURÉ. Aliéné, bête, fol, fou, handicapé, imbécile, insensé.
DEMEURE. Adresse, château, domicile, est, foyer, gîte, habitation, hôtel, igloo, logis, maison, manoir, motel, permanence, reste, séjour.
DEMEURER. Attendre, coller, continuer, coucher, dormir, durer, gîter, habiter, loger, rester, séjourner, stationner, subsister, tarder, vivre.
DEMI. Entrouvert, mi, moitié, semi, tango.
DEMI-CEINTURE. Martingale.
DEMI-CERCLE. Fer, gorge, hémicycle, rapporteur, venet, voûte.
DEMI-DIEU. Champion, épique, guerrier, héros, valeureux.
DEMI-DOUZAINE. Six.
DEMI-FRÈRE. Demi-sœur, utérin.
DEMI-LUNE. Gâteau, ravelin, Vachon.
DEMI-PIQUE. Esponton.
DEMI-TON. Bémol, dièse, gamme, semi-ton.
DEMI-UNITÉ. Demi.
DÉMISSION. Abdiquer, départ, désister, fonction, quitter, résigner.
DÉMODÉ. Ancien, antique, caduc, daté, dépassé, désuet, mode, obsolète, périmé, rossignol, suranné, tacot, vieux.
DEMOISELLE. Agrion, bélier, célibataire, dame, femme, fille, hie, libellule, miss, odonate, touret.
DÉMOLIR. Abattre, démanteler, démantibuler, détruire, ruiner.
DÉMON. Démone, diable, enfer, goule, Lucifer, lutin, Satan, sirène.
DÉMONIAQUE. Diable, diabolique, génie, possédé, turbulent.
DÉMONSTRATIF. Çà, ce, ceci, cela, celle, celles, celui, ces, cestuy, cet, cette, ceux, ci, communicatif, icelle, icelui, modèle, montre, sète.
DÉMONTER. Débobiner, déboucler, défaire, dégager, démantibuler.
DÉMONTRER. Apprendre, citer, expliquer, montrer, prouver, réfuter.
DÉMORALISER. Abattre, accabler, décourager, déprimer, écœurer.
DÉMUNI. Abandonné, dénué, dépouillé, nu, panné, pauvre, privé.
DÉNATURER. Altérer, changer, corrompre, déformer, déguiser, gâter.
DÉNÉGATION. Contestation, controverse, démenti, déni, désaveu, refus.
DÉNEIGER. Balayer, gratter, ôter, pelleter.
DÉNIAISER. Comprendre, dégrossir, délurer, dépuceler, virginité.
DÉNICHER. Admirer, citer, considérer, découvrir, dégoter, dépister, désigner, deviner, éprouver, figurer, indiquer, inventer, pêcher, relever, rencontrer, résoudre, sentir, surprendre, trouver, voir.
DÉNIER. Argent, arrhes, contester, démentir, intérêt, nier, refuser.

DÉNIGRER. Abaisser, accuser, blâmer, critiquer, dauber, débiner, décrier, diminuer, discréditer, médire, mépriser, noircir, vilipender.
DÉNOMBREMENT. Catalogue, cens, compter, détail, énumération, état, évaluation, inventaire, liste, litanie, recensement, rôle, statistique.
DÉNOMBRER. Compter, dresser, énumérer, inventorier, recenser.
DÉNOMINATION. Appellation, désignation, nom, qualification.
DÉNONCER. Donner, livrer, moucharder, rapporter, signaler, vendre.
DÉNONCIATION. Accusation, délation, espion, plainte, poursuite.
DÉNONCIATEUR. Accusateur, calomniateur, délateur, détracteur, espion, faux frère, indic, indicateur, mouchard, renégat, sycophante.
DÉNOUER. Délacer, délier, démêler, éclaircir, expliquer, peigner, trier.
DENRÉE. Aliment, analeptique, bouillon, brouet, cétogène, comestible, datte, édule, fromage, manne, mets, nourriture, pain, pitance, poison, provision, prétexte, salaison, sauté, soupe, subsistance, sucre, vivre.
DENSE. Bref, condensé, délayage, dru, épais, plein, ramassé, riche.
DENT. Abcès, appétit, bouche, bridge, canine, carie, chaîne, couronne, croc, défense, dentelure, dentition, édenté, émail, engrenage, gomphose, incisive, mâchoire, molaire, morfil, odontologie, or, osanore, pince, pissenlit, quenotte, rancune, sagesse, salade, surdent, talion.
DENTELLE. Bisette, bride, broderie, fichu, filet, gaze, guipure, jabot, laie, macramé, passement, point, réseau, striquer, tissu, tulle, vélin, voile.
DENTIER. Prothèse, râtelier.
DENTINE. Gomme, ivoire.
DÉNUDER. Chauve, défaire, dépouiller, dévêtir, nu, ôter, peler, tonsure.
DÉNUÉ. Démuni, dépouillé, dépourvu, destitué, infondé, nu, pauvre, sot.
DÉPART. Commencer, choisir, début, décollage, démarrage, do, envol, exode, fuite, go, la, méhul, origine, partance, partir, premier, ré, ur.
DÉPARTEMENT. Division, domaine, ministère, province, région, service.
DÉPARTEMENT FRANÇAIS (n. p.). Ain, Aisne, Allier, Alpes-de-Haute-Provence, Alpes-Maritimes, Ardèche, Ardennes, Ariège, Aubes, Aude, Aveyron, Bas-Rhin, Belfort, Bouches-du-Rhône, Calvados, Cantal, Charente, Charente-Maritime, Cher, Corrèze, Corse-du-Sud, Côte-d'Or, Côtes-du-Nord, Creuse, Deux-Sèvres, Dordogne, Doubs, Drôme, Essonne, Eure, Eure-et-Loir, Finistère, Gard, Gers, Gironde, Haut-Rhin, Hauts-de-Seine, Haute-Alpes, Haute-Corse, Haute-Garonne, Haute-Loire, Haute-Marne, Haute-Saône, Haute-Savoie, Haute-Vienne, Hautes-Pyrénées, Hérault, Ille-et-Vilaine, Indre, Indre-et-Loire, Isère, Jura, Landes, Loir-et-Cher, Loire, Loire-Atlantique, Loiret, Lot, Lot-et-Garonne, Lozère, Maine-et-Loire, Manche, Marne, Mayenne, Meurthe-et-Moselle, Meuse, Morbihan, Moselle, Nièvre, Nord, Oise, Orne, Paris, Pas-de-Calais, Puy-de-Dôme, Pyrénées-Atlantiques, Pyrénées-Orientales, Rhône, Saint-Denis, Saône-et-Loire, Sarthe, Savoie, Seine, Seine-et-Marne, Seine-Maritime, Somme, Tarn, Tarn-et-Garonne, Val-d'Oise, Val-de-Marne, Var, Vaucluse, Vendée, Vosges, Vienne, Yonne, Yvelines.
DÉPARTIR. Abandonner, distribuer, donner, mesurer, renoncer.
DÉPASSER. Devancer, distancer, doubler, exagérer, surpasser, trémater.

DÉPECER. Couper, découper, équarrir, partager.
DÉPÊCHE. Avis, billet, câble, correspondance, courrier, lettre, message, missive, nouvelle, pneu, poste, télégramme, télégraphie, télex.
DÉPÊCHER. Accélérer, envoyer, grouiller, hâter, immédiatement, tuer.
DÉPEINDRE. Brosser, décrire, dessin, dire, parler, peindre, tracer.
DÉPENDANCE. Aide, appui, assistance, auspice, autorité, bénédiction, couverture, défense, égide, garantie, patronage, protection, support.
DÉPENS. Charge, commensale, compte, crochet, frais, parasite, prix.
DÉPENSE. Armoire, cambuse, cellier, garde-manger, impense, réserve.
DÉPENSER. Débourser, dilapider, donner, frais, gaspiller, gruger, impenses, mettre, payer, placer, prodiguer, régler, sortir, utiliser.
DÉPÉRIR. Affaiblir, altérer, atrophier, consumer, languir, sécher.
DÉPÉRISSEMENT. Affaiblissement, décadence, délabrement, phtisie.
DÉPISTER. Découvrir, démasquer, dérouter, dévoiler, repérer.
DÉPIT. Bouder, crève-cœur, déception, enrager, envie, jalousie, vexer.
DÉPLACÉ. Change, grossier, malvenu, part, pas, rend, scabreux, va.
DÉPLACEMENT. Abaissement, aberration, avance, cinèse, déboitement, décaler, démanché, démettre, dérive, détaler, excentration, excentrer, labile, luxation, report, riper, souffle, transfert, virement, vol, voyage.
DÉPLACER. Abaisser, bouger, décaler, démettre, dériver, dévier, muter.
DÉPLAIRE. Agacer, blesser, choquer, gêner, irriter, peiner, vexer.
DÉPLIER. Dédoubler, étalement, étendre, expliquer, ouvrir.
DÉPLOIEMENT. Défilé, étalage, étendue, exhibition, faste, montre.
DÉPLORABLE. Mauvais, misérable, piteux, pitoyable, scandaleux, triste.
DÉPLOYER. Allonger, arborer, développer, étaler, étendre, opposer.
DÉPORTER. Abandonner, bannir, contraindre, exiler, interner, reléguer.
DÉPOSER. Confier, désarmer, descendre, destituer, mettre, miser.
DÉPOSSÉDER. Dépouiller, déshériter, évincer, exproprier, ôter, spolier.
DÉPÔT. Allaise, amas, argenture, arsenal, boue, calcin, consignation, fange, gage, gain, incrustation, lie, limon, mise, néritique, pile, précipité, sédiment, suie, tartre, tas, travertin, tuf, vase, versement.
DÉPOTOIR. Déchet, déchetterie, dépôt, fourrière, vidoir, usine.
DÉPOUILLE. Cadavre, carcasse, charnier, charogne, corps, goule, hyène, macchabée, momie, mort, noyé, ossements, pendu, restes, sujet.
DÉPOUILLÉ. Chenu, dénudé, dénué, mu, nu, pelé, plumé, simple.
DÉPOUILLER. Abandonner, arracher, ébourrer, écorcher, défruiter, dénuder, déposséder, égermer, élaguer, équeuter, étronçonner, nettoyer, ôter, plumer, priver, rober, spolier, tondre, voler.
DÉPOURVU. Apode, aride, dénué, exempt, gêné, glabre, idiot, inerte, ladre, laid, négatif, pauvre, plat, privé, rigide, tendu, vain, vide.
DÉPRAVER. Avilir, conduite, gâter, immoral, licence, perdre, salir, tarer.
DÉPRÉCIATION. Critique, dégât, dévalorisation, discréditer, perte.
DÉPRÉCIER. Avilir, démonétiser, dévaluer, mépriser, rabaisser, ravaler.
DÉPRESSION. Abattement, burnout, crise, cuvette, découragement, macula, pli, ravin, sinuosité, torpeur, tristesse, trou, vallée, vallon.
DEPUIS. Dernièrement, dès, durée, lors, naguère, récemment.

DÉPURER. Absterger, affiner, candi, filtrer, fumiger, purger, purifier.
DÉPUTÉ. Élu, envoyé, nonce, parlementaire, représentant, sénateur.
DÉRAISON. Aberration, affolement, folie, insanité, ivresse, témérité.
DÉRAISONNABLE. Fou, illogique, inconscient, insane, irrationnel.
DÉRAISONNEMENT. Absurdité, délire, divagation, extravagance.
DÉRANGER. Changer, déplacer, gêner, nuire, importuner, perturber.
DÉRAPER. Antidérapant, chasser, glisser, patiner, riper, survirer.
DÉRÉGLÉ. Dérangé, égaré, excès, habitude, libertin, régler, trouble.
DÉRÈGLEMENT. Aliénation, asile, avertin, crise, dada, délire, fou, grelot, imagination, ire, lubie, lycanthropie, manie, marotte, tic, vésanie.
DÉRIDER. Amuser, badiner, éclat, égayer, gai, glousser, hilarité, joie, marrer, moquer, pâmer, pouffer, quolibet, railler, ri, ricaner, rictus, rigoler, rioter, ris, risée, risette, rosorius, sourire, zygomatique.
DÉRIVATIF. Changement, distraction, diversion, exutoire, hobby.
DÉRIVER. Découler, dériveur, dévier, émaner, provenir, résulter, venir.
DERMATOSE. Acné, adné, cutané, derme, érythrasma, favus, intertrigo, peau, pityriasis, psoralène, psoriasis, puvathérapie.
DERMITE. Érésipèle.
DERNIER. Affinage, antépénultième, apois, après, bout, cadet, dessert, extrême, fin, final, limite, morasse, nouvelle, passé, queue, reste, retour, soir, suprême, terme, terminus, testament, tierce, ultime.
DÉROBADE. Cachette, escalier, fuir, fuite, reculade, voler.
DÉROBER. Chiper, dissimuler, éluder, escamoter, esquiver, faiblir, fléchir, kleptomane, prendre, soustraire, subtiliser, voiler, voler.
DÉROULER. Cours, dévider, étendre, évoluer, film, suite, tourner.
DÉROUTE. Bouscueil, chute, débâcle, débandade, défaite, dégel, krach.
DERRIÈRE. Anus, après, arrière, arrière-train, coulisse, croupion, cul, dos, ensuite, envers, fesses, fessier, postérieur, revers, séant, tain.
DÉSABUSER. Blaser, dégoûter, fatiguer, lasser, rassasier, soûler.
DÉSACCORD. Brouille, conflit, différend, dissension, divergence, division, divorce, mésentente, opposition, rupture, séparation, tension, zizanie.
DÉSAGRÉABLE. Aigre, amer, ennuyeux, laid, rude, sale, tuile, vilain.
DÉSAGRÉGATION. Délitescence, destruction, rupture, séparation.
DÉSAGRÉGER. Atomiser, crever, diviser, éclater, effriter, sauter, scinder.
DÉSAPPOINTEMENT. Crève-cœur, déception, déconvenue, désillusion.
DÉSAPPOINTER. Chagriner, décevoir, déçu, mécontenter, tromper.
DÉSAPPROBATION. Blâme, condamnation, opposition, réserve.
DÉSAPPROUVER. Blâmer, incriminer, flétrir, reprendre, stigmatiser.
DÉSARROI. Arroi, désespéré, détresse, glas, tocsin, trouble, SOS.
DÉSASTRE. Abîme, catastrophe, destruction, ennui, malheur, ruine.
DÉSAVANTAGE. Dommage, handicap, inconvénient, infériorité, tare.
DÉSAVANTAGER. Défaut, défavoriser, handicaper, infériorité, léser.
DÉSAVEU. Abjuration, démenti, non, palinodie, rétractation.
DÉSAVOUER. Blâmer, dédire, démentir, mentir, nier, renier, rétracter.
DESCENDANCE. Enfant, extraction, fils, ligne, maison, race, sang.

DESCENDANT. Agnat, épigone, famille, fils, génération, héritier, issu, lignée, mémoire, né, postérité, race, rejeton, souche, successeur.
DESCENDRE. Aborder, avatar, couler, débarquer, débouler, dégringoler, dévaler, diminuer, échafaud, plonger, remonte, roi, sauter, tuer.
DESCENTE. Aval, avatar, dégringolade, moquette, pente, slalom, tapis.
DESCRIPTION. Angiographie, carte, devis, halographie, halologie, hématologie, image, ophiographie, ophiologie, peinture, plan, signalement, topographie, tracé, trait.
DÉSERT. Aride, bled, caravane, dune, erg, inhabité, manne, mirage, néant, oasis, reg, retraite, sable, seul, simoun, solitude, steppe, vide.
DÉSERT (n. p.). Aïr, Saël, Sahara.
DÉSESPÉRÉ. Abois, détresse, espoir, extrême, hallali, misérable, quia.
DÉSHABILLER. Découvrir, dégarnir, dénuder, dévêtir, enlever, nu.
DÉSHERBER. Biner, échardonner, enlever, extirper, nettoyer, serfouir.
DÉSHÉRITER. Défavoriser, déposséder, exhéréder, frustrer, priver.
DÉSHONNEUR. Honte, honteux, humiliation, ignominie, réputation.
DÉSHONORER. Avilir, dégrader, dénigrer, nuire, salir, séduire, souiller.
DÉSHYDRATER. Assécher, dessécher, essorer, privation, priver, sécher.
DÉSIGNATION. Altesse, baron, chah, comte, duc, éminence, émir, frontispice, iman, lord, maestro, maître, marquis, médaille, messire, nom, prince, révérend, revue, sainteté, sir, sire, sultan, titulaire, titre.
DÉSIGNER. Citer, choisir, indiquer, montrer, nommer, signaler, voici.
DÉSILLUSION. Déboire, déception, désappointement, dessillé, tristesse.
DÉSINENCE. Achèvement, apothéose, cas, fin, queue, régir, terminaison.
DÉSINFECTANT. Antiputride, antiseptique, crésyl, déodorant, javel.
DÉSINFECTER. Aseptiser, assainir, étuver, purger, purifier.
DÉSINTÉRESSÉ. Altruiste, généreux, gratuit, impartial.
DÉSIR. Ambition, appel, appétence, appétit, aspiration, attente, attirance, attrait, besoin, but, convoitise, desiderata, envie, faim, imagination, soif, souhait, tendance, tentation, vœu, volonté, vouloir.
DÉSIRER. Aimer, aspirer, brûler, envier, espérer, rêver, vouloir.
DÉSOBÉIR. Braver, contrevenir, enfreindre, refuser, transgresser.
DÉSOBÉISSANCE. Indiscipline, insubordination, refus, résistance.
DÉSOBÉISSANT. Coquin, espiègle, luron, lutin, malicieux, peste, polisson.
DÉSOBLIGEANT. Blessant, choquant, cru, leste, libre, osé, raide, salé, sec.
DÉSŒUVRÉ. Fainéant, inactif, oisif, musardise, paresseux.
DÉSOLÉ. Attristé, chagriné, éploré, fâché, navré, peiné, ravagé, triste.
DÉSORDONNER. Découdre, disparate, emmêler, étourdir, inorganiser.
DÉSORDRE. Anarchie, art, bordel, chahut, chaos, confusion, décousu, dégât, déroute, dissipation, fatras, gabegie, gâchis, incohérence, vrac.
DÉSORMAIS. Avenir, demain, dorénavant, futur, horizon, lendemain.
DESPOTIQUE. Absolu, arbitraire, illégal, satrape, tyrannique.
DESSÉCHER. Aride, brûler, évaporer, momie, rôtir, sécher, tarir.
DESSEIN. But, intention, ligue, objet, plan, projet, visée, voie, vue.

DESSERRER. Abandonner, casser, céder, flancher, fléchir, lâcher, laisser, larguer, livrer, parachuter, quitter, reculer, relâcher, rompre, semer.
DESSERT. Dernier, fin, fruit, lèse, nuit, pâtisserie, tort.
DESSERVIR. Aider, débarrasser, enlever, nuire, obédiencier, ôter.
DESSIN. Canevas, charbonnée, coupe, croquis, design, ébauche, élévation, épure, esquisse, étude, fusain, graphisme, illustration, image, lavis, œuvre, onde, pastel, paysage, peinture, portrait, racinage, relevé, représentation, sanguine, schéma, silhouette, tatouage, tracé, veine.
DESSINATEUR. Caricaturiste, compas, crayonneur, équerre, graveur, illustrateur, jardiniste, modéliste, règle, styliste, té, traçoir.
DESSINATEUR (n. p.). Effel, Lenôtre, Reiser.
DESSINER. Calquer, chiner, colorier, croquer, figurer, lever, ombrer, planifier, profiler, projeter, relever, saillir, silhouetter, tracer.
DESSOUS. Bas, bobette, carte, fond, infériorité, gratification, jupon, litote, moindre, secret, semelle, sournois, sous, table, tout.
DESSUS. Amont, as, avantage, ciel, épi, haut, hyper, premier, supériorité, sur, sus, surpasser, timbre, toit, ultra, vaincre.
DÉSTABILISER. Affaiblir, agiter, balancer, chanceler, commotionner, ébranler, étonner, remuer, ruiner, saper, secouer, traumatiser.
DESTIN. Aléa, astrologie, condition, étoile, fatalité, fatum, fortune, futur, hasard, numérologie, providence, sort, vie, vocation.
DESTINATION. But, de, en, expédition, fin, groupage, pour, usage.
DESTINÉE. Chance, destin, étoile, fin, fortune, lot, partage, sort, vie.
DESTINER. Aboutir, affecter, arriver, dédier, prédire, réserver, vouer.
DESTITUER. Chasser, démettre, dénuer, déposer, détrôner, évincer, fonction, libérer, limoger, priver, révoquer, sauter, suspendre.
DESTRUCTION. Abolition, anéantissement, annulation, autolyse, carie, démolition, dératisation, hémolyse, ruine, sabotage, sape, suicide.
DÉSUET. Ancien, antique, caduc, daté, démodé, dépassé, mode, obsolète, périmé, rossignol, suranné, tacot, vieux.
DÉSUNIR. Brouiller, disjoindre, dissocier, diviser, saillir, séparer.
DÉTACHER. Affecter, arracher, découper, défaire, dégraisser, délier, dénouer, désinvolte, désunir, dételer, égrapper, égrener, éloigner, enlever, isoler, libérer, nettoyer, ressortir, scalper, séparer, unir.
DÉTAIL. Débit, devis, élément, étude, note, particularité, public, revue.
DÉTAILLER. Découper, énumérer, étudier, noter, relever, spécifier.
DÉTECTEUR. Fumée, hydrophone, radar, son, voleur.
DÉTECTION. Découverte, écoute, idée, invention, nouveauté, trouvaille.
DÉTECTIVE. Agent, flic, lieutenant, limier, police, policier.
DÉTENDRE. Débander, délasser, distraire, lâcher, relâcher, relaxer.
DÉTENDU. Desserré, distrait, lâche, paresseux, relâché, relaxe.
DÉTENIR. Avoir, conserver, emprisonner, garder, posséder, pourvu.
DÉTENU. Bagnard, captif, cep, condamné, déporté, détenu, esclave, forçat, galérien, interné, otage, prisonnier, relégué, séquestré, transporté, taulard, tôlard.
DÉTÉRIORATION. Avarie, dégât, dommage, sabotage, vétuste, usure.

DÉTÉRIORER. Abîmer, altérer, amocher, avarier, briser, déchirer, déglinguer, dégrader, délaborer, délabrer, détérioration, détraquer, détruire, ébrécher, éculer, empirer, endommager, esquinter, gâter, geler, manger, miner, mutiler, percer, pourrir, raguer, ravager, rayer, ronger, ruiner, saboter, trouer, user, vétuste.
DÉTERMINATION. Aréométrie, arrêter, centrer, décider, définir, doser, estimer, fixer, identifier, limiter, peser, rationaliser, régir, titrer.
DÉTERMINÉ. Décidé, défini, dosé, ferme, parfait, résolu, sûr.
DÉTERMINER. Délimiter, détailler, expliciter, spécifier, stipuler.
DÉTESTABLE. Abominable, exécrable, haïssable, mauvais, odieux.
DÉTESTER. Abhorrer, abominer, aversion, exécrer, haïr, ressentir.
DÉTONATION. Bruit, éclatement, explosion, pétarade, moteur, rire.
DÉTOUR. Courbe, fuite, manège, repli, retour, ruse, tour, virage, zigzag.
DÉTOURNÉ. Dérivé, dévié, écarté, éloigné, indirect, paré, rusé, viré, volé.
DÉTOURNEMENT. Évitement, malversation, péculat, prévarication.
DÉTOURNER. Affecter, distraire, écarter, dissuader, ranger, soustraire.
DÉTREMPER. Décolorer, délaver, délayer, pétrir, tremper.
DÉTRESSE. Désespéré, glas, malheur, misère, tocsin, SOS.
DÉTRIMENT. Absence, désavantage, dommage, préjudice, tort.
DÉTRITUS. Déchet, fange, lie, ordure, rebut, résidu, saleté, souille.
DÉTROIT. Bass, canal, chenal, kertch, manche, palk, pas, raz, sund.
DÉTRÔNER. Déchu, dégommer, dégoter, déposer, dépouiller, destituer.
DÉTRUIRE. Abattre, abîmer, abolir, abroger, anéantir, aviner, bousiller, briser, broyer, brûler, casser, défaire, défleurir, dératiser, désinfecter, exterminer, gâter, massacrer, moissonner, ôter, renverser, raser, rayer, révoquer, ruiner, saper, supprimer, triturer, tuer, user.
DETTE. Ardoise, criade, drapeau, dû, échéance, prêt, solde, tribut.
DEUIL. Berne, chagrin, enterrement, mort, noir, tristesse.
DEUX. Alternative, ambe, bi, bine, bis, couple, di, division, double, doublée, doubler, duo, II, jumeaux, métis, paire, postérieur, réciproque, second, sexe, suivant.
DÉVALER. Basculer, choir, chuter, culbuter, débouler, ébouler, écrouler, glisser, neiger, périr, pleuvoir, soir, souscrire, succomber, valdinguer.
DÉVALISER. Cambrioler, choper, dérober, détrousser, dévaliser, entôler, essor, filouter, gruger, prendre, rafler, rincer, rosser, soustraire, spolier, subtiliser, tanner, usurper, voler.
DEVANCER. Anticiper, informer, précéder, prévenir, primer, surpasser.
DEVANT. Avant, devancer, face, poitrail, présence.
DEVANTURE. Esbroufe, étal, étalage, façade, faste, parade, vitrine.
DÉVASTER. Détruire, gâter, infester, piller, ravager, ruiner, saccager.
DÉVELOPPEMENT. Anaplasie, aoûtement, apogamie, bourgeonnement, croissance, déploiement, déroulement, diatribe, épiage, essai, essor, évolution, explication, exposé, feu, gemmation, germination, hirsutisme, hypergenèse, hypertrophie, lyrique, narration, passage, pilosisme, pousse, polysarcie, progrès, suite, traitement, végétation.

DEVENIR. Abêtir, amuïr, calmir, émacier, évoluer, muer, mûrir, passer, raidir, rancir, rendre, rosir, rougir, surir, tiédir, transformer, verdir.
DÉVERGONDÉ. Arsouille, coureur, débauché, dépravé, déréglé, libertin.
DÉVERROUILLER. Clé, clef, éclore, entrouvrir, éventrer, ouvrir, soutirer.
DÉVERSER. Déborder, décharger, épancher, évacuer, tomber, verser.
DÉVERSOIR. Bonde, bondon, daraise, empellement, tampon, vanne.
DÉVÊTU. Découvert, dégarni, dénudé, déshabillé, à poil, nu.
DÉVIATION. Anatomie, dérive, détour, gauche, scoliose, cyphose.
DÉVIDOIR. Aspe, caret, écheveau, roquetin, séchoir, touret.
DÉVIER. Bannir, dériver, éliminer, éloigner, évincer, isoler, retirer.
DEVIN. Astrologue, augure, auspice, boa, constrictor, eubage, prophète.
DEVINER. Annoncer, anticiper, augurer, calculer, comprendre, conjecturer, déchiffrer, découvrir, dévoiler, entrevoir, espérer, flairer, imaginer, interpréter, intuition, juger, pile, pénétrer, prédire, préjuger, présager, pressentir, prévenir, prévoir, pronostiquer, prophétiser, reconnaître, rencontrer, résoudre, révéler, sonder, soupçonner, transparaître, trouver, vaticiner.
DEVINETTE. Annonce, calcul, divination, énigme, interprétation, présage, pronostic, prophétie, rébus, solution, transparent, trouvaille.
DEVISE. Billet, cause, emblème, maxime, monnaie, pesée, slogan.
DÉVISSER. Briser, déballer, débâtir, déboucler, déclouer, découdre, défaire, déficeler, détruire, effiler, ôter, ouvrir, visser.
DÉVOILER. Apparaître, cacher, déceler, démasquer, expliquer, révéler.
DEVOIR. Charge, corvée, dette, dû, élève, falloir, fonction, obligation, office, ost, pensum, prévarication, redevoir, tâche, tirer, travail.
DÉVORER. Absorber, alimenter, brûler, consumer, lire, manger.
DÉVOT. Béat, bigot, chauvin, croyant, exalté, pieux, religieux, tartuffe.
DÉVOTION. Dulie, fanatisme, ferveur, latrie, piété, religion, zèle.
DÉVOUÉ. Féal, généreux, large, libéral, loyal, noble, sensible, zélé.
DIABÈTE. Biguanide, bronzé, insuline, polydipsie, rein, sucre.
DIABLE. Chariot, démon, enfer, esprit, génie, mal, malin, voiture.
DIABLE (n. p.). Asmodée, Belzébuth, Lucifer, Méphistophélès, Satan, Talleyrand.
DIABOLIQUE. Démoniaque, infernal, machiavélique, mal, maléfique, méchant, méphistophélique, pervers, satanique.
DIACRE. Clerc, diaconal, ordre, sacre, tunique.
DIALECTE. Argot, biscaïen, calo, corse, dorien, erse, gallo, gallot, gan, ionien, jargon, joual, ladin, langage, langue, min, oc, patois, pékinois, slang, stichomythie, timée, tupi, xiang, wallon, wu.
DIALOGUE. Causerie, colloque, conversation, entretien, parlementer.
DIAMANT. Bort, brillant, carbonado, cullinan, égrisée, joyau, K, marguerite, noces, parangon, pierrerie, régent, rivière, rose, solitaire.
DIAMÈTRE. Axe, cercle, droite, jauge, module, pi, rayon, sinus.
DIANE. Avertissement, chasse, réveil, signal, sonnerie.
DIANE (n. p.). Actéon, Artémis, Éphèse, Érostrate, Henri.
DIAPASON. Accord, chant, la, musique, niveau, registre, son, ton.

DIAPO. Muscle, pessaire, photographie, phrénique, sanglot.
DIAPOSITIVE. Achrome, album, écran, film, microfilm, photo, photocopie, photographie, photostat, portrait, pose, posemètre, vue.
DIARRHÉE. Colique, colite, débâcle, dysenterie, entérite, foire, turista.
DIASTASE. Amidon, amylase, arthritisme, ase, carboxylase, émulsine, entérokinase, enzyme, érepsine, invertase, invertine, laccase, lactase, lipase, maltase, myrosine, oxydase, papaïne, pepsine, protéase, ptyaline, saccharase, sucrase, thrombine, trypsine, zymase.
DIASTOLE. Cœur, périsystole, systole.
DIATRIBE. Accusation, critique, pamphlet, reproche, satire.
DICHLORODIPHÉNYLTRICHLORÉTHANE. DDT.
DICOTYLÉCONE. Anonacée, apétale, grain, labiée, linacée, méliacée, plante, pyrole, ranale, sésame, tiliacée, urticale.
DICTATEUR. Autocrate, chef, despote, gouverneur, souverain, tyran.
DICTATURE. Absolu, absolutisme, autocratie, autoritarisme, césarisme, communisme, despotisme, dictatorial, domination, fasciste, impérialisme, thermidorien, totalitaire, tyrannie.
DICTÉ. Influence, nuncupatif, prescription, son, soumettre.
DICTIONNAIRE. Abrégé, encyclopédie, glossaire, gradus, lexique, livre.
DICTON. Adage, aphorisme, brocard, formule, maxime, mot, proverbe.
DIE. Sine.
DIEFFENBACHIA. Celsoni, picta, régina, rex, seguine.
DIÈTE. Abstinence, assemblée, dextrine, jeûne, régime, soin.
DIEU. Adonis, Agni, Allah, Amon, Anou, Anubis, Arès, Ases, Attis, Atys, Baal, Bêl, ciel, Civa, créateur, culte, dagon, déesse, déo, divin, éden, élu, Éole, Esculape, Ésus, Éros, éternel, faune, Ganesa, hade, Horus, laron, Mars, Neptune, Nérée, Odin, Osiris, Pan, Pénates, père, Râ, Rama, Rê, saint, Seigneur, Sérapis, Siva, Thor, Tor, Vulcain, Wotan, Zeus.
DIEU ALGONQUIN (n. p.). Michabou.
DIEU AMÉRINDIEN (n. p.). Grand Esprit, Grand Manitou, Manitou, Totem.
DIEU ASSYRIEN (n. p.). Anou, Anu, Assur, Bêl, Ea, Enlil, Mardouk.
DIEU AVEUGLE (n. p.). Amour, Cupidon, Éros.
DIEU BABYLONIEN (n. p.). Anou, Anu, Assur, Bêl, Ea, Enlil, Mardouk.
DIEU BOUDDHISTE (n. p.). Bouddha, Bodhisattva.
DIEU CHINOIS (n. p.). Fo.
DIEU CHRÉTIEN (n. p.). Jésus, Trinité.
DIEU DE CHALDÉE (n. p.). Adonis, Ashtart, Astarté, Baal, Gilgamesh, Mardouk, Shamash.
DIEU DE L'AMOUR (n. p.). Cupidon, Éros, Kama.
DIEU DE LA GUERRE (n. p.). Arès, Mars, Odin, Wotan.
DIEU DE LA LUMIÈRE (n. p.). Uriel.
DIEU DE LA MÉDECINE (n. p.). Esculape.
DIEU DE LA MER (n. p.). Neptune, Nérée, Poséidon, Triton.

DIEU DE L'OLYMPE (n. p.). Aphrodite, Apollon, Arès, Artémis, Athéna, Cronos, Dionynos, Hadès, Héphaïstos, Héra, Hermès, Hestia, Poséidon, Zeus.
DIEU DES BERGERS (n. p.). Pan.
DIEU DES VENTS (n. p.). Boree, Éole, Rue.
DIEU DU FEU (n. p.). Agni, Vulcain.
DIEU DU SOLEIL (n. p.). Amon, Amon-Rê, Ra, Rê.
DIEU DU VIN (n. p.). Bacchus, Dionysos.
DIEU ÉGYPTIEN (n. p.). Ammon, Amon-Rê, Anubis, Apis, Éson, Ganesa, Hathor, Horus, Isis, Osiris, Ptah, Râ, Rê, Serapis, Seth, Thôt, Uraeus.
DIEU GAULOIS (n. p.). Bélénus, Ogmius, Teutatès.
DIEU GERMANIQUE (n. p.). Odin, Thor, Tor, Walhalla, Wotan.
DIEU GREC (n. p.). Apès, Apollon, Arès, Asclépios, Attis, Atys, Borée, Chronos, Dionysos, Éole, Éros, Esculape, Hadès, Hélios, Hephaïstos, Hermès, Hyménée, Hypnos, Morphée, Nérée, Pan, Phébus, Ploutos, Pluton, Poséidon, Priape, Protée, Satyres, Sérapis, Thanatos, Triton, Uranus, Zeus.
DIEU GUERRIER (n. p.). Ases, Bellone, Ésus, Mars, Teutatès, Thor, Tor.
DIEU HINDOU (n. p.). Civa, Ganesa, Kama, Krichna, Rama, Siva.
DIEU HINDOUISTE (n. p.). Brahma, Civa, Krishna, Parvati, Skanda, Vishnu.
DIEU INDIEN (n. p.). Grand Esprit, Grand Manitou, Kama, Manitou, Totem.
DIEU ISLAMISTE (n. p.). Allah.
DIEU JUDAÏQUE (n. p.). Christ, Jehovah, Messie, Yaveh.
DIEU JUIF (n. p.). Adonai.
DIEU MUSULMAN (n. p.). Allah.
DIEU NORDIQUE (n. p.). Ase, Balder, Cambrinus, Eir, Freyja, Freyr, Frigg, Gambrinus, Heimdal, Holder, Loki, Odin, Thor, Walkyrie.
DIEU PHÉNICIEN (n. p.). Adonis, Baal, Bétyle, Dagon, Moloch.
DIEU PLATONICIEN (n. p.). Démiurge.
DIEU ROMAIN (n. p.). Bacchus, Cupidon, Éole, Esculape, Jupiter, Lares, Mars, Mercure, Neptune, Pénates, Pluton, Plutus, Priape, Saturne, Sylvain, Vertumne, Vulcain.
DIEU SCANDINAVE (n. p.). Odin, Wotan.
DIFFAMER. Accusation, anecdote, atrocité, attaque, bavardage, calomnie, cancan, clabaudage, commérage, discréditation, mal.
DIFFÉRENCE. Absence, agio, écart, contraste, dénivellation, dénivellement, discordance, dissemblance, distinction, divergence, diversité, inégalité, nuance, opposition, sexe, tension, variété.
DIFFÉREND. Autre, contestation, débat, désaccord, démêlé, dispute, distinct, divers, écart, juger, litige, malentendu, procès, querelle.
DIFFÉRENT. Allopathie, alternance, autre, contraire, distant, distinct, divergent, divers, être, inégal, nouveau, nuance, opposé, varié, us.
DIFFÉRER. Ajourner, atermoyer, caractériser, écarter, remettre, tarder.

DIFFICILE. Abscons, abstrait, abstru, aisé, ardu, chinois, complexe, compliqué, confus, coriace, délicat, dur, effort, épineux, facile, indigeste, malaisé, raide, rare, résistant, rétif, rude, soutenu, tenace.
DIFFICULTÉ. Apepsie, asthénie, complexité, danger, dyspnée, dysurie, éblouissement, écueil, entrave, épine, épreuve, gendarme, hic, inconvénient, nœud, obstacle, os, problème, tirage, tiraillement.
DIFFORME. Affreux, bossu, bot, bote, éclopé, forme, hideux, laid, tors.
DIFFORMITÉ. Bec-de-lièvre, bot, bote, déformation, disgrâce, gnome, handicap, malformation, palmature, tordu, pygmée, strabisme.
DIFFUSER. Émettre, émission, propager, radiodiffuser, répandre.
DIGÉRER. Absorber, accepter, assimiler, avaler, élaborer, transformer.
DIGESTIF. Achalasie, aliment, endoderme, estomac, tube.
DIGESTION. Apepsie, assimilation, coction, dyspepsie, eupepsie.
DIGITALE. Chiffre, gantillier, pavée, unité.
DIGITALISER. Numériser, scanner.
DIGNE. Enviable, équitable, fier, louable, mériter, pape, royal.
DIGNITÉ. Caïdat, dogat, droit, émirat, grade, grand, imamat, nabab, palatinat, pontificat, prêtrise, rang, royauté, tiare, titre, vidame.
DIGRESSION. Dévier, écart, excursus, hors-d'œuvre, parenthèse, récit.
DIGUE. Barrage, écluse, endiguer, estacade, jetée, levée, môle, musoir.
DILAPIDER. Dépenser, dissiper, engloutir, gaspiller, manger, prodiguer.
DILATATION. Augmenter, bronchectasie, chaleur, distension, emphysème, étendre, expansion, gaz, mégacôlon, mydriase, varice.
DILEMME. Alternative, choix, option, préférence.
DILETTANTE. Amateur, attitude, goût, négligence, plaisir.
DILIGENCE. Activité, attention, coche, hâte, promptitude, rapidité, zèle.
DILUER. Couler, délaver, détremper, étendre, liquifier.
DIMANCHE. Avent, calendrier, dominical, endimancher, oculi, missel, pâque, quasimodo, saint, septuagésime.
DIMENSION. Énormité, envergure, étendu, format, proportion, taille.
DIMINUER. Abaisser, abréger, aléser, alléger, altérer, amaigrir, amoindrir, amputer, ariser, atrophier, atténuer, attiédir, baisser, céder, écourter, décarburer, décroître, détendre, diluer, éligir, raccourcir, rapetisser, réduire, restreindre, rétrécir, rogner, ronger, user.
DIMINUTIF. Doucet, et, hypocoristique, mot, nom, surnom, tantine.
DIMINUTION. Abaissement, agranulocytose, amenuisement, amortissement, anhépatie, amnésie, anémie, anosmie, collapsus, détente, détumescence, encroûtement, frai, hypochlorhydrie, hypoglycémie, hypotonie, leucopénie, oligurie, paralysie, presbytie, réduction, retrait, soulagement, surdité, xérophtalmie.
DINDE. Dindon, glouglouter, glousser, oie, urubu.
DINGUE. Aliéné, amoureux, barjo, braque, cerveau, cinglé, dément, désaxé, détraqué, fada, fêlé, fol, fou, furieux, givré, idiot, imbécile, insensé, interné, ire, mental, niais, sonné, sot, toqué, tordu, triboulet.
DIOGÈNE. Cynique, lanterne, tonneau.
DIOLÉFINE. Diène.

DIONÉE. Attrape-mouches.
DIPHTONGUE. Ae, oe, oi, tréma.
DIPLOCOQUE. Méningocoque, pneumocoque.
DIPLOMATE. Ambassadeur, consul, émissaire, envoyé, légat, nonce.
DIPLOMATE BRITANNIQUE (n. p.). Elgin.
DIPLOMATE CANADIEN (n. p.). Bouchard, Chrétien, Leduc, Pearson.
DIPLOMATE FRANÇAIS (n. p.). Baïf, Lesseps, Nicot.
DIPLOMATE ITALIEN (n. p.). Rossi.
DIPLOMATE RUSSE (n. p.). Giers.
DIPLÔME. Brevet, certificat, DEC, degré, grade, parchemin, titre.
DIPTÈRE. Insecte, mouche, moustique, simulie.
DIRE. Affirmer, biner, chuchoter, citer, conter, crier, débiter, déclarer, décrire, échapper, épancher, expliquer, mentir, murmurer, nier, opiner, papoter, proférer, prononcer, psalmodier, raconter, réciter, rêver.
DIRECT. Brutal, cru, droit, franc, immanent, immédiat, naturel, subit.
DIRECTEUR. Administrateur, chef, dirigeant, gérant, principal, recteur.
DIRECTION. Acheminement, administration, autorité, axe, biais, cap, conduite, côte, destination, est, fil, gestion, nord, ouest, route, sens, stratégie, sud, tête, vers, visée.
DIRIGE. Agent, conducteur, épi, guide, lit, meneur, oriente, porteur.
DIRIGEANT. Amman, as, caïd, calife, chancelier, chef, cheik, curion, despote, dey, duc, duce, émir, gétant, hérésiarque, iman, maire, maître, meneur, ovate, pacha, pape, parrain, père, prote, rapin, sachem, Satan, shah, shérif, roi, tête, vizir.
DIRIGER. Accompagner, acheminer, animer, axer, conduire, gêner, gouverner, guider, mener, orienter, router, senestrer, tenir, viser.
DISCERNER. Démêler, dépister, expliquer, flairer, goûter, trier, voir.
DISCIPLE. Adepte, ami, apôtre, élève, épigone, satori, talibé, zététique.
DISCIPLINAIRE. Biribi, enseignement, peine, règle, soumission.
DISCIPLINE. Ascèse, cilice, contrepoint, enseignement, fouet, géométrie, haire, ordre, matière, mortification, musicologie, ordre, règle, yoga.
DISCIPLINER. Dompter, enseigner, modérer, ordonner, policer, régler.
DISCONTINUER. Ancrer, arrêter, borner, buter, caler, camper, cesser, clore, couper, épingler, fixer, freiner, interrompre, juguler, limiter, maintenir, pincer, rayer, régler, reposer, retenir, stagner, stopper, suspendre, tarir, tenir.
DISCORDANCE. Conflit, dispute, divorce, émeute, lutte, schisme, zizanie.
DISCORDE. Choc, crise, désaccord, dispute, guerre, lutte, mêlée, querelle.
DISCOURIR. Causer, parler, pérorer, plaider, prêcher, présenter, réciter.
DISCOURS. Allocution, boniment, dissertation, dit, éloge, énigme, exorde, exposé, harangue, homélie, laïus, mensonge, oraison, parole, péroraison, plaidoyer, prêche, sermon, sornette, topo.
DISCRÉDITER. Avilir, décrier, dénigrer, diffamer, médire, noircir.
DISCRET. Circonspect, délicat, réservé, retenu, secret, silencieux, sobre.
DISCRÉTION. Chasteté, décence, honneur, honte, pureté, réserve, vertu.
DISCULPER. Blanchir, défendre, excuser, innocenter, justifier, résigner.

DISCUSSION. Contestation, débat, démêlé, huis clos, procès, querelle.
DISCUTER. Critiquer, débattre, délibérer, ergoter, étudier, examiner.
DISETTE. Absence, besoin, faim, famine, manque, pénurie, rareté.
DISGRÂCE. Adversité, affliction, calamité, cataclysme, catastrophe, chagrin, défaveur, fatalité, fléau, funeste, glas, ingratitude, laideur, malchance, malheur, revers, tocsin.
DISGRACIEUX. Déplaisant, désagréable, détestable, ingrat, laid, vilain.
DISJOINDRE. Analyser, arracher, casser, cliver, cloisonner, couper, disloquer, diviser, écarter, écrémer, éloigner, enlever, épurer, espacer, exfolier, exiler, fendre, isoler, scier, séparer, trancher, trier, zester.
DISLOQUER. Abîmer, briser, casser, démancher, démonter, luxer.
DISPARAÎTRE. Abolir, dissiper, effacer, évanouir, évaporer, fuir, mort, ôter, partir, passer, plonger, soustraire, tuer, voiler, volatiliser.
DISPARITION. Absence, agonie, agranulocytose, analgésie, départ, éclipse, éloignement, évanoui, fin, mort.
DISPARU. Absent, absorbé, bu, éteint, évanoui, mort, naufragé, noyé.
DISPENDIEUX. Cher, coûteux, estimable, onéreux, précieux, prix, rare, ruineux, salé, surpayer.
DISPENSER. Abstenir, annuler, distribuer, exempter, exonérer.
DISPERSER. Disséminer, dissiper, diviser, égailler, émietter, éparpiller, épars, épendre, jeter, parsemer, perdre, répandre, semer, séparer.
DISPERSION. Aérosol, atomisation, diffusion, fuite, solaire, spectre.
DISPONIBLE. Inoccupé, intérim, libre, ouvert, vacant, vague, vide.
DISPOSÉ. Agile, apte, avoir, capable, dresser, enclin, fatigue, forme, garnir, infus, léger, mettre, préparer, prêt, rangé, santé, souple.
DISPOSER. Agencer, ajuster, aménager, anneler, arranger, arrimer, croiser, décider, draper, étager, étaler, étirer, imbriquer, mannequiner, masser, organiser, orner, ourdir, placer, prédisposer, prêter, tendre.
DISPOSITIF. Alarme, antivol, articulation, bande, capteur, clabot, déclic, frein, lecteur, machine, procédé, radar, stabilisateur, vernier, viseur.
DISPOSITION. Acrimonie, agencement, aptitude, arrangement, bosse, clause, cœur, diathèse, distribution, don, écusson, esprit, état, être, feuillaison, foliation, forme, frein, gisement, humeur, infus, inné, irascibilité, legs, natif, né, nervation, nonchalance, placentation, plan, préfloraison, rang, rythme, soumission, structure, vice.
DISPUTE. Altercation, bisbille, démêlé, discussion, escarmouche, grabuge, lice, lutte, noise, opposition, querelle, scène.
DISPUTER. Chamailler, chicaner, discuter, expliquer, opposer, quereller.
DISQUE. Anneau, CD, cercle, cicatricule, compact, DC, enregistrement, flan, galette, microsillon, palet, plateau, rayon, rondelle, roue.
DISSECTION. Anatomie, chirurgie, découpage, désossage, zootomie.
DISSENSION. Désaccord, discorde, dissentiment, haine, mésintelligence.
DISSIDENT. Gréviste, hérétique, indocile, insoumis, insurger, mutin, rebelle, résistant, révolté, révolutionnaire.
DISSIMULATION. Duplicité, fausseté, hypocrisie, sournoiserie, soutenu.

DISSIMULER. Atténuer, cacher, camoufler, celer, couvrir, déguiser, enfouir, fourber, inavouer, mentir, sournois, taire, tricher, voiler.
DISSIPER. Absorber, chahuter, dépenser, disparaître, disperser, ôter.
DISSOCIATION. Annuler, dissoudre, électrolyse, ion, métal, voltamètre.
DISSOLUTION. Auvergne, dérèglement, fusion, résiliation, résolution.
DISSOLVANT. Décapant, nettoyant, solvant.
DISSOUDRE. Délayer, détruire, fondre, gazéifier, liquéfier, résorber.
DISTANCE. Absence, aversion, bordée, chevauchée, écart, espace, éloignement, empan, espacement, lointain, longueur, recul, volée.
DISTANT. Avance, dédaigneux, hautain, sauvage, traquenard, turf.
DISTENDRE. Augmenter, élonger, étirer, étendre, tendre, tirer.
DISTENSION. Ballonnement, claquage, gonflement, hydronéphrose.
DISTILLERIE. Alcool, chaufferie, gaz, liquide, rhumerie.
DISTINCT. Absolu, autre, clair, différent, isolé, net, pur, rare, seul.
DISTINCTION. Décoration, différence, dignité, division, égards, élégance, faveur, galon, honneur, insigne, médaille, nettement, respect, sélect.
DISTINGUÉ. Affable, agréable, aimable, aristocrate, as, beau, bon, brillant, chic, choisi, élégant, élu, émérite, noble, racé, raffiné, vu.
DISTINGUER. Différencier, illustrer, signaler, singulariser, voir.
DISTRACTION. Absence, amusement, attraction, délassement, détente, divertissement, étourderie, évasion, inattention, loisir, récréation.
DISTRAIRE. Amuser, délasser, détourner, divertir, égayer, tromper.
DISTRAIT. Absent, absorbé, étourdi, inattentif, préoccupé, rêveur.
DISTRIBUER. Attribuer, départir, dispenser, donner, partager, répartir.
DISTRIBUTION. Attribution, classification, don, partage, répartition, tri.
DISTRIBUTEUR. Diffuseur, fontaine, pompiste, répartiteur.
DISTRICT. Canton, charge, commune, compté, division, province.
DIT. Autrement, convenir, discours, émet, émis, émit, sic, succinct.
DIVAGUER. Délirer, dérailler, déraisonner, élucubrer, errer, rêver.
DIVAN. Canapé, cosy, lit, meuble, sofa, turquie.
DIVERS. Autre, différent, maint, mélange, mixte, plusieurs, us, varié.
DIVERSIFIER. Différencier, mélanger, mêler, mixer, varier, variété.
DIVERTIR. Amuser, distraire, ébattre, égayer, jouer, plaire, rire.
DIVERTISSEMENT. Amusement, carnaval, délassement, distraction, ébat, jeu, joute, partie, plaisir, récréation, réjouissance.
DIVIN. Céleste, déesse, dieu, diva, messe, nimbe, saint, surnaturel.
DIVINATION. Augure, cabale, conjecture, extase, géomancie, horoscope, oniromancie, oracle, ornithomancie, prédiction, présage, pronostic.
DIVINITÉ. Athéna, atlas, Belzébuth, civa, déesse, déise, déité, dieu, Éros, faune, furie, Gaia, Gê, Hestia, hymen, idole, Isis, naïade, oréade, Osiris, prier, Rê, ris, Satyres, Siva, sylvain, Thétis, valkyrie, vœu.
DIVINITÉ ALGONQUIENNE (n. p.). Michabou.
DIVINITÉ AMÉRINDIENNE (n. p.). Grand Esprit, Grand Manitou.
DIVINITÉ BABYLONIENNE (n. p.). Anu, Bêl, Ea, Enlil, Mardouk.
DIVINITÉ DE L'AMOUR (n. p.). Cupidon, Éros, Kama.
DIVINITÉ DE LA MER (n. p.). Neptune, Okeanos, Poséidon, Triton.

DIVINITÉ DE LA NATURE (n. p.). Artémis, Pan.
DIVINITÉ DES RIVIÈRES (n. p.). Naïade.
DIVINITÉ DU SOLEIL (n. p.). Amon, Amon-Rê, Ra, Rê.
DIVINITÉ DES VENTS (n. p.). Boree, Éole, Rue.
DIVINITÉ DU VIN (n. p.). Bacchus, Dionysos.
DIVINITÉ ÉGYPTIENNE (n. p.). Amon, Anubis.
DIVINITÉ GAULOISE (n. p.). Bélénus, Ogmius, Teutatès.
DIVINITÉ GRECQUE (n. p.). Apès, Apollon, Arès, Asclépios, Chronos, Dionysos, Éole, Éros, Esculape, Hadès, Harpies, Harpyes, Hécate, Hélios, Hephaïstos, Hermès, Hyménée, Hypnos, Ge, Morphée, Nérée, Pan, Phébus, Ploutos, Pluton, Poséidon, Priape, Protée, Satyres, Thanatos, Triton, Uranus, Zeus.
DIVINITÉ HINDOUE (n. p.). Civa, Kama, Krichna, Siva.
DIVINITÉ ITALIQUE (n. p.). Junon.
DIVINITÉ JUIVE (n. p.). Adonai.
DIVINITÉ MUSULMANE (n. p.). Allah.
DIVINITÉ ROMAINE (n. p.). Bacchus, Cupidon, Éole, Esculape, Jupiter, Lares, Mars, Mercure, Neptune, Pénates, Pluton, Plutus, Priape, Saturne, Sylvain, Vertumne, Vulcain.
DIVISER. Allotir, classer, cliver, cloisonner, couper, débiter, découper, déliter, disjoindre, dissocier, fendre, fractionner, graduer, granuleux, morceler, pair, partager, ramifier, scier, scinder, séparer, tomer.
DIVISION. Acte, bissection, branche, case, clan, clivage, coupure, déchirure, déci, décurie, dème, embranchement, ène, épisode, ère, ese, foliole, ion, jeu, lobe, lotissement, macroute, mélose, mesure, mois, monosperme, nome, page, part, partition, pico, placentaire, quartier, saison, schisme, section, temps, thallophytes, tome, verset, zone.
DIVULGUER. Dévoiler, dire, ébruiter, éventer, publier, révéler, trahir.
DIX. Déca, décade, décadi, décaèdre, décagone, décalitre, décalobe, décalogue, décamètre, décan, décapode, décapole, décathlon, décennal, décennie, déci, décigrade, décilitre, décimal, décimètre, décimo, décupler, dîme, dixième, messidor.
DIXIÈME. Décigrade, décigramme, dîme.
DO. Ut.
DOCILE. Discipliné, doux, obéissant, sage, soumis, souple, têtu.
DOCKER. Arrimeur, coltineur, commissionnaire, courrier, coursier, débardeur, estafette, facteur, laptot, livreur, messager, nervi, porteur.
DOCTEUR. Doctorat, Dr, Esdras, médecin, santé, théologien, thèse, uléma.
DOCTRINE. Abolitionnisme, athéisme, chiisme, classicisme, crédo, déterminisme, dogme, école, égalitarisme, évangile, fatalisme, galénisme, gnèse, gnose, hérésie, humanisme, léninisme, nestorianisme, organicisme, quiétisme, saktisme, savoir, scepticisme, secte, socialisme, système, stalinisme, suc, théologie, théorie, thèse, volontarisme.
DOCUMENT. Dossier, papier, pièce, rectificatif, source, témoignage.
DODELINER. Balancer, baller, branler, changer, hésiter, osciller.

DODINE. Ballottine.
DODO. Anesthésie, assoupissement, dodo, dormir, dronte, hypnose, inaction, léthargie, repos, roupillon, sieste, somme, sommeil, somnolence, stupéfiant, torpeur.
DODU. Adipeux, arrondi, bouffi, charnu, corpulent, décharné, épais, empâté, étique, étoffé, fort, graisse, gras, gros, huileux, lard, maigre, obèse, onctueux, pansu, pâteux, plein, potelé, replet, taché.
DOGME. Affirmation, certitude, crédo, croyance, évangile, foi.
DOGUE. Bouledogue, carlin, chien, mastiff, molosse, terrier.
DOIGT. Annulaire, auriculaire, bague, bijou, castagnette, dé, digital, digitopuncture, doigté, doigtier, douze, empan, index, majeur, montrer, ongle, orteil, palmé, phalange, phalangette, pouce, shiatsu, su.
DOIGTÉ. Adresse, délicatesse, dextérité, habileté, tact, virtuosité.
DOIGTIER. Dé, délot.
DOLÉANCE. Cri, grief, lamentation, murmure, pétition, pleur, reproche.
DOMAINE. Apanage, bien, bief, département, champ, château, Eu, ferme, fief, garenne, métairie, possession, secteur, terre, villa.
DOMESTIQUE. Apprivoisé, boy, chasseur, convers, familial, foyer, lad, larbin, maison, majordome, nurse, servante, serviteur, valet.
DOMICILE. Aître, baraque, bercail, bicoque, bastide, cambuse, cassine, chalet, coron, couvent, école, ermitage, famille, foyer, habitation, hôtel, gîte, institution, isba, logis, lupanar, maisonnette, mas, masure, ménage, nid, pension, soue, toit, tripot, villa.
DOMINANCE. Épistasie, génotype, hérédité, latéralisation, phénotype.
DOMINATEUR. Autoritaire, joug, maîtrise, possessivité.
DOMMAGE. Atteinte, avarie, bavage, calamité, dam, dégât, dégradation, détérioration, grief, lésé, mal, perte, préjudice, ravage, ruine, tort.
DOMPTER. Apprivoiser, dresser, mater, régenter, soumettre, vaincre.
DON. Art, attribution, aumône, bienfait, bosse, cadeau, donation, donner, inné, legs, libéralité, naissance, octroi, présent, récompense.
DONATION. Attribution, cadeau, donation, étrennes, largesse, legs, libéralité, octroi, offrande, pourboire, présent, secours, récompense.
DONC. Adonc, adoncques, ainsi, ergo, or, partant, suite.
DONJON. Ballon, clocher, dôme, guète, phare, prison, pylône, tour.
DONNÉE. Argument, base, fondement, présent, principe, soignant, titre.
DONNER. Adoucir, aérer, affaler, aider, alerter, américaniser, animer, arabiser, araser, armer, aviver, battre, bécoter, becqueter, biner, biser, calotter, carrer, catir, causer, céder, chuinter, coaguler, colorer, corser, définir, doter, droguer, élever, enfanter, engendrer, enhardir, ennoblir, ériger, érotiser, étendre, façonner, faisander, ficher, fouetter, fréter, gaver, germaniser, gifler, gigoter, gîter, gréciser, idéaliser, intituler, iriser, lainer, léguer, limiter, loger, louer, lustrer, marier, médicamenter, mesurer, métalliser, moderniser, moirer, nacrer, nommer, occasionner, occuper, offrir, opaliser, ordonnancer, permettre, ployer, politiser, ravitailler, recevoir, refiler, rehausser, rendre, renforcer, renoter, rénover, renseigner, romancer, ruer, salarier, saluer, servir, soigner, surélever, suriner, taper,

tapoter, téléphoner, teinter, tiercer, tonifier, traiter, travestir, veiller, voter, warranter, urbaniser.
DORADE. Pageau, pagel, pagre.
DORÉE. Argenture, euphémisme, pâtisserie, or.
DORÉNAVANT. Avenir, dans, désormais, ores.
DORER. Blondir, brunir, embellir, griller, hâler, jaunir, or, orner.
DORLOTER. Cajoler, chouchouter, materner, mignoter, mitonner, soigner.
DORMEUR. Dormant, loir, martyr, ronfleur, rouspilleur, tourteau.
DORMIR. Anesthésique, écraser, Morphée, narcolepsie, narcose, narcotique, opium, pavot, reposer, ronfler, roupiller, sieste, sommeiller, somnifère, somnoler, soporifique, stupéfiant, traîner, tsé-tsé, vierge.
DORTOIR. Chambrée, dormitorium, salle.
DORURE. Or.
DOS. Arrière, cariatide, colonne, derrière, dorsal, échine, lombes, on, programme, râble, rachis, reins, religieuse, revers, télamon, verso.
DOSAGE. Chlorométrie, mélange, mesure, posologie, quantité.
DOT. Don, dotation, kabin, mariage, morgengabe, paraphernal.
DOTER. Douer, équiper, gratifier, munir, orner, pouvoir, structurer.
DOUAIRE. Héritage, noble, succession, veuf, vieille, vieux.
DOUANIER. Brigadier, ermin, frontière, gabelou, rat-de-cave.
DOUBLE. Alias, ambigu, battellement, bis, cap, complexe, copie, couple, crémone, deux, dilemme, dualité, enrue, faux, fla, géminé, jumeau, ombre, pli, rein, remplace, répété, siamois, sosie, sournois, té, tréma.
DOUBLEAU. Arc.
DOUBLER. Augmenter, damer, dépasser, étendre, jumeler, répéter.
DOUBLURE. Cascadeur, coiffe, comédien, ouatine, parementure, velet.
DOUCE. Amène, câline, caressante, clémente, duveteuse, riante.
DOUCEMENT. Bas, décanter, insinuer, lentement, mollo, piano, tâter.
DOUCEREUX. Doux, fade, hypocrite, mielleux, sournois, sucré.
DOUCEUR. Affabilité, agrément, aménité, baume, bénignité, bonté, clémence, liqueur, mélodie, miel, mignardise, onction, suavité.
DOUER. Animer, as, capable, don, doter, partager, pourvoir.
DOULEUR. Algie, amer, arthralgie, brachialgie, brûlure, chagrin, cardialgie, colique, courbature, crampe, deuil, élancement, entéralgie, gastralgie, gémir, hépatalgie, irritation, larme, lumbago, ostéalgie, otalgie, mal, martyre, migraine, myalgie, névralgie, ostéalgie, peine, pleurodynie, proctalgie, pyrosis, rachialgie, rage, souffrance.
DOULOUREUX. Accablant, affligeant, algique, amer, chagrin, cruel, cuisant, déchirant, endolori, éprouvant, pénible, sensible, triste.
DOUTE. Critique, euh, hem, hésitation, heu, hum, incertitude, indécision, irrésolution, scepticisme, si, vraisemblablement.
DOUTER. Contester, critiquer, hésiter, interroger, méfier, suspecter.
DOUTEUX. Ambigu, apocryphe, faux, incertain, louche, suspect.

DOUX. Agréable, aimable, amène, bénin, câlin, caressant, charitable, clément, gentil, indulgent, langoureux, liant, moelleux, mol, mou, ouaté, paisible, riant, satin, sociable, souple, suave, sucré, tendre, tranquille.
DOUZAINE. Demi-douzaine, douze, grosse.
DOUZE. Alexandrin, an, année, apôtres, cicéro, décembre, duodénum, grosse, mois, pied, poète, porte, pouce.
DOUZE (n. p.). César, Hercule.
DRAA. Dra.
DRAGON. Amphiptère, camisard, chimère, dent, étoile, serpentin.
DRAINER. Assainir, égoutter, émissaire, purger, sécher, sonder, tirer.
DRAMATIQUE. Crucial, difficile, émouvant, poignant, théâtral, tragique.
DRAME. Acteur, calamité, catastrophe, cinéma, comédie, film, malheur, mélodrame, nô, œuvre, opéra, oratorio, pièce, plat, tragédie.
DRAP. Alaise, alèse, bâche, débarrasser, étoffe, feu, habit, linceul, lit, mort, narengo, poêle, ratine, sédan, striquer, tissu.
DRAPEAU. Bannière, couleurs, dette, étendard, fanion, giodon, hampe, oriflamme, pavillon, pavois, symbole, trophée, vexillographie.
DRAPERIE. Cantonnière, rideau, tapisserie, tenture, tissu.
DRESSER. Affaitage, apprendre, apprivoiser, dompter, établir, exercer, fixer, former, hérisser, hisser, mater, nerver, riper, styler, verbaliser.
DRESSEUR. Belluaire, dompteur, fauconnier.
DROGUE. Acide, came, cocaïne, goure, haschich, héroïne, LSD, marijuana, morphine, neige, onguent, orviétan, remède, seng, speed.
DROIT. Autorité, canon, dr, entrée, ermin, héritage, honnête, hypoténuse, impôt, intérêt, juriste, justice, loi, parallèle, péage, permission, quillage, priorité, rectiligne, usage, usus, vertical.
DROITE. Amusant, bras, capitaliste, conservateur, côté, coup, cour, dextre, diagonal, dictature, gauche, hue, main, théâtre, tribord.
DRÔLE. Bizarre, cocasse, comique, crevant, farce, marrant, rire.
DRÔLEMENT. Beaucoup, bien, bizarrement, bougrement, très, super.
DROMADAIRE. Camélidé, chameau, méhari.
DROSERA. Binata, capensis, carnivore, intermedia, longifolia, rossolis, rotundifolia, spathulata.
DRU. Épais, garni, hérisse, hirsute, huppé, pressé, serré, touffu.
DRUIDE. Ésotériste, gnose, hermétiste, illuminé, kabbale, magicien, mystèrieux, ovate, psychomancien, radiesthésien, spiritiste, tumulus.
DÛ. Échéance, dette, devoir, facture, payer.
DUC. Architecte, ducal, duché, hibou, maréchal, prince, rapace, scops.
DUEL. Combat, défi, escrime, lame, lice, pré, rencontre, terrain.
DUNE. Aspre, butte, côte, coteau, erg, hauteur, mont, montagne, oyat.
DUPER. Appât, berner, entuber, lentille, mensonge, rouler, tromper.
DUR. Amer, ardu, brutal, calleux, coriace, cruel, épais, impitoyable, implacable, inexorable, métallique, rassis, roc, rude, sec, sévère.
DURCISSEMENT. Artériosclérose, glaucome, nitruration.

DURABLE. Constant, continuel, éternel, immuable, inaltérable, indéfectible, invariable, permanent, perpétuel, persistant, stable.
DURANT. Assidu, durable, ferme, fidèle, fixe, immuable.
DURCIR. Affermir, concréter, endurcir, geler, glacer, raidir, rassir.
DURCISSEMENT. Athérome, glaucome, sclérose, sténose, xérodermie.
DURE. Constant, longtemps, pendant, temporellement, vertu.
DURÉE. Âge, an, bout, bref, cours, délai, éternité, grossesse, note, nuit, nuitée, permanence, phase, pour, règne, soir, temps, user.
DURER. Demander, étaler, occuper, perpétrer, prolonger, rester.
DURETÉ. Brutalité, cruauté, fermeté, rigueur, rudesse, sévérité, vigueur.
DURILLON. Cal, calus, cor, œil-de-perdrix, oignon.
DUVET. Coton, édredon, eider, kapok, laine, linter, lit, plume, poil.
DUVETEUX. Doux, lanugineux, pubescent, tomenteux, velouté.
DYN. Dyne.
DYNAMIQUE. Activité, rageux, énergique, force, pep, tonicité, vitalité.
DYNASTIE. Chef, empereur, famille, hockey, race, roi, sassanide.
DYNASTIE ARABE (n. p.). Abbadides.
DYNASTIE BYZANTINE (n. p.). Isauriens.
DYNASTIE CHINOISE (n. p.). Chang, Han, Hia, Mandchous, Ming, Qing, Song, Sui, Tang, Ts'ing, Yuan.
DYNASTIE IRLANDAISE (n. p.). O'Neill.
DYNE. Barye, din, dyn, erg.
DYSPROSIUM. Dy.
DYSTOCIE. Accouchement.

E

ÉACIDE (n. p.). Achille, Jupiter, Néoptolème, Pélée, Pyrrhus.
ÉAQUE. Champion, conquérant, épique, guerrier, héros, juge, valeureux.
EAU. Aqua, baille, boisson, cascade, étang, filet, fleuve, flots, glace, hydrolat, lac, lavure, lotion, lustrale, mare, mer, minérale, morte, muire, nappe, neige, onde, ondée, perhydrol, pluie, rivière, ru, ruisseau, ruisson, saumure, soda, suage, torrent.
EAU-DE-VIE. Alcool, aquavit, armagnac, brandevin, brandy, calvados, cherry, cognac, fine, genièvre, gin, gnôle, kirsch, rhum, rogomme, rye, schnaps, scotch, tafia, vodka, whisky.
ÉBAHIR. Abasourdir, ahurir, ébaubir, éberluer, épater, estomaquer, étonner, étourdir, interdire, méduser, pétrifier, sidérer, surprendre.
ÉBAUCHE. Amorce, aperçu, dessin, esquisse, essai, idée, jet, projet.
ÉBÈNE. Aubours, bois, cytise, ébénier, macassar, noir, sillet, vrai.
ÉBÉNISTE. Bois, boulle, menuisier, pestum, rabot, sergent, varlope, vis.
ÉBÉNISTE FRANÇAIS (n. p.). Oeben, Riesener.
ÉBLOUIR. Aveugler, blesser, briller, émerveiller, épater, impressionner.
ÉBLOUISSEMENT. Berlue, contrejour, fascination, mirage, vertige.
ÉBOUILLANTER. Blanchir, bouillir, échauder.
ÉBOULIS. Amas, éboulement, décombres, fatras, liasse, monceau, ruine.

ÉBOURIFFER. Ébahir, écheveler, étonner, hérisser, hirsute.
ÉBRANCHER. Couper, élaguer, émonder, étêter, houppier.
ÉBRANLER. Affaiblir, agiter, balancer, chanceler, commotionner, étonner, lézarder, remuer, ruiner, saper, secouer, traumatiser.
ÉBRÉCHER. Briser, détériorer, écorner, égueuler, entailler.
ÉBRIÉTÉ. Alcoolisme, débauche, éthylisme, griserie, ivresse, vertige.
ÉCAILLE. Coccolite, coquille, fente, lèpre, plaque, squame, squama.
ÉCALE. Arachide, brou.
ÉCART. Danse, détour, distance, embardée, faute, frasque, fredaine.
ÉCARTELER. Agacer, agiter, envier, gêner, harceler, infester, lanciner, moquer, mouvementer, quartier, ronger, tanner, tenailler, tirailler, torturer, tourmenter, vexer.
ÉCARTER. Bannir, carte, éliminer, éloigner, évincer, isoler, retirer.
ÉCARTEUR. Délogeur, dériveur, disloqueur, érine, fourreur.
ECCHYMOSE. Blessure, bleu, contusion, coquard, guérir, plaie.
ECCLÉSIASTIQUE. Abbé, aumônier, chronologie, clerc, église, frère, lévite, liturgie, ordre, prélat, prêtre, religieux, religion, sacerdotal, sœur, synode, tribunal.
ECCLÉSIASTIQUE FRANÇAIS (n. p.). Lemire, Olier.
ÉCERVELÉ. Braque, étourdi, éventé, fou, hurluberlu, irréfléchi.
ÉCHAFAUD. Échafaudage, estrade, gibet, guillotine, potence, son.
ÉCHAUFAUDER. Doser, élaborer, façonner, praliner, trousser.
ÉCHALAS. Bâton, hautain, pieu.
ÉCHALOTE. Ail, allium, mince, oignon, rocambole.
ÉCHANCRER. Casser, décolleter, entailler, évider, ouvert, tailler.
ÉCHANCRURE. Anse, baie, calanque, entournure, indentation, habit.
ÉCHANGE. Achat, change, commerce, marché, permutation, rechange, relais, rhubarbe, séné, traite, troc.
ÉCHANGER. Aliéner, commuer, discuter, permuter, relayer, troquer.
ÉCHANSON. Serdeau, sommelier.
ÉCHANTILLON. Aperçu, exemplaire, idée, modèle, panel, spécimen.
ÉCHAPPEMENT. Éclipse, escapade, fugue, fuite, inaperçu, sauf.
ÉCHAPPER. Couler, enfuir, évader, éviter, filer, fuir, sauver, sortir.
ÉCHARPE. Arc-en-ciel, châle, fichu, foulard, guimpe, iris, mantille.
ÉCHASSIER. Aigrette, avocette, autruche, barge, bécasse, bihoreau, butor, cigogne, courlan, flamant, foulque, gallinule, gambette, grue, héron, ibis, oiseau, outarde, poule, râle, spatule, tantale, vanneau.
ÉCHAUFFER. Brûler, chauffer, colère, ébouillanter, enflammer, irriter.
ÉCHAUFFOURÉE. Bagarre, bataille, combat, escarmouche, rififi, rixe.
ÉCHÉANCE. Annuité, date, expiration, terme, trimestre, unance.
ÉCHEC. Adouber, avortement, berger, blanc, cavalier, clouer, colonne, culotte, dame, damer, défaite, échiquier, échouer, faillite, fou, gambit, insuccès, mat, noir, pat, pièce, pion, prise, reine, revers, roc, roi, roque, simultanée, tour, veste.
ÉCHELLE. Dimension, échalier, escabeau, escalier, gamme, hiérarchie, iso, indice, jacob, levant, marche, mesure, modalité, registre, rapport.

ÉCHELON. Barreau, degré, espace, étage, grade, niveau, ranche.
ÉCHELONNER. Espacer, étager, étaler, graduer, palier, ranger.
ÉCHEVELÉ. Bacchante, furie, hérissé, mégère.
ÉCHINODERME. Anémone, astéride, astérozoa, comatule, crinoïde, encrine, étoile, étoile de mer, holothurie, oursin, pentacrine, stelléride.
ÉCHOPPE. Bédane, burin, charnière, ciseau, drille, guilloche, pointe.
ÉCHOUER. Avorter, déconvenue, fiasco, foirer, manquer, obstacle, rater.
ÉCHU. Dévolu, encours, escompte, incombe, terme.
ÉCLABOUSSER. Arroser, asperger, baigner, délaver, détremper, doucher, gicler, humecter, inonder, rade, sécher, suer, touer, tremper.
ÉCLAIR. Épart, feu, flash, foudre, fulguration, idée, orage, tonnerre.
ÉCLAIRAGE. Diaphanoscopie, illumination, lampe, lumière, phare.
ÉCLAIRCIR. Décanter, démêler, élucider, expliquer, polir, tailler.
ÉCLAIRCISSEMENT. Embellissement, explication, note, raclement.
ÉCLAIRÉ. Ignorant, instruit, luire, luisant, lux, ver.
ÉCLAIRER. Animer, apporter, briller, édifier, illuminer, instruire, luire.
ÉCLAIREUR. Goum, guide, louveteau, pisteur, scout, tirailleur.
ÉCLAT. Brillant, bruit, couleur, crevaison, cri, éblouissant, éclair, écornure, éteint, feu, lueur, lustre, mat, morceau, œil, ors, papillotement, poli, rayonnement, rehausser, strass, terne, vernis.
ÉCLATER. Briser, casser, colère, crever, exploser, péter, rompre, tirer.
ÉCLISSE. Attelle, bandage, clisse, strass, volette.
ÉCLOPÉ. Boiteux, contusionné, écorché, encorné, estropié, étripé, froissé, gelé, lésé, mordu, mutilé, navré, offensé, ulcéré, vexé.
ÉCLORE. Apparaître, commencer, fleurir, naître, percer, sortir.
ÉCLUSE. Barrage, bief, bonde, canal, fermeture, retenue, sas, vanne.
ÉCŒURANT. Alléchant, dégoûtant, malpropre, nauséabond, révoltant.
ÉCŒURER. Choquer, colère, crier, dégoûter, décourager, indigner, insurger, mutiner, rebeller, révolter.
ÉCOLE. Collège, conservatoire, cours, couvent, doctrine, institution, lycée, manécanterie, maternelle, pension, polyvalente, système.
ÉCOLIER. Apprenti, cadet, cancre, collégien, disciple, élève, érige, étudiant, externe, interne, lycéen, maître, pensionnaire, pilotin.
ÉCONOME. Avare, cellérier, épargnant, parcimonieux, regardant.
ÉCONOMISER. Épargner, gratter, lésiner, ménager, thésauriser.
ÉCONOMISTE. Administrateur, comptable, intendant, marché, questeur.
ÉCONOMISTE ALLEMAND (n. p.). List.
ÉCONOMISTE AMÉRICAIN (n. p.). Becker, Fisher, Nader.
ÉCONOMISTE BRITANNIQUE (n. p.). Mill, Stone.
ÉCONOMISTE ÉGYPTIEN (n. p.). Amin.
ÉCONOMISTE FRANÇAIS (n. p.). Barre, Cournot, Rist, Say.
ÉCONOMISTE ITALIEN (n. p.). Einaudi, Rossi.
ÉCONOMISTE QUÉBÉCOIS (n. p.). Bourassa.
ÉCONOMISTE NORVÉGIEN (n. p.). Frisch.
ÉCOPER. Sasse.

ÉCORCE. Arbre, brou, cannelle, cortical, écale, éplucher, enveloppe, extérieur, macis, panama, peau, regros, tan, teille, tille, zeste.
ÉCORCHER. Blesser, choquer, déchirer, dépouiller, égratigner, éplucher, érafler, érailler, excorier, griffer, grume, lacérer, peler, voler.
ÉCOSSAIS. Ayr, Calédonie, Erse, scoth, scottish, whisky.
ÉCOSSAISE. Jupe, kilt, Philibeg.
ÉCOSSER. Batteuse, blé, dévider, égrapper, égrener, émietter.
ÉCOT. Quota, quote-part, part.
ÉCOULEMENT. Débit, débord, débouché, décharge, épanchement, éruption, flux, gourme, hématidrose, larmoiement, leucorrhée, otorrhée, phléborragie, saignement, stillation, suintement, torrent.
ÉCOULER. Couler, épuiser, liquider, passer, refiler, vendre, vider.
ÉCOURTER. Abréger, compendieux, exposer, épitamer, etc., résumer.
ÉCOUTER. Accueillir, audition, ausculter, câble, cru, dresser, entendre, obéir, ouïr, prêter, satisfaire, soigner, suivre.
ÉCRABOUILLER. Anéantir, aplatir, broyer, écraser, lessiver, mater.
ÉCRASER. Accabler, anéantir, aplatir, bousiller, briser, broyer, comprimer, écacher, écorcher, écrabouiller, gruger, lessiver, mater, moudre, mouliner, piler, réduire, subir, surcharger, vaincre.
ÉCREVISSE. Astacidé, bouquet, buisson, cancre, crustacé.
ÉCRIN. Boîte, cassette, coffre, coffret, écriture, épi, ménagère.
ÉCRIRE. Adresser, calligraphier, composer, consigner, dactylographier, griffonner, marquer, noter, rédiger, taper, tester, tracer, transcrire.
ÉCRIT. Acte, barbouillage, barbouillis, braille, graphisme, gribouillage, journal, libelle, minute, nécrologie, papier, récépissé, script, style.
ÉCRITEAU. Affiche, avis, mural, pancarte, placard, poster, réclame.
ÉCRITURE. Atonalité, braille, caractère, ogham, plume, style, texte.
ÉCRIVAIN. Académie, auteur, cénacle, conteur, journaliste, lettre, nègre, poète, pseudonyme, rédacteur, romancier, scribouilleur.
ÉCRIVAIN ALGÉRIEN (n. p.). Dib.
ÉCRIVAIN ALLEMAND (n. p.). Arnim, Benn, Bettelheim, Boll, Durrenmatt, Goethe, Grass, Grimm, Hamsun, Hegel, Hein, Heine, Hermlin, Hesse, Jung, Jünger, Mann, Marx, Nietzsche, Raabe, Singer, Storm, Süskind, Zweig.
ÉCRIVAIN AMÉRICAIN (n. p.). Asimov, Auden, Auster, Brunner, Capote, Carnegie, Clancy, Clarke, Clavell, Cook, Coonts, Crichton, Cussler, Daley, DeMille, Dick, Dreiser, Fitzgerald, Follett, Forsyth, Gray, Greene, Hailey, Hemingway, Higgins, Himes, Hitchcock, King, Lawrence, Ludlum, Mailer, Michener, Miller, Poe, Puzo, Roth, Segal, Steinbeck, Twain, Updike, Wells, West, Wilde.
ÉCRIVAIN AUSTRALIEN (n. p.). West, White.
ÉCRIVAIN BELGE (n. p.). Daisne, Simenon, Thiry.
ÉCRIVAIN BRÉSILIEN (n. p.). Amado, Soâres.
ÉCRIVAIN BRITANNIQUE (n. p.). Chesterton, Doyle, Defoe, Fry, Greene, Kipling, Lamb, Lawrence, Naipaul, Pater, Reade, Reid, Richardson, Rushdie, Stevenson, Wells.

ÉCRIVAIN COLOMBIEN (n. p.). García Márquez.
ÉCRIVAIN DANOIS (n. p.). Abell, Branner, Drachmann, Jensen, Nexo.
ÉCRIVAIN ESPAGNOL (n. p.). Aleman, Cervantès, Ganivet, García Marquéz, Iriarte, Ors, Pla.
ÉCRIVAIN FINLANDAIS (n. p.). Aho.
ÉCRIVAIN FRANÇAIS (n. p.). Alain-Fournier, Apollinaire, Aristote, Attali, Aymé, Balzac, Baudelaire, Bazin, Beaumarchais, Berger, Bernanos, Bodard, Camus, Céline, Chateaubriand, Clavel, Cocteau, Corneille, Daninos, Daudet, Descartes, Diderot, Dorgeles, Dumas, Exbrayat, Feydeau, Flaubert, Frossard, Gallo, Gide, Giono, Giraudoux, Green, Hémon, Hugo, Jacquard, Kessel, Laborit, La Fontaine, Leblanc, Leroux, Lévy, Maupassant, Mauriac, Maurois, Mérimée, Molière, Montaigne, Monteilhet, Montesquieu, Montherlant, Musset, Nourissier, Péguy, Platon, Prévost, Proust, Rabelais, Racine, Radiguet, Renard, Rolland, Romains, Rostand, Rousseau, Sade, Sartre, Stendhal, Sue, Sulitzer, Troyat, Vercors, Verlaine, Verne, Vian, Villon, Voltaire, Zola.
ÉCRIVAIN GREC (n. p.). Athénée.
ÉCRIVAIN HONGROIS (n. p.). Dery, Illyes.
ÉCRIVAIN INDIEN (n. p.). Bana.
ÉCRIVAIN IRLANDAIS (n. p.). Steele, Yeats.
ÉCRIVAIN ISRAÉLIEN (n. p.). Agnon.
ÉCRIVAIN ITALIEN (n. p.). Aretin, Eco, Pasolini, Pavese.
ÉCRIVAIN JAPONAIS (n. p.). Abe, Kobo, Mori, Ogai.
ÉCRIVAIN MEXICAIN (n. p.). Paz, Reyes.
ÉCRIVAIN NORVÉGIEN (n. p.). Ibsen.
ÉCRIVAIN PÉRUVIEN (n. p.). Alegria, Vargas Llosa.
ÉCRIVAIN POLONAIS (n. p.). Prus, Rej.
ÉCRIVAIN PORTUGAIS (n. p.). Herculano.
ÉCRIVAIN QUÉBÉCOIS (n. p.). Aquin, Aktouf, Alain, Anderson, Andrès, Angers, Antoine, Archambault, Arnau, Assiniwi, Aubin, Audet, Babineau, Baillargeon, Baillie, Barcelo, Beauchamp, Beauchemin, Beaudet, Beaudoin, Beaudry, Beaulieu, Beausoleil, Bédard, Bégin, Béguin, Bélanger, Belec, Bergeron, Bernier, Berthiaume, Bertrand, Bérubé, Bessette, Bigras, Blackburn, Blais, Boissay, Boisvert, Boivin, Bonenfant, Boulerice, Boulizon, Bourdon, Brassard, Brière, Brillant, Brochu, Brodeur, Brossard, Brouillard, Brouillette, Bruens, Bujold, Bureau, Bussières, Cadet, Caron, Chabot, Chamberland, Champagne, Champetier, Charbonneau, Charland, Charron, Chatillon, Choquette, Chrétien, Claveau, Clavet, Comeau, Coppens, Corriveau, Cossette, Côté, Cyr, Daignault, Dansereau, Day, De Lorimier, De Vernal, Delisle, Delorme, Des Rosiers, Des Ruisseaux, Descheneaux, Désy, Dion, Dionne, Dor, Doré, Drache, Dubois, Ducharme, Duguay, Duhaime, Dumont, Dupont, Dupuis, Dussault, Duval, Fasciano, Favreau, Ferland, Filion, Findley, Folch-Ribas, Fournier, Francoeur, Gaboury, Gagnon, Garneau, Garon, Gaudet, Gauthier, Gay, Gélinas, Gemme, Gendreau, Gendron, Genest, Gérin, Germain, Gervais, Gobeil, Godbout, Godin, Gosselin,

Gratton, Gravel, Graveline, Grignon, Guillemet, Haeck, Hazelton, Hébert, Hénault, Hétu, Homel, Horic, Hus, Isabelle, Jacob, Jacques, Jasmin, Julien, Kattam, Kemp, Laberge, Labrie, Lacasse, Laferrière, Lalonde, Languirand, Laplante, Lavoie, Leblond, Leclerc, Lemelin, Lemieux, Lemoine, Léveillé, Lévesque, Mainville, Major, Malenfant, Marchand, Martin-Laval, Mathieu, Matteau, Meunier, Miron, Monette, Mongrain, Montmorency, Morissette, Noël, Ohl, Olivier, Ollivier, Ouellet, Ouellette, Paradis, Paré, Pelchat, Piché, Plante, Poissant, Poliquin, Poulin, Poupart, Pratte, Prieur, Proulx, Roy, Saïa, Savard, Simard, Smith, Soucy, Soulières, Stanké, Thériault, Tremblay, Turgeon, Vadeboncoeur, Vaillancourt, Vallières, Vanasse, Vastel, Vigneault, Zumthor.

ÉCRIVAIN ROUMAIN (n. p.). Ionesco, Istrati.

ÉCRIVAIN RUSSE (n. p.). Boulgakov, Dostoïevski, Gogol, Leonov, Soljenitsyne, Tchekhov, Tolstoï.

ÉCRIVAIN SUÉDOIS (n. p.). Ahlin.

ÉCRIVAIN SUISSE (n. p.). Amiel, Chappaz, Chessex, Jaccottet, Hesse, Rod.

ÉCRIVAIN TCHÈQUE (n. p.). Kundera.

ÉCRIVAINE ALLEMANDE (n. p.). Frank.

ÉCRIVAINE AMÉRICAINE (n. p.). Brontë, Chase-Riboud, French, Higgins-Clark, Jong, Kubler-Ross, Lessing, MacLaine, McCullough, Nin, Oates, Rendell, Steel, Susann, Taylor-Bradford.

ÉCRIVAINE ANGLAISE (n. p.). Cartland, Christie, Cornwell, Highsmith, James, Westmacott, Woolf.

ÉCRIVAINE ESPAGNOLE (n. p.). Allende.

ÉCRIVAINE FRANÇAISE (n. p.). Arnothy, Avril, Boissard, Bourin, Cardinal, Chapsal, Charles-Roux, Colette, Collange, Deforges, Dolto, Dorin, Frain, Groult, Lacamp, Laclos, Le Varlet, Mallet-Joris, Monsigny, Pisier, Rivoyre, Sagan, Sand.

ÉCRIVAINE QUÉBÉCOISE (n. p.). Allard, Alonzo, Anctil, Aubry, Baillargeon, Bazin, Beaudry, Bersianik, Bissonnette, Blais, Blouin, Boisjoli, Boisvert, Bombardier, Bouchard, Boucher, Brault, Brière, Brossard, Bussières, Cadieux, Cardinal, Champagne, Cholette, Claudais, Cloutier, Corbeil, Côté, Cousture, Cyr, D'Amour, Daveluy, De Gramont, De Lamirande, Demers, Déry, Desrochers, Doyon, Dubé, Dumont, Ferretti, Ferron, Gagnon, Gauvin, Ghalem, Grisé, Harvey, Hébert, Jacob, Juteau, Laberge, Lacasse, Lanctôt, Larouche, Larue, Lasnier, Lavigne, Lemieux, Lévesque, Loranger, Maillet, Major, Mallet, Marchessault, Marineau, Martin, Michel, Miville-Deschênes, Monette, Noël, Ouellette, Ouellette-Michalska, Ouvrard, Paquette, Paris, Payette, Pelland, Plamondon, Poisson, Proulx, Rainville, Renaud, Robert, Roy, Ruel, Saint-Denis, Sarfati, Sauriol, Simard, Thériault, Tremblay, Villemaire, Villeneuve.

ÉCROUER. Détenir, emprisonner, incarcérer, interner, séquestrer.

ÉCROULEMENT. Abaissement, chute, destruction, éboulement, ruine.

ÉCROULER. Affaisser, dégrader, démolir, ébouler, effriter, enfoncer.
ÉCROÛTER. Bêcher, biner, émouvoir, herser, replier, tourner.
ÉCU. Blason, bouclier, écusson, emblème, greffe, monnaie, thorax.
ÉCUELLE. Assiette, batée, gamelle, sébile.
ÉCULER. Abîmer, abraser, abuser, amoindrir, araser, biaiser, corroder, effacer, effriter, élimer, émeri, émousser, entamer, épointer, épuiser, érafler, éroder, fatiguer, finasser, gâter, laminer, limer, meuler, miner, mordre, râper, rayer, roder, ronger, ruser, saper, servir, vider, user.
ÉCUME. Anadyomène, arcot, bave, chiasse, colère, crachat, ferment, levure, mousse, mouton, pirate, rebut, salive, scorie, silicate.
ÉCUME (n. p.). Anadyomène, Vénus.
ÉCUMER. Baver, bouiller, crémer, enrager, mousser, piller, rager, trier.
ÉCUMEUSE. Crémeuse, effervescence, mousseuse, spumeuse.
ÉCUREUIL. Arboricole, burunduk, chikaree, commun, douglas, fouquet, grêle, gris, hudson, noir, pétauriste, petit-gris, pétauriste, polatouche, suisse, souslik, spermophile, sunda, tamia, volant, xérus.
ÉCURIE. Augias, bauge, bouge, box, équipe, étable, gatelas, grange, lad.
ÉCUYER. Cavalier, crispin, lad, laquais, larbin, scapin, serviteur, valet.
ECZÉMA. Eczémateux.
ÉDEN. Eldorado, jardin, nirvana, Olympe, paradis.
ÉDENTÉ. Aï, dent, fourmilier, mammifère, pangolin, paresseux, tamanoir, tatou, tortue, uneau, xénarthre.
ÉDIFICE. Construction, dôme, hôtel, odéon, maison, musée, temple.
ÉDIFIER. Bâtir, conduire, construire, ériger, faire, instruire, renseigner.
ÉDIT. Loi, Nantes, règlement, union.
ÉDITER. Imprimer, lancer, livre, paraître, publier, rééditer, sortir, tirer.
ÉDITEUR. Coéditeur, imprimeur.
EDOM. Idumée.
ÉDOUARD. Ed.
ÉDREDON. Boudin, coussin, couvre-pied, crin, duvet, laine, oreiller.
ÉDUCATEUR. Édificateur, enseignant, formateur, instituteur, moniteur, moralisateur, précepteur, prof, professeur, rééducateur.
ÉDUCATION. Édification, élève, enseignement, politesse, savoir-vivre.
ÉDULCORATION. Adoucir, affadir, mitiger, sucrate, sucrer.
ÉDUQUER. Dresser, édifier, élever, façonner, former, instruire, prêcher.
EFFACÉ. Bas, doux, faible, falot, humble, modeste, obscur, orgueilleux, petit, simple, terne, timide, vaniteux.
EFFACER. Barrer, biffer, caviarder, corriger, détruire, échopper, gommer, gratter, indélébile, laver, oblitérer, radier, raturer, rayer.
EFFARER. Effaroucher, effrayer, hagard, troubler.
EFFECTIF. Efficace, positif, quantité, réel, renfort, solide, troupe, vrai.
EFFECTIVEMENT. Positivement, réellement, sûrement, véritablement.
EFFECTUER. Accomplir, exécuter, faire, gemmer, réaliser, souder.
EFFÉMINÉ. Émasculé, Éon, femelle, féminin, mièvre, mou, uranien.
EFFERVESCENCE. Agitation, chaleur, ébullition, émoi, passion.

EFFET. Action, agir, agissement, bagage, brûlure, cause, choc, coloris, conséquence, fin, gag, impression, influence, mémoire, morsure, nu, nul, opérer, plaisir, ravage, son, théâtral, vain, valeur, vêtement.
EFFICACITÉ. Absolu, action, agissant, énergie, palliatif, positif, utilité.
EFFIGIE. Angle, carte, chaîne, cône, dame, dièdre, face, frimousse, géométrie, idole, litote, logique, ovale, peinture, rhétorique, roi, rond, sphère, strophe, tau, tête, tonneau, tourteau, trope, type, valet, visage.
EFFILER. Aigu, amincir, atténuer, défaire, délier, effilocher, mince.
EFFLANQUÉ. Amaigri, amenuisé, aminci, cachectique, carcan, carcasse, décharné, émaciation, étique, étisie, grêle, marasme, mince, sec.
EFFLEURER. Caresser, érafler, friser, frôler, lécher, raser, tâter, toucher.
EFFLUVE. Émanation, exhalaison, fluide, odeur, senteur, vapeur.
EFFONDREMENT. Anéantissement, chute, débâcle, écroulement, ruine.
EFFORT. Ahan, ahaner, application, contention, fatigué, hernie, mobilisation, peine, pesée, réaction, rush, tension, travail, violence.
EFFRACTION. Brigandage, bris, cambriolage, extorsion, forcement, hémorragie, pillage, raid, racket, rapine, tire, vol.
EFFRAIE. Chouette, hibou, hulotte.
EFFRAYANT. Abominable, alarmant, affolant, affreux, effroyable, épouvantable, horrible, monstrueux, redoutable, terrible, terrifiant.
EFFRAYER. Affoler, alarmer, angoisser, apeurer, effarer, effaroucher, épouvanter, horrifier, inspirer, peur, ressentir, terrifier, terroriser.
EFFRÉNÉ. Débridé, délire, endiablé, enragé, érinye, excessif, fanatisme, frénésie, furieux, ivresse, pythie, rage, rager, violence.
EFFROI. Crainte, épouvante, frayeur, horreur, panique, peur, terreur.
EFFRONTÉ. Culotté, cynique, déluré, galopin, grossier, hardi, impertinent, impoli, impudent, inconvenant, insolent, osé, polisson.
EFFRONTERIE. Culot, cynisme, gouaille, indiscrétion, insolence, toupet.
EFFROYABLE. Atroce, affreux, effrayant, horrible, terrible.
ÉGAL. Équi, indifférent, iso, lisse, même, niveau, pair, pareil, plat, uni.
ÉGALEMENT. Aussi, balancement, comme, comparable, continuation, équivalent, itou, même, nivellement, pareillement, semblable.
ÉGALER. Atteindre, balancer, compenser, équivaloir, répartir, valoir.
ÉGALISER. Aplanir, araser, doubler, niveler, polir, taquer, tempérer.
ÉGALITÉ. Équation, iso, niveau, pair, parité, ressemblance, symétrie.
ÉGARD. Assiduité, attention, courtoisie, déférence, estime, gentillesse, hommage, ménagement, politesse, préférence, respect, soin.
ÉGARÉ. Adiré, clairsemé, dévoyé, désaxé, dispersé, disséminé, éparpillé, épars, éperdu, fourvoyé, ivre, perdu, sporadique, troublé.
ÉGAREMENT. Délire, effarement, folie, ivresse, mémoire, oubli, vertige.
ÉGARER. Abuser, adirer, aliéner, dérouter, désorienter, dévoyer, écarter, errer, fourvoyer, ivre, paumer, perdre, pervertir, tromper.
ÉGAYER. Amuser, animer, délasser, dérider, divertir, orner, railler, rire.
ÉGIDE. Appui, auspices, bouclier, Minerve, patronage, protection.
ÉGLANTIER. Cynorrhodon, rosier sauvage, rose, rosier des haies.

ÉGLISE. Abbatiale, abside, basilique, cathédrale, chapelle, chœur, clergé, couvent, doctrine, dogme, épiscopat, fabrique, liturgie, nef, oratoire, pastoral, saderdoce, sanctuaire, secte, temple, transept.
EGO. Âme, bibi, empathie, intérêt, je, mien, moi, personnel, vous.
ÉGOÏNE. Air, dosseret, godendard, mouche, musique, refrain, rengaine, sauteuse, scie, sciotte, trait.
ÉGOÏSME. Amour-propre, autolâtrie, avarice, égocentrisme, individualisme, intérêt, je, moi, narcissisme, personnel, soi-même.
ÉGOÏSTE. Altruiste, désintéressé, dévoué, généreux, moi, oisif.
ÉGORGER. Dépouiller, écorcher, étrangler, plumer, saigner, tuer.
ÉGOUT. Bouche, bourbier, canal, cloaque, collecteur, ordure, regard.
ÉGOUTTOIR. Cagerotte, clayon, clisse, éclisse, faisselle, if, tamis.
ÉGRAPPER. Batteuse, blé, dévider, écosser, égrener, émietter.
ÉGRATIGNER. Blesser, déchirer, écorcher, érafler, griffer, rayer.
ÉGRENER. Batteuse, blé, dévider, écosser, égrapper, émietter.
ÉGYPTE. Biblique, bohémien, plaie, pyramide, soudon, typographique.
ÉGYPTE (n. p.). Apis, Apophis, Horus, Ibis, Isis, Khédive, Nil, Nitocris, Nomarque, Osiris, Pschent, Râ, Ramsès, Sésostris, Tanît, Thébaïde, Thot, Uraeus.
ÉGYPTIEN. Alexandrin, arabe, copte, crue, doum, hiéroglyphe, momie, nome, obélisque, papyrus, pharaon, pyramide, sphynx, stèle.
ÉHONTÉ. Cynique, effronté, honteux, impudent, insolent, scandaleux.
EISENHOWER (n. p.). Ike.
EINSTEINIUM. Es.
ÉJECTION. Évacuation, éviction, expulsion, lancement, rejet, renvoi.
ÉLABORATION. Conception, exécution, fabrication, mellification.
ÉLAGUER. Couper, dégager, ébrancher, écot, étêter, émonder, tailler.
ÉLAGUEUR. Cisaille, croissant, émondeur, serpe, tailleur, tronqueur.
ÉLAN. Ardeur, aspiration, bond, envolée, erre, essor, foucade, fougue, geste, mouvement, orignal, passion, progrès, saut, tremplin, zèle.
ÉLANCÉ. Aigu, allongé, délicat, délié, effilé, élégant, épais, étroit, fil, filiforme, fin, fluet, folié, fragile, frêle, fuselé, gracile, grêle, gros, lame, large, long, maigre, menu, mince, petit, pincé, pruine, ru, svelte, ténu.
ÉLARGIR. Aléser, arrondir, dilater, écarter, étendre, évaser, grossir.
ÉLARGISSEMENT. Agrandissement, libération, stomatoplastie.
ÉLASTICITÉ. Anélasticité, étirable, flexibilité, ressort, souplesse.
ÉLECTION. Adoption, bulletin, choix, consultation, opinion, plébiscite, préférence, référendum, scrutin, suffrage, urne, votation, vote.
ÉLECTRIQUE. Ampère, capteur, dissociation, hydro, survolté, volt.
ÉLECTRISER. Allumer, animer, embraser, exciter, passionner.
ÉLECTROCUTION. Anode, anodisatrode, exécution, penthode.
ÉLECTRODE. Anode, cathode, diode, penthode, tétrode.
ÉLECTRON. Ev, négaton, position, volt.
ÉLÉGANCE. Allure, beauté, chic, classe, commun, cri, distinction, finesse, grâce, goût, grossier, lourd, mode, pureté, vénusté, vulgaire.
ÉLÉGANT. Beau, chic, coquet, dandy, distingué, élancé, snob, soigné.

ÉLÉGIE. Diminution, mélancolie, muse, poème.
ÉLÉMENT. Air, composant, détail, eau, feu, iode, ion, isotope, item, milieu, notion, partie, pièce, principe, substance, synthèse, unité.
ÉLÉMENT CHIMIQUE. Actinium (Ac), Aluminium (Al), américium (Am), antimoine (Sb), argent (Ag), argon (Ar), arsenic (As), astate (At), azote (N), baryum (Ba), berkélium (Bk), béryllium (Be), bismuth (Bi), bore (B), brome (Br), cadmium (Cd), calcium (Ca), californium (Cf), carbone (C), cérium (Ce), césium (Cs), chlore (Cl), chrome (Cr), cobalt (Co), cuivre (Cu), curium (Cm), dysprosium (Dy), einsteinium (Es), erbium (Er), étain (Sn), europium (Eu), fer (Fe), fermium (Fm), fluor (F), francium (Fr), gadolinium (Gd), gallium (Ga), germanium (Ge), hafnium (Hf), hahnium (Ha), hélium (He), holmium (Ho), hydrogène (H), indium (In), iode (I), iridium (Ir), kourchatovium (Ku), krypton (Kr), lanthane (La), lawrencium (Lr), lithium (Li), lutécium (Lu), magnésium (Mg), manganèse (Mn), mendélévium (Md), mercure (Hg), molybdène (Mo), néodyme (Nd), néon (Ne), neptunium (Np), nickel (Nl), niobium (Nb), nobélium (No), or (Au), osmium (Os), oxygène (O), palladium (Pd), phosphore (P), platine (Pt), plomb (Pb), plutonium (Pu), polonium (Po), potassium (K), praséodyme (Pr), prométhium (Pm), protactinium (Pa), radium (Ra), radon (Rn), rhénium (Re), rhodium (Rh), rubidium (Rb), ruthénium (Ru), samarium (Sm), scandium (Sc), sélénium (Se), silicium (Si), sodium (Na), soufre (S), strontium (Sr), tantale (Ta), technétium (tc), tellure (Te), terbium (Tb), thallium (Tl), thorium (Th), thulium (Tm), titane (Ti), tungstène (W), uranium (U), vanadium (V), xénon (Xe), ytterbium (Yb), yttrium (Y), zinc (Zn), zirconium (Zr).
ÉLÉMENTAIRE. Abécédaire, notion, rudimentaire, simple, sommaire.
ÉLÉPHANT. Barreter, barrissement, élé, ivoire, trompe, phanteau, ivoire, mammouth, mastodonte, pachyderme, proboscidien.
ÉLÉPHANTESQUE. Colossal, énorme, gigantesque, immense, mastodonte.
ÉLEVAGE. Apiculture, aviculture, embouche, héliciculture, salmoniculture, terrarium, trotting, trutticulture.
ÉLÉVATION. Altitude, arsis, ascension, augmentation, élevé, éminence, enseuillement, fièvre, grandeur, haut, hauteur, hyperthermie, messe, mont, montagne, montée, noblesse, poulie, réa, sublime, tertre.
ÉLÈVE. Apprenti, cadet, collégien, disciple, écolier, érige, étudiant, externe, interne, lycéen, maître, pensionnaire, pilotin, rapin, rat.
ÉLEVÉ. Accru, beau, cher, dignité, élévation, fier, grade, grand, haut, hauteur, hissé, noble, poulie, promu, soutenu, sublime, supérieur.
ÉLEVER. Bâtir, construire, crier, dispenser, éduquer, ériger, former, grouper, lever, monter, nourrir, poétiser, promouvoir, soulever.
ÉLEVEUR. Aviculteur, faisandier, herbager, oiseleur, sériculteur.
ÉLEVURE. Bouton, bulle, militaire, pustule, suçon, vésicule.
ELFE. Esprit, follet, génie, lutin, sylphe.
ÉLIMER. Défraîchi, égruger, limer, pulvériser, râper, usagé, user.
ÉLIMINATION. Ammoniurie, détartrage, excrétion, menstruation.

ÉLIMINER. Abstraire, anéantir, bannir, détruire, écarter, enlever, évincer, excréter, ôter, sortir, suer, supprimer, tirer, trier, tuer, urée.
ÉLIRE. Choisir, désigner, nommer, plébisciter, réélire, trier, voter.
ÉLISION. Apostrophe, article.
ÉLITE. Aristocratie, as, choix, crème, éminent, fleur, garde, gratin, grenadier, guide, lie, premier, qualifié, quantité, sélectif, supérieur.
ELLE. Éon, femme, fille, lui, soi.
ELME. Érasme.
ÉLOGE. Apologie, apothéose, compliment, congratulation, dithyrambe, encens, félicitations, flatter, louange, panégyrique, triomphe.
ÉLOIGNÉ. Écarté, détourné, distance, isolé, loin, lointain, perdu, reculé.
ÉLOIGNEMENT. Absence, dégoût, distance, nostalgie, recul, sûreté.
ÉLOIGNER. Absenter, aliéner, arracher, détacher, disparaître, distancer, écarter, évincer, exiler, fuir, isoler, partir, reléguer, retirer, séparer.
ÉLONGER. Allonger, détirer, égrener, épandre, étaler, étendre, étirer, lever, paver, semer, tirer.
ÉLOQUENCE. Ardeur, art, dire, brillant, brio, chaleur, charme, conviction, écrire, faconde, muse, orateur, oratoire, rhétorique, verve.
ÉLU. Bienheureux, choisi, député, saint, sénateur.
ÉLUCIDER. Clarifier, débrouiller, éclaircir, embrouiller, obscurcir.
ÉLUDER. Détour, escamoter, esquiver, éviter, négation, non, tourner.
ÉLUSIF. Éluder, enfuir, évasif, éviter, fuir, obvier, pallier, parer, partir.
ÉLYTRE. Abri, aile, aileron, aliforme, aviateur, élytre, flanc, pale, penne, plume, régime, spoiler, tache, talonnière, voilure, voler.
ÉMAIL. Allumé, décoration, émaillure, nielle, porcelaine, vernis.
ÉMANATION. Agréable, arôme, bouffée, ectoplasme, effluence, effluve, exhalaison, ichor, odeur, parfum, miasme, mofette, radon, senteur.
ÉMANCIPÉ. Affranchi, dégagé, délié, détaché, libéré, relâché.
EMBALLAGE. Berlingot, empaquetage, enveloppe, récipient, tine.
EMBALLER. Attacher, emboîter, entourer, envelopper, remballer.
EMBARCADÈRE. Appontement, cale, débarcadère, dock, gare, quai.
EMBARCATION. Accon, acon, allège, bachot, baleinière, barge, barque, bateau, canoë, canot, chaloupe, esquif, flette, gondole, nacelle, oumiak, périssoire, pirogue, rafiot, skiff, vedette, verchère, yacht, yole, youyou.
EMBARDÉE. Déflexion, déviation, écart, échappée, escapade, faute.
EMBARGO. Bannir, déconcerter, défendre, embarrasser, interdire.
EMBARQUER. Débarquer, emporter, monter, partir, rembarquer.
EMBARRAS. Aria, chiqué, complication, difficulté, doute, enchifrènement, ennui, esbroufe, gêne, honte, pétris, pose, snob.
EMBARRASSANT. Ennuyeux, épineux, gênant, malencontreux, obstacle.
EMBARRASSÉ. Confus, contourné, contraint, décidé, filandreux, gêné, hardi, honteux, pâteux, penaud, perplexe, résolu, sot, timide.
EMBARRASSER. Dérouter, encombrer, entraver, gêner, obstruer.
EMBASSADEUR. Consul, diplomate, émissaire, envoyé, légat, nonce.
EMBAUCHER. Demander, embrigader, engager, enjôler, enrôler, recruter, inciter, louer, recruter, traiter.

EMBECQUER. Absorber, avaler, becter, bouffer, brouter, consommer, croquer, déguster, dévorer, dîner, gaver, gorger, goûter, grignoter, happer, ingérer, mâcher, paître, pignocher, ronger, sustenter, vider.
EMBELLIR. Border, décorer, enjoliver, flatter, ornementer, orner, parer.
EMBELLISSEMENT. Décoration, garniture, ornement, parure.
EMBÊTER. Assiéger, assommer, cramponner, déranger, ennuyer, excéder, importuner, obséder, persécuter, peser, raser, suer, tanner.
EMBLÈME. Armoiries, attribut, balance, blason, écusson, image, insigne, lis, médaille, myrte, signe, symbole, tiroir.
EMBOBELINER. Cajoler, enjôler, ficeler, flatter, mensonge, tromper.
EMBOÎTER. Ajuster, assembler, encastrer, enchâsser, engager, entrer, envelopper, glisser, infiltrer, insinuer, introduire, mouler, pénétrer.
EMBONPOINT. Corpulence, enflure, graisse, gros, grosseur, gourmandise, obésité, rondelet, rondeur.
EMBOUCHURE. Bocal, bouche, delta, embouchoir, estuaire, grau, tétine.
EMBOURBER. Embarrasser, empêtrer, enfoncer, engluer, enliser.
EMBOUT. About, ferret.
EMBOUTEILLER. Boucher, congestionner, embarrasser, embouteiller, encombrer, entasser, obstruer, saturer, surproduire.
EMBOUTIR. Calfater, choquer, cogner, défoncer, étendre, fermer, frapper, frotter, heurter, oindre, percuter, tamponner, télécosper.
EMBRANCHEMENT. Chemin, fourche, partie, phanérogame, ver.
EMBRASEMENT. Ardeur, crémation, feu, flamme, incendie, sinistre.
EMBRASER. Activer, agacer, agiter, allumer, altérer, animer, apitoyer, attirer, attiser, aviver, brûler, causer, charmer, émoustiller, énerver, éveiller, exalter, inciter, piquer, remuer, soulever, sus, va.
EMBRASSEMENT. Accolade, baisement, baiser, bec, caresse, étreinte.
EMBRASSER. Adopter, baiser, biser, choisir, enlacer, étreindre, serrer.
EMBRIGADER. Demander, embrigader, engager, enjôler, enrôler, recruter, inciter, louer, recruter, traiter.
EMBROUILLER. Embarrasser, emmêler, imbroglio, mélanger, mêler.
EMBRYON. Alantoïde, bourgeon, fœtus, ovule, placenta, plantule.
EMBÛCHE. Aiche, appât, appeau, attrape, cage, danger, embuscade, esche, filet, gluau, leurre, nasse, panneau, piège, ratière, rets, ruse, souricière, syllabe, trappe, traquet.
ÉMÉCHÉ. Gris, ivre, pompette, saoul, soûl.
ÉMERAUDE. Aigue-marine, gemme, morillon, noces, smaragdin, vert.
ÉMERGENCE. Absence, agio, écart, contraste, dénivellation, dénivellement, discordance, dissemblance, distinction, divergence, diversité, inégalité, nuance, opposition, sexe, tension, variété.
ÉMERGER. Naître, nager, paraître, ressurgir, sortir, surgir, venir.
ÉMERVEILLER. Charmer, éblouir, étonner, fasciner, surprendre.
ÉMETTRE. Aspirer, claqueter, créer, diffuser, dire, énoncer, jeter, luire.
ÉMIER. Égrener, émietter.
ÉMIETTER. Broyer, disperser, égrener, émier, fragmenter, paner.
ÉMIGRATION. Exil, exode, expatriation, immigration, relégation.

ÉMIGRER. Essaimer, expatrier, fuir, migrer, or, rapatrier, rat, réfugier.
ÉMINENCE. Cardinal, colline, élévation, Ém., excellence, grise, hauteur, mont, montagne, protubérance, saillie, téocalli, tertre, tumeur.
ÉMIS. SOS.
ÉMISSAIRE. Agent, bouc, chargé, délégué, député, envoyé, espion.
ÉMISSION. Antenne, irradiation, jet, luminescence, rot, ruissellement.
EMMAILLOTER. Bobiner, envider, langer, serpenter, tordre, tortiller.
EMMÊLER. Brouiller, embrouiller, enchevêtrer, mélanger, mêler.
EMMENER. Amener, conduire, emporter, entraîner, mener, traîner.
EMMERDER. Amuser, barber, canuler, distraire, divertir, égayer, embêter, enquiquiner, lasser, récréer, réjouir, tanner, tartir, vexer.
EMMITOUFLER. Couvrir, déguiser, envelopper, habiller.
ÉMOLUMENTS. Appointements, commission, gain, rétribution, salaire.
ÉMONDER. Décortiquer, ébrancher, élaguer, jardiner, tailler, têtard.
ÉMOTIF. Affectif, colérique, nerveux, sensible, sentimental.
ÉMOTION. Agitation, bouleversement, choc, commotion, coup, cri, émoi, ému, fièvre, frisson, ire, sentiment, souci, transe, traumatisme, trouble.
ÉMOTIONNER. Angoisser, choquer, commotionner, émouvoir, troubler.
ÉMOUSSER. Arrondir, blaser, énerver, épointer, gâter, paralyser, user.
ÉMOUVANT. Attendrissant, bouleversant, déchirant, impressionnant, navrant, pathétique, poignant, saisissant, touchant, troublant.
ÉMOUVOIR. Affecter, agiter, amadouer, apitoyer, attendrir, choquer, fléchir, perturber, remuer, retourner, saisir, sympathiser, toucher.
EMPAILLEUR. Naturaliste, taxidermiste.
EMPALMER. Empalmage, empaumer.
EMPAN. Alépine, alun, basin, batiste, batik, bord, bure, casimir, cati, cotonnade, drap, escot, étamine, feutre, gaze, grain, granité, lé, laine, linge, ottoman, mérinos, mohair, moire, pan, ras, ratine, rep, satin, satinette, sergé, soie, suédine, surah, taffetas, tarlatane, tartan, tenture, textile, tissu, trentain, tulle, tussor, un, uni, velours, zénana.
EMPARER. Accaparer, approprier, capturer, prendre, saisir, usurper.
EMPÂTÉ. Adipeux, arrondi, baveux, beurre, bouffi, charnu, corpulent, décharné, dodu, étique, étoffé, fort, graisse, gras, gros, huileux, lard, maigre, obèse, onctueux, pansu, pâteux, plein, potelé, replet, taché.
EMPÊCHEMENT. Barrière, écueil, embarras, entrave, obstacle.
EMPÊCHER. Arrêter, barrer, consigner, entraver, éviter, fermer, gêner, interdire, modérer, museler, neutraliser, opposer, retenir, séparer.
EMPEREUR. Bataille, César, empire, monarque, palmipède, roi, tsar.
EMPEREUR D'ALLEMAGNE (n. p.). Adolphe de Nassau, Arnoul, Conrad, François, Frédéric, Joseph, Léopold, Otton, Robert le Bref, Rodolphe, Venceslas.
EMPEREUR D'AUTRICHE (n. p.). Charles, Ferdinand, François.
EMPEREUR DE BULGARIE (n. p.). Tsar.
EMPEREUR BYZANTIN (n. p.). Bardane, Basile, Constantin, Léon, Manuel, Maurice, Michel.
EMPEREUR DE CHINE (n. p.). Yao.

EMPEREUR D'ÉTHIOPIE (n. p.). Sélassié.
EMPEREUR DE FRANCE (n. p.). Napoléon.
EMPEREUR GREC (n. p.). Romain, Théodose.
EMPEREUR D'IRAN (n. p.). Pahlavi.
EMPEREUR DE MONGOLIE (n. p.). Ogoday.
EMPEREUR D'OCCIDENT (n. p.). Anthémius, Augustulus, Avitus, Constantius, Glycérius, Honorius, Julius, Majorien, Nepos, Olybrius, Pétrone, Romulus, Sévère, Valentin.
EMPEREUR D'ORIENT (n. p.). Arcadius, Léon, Marcian, Theodosius, Zénon.
EMPEREUR ROMAIN (n. p.). Alexandre, Antonin, Apostolat, Auguste, Aurélien, Balbin, Balbinus, Caligula, Caracalla, Carin, Carus, Claude, Commode, Constance, Constant, Constantin, Decius, Didius, Dioclétien, Domitien, Élagabal, Émilien, Eugène, Florien, Galba, Galère, Gallien, Gallus, Geta, Gordien, Gratien, Hadrien, Héliogabale, Jovien, Julianus, Licinius, Marc-Aurèle, Macrin, Magnence, Maxence, Maxime, Maximien, Maximin, Néron, Nerva, Numérien, Octave, Othon, Pertinax, Philippe l'Arabe, Probus, Pupien, Septime, Sévère, Tacite, Théodose, Tibère, Titus, Trajan, Valens, Valentinien, Valérien, Vérus, Vespasien, Vittelius, Zénon.
EMPEREUR RUSSE (n. p.). Paul, Pierre, Ttsar.
EMPEREUR DU VIETNAM (n.p). Baodai.
EMPESAGE. Amidonnage, apprêt, dur, étude, raidir.
EMPESTER. Empuantir, infecter, puer, sentir, renfermé, sentir, vicier.
EMPÊTRER. Embarrasser, entraver, lier, merdoyer, vasouiller.
EMPHASE. Affectation, ampoule, enflure, excès, hyperbole, ithos, naturel, pathos, pompe, pompier, prétention, simplicité, solennité.
EMPHATIQUE. Bouffi, grand, guindé, pompeux, ronflant, solennel.
EMPIÉTER. Anticiper, chasser, déborder, dépasser, envahir, usurper.
EMPILER. Accumuler, amasser, entasser, tromper, voler.
EMPIRE. Abeille, autorité, empereur, pouvoir, puissance, royaume.
EMPIRE (n. p.). Britannique, bysantin, Incas, orient, romain.
EMPIRER. Aggraver, aigrir, augmenter, aviver, envenimer, péricliter.
EMPLACEMENT. Abri, étal, gatte, lieu, local, place, site, stand, terrain.
EMPLÂTRE. Antiphlogistique, cataplasme, compresse, diachylon, magdaléon, mou, résolutoire, révulsif, sinapisme, thapsia.
EMPLETTE. Chaland, commande, course, échange.
EMPLIR. Bonder, bourrer, bonder, charger, combler, enfumer, engrener, envahir, farcir, garnir, infester, occuper, remplir, truffer.
EMPLOI. Boulot, carrière, place, poste, situation, titre, travail, usage.
EMPLOYÉ. Agent, cadre, clerc, commis, facteur, job, lampiste, livreur, peseur, postier, préposé, salarié, sert, traminot, usé, usité, utilisé.
EMPLOYER. Action, donner, faire, ménager, occuper, user, utiliser, zèle.
EMPOCHER. Accepter, accueillir, adopter, agréer, avoir, capter, cuir, écoper, émarger, essuyer, gagner, héberger, hériter, initier, loger, obtenir, palper, prendre, récolter, sentir, souffrir, subir, toucher, voir.

EMPOIGNER. Attraper, émouvoir, prendre, serrer.
EMPOISONNÉ. Envenimé, gâté, infecté, intoxiqué, toxique, vénéneux.
EMPOISONNEMENT. Avanie, avatar, botulisme, ennui, intoxication.
EMPORTÉ. Déchaîné, enragé, fanatique, furieux, passionné, vif, violent.
EMPORTEMENT. Avertin, colère, décharnement, emmener, entraîner, fougue, frénésie, fureur, furie, impétuosité, ire, passion, scène.
EMPORTER. Arracher, enlever, entraîner, ôter, rafler, transporter.
EMPOTÉ. Empêtré, épais, guindé, incapable, maladroit, pattu, paysan.
EMPOURPRER. Colorer, dorer, ensanglanter, rouge, rougir.
EMPREINT. Abondant, ample, animé, bondé, bourré, chargé, comble, complet, couvert, débordant, dense, dodu, étoffé, farci, fort, gras, gros, ivre, massif, morne, nourri, plein, potelé, ras, rempli, replet, rond, saturé, senti, seul, sévère, vidé.
EMPREINTE. Cachet, caractère, coin, ectype, fossile, griffe, impression, marque, médaille, sceau, trace, vestige.
EMPRESSÉ. Assidu, complaisant, galant, impatient, prompt, zélé.
EMPRESSEMENT. Chaleur, diligence, élan, galanterie, hâte, précipitation.
EMPRESSER. Accélerer, affairer, courir, démener, dépêcher, hâter.
EMPRISONNEMENT. Captivité, détention, écrou, enfermement, fermer, incarcération, internement, prison, réclusion, séquestration, tôle.
EMPRISONNER. Détenir, écrouer, incarcérer, interner, séquestrer.
EMPRUNT. Compilation, embarras, imitation, prêt, rente.
EMPRUNTER. Artificiel, embarrassé, guinder, imiter, pseudonyme, prime, puiser, taper, tirer, user, voler.
EMPUANTI. Infecter, irrespirable, puer, sentir, renfermé, sentir, vicier.
EMPYRÉE. Astre, azur, calotte, céleste, ciel, cieux, climat, coupole, éther, exil, firmament, frise, lit, mythologie, Olympe, paradis, séjour, voûte.
ÉMU. Agité, émotion, gris, ivresse, noir, parti, rond, saoul, soûl, trouble.
ÉMULATION. Antagonisme, assaut, combat, course, jalousie, lutte, zèle.
ÉMULE. Adversaire, candidat, concurrent, ennemi, prétendant, rival.
EN. Dans, date, dedans, es.
ENCADREMENT. Bande, bord, cadre, chambranle, côté, marge, zone.
ENCADRER. Border, enserrer, entourer, insérer, marger, ourler.
ENCAISSER. Boxeur, endurer, recevoir, rentrée, rivière, route, toucher.
ENCARTER. Enchâsser, enficher, inclure, incruster, insérer, intercaler.
ENCASTRER. Enchâsser, enficher, inclure, incruster, insérer, intercaler.
ENCAUSTIQUER. Appliquer, bitumer, cirer, couvrir, crépir, encrer, enduire, engommer, étaler, farter, gluer, gommer, luter, recouvrir, résiner, revêtir.
ENCEINDRE. Cerner, encercler, enclore, entourer, envelopper, investir.
ENCEINTE. Cirque, clôture, contour, mur, parc, rempart, ring.
ENCENS. Clerc, encensoir, flatteur, galipot, louange, oliban.
ENCENSER. Aimer, iconolâtrie, idolâtrer, ignocoler, honorer, vénérer.
ENCERCLEMENT. Blocus, investissement, siège.
ENCERCLER. Cerner, enclore, entourer, envelopper, fermer, investir.

ENCHAÎNEMENT. Destin, fil, intrigue, karma, suite, tachypsychie.
ENCHAÎNER. Attacher, continuer, joindre, lier, menotter, river, suivre.
ENCHANTEMENT. Bonheur, charme, magie, paradis, ravissement.
ENCHANTÉ. Content, ensorcellé, envoûté, fasciné, ravi, séduit.
ENCHANTER. Charmer, envoûter, féerer, intéresser, ravir, séduire.
ENCHANTEUR. Charmant, magicien, Merlin, séducteur, séjour.
ENCHÂSSEMENT. Emboîtement, encastrer, montage, serte, sertie, sertir.
ENCHÂSSER. Emboîter, encadrer, encastrer, monter, reliquaire, sertir.
ENCHÈRE. Adjudication, criée, encan, licitation, surenchère, vente.
ENCHEVÊTRÉ. Embarrassé, emmêler, filandreux, plique, tissu, trame.
ENCHEVÊTRER. Brouiller, embrouiller, emmêler, entrelacer, erg, mêler.
ENCLAVER. Enchâsser, enficher, inclure, incruster, insérer, intercaler.
ENCLIN. Malin, penchant, pervers, porté, sujet.
ENCLOS. Corral, courtine, jardin, parc, pâturage.
ENCLUME. Bigorne, billot, dé, embase, forge, oreille, ressaut, tas.
ENCOCHE. Adent, coche, coupure, cran, crevasse, dame, échancrure, entaille, éraflure, faille, fente, onglet, raie, rainure, ruinure, surlé.
ENCODER. Code, code-barres, cryptage, décalogue, deuteronome, titre.
ENCOIGNURE. Amure, angle, angrois, biseau, cachet, caractère, coin, corne, empreinte, estampille, marque, poinçon, recoin, sceau.
ENCOLURE. Cheval, cou, frivolité, jabot, poitrail.
ENCOMBRER. Amas, barda, boucher, congestionner, embarrasser, embouteiller, entasser, farcir, obstruer, saturer, surproduire.
ENCORE. Ainsi, aussi, autant, bis, même, plus, quand, quoique, toujours.
ENCOURAGER. Aider, animer, applaudir, apporter, approuver, appuyer, conforter, décider, engager, enhardir, exalter, exciter, exorter, favoriser, flatter, inciter, inviter, piquer, porter, pousser, quête.
ENCOURIR. Attirer, exposer, mériter, occasionner, risquer.
ENCRE. Dessin, écrire, lavis, moine, ponce, typographie.
ENDETTER. Contracter, devoir, grever, obérer.
ENDIABLÉ. Débridé, fougueux, impétueux, indiscipliné, infernal, vif.
ENDIVE. Chocon, chicorée de Bruxelles, chicorée de Witloof.
ENDOMMAGER. Abîmer, avarier, briser, détériorer, gâter, ruiner, user.
ENDORMEUR. Amorphe, apathique, dormir, lent, somnifère, tsé-tsé.
ENDORMIR. Anesthésier, assoupir, bercer, chloroformer, dormir, engourdir, ennuyer, hypnotiser, illusionner, soulager, tromper.
ENDOSSEMENT. Acceptation, aval, charge, endos, ordre, signature.
ENDOSSER. Accepter, assumer, garantir, mettre, revêtir, signer, vêtir.
ENDROIT. Affût, arrêt, asile, cédraie, cinéma, clairière, creuset, emplacement, entrée, envers, flottaison, germoir, glaisière, gué, héronnière, ici, là, légumier, lieu, melonnière, noiseraie, parage, paysage, place, pondoir, précipice, recto, resserre, rouissoir, rucher, séjour, silo, site, soudure, source, tabagie, tir, vasière.
ENDUIRE. Appliquer, bitumer, cirer, couvrir, crépir, encrer, engommer, étaler, farter, gluer, gommer, luter, recouvrir, résiner, revêtir.

ENDUIT. Apprêt, badigeon, baume, cire, couche, crépi, crépissure, dépôt, engobe, fard, galinot, glaçage, glaçure, gunite, incrustation, lut, mastic, onguent, peinture, pommade, protection, solin, stuc, vernis.
ENDURCIR. Amurer, bander, durcir, empeser, engourdir, fixer, tendre.
ENDURER. Boire, essuyer, souffrir, soutenir, subir, supporter, tolérer.
ÉNERGIE. Atome, cœur, efficacité, effort, faiblesse, fermeté, force, mollesse, libido, tonus, vertu, vigueur, vitalité, watt.
ÉNERGIQUE. Actif, amorphe, apathique, décidé, déterminé, dynamique, efficace, faible, ferme, fort, indolent, mou, pusillanime, résolu.
ÉNERVANT. Agaçant, exaspérant, horripilant, insupportable, irritant.
ÉNERVER. Affadir, affaiblir, agacer, alanguir, amollir, aveulir, crisper, échauffer, exaspérer, excéder, fatiguer, horripiler, irriter, ulcérer.
ENFANCE. Aube, aurore, commencement, gâteux, origine, toxicose.
ENFANT. Amour, ange, angelot, bara, bébé, champi, chérubin, démon, diablotin, doux, gamin, fille, fils, môme, moutard, négrillon, nouveau-né, oblat, orphelin, part, peste, polisson, poupon, têtard.
ENFANTER. Accoucher, créer, engendrer, procréer, produire.
ENFANTILLAGE. Badinerie, caprice, frivolité, gaminerie, mômerie.
ENFANTIN. Espiègle, immature, infantile, nono, puéril, simple, tata.
ENFER. Chthonienne, damné, diable, fleuve, géhenne, infernal, licencieux, parque, styx, supplice, tartare.
ENFER (n. p.). Chthonienne, Éaque, Érèbe, Géhenne, Dante, Lucifer, Minos, Rhadamante, Satan, Tartare.
ENFERMER. Boucler, cacher, cloîtrer, coffrer, confiner, emmurer, emprisonner, encercler, enserrer, fermer, fourrer, inclus, interner, murer, priver, ranger, séquestrer, serrer, traquer, verrouiller.
ENFILADE. Caravane, chapelet, colonne, cordon, défilé, file, haie, ligne, part, procession, queue, rang, rangée, remorqueur, suite, tisse, train.
ENFIN. Bref, conclusion, finalement.
ENFLAMMER. Allumer, brûler, colère, embraser, exciter, passionner.
ENFLER. Ballonner, bouffir, dilater, gonfler, grossir, ru, tuméfier.
ENFLURE. Bosse, boursouflure, œdème, tuméfaction.
ENFONCEMENT. Alcôve, baissière, creux, crique, golfe, salière, trou.
ENFONCER. Caler, enliser, envaser, ficher, introduire, planter, plonger.
ENFOUIR. Cacher, enfoncer, enterrer, plonger, terrer.
ENFREINDRE. Contrevenir, déroger, désobéir, faillir, forfaire, manquer, observer, parjurer, respecter, suivre, transgresser, violer.
ENFUIR. Déguerpir, détaler, échapper, évader, filer, fuir, partir, sauver.
ENGAGEMENT. Affirmation, embauche, entreprise, fiançailles, mariage.
ENGAGER. Demander, embaucher, inciter, louer, recruter, traiter.
ENGELURE. Crevasse, enflure, érythème, froidure, gelure, rougeur.
ENGENDRER. Créer, enfanter, générer, père, procréer, produire.
ENGIN. Arme, excavateur, fusée, mine, niveleuse, piège, tunnelier.
ENGLOUTIR. Abîmer, absorber, avaler, consumer, perdre, sombrer.
ENGLOUTINER. Absorber, avaler, déglutir, entonner, gober, sombrer.

ENGORGEMENT. Bouchon, congestion, lampas, obstruction, œdème.
ENGORGER. Barrer, bloquer, boucher, dégorger, embarrasser, embouteiller, encombrer, encrasser, fermer, oblitérer, obstruer, opiler.
ENGOUÉ. Acoquiné, coiffé, emballé, entêté, entiché, féru, toqué.
ENGOUEMENT. Amour, entichement, folie, mode, passion, vogue.
ENGOURDI. Figé, froid, gelé, gourd, impassible, lent, morfondu, transi.
ENGOURDIR. Assoupir, endormir, hiberner, lent, paralyser, somnoler.
ENGOURDISSEMENT. Apathie, consomption, dolent, épuisement, hibernation, langoureux, langueur, morne, onglée, paresse, torpeur.
ENGRAIS. Amendement, apport, compost, cyanamide, fertilisant, fumier, gadoue, guano, humus, nourrain, poudrette, purin, urée.
ENGRAISSEMENT. Embouche, engraissage, épandeur, pouture.
ENGRAISSER. Améliorer, amender, appâter, empâter, faluner, grossir.
ENGRENAGE. Arbre, came, dent, doigt, liaison, roue.
ENGUEULER. Corriger, enguirlander, injurier, jurer, réprimander.
ÉNIGMATIQUE. Cacher, logogriphe, mystérieux, obscur.
ÉNIGME. Charade, demande, mystère, oedipe, question, secret, sphinx.
ENIVRÉ. Amant, éméché, étourdi, gris, ivre, passionné, saoulé, soûl.
ENIVREMENT. Enthousiasme, griserie, ivresse, ivrognerie, vertige.
ENIVRER. Alcooliser, boire, émécher, étourdir, griser, saouler, soûler.
ENJAMBÉE. Allure, espace, danse, empiété, étape, foulée, jalon, marche, pas, préséance, progrès, promenade, seuil.
ENJAMBER. Empiéter, franchir, marcher, passer, rejeter, usurper.
ENJEU. Action, banco, but, cave, jeu, mise, pari, pot, poule, relance.
ENJOINDRE. Avertir, aviser, diriger, endosser, intimer, ordonner.
ENJÔLER. Amadouer, cajoler, embobiner, flatter, mensonge, tromper.
ENJÔLEUR. Aguicheur, cajoleur, charmeur, embobineur, ensorceleur, menteur, patelin, racoleur, séducteur, trompeur.
ENJOLIVER. Agrémenter, décorer, embellir, idéaliser, orner, parer.
ENJOUÉ. Badin, folâtre, gai, grave, jovial, joyeux, sévère, souriant.
ENJOUEMENT. Alacrité, allégresse, follement, joie, spitant, vivacité.
ENLACEMENT. Embrassement, caresse, entrelacement, étreinte, nœud.
ENLACER. Embrasser, entourer, entrelacer, étreindre, nouer, serrer.
ENLAIDIR. Abîmer, défigurer, déparer, embellir, enjoliver, laidir.
ENLÈVEMENT. Collecte, démasclage, dépilage, desquamation, kidnapping, otage, prise, ramassage, rapt, ravissement, razzia, violence.
ENLEVER. Abolir, confisquer, couper, débarrasser, décortiquer, délainer, démieller, dénoyauter, dépiauter, dépoussiérer, dépulper, détartrer, ébarber, ébavurer, écaillage, écaler, écimer, écrêter, écumer, effacer, égrener, éliminer, emmener, émorfiler, emporter, énouer, épiler, érater, essorer, essuyer, étêter, exfolier, kidnapper, laver, ôter, peler, râcler, ravir, retirer, sauner, soustraire, supprimer, tuer, vider.
ENLIGNER. Bornoyer, désirer, lorgner, mirer, pointer, regarder, viser.
ENLISER. Embarrasser, embourber, empêtrer, enfoncer, engluer.
ENNEIGÉ. Avalanche, blanc, blizzard, charrue, chenu, congère, grêle, héroïne, neige, neigeux, névé, obier, perce-neige, poudrerie, viorne.

ENNEMI. Adversaire, antagoniste, capulet, concurrent, opposant, ratier.
ENNUI. Aria, avanie, avaro, avatar, cafard, contrariété, déboire, dégoût, désagrément, difficulté, embarras, embêtement, enquiquinement, épine, épreuve, hic, lassitude, os, panne, pépin, souci, tracas, tuile.
ENNUYÉ. Assommé, embêté, emmerdé, fâché, fatigué, las, rasé, tanné.
ENNUYER. Amuser, barber, canuler, distraire, divertir, égayer, enquiquiner, lasser, récréer, réjouir, tanner, tartir, vexer.
ENNUYEUX. Agaçant, barbant, embêtant, fâcheux, fade, fatigant, insipide, lassant, long, maussade, monotone, rasant, vexant.
ÉNONCER. Affirmer, alléguer, articuler, avancer, déclarer, déduire, définir, dire, écrire, émettre, énumérer, former, juger, stipuler.
ÉNORME. Beaucoup, éléphantesque, grand, immense, monumental.
ÉNOTHÈRE. Anogre, bergamote, calypholis, chylismia, kneiffia, lavauxia, megapterium, raimannia, sphaerostigma, taraxia.
ENQUÊTE. Accusation, panel, perquisition, recherche, sondage.
ENRACINER. Adné, amitié, ancré, ars, boucle, calé, chaîne, collé, corde, épris, et, fixé, hart, lacé, laisse, lie, lien, ligament, noué, rivé, vissé.
ENRAGER. Acharner, délire, endiabler, érinye, exaspéré, fanatisme, frénésie, furieux, irriter, ivresse, pythie, rage, rager, violence.
ENRAYER. Arrêter, endiguer, étouffer, freiner, gêner, juguler, modérer.
ENRÉGIMENTER. Embrigader, engager, enrôler, lever, persuader.
ENREGISTRER. Écrire, graver, immatriculer, lexicaliser, noter, tourner.
ENRICHIR. Abondance, engraisser, étoffer, gain, orner, meubler.
ENRÔLEMENT. Conscrit, embrigadement, engagement, levée.
ENRÔLER. Embaucher, embrigader, engager, lever, persuader, racoler.
ENROUEMENT. Chat, extinction, graillement, râlement, raucité, toux.
ENROULEMENT. Boucle, coquille, papillote, spirale, volute, vrille.
ENROULER. Bobiner, envider, lover, serpenter, tordre, tortiller.
ENSEIGNANT. Éducateur, instituteur, maître, moniteur, pédagogue, précepteur, prof, professeur.
ENSEIGNE. Affiche, bannière, écusson, drapeau, étendard, panneau.
ENSEIGNEMENT. Acquisition, apprentissage, classe, collège, conclusion, cours, école, éducation, formation, instruction, leçon, matière, règle.
ENSEIGNER. Apprendre, démontrer, initier, instruire, maître, montrer.
ENSEMBLE. Accord, agio, amas, assemblage, bloc, concert, couple, couronne, écurie, état, kit, race, total, tout, uni, unisson, unité.
ENSEMENCER. Emblaver, ressemer, semailles, semer, semis.
ENSEVELIR. Cacher, enfouir, entasser, enterrer, inhumer, sépulture.
ENSORCELER. Amadouer, cajoler, embobiner, flatter, tromper.
ENSUITE. Après, et, puis, subséquemment, suite, ultérieurement.
ENTACHER. Anachronique, noir, réputation, salir, souiller, tache.
ENTAILLE. Adent, coche, coupure, cran, crevasse, dame, échancrure, encoche, éraflure, faille, fente, onglet, raie, rainure, ruinure.
ENTAILLER. Cocher, couper, échancrer, entamer, exciser, inciser, tailler.

ENTAMER. Amorcer, attaquer, corroder, couper, ébrécher, écorner, engager, mâchurer, manger, mordre, ouvrir, ronger, toucher.
ENTASSEMENT. Abattis, abcès, adipeux, banquise, bloc, boule, bourre, branchage, cal, chaton, dune, empyème, fatras, fétras, feu, foule, filasse, jar, jard, liasse, lithiase, lot, masse, meule, mitraille, monceau, mousse, névé, noyau, nuage, ossuaire, pannicule, paquet, pierraille, pierre, pile, plexus, ruée, salage, sécas, sérac, sore, tas, tout, trésor.
ENTASSER. Accumuler, amasser, empiler, ensevelir, presser, serrer.
ENTE. Enter, enture, greffe.
ENTENDEMENT. Compréhension, conception, intellect, jugement, raison.
ENTENDRE. Accepter, admettre, attraper, audition, comprendre, écouter, embrasser, ouïr, percevoir, prêter, saisir, union, vouloir.
ENTENDU. Accord, approbation, capable, convenu, cru, inouï, ouï.
ENTENTE. Amitié, amour, approuver, arpège, concert, concorde, convenir, convention, discord, do, entente, harmonie, la, marché, musique, oui, pacte, refus, rime, traité, unanimité, union, unisson.
ENTER. Abouter, ajouter, greffer, joindre.
ENTÉRINER. Approuver, avaliser, confirmer, consacrer, plébisciter.
ENTÉRITE. Colite, entérocolite, strongylose.
ENTERREMENT. Calendrier, cérémonie, convoi, deuil, funérailles, mort.
ENTERRER. Cacher, enfouir, ensevelir, entasser, inhumer, sépulture.
ENTÊTÉ. Acharné, buté, ferme, lutin, mule, obstiné, raide, tenace, têtu.
ENTÊTEMENT. Caprice, fermeté, obstination, préjugé, ténacité, volonté.
ENTHOUSIASME. Apathie, ardeur, brio, délire, dithyrambe, élan, extase, fanatisme, flegme, fureur, indifférence, ivresse, tiède, transport, zèle.
ENTHOUSIASMER. Emballer, exalter, extasier, griser, rêver, zéler.
ENTICHÉ. Coiffé, enfatué, engoué, épris, féru, fou, toqué.
ENTIER. Complet, ferme, intégral, plein, raide, têtu, total, tout, un.
ENTIÈREMENT. Absolument, absorbant, complètement, exclusif, franc, globalement, hémi, intégral, lot, mi, moitié, part, pleinement, quart, radicalement, semi, systématique, têtu, tiers, totalement, tout.
ENTONNOIR. Autoclave, bassinet, chantepleure, cornet, culot, cuvette, perloir, siphon, tourbillon, trémie, verveux.
ENTORTILLER. Affecter, alambiquer, amphigouriquer, compliquer, confus, contourner, emberlificoter, embrouiller, tarabiscoter.
ENTORSE. Déboîtement, distortion, écart, effort, élongation, foulure.
ENTOURAGE. Ambiance, cercle, cour, entours, milieu, monde, trémus.
ENTOURER. Assiéger, border, ceindre, ceinture, cerner, clore, clôturer, couronner, encercler, enclore, environner, épiner, île, enserrer, garnir, investir, gencive, lac, langer, larder, lover, murer, rober, tortiller.
ENTRAILLES. Boyaux, éviscérer, flanc, intestin, tripes, viscères.
ENTRAIN. Animation, ardeur, brio, élan, fougue, joie, vie, vivacité, zèle.
ENTRAÎNEMENT. Élan, engrenage, entraîneur, erre, exaltation, habitude, mouvement, poussée, surentraînement, transmission.
ENTRAÎNER. Abuser, amener, causer, impliquer, perdre, rentraîner.

ENTRAÎNEUSE. Entremetteuse, locomotive, taxi-girl.
ENTRAVE. Abat, abot, chaînes, embarras, empêchement, fer, frein, gêne, joug, libre, obstacle, saboteur, tribart, troussepied.
ENTRAVER. Contrarier, embarrasser, empêcher, enrayer, gêner.
ENTRE. Avancer, dans, ingrédient, inter, milieu, moyen, parmi, tiède.
ENTRECROISEMENT. Croisement, croix, nœud, tissure, treillis.
ENTRÉE. Accès, admission, gorge, irruption, parvis, passage, porte, seuil.
ENTREFILET. Article, chronique, écho, feuille, journal, reportage.
ENTRELACEMENT. Armure, croisé, lacé, natte, nœud, réseau, tresse.
ENTRELACER. Croiser, enlacer, lacer, natter, nouer, tisser, tramer.
ENTREMÊLER. Enchevêtrer, imbriquer, intriquer, mélanger, mêler.
ENTREMETS. Compote, flottant, île, pâtisserie.
ENTREPOSER. Déposer, ensiler, remiser, stocker, transporter.
ENTREPÔT. Cellier, dépôt, halle, hangar, magasin, parc, réserve.
ENTREPRENANT. Agissant, allant, ardent, diligent, efficace, énergique, increvable, laborieux, militant, pétulant, remuant, transitif, vif, zélé.
ENTREPRENDRE. Agir, atteler, créer, essayer, intenter, oser, tenter.
ENTREPRISE. Aventure, établissement, firme, tentée, trust, voltige.
ENTRER. Aborder, ficher, garer, mettre, parlementer, pourrir, rentrer.
ENTRETENIR. Caresser, causer, choyer, maintenir, parler, tenir, vivre.
ENTRETIEN. Aparté, colloque, demande, devis, dialogue, tête-à-tête.
ENTREVOIR. Annoncer, anticiper, augurer, calculer, comprendre, conjecturer, déchiffrer, découvrir, deviner, dévoiler, espérer, flairer, imaginer, interpréter, intuition, juger, pile, pénétrer, prédire, préjuger, présager, pressentir, prévenir, prévoir, pronostiquer, prophétiser, reconnaître, rencontrer, résoudre, révéler, sonder, soupçonner, transparaître, trouver, vaticiner.
ENTREVUE. Audience, colloque, congrès, palabre, réunion, visite.
ENTUBER. Abuser, berner, décevoir, dol, duper, égarer, enjôler, errer, escroquer, flouer, frauder, gourer, gruger, induire, léser, leurrer, mentir, piper, posséder, refaire, rouler, trahir, tricher, tromper, truc.
ÉNUMÉRATION. Articulation, bordereau, ci, comptable, compte, décompte, dénombrement, détail, dito, etc., item, liste, litanie.
ENVAHI. Bondé, bourré, colonisé, importuné, infesté, occupé, trichiné.
ENVAHIR. Déborder, emparer, emplir, entrer, inonder, parasiter.
ENVAHISSANT. Accaparant, dévorant, importun, indiscret, parasite.
ENVELOPPE. Albuginée, ampoule, baie, bale, barder, bogue, brou, calice, chemise, chorion, clisse, cocon, coque, coquille, cosse, couverture, dé, délivre, écale, écorce, étui, fourreau, gaine, genouillère, giron, glume, housse, légume, membrane, momie, peau, périsprit, placenta, pli, récipient, rétine, robe, sac, taie, tégument, test, tunique, zoécie.
ENVELOPPER. Bander, barder, enrober, emmitoufler, nouer, vêtir.
ENVENIMER. Accroître, alourdir, amplifier, augmenter, charger, compliquer, détériorer, développer, empirer, exciter, pire, récidiver.
ENVERS. Arrière, avec, dos, endroit, médaille, pour, renverser, revers.

ENVIE. Appétence, besoin, désir, épreintes, faim, goût, haut-le-cœur, inclination, jalousie, libido, nausée, péché, repos, soif, sommeil.
ENVIER. Agacer, agiter, convoiter, gêner, harceler, infester, lanciner, moquer, mouvementer, ronger, tanner, tenailler, torturer, vexer.
ENVIRON. Abords, alentour, approximativement, autour, dans, quelque.
ENVIRONNEMENT. Décor, écologie, entourage, environ.
ENVISAGER. Concevoir, considérer, juger, prévoir, réfléchir, regarder.
ENVOI. Colis, dédicace, don, lancement, livraison, paquet, passe, renvoi.
ENVOL. Avion, décollage, départ, essaim, essor, vol.
ENVOLÉE. Avion, élan, inspiration, oral, passé, perdu, vol, volée.
ENVOYER. Adresser, éloigner, émettre, lancer, livrer, porter, télécopier.
ENZYME. Amylase, autolyse, coenzyme, diastase, émulsine, érepsine, esterase, kinase, myrosine, pepsonine, présure, rénine, zymase.
ÉPAIS. Abondant, andouille, brume, compact, concret, consistant, délié, dense, dru, dur, empâté, fin, fort, fourni, gluant, gras, gros, grossier, lard, large, lourd, menu, mince, opaque, pâteux, pesant, touffu, serré.
ÉPAISSIR. Cailler, concentrer, cristalliser, figer, grossir, grumeler, lier.
ÉPAISSISSEMENT. Callosité, empattement, grosseur, pachydermie.
ÉPANCHEMENT. Aveu, confiance, dégorgement, déversement, ecchymose, écoulement, effusion, expansion, hémarthrose, hématome.
ÉPANDRE. Arroser, couler, déverser, distiller, entonner, épancher, infuser, instiller, larmoyer, mettre, payer, pleurer, répandre, servir, soutirer, transfuser, transvaser, transverser, transvider, verser, vider.
ÉPANOUIR. Déployer, dilater, éclore, floraison, ouvrir, ravir, réjouir.
ÉPANOUISSEMENT. Anthèse, dilatation, essor, éveil, floraison, joie.
ÉPARGNE. Grâce, lésine, lésinerie, magot, masse, parcimonie, pécule.
ÉPARGNER. Économiser, éviter, garder, ménager, pardonner, prodiguer.
ÉPARPILLER. Disperser, dissiminer, dissiper, émietter, épandre, étaler, gaspiller, grouper, parsemer, rassembler, répandre, réunir, semer.
ÉPARS. Clairsemé, constellé, dispersé, disséminé, dissocié, épar, séparé.
ÉPATANT. Chouette, extra, formidable, génial, merveilleux, super.
ÉPATER. Ébahir, éberluer, éblouir, écraser, étendre, étonner, méduser.
ÉPAULARD. Orque, rorqual.
ÉPAULE. Ars, bras, buste, carré, cou, éclanche, froc, garrot, jambon, lever, longe, omoplate, saie, saye, scapulaire, soutien.
ÉPAULER. Aider, appuyer, assister, dévisser, protéger, soutenir.
ÉPAVE. Déchet, décombres, lagan, loque, ruine.
ÉPÉE. Alfange, arme, badelaire, bague, bancal, bandal, batte, botte, brand, braquemart, brette, briquet, cape, carrelet, cimeterre, claymore, colichemarde, coutelat, coutille, croisette, dague, Damoclès, durandal, espadon, estoc, estocade, estramaçon, fer, fil, flamberge, fleuret, glaive, haute-claire, joyeuse, lame, latte, rapière, robe, sabre, yatagan.
ÉPÉISME. Assaut, botte, discussion, lutte, escrime.
ÉPERON. Aiguillon, bride, broche, collet, dent, ergot, excitant, molette, nectaire, pique, plateau, pointe, rosette, rostre, saillie, stimulant.
ÉPERONNER. Aiguillonner, animer, brocher, exciter, piquer, stimuler.

ÉPERVIER. Faucon, filet, horus, nasse, rapace, tiercelet.
ÉPI. Blé, cheveux, mèche, obliquement, ouvrage.
ÉPICE. Absinthe, ail, aneth, angélique, anis, aspic, badiane, basilic, cannelle, cardamome, cari, carvi, cayenne, céleri, cerfeuil, chile, ciboulette, coriandre, cumin, curcuma, échalote, estragon, fenouil, genièvre, gingembre, girofle, hysope, laurier, livèche, macis, maniguette, marjolaine, mélisse, menthe, moutarde, muscade, oignon, origan, paprika, persil, piment, poivre, quatre, romarin, safran, sarriette, sauge, sel, serpolet, sésame, thym.
ÉPICER. Assaisonner, corser, pimenter, poivrer, relever, saler.
ÉPICÉA. Conifère, épinette, sapin, sapinette.
ÉPICURIEN. Ataraxie, hédoniste, jouisseur, secte, sensuel, sybarite.
ÉPIDÉMIE. Choléra, contagion, enzootie, épizootie, grippe, lèpre, maladie, manie, peste, rubéole, variole.
ÉPIDERME. Cutané, desquamation, gale, peau, pellicule, squame.
ÉPIER. Espionner, filer, guet, guetter, observer, regarder, rôder, suivre.
ÉPIEU. Dard, javelot, lance, pieu, pique, sagaie.
ÉPILEPSIE. Aura, convulsion, mal, grand mal.
ÉPINE. Aiguillon, arête, berberis, broussalle, cactée, écharde, essart, filet, haie, inerme, nerprun, os, queue, rachis, spinelle, spinule.
ÉPINETTE. Arbre, blanche, bleue, brewer, cage, clavecin, engelmann, japon, mue, noire, norvège, résineux, rouge, sitka, virginal.
ÉPINGLE. Bigoudi, camion, fibule, sixtus.
ÉPINGLER. Accrocher, agrafer, alpaguer, appréhender, arrêter, cueillir.
ÉPIQUE. Chant, élevé, épopée, extraordinaire, geste, héroïque, rare.
ÉPIS. Épillet, glane.
ÉPISODE. Aventure, digression, événement, péripétie, pont, rapsodie.
ÉPITHÈTE. Adjectif, apposition, attribut, épiphane, injure, qualificatif.
ÉPÎTRE. Bible, lettre, missive.
ÉPLUCHER. Décortiquer, écaler, écosser, gratter, lire, nettoyer, peler.
ÉPOINTER. Arrondir, blaser, énerver, émousser, gâter, paralyser, user.
ÉPONGE. Amnistie, euplectille, grâce, loofa, luffa, oscule, pardon, polype, spicule, spongia, spongieux, spongille, euplectelle.
ÉPONGER. Acquitter, effacer, essuyer, étancher, payer, sécher.
ÉPOPÉE. Aventure, épique, événement, histoire, odyssée, poème, saga.
ÉPOQUE. Âge, agnelage, canicule, cervaison, cycle, date, défloraison, en, épiage, ère, essaimage, étape, fenaison, frai, frondaison, fructification, gemmation, période, pondaison, moment, semailles, siècle, terme.
ÉPOUSE. Bourgeoise, compagne, conjointe, femme, légitime, ménagère.
ÉPOUSER. Allier, attacher, choisir, convoler, former, marier, redorer.
ÉPOUSSETER. Abraser, approprier, astiquer, brosser, caréner, curer, décaper, déterger, écumer, écurer, énouer, faire, fourbir, laver, lessiver, monder, ôter, polir, purger, racler, ratisser, récurer, rincer.
ÉPOUVANTABLE. Affreux, apocalypse, atroce, effrayant, effroi, terrible.
ÉPOUVANTE. Affolement, affres, alarme, angoisse, crainte, effarement, effroi, émotion, frayeur, horreur, panique, peur, sirène, terreur.

ÉPOUX. Compagnon, conjoint, consort, futur, légitime, mari, moitié.
ÉPREUVE. Compétition, coupe, course, cromalin, éliminatoire, essai, examen, final, fumé, guerre, malheur, match, ordalie, raid, stage, test.
ÉPRIS. Amoureux, attaché, féru, fou, passionné, polarisé, séduit, toqué.
ÉPROUVÉ. Angoissé, eu, misandre, oppressé, ressenti, sûr.
ÉPROUVER. Avoir, brûler, craindre, endurer, enrager, essayer, expérimenter, flairer, goûter, pâtir, peiner, recevoir, regretter, ressentir, sentir, subir, tâter, trembler, tressaillir.
ÉPROUVETTE. Cylindre, tube.
ÉPUISÉ. Anéanti, bu, échiné, écopé, éreinté, fatigué, flapi, forfait, fourbu, harassé, las, livre, recru, sassé, sec, tari, tué, usé, vidé.
ÉPUISER. Accabler, briser, exténuer, fatiguer, miner, tarir, user, vider.
ÉPUISETTE. Écope.
ÉPURATEUR. Décantateur, filtre, purificateur, raffineur.
ÉPURATION. Déjection, écoulement, éjection, émission, éruption, expulsion, nettyage, péril, purge, sialorrhée, uriner, vomique.
ÉPURER. Affiner, décaper, écumer, expurger, filtrer, purger, purifier.
ÉQUERRE. Biveau, esquarre, graphomètre, règle, sauterelle, té.
ÉQUIDÉ. Âne, ânesse, bidet, cheval, hémione, jument, mule, poulain.
ÉQUILIBRE. Aplomb, balance, iotomie, lest, niveau, santé, stabilité.
ÉQUILIBRÉ. Apte, assiette, assuré, balancé, chargé, égal, ému, épanoui, ferme, ivre, modéré, niveau, pondéré, sain, sensé, solide, stable.
ÉQUILIBRER. Balancer, ballaster, boucler, compenser, contrebalancer, contrepeser, corriger, gymnastique, immobile, otolithe, pondérer.
ÉQUILLE. Lançon, vive.
ÉQUIPAGE. Apparat, arroi, arsenal, attirail, bagage, navire, train.
ÉQUIPE. Armateur, écurie, escouade, gang, groupe, relève, troupe.
ÉQUIPEMENT. Apparaux, armement, bagage, barda, navire, outillage.
ÉQUIPER. Appareiller, armer, doter, fournir, munir, outiller, pourvoir.
ÉQUIPIER. Ailier, allié, avant, centre, défenseur, demi, garde, gardien.
ÉQUITABLE. Arbitraire, aristarque, probitable, droit, égal, impartial, injuste, juste, légitime, loyal, objectif, partial, raisonnable.
ÉQUITÉ. Convenable, droiture, impartialité, intégrité, justice, légalité.
ÉQUIVALENT. Égal, égalité, homologue, pareil, semblable, synonyme.
ÉQUIVOQUE. Ambigu, amphibologique, catégorique, clair, douteux, Éon, évasif, faux, incertain, louche, net, obscur, précis, suspect, trouble.
ÉRABLE. Acer, argenté, blanc, campestre, champêtre, circiné, épis, floride, ginnala, grosseri, japon, japonicum, montagne, négondo, négundo, noir, norvège, palmé, pennsylvanie, plaine, platane, platanoïde, rouge, saccharinum, saccharum, sucre, sycomore.
ÉRAFLER. Abîmer, blesser, déchirer, écorcher, érailler, grafigner, râcler.
ÉRAFLURE. Barre, biais, contour, droite, écorchure, égratignure, griffure, hachure, raie, rayure, scion, segment, strie, trace, trait.
ÉRAILLÉ. Cassé, égratigné, enroué, éraflé, griffé, rauque, rayé, voilé.
ÉRASME. Elme, saint.
ERBIUM. Er.

ÈRE. Chronologie, cycle, époque, glaciaire, hégire, jurassique, miocène, néogène, période, permien, précambrien, temps, tertiaire.
ÉRECTION. Bander, dressage, élévation, fondation, pripisme, tension.
ÉREINTER. Blâmer, claquer, critiquer, démolir, fatiguer, lasser, lessiver.
ERGOT. Doigt, éperon, ergotine, histamine, lysergique, ongle.
ERGOTER. Chicaner, chinoiser, chipoter, discuter, pinailler, vétiller.
ÉRIGAN. Pô.
ÉRIGÉ. Créé, élevé, établi, fondé, institué, promu, systématique.
ÉRIGER. Bâtir, codifier, construire, dresser, élever, établir, promouvoir.
ÉRIGNE. Érine.
ERMITE. Anachorète, ascète, insociable, reclus, seul, solitaire, stylite.
ÉRODER. Corroder, dégrader, émousser, miner, ronger, saper, user.
ÉROSION. Baisse, corrosion, dégradation, dépréciation, terrigène, usure.
ÉROTIQUE. Cochon, libidineux, luxure, obscène, sensuel, sexy, vicieux.
ERRANT. Ambulant, égaré, fugitif, itinérant, nomade, robineux, rônin.
ERRE. Allure, élan, manière, marche, train, vitesse.
ERRER. Divaguer, écarter, égarer, flâner, marcher, rôder, vaguer.
ERREUR. Aberration, abus, ânerie, bavure, bévue, blague, certitude, coquille, correction, écart, égarement, errement, faute, gaffe, illusion, loup, méprise, orthodoxie, oubli, perle, réalité, sophisme, vérité, vice.
ERRONÉ. Absurde, affecté, âge, apocryphe, cabotin, double, douteux, faute, fautif, faux, félon, fourbe, irréel, pseudo, toc, vain, vrai.
ERS. Lentille.
ÉRUCTATION. Exhalaison, hoquet, nausée, refoulement, renvoi, rot.
ÉRUCTER. Baver, hurler, proférer, renvoi, roter, soulager, vomir.
ÉRUDIT. Calé, cultivé, docte, éclairé, informé, instruit, lettré, savant.
ÉRUDITION. Compétence, encyclopédique, expertise, recherche, savoir.
ÉRUPTION. Ébullition, énanthème, exanthème, herpès, impétigo, lichen, poussée, purpura, rash, roséole, sortie, urticaire, vaccinelle, vaccinide.
ÉRYSIPOLE. Érisipèle.
ÉRYTHÈME. Frayement.
ESCABEAU. Échalier, escalier, marche, marchepied, siège, tabouret.
ESCALADER. Enjamber, franchir, gravir, grimper, monter, passer.
ESCALE. Arrêt, bateau, étape, halte, port, rade, ré, relâche.
ESCALIER. Degré, échelle, escabeau, escalator, gat, gémonies, marche.
ESCAMOTER. Cacher, dérober, disparaître, éluder, soustraire.
ESCAPADE. Absence, bordée, caprice, dérobade, évasion, fugue, fuite.
ESCARBILLE. Charbon, grésillon, poussière, tison.
ESCARGOT. Cagouille, colimaçon, gastéropode, hélice, héliciculture, hélix, limaçon, luma, petit-gris.
ESCARPÉ. Abrupt, ardu, difficile, montant, raide, roide, vaurien.
ESCARPEMENT. Crêt, falaise, paroi, pente, précipice.
ESCARPOLETTE. Balançoire.
ESCHE. Abet, aiche, allécher, amorce, appât, attirer, boëtte, devon, èche, filet, grappe, leurre, manne, mouche, piège, pêche, rogue, ver.

ESCLANDRE. Algarade, barouf, bruit, choc, désordre, éclat, émotion, étonnement, honte, indignation, léger, passif, scandale.
ESCLAVE. Affranchi, anagnoste, asservi, assujetti, capsaire, captif, domestique, eunuque, fer, galérien, hiérodule, ilote, nègre, pantin, prisonnier, rime, serf, servile, sujétion, tributaire, valet.
ESCLAVE (n. p.). Agar, Christophe, Hierodule.
ESCOMPTE. Agio, avance, boni, discount, net, prime, réduction, remise.
ESCOMPTER. Anticiper, avancer, espérer, prévenir, réescompter, tabler.
ESCORTE. Ami, cavalier, cortège, croiseur, destroyer, frégate, suite.
ESCRIME. Assaut, botte, discussion, fente, garde, lame, ligne, lutte, passe.
ESCRIMEUR. Épéiste, essayiste, ferrailleur, fleurettiste, sabreur.
ESCROC. Aigrefin, bandit, estampeur, filou, fripon, truand, voleur.
ESCROQUER. Arnaquer, estamper, entuber, pirater, truander, voler.
ESCROQUERIE. Arnaque, carambouillage, entourloupe, filouterie, vol.
ESKIMO. Aléoute, esquimau, igloo, inuit.
ESPACE. An, année, arène, barre, ciel, cosmos, cour, durée, empan, enclos, entre-nœud, étage, fontanelle, île, journée, lacune, laos, laps, longueur, lunaison, lustre, nagée, nuitée, oasis, ouverture, ruelle, soirée, stand, temps, terrain, tonsure, travée, volume, vide, vie, zone.
ESPACER. Allonger, distancer, échelonner, étager, étendre, ouvrir.
ESPADON. Épée, poisson-épée.
ESPÈCE. Acabit, animal, argent, aspect, essence, état, genre, manière, nature, ordre, plante, race, sonnante, sorte, type.
ESPÉRANCE. Aspiration, assurance, attente, certitude, confiance, croyance, désir, espoir, foi, illusion, inattendu, promesse, songe.
ESPÉRER. Allécher, aspirer, attendre, désespérer, repaître, souhaiter.
ESPÉRANTO (n. p.). Zamenhof.
ESPIÈGLE. Badin, démon, gamin, luron, lutin, malicieux, mutin, vif.
ESPIÈGLERIE. Démoniaque, niche, plaisanterie, polissonnerie.
ESPION. Affidé, cafard, curieux, délateur, épieur, mouchard, traître.
ESPION (n. p.). Mata-Hari.
ESPIONNER. Épier, filer, guetter, moucharder, observer, trahir.
ESPOIR. Confiance, croyance, désespéré, espérance, promesse, si.
ESPRIT. Âme, âne, ataraxie, bête, bon, caractère, cœur, diable, démon, élite, Éon, être, fantôme, fin, finesse, génie, idée, idiot, jeu, lutin, moi, niais, paraclet, Satan, sel, sens, sot, souffle, soupir, spirituel, sujet, vin.
ESPRIT (n. p.). Dieu, Djinns, Manitou, Matchi, Mithra.
ESQUIMAU. Aléoute, esquimo, igloo, inuit.
ESQUISSE. Canevas, carcasse, crayon, croquis, description, dessin, ébauche, essai, étude, idée, maquette, plan, pochade, projet, schéma.
ESQUIVER. Contourner, crayonner, croquer, dessiner, éluder, enfuir, évasif, éviter, fuir, obvier, non, pallier, parer, partir, pocher, tracer.
ESSAI. Épreuve, examen, expérience, répétition, stage, tentative, test.
ESSAIM. Armée, colonie, fourmis, possession, protectorat, ruche.
ESSAYER. Chercher, éprouver, escrimer, évertuer, goûter, ingénier, oser, risquer, sonder, tâcher, tâter, tâtonner, tendre, tenter, tester.

ESSAYISTE. Expérimenteur, modiste, testeur.
ESSENCE. Arbre, entité, huile, lampe, nature, nizeré, principe, propre.
ESSENTIEL. Capital, central, clé, clef, fond, important, indispensable, inhérent, intrinsèque, nécessaire, nœud, principal, principe, vital, vrai.
ESSEULÉ. Abandonné, délaissé, dernier, ermite, exclusif, isolé, premier, reclus, retiré, seul, seulement, solitaire, solo, un, unique.
ESSIEU. Arbre, axe, hampe, ligne, pivot, pôle, rachis, tige, vecteur.
ESSOR. Avancement, élan, envol, progrès, relance, reprise, vol, volée.
ESSOUFLER. Anhéler, aspirer, bâiller, époumonner, étouffer, exhaler, expirer, haleter, inhaler, inspirer, poumon, pousser, souffler, soupirer.
ESSUIE-MAINS. Débarbouillette, guenille, linge, serviette, torchon.
ESSUYER. Balayer, effacer, éponger, essorer, frotter, malmener, nettoyer, recevoir, refus, sécher, subir, supporter, torcher.
EST. Alizé, devient, été, être, existe, levant, orient, ouest, vit.
ESTACADE. Butée, mur, ope, paroi, pile, quai, voûte.
ESTAFETTE. Courrier, messager.
ESTAMPE. Eau-forte, épreuve, gravure, image, planche, trait, vignette.
ESTAMPEUR. Escroc, frappeur, graveur, illustrateur, imprimeur.
ESTAMPILLER. Estamper, frapper, graver, imprimer, marquer.
ESTER. Benzoate, carbonate, inventer, lactone, oléate, trister, stéarate.
ESTIMABLE. Chiffrage, estimation, inventaire, jauge, louable, mesure.
ESTIMATION. Appréciation, cotation, dire, devis, évaluation, valeur.
ESTIMÉ. Arbitré, calculé, coté, déterminé, égard, évalué, expertisé, hommage, honneur, mérite, navigué, orgueil, prisé, taxé, vogue.
ESTIMER. Croire, évaluer, goûter, jauger, juger, noter, priser, trouver.
ESTIVAL. Curiste, estivant, été, touriste, vacancier.
ESTOC. Épée, estocade, race, racine, souche.
ESTOMAC. Abomasum, bedaine, bile, bonnet, buste, caillette, chyme, cœur, feuillet, gaster, gésier, io, jabot, meulette, mulette, panse, poche, queue, rumen, sac, sein, tripe, ulcère, urogastre, ventre, ventricule.
ESTOURBIR. Abattre, assommer, barber, battre, boxer, ennuyer, étourdir, fesser, fouetter, gauler, KO, rosser, rouer, sonner, tuer.
ESTRADE. Chaire, échafaud, plancher, podium, ring, tréteau, tribune.
ESTRAGON. Absinthe, achillée, artemisia, dragonne, fargon, serpentine.
ESTRAMAÇON. Épée.
ESTROPIER. Amputer, blesser, couper, diminuer, écloper, mutiler.
ESTUAIRE. Embouchure.
ESTURGEON. Acipenséridé, béluga, blanc, caviar, commun, sterlet.
ET CÆTERA. Etc.
ÉTABLE. Abri, bercail, bergerie, bouverie, écurie, porcherie, soue, tect.
ÉTABLI. Assis, banc, bardo, campé, échafaudage, fixe, fondé, formé, ordre, plan, poste, menuisier, poste, préétabli, rangé, sis, titre, vigie.
ÉTABLIR. Baser, bâtir, camper, créer, embrayer, fixer, fonder, instituer, instrumenter, justifier, mettre, nouer, ponter, poster, prouver, unir.

ÉTABLISSEMENT. Aciérie, aérium, alumnat, asile, bains, clinique, collège, crémerie, dancing, école, familistère, haras, internat, lycée, medersa, mission, moulière, nourricerie, observatoire, orphelinat, polarisation, prison, restaurant, sanatorium, succursale, usine, zaouïa.
ÉTAGE. Attique, degré, escalier, gradin, grenier, impériale, mezzanine, niveau, palier, plancher, premier, rez-de-chaussée, second, trias.
ÉTAGÈRE. Archelle, clayette, dressoir, fruitier, juchoir, tablard.
ÉTAIN. Fer blanc, métal, noces, plomb, potée, Sn.
ÉTALAGE. Esbroufe, étal, faste, flafla, inventaire, parade, vitrine.
ÉTALER. Afficher, arborer, éployer, étendre, exposer, montrer, tomber.
ÉTALON. Archétype, baudet, cheval, haras, jauge, matrice, mesure, modèle, or, plan, référence, standard, statère, type, unité.
ÉTAMER. Canne, étain, miroiter, rétamer.
ÉTAMINE. Agame, andracée, anthère, burat, extrorse, filet, fleur, girouette, monandre, penon, pistil, pollen, staminée, tétradyname.
ÉTANCHER. Acquitter, effacer, éponger, essuyer, payer, sécher.
ÉTANÇON. Appui, béquille, cale, chevalement, étai, soutien.
ÉTANG. Alevinier, bassin, by, canardière, chenal, chott, eau, grau, ide, lac, lagon, lagune, marais, mare, réservoir, vivier.
ÉTAPE. Arrêt, époque, escale, halte, kan, khan, pas, pause, relais, répit.
ÉTAT. Aisé, cité, dans, en, liste, ordre, pays, plus, prêt, rut, sujet, sur.
ÉTAT D'AFRIQUE (n. p.). Afrique du Sud, Algérie, Angola, Bénin, Botswana, Burundi, Cabinda, Cameroun, Cap, Congo, Djibouti, Égypte, Éthiopie, Gabon, Gambie, Ghana, Guinée, Kenya, Lesotho, Libéria, Libye, Madagascar, Mali, Maroc, Mauritanie, Mozambique, Namibie, Natal, Niger, Nigéria, Orange, Ouganda, Rhodésie, Rwanda, Sénégal, Somalie, Soudan, Swaziland, Tanganie, Tchad, Togo, Transvaal, Tunisie, Zaïre, Zambie, Zimbabwe.
ÉTAT D'ALLEMAGNE (n. p.). Bade, Bavière, Brandebourg, Hambourg, Hanovre, Hesse, Holstein, Mecklembourg, Prusse, Rhénanie, Saxe, Slesvig, Thuringe, Westphalie, Wurtemberg.
ÉTAT D'AMÉRIQUE CENTRALE (n. p.). Bahamas, Costa Rica, Cuba, Haïti, Honduras, Mexique, Nicaragua, Panama, République dominicaine.
ÉTAT D'AMÉRIQUE DU NORD (n. p.). Canada, États-Unis.
ÉTAT D'AMÉRIQUE DU SUD (n. p.). Argentine, Bolivie, Brésil, Chili, Colombie, Costa Rica, Indochine, Guyane, Pérou, Venezuela.
ÉTAT D'ARABIE (n. p.). Katar, Oman, Qatar, Séoudite, Yémen.
ÉTAT D'ASIE (n. p.). Afghanistan, Arabie, Birmanie, Bornéo, Cambodge, Ceylan, Chine, Corée, Inde, Indonésie, Irak, Iran, Iraq, Japon, Laos, Malésie, Mésopotamie, Mongolie, Népal, Pakistan, Palestine, Perse, Russie, Syrie, Taiwan, Thaïlande, Turquie, Vietnam.
ÉTAT DES BALKANS (n. p.). Albanie, Bulgarie, Grèce, Roumanie, Turquie, Yougoslavie.

ÉTAT DES ÉTATS-UNIS (n. p.). Alabama, Alaska, Arizona, Arkansas, Californie, Caroline, Colorado, Connecticut, Dakota, Delaware, Floride, Georgie, Hawaii, Idaho, Illinois, Indiana, Iowa, Kansas, Kentucky, Louisiane, Maine, Maryland, Massachusetts, Michigan, Minnesota, Mississippi, Missouri, Montana, Nebraska, New Hampshire, New Jersey, New York, New Mexico, Nouveau Mexique, Ohio, Oklahoma, Oregon, Pennsylvanie, Rhode Island, Tennessee, Texas, Utah, Vermont, Virginie, Washington, Wisconsin, Wyoming.
ÉTAT D'EUROPE (n. p.). Albanie, Allemagne, Angleterre, Autriche, Baltes, Belgique, Bulgarie, Croatie, Danemark, Eire, Espagne, Estonie, Finlande, France, Grande-Bretagne, Grèce, Hongrie, Irlande, Italie, Lettonie, Luxembourg, Norvège, Pologne, Portugal, Roumanie, Russie, Slovaquie, Suède, Suisse, Tchécoslovaquie, Turquie, Yougoslavie.
ÉTAT DE L'INDE (n. p.). Assam, Goa, Manipur, Orissa, Tripura.
ÉTAT DU MEXIQUE (n. p.). Campeche, Chiapas, Chihuahua, Coahuila, Colima, Durango, Guadalajara, Guanajuato, Guerrero, Hidalgo, Jalisco, Mexico, Michoachan, Morelos, Nayarit, Nuevo Leon, Oaxaca, Puebla, Quintanaroo, San-Luis-Potosi, Sinaloa, Sonora, Tabasco, Tlaxacala, Vera Cruz, Yucatan, Zacatecas.
ÉTAT DU MOYEN-ORIENT (n. p.). Israël, Liban, Syrie.
ÉTAT DE L'OCÉANIE (n. p.). Australie, Nouvelle-Zélande.
ÉTAT DU PROCHE-ORIENT (n. p.). Israël, Liban, Syrie.
ÉTAU. Âne, bidet, étreinte, mors.
ÉTAYER. Buter, caler, étançonner, étrésillonner, soutenir, supporter.
ÉTÉ. Allé, est, être, ex, feu, participe, poire, rendu, saison, thermidor.
ÉTEINDRE. Calmer, cesser, fermer, finir, périr, pompe, mourir, tison.
ÉTEINT. Couvre-feu, détruit, disparu, étouffé, mort, nul, terne.
ÉTENDARD. Aigle, bannière, couleurs, drapeau, emblème, enseigne, guidon, labarum, pavillon, pétale, turc, vexile.
ÉTENDRE. Allonger, détirer, épandre, étaler, étirer, lever, paver, semer.
ÉTENDU. Ample, arène, district, envergure, espace, extensible, gisant, grand, forêt, infini, large, limite, long, mesure, plaine, prairie, pré, reg, registre, ressort, terre, traite, travers, universel, vaste, volume, vue.
ÉTENDUE D'EAU. Étang, fleuve, lac, lagon, mare, mer, océan, rivière.
ÉTERNEL. Constant, continuel, durable, éphémère, immémorial, indéfectible, infinité, même, passager, perpétuel, sempiternel.
ÉTERNELLEMENT. Futur, imprescriptible, indéfiniment, perdurer.
ÉTERNUER. Ébrouer, sternutation.
ÉTÊTER. Décapiter, découronner, écimer, élaguer.
ÉTHER. Atmosphère, ester, gazoline, nitrocellulose, nitroglycérine.
ÉTHIQUE. Admonestation, capucinade, déontologie, devoir, homélie, latitudinaire, leçon, maxime, morale, parénèse, probité, vertu.
ETHNIE. Aulique, bande, clan, érié, famille, gad, genre, groupe, horde, multiethnique, peuplade, peuple, phratrie, race, totem, tribal, tribu.
ÉTINCELER. Briller, éblouir, éclairer, flamboyer, pétiller, scintiller.
ÉTINCELLE. Ardeur, cause, éclair, escarbille, flamme, flammèche, lueur.

ÉTIQUETTE. Décorum, écriteau, inscription, marque, protocole, vignette.
ÉTIRER. Allonger, ductile, égrener, élonger, étendre, protactile, tirer.
ÉTOFFE. Alépine, alun, basin, batiste, batik, bord, bure, casimir, cati, cotonnade, drap, escot, étamine, feutre, gaze, grain, granité, lé, laine, linge, ottoman, mérinos, mohair, moire, pan, ras, ratine, rep, satin, satinette, sergé, soie, suédine, surah, taffetas, tarlatane, tartan, tenture, textile, tissu, trentain, tulle, tussor, un, uni, velours, zénana.
ÉTOILE. Artiste, astre, astronomie, chariot, constellation, destin, destinée, filante, météore, météorite, nébuleuse, nova, pléiades, polaire, rat, sidéral, soleil, star, titre, trèfle, vedette, véga.
ÉTOILE (n. p.). Aldébaran, Alpha, Altaïr, Anémone, Antarès, Arcturus, Astérie, Barnard, Berger, Bételgeuse, Bethléem, Canopus, Capella, Castor, Centaure, Céphée, Dragon, Edelweiss, Lalande, Mizar, Nébuleuse, Pléiade, Procyon, Sirius, Véga, Voie lactée, Vénus, Wolf.
ÉTONNANT. Bizarre, énorme, étrange, imprévu, inouï, miraculeux.
ÉTONNÉ. Ébahi, épaté, étonné, interloqué, renversé, stupéfait, surpris.
ÉTONNEMENT. Ça, effroi, miracle, quoi, stupéfaction, stupeur, surprise.
ÉTONNER. Ahurir, ébahir, éberluer, éblouir, émerveiller, épater, esbroufer, hébéter, interdire, ravir, saisir, sidérer, surprendre.
ÉTOUFFE. Braisière, efface, éteignoir, insonore, neutre, suffoque.
ÉTOUFFER. Asphyxier, couvrir, enrayer, éteindre, noyer, refréner.
ÉTOUPE. Calfat, filasse, lin.
ÉTOURDERIE. Imprudence, inattention, irréflexion, maladresse, oubli.
ÉTOURDI. Ahuri, attentif, braque, distrait, ébahi, écervelé, évaporé, éventé, fou, frivole, idiot, prévoyant, réfléchi, sonné, vigilant.
ÉTOURDIR. Abasourdir, assommer, casser, estourbir, griser, soûler.
ÉTOURDISSEMENT. Éblouissement, désarroi, déséquilibre, évanouissement, ivresse, oreille, saisissement, trouble, vertige.
ÉTOURNEAU. Étourdi, militaire, passereau, sansonnet, sot.
ÉTRANGE. Bannir, bizarre, curieux, différent, extraordinaire, inouï.
ÉTRANGER. Allochtone, aubain, huilander, métèque, xénophobe.
ÉTRANGETÉ. Anomalie, bizarrerie, comique, curieux, drôle, extraordinaire, extravagant, farfelu, hétéroclite, inexplicable, inouïsme, insolite, lunatique, originalité, saugrenu, singularité, spécial.
ÉTRANGLER. Égorger, étouffer, pendre, réserver, resserrer, serrer, tuer.
ÊTRE. Aître, autre, auxiliaire, chose, créateur, durer, est, été, force, forme, genre, homme, maison, manière, régner, verbe, vie, vivre.
ÉTREINDRE. Angoisser, caresser, embrasser, enlacer, presser, serrer.
ÉTREINTE. Caresse, coït, embrassade, enlacement, étau, serrement.
ÉTRENNE. Cadeau, don, dot, envoi, largesse, offrande, pot-de-vin, présent, prime, prix, souvenir, surprise.
ÉTRIER. Chape, cheval, manille, oreille, otospongiose.
ÉTRILLER. Bouchonner, brosser, frotter, malmener, panser, rudoyer.
ÉTROIT. Aigu, ample, collant, confiné, effilé, étendu, exigu, fin, juste, large, menu, mince, ouvert, petit, resserré, rétréci, spacieux, vaste.

ÉTUDE. Anatomie, biologie, bryologie, cardiographie, classe, coprologie, cryométrie, cryoscopie, droit, écologie, épidémiologie, éthologie, géochimie, géographie, gérontologie, graphologie, hépatologie, hydrostatique, ichtyologie, iconologie, laryngologie, malacologie, mémoire, métallographie, métapsychique, morphologie, myologie, odontologie, onirologie, onomastique, orogénie, orographie, otologie, parapsychologie, parasitologie, pétrographie, pharmacodynamie, phytopathologie, posologie, psychiatrie, psychopathologie, rhinologie, science, stage, stomatologie, urologie, zoogéographie.
ÉTUDIANT. Apprenti, carabin, collégien, écolier, élève, externe, lycéen.
ÉTUDIER. Analyser, apprendre, comparer, creuser, délibérer, discuter, éplucher, examiner, explorer, observer, peser, sonder, scruter.
ÉTUI. Aiguiser, boîte, boîtier, cartouchière, cassette, coffin, dé, douille, enveloppe, fourreau, gaine, housse, sac, trousse, tube.
ÉTYMOLOGIE. Commencer, évolution, grammaire, lexicologie, origine.
EU. Avoir, éprouvé, possédé, trompé.
EUNUQUE. Castrat, châtré, eutrope.
EUPHORBE. Épurge, esule, intisy, réveil, ricin.
EUROPIUM. Eu.
EUX. Ils.
ÉVACUATEUR. Déversoir, échappement, selle, spiracle, train.
ÉVACUATION. Déjection, écoulement, éjection, émission, éruption, expultion, méléna, péril, purge, retrait, sialorrhée, uriner, vomique.
ÉVACUER. Dégorger, éliminer, émettre, expulser, sortir, uriner, vider.
ÉVALUATION. Chiffrage, estimation, inventaire, jauge, mesure.
ÉVALUER. Apprécier, calculer, chiffrer, compter, coter, estimer, jauger, juger, nombrer, priser, réputer, stérer, supputer, taxer, ventiler.
ÉVANGÉLISTE. Homélie, missionnaire, prédicateur, synoptique.
ÉVANGÉLISTE (n. p.). Jean, Jésus, Luc, Marc, Matthieu, Paul.
ÉVANOUIR. Défaillir, disparaître, mourir, pâmer, syncope, tomber.
ÉVAPORER. Dissiper, éventer, étourdir, sécher, vaporiser, volatiliser.
ÉVASER. Agrandir, arrondir, dilater, élargir, fraiser, ouvrir.
ÉVASIF. Abstrait, agitation, confus, douteux, erre, général, indécis, on.
ÉVASION. Amen, belle, changement, détente, été, ite, fuite, rêve.
ÈVE. Adam, biblique, pomme, serpent.
ÉVEILLÉ. Actif, conscient, dégourdi, délié, espiègle, lutin, mutin, vif.
ÉVEILLER. Alerter, animer, frapper, ramener, ranimer, réveiller, tirer.
ÉVÉNEMENT. Acte, aléa, bénédiction, cas, chose, crise, date, drame, fait, fléau, heur, mésaventure, récit, scène, signe, sort, tuile, vicissitude.
ÉVENTAIL. Assortiment, choix, gamme, Éon, flabellum, sélection.
ÉVENTRÉ. Crevé, défoncé, étourdi, étripé, évaporé.
ÉVENTUEL. Aléatoire, casuel, circonstance, incertain, possible.
ÉVÊQUE. Apostolique, avranche, Éloi, évêché, homélie, monseigneur, pontife, prélat, primat, remi, vicaire.
ÉVÊQUE (n. p.). Donat, Égede, Éloi, Eusebe, Irénée, Rémi, Rémy, Tutu.

ÉVIDÉ. Antre, aven, caverne, cavité, concavité, conque, coupure, creux, fente, fontis, fossé, fouille, grotte, mine, puits, trou.
ÉVIDEMMENT. Oui.
ÉVIDENT. Appert, assuré, certain, clair, constant, contestable, criant, discutable, douteux, flagrant, formel, indiscutable, limpide, manifeste, net, notoire, obscur, obvie, palpable, patent, positif, sûr, visible.
ÉVINCER. Bannir, chasser, écarter, excepter, exiler, ôter, radier, rayer.
ÉVITER. Cartayer, chercher, couper, écarter, échapper, effacer, éluder, empêcher, esquiver, fuir, obvier, parer, préserver, rechercher, volte.
ÉVOCATION. Acclamation, appel, commémoration, mémento, mémoire, mention, mobilisation, rappel, souvenance, souvenir.
ÉVOLUER. Changer, devenir, graviter, manœuvrer, parader.
ÉVOLUTION. Amélioration, avancement, bond, degré, essor, étape.
ÉVOQUER. Commémorer, raconter, rappeler, retracer, souvenir.
EXACT. Certain, conforme, complet, conforme, congru, convenable, correct, fiable, fidèle, fin, juste, réel, précis, strict, sûr, textuel, vrai.
EXACTEMENT. Fidèle, littéral, pile, régulièrement, rigoureusement.
EXACTITUDE. Assiduité, certitude, discrétion, justesse, précision, vérité.
EXAGÉRATION. Abus, excès, emphase, outrance, paranoïa, sédation.
EXAGÉRÉ. Abusif, excès, excessif, forcé, outré, polydipsie, salé.
EXAGÉRER. Abuser, attiger, charrier, dramatiser, forcer, grossir, outrer.
EXALTANT. Encourageant, enivrant, excitant, extase, grisant, ivresse.
EXALTATION. Apothéose, calme, enthousiasme, éréthisme, flegme, folie, impassibilité, lyrisme, pondération, pythie, sang-froid, sibylle.
EXALTER. Élever, enivrer, énorgueillir, expirer, griser, louanger, vanter.
EXAMEN. Analyse, autopsie, bac, baccalauréat, bachot, brevet, colle, colonoscopie, cystoscopie, essai, gastroscopie, oral, test, visite.
EXAMINER. Analyser, apprécier, approfondir, arraisonner, ausculter, critiquer, débattre, étudier, inspecter, langueyer, observer, peser, regarder, réviser, revoir, scruter, sonder, tâter, vérifier, visiter, voir.
EXASPÉRANT. Agaçant, crispant, énervant, insupportable, irritant.
EXASPÉRER. Agacer, aggraver, aiguiser, assommer, gonfler, irriter.
EXAUCER. Accomplir, combler, demande, écouter, satisfaire, vœu.
EXCAVATEUR. Bulldozer, pelle, pelleteuse, pépine.
EXCAVATION. Antre, aven, caverne, cavité, concavité, conque, coupure, creux, fente, fontis, fossé, fouille, grotte, mine, puits, trou.
EXCAVER. Creuser, déblayer, enfoncer, fouiller, ouvrir, vider.
EXCÉDÉ. Agacé, crispé, fatigué, las, dépassé, irrité, ras-le-bol, roué.
EXCÉDENT. Bagage, boni, excès, prime, reste, solde, surcroît, surplus.
EXCÉDER. Abuser, accabler, combler, crisper, dépasser, déplaire, énerver, éreinter, exaspérer, exciter, irriter, outrepasser, surmener.
EXCELLENT. Beau, bien, bon, divin, éminent, fin, habile, parfait, qualité.
EXCENTRIQUE. Anormal, baroque, bigarré, bizarre, cocasse, comique, curieux, drôle, étrange, farfelu, hétéroclite, inouï, insolite, lunatique, original, saugrenu, spécial.
EXCEPTÉ. Abstraction, exciper, hormis, hors, sauf, sinon, tous, tout.

EXCEPTER. Écarter, exciper, hormis, omis, ôté, sauf, sinon, tous, tout.
EXCEPTIONNEL. Anormal, bizarre, étonnant, inouï, rare, seul, unique.
EXCÈS. Abus, adipose, aérogastrie, blettisement, comble, démesuré, emphase, exagération, hyperchlorhydrie, hyperglycémie, intempérance, luxe, naïveté, obésité, plus, ribote, surplus, trop.
EXCESSIF. Avare, bigot, démesuré, déraisonnable, énorme, extrême, fol, fou, ladre, monstrueux, outrancier, prude, rage, torride, trop, violent.
EXCITATION. Aigreur, appel, ardeur, chaleur, colère, cunnilingus, éréthisme, fumée, hypermnésie, ivresse, orgasme, rage, stimulus.
EXCITER. Activer, agacer, agiter, allumer, altérer, animer, apitoyer, attirer, attiser, aviver, causer, charmer, embraser, émoustiller, énerver, éveiller, exalter, inciter, piquer, remuer, soulever, sus, va.
EXCISION. Abcision, ablation, amputation, coupe, exérèse, tomie.
EXCLAMATION. Ah, aïe, allo, bah, bon, ça, chut, crac, cri, eh, eurêka, fi, ha, hé, hein, ho, hom, interjection, oh, ouf, paf, pan, pécaïre, pif, zut.
EXCLUANT. Bannissement, caste, divorce, exception, monopole, seul.
EXCLURE. Bannir, chasser, écarter, excepter, exiler, ôter, radier, rayer.
EXCLUSION. Avortement, bannir, défécation, disgrâce, éjection, évacuation, éviction, exil, huissier, ipéca, xénélasie.
EXCRÉMENT. Besoins, bouse, caca, chiasse, chiure, coprolithe, crotte, crottin, déchet, étron, fèces, fiente, guano, merde, selle, urine.
EXCROISSANCE. Apophyse, bédegar, broussin, caroncule, condylome, coque, corne, crête, épine, évagination, fic, fongus, galle, loupe, tubercule, tumeur.
EXCURSION. Aventure, balade, digression, promenade, raid, voyage.
EXCUSE. Absolution, alibi, allégation, bourde, couverture, défense, échappatoire, indulgence, invocation, justification, pardon, prétexte.
EXCUSER. Absoudre, acquitter, admettre, adoucir, alléguer, blanchir, couvrir, décharger, effacer, éluder, exciper, laver, pallier, tolérer.
EXÉCRER. Abominer, détester, haïr, horrifier, maudire, sacrer.
EXÉCUTANT. Anticipant, bricoleur, joueur, ponceur, saboteur, tueur.
EXÉCUTER. Accomplir, bourreau, électrocuter, enlever, évoluer, faire, fignoler, fusiller, guillotine, hart, jouer, mouler, opérer, pendre, perler, réaliser, remplir, réussir, roder, saboter, tirer, tricoter, tuer.
EXÉCUTION. Achèvement, attaque, création, effet, électrocution, faire, massacre, œuvre, opération, production, réalisation, supplice.
EXÉGÈTE. Analyse, censeur, commentateur, crucial, décisif, diatribe, difficile, étude, grave, juge, observateur, sérieux, soupçonneux, zoïle.
EXÉGÈTE (n. p.). Bea.
EXEMPLE. Archétype, argument, comme, échantillon, imitation, instar, modèle, paradigme, parangon, preuve, règle, sillage, spécimen, type.
EXEMPT. Affranchi, aseptique, blanc, déchargé, dégagé, dépourvu, franc, intact, libre, net, préservé, propre, pur, sain, sauf, serein.
EXEMPTER. Abriter, absoudre, écarter, excuser, gracier, libérer.
EXEMPTION. Abri, amnistie, décharge, dispense, faveur, remise.
EXERCÉ. Adroit, expérimenté, habile, rétenteur, retrayant, versé.

EXERCER. Action, cumuler, devoir, diriger, dominer, faire, manœuvre, plié, réagir, régner, remplir, sévir, sport, tenir, tirer, travailler, verser.
EXERCICE. Acrobatie, action, conférence, dictée, gymnastique, marche, manœuvre, mouvement, pratique, salve, sport, thème, tir, xyste.
EXÉRÈSE. Abcision, ablation, amputation, coupe, excision, tomie.
EXFOLIATION. Dartre, écaillement, gerçure.
EXHALER. Dégager, émaner, fumer, puer, rendre, sentir, sortir, suer.
EXHAUSSER. Augmenter, élever, hausser, remonter, surélever.
EXHIBER. Braver, énoncer, ensoleiller, étaler, éventer, exposer, formuler, insoler, irradier, montrer, motiver, narrer, saisir, traiter.
EXHORTER. Encourager, inspirer, mû, prier, suborner, suggérer, tenter.
EXHUMER. Déterrer, produire, ressortir, ressusciter, sortir.
EXIGEANT. Absorbant, difficile, pointilleux, précis, rigoureux, sévère.
EXIGENCE. Appétit, besoin, désir, envie, faim, jeûne, laver, manque, misère, narcolepsie, nécessité, prier, privation, soif, sommeil, urgence.
EXIGER. Demander, imposer, obliger, prendre, rançonner, vouloir.
EXIGIBLE. Dû, strict.
EXIGU. Aigu, ample, collant, confiné, effilé, étendu, étroit, fin, juste, large, menu, mince, ouvert, petit, resserré, rétréci, spacieux, vaste.
EXIGUÏTÉ. Étroitesse, médiocrité, mesquinerie, modicité, petitesse.
EXIL. Ban, déportation, expatriation, expulsion, ostracisme, renvoi.
EXILER. Bannir, chasser, déporter, proscrire, rappeler, reléguer.
EXISTE. Es, est, été, être, fictif, imaginaire, inventé, mort, nul, vis, vit.
EXISTENCE. Concret, état, être, matière, présence, réalité, vérité, vie.
EXISTER. Compatible, durer, être, précéder, régner, subsister, vivre.
EXODE. Abandon, départ, désertion, émigration, fuite, Our, ré, Ur.
EXONÉRER. Décote, dégrever, exempter, impôt, libérer, ôter, soulager.
EXORBITANT. Coûteux, démesuré, dingue, dispendieux, estimable, exagéré, excessif, fou, onéreux, précieux, prix, rare, salé, surpayer.
EXPANSIF. Communicatif, explosif, franc, jubilatif, prospère, souple.
EXPATRIATION. Bannissement, émigration, exil, péril, quitter.
EXPATRIER. Bannir, chasser, émigrer, exiler, quitter.
EXPECTATIVE. Attente, espérance, espoir, patience, perspective.
EXPECTORER. Cracher, éternuer, époumoner, spasme, toussoter.
EXPÉDIER. Céder, confier, bâcler, envoyer, faire, fournir, lâcher, rendre.
EXPÉDITION. Campagne, copie, course, croisade, envoi, épreuve, étude, gare, greffe, grosse, mille, poste, réalisation, safari, tuer, voyage.
EXPÉRIENCE. École, épreuve, éprouvette, essai, habileté, nouveau, pratique, routine, sagesse, savoir, science, test, usage.
EXPÉRIMENTÉ. Averti, adroit, capable, chevronné, distingué, émérite, essayé, exercé, expert, ferré, fort, habile, sage, versé.
EXPÉRIMENTER. Éprouver, essayer, goûter, observer, subir, tester.
EXPERT. As, capable, expérimenté, habile, priseur, sapiteur.
EXPIER. Compenser, infliger, payer, purgatoire, réparer, sévir.
EXPIRATION. Délai, éternuement, prescription, souffle, terme, toux.
EXPIRER. Aspirer, exhaler, finir, mourir, périr, respirer, souffler.

EXPLÉTIF. En, ne, superflu.
EXPLICATION. Avis, car, exégèse, exposé, glose, notice, raison, théorie.
EXPLIQUÉ. Annoncé, commenté, défini, éclairé, enseigné, justifié.
EXPLIQUER. Décrire, définir, élucider, énoncer, exposer, lire, montrer.
EXPLOIT. Action, geste, performance, prestation, prouesse, raid, record.
EXPLOITANT. Agriculteur, colon, consortage, cultivateur, saunier.
EXPLOITATION. Charlatanisme, concession, ferme, gérance, salin.
EXPLORATEUR (n. p.). Foa, Huc, Nares, Stanley.
EXPLORATEUR. Chercheur, découvreur, excursionniste, globe-trotter, nomade, passager, pèlerin, promeneur, ravenala, touriste, visiteur.
EXPLORATEUR ALLEMAND (n. p.). Nachtigal.
EXPLORATEUR BRITANNIQUE (n. p.). Cook, Eyre, Franklin, Fraser, Frobisher, Hudson, Vancouver.
EXPLORATEUR CANADIEN (n. p.). La Vérendrye, Nicolet.
EXPLORATEUR ESPAGNOL (n. p.). Colomb, Ojeta, Nunez, Torrès.
EXPLORATEUR FLORENTIN (n. p.). Vespucci.
EXPLORATEUR FRANÇAIS (n. p.). Brûlé, Cartier, Chauminot, Champlain, Dablon, Victor.
EXPLORATEUR ITALIEN (n. p.). Cabot.
EXPLORATEUR NORVÉGIEN (n. p.). Nansen.
EXPLORATEUR PORTUGAIS (n. p.). Dias, Gama, Magellan.
EXPLORER. Chercher, étudier, fouiller, palper, scruter, sonder, tâter.
EXPLOSER. Détonner, éclater, fulminer, partir, péter, sauter.
EXPLOSIF. Cheddite, dynamite, lyddite, panclastite, roburite, tolite.
EXPLOSION. Bruit, détonation, éclatement, hilarité, ire, moteur, rire.
EXPOSÉ. Aéré, aperçu, énoncé, éventé, exposition, mémoire, notice, périlleux, plan, rapport, récit, sain, sommaire, sujet, topo, versant.
EXPOSER. Aérer, braver, énoncer, ensoleiller, étaler, éventer, formuler, insoler, irradier, montrer, motiver, narrer, risquer, saisir, traiter.
EXPOSITION. Étalage, foire, floralie, galerie, salon, salut, stand.
EXPRÈS. Clair, délibéré, messager, net, spécialement, volontairement.
EXPRESSIF. Animé, atone, bavard, éloquent, jovial, parlant, significatif.
EXPRESSION. Accent, air, âme, art, caractère, cliché, énoncé, figure, juron, jus, locution, mine, physionomie, purée, style, ton, voix.
EXPRIMÉ. Dit, émis, essoré, figure, peinture, souhait, suc.
EXPRIMER. Dire, écrire, émettre, énoncer, gémir, maudire, mimer, parler, presser, prier, rédiger, remercier, rire, souhaiter, traduire.
EXPULSER. Bannir, chasser, éjecter, évacuer, exiler, renvoyer, virer.
EXPULSION. Avortement, bannir, défécation, disgrâce, éjection, évacuation, éviction, exclusion, exil, huissier, ipéca, xénélasie.
EXQUIS. Agréable, bon, délectable, délicat, friandise, nanan, suave.
EXSUDATION. Sécrétion, distillation, miellée, miellure, sueur.
EXSUDER. Couler, dégouliner, fuir, pleurer, suer, suinter, transpirer.
EXTENSIBLE. Ductile, élastique, étirable.
EXTENSION. Développé, entorse, étendue, détente, distension, essor, étendue, pandémie, phagédénisme, plan, stretching, traction.

EXTÉNUANT. Blâmant, claquant, critiquant, démolissant, fatigant.
EXTÉNUER. Accabler, briser, épuiser, fatiguer, miner, tarir, user, vider.
EXTÉRIEUR. Aile, air, allure, apparence, aspect, attitude, au dehors, brillant, caché, dehors, externe, hors, périphérie, visible, zeste.
EXTERMINER. Anéantir, décimer, dératiser, détruire, éteindre, tuer.
EXTINCTION. Aphonie, brûler, fin, finir, nirvana, rachat.
EXTIRPER. Arracher, déraciner, enlever, énucler, éradication, ôter.
EXTRA. Épatant, étonnant, formidable, sensationnel, super, terrible.
EXTRACTION. Benne, déracinement, enfleurage, enlevé, énucléation, évulsion, fonte, lixiviation, métallurgie, naissance, né, noble, origine, racé, sang, sous-produit, tiré.
EXTRAIRE. Arracher, dégager, déraciner, détacher, distiller, enlever, essorer, ôter, puiser, résiner, retirer, sauner, tirer, traire, vider.
EXTRAIT. Abrégé, analyse, citation, essence, esprit, essence, iode, lactucarium, passage, quintessence, thridace, sérum, suc, sucre.
EXTRAORDINAIRE. Abracadabrant, bizarre, épatant, épique, étonnant, excessif, gigantesque, héros, incroyable, inouï, magique, merveilleux, phénoménal, prodigieux, rare, sensationnel, surnaturel, unique.
EXTRAVAGANT. Absurde, bizarre, dément, farfelu, insensé, unique.
EXTRÊME. Absolu, apogée, bout, infini, limite, sommet, summum.
EXTRÊMEMENT. Infiniment, profondément, radicalement, très.
EXTRÉMITÉ. Abois, about, abside, aileron, airure, appendice, bec, bord, borne, bout, cap, comble, confins, contour, croupion, croûte, délimitation, épi, épiphyse, éponge, externe, fin, flèche, frontière, gland, lance, limite, lisière, mort, mufle, œilleton, ongle, penne, pied, pôle, queue, scion, sclex, sommité, talon, terme, tête, têteau, trayon.
EXTRINSÈQUE. Étranger, extérieur, externe, fictif, nominal, théorique.
EXTRUDER. Bannir, chasser, éjecter, évacuer, exiler, expulser, renvoyer.
EXULTER. Action, allégresse, jubiler, liesse, réjouir, transporter, ulcérer.
EXUTOIRE. Assainir, débarrasser, diversion, émonctoire, ulcération.
EX-VOTO. Don, inscription, sanctuaire, vœu.
EYRA. Puma.

F

FA. Clé, clef, note.
FABLE. Allégorie, anecdote, conte, fabliau, fabuleux, fabuliste, fiction, intrigue, légende, mensonge, morale, mythe, parabole, ysopet.
FABRICANT. Armurier, artisan, cirier, distillateur, façonnier, faiseur, faussaire, fromager, huilier, luthier, opticien, robinetier, vermicellier.
FABRICATION. Confection, création, façon, facture, fagotage, grosserie, industrie, matériau, montage, préparation, production, viniculture.
FABRIQUE. Aluminerie, arsenal, atelier, bâtiment, câblerie, cidrerie, conseil, édifice, église, ferronnerie, griffe, huilerie, imagerie, laboratoire, malterie, poudrerie, saboterie, soierie, stéarinerie, usine.
FABRIQUER. Composer, créer, façonner, faire, inventer, usiner.

FABULEUX. Admirable, certain, chimère, étonnant, exact, excessif, extraordinaire, fable, homérique, irréel, légende, mythe, réel, vrai.
FABULISTE. Fable, gai, hâbleur, magicien, mythomane.
FABULISTE (n. p.). Ésope.
FAÇADE. Apparence, devant, devanture, front, frontispice, fronton.
FACE. Angle, apparence, as, aspect, avant, côté, débat, échange, façade, faciès, figure, front, lit, pan, plante, rencontre, ridé, tournure, visage.
FACE-À-FACE. Contestation, démêlé, discussion, procès, querelle.
FACÉTIE. Attrape, barigoule, blague, bouffonnerie, canular, farce, fumisterie, godiveau, niche, plaisanterie.
FÂCHER. Agacer, aigrir, bouder, briser, déplaire, irriter, offenser, vexer.
FACILE. Aisé, clair, digeste, docile, friable, léger, rire, simple, usuel.
FACILEMENT. Aisément, fluide, naturellement, simplement, souple.
FACILITÉ. Agilité, aider, aisance, marge, naturel, routine, simple.
FAÇON. Ainsi, air, art, allure, biais, chiqué, comme, coupe, est, été, facture, forme, griffe, manière, méthode, mode, style, ton, tour.
FAÇONNER. Ajuster, équerrer, faire, former, modeler, pétrir, sculpter.
FACTEUR. Accordeur, agent, cause, coefficient, commis, élément, information, luthier, musique, porteur, postier, rapport, Rhésus, sax.
FACTICE. Absurde, apocryphe, artificiel, bidon, double, douteux, erroné, faute, fautif, faux, feint, forcé, irréel, pseudo, toc.
FACTION. Brigue, cabale, cabillaud, cabochien, hameçon, ligue, parti.
FACTIONNAIRE. Garde, gardien, guetteur, sentinelle, vedette.
FACTURE. Addition, ci, compte, dû, façon, griffe, note, pro format.
FACULTÉ. Académie, collège, campus, corps, discernement, école, énergie, entendement, ès, imagination, intelligence, institut, mémoire, motricité, néantise, raison, sens, ubiquité, université, volonté, vue.
FADA. Abruti, ahuri, ballot, bête, bêta, con, enfoiré, imbécile, niais.
FADAISE. Amusette, baliverne, bagatelle, bêtise, brande, cortex, fagot, fascine, futilité, gerbe, habit, hart, paquet, rouette, sornette, traîne.
FADE. Aigre-doux, dégoût, délavé, insipide, languissant, plat, terne.
FAGOT. Brande, brassée, bourrée, cortex, cotret, fadaise, fagotin, fascine, gerbe, habit, hart, javelle, paquet, rouette, sarment, traîne.
FAIBLE. Bénin, bon, chétif, débile, énervé, épuisé, étiolé, fatigué, grêle, léger, menu, mou, pâle, petit, fluet, précaire, usé, veule, vil.
FAIBLEMENT. Délicatement, doucement, indécision, légèrement, rosé.
FAIBLESSE. Adynamie, anémie, apathie, asthénie, cachetie, débilité, dépression, épuisement, fatigue, fragilité, inanition, syncope.
FAIBLIR. Abattre, abrutir, adoucir, alanguir, altérer, amoindrir, amollir, anémier, aveulir, briser, casser, déprimer, diluer, ébranler, épuiser, étioler, lasser, miner, pâlir, ronger, ruiner, sénilité, user.
FAÏENCE. Azulejo, céramique, chien, porcelaine, trésaillée.
FAÏENCE (n. p.). Gien, Jersey, Lunéville, Marseille, Moustiers, Nevers, Palissy, Quimper, Rouen, Strasbourg, Wedgwood.
FAILLE. Brèche, cassure, coupure, crevasse, enture, espace, fêlure, fente, fissure, gerçure, grigne, hiatus, ouverture, séisme, trouée.

FAILLIR. Déroger, gâcher, louper, omettre, pécher, rater.
FAILLITE. Banqueroute, débâcle, déficit, échec, krach, ruine, sinistre.
FAIM. Appétit, boulimie, désir, fringale, pica, polyphagie, repu.
FAINÉANT. Acagne, loir, oisif, paresseux, rien, roi, rossard.
FAINÉANTISE. Désœuvrement, fortuit, inertie, inopiné, paresse, repos.
FAIRE. Abaisser, accuser, adresser, affaler, affecter, agir, airer, amener, analyser, annoncer, annoter, apaiser, arrêter, assermenter, avaler, avancer, avertir, bâcler, bâtir, bourrer, bricoler, broder, cabotiner, cabrer, caresser, causer, cerner, chanter, cirer, claquer, commenter, composer, concurrencer, conter, coter, coudre, créer, crever, crâner, creuser, crisser, cuisiner, débuter, déclarer, déconner, dédier, dégriser, denteler, dérouter, dessiner, détruire, draver, dresser, ébranler, éclabousser, éclater, écoper, écrire, effacer, égrener, élever, éliminer, émettre, empiffrer, employer, empoisonner, endiguer, enquêter, enregistrer, entailler, envoyer, épanouir, épiler, escamoter, essayer, estimer, étatiser, éteindre, éterniser, éternuer, étrenner, évacuer, exécuter, expédier, façonner, feindre, festoyer, ficher, finir, fonder, forcer, former, frauder, frire, fuguer, fulminer, garer, gaver, gesticuler, griser, haler, honorer, immoler, innover, interposer, instrumenter, inventorier, laminer, lancer, languir, légiférer, léser, lire, luxer, macérer, malfaire, marcher, mater, médire, méditer, menacer, mettre, mijoter, minuter, molester, narrer, nicher, notifier, noyer, nuancer, nuire, opérer, oser, ouvrir, parier, passer, pédaler, percer, périr, perler, personnaliser, péter, pincer, plier, plisser, potiner, procréer, punir, raisonner, rééditer, référer, rehausser, régenter, réitérer, relancer, relier, rendre, renverser, résorber, résoudre, ressusciter, retenir, réveiller, réussir, révéler, revenir, rêver, rimer, rissoler, ronronner, roter, rôtir, rouer, saboter, saler, sauter, sermonner, siéger, sinuer, sonner, soumettre, strier, supprimer, surcharger, suspendre, suturer, tarir, témoigner, tempêter, tester, tinter, tirer, tisser, tomber, torturer, tourner, tousser, travailler, trôner, vaquer, vendre, verser, violenter, vocaliser, uriner, user, utiliser, zigzaguer.
FAISAN. Argus, coq, faisandé, fripon, pouillard.
FAISCEAU. Accumulation, aigrette, amas, balai, botte, bouquet, bysse, byssus, fagot, feston, gerbe, grappe, lumière, pyramidal, spot, troche.
FAIT. Acte, action, cas, chose, épisode, événement, exemple, exploit, faire, geste, initier, modalité, performance, point, prouesse, vérité.
FAÎTE. Alpinisme, apogée, arête, calotte, cime, crâne, crête, dent, haut, hauteur, maximum, montagne, paroxysme, pic, sommet, tête.
FALLACIEUX. Absurde, apocryphe, cabotin, double, douteux, erroné, faute, fautif, faux, félon, fourbe, irréel, pseudo, toc, trompeur, vain.
FALSIFIER. Altérer, changer, fausser, frelater, imiter, tromper, truquer.
FAMEUX. As, célèbre, connu, extraordinaire, remarquable, réputé.
FAMILIARITÉ. Affabilité, amitié, camaraderie, connaissance, fraternité.
FAMILIER. Aisé, commun, courant, habituel, facile, simple, tu, usuel.
FAMILLE. Aristocrate, chez, clan, feu, foyer, gens, maison, né, népotisme, noble, ordre, parent, parenté, race, smala, tribu, type.

FAMILLE DES ACCIPITRIDAES. Aigle, balbuzard, buse, crécerelle, épervier, faucon, milan, vautour.
FAMILLE DES ALADIDAES. Alouette.
FAMILLE DES ALCIDAES. Alque, guillemot, macareux, marmette, mergule, pingouin.
FAMILLE DES ANATIDAES. Bernache, canard, cygne, eider, garrot, oie, macreuse, sarcelle.
FAMILLE DES ARDEIDAES. Aigrette, bihoreau, butor, héron.
FAMILLE DES BALAENIDÉS. Baleine.
FAMILLE DES BALAENOPTÉRIDÉS. Rorqual.
FAMILLE DES BOMBYCILLIDAES. Jaseur.
FAMILLE DES BOVIDÉS. Bœuf.
FAMILLE DES CAPRIMULGIDAES. Engoulevent.
FAMILLE DES CANIDÉS. Coyote, loup, renard.
FAMILLE DES CASTORIDÉS. Castor.
FAMILLE DES CERVIDÉS. Caribou, cerf, orignal.
FAMILLE DES CHARADRIIDAES. Pluvier.
FAMILLE DES COLÉOPTÈRES. Scarabéidé.
FAMILLE DES COLUMBIDAES. Pigeon, tourte, tourterelle.
FAMILLE DES CORVIDAES. Choucas, corbeau, corneille, geai, pie.
FAMILLE DES CRICÉTIDÉS. Campagnol, lemming, rat musqué, souris.
FAMILLE DES DELPHINIDÉS. Dauphin, épaulard, globicéphale.
FAMILLE DES DICOTYLÉDONES. Anonacée, cucurbitacée.
FAMILLE DES DIDELPHIDÉS. Opossum.
FAMILLE DES DIOMEDEIDAES. Albatros.
FAMILLE DES DIPODIDÉS. Souris sauteuse.
FAMILLE DES EMBERIZIDAES. Bruant, cardinal, carouge, dickcissel, junco, goglu, oriole, paruline, passerin, quiscale, sturnelle, tangara, tohi, vacher.
FAMILLE DES ÉRÉTHIZONTIDES. Porc-épic.
FAMILLE DES FÉLIDÉS. Couguar, lynx.
FAMILLE DES FRINGILLIDAES. Bec-croisé, chardonneret, dur-bec, gros-bec, roselin, sizerin.
FAMILLE DES GAVIIDAES. Huart.
FAMILLE DES GRUIDAES. Grue.
FAMILLE DES HIRUNDINIDAES. Hirondelle.
FAMILLE DES HYDROBATIDAES. Pétrel.
FAMILLE DES LARIDAES. Bec-en-ciseaux, goéland, labbe, mouette, sterne.
FAMILLE DES LÉPORIDÉS. Lapin, lièvre.
FAMILLE DES MIMIDAES. Moqueur.
FAMILLE DES MONODONTIDÉS. Béluga, narval.
FAMILLE DES MURIDÉS. Mulot, rat, souris.
FAMILLE DES MUSCICAPIDAES. Gobe-moucheron, grive, merle, roitelet, solitaire, traquet.

FAMILLE DES MUSTELIDÉS. Belette, carcajou, hermine, loutre, martre, mouffette, pékan, vison.
FAMILLE DES PARIDAES. Mésange.
FAMILLE DES PASSERIDAES. Moineau.
FAMILLE DES PELECANIDAES. Pélican.
FAMILLE DES PHALACROCORACIDAES. Cormoran.
FAMILLE DES PHASIANIDAES. Faisan, gélinotte, lagopède, perdrix, tétras.
FAMILLE DES PHYSÉTÉRIDÉS. Cachalot.
FAMILLE DES PHOCIDÉS. Phoque.
FAMILLE DES PHOCOENIDÉS. Marsouin.
FAMILLE DES PHOENICOPTERIDAES. Flamant.
FAMILLE DES PICIDAES. Pic.
FAMILLE DES PODICIPEDIDAES. Grèbe.
FAMILLE DES PROCELLARIIDAES. Fulmar, puffin.
FAMILLE DES PROCUANIDÉS. Raton laveur.
FAMILLE DES ODOBÉNIDÉS. Morse.
FAMILLE DES RALLIDAE. Foulque, gallinule, poule d'eau, râle.
FAMILLE DES SCIURIDÉS. Écureuil, marmotte, polatouche, tamia.
FAMILLE DES SCOLOPACIDAES. Barge, bécasse, bécasseau, bécassine, courlis, maubèche, phalarope, tournepierre.
FAMILLE DES SITTIDAES. Sitelle.
FAMILLE DES SORICIDÉS. Musaraigne, sorex.
FAMILLE DES STRIGIDAES. Chouette, grand-duc, harfand, hibou, petit-duc, nyctale.
FAMILLE DES STURNIDAES. Étourneau.
FAMILLE DES SULIDAES. Fou de Bassan.
FAMILLE DES TALPIDÉS. Condylure, taupe.
FAMILLE DES THRESKIONITHIDAE. Ibis, spatule.
FAMILLE DES TROCHILIDAES. Colibri.
FAMILLE DES TYTONIDAES. Effraie.
FAMILLE DES URSIDÉS. Ours.
FAMILLE DES VESPERTILIODÉS. Chauve-souris, pipistrelle, sérotine, vespertilion.
FAMILLE DES ZIPHIIDÉS. Baleine-à-bec.
FANAL. Campanile, diogène, falot, feu, guillotine, lanterne, lamparo, lampe, lampion, loupiote, lumière, lustre, phare, réverbère, veilleuse.
FANATISME. Dévotion, fureur, intolérance, passion, persécution, zèle.
FANER. Défloraison, enlaidir, flétrir, ratatiner, rider, stigmatiser.
FANFARE. Clique, cors, cuivres, harmonie, lyre, nouba, trompes.
FANFARE (n. p.). Orphéon.
FANFARON. Bravache, brave, casseur, crâneur, faraud, fendant, matamore, prétentieux, tranche-montagne, truculant, vantard.
FANFARONNADE. Blague, bravade, craque, parade, rodomontade.
FANFARONNER. Blaguer, braver, crâner, craquer, fausser, tromper.
FANFRELUCHE. Colifichet, falbalas, ornement, bagatelle.

FANGE. Bauge, boue, bourbe, ignomonie, lie, limon, sanglier, vase.
FANION. Bannière, couleur, drapeau, enseigne, étendard, pavillon.
FANTAISIE. Caprice, désir, idée, humour, gré, lubie, mode, volonté.
FANTASMER. Créer, croire, forger, juger, penser, rêver, supposer.
FANTASSIN. Bidasse, chasseur, peltaste, péon, pion, soldat, voltigeur.
FANTASTIQUE. Chimérique, extraordinaire, féerique, génie, monstre.
FANTÔME. Apparition, esprit, génie, revenant, spectre, vampire.
FANTÔME (n. p.). Lémure, Mânes, Opéra, Zombi.
FAON. Axis, biche, bois, brocard, chevreuil, cor, daguet, daim, élan, époi, fauve, hallali, harde, hère, muntjac, orignal, renne, sica, wapiti.
FARCE. Attrape, barigoule, blague, bouffonnerie, canular, facétie, fumisterie, godiveau, hachis, niche, pasquinade, plaisanterie.
FARCEUR. Baladin, bouffon, comique, fumiste, loustic, plaisantin.
FARCIR. Emplir, entrelarder, fourrer, hachis, niche.
FARD. Affectation, artifice, blanc, blush, brillant, couleur, démaquillant, faux, fond, grimage, maquillage, nu, peinture, rimmel, rouge.
FARDEAU. Charge, coltineur, faix, joug, lourd, main, poids, tortillon.
FARDER. Cacher, couvrir, déguiser, embellir, grimer, maquiller, voiler.
FARFADET. Follet, lutin, nain.
FARINE. Blé, bluter, cassave, fécule, grésillon, griot, lin, maïs, millias, milliasse, minot, mouture, pain, pâte, poudre, salep, sasser, semoule.
FARLOUSE. Passereau, pipit.
FAROUCHE. Âpre, hagard, insociable, méfiant, misanthrope, sauvage.
FASCE. Burèle, burelle, équipollé.
FASCINER. Attirer, captiver, charmer, éblouir, émerveiller, épater.
FASTE. Apparat, beau, favorable, luxe, pauvreté, simplicité.
FASTIDIEUX. Assommant, barbant, divertissant, insipide, ennuyeux.
FATAL. Funeste, immuable, inévitable, invariable, néfaste, vamp.
FATALITÉ. Destin, fatum, hasard, malheur, nécessaire, prédestiné, sort.
FATIGANT. Agaçant, claquant, ennuyant, éreintant, soûlant, tuant.
FATIGUÉ. Abattu, accablé, amaigri, anéanti, anémie, avachi, brisé, charge, échiné, élimé, ennui, épuisé, éreinté, faible, fardeau, fourbu, harassé, las, lassitude, peine, poids, recru, rendu, tiré, tué, usé.
FATIGUER. Ahaner, briser, crever, harceler, lasser, peser, tirer, user.
FAUBOURG. Agglomération, banlieue, ceinture, périphérie, village, ville.
FAUCHÉ. Aisé, appauvri, chétif, clochard, cossu, démuni, gueux, fortuné, hère, indigent, job, ladre, minable, miséreux, pauvre, riche, ruiné.
FAUCHER. Abattre, couper, renverser, sectionner, tailler, voler.
FAUCILLE. Communisme, étrape, faux, sape, serpe, serpette, vouge.
FAUCON. Busard, buse, canon, crécerelle, émerillon, épervier, falco, falconidé, falconiforme, gerfaut, hobereau, huir, laneret, lanier, pèlerin, prairie, rapace, réclame, sacre, sacret, tiercelet.
FAUSSER. Feindre, forcer, gourer, mentir, simuler, truquer, voiler.
FAUSSETÉ. Exactitude, feinte, félonie, franchise, sincérité, vérité.
FAUTE. Ânerie, bêtise, connerie, coquille, confusion, délit, erratum, erreur, gaffe, loup, mal, méprise, parachronisme, sinon, vénielle, vice.

FAUTEUIL. Académie, canapé, chaise, crapaud, ouvreuse, siège, trône.
FAUTIF. Concussionnaire, coupable, criminel, délinquant, responsable.
FAUVE. Alezan, antre, bois, carnassier, lion, once, ressui, tanière, tigre.
FAUVETTE. Azurée, blanche, bleue, buissons, calotte, canada, capuchon, cendrée, colima, couronne, croupion, figuier, flamboyante, grise, hybride, jaune, kentucky, kirtland, lunettes, masquée, mexique, moustache, noire, obscure, orangée, parula, parulidé, passereau, passerinette, pins, plastron, polyglotte, rayée, sylvette, swainson, terrestre, tigrée, townsend, triste, verdâtre, vermivore, verte, virginia.
FAUX. Absurde, affecté, âge, apocryphe, cabotin, double, douteux, erroné, faute, fautif, félon, fourbe, irréel, pseudo, toc, vain, vrai.
FAVEUR. Aide, amitié, appui, aumône, avantage, bienfait, cadeau, grâce, mercière, passe-droit, récompense, ruban, tolérance, vogue.
FAVORABLE. Ami, atout, bien, bon, éclaircie, embellie, mécène, pour.
FAVORI. Chéri, choisi, chouchou, élu, gagnant, mignon, préféré, turf.
FAVORI (n.p). Entrague, Estrée, Fersen, Giac, Neipperg, Sorel.
FAVORISÉ. Avantagé, don, doué, loti, privilégié, protégé, soutenu.
FAVORISER. Aider, choyer, donner, doter, douer, lotir, seconder, servir.
FAVORITISME. Combine, chouchoutage, népotisme, passe-droit.
FAYOT. Assidu, dévoué, empressé, enflammé, fanatique, haricot, zélé.
FÉBRIFUGE. Antipyrétique, antithermique, fièvre, quinine, quinquina.
FÉBRILE. Agité, fiévreux, impatient, nerveux, pondéré, typhose.
FÉCOND. Abondant, été, fertile, gras, lapinisme, nil, riche, ubéreux.
FÉCONDATION. Autogamie, chasmogamie, fertilité, superfécondation.
FÉCULE. Amylique, féculent, maïs, racahout, sagou, tapioca.
FÉDÉRATION. Alliance, coalition, confédération, société, syndicat, union.
FÉE. Fougère, génie, korrigan, magicienne.
FÉE (n. p.). Carabosse, Mab, Mélusine, Urgande, Urgèle.
FEINDRE. Affecter, boiter, dissimuler, inventer, jouer, semblant, simuler.
FEINTE. Artifice, comédie, duplicité, fard, fiction, frime, leurre, ruse.
FÊLER. Craquer, étoiler, fendiller, fendre, fissurer, rayer, rompre, strier.
FÉLIBRIGE. Gras, majoral, mistral, oc, poète, prosateur.
FÉLIBRIGE (n. p.). Aubanel, Brunet, Giera, Mathieu, Mistral, Roumanille, Tavan.
FÉLICITATIONS. Apologie, apothéose, compliment, congratulation, dithyrambe, éloge, encens, flatter, louange, panégyrique, triomphe.
FÉLICITÉ. Adversité, aise, amulette, aubaine, bonheur, calamité, chance, confort, délice, désastre, douceur, douleur, échec, extase, heur, infortune, joie, jouissance, malchance, misère, peine, plaisir, prospérité, rayonner, revers, satisfaction, souffrance, succès, veine.
FÉLICITER. Adresser, complimenter, congratuler, témoigner, vanter.
FÉLIN. Agile, carnassier, chat, lion, ocelot, once, serval, souple, tigre.
FÊLURE. Brèche, brisure, cassure, coupure, crevasse, enture, espace, faille, fente, fissure, hiatus, lézarde, ouverture, trouée.

FEMELLE. Agami, agnelle, ânesse, biche, brebis, bufflesse, bufflette, bufflonne, cane, chamelle, chanterelle, chatte, chèvre, chevrette, chienne, coche, daine, dinde, faisande, faisane, guenon, hase, hérissonne, jument, laie, lapine, levrette, lice, lionne, louve, mère, merlette, meurette, mule, oie, ourse, paonne, perruche, pigeonne, poule, rate, reine, renarde, tigresse, truie, vache.

FEMME. Agalacte, ambassadrice, amie, ânière, batelière, beauté, bédasse, bonne, brue, catin, chipie, coiffeuse, comtesse, dame, déesse, dinde, doctoresse, duchesse, écrivaine, éleveuse, escrimeuse, Ève, épouse, fée, filandière, frigide, garce, glaneuse, gonzesse, gouvernante, grue, hommasse, impératrice, lapine, laideron, lionne, logeuse, luronne, mairesse, maîtresse, marquise, marâtre, marraine, matrone, mégère, mémère, ménagère, menine, menteuse, mère, moitié, nabote, naine, nymphomane, ogresse, parturiente, paysanne, pecte, perle, pie, pimbêche, pimpesoué, pleureuse, poétesse, poule, poupée, prêtresse, prostituée, putain, rameuse, rani, reine, rombière, rousse, sainte, salope, sauvagesse, servante, sirène, sœur, soubrette, spectatrice, sultane, sylphide, tigresse, touffe, traînée, tsarine, vamp, virago.

FEMME DE LETTRES ALLEMANDE (n. p.). Frank.

FEMME DE LETTRES BRITANNIQUE (n. p.). Cartland, Christie, Cornwell, Highsmith, James, Westmacott, Woolf.

FEMME DE LETTRES CANADIENNE (n. p.). Roy.

FEMME DE LETTRES CHILIENNE (n. p.). Allende.

FEMME DE LETTRES FRANÇAISE (n. p.). Arnothy, Avril, Boissard, Bourin, Cardinal, Chapsal, Charles-Roux, Colette, Collange, Deforges, Dolto, Dorin, Frain, Groult, Lacamp, Laclos, Le Varlet, Mallet-Joris, Monsigny, Pisier, Rivoyre, Sagan, Sand, Staël.

FEMME DE LETTRES QUÉBÉCOISE (n. p.). Allard, Alonzo, Anctil, Aubry, Baillargeon, Bazin, Beaudry, Bersianik, Bissonnette, Blais, Blouin, Boisjoli, Boisvert, Bombardier, Bouchard, Boucher, Brault, Brière, Brossard, Bussières, Cadieux, Cardinal, Champagne, Cholette, Claudais, Cloutier, Corbeil, Côté, Cousture, Cyr, D'Amour, Daveluy, De Gramont, De Lamirande, Demers, Déry, Desrochers, Doyon, Dubé, Dumont, Ferretti, Ferron, Gagnon, Gauvin, Ghalem, Grisé, Harvey, Hébert, Jacob, Juteau, Laberge, Lacasse, Lanctôt, Larouche, Larue, Lasnier, Lavigne, Lemieux, Lévesque, Loranger, Maillet, Major, Mallet, Marchessault, Marineau, Martin, Michel, Miville-Deschênes, Monette, Noël, Ouellette, Ouellette-Michalska, Ouvrard, Paquette, Paris, Payette, Pelland, Plamondon, Poisson, Proulx, Rainville, Renaud, Robert, Roy, Ruel, Saint-Denis, Sarfati, Sauriol, Simard, Thériault, Tremblay, Villemaire, Villeneuve.

FENDILLEMENT. Brèche, cassure, coupure, crevasse, enture, espace, fêlure, fente, fissure, gerçure, grigne, hiatus, ouverture, séisme, trouée.

FENDILLER. Craqueler, craquer, crevasser, déchirer, écarter, inciser.

FENDRE. Casser, cliver, couper, fêler, fissurer, rompre, scier, scinder.

FENDU. Bifide, ente, fou, greffe, vis.

FENÊTRE. Ajour, baie, chassis, châssis, croisée, hublot, lucarne, lunette, oculus, œil-de-bœuf, oriel, oreille, tabatière, vanterne, vasistas.
FENIL. Aire, foin, grain, grange, grenier, hangar, pailler, remise.
FENOUIL. Amer, amni, anet, aneth, bâtard, foeniculum, légume, meum, ombellifère, vespétro, visnage.
FENTE. Bouterolle, cassure, coupure, crevasse, enture, espace, faille, fêlure, fissure, gerçure, grigne, hiatus, ouverture, péristome, seime.
FER. Acier, angrois, arme, bagnard, cep, chemin, coin, coutre, dard, digon, épée, étain, fe, forçat, jas, gond, lame, lance, métal, minerai, poignard, repasser, ruade, sanguine, soc, tôle, tranchant.
FER À CHEVAL. Étampure, pin, rhinolophe.
FERME. Bastide, comble, domaine, dur, énergique, entêté, exploitation, fazenda, fermette, fort, hacienda, hardi, inébranlable, inflexible, maltôte, mas, métairie, nerveux, obstiné, opiniâtre, persévérant, ranch, redevance, résolu, robuste, solide, stoïque, tenace, terme, volontaire.
FERMÉ. Borné, buté, caché, clos, départ, hermétique, luté, œil, scellé.
FERMENT. Broche, charnière, espagnolette, fiche, panture, tourniquet.
FERMENTER. Cuver, gâter, germer, lever, moût, sur, tourner, travailler.
FERMER. Arrêter, bâcler, barrer, barricader, boucher, boucler, cadenasser, cicatriser, ciller, claquer, cligner, clore, coudre, lacer.
FERMETÉ. Détermination, énergie, opiniâtreté, stoïcisme, ténacité, ton.
FERMETURE. Barreau, cadenas, clé, clef, cloison, clôture, croisée, fin, jalousie, loquet, occlusion, serrure, tirette, trappe, verrou, volet.
FERMIER. Agriculteur, agronome, cultivateur, colon, paysan.
FERMIUM. Fm.
FÉROCE. Atroce, barbare, brute, cruel, dur, rude, sadique, sanguinaire.
FÉROCITÉ. Apprivoisé, barbarisme, brutalité, cruauté, douceur, dureté, horreur, inhumain, instinct, sadique, sauvage, violence.
FERRAILLE. Limaille, mitraille, monnaie, ravageur, rebut, tacot.
FERRONNERIE. Atelier, boutique, crampon, fer, quincaillerie.
FERRURE. Aiguillon, charnière, ferrage, fiche, penture, serrure, té.
FERTILE. Fécond, fructueux, généreux, plantureux, prolifique, riche.
FERTILISANT. Amendement, apport, compost, cyanamide, engrais, fumier, gadoue, guano, humus, nourrain, poudrette, purin, urée.
FERTILISER. Amender, engraisser, enrichir, fumer, phosphater.
FÉRU. Amant, amitié, amor, amourette, ardeur, baise, charité, cœur, cour, dilection, égoïsme, épris, érotisme, feu, fleuve, flirt, herbe, idolâtrie, idylle, feu, gastronomie, narcissisme, passion, piété.
FERVENT. Ardent, chaud, enthousiaste, froid, indifférent, tiède, vœu.
FERVEUR. Dévotion, piété, religion, respect, sainteté, zèle.
FESSER. Bastonner, battre, châtier, corriger, fouetter, frapper, taper.
FESTIN. Banquet, bombe, beuverie, fête, foire, noce, repas, ripaille.
FÊTE. Amusement, assemblée, anniversaire, bacchanale, bal, célébration, cérémonie, commémoration, dentelle, féralie, festin, festivité, foire, gala, jubilé, kermesse, noce, nouba, orgie, parentalie, raout, réjouissance, rodéo, saturnale, soirée, têt, tournoi.

FÊTE CATHOLIQUE (n. p.). Ascension, Carême, Épiphanie, Noël, Pâques, Pentecôte, Rameaux, Toussaint.
FÊTE JUIVE (n. p.). Hanouka, Pâque, Pessah, Pourim, Rosh Hashana, Sabbat, Shavouath, Sim'hat, Soukkot, Yom Kippour.
FÊTER. Célébrer, chômer, commémorer, festoyer, pavoiser, sanctifier.
FÉTICHE. Amulette, effigie, grigri, hasard, idole, image, mascotte, porte-bonheur, reliques, scapulaire, superstition, talisman, totem.
FÊTU. Bagatelle, brimborion, brin, brindille, misère, peu, rien.
FEU. Ardeur, âtre, bière, bouche, brasier, brûler, bûcher, cendres, chaleur, décédé, défunt, drap, famille, flamme, foyer, funéraire, fuser, igné, linceul, mort, passion, poêle, tir, tirer, ustion, veuf, veuve.
FEU (n. p.). Abiu, Osiris, Prométhée, Vestales.
FEUILLE. Aiguille, bractée, carotte, carpelle, conjugué, découpé, décurrent, décussé, écaille, encart, engainant, fane, feuillage, folio, fronde, imparipenné, journal, livre, page, palme, palmifide, palmilobé, palmiparti, palmiséqué, pellicule, pelté, penné, perfolié, pubescent, rame, rosette, thé, tôle, tract, trifolié, verticille, unifolié.
FEUILLET. Bœuf, cédule, ectodreme, endoderme, estomac, fascicule, feuille, folio, garde, mésoderme, onglet, page, pli, rôle, tract.
FEUILLETER. Bouquiner, compulser, jeter, lire, parcourir, survoler.
FEUILLETON. Action, anecdote, conte, histoire, intrigue, livre, manuscrit, nouvelle, prologue, rêve, romanesque, scénario, thriller.
FEUTRAGE. Garniture, mélusine, rembourrage, trichoma.
FEUTRE. Drap, feutrine, manchon, mélusine, nappe, stylo, surligneur.
FÈVE. Anagyre, fayot, féverole, févier, gleditschia, gourgane, légumineuse, tonka, vicia.
FIABLE. Ampleur, capital, conséquence, essentiel, étendue, fidèle, gabarit, grandeur, gravité, gros, intérêt, poids, pressant, quantité, rien, sérieux, somme, suffisant, sûr, urgent, utilité, valeur, vice, vue.
FIACRE. Carrosse, saint, sapin, voiture.
FIANCÉ. Accordé, bien-aimé, futur, galant, parti, prétendu, promis.
FIANCÉ (n. p.). Cid.
FIASCO. Avortement, bide, défaite, échouer, faillite, insuccès, revers.
FIBRE. Abaca, agave, byssus, câble, chalaze, coir, dacron, dralon, filament, kapok, kevlar, ligament, lin, lycra, nylon, orlon, orlontagal, papier, piassava, pite, raphia, rayonne, tampico, térylène, tractus.
FIBROME. Fibromatose, tumeur, ulcère.
FICAIRE. Chélidoine, dill, éclairette, épinard, petite éclair.
FICELER. Attacher, brider, habiller, lier, saucissonner, tringler, vêtir.
FICELLE. Astuce, corde, fil, filion, ligneul, lisse, mèche, nerf, ruse.
FICHU. Carré, châle, chéret, cuit, écharpe, fâcheux, fanchon, foulard, foutu, guimpe, madras, mantille, marmotte, mouchoir, perdu, pointe.
FICTIF. Fable, fabriqué, faux, fiction, imaginaire, invention, irréel.

FICUS. Aurea, benghalensis, benjamina, buxifolia, callosa, caoutchouc, carica, cyathistipula, diversifolia, élastica, figuier, gommier, lyrata, macrophylla, moracée, parcellii, radicans, religiosa, rubiginosa, stipulata, sycomorus, vogelli.
FIDÈLE. Ami, constant, dévot, dévoué, éprouvé, juste, lige, loyal, sûr.
FIDÉLITÉ. Amitié, amour, foi, hommage, loyauté, sûreté, vérité.
FIEL. Acrimonie, amer, bave, bile, haine, hostilité, mal, venin.
FIENTE. Bouse, colombin, crotte, crottin, épreinte, excrément, merde.
FIER. Altier, arrogant, confiance, crâneur, dédaigneux, enflé, entier, grand, hardi, hautain, noble, rogue, sauvage, superbe, sûr, vain, vanité.
FIÈVRE. Amaril, aphteuse, brucellose, crise, équine, fébrifuge, hectique, malaria, or, paludisme, pyrexie, sueur, température, vitulaire, vomito.
FIÉVREUX. Agité, ardent, excité, frénétique, malade, passionné, rouge.
FIGER. Cailler, coaguler, congeler, immobiliser, scléroser, transir.
FIGNOLER. Lécher, limer, orner, parfaire, peaufiner, soigner.
FIGUE. Barbarie, sycone, sycophante.
FIGUIER. Adriatic, banian, banyans, barbarie, barnissotte, benjamin, bourjasotte, commun, cotignane, dauphine, étrangleur, ficus, inde, indien, kadota, lyrée, oponce, opuntia, marseillaise, moracée, pagodes, sultane, tameriout.
FIGURATION. Casting, choriste, copie, dessin, image, plan, rôle, schéma.
FIGURE. Angle, carte, chaîne, cône, dame, dièdre, face, frimousse, géométrie, idole, litote, logique, ovale, peinture, rhétorique, roi, rond, sphère, strophe, tau, tête, tonneau, tourteau, trope, type, valet, visage.
FIGURER. Accoler, dessiner, imaginer, incarner, réfléchir, représenter.
FIGURINE. Jaquemart, netsuké, poupée, santon, statue, tanagra.
FIL. Aiguiser, basin, borne, brin, cantatille, caténaire, chas, corde, cordon, coton, cours, épée, faufil, fibre, filament, filasse, filet, funicule, guide, laine, ligne, lurex, moule, poil, soie, solénoïde, tergal, tranchant.
FIL (n. p.). Ariane, Damoclès.
FILAMENT. Barbillon, chalaze, charpie, cil, fibre, fibrine, flagelle, flagellum, funicule, fuseau, hyphe, ouate, poil, rivulaire.
FILASSE. Blond, clair, étoupe, lin, pâle, séran, terne.
FILE. Caravane, chapelet, colonne, cordon, défilé, enfilade, haie, ligne, part, procession, queue, rang, rangée, remorqueur, suite, tisse, train.
FILER. Couler, courir, déguerpir, détaler, disparaître, épier, fuir, lâcher, larguer, partir, passer, pister, rouet, surveiller, suivre, tisser, tordre.
FILET. Ableret, appât, bâche, barbe, carrelet, chalut, châteaubriand, cordon, drague, embûche, émouchette, épervier, flanc, folle, hamac, haveneau, havenet, lac, magret, nasse, nervure, orle, panneau, picot, piège, plexus, réseau, résille, rets, ridée, rissole, ru, seine, senne, thonaire, tirasse, tournedos, vannet, venet, verveux.
FILIFORME. Aigu, allongé, délicat, délié, effilé, élancé, épais, étroit, fil, fin, fluet, folié, fragile, frêle, fuselé, gracile, grêle, gros, lame, large, maigre, menu, mince, petit, pincé, pruine, ru, svelte, ténu, tôle, tulle.

FILLE. Adolescente, agalacte, ambassadrice, amie, ânière, batelière, beauté, bédasse, bonne, brue, catin, chipie, coiffeuse, comtesse, dame, déesse, demoiselle, dinde, doctoresse, duchesse, écrivaine, éleveuse, escrimeuse, étudiante, Ève, épouse, fée, filandière, fillette, frigide, gamine, garce, glaneuse, gonzesse, gosse, gouvernante, grue, hommasse, impératrice, lapine, laideron, lionne, logeuse, luronne, mairesse, maîtresse, marquise, marâtre, marraine, matrone, mégère, mémère, ménagère, menine, menteuse, mère, moitié, nabote, naine, nièce, nymphomane, ogresse, parturiente, paysanne, pecte, perle, pie, pimbêche, pimpesoué, pleureuse, poétesse, poule, poupée, prêtresse, prostituée, putain, rameuse, rani, reine, rombière, rousse, sainte, salope, sauvagesse, servante, sirène, sœur, soubrette, spectatrice, sultane, sylphide, tendron, tigresse, touffe, traînée, tsarine, vamp, vestale.

FILLE D'ATLAS (n. p.). Hespérides, Hyades, Pléiades.

FILLE DE JUPITER (n. p.). Astrée, Diane, Hébé, Minerve, Muses, Proserpine.

FILLE D'HARMONIA (n. p.). Ino.

FILLE D'OCÉAN (n. p.). Amphitrite, Dioné, Doris, Océanides.

FILLE D'ŒDIPE (n. p.). Antigone, Ismène.

FILLE DE MINOS (n. p.). Ariane.

FILLE DE SATURNE (n. p.). Cérès, Junon.

FILLE DU SOLEIL (n. p.). Héliades.

FILLE DE TÉTHYS (n. p.). Dioné, Doris, Océanides, Astrée, Heures.

FILLE DE ZEUS (n. p.). Core, Hébé, Héra, Heures, Perséphone.

FILM. Actualité, bande, documentaire, métrage, pellicule, projection.

FILON. Amulette, bonheur, chance, combine, couche, dyke, éponte, galerie, hasard, masse, mine, salbande, source, strate, veine.

FILOU. Arnaqueur, bandit, escroc, flibustier, fripon, rat, voleur.

FILS. Aîné, chef, descendant, effet, élève, enfant, fieux, fiston, frère, fruit, garçon, gars, héritier, issu, né, neveu, petit, race, rejeton, sang.

FILS D'AARON (n. p.). Abius, Éléazar, Nabab.

FILS D'ABRAHAM. Isaac, Ismaël, Jacob.

FILS D'ADAM (n. p.). Abel, Caïn, Sam, Seth.

FILS D'APOLLON (n. p.). Aristée, Esculade, Ion.

FILS DE CÉSAR (n. p.). Césarion, Kaisar, Ptolémée.

FILS DE CHAM (n. p.). Canaan.

FILS DE CLÉOPÂTRE (n. p.). Césarion, Kaisar, Ptolémée.

FILS DE DAVID (n. p.). Absalon, Adonias, Amnon, Salomon.

FILS DE DÉDALE (n. p.). Icare.

FILS D'ÈVE (n. p.). Abel, Caïn, Sam, Seth.

FILS DE GAEA (n. p.). Cronos, Kronos, Océan, Okéanos, Saturne.

FILS D'HERCULE (n. p.). Laocoon.

FILS D'ISAAC (n. p.). Ésaü, Jacob.

FILS DE JACOB (n. p.). Aser, Benjamin, Berwick, Dan, Gad, Issachar, Joseph, Juda, Lévi, Nephtali, Ruben, Siméon.

FILS DE JUPITER (n. p.). Bacchus, Éaque, Éole, Hercule, Mars, Mercure, Rhadamanthe, Vulcain.
FILS DE LOT (n. p.). Ammon.
FILS DE NEPTUNE (n. p.). Antée, Pellas, Polyphène, Protée, Triton.
FILS DE NOÉ (n. p.). Cham, Japhet, Sam, Sem.
FILS D'OŒDIPE (n. p.). Étéocle.
FILS DE PÉNÉLOPE (n. p.). Télémaque.
FILS DE PRIAM (n. p.). Alexandre, Hector, Laocoon, Paris.
FILS DE SALOMON (n. p.). Roboam.
FILS DE SATURNE (n. p.). Neptune, Pluton.
FILS D'ULYSSE (n. p.). Télémaque.
FILS D'URANUS (n. p.). Cronos, Kronos, Saturne.
FILS DE VÉNUS (n. p.). Énée.
FILS DE VESPASIEN (n. p.). Domitien, Titus.
FILS DE ZEUS (n. p.). Amphion, Éaque, Minos, Persée, Sarpedon, Zéthos.
FILTRATION. Colature, épuration, purge, purification, tamisage.
FILTRE. Bougie, buvard, chausse, écran, feutre, joseph, narine, rein.
FIN. Aboutissement, achèvement, adroit, agonie, amen, arrêt, borne, bout, but, cessation, chute, clôture, coda, commencement, début, décadence, déclin, dessert, expiration, extrémité, final, fine, finesse, fini, futé, habile, ite, limite, lisière, malin, ménopause, menu, mince, mort, naissance, nuit, objet, oméga, origine, péroraison, ps, râle, ruine, rusé, soie, soir, sortie, soyeux, suffixe, terme, terminaison, ultime.
FINAL. But, définitif, dernier, éliminatoire, issue, terminal, ultime.
FINALEMENT. Conclusion, dernier, enfin, fin.
FINALISER. Bâcler, cesser, clore, lever, ôter, tarir, terminer, vider.
FINANCIER. Argentier, monétaire, nucingen, payeur, pécuniaire.
FINASSER. Atermoyer, biaiser, éluder, éviter, louvoyer, ruser.
FINAUD. Adroit, fin, futé, habile, malicieux, malin, retors, roué, rusé.
FINE. Brandy, cognac, eau-de-vie, émince, herbe, lame, lamelle.
FINES HERBES. Aneth, anis, basilic, bourrache, camomille, carvi, fenouil, herbe aux chats, cerfeuil, ciboulette, coriandre, estragon, lavande, mélisse, marjolaine, menthe, origan, oseille, persil, romarin, sauge, sarriette, thym.
FINESSE. Acuité, adresse, astuce, bêtise, clairvoyance, délicatesse, délié, épais, finasserie, flair, grâce, ineptie, intelligence, maigre, malice, menu, minceur, niaiserie, ort, perspicacité, raffinement, ruse, sagacité, sel, sottise, spirituel, stratagème, stupidité, subtilité, tact, ténu, ténuité.
FINI. Achevé, bu, fatigué, fin, limité, recru, tari, tué, usé, vidé.
FINIR. Arrêter, bâcler, cesser, clore, lever, ôter, tarir, terminer, vider.
FIOLE. Ampoule, biberon, bouille, bouteille, figure, flacon, tête, topette.
FIRMAMENT. Air, astrologie, ciel, cieux, coupole, empyrée, étoile.
FIRME. Boîte, entreprise, établissement, maison, société.
FISSURE. Craque, crevasse, faille, fente, filon, fuite, lézarde, sillon.
FISSURER. Craqueler, craquer, crevasser, déchirer, écarter, inciser.

FISTON. Descendant, effet, élève, enfant, fieux, fils, frère, fruit, garçon, gars, héritier, issu, né, neveu, petit, race, rejeton, sang.
FIXATION. Accolage, amarrage, attache, enkystement, hydratation, ski.
FIXE. Appui, atone, défini, ferme, immobile, point, précis, solide, stable.
FIXER. Ancrer, amarrer, arrêter, arrimer, claveter, clouer, déterminer, évaluer, fermer, figer, lier, pendre, reclouer, régler, terminer, visser.
FLACON. Bouteille, burette, fiasque, fiole, flasque, gourde.
FLAFLA. Affectation, chichis, chiqué, esbroufe, étalage, ostentation.
FLAGELLER. Battre, châtier, cingler, fesser, fouetter, rosser, rouer.
FLAGEOLET. Chalumeau, flûte, flûteau, flûtiau, haricot, pan, piccolo.
FLAGORNER. Aduler, amadouer, cajoler, encenser, flatter, lécher.
FLAGRANT. Aveuglant, certain, criant, éclatant, évident, patent, visible.
FLAIR. Clairvoyance, futur, intuition, nez, odorat, pifomètre, rosée.
FLAIRER. Halener, humer, pressentir, renifler, sentir, soupçonner.
FLAMBEAU. Bougie, brandon, chandelle, cierge, fanal, lampe, torche.
FLAMBOYER. Briller, chatoyer, dorer, éblouir, lustrer, reluire, vernir.
FLAMME. Amour, ardeur, chaleur, clarté, crise, drapeau, éclair, éclat, élan, étendard, étincelle, ferveur, feu, lueur, oriflamme, pennon, zèle.
FLAMMÈCHE. Ardeur, éclair, escarbille, étincelle, flamme, lueur.
FLAN. Dariole, entremets, far, quiche, stéréotype.
FLANC. Aile, bord, côté, crêt, filet, iliaque, latéral, lof, pan, ventre.
FLANCHER. Accorder, avouer, attribuer, céder, octroyer, permettre.
FLANELLE. Hockey, sainte, tennis.
FLÂNER. Amuser, badauder, baguenauder, balader, batifoler, errer, lasser, marcher, muser, promener, rôder, traîner, vadrouiller.
FLÂNEUR. Badaud, errant, fainéant, indolent, promeneur, traîneux.
FLANQUER. Border, congédier, couvrir, encadrer, escorter, garantir.
FLAQUE. Flache, gouille, mare, nappe, sang.
FLASH. Éclair, idée, rapide, urgent.
FLATTER. Aduler, allécher, amadouer, bénir, cajoler, câliner, vanter.
FLATTERIE. Adoration, cajolerie, complaisance, compliment, encens, galanterie, hypocrisie, louange, mamours, mensonge, tromperie.
FLATTEUR. Adorateur, adulateur, cajoleur, courtisan, élogieux, encenseur, enjôleur, flagorneur, los, louange, menteur, thuriféraire.
FLATULENCE. Éructation, gaz, hoquet, pet, vent, météorisme, rot.
FLAUBERT (n. p.). Bouvard, Bovary, Pécuchet, Salammbô.
FLÉAU. Balance, calamité, catastrophe, lèpre, malheur, peste, plaie.
FLÈCHE. Arc, archer, aster, bois, brocard, carquois, carreau, dard, épigramme, javelot, lazzi, penne, pointe, quolibet, sagaie, sagette, trait.
FLÈCHE (n. p.). Parthe, Tell.
FLÉCHIR. Arquer, attendrir, céder, courber, crisper, plier, ployer.
FLEGME. Apathie, calme, emportement, enthousiasme, exaltation, excitation, fougue, froideur, impassible, indifférent, inertie.
FLÉTRIR. Défloraison, enlaidir, faner, ratatiner, rider, stigmatiser.

FLEUR. Achillée, ada, adonis, agave, amaryllis, arabis, aristoloche, aroïdée, arum, asclépiade, aster, astilbe, azalea, bellis, caltha, canna, celosia, clématite, cosmos, crocus, dahlia, draba, ébéris, érica, forsythia, gaillarde, galium, gaura, geum, hosta, inula, iris, œillet, orchidée, immortelle, impatient, inula, iris, ixia, ledum, lilas, lilium, lin, lis, lotus, lys, malva, marguerite, nepena, nidularium, panicule, pélargonium, pensée, pétunia, phlox, potentille, rose, rudbeckia, salvia, scilla, sedum, spirea, statice, tagetes, técum, thymus, tigridie, trillium, tulipe, uve, victoria, viola, weigela, xéranthème, yucca, zinnia.

FLEUR DE NAISSANCE. Œillet (janvier), violette (février), jonquille (mars), pois de senteur (avril), muguet (mai), rose (juin), pied-d'alouette (juillet), glaïeul (août), aster (septembre), souci (octobre), chrysanthème (novembre), narcisse (décembre).

FLEURET. Botte, épée, escrime, fer, mouche, plastron.

FLEURIR. Briller, croître, épanouir, grandir, orner, prospérer, réussir.

FLEUVE. Bras, cours, embouchure, fluvial, rive, rivière, roman.

FLEUVE (n. p.). Aa, Amazone, Amou-daria, Amour, Ania, Arkansas, Arno, Brahma Poutre, Bug, Bhari, Churchill, Colorado, Columbia, Congo, Cal, Canube, Carling, Con, Cniepr, Crina, Ebre, Elbe, Élorn, Ems, Erne, Euphrate, Fraser, Gange, Gota, Han, Hoang-Ho, Iaxartes, Ienisseï, Ili, Indus, Irraouaddi, Irtych, Kuma, La Paix, Lek, Léna, Léthé, Luléa, Mackenzie, Madeira, Maritza, Mékong, Mississippi, Missouri, Murray, Nelson, Niger, Nil, Ob, Obi, Ohio, Orange, Orénoque, Oural, Paraguay, Parana, Rio Grande, Rio Negro, Rupel, Salween, Sao Francisco, Saint-Laurent, Saskatchewan, Sée, Seine, Selenga, Si-Kiang, Sind, Styx, Tana, Tigre, Tocantins, Uléa, Ulloa, Umé, Una, Upsal, Volga, Waal, Yalu, Yang-Tse-Kiang, Yapura, Yromus, Yukon, Zambèze.

FLEUVE, AFGHANISTAN (n. p.). Hilmand.

FLEUVE, AFRIQUE (n. p.). Casamance, Chari, Congo, Dra, Draa, Gambie, Gabon, Limpopo, Medjerda, Niger, Nil, Ogoué, Orange, Sénégal, Zambèze.

FLEUVE, ALASKA (n. p.). Yukon.

FLEUVE, ALGÉRIE (n. p.). Cheliff, Macta, Rummel, Seybouse, Tafna.

FLEUVE, ALLEMAGNE (n. p.). Danube, Eider, Elbe, Ems, Peene, Rhin, Trave, Weser.

FLEUVE, ANGLETERRE (n. p.). Eden, Mersey, Ouse, Severn, Tamise, Tyne.

FLEUVE, ASIE (n. p.). Yalu.

FLEUVE, BELGIQUE (n. p.). Escaut, Meuse, Yser.

FLEUVE, BRÉSIL (n. p.). Amazone, Araguaya, Parana, Tocantins.

FLEUVE, BULGARIE (n. p.). Danube, Maritza, Strymon.

FLEUVE, CANADA (n. p.). Churchill, Fraser, Hamilton, Mackenzie, Nelson, Rupert, Saint-Laurent.

FLEUVE, CHINE (n. p.). Houai, Huai, Tarim, Yalu, Yang-Tse-Kiang.

FLEUVE, COLOMBIE (n. p.). Atrato, Magdalena.

FLEUVE, ENFERS (n. p.). Achéron, Cocyte, Léthé, Styx.

FLEUVE, ESPAGNE (n. p.). Douro, Ebre, Ebro, Genil, Guadiana, Jucar, Minho, Rio, Tage, Tinto.
FLEUVE, ÉTATS-UNIS (n. p.). Arkansas, Canadian, Colorado, Connecticut, Delaware, Hudson, Merrimack, Mississippi, Missouri, Mobile, Oregon, Potomac.
FLEUVE, FRANCE (n. p.). Aa, Adour, Agly, Arc, Argens, Aude, Aulne, Authie, Belon, Blavet, Breslee, Canche, Charente, Couesnon, Dives, Douve, Escaut, Garonne, Hérault, Lay, Leyre, Loire, Meuse, Orb, Orne, Rance, Rhin, Rhône, Seine, Seudre, Somme, Tech, Têt, Touques, Var, Vidourie, Vilaine, Vire, Yser.
FLEUVE, GHANA (n. p.). Volta.
FLEUVE, INDE (n. p.). Brahmapoutre, Gange, Godavéri, Indus, Sind.
FLEUVE, INDOCHINE (n. p.). Mekong, Salouen.
FLEUVE, IRLANDE (n. p.). Erne.
FLEUVE, ITALIE (n. p.). Adige, Arno, Brenta, Garigliano, Isonzo, Métaure, Ofanto, Piave, Pô, Tagliamento, Tibre, Volturno.
FLEUVE, LAPONIE (n. p.). Torne.
FLEUVE, MAROC (n. p.). Sebou, Sous.
FLEUVE, POLOGNE (n. p.). Oder, Odra.
FLEUVE, RUSSIE (n. p.). Alma, Don, Dnieper, Kama, Kouban, Lena, Neva, Niemen, Ob, Obi, Onéga, Oural, Petchora, Volga.
FLEUVE, SÉNÉGAL (n. p.). Saloum.
FLEUVE, SIBÉRIE (n. p.). Anadyr, Ienisseï, Indighirka, Kolyma, Lena, Lenissei.
FLEUVE, SLOVÉNIE (n. p.). Isonzo.
FLEUVE, SUÈDE (n. p.). Angerman, Goeta, Lule, Pité, Rhone, Torné, Ume.
FLEUVE, SUISSE (n. p.). Rhône.
FLEUVE, TURQUIE (n. p.). Tigre.
FLEUVE, UKRAINE (n. p.). Boug.
FLEUVE, YOUGOSLAVIE (n. p.). Isondo, Vardar.
FLEXIBLE. Élastique, influençable, maniable, mou, pliable, souple.
FLIBUSTIER. Boucanier, brigand, corsaire, écumeur, pirate, surcouf.
FLIC. Agent, ange, bobby, chien, cogne, condé, détective, garde, gardien, gendarme, limier, policier, poulet, roussin, sbire.
FLION. Donace, donax, mollusque.
FLINGUE. Arme, arquebuse, artillerie, busc, carabine, chassepot, chien, crosse, escopette, espingole, fusil, hammerless, infanterie, lebel, mitraillette, mousquet, mousqueton, pétoire, rifle, tromblon.
FLIRT. Amour, amourette, béguin, caprice, idylle, passade, tocade.
FLORILÈGE. Anthologie, chrestomathie, extrait, recueil, spicilège.
FLORIN. Fl, or.
FLOT. Abondance, affluence, bouillon, couler, eau, enfant, essaim, flux, houle, lame, marée, masse, mer, onde, multitude, torrent, vague.
FLOTTE. Armada, bateau, eau, escadre, flottille, rein, vaisseau.
FLOTTER. Claquer, heureux, nager, ondoyer, surnager, voler, voltiger.

FLOU. Abstrait, agitation, barre, brouillé, confus, douteux, erre, estompé, fondu, général, imprécis, incertain, indécis, on, vague.
FLOUER. Dérober, enlever, faucher, frauder, piller, piquer, voler.
FLUCTUER. Alterner, bigarrer, changer, commuer, différencier, discorder, diversifier, mélanger, moirer, nuancer, osciller, panacher.
FLUET. Aigu, allongé, délicat, délié, effilé, élancé, épais, étroit, fil, filiforme, fin, folié, fragile, frêle, fuselé, gracile, grêle, gros, lame, large, maigre, menu, mince, petit, pincé, pruine, ru, svelte, ténu, tôle, tulle.
FLUIDE. Air, caloporteur, clair, courant, diffusion, eau, effluent, émersion, éther, flux, fréon, gaz, humeur, liquide, phlogistique.
FLUOR. F.
FLÛTE. Diaule, fifre, fistule, flageolet, galoubet, larigot, mie, mirliton, monaule, navire, octavin, pain, piccolo, pipeau, syrinx, traversière.
FLUVIAL. Alluvion, épi, érosion, fleuve, poussage.
FLUX. Balancer, écoulement, débauche, déluge, diarrhée, eau, faisceau, flot, humeur, marée, menstrues, mer, profusion, règles, torrent.
FOC. Génois, tourmentin, trinquette, voile.
FŒTUS. Accouchement, embryon, fœtal, fruit, germe, gestation, œuf.
FOI. Canon, confiance, croyance, jurer, mystère, religion, vérité, zèle.
FOIE. Abats, bile, cirrhose, distomatose, hépatite, hépatomégalie.
FOIN. Bale, fenil, fourrage, meule, paille, rhume.
FOIRE. Bringue, diarrhée, ducasse, exposition, fête, foraine, marché.
FOIRER. Esquinter, gâcher, glisser, louper, manquer, omettre, oublier.
FOISONNER. Abonder, augmenter, beaucoup, fourmiller, proliférer.
FOIS. Cas, cause, chance, circonstance, coup, facilité, fois, hasard, heure, incidence, lieu, moment, occasion, piège, temps.
FOLÂTRER. Amuser, badiner, batifoler, ébattre, ébattre, folichonner, gambader, ginguer, marivauder, papillonner.
FOLICHONNER. Amuser, batifoler, drôle, ébattre, folâtrer, gai, ginguer, marivauder, papillonner, plaisant, plaisanter, réjouir.
FOLIE. Aliénation, asile, avertin, crise, dada, délire, fou, grelot, imagination, ire, lubie, lycanthropie, manie, marotte, tic, vésanie.
FOLKLORE. Coutume, légende, mythe, romancero, saga, tradition, us.
FOLKLORISTE, FEMME (n. p.). Baillargeon, Breton, Cadrin, Chailler, Charlebois, Guannel, Lemay, Pascal, Tremblay.
FOLKLORISTE, HOMME (n. p.). Beaudoin, Collard, Cormier, Daignault, Gosselin, Grenier, Labrecque, Mignault.
FOLLE. Amoureuse, cinglée, dingue, idiote, sotte, toquée, tordue.
FOMENTER. Amener, apporter, attirer, bondir, causer, créer, déchaîner, déclencher, déterminer, élever, fournir, inspirer, porter, susciter.
FONCER. Bondir, charger, débouler, fondre, piquer, précipiter, sauter.
FONCIER. Cadastre, immeuble, impôt, inné, profond, radical.
FONCTION. Chaire, charge, décanat, emploi, génération, office, olfaction, métier, mission, onéraire, office, place, position, poste, priorat, respiration, rôle, titre, travail, utilité.
FONCTIONNAIRE. Agent, directeur, employé, magistrat, sous-ministre.

FONCTIONNEL. Commode, pratique, rationnel, symptôme, utilitaire.
FONCTIONNEMENT. Déclenchement, enclenchement, fiabilité, jeu.
FONCTIONNER. Actionner, agir, aller, animer, carburer, conduire, contribuer, coopérer, démarrer, démériter, disposer, employer, faire, lambiner, lésiner, marcher, mener, militer, œuvrer, opérer, organiser, partir, procéder, régner, remuer, ruser, trahir, traiter, user, venir.
FOND. Abysse, acul, ancre, bas, base, boue, cale, creux, cul, dépôt, lie, limon, limite, réseau, résistance, sole, térébration, vasard, vase.
FONDAMENTAL. Base, capital, crucial, dogme, fond, tendance, vital.
FONDANT. Coulant, fusion, herbue, moelleux, tendre.
FONDATEUR. Bâtisseur, commencer, chef, créateur, entrepreneur.
FONDATION. Appui, assiette, assise, base, constitution, création, enfoncement, établissement, fondement, formation, soutènement.
FONDER. Baser, bâtir, créer, élever, établir, instaurer, instituer, tabler.
FONDRE. Célérité, dégeler, dégivrer, déglacer, délayer, désagréger, dissoudre, fondu, infuser, liquifier, précipitation, unir, vitrifier.
FONDU. Flou, fond, fondre, fonte, fusé, fusion, incertain, vaporeux.
FONDUE. Chinoise, fromage, fusible, léger, raclette, suisse.
FONTAINE. Abreuvoir, baptême, geyser, griffon, nymphe, puits, source.
FONTE. Caquelon, dégel, ferromanganèse, floss, fusion, liquéfaction, matte, métal, poche, réduction, selle, spiegel, taque, type, union.
FOOTBALL. Ballon, corner, dribbler, foot, polo, rugby, soccer, verge.
FOOTBALLEUR (n. p.). Pele.
FORAINE. Bal, diarrhée, exposition, fête, foire, marché, tir.
FORÇAT. Argousin, bagnard, fer, galérien, prisonnier, ré.
FORCE. Activité, ardeur, bras, ciseau, courage, énergie, es, fort, fougue, inévitable, intensité, lion, mana, nerf, poids, poigne, potentiel, pouvoir, puissance, résistance, union, vent, vigueur, violence, volume.
FORCE (n. p.). IRA.
FORCENÉ. Aliéné, amoureux, barjo, braque, cerveau, cinglé, dément, désaxé, détraqué, fada, fêlé, fol, fou, furieux, givré, idiot, imbécile, insensé, interné, ire, mental, niais, sonné, sot, toqué, tordu, triboulet.
FORCER. Aliter, augmenter, obliger, poursuivre, torturer, violenter.
FORER. Bêcher, caver, creuser, évider, excaver, fileter, fouiller, fouir, labourer, miner, percer, tarauder, térébrer, trou, vider, vriller.
FORESTIER. Arbre, bois, forêt, laie, layon, lé, rime, sentier, ure, urus.
FORÊT. Bocage, bois, boisé, bosquet, chênaie, clairière, fraise, futaie, maquis, parc, perceuse, pignade, pinède, sapinière, selve, sous-bois, sylve, taïga, verger.
FORÊT (n. p.). Chambord, Paimpont, Sénart.
FORFAIT. Abonnement, convention, crime, fixe, marchandage, trahison.
FORFICULE. Perce-oreille, pince-oreille.
FORGER. Cingler, corroyer, fabriquer, former, imaginer, inventer.
FORGERON. Anel, Etna, maréchal-ferrant, oculi, tubalcaïn, Vulcain.
FORMALITÉ. Cérémonie, convenance, convention, démarche, enregistrement, facilité, filière, forme, préavis, règle, tracasserie.

FORMAT. Album, dimension, douze, feuille, folio, grandeur, grosse, in, légal, octavo, quarto, seize, standard, tabloïd.
FORMATION. Brigade, colonne, commando, création, diplôme, prairie, ravinement, salification, steppe, thrombose, toundra, tuf, unité.
FORME. Carré, état, pointu, rectangulaire, rond, tubulaire, triangulaire.
FORMER. Composer, constituer, créer, diriger, dresser, éduquer, élever, entraîner, épouser, établir, étirer, exercer, fabriquer, façonner, faire, fonder, habituer, instituer, instruire, mixer, mouler, nouer, organiser, penser, pétrir, produire, rouler, styler.
FORMIDABLE. Épatant, étonnant, sensationnel, super, terrible.
FORMULE. Adieu, dédicace, équation, modèle, recette, règle, veto, visa.
FORMULER. Écrire, émettre, énoncer, ériser, exposer, exprimer, fulminer, insinuer, intenter, poser, rédiger, reformuler, règle, stipuler.
FORT. Âcre, bon, chétif, costaud, débile, déficient, dru, énergique, faible, ferme, grand, haut, malingre, nerveux, plein, puissant, redoutable, résistant, robuste, très, solide, violent, vigoureux.
FORT. Bicoque, bastille, bunker, citadelle, donjon, ferté, forteresse, fortification, fortin, rempart.
FORT DU CANADA (n. p.). Albany, Beauséjour, Caracoui, Caraquet, Carillon, Chambly, Cuillerier, Érié, Frontenac, Garry, Gaspareaux, Jonquière, Louisbourg, Richelieu, Rouillé, Rupert, Saint-Jean, Sainte-Anne, Ticondéraga, Toronto.
FORT DES ÉTATS-UNIS (n. p.). Chouaguen, Corlar, Dearborn, Meigs.
FORTERESSE. Bicoque, bastille, bunker, citadelle, donjon, fort, fortin.
FORTERESSE (n. p.). Bastille, Gibraltar, Louisbourg.
FORTIFICATION. Château, donjon, éperon, fort, forteresse, fortin, herse, ligne, mur, muraille, oppidum, redoute, rempart, sarrasine, tenaillon.
FORTIFIER. Affermir, armer, invétérer, munir, nourrir, prémunir.
FORTUIT. Accident, aléa, aventure, bonheur, chance, dé, destin, déveine, errant, fortune, hasard, imprévu, occasion, pile, sort, veine.
FORTUNE. Aise, argent, avoir, bien, bonheur, capital, chance, destin, destinée, hasard, patrimoine, ressource, riche, richesse, trésor, veine.
FOSSÉ. Abysse, canal, cavité, creux, douve, excavation, graben, oubliette, purot, rigole, saut-de-loup, silo, tombe, tranchée, trou.
FOSSILE. Ambre, ammonite, anas, ancien, calamite, géologie, oiseau, poisson, préhistoire, reptile, vieillard.
FOU. Aliéné, amoureux, barjo, braque, cerveau, cinglé, dément, désaxé, détraqué, dingue, fada, fêlé, fol, furieux, givré, idiot, imbécile, insensé, interné, ire, marotte, mental, niais, sonné, sot, toqué, tordu, triboulet.
FOUDRE. Choc, éclair, épart, fulgurer, lueur, paratonnerre, tonnerre.
FOUDROYER. Électrocuter, frapper, mourir, soudain, terrasser, vaincre.
FOUET. Aile, cravache, garcette, knout, martinet, nerf, sangle, verge.
FOUETTER. Battre, cingler, exciter, fesser, flageller, rosser, sangler.
FOUGÈRE. Adiante, aigle, athyrium, capillaire, cétérach, dryoteris, filicales, filicinée, indusie, ophioglosse, osmonde, pécoptéris, polypode, pteridium, royale, scolopendre.

FOUGUE. Ardeur, bravoure, élan, entrain, feu, véhémence, violence.
FOUGUEUX. Ardent, déluré, emporté, enragé, impétueux, vif, violent.
FOUILLER. Chercher, excaver, explorer, farfouiller, fouger, fouiner, fureter, inventorier, ratisser, rechercher, sonder, tripoter, vermiller.
FOUILLIS. Anarchie, art, bazar, bordel, capharnaüm, chahut, chaos, confusion, décousu, désordre, dégât, déroute, dissipation, fatras, gabegie, gâchis, incohérence, mélange, pagaille, souk, vrac.
FOUINARD. Curieux, indiscret, farfouilleur, fouilleur, fureteur, rusé.
FOULARD. Carré, écharpe, étoffe, fichu, pointe, tussor.
FOULE. Affluence, amas, armada, armée, cohue, essaim, flopée, masse, meute, monde, multitude, nuée, peuple, populace, presse, tale, tas.
FOULER. Damer, éreinter, opprimer, piétiner, pilonner, presser, tasser.
FOULURE. Déboîtement, distorsion, écart, entorse, effort, élongation.
FOUR. Aire, alandier, âtre, bouche, calcarone, calisson, cuisinière, étuve, fournaise, fourneau, fournil, grille, insuccès, oura, voûte.
FOURBE. Effronté, escobar, fripon, impudent, rusé, sournois, trompeur.
FOURBERIE. Mensonge, ruse, Scapin, sycophante, tour, tromperie.
FOURBU. Claqué, crevé, éreinté, exténué, fatigué, lassé, sué, trimé, usé.
FOURCHE. Bident, bretelle, caudine, dent, fouine, gibet, harpon, trident.
FOURCHETTE. Cheval, couvert, écart, échec, glome, ustensile, variation.
FOURGONNETTE. Camionnette, van, wagon.
FOURMILLER. Abonder, foisonner, grouiller, profiler, pulluler, regorger.
FOURMI. Démangeaison, formication, miellat, pangolin, picotement, reine, soldat, tamanoir, termite, travailleuse.
FOURNEAU. Chaudière, cratère, creuset, cuisinière, étalage, four, gazinière, gueule, poêle, réchaud, té, ventre.
FOURNIR. Apporter, armer, assortir, atteler, débiter, dispenser, donner, doter, entretenir, garnir, livrer, lotir, meubler, monter, munir, nantir, nipper, nourrir, pourvoir, procurer, ravitailler, servir, verser, vêtir.
FOURRAGE. Colza, dragée, foin, fouille, gazon, houque, ivraie, litière, lupin, luzerne, millet, ortie, paille, pâtirin, ravage, trèfle, vulpin.
FOURRAGÈRE. Cordelière, crételle, ers, phléole, plante.
FOURREAU. Bas, dard, enveloppe, étui, gaine, manchon, nu, porte-épée.
FOURRE-TOUT. Besace, bissac, bourse, havresac, pillage, sac.
FOURRURE. Armeline, astracan, astrakan, aumusse, blaireau, boa, caracul, carcajou, castor, chat, chinchilla, coyote, écureuil, étole, hermine, isatis, kid, kolinski, lapin, lièvre, loup, loutre, lynx, martre, menu, mite, mouffette, myopotame, ocelot, ondatra, opossum, ours, peau, pékan, pelage, poil, putois, ragondin, rat, raton, renard, roselet, sconce, vair, vison, zibeline, zorille.
FOURVOYER. Aberrer, divaguer, écarter, égarer, errer, vaguer.
FOUTU. Bousillé, condamné, cuit, fichu, incurable, maudit, perdu.
FOYER. Âtre, brasier, centre, cheminée, famille, feu, lare, maison, phare.
FRACASSER. Briser, broyer, casser, éclater, écraser, édenter, effondre, éreinter, fractionner, gruger, mouler, péter, pulvériser, rompre, stèle.
FRACTION. Abattement, division, escouade, part, partie, tendance.

FRACTIONNER. Casser, couper, débiter, diviser, rompre, scinder.
FRACTURE. Apocope, blessure, bris, brisure, cal, cassure, comminutif, esquille, fêlure, fente, fraction, os, pseudarthrose, rupture.
FRAGILE. Cassant, chétif, débile, délicat, faible, frêle, friable, grêle, instable, menu, mince, ostéoporose, périssable, précaire, vain.
FRAGILITÉ. Attaquable, délicatesse, éphémère, néant, précaire, vanité.
FRAGMENT. Aréosol, bout, bribe, chicot, crossette, éclat, épave, miette, morceau, parcelle, part, partie, pas, pièce, récitatif, semoule, tronc.
FRAGMENTER. Couper, éclater, morceler, segmenter, tronçonner.
FRAÎCHEUR. Frais, froid, humidité, grâce, oasis, rose, rosée, serein.
FRAIS. Agio, brut, débours, dépens, dépense, écolade, frisquet, froid, jeune, minerval, net, neuf, net, nouveau, propre, récent, reposé, vert.
FRAISE. Alèse, collerette, engoncement, roulette.
FRAISER. Aléser, évaser, fraiseuse, percer.
FRANC. Antrustion, carré, clair, cordial, cru, direct, droit, entier, libre, loyal, naturel, net, oc, ouvert, parfait, pur, roi, rond, sincère, vif, vrai.
FRANCHEMENT. Librement, net, simplement, sincèrement, vraiment.
FRANCHIR. Boire, enjamber, escalader, passer, sauter, traverser.
FRANCHISE. Abandon, clarté, confiance, crudité, droiture, fausseté, liberté, loyauté, mensonge, netteté, sincérité, tromperie, véracité.
FRANCHISSEMENT. Balade, circuit, croisière, déplacement, escalade, excursion, exil, expédition, incursion, itinéraire, odyssée, passage, pèlerinage, saut, traversée.
FRANCIUM. Fr.
FRANCO. Carrément, franc, franchement, gratuitement, résolument.
FRANGE. Bord, crépine, effilé, limite, marge, minorité, ruban, torsade.
FRANGIN. Frère, frérot, garçon, germain, ignorantin, lai, lait.
FRAPPANT. Émouvant, étonnant, impressionnant, lumineux, tapant.
FRAPPÉ. Bat, écu, éprouvé, férir, fripouille, froid, glacé, ictus, marque, médaille, méduse, obsolescent, roue, sou, tue.
FRAPPER. Asséner, assommer, battre, boxer, cingler, cogner, ébahir, étonner, férir, fesser, geler, heurter, infliger, marteler, plaquer, poignarder, proscrire, sonner, taper, tapoter, tondre, trépigner.
FRASQUE. Caprice, conduite, digression, écart, faute, incartade.
FRATERNEL. Alter ego, bienveillant, frère.
FRATERNISER. Aimer, amitié, chérir, engouer, enticher, plaire.
FRATERNITÉ. Accord, amitié, charité, club, concert, secte, union.
FRATRICIDE. Assassinat.
FRATRICIDE (n. p.). Caïn.
FRAUDE. Contrefaçon, dol, escroquerie, supercherie, tromperie, vol.
FRAUDER. Falsifier, frelater, priver, resquiller, tricher, tromper, voler.
FRAYEUR. Alarme, crainte, effroi, épouvante, peur, terreur, transe.
FREDAINE. Chanson, écart, échappée, folie, répétition, sienne.
FREIN. Aile, arrêt, cheval, mors, obstacle, sabot, servofrein.

FREINER. Ancrer, arrêter, borner, buter, caler, camper, cesser, clore, couper, épingler, fixer, interrompre, juguler, limiter, maintenir, pincer, rayer, régler, reposer, retenir, stagner, stopper, suspendre, tarir, tenir.
FRÊLE. Délicat, faible, fort, puissant, résistant, robuste, vigoureux.
FRÉMIR. Balancer, colère, frissonner, palpiter, peur, trembler, vibrer.
FRÊNE. Amérique, blanc, bleu, cantharide, caroline, commun, excelsior, frai, fraxinelle, fraxinus, fresne, gregg, manne, mannitol, noir, odorant, oléacée, oregon, orne, oxycarpa, pleureur, pubescent, rouge, texas, velu.
FRÉNÉSIE. Agitation, délire, enthousiasme, fièvre, folie, furie, passion.
FRÉQUEMMENT. Communément, souvent, tant, toujours, usuel.
FRÉQUENCE. Chaîne, file, hertz, litanie, modulation, rythme, série, suite.
FRÉQUENT. Banal, commun, constant, courant, exceptionnel, général, habituel, ordinaire, perpétuel, rare, souvent, tant, toujours, unique.
FRÉQUENTATION. Attache, contact, côtoiement, rapport, relation.
FRÉQUENTER. Côtoyer, courtiser, flirter, lier, pratiquer, voir, voisiner.
FRÈRE. Compagnon, congénère, curé, égal, frangin, frérot, garçon, germain, ignorantin, lai, lait, moine, oncle, pareil, semblable, sœur.
FRET. Cargaison, charge, contenu, faix, lest, nolis, pacotille, transport.
FRÉTER. Affréter, charger, louer, noliser, pourvoir, transport.
FREUX. Choucas, corbeau, grole.
FRIANDISE. Baba, biscuit, bonbon, chatterie, confiserie, douceur, gâteau, gâterie, gourmandise, nanan, œuf, sucrerie, tarte, tire, touron.
FRIC. Argent, billet, bourse, douille, fonds, magot, mise, radis, rond.
FRICASSÉE. Fricot, gibelotte, mélange, poêle, ragoût.
FRICTIONNER. Frotter, lotionner, oindre, masser, parfumer.
FRIME. Apparaître, dissimulation, fard, feinte, simulation, zéro.
FRIMOUSSER. Bouger, danser, gigoter, minois, remuer, tricoter, valser.
FRINGALE. Appétit, boulimie, désir, faim, pica, polyphagie, repu.
FRINGANT. Actif, alerte, animé, arrogant, déluré, chaud, cheval, vif.
FRINGUER. Attifer, draper, fagoter, habiller, parer, revêtir, vêtir.
FRIPER. Chiffonner, plisser, rider, froisser, scandaliser.
FRIPON. Aigrefin, bandit, coquin, escroc, espiègle, filou, gredin, vif.
FRIPONNERIE. Espièglerie, malhonnêteté, maroufle, picaro, tour.
FRIPOUILLE. Bandit, brigand, canaille, crapule, escroc, gredin, voyou.
FRISER. Anneler, aplatir, bichonner, boucler, canneler, crêper, frisotter, frôler, lisser, moutonner, onduler, permanenter, raser, risquer.
FRISQUET. Algide, chaud, frimas, gel, glacé, glacial, hiver, refroidir.
FRISSON. Crispation, fièvre, froid, horreur, peur, soubresaut.
FRISSONNER. Balancer, colère, frémir, palpiter, peur, trembler, vibrer.
FRITURE. Grésillement, huile, pararasite, poisson, ratinage.
FRIVOLE. Bagatelle, étourdi, futile, léger, marionnette, niaiserie, volage.
FROID. Algide, ardent, bise, chaud, distant, frigide, frimas, gel, glacé, glacial, gourd, hiver, lucide, rancunier, refroidir, torride, vindicatif.
FROISSER. Blesser, chiffonner, choquer, colère, fâcher, friper, heurter, offenser, meurtrir, mortifier, piquer, plisser, rider, ulcérer, vexer.
FRÔLER. Caresser, côtoyer, effleurer, friser, frotter, raser, toucher.

FROMAGE. Brie, broccio, calando, camembert, cantal, chabichou, cheddar, chester, chevrotin, comté, conté, édam, emmental, feta, fromager, frome, gouda, grana, gruyère, livarot, oka, munster, olivet, parmesan, raton, roquefort, sbrinz, septmoncel, sérac, suisse.
FROMENT. Blé, cari, champart, écautre, engrain, méteil, orge, épeautre.
FRONT. Avant, chanfrein, coalition, façade, impoli, ride, sourcil.
FRONTIÈRE. Art, barrière, borne, limite, pays, province, science.
FROTTER. Bagarrer, cirer, huiler, limer, lisser, oindre, polir, racler, user.
FROUSSARD. Audacieux, anxieux, brave, couard, courageux, craintif, fuyard, héros, peureux, poltron, trouillard, vaillant, valeureux.
FROUSSE. Anxiété, crainte, effroi, émoi, frayeur, fuite, phobie, peur, poltronnerie, souleur, suée, terreur, trac, transe, trouille, veinette.
FRUCTUEUX. Fécond, gain, payant, prospère, rentable, utile.
FRUIT. Abricot, agrume, akène, alise, anacarde, ananas, api, arbouse, aubergine, aveline, avocat, azérole, baguenaude, baie, balise, banane, bergamote, cabosse, cacahouète, cacahuète, café, câpre, caroube, cassis, cédrat, cénelle, cerise, châtaigne, citron, coco, coing, cola, cône, corossol, corme, courgette, datte, drupe, faîne, fève, figue, follicule, fraise, framboise, gland, gousse, grain, grenade, groseille, intérêt, jabose, jujube, kaki, lime, mandarine, mangue, melon, merise, mûr, mûre, muscade, myrobalan, nèfle, noisette, noix, olive, orange, pamplemousse, papaye, péché, pêche, pépon, péponide, pistache, plaquemine, poire, pois, poivron, pomme, produit, profit, prune, raisin, résultat, sorbe, tomate, vanille.
FRUSTE. Brut, grossier, lourdaud, primitif, rude, rustre, simple.
FRUSTRER. Décevoir, déposséder, léser, priver, spolier, trahir, tromper.
FUGACE. Bref, éphémère, gracile, fugitif, furtif, fuyant, passager.
FUGITIF. Banni, évadé, fugace, fuir, fuyard, passager, proscrit, réfugié.
FUGUE. Absence, cavale, échappée, escapade, frasque, scarlatti, strette.
FUIR. Courir, décamper, déguerpir, déloger, dérober, détaler, émigrer, enfuir, envoler, esquiver, évader, éviter, filer, lever, partir, passer.
FUITE. Abandon, débâcle, débandade, déroute, exode, panique.
FULMINER. Détoner, éclater, exploser, pester, tempêter, tonner.
FUMÉ. Boucané, gendarme, hareng, morue, pec, saumom, saur, sor.
FUMER. Boucaner, enfumer, mégoter, pipailler, pétuner, saurer.
FUMIER. Apport, chanci, compost, mouton, paillé, ruée, vache.
FUNÈBRE. Deuil, glas, lugubre, macabre, mortuaire, obsèques, triste.
FUNÉRAILLES. Deuil, ensevelissement, enterrement, funèbre, tombe.
FUNESTE. Affligeant, calamiteux, fatal, lugubre, macabre, mal, malheur, mauvais, mésarriver, mortel, néfaste, noir, nuisible, sinistre, tragique.
FUREUR. Agitation, avertin, colère, démence, explosion, folie, frénésie, furie, ire, irriter, manie, mode, passion, rage, rusé, violence, vogue.
FURIE. Délire, dragon, érinye, fanatisme, frénésie, grognasse, harengère, harpie, ivresse, Junon, mégère, pythie, rage, violence.
FURONCLE. Abcès, clou, orgelet, staphylocoque, tumeur, ulcère.
FUSEAU. Bobine, broche, centromère, culotte, dentellière, fusée.

FUSIL. Arme, arquebuse, artillerie, briquet, busc, carabine, chassepot, chien, crosse, escopette, espingole, flingue, hammerless, infanterie, lebel, mitraillette, mousquet, mousqueton, pétoire, rifle, tromblon.
FUSILLER. Abîmer, bousiller, canarder, exécuter, tirer, tuer, viser.
FUSION. Absorption, acier, amalgame, arcot, association, brassage, fonte, liquéfaction, mélange, métal, réduction, réunion, scorie, union.
FÛT. Ancien, astragale, baril, bollard, colonne, escape, été, ex, futaille, grenadière, haste, lance, pommeau, tambour, tonneau, vin.
FUTÉ. Adroit, astucieux, dégourdi, finaud, habile, malin, roué, rusé.
FUTILE. Babiole, baliverne, bête, frime, frivole, inutile, léger, rien, vain.
FUTILITÉ. Babiole, bagatelle, breloque, bricole, colifichet, rien, vétille.
FUTUR. Anticipation, avenir, conjugaison, éternité, fiancé, prophétie.
FUYANT. Éphémère, évanescent, évasif, fugace, fugitif, secret.
FUYARD. Couard, évadé, fugitif, lâche, libre, peureux, pleutre, poltron.

G

GABARDINE. Étoffe, imperméable, manteau, tissu.
GABARIT. Dimension, dispositif, forme, modèle, outil, portique, taille.
GÂCHER. Abîmer, avarier, bâcler, bousiller, cochonner, délayer, gaspiller, gâter, manquer, massacrer, plâtre, saboter, saloper, serrure.
GADOLINIUM. Gd.
GADOUE. Boue, compost, débris, détritus, engrais, fagne, fange, fumier.
GAFFE. Bâton, bévue, blague, bourde, erreur, faute, perche, sottise.
GAGE. Assurance, aval, caution, créance, dépôt, endossement, foi, otage.
GAGER. Défier, enjeu, garantir, miser, parier, prouver, risquer.
GAGEURE. Challenge, défi, mise, pari, risque.
GAGNANT. Champion, conquérant, dominateur, dompteur, gain, jeu, lauréat, lot, outsider, sortant, travailleur, vainqueur, victorieux.
GAGNE-PAIN. Emploi, job, métier, profession, travail.
GAGNÉ. Allé, distancé, empiété, eu, front, mérité, raflé, ride, vaincu.
GAGNER. Endoctriner, envahir, mériter, obtenir, remporter, vaincre.
GAI. Alacrité, alerte, allègre, amusant, animé, badin, bon, content, dispos, drôle, éveillé, jeu, joie, luron, réjouissance, ri, riant, rire, vif.
GAIETÉ. Comique, entrain, gaillardise, hilarité, joie, réjouissance, rire.
GAILLARD. Bougre, costaud, cru, dru, fort, leste, navire, osé, raide.
GAIN. Avantage, bénéfice, boni, dividende, fruit, gagnant, gagné, intérêt, lucre, profit, rapport, rétribution, revenu, salaire.
GAINE. Corset, écorce, enveloppe, éplucher, étui, fourreau, mèche.
GALANT. Cajoleur, courtisan, enjôleur, flirteur, poli, séducteur.
GALANTINE. Ballotine, minoune, rôti.
GALE. Bouquet, cécidie, gratelle, noix, redi, rouvieux, sarcopte, teigne.
GALÈRE. Bagne, bateau, espalier, mahonne, réale, trière, trirème.
GALERIE. Arcade, balcon, hypogée, jubé, loge, passage, préau, raucheur, salon, souterrain, spectateur, tunnel, vestibule, voûte, xyste.
GALÉRIEN. Argousin, bagnard, déporté, espalier, forçat, relégué.

GALET. Brique, caillou, pierre, plage, roche.
GALETAS. Combles, gourbi, grenier, mansarde, réduit, taudis.
GALETTE. Biscuit, cassave, crêpe, fric, gâteau, lire, oseille, placenta.
GALEUX. Cagot, décrépit, fy, ladre, lépreux, maladrerie, scrofuleux.
GALLINACÉ. Coq, gélinotte, lagopède, perdrix.
GALLIUM. Ga.
GALON. Avancement, bande, bordure, chevron, degré, ficelle, galuche, ganse, grade, laisse, officier, pansement, ruban, sardine, tresse.
GALOP. Allure, bague, canter, cavaler, cavalier, cheval, course, danse, trot.
GALOPADE. Chevauchée, course, corrida, cross, derby, drag, épreuve, incursion, longueur, marathon, marche, omnium, promenade, rodéo, sprint, steeple, sulky, tauromachie, trajet, turf.
GALVANISER. Électriser, enflammer, entraîner, métalliser, zinguer.
GAMÈTE. Anthérozoïde, oosphère, ovule, spermatozoïde.
GAMIN. Apprenti, arpète, cadet, chenapan, crapaud, enfant, enfantin, flot, galopin, gavroche, gosse, lipette, marmiton, mioche, morveux, titi.
GAMINE. Fillette, minette, petite, tendron.
GAMME. Degré, éventail, hymne, médiante, mode, note, sol, suite, ton.
GANGLION. Adénite, bubon, glande, stellaire, tumeur.
GANGRÈNE. Mortification, nécrose, névrite, pourriture, putréfaction.
GANGSTER. Bandit, brigand, escroc, filou, pillard, truand, voleur.
GANSE. Corde, cordon, crénelage, embrasse, enguichure, fil, funicule, insigne, lacet, lido, pédoncule, rang, tirant, tirette, tors, tresse.
GANT. Ceste, gantelet, main, mitaine, miton, moufle, suède.
GARAGE. Abri, box, dépôt, hangar, parc, remise, stationnement.
GARANTIE. Assurance, aval, caution, endossement, foi, gage, otage.
GARANTIR. Affirmer, avérer, contresigner, jurer, signer, témoigner.
GARÇON. Fils, gars, gosse, lad, loufiat, marmot, mitron, puceau, serveur.
GARDE. Défense, dogue, escorte, gardien, gorille, piquet, vigie, vigile.
GARDE-BOUE. Aile, pare-boue.
GARDE-CORPS. Balustrade, gorille, parapet, rambarde.
GARDE-FOU. Balustrade, clôture, parapet, pilastre, rambarde, rampe.
GARDE-ROBE. Armoire, basique, penderie, placard, selle.
GARDER. Aliter, attendre, détenir, receler, réserver, retenir, tenir.
GARDERIE. Crèche, maternelle, pouponnière.
GARDIEN. Agent, cerbère, consignataire, eunuque, geôlier, huissier.
GARER. Arrêter, éviter, parquer, placer, ranger, remiser, stationner.
GARNEMENT. Chenapan, galopin, gamin, gredin, polisson, vaurien.
GARNI. Abondant, bagué, boisé, farci, fleuri, fourni, meublé, touffu.
GARNIR. Armer, baguer, boiser, bourrer, décorer, doubler, gréer, enrubanner, ferrer, lotir, mâter, meubler, munir, orner, parer, tapisser.
GARNITURE. Accessoire, assortiment, calandre, embout, ferrement, fanfreluche, ferrure, grébiche, jabot, lattis, ornement, parure, sabot.
GARROTER. Attacher, baîllonner, enchaîner, lier, ligoter, museler.
GASPILLER. Consumer, dépenser, dilapider, gâcher, galvauder, perdre.

GÂTEAU. Baba, bûche, clafoutis, couque, dartois, éclair, frangipane, galette, gaufre, génois, gougère, kouglof, kugelholf, millas, millefeuille, moka, nougat, opéra, pudding, roulé, sablé, saint-honoré, vacherin.
GÂTER. Abîmer, altérer, améliorer, amender, avarier, carier, conserver, corriger, corrompre, dénaturer, détériorer, endommager, gâcher, pervertir, pourrir, préserver, saboter, salir, tarer, troubler, vicier.
GAUCHE. Bâbord, bras, côté, dia, droite, empêtré, empoté, épais, guindé, incapable, jardin, maladroit, pattu, paysan, scène, senestre, théâtre.
GAUFRE. Bricelet, cléqué, gâteau, gaufrette.
GAULOIS (n. p.). Astérix, Brennus, Celte, Ésus, Obélix, Olibrius.
GAULOISE. Celte, cervoise, coquine, gaillarde, grivoise, polissonne.
GAVE. Argelès, bourre, gavarnie, gorge, pau, ruisseau, torrent.
GAVER. Bourrer, engraisser, gorger, rassasier, suralimenter, surnourrir.
GAVROCHE. Apprenti, arpète, cadet, chenapan, crapaud, enfant, enfantin, flot, galopin, gamin, gosse, lipette, marmiton, mioche, morveux, poulbot, titi.
GAZ. Ammoniac, anode, argon, arsine, auer, azote, bulle, chlore, cyanogène, flatulence, fumerolle, grisou, hélium, krypton, méthate, néon, oxygène, ozone, pet, propane, rot, soda, vapeur, vent, xénon.
GAZE. Barège, blessure, étoffe, mèche, mousseline, tissu, tutu, voile.
GAZON. Alyssum, agrostis, armeria, ceraiste, crételle, cynoglosse, fétuque, herbe, paturin, pelouse, ray-grass, saxifrage, sedum, statice.
GÉANT. Colosse, énorme, grand, mastodonte, monstre, ogre, titanique.
GÉANT (n. p.). Antée, Cyclope, Encelade, Goliath, Hercule, Polyphède, Titan, Ymer, Ymir.
GEIGNARD. Dolent, gémissant, larmoyant, plaintif, pleurnichard.
GEINDRE. Appeler, crier, gémir, lamenter, murmurer, plaindre.
GELÉE. Aspic, confiture, frimas, froid, froidure, galantine, gel, giboulée, givre, glace, pâte, napalm, transi, verglas.
GELER. Congeler, figer, frapper, frigorifier, glacer, prendre, transir.
GÉMIR. Appeler, crier, geindre, lamenter, murmurer, plaindre.
GÉMISSEMENT. Cri, geignement, larmoiement, plainte, pleur.
GEMME. Diamant, joyau, lapis-lazuli, pierre, pierrerie, résine, zircon.
GENCIVE. Gingivite, ulite.
GENDARME. Balai, brigadier, carabinier, cogne, défaut, griffe, guignol, hareng, pandore, pic, policier, punaise, rebiffe, repasser, saucisse.
GENDRE. Beau-fils, époux, fiancé.
GÊNE. Besoin, embarras, ennui, entrave, misère, obstacle, pitié, purée.
GÉNÉALOGIE. Ancêtre, arbre, ascendant, commencement, descendant, famille, filiation, implexe, lignée, origine, pedigree, phylogénie.
GÊNER. Embarrasser, empêtrer, entraver, incommoder, nuire, serrer.
GÉNÉRAL. Armée, capitaine, chef, collectif, commandant, commun, ensemble, indécis, major, principe, supérieur, universel, vague.
GÉNÉRAL (n. p.). Bolivar, Bréa, de Gaulle, Foy, Lasalle, Lee, Ney, Uhrich.
GÉNÉRAL ALLEMAND (n. p.). Jodi, Seeckt, Todt.
GÉNÉRAL AMÉRICAIN (n. p.). Haig, Lee.

GÉNÉRAL ATHÉNIEN (n. p.). Chares.
GÉNÉRAL BELGE (n. p.). Leman.
GÉNÉRAL BRITANNIQUE (n. p.). Glubb, Stanhope, Wolfe.
GÉNÉRAL BYZANTIN (n. p.). Narses.
GÉNÉRAL CANADIEN (n. p.). Doyle, Sévigny.
GÉNÉRAL FRANÇAIS (n. p.). Amade, Bouille, Custine, de Gaulle, Drouot, Eble, Houchard, Frontenac, Foy, Kleber, Malet, Miollis, Montcalm, Moreau, Nivelle, Ordener, Rivet, Rohan, Salan, Savary, Verneau.
GÉNÉRAL ESPAGNOL (n. p.). Albe, Riego.
GÉNÉRAL ISRAÉLIEN (n. p.). Herzog, Rabin.
GÉNÉRAL JAPONAIS (n. p.). Oku.
GÉNÉRAL MEXICAIN (n. p.). Iturbide.
GÉNÉRAL PANAMÉEN (n. p.). Noriega.
GÉNÉRAL POLONAIS (n. p.). Jaruzelski.
GÉNÉRAL PORTUGAIS (n. p.). Eanes.
GÉNÉRAL ROMAIN (n. p.). Aetius, Agricola, Agrippa, Cinna.
GÉNÉRAL RUSSE (n. p.). Broussilov.
GÉNÉRAL SUÉDOIS (n. p.). Baner.
GÉNÉRAL SUISSE (n. p.). Jomini.
GÉNÉRAL TURC (n. p.). Inonu.
GÉNÉRAL VENDÉEN (n. p.). Elbee.
GÉNÉRAL VÉNÉZUÉLIEN (n. p.). Miranda.
GÉNÉREUX. Bon, charitable, chic, clément, large, libéral, noble, sensible.
GÉNÉRIQUE. Commun, général, individuel, spécial, spécifique.
GÊNEUR. Empêcheur, importun, ennuyeux, fâcheux, importun.
GENÉVRIER. Arceuthos, cade, cèdre, commun, cupressacée, deppe, genièvre, ginkgo, juniperus, occidental, pinchot, pleureur, polocarpe, rocheuses, sabine, utah, virginie.
GÉNIAL. Chouette, dément, épatant, étonnant, extra, lumineux, super.
GÉNIE. Capacité, démon, diable, djinn, don, elfe, esprit, farfadet, fée, follet, gnome, imagination, incube, intelligence, lutin, lyre, nain, Ondin, penchant, monstre, muse, nature, sirène, succube, sylphe, talent.
GÉNIE (n. p.). Ariel, Efrit, Elfe, Ondin, Nixe.
GENIÈVRE. Encens, gin, sandaraque, vernis.
GÉNISSE. Io, taure, vaccinifère, vache, veau.
GÉNITEUR. Grand-père, parent, paternel, père, reproducteur.
GENRE. Annexe, catégorie, classe, épicène, espèce, famille, féminin, manière, masculin, ordre, prénom, race, sexe, société, sorte, type.
GENS. Cohorte, foule, homme, individu, monde, personne, public.
GENT. Espèce, famille, gens, race.
GENTIL. Aimable, apôtre, beau, charmant, gracieux, joli, mignon, païen.
GENTILHOMME. Aristocrate, galant, gentleman, hobereau, noble, sire.
GÉOGRAPHE. Atlas, cartographe, géostratège.
GÉOGRAPHE ALLEMAND (n. p.). Ritter.

GÉOGRAPHE ARABE (n. p.). Edrisi.
GÉOGRAPHE FRANÇAIS (n. p.). Brunhes.
GEÔLE. Bagne, cachot, cellule, pénitencier, prison, tôle, violon.
GÉÔLIER. Cerbère, garde, gardien, sentinelle.
GÉOLOGIE. Jurassique, lias, primaire, secondaire, tertière, trias, tuf.
GÉOLOGUE AMÉRICAIN (n.p). Powell.
GÉOLOGUE AUTRICHIEN (n.p). Suess.
GÉOMÉTRIE. Aire, carré, centre, cercle, cône, côté, courbe, diamètre, papillon, pi, rayon, rectangle, rhombe, sinus, théorème, tore, triangle.
GÉRANIUM. Acetosum, armenum, endressil, ibericum, frutetorum, géraniacée, grandiflorum, inquinans, lierre, macrorrhizum, pelargonium, phaeum, pratense, psilostemon, salmoneum, sanguineum, scandens, sylvaticum, zonale.
GERBE. Airée, botte, bouquet, colonne, faisceau, grain, jet, moyette.
GERÇURE. Crevasse, fendillement, fente, fissure, gélivure, peau.
GÉRER. Administrer, cogérer, diriger, entreprendre, manager, régir.
GERMAIN. Allemand, consanguin, teuton, utérin.
GERMANIUM. Ge.
GERME. Cause, départ, embryon, fœtus, grain, graine, kyste, levain, malt, microbe, neurotrope, œuf, semence, source, sperme, spore.
GÉRONTOLOGIE. Gériatrie, géronte, vieillard, vieillesse.
GESSE. Jarosse, lathyrus, orobe, pois de senteur, vespéron.
GESTE. Action, allure, exploit, façon, manière, menace, mine, outrage.
GESTICULER. Activer, ballotter, battre, bercer, bouger, brandiller, brasser, brouiller, démener, ébranler, remuer, secouer, touiller.
GESTION. Bureau, conduite, direction, fisc, régie, régime, syndic.
GIBIER. Affût, becfigue, chasse, civet, dépister, draine, gélinotte, grive, grouse, lièvre, potence, rabattre, râle, retraite, tétras, tire, traquer.
GIBOULÉE. Averse, grain, ondée, pluie.
GICLER. Couler, eau, fuser, jaillir, jet.
GIFLE. Baffe, claque, coup, mornifle, soufflet, taloche, tape, torgnole.
GIGANTESQUE. Acromégalie, colossal, comac, démesuré, éléphantesque, énorme, étonnant, excessif, géant, grand, haut, maous, titanesque.
GIGOT. Baron, cuisse, gigue, souris.
GIGOTER. Agiter, bouger, branler, danser, mouvoir, piétiner, remuer.
GILET. Anorak, blazer, blouson, boléro, caban, cabi, canadienne, cardigan, carmagnole, défaite, dolman, doudoune, échec, hoqueton, jaquette, pourpoint, saharienne, tunique, vareuse, veston, vêtement.
GINGEMBRE. Zérumbet, zingiber, zingibéracée.
GINKGO. Biloba, ginkgoacée, salisburia.
GINSENG. Panax, praliacée.
GIRAFE. Amble, girafeau, girafon, muette, okapi, son.
GIROFLÉE. Cheiranthus, crucifère, matthiola, ravenelle, violier.
GIROLLE. Champignon, chanterelle, chevrette, gallinace, girandolle, girondelle, jaunotte, rousotte.
GIRON. Bercail, blason, église, endroit, intérieur, sein.

GIROUETTE. Cardinal, coq, pantin, vent.
GISEMENT. Bassin, filon, gîte, milieu, mine, placer, veine.
GITAN. Bohémien, gadjo, manouche, tsigane, tzigane.
GÎTE. Abri, aire, antre, asile, bauge, boucherie, cerf, habitation, lièvre, mine, navire, nid, noix, refuge, repaire, retraite, tanière, terrier.
GIVRE. Antigivrant, dégivrer, frimas, gel, gelée, glace, neige.
GLACE. Cadre, étamer, fixe, froid, gelée, glaçon, granité, grésil, iceberg, miroir, neige, névé, plombière, sorbet, tain, verglas, verre, vitre.
GLACER. Apeurer, figer, fixer, geler, intimider, lisser, paralyser, transir.
GLACIAL. Blizzard, froid, hivernal, polaire, réfrigérant, sibérien.
GLACIER. Crevasse, drift, iceberg, névé, polaire, rempart.
GLACIER D'HIMALAYA (n. p.). Ambu, Chukhung, Imja, Kangshung, Khumbu, Lhotse, Nuptse, Rongbuk.
GLACIER D'ISLANDE (n. p.). Eirik, Oroefi, Snoefell.
GLADIATEUR. Belluaire, bestiaire, cavalier, cirque, hoplomaque, laniste, mercenaire, mirmillon, parmulaire, rétiaire.
GLAIVE. Alfange, badelaire, braquemart, colichemarde, épée, lame.
GLAND. Alvéole, balanos, capuchon, floche, paraphimosis, prépuce.
GLANDE. Acineuse, adénome, cortex, endocrine, exocrine, gonade, hypophyse, ovaire, mamelle, nectaire, pancréas, parathyroïde, parotide, pore, prostate, salivaire, sébacée, sein, suc, testicule, thymus, thyroïde, uropygienne.
GLISSEMENT. Butée, chute, coulissement, dérapage, tremblement.
GLISSER. Chasser, couler, errer, patiner, ramper, rouler, skier, tomber.
GLOBAL. Collectif, commun, ensemble, indécis, principe, universel.
GLOBE. Ampoule, boule, bulbe, carte, équateur, sphère, verrine.
GLOBULE. Bulle, hématie, hématite, hydrémie, kalicytie, leucocyte, leucocytose, macrophage, mononucléaire, neutropénie, phagocyte, polynucléaire, sang.
GLOIRE. Apogée, auréole, éclat, honneur, mérite, nom, prestige, renom.
GLORIEUX. Flanelle, illustre, magnifique, orgueilleux, saint, vaniteux.
GLORIFIER. Auréoler, bénir, célébrer, exalter, flatter, louer, parer.
GLOUSSER. Éclater, marrer, moquer, pouffer, railler, rire, tordre.
GLOUTON. Avaleur, avide, goinfre, gourmand, mangeur, porc, vorace.
GLOUTONNERIE. Avidité, cupidité, goulafre, gouliafre, rapacité.
GLUANT. Agglutinant, bas, collant, étroit, gommé, pantalon, poisseux.
GLUCIDE. Amidon, cellulose, disaccharide, glucose, glycogène, glucose, holocide, inuline, mannose, ose, oside, rutine, saccharose, sucre.
GLUCINIUM. Gl, glucide.
GLUCOSE. Dextrose, esculine, fructose, glycérol, hypoglycénie, maïs, ouabaine, saccharine, salicine, sapoline.
GNÔLE. Alcool, eau-de-vie, gnaule, gniôle, niôle.
GNOME. Cabalistique, esprit, génie, lutin, nain, talmudique, troll.
GNON. Choc, claque, coup, gifle, heurt, taloche, tape, touche.
GOBELET. Chope, cornet, quart, rince-bouche, sol, tasse, timbale, verre.
GOBE-MOUCHES. Becfique, fauvette, gobe-moucheron, sylviidé, tyran.

GOBER. Aimer, appâter, attendre, avaler, croire, éprendre, flâner, happer.
GODET. Avelanède, chope, gobelet, pli, pot, tasse, timbale, vase, verre.
GOÉLETTE. Bateau, brigantin, fortune, schooner, voilier.
GOINFRE. Bâfreur, glouton, goulu, gourmand, morfal, vorace.
GOLFE. Aber, anse, baie, calanque, crique, fjord, fleuve, port, rade, ria.
GOLFE (n. p.). Azov, Hudson, Saint-Laurent.
GOMME. Balata, baume, calamite, cati, cire, colle, dégommer, efface, encoller, gommette, laque, minable, nul, résine, snob.
GOMME-RÉSINE. Glabanum, ladanum, laque.
GONFLEMENT. Abcès, crue, emphase, emphysème, enflure, fluxion, intumescence, œdème, tuméfaction, tumeur, turgescence.
GONFLER. Arrondir, augmenter, ballonner, bomber, boucler, bouffer, bouffir, cloquer, dilater, enfler, exagérer, météoriser, rebondir.
GORGE. Amygdale, buste, canard, canon, chat, col, décelé, défilé, gave, gosier, ingurgitation, luette, menthol, pharynx, poitrine, sein, val.
GORGER. Boire, emplir, gaver, grasseyer, ingurgiter, rassasier, soûler.
GOSIER. Avaloir, cloison, dalle, estomac, gargamelle, gorge, sifflet.
GOUDRON. Asphalte, bitume, brai, calfat, coaltar, macadam, poix, résine.
GOUFFRE. Abîme, aven, catastrophe, caverne, cavité, désastre, entonnoir, fosse, igue, précipice, profondeur, puits, ruine, trou, vide.
GOUJAT. Brut, butor, grossier, impoli, malapris, malotru, mufle, rustre.
GOUJATERIE. Grossièreté, impolitesse, incorrection, indélicatesse.
GOULÉE. Bouchée, coup, gorgée, lampée, trait.
GOULOT. Bouteille, canal, capsule, col, cou, goulet, gouttière.
GOUPIL. Renard.
GOURDE. Bête, bidon, bouteille, buse, calebasse, flacon, piastre, réserve.
GOURDIN. Barre, bâton, billot, bois, bûche, épieu, jonc, pieu, tige.
GOURMAND. Amateur, avide, brifaud, friand, gastronome, girelle, glouton, goinfre, goulu, gourmet, lécheur, pansu, ventru, vorace.
GOUROU. Chaperon, chef, cicérone, conducteur, cornac, gouverneur, guide, maître, mène, mentor, péon, pilote, sherpa.
GOUSSE. Albuginée, ampoule, baie, bale, barder, bogue, brou, caïeu, calice, chorion, clisse, cocon, coque, coquille, cosse, couverture, délivre, écale, écorce, étui, gaine, genouillère, glume, légume, lesbienne, membrane, momie, peau, périsprit, placenta, pli, rétine, robe, sac, taie, tégument, test, tête, tunique, zoécie.
GOÛT. Acidité, âcre, âpre, attachement, condiment, épice, faim, fort, foxé, mode, odeur, palais, rage, salé, sauvagin, saveur, sens, sûr.
GOÛTER. Aimer, allécher, collation, déguster, entrée, éprouver, essayer, estimer, gustation, jouir, plaire, raffoler, sentir, tâter, toucher.
GOUTTE. Arthrite, colchicine, larme, mère, mie, orteil, pas, pâté, perle, podagre, rhumatisme, rien, roupie, tectile, tophus.
GOUTTIÈRE. Bouche, bourbier, canal, cloaque, collecteur, égout, regard.
GOUVERNAIL. Barre, barreur, commande, conduite, dérive, direction, empennage, étambot, gouverne, manche, mèche, safran, timon.

GOUVERNEMENT. Aristocratie, dey, état, gérontocratie, junte, royauté.
GOUVERNER. Barrer, diriger, lofer, mener, obéir, régenter, régir, régner.
GOUVERNEUR. Administrateur, ban, chef, émir, exarque, guide, magistrat, maire, maître, mentor, pacha, palatin, pays, province.
GOUVERNEUR, BAS-CANADA (n. p.). Aylmer, Colborne, Craig, Dalhousie, Drummond, Durham, Gosford, Kempt, Milnes, Prescott, Prévost, Richmond, Sherbrooke.
GOUVERNEUR GÉNÉRAL DU CANADA (n. p.). Aberdeen, Alexander, Athlone, Bessborough, Byng-de-Vimy, Connaught, Devonshire, Dufferin, Grey, Lansdowne, Leblanc, Lisgar, Lorne, Massey, Minto, Monck, Preston, Roux, Stanley, Tweedmuir, Vanier, Wellington.
GOUVERNEUR, NOUVELLE-FRANCE (n. p.). Argenson, Avaugour, Bagot, Beauharnois, Callières, Champlain, Courcelle, Coulonge, Denonville, Duquesne, Frontenac, La Barre, Lauzon, Mésy, Montmagny, Vaudreuil.
GOUVERNEUR, TROIS-RIVIÈRES (n. p.). Boucher, Varennes.
GRABAT. Alèse, ber, chevet, ciel, coite, couchette, couchis, couette, divan, dodo, drap, épi, hamac, jar, jard, justice, lire, litière, pageot, pieu, procuste, pucier, mariage, ravin, ru, ruelle, ruisseau, sofa, sultane.
GRÂCE. Adresse, agrément, attrait, beauté, bienfait, bienveillance, charme, élégance, faveur, merci, pardon, remise, rémission, service.
GRACIEUX. Accort, aimable, élégant, félin, gentil, suave, talentueux.
GRADE. Adjudant, amiral, brigadier, capitaine, caporal, classe, colonel, commandant, dan, degré, doctorat, échelon, enseigne, galon, général, licence, lieutenant, maître, major, maréchal, officier, quartier-maître, sergent, titre, vice-amiral.
GRADIN. Degré, escalier, grade, grenier, impériale, mezzanine, niveau, palier, plancher, premier, rez-de-chaussée, second, terrasse, trias.
GRADUATION. Degré, division, échelon, party, repère.
GRAIN. Anis, ave, averse, blé, bouton, brin, cacahuète, céréale, envie, épi, fève, flocon, fruit, gerbe, germe, graine, graminée, grange, gruau, grume, lentille, mil, nævus, navette, nuage, panic, pépin, pignon, pisolithe, pluie, pollen, pollinie, provende, rafale, rasaire, riz, sas, seigle, silo, son, spore, tempête, van.
GRAINE. Amande, amome, bran, cacahouète, cacahuète, cacao, café, épi, ers, germe, glume, ivraie, linette, pépin, pistache, semence, sésame, son, test, zizanie.
GRAISSE. Adipeux, axonge, beurre, cambouis, graille, graillon, gras, huile, lard, lipide, lubrifiant, oing, oindre, oléine, maniguette, myéline, panne, saindoux, suif, suint, spic, vaseline.
GRAISSER. Acheter, cirer, corrompre, huiler, lubrifier, oindre.
GRAMINACÉE. Avoine, bambou, canne, ivraie, maïs, nard, orge, riz.
GRAMINÉE. Agrostis, aira, alfa, alopecurus, ammophila, anthoxanthum, arrhenatherum, arundinacea, arundinaria, arundo, asperella, avena, bambusa, blé, brachypodium, briza, bromus, chiendent, chusquea, coix, coléoptile, cram cram, crételle, cymbopogon, cynosurus, dactylis,

dendrocalamus, deschampsia, desmazeria, ehrarta, éleusine, élymus, éragrostis, eremopoa, érianthus, festuca, flouve, gaudinia, glyceria, gynérium, haynaldia, helictotrichon, herbe, hierochloe, holcus, hordeum, hystrix, imperata, lagurus, lamarckia, lolium, lygaea, maïs, mélica, miscanthus, nard, oege, oplismenus, orge, oryza, oryzopsis, panicum, paspalum, pennisetum, phalaris, phléole, phragmites, phyllostachys, poa, polypogon, roseau, riz, rhynchetrum, saccharum, sasa, sorgtastrum, sorghum, stenotaphrum, stipa, trichioris, tricholaena, uniola, ventenata, vetiveria, zea, zizania, zoysia.

GRAMMAIRE. Actif, adjectif, adverbe, alpiste, analyse, article, bambou, cas, féminin, figure, genre, langage, langue, locution, masculin, mélique, mode, nom, norme, passif, phonétique, pluriel, pronom, règle, rime, singulier, structure, syntaxe, temps, verbe.

GRAMMAIRIEN. Bélise, cuistre, linguiste, philologue, puriste, vadius.

GRAMMAIRIEN (n. p.). Beaudry, Littré, Vaugelas.

GRAND. Abondant, ample, bon, colossal, élancé, élevé, fort, géant, gigantesque, gros, haut, intense, large, long, petit, quantité, tant.

GRAND ESPRIT (n. p.). Manitou.

GRAND-MÈRE. Aïeule, grand-maman, mamie, mémère, mère-grand.

GRAND-PÈRE. Aïeul, bon-papa, grand-papa, pépé, pépère, papi.

GRANDE. Aînée, chiée, craquée, rio.

GRANDEUR. Ampleur, délire, dimension, élévation, étalon, étendue, gravité, hauteur, immensité, importance, longueur, majesté, taille.

GRANDIOSE. Épique, frappant, impressionnant, rare, touchant.

GRANDIR. Augmenter, baisser, croître, décliner, décroître, diminuer, gagner, invaginer, naître, pousser, rabougrir, renaître, repousser.

GRANGE. Aire, fenil, foin, grain, grenier, hangar, pailler, remise.

GRANITE. Granulite, grenu, orthose, pegmatite, porphyroïde, porpegmatite, rhyolite, roche, thyolite.

GRAPHIQUE. Canevas, courbè, dessin, ébauche, myographie, trace.

GRAPHITE. Crayon, mine, plombagine.

GRAPPE. Amas, banane, diète, épi, groupe, pampre, panicule, rafle, râpe, racème, raisin, régime, sarment, thyrse, vendange, vigne.

GRAPPILLER. Glaner, gratter, grignoter, rabioter, ramasser, rogner.

GRAPPIN. Ancre, chat, cigale, corbeau, crampon, croc, crochet, harpon.

GRAS. Adipeux, arrondi, beurre, bouffi, charnu, corpulent, décharné, dodu, épais, empâté, étique, étoffé, fort, graisse, gros, huileux, lard, maigre, obèse, onctueux, pansu, pâteux, plein, potelé, replet, taché.

GRATIFICATION. Aumône, cadeau, don, pourboire, prime, rétribution.

GRATIFIER. Doter, douer, équiper, munir, orner, pouvoir, structurer.

GRATIN. Aristocratie, choix, crème, élite, fleur, gotha, supérieur.

GRATIS. Cadeau, franco, gracieux, gratuit, prime, prodeo, rien.

GRATITUDE. Gré, obligation, reconnaissance, remerciement.

GRATTER. Abraser, effacer, égratigner, entamer, frotter, fouiller, râcler.

GRAVE. Aigu, alto, austère, bas, componction, digne, important, lourd, posé, profond, raide, raser, redoutable, sage, sculte, sérieux, taré.

GRAVER. Buriner, chiffrer, écrire, entailler, imprimer, inscrire, orfèvre.
GRAVEUR. Artiste, ciseleur, lithographe, nielleur, sculpteur, xylographe.
GRAVIER. Aétite, aigue-marine, calcul, camée, claveau, diamant, émeraude, galet, gemme, gravelle, grenat, grès, gypse, intaille, jade, lapis, liais, margelle, menhir, mica, obélisque, œil-de-chat, œil-de-tigre, olivine, opale, pendeloque, péridot, perle, pierrerie, ponce, pouzzolane, roc, roche, rubis, saphir, silex, tombe, topaze, tourmaline, voûte, zircon.
GRAVIR. Escalader, franchir, grimper, haut, monter, remonter.
GRAVITÉ. Dignité, énormité, flegme, froideur, réserve, retenue, sérieux.
GRAVURE. Burin, cliché, épreuve, estampe, image, pointillé, vignette.
GRÉ. Accord, amiable, gratitude, malgré, volonté, volontiers.
GRÉEMENT. Agrès, ancre, croc, dame, écope, gaffe, garnir, mât, voile.
GRÉER. Appareiller, armer, doter, équiper, munir, outiller, pourvoir.
GREFFE. Bouture, écusson, ente, enture, greffier, greffon, isogreffe, kératoplastie, marcotte, marque, œil, parabiose, pousse, rejeton.
GREFFER. Bouturer, enter, entoir, greffage, marquer, regreffer, tailler.
GREFFIER. Copiste, dactylo, dactylographe, notaire, plumitif, rédacteur, scribe, scribouillard, secrétaire.
GREFFON. Ente, greffe, porte-griffe, transplant.
GRÊLE. Abattée, ascaride, averse, délicat, délié, déluge, érepsine, faible, fin, fluet, gracile, grain, grêlon, grésil, intestin, menu, mince, pluie.
GRELOT. Cloche, clochette, sonnaille, sonnette, timbre, tintinnabuler.
GRELOTTER. Branler, frémir, frissonner, secouer, trembler, trépider.
GRÉMILLE. Goujonnière, goujonnerie.
GRENADIER. Briscard, dragon, grenade, punica, punicacée, soldat.
GRENADILLE. Caerulea, passifloracée, passiflore.
GRENAT. Alabandine, almandin, bordeaux, éclogite, escarboucle, pierrerie, pourpre, pyrénéite, rouge.
GRENÉ. Granité, granulé, granuleux, grenelé, grenu.
GRENIER. Fenil, gatelas, grange, maison, mansarde, pailler, réserve.
GRENOUILLE. Aglossa, anoures, archaeobatrachia, batracien, brachycéphalidé, centrolenidé, crapaud, coasser, dendrobatidé, discoglossidé, héléophrynidé, hyperoliidé, leptodactylidé, ouaouaron, microhylidé, myobatrachidé, neobatrachis, pelobatoidea, pseudidé, rhacophoridé, raine, rainette, rhinodermatidé, rhinophrynoidea, sooglossidé.
GRÈS. Alios, argile, cérame, jaquelin, jaqueline, jarre, molasse, mollasse, quartzite, séricine, tourie.
GRÉSIL. Averse, déluge, friture, grain, grêle, grêlon, parasite, pluie.
GRÉSILLER. Craquer, craqueter, crépiter, cuire, grêler, pétiller.
GRÈVE. Arrêt, bord, cessation, jeûne, plage, rivage, suspension, tas.
GRIBOUILLER. Barbouiller, brouillon, griffonner, écrire.
GRIFFE. Bijou, égratignure, empreinte, marque, ongle, serre, signature.
GRIGNOTER. Corroder, dévorer, éroder, gruger, manger, mordre, user.
GRILLE. Barreau, clôture, crapaudine, grillage, herse, mots croisés.
GRILLER. Braiser, brassiller, brûler, calciner, chaleur, rôtir, torréfier.

GRILLON. Cigale, cricri.
GRIMACE. Contorsion, convulsion, distorsion, moquer, moue, rictus, tic.
GRIMER. Cacher, couvrir, déguiser, embellir, farder, maquiller, voiler.
GRIMPER. Escalader, gravir, hausser, hisser, lever, marcher, monter.
GRINCEMENT. Aigu, bruit, crissement, grésillement, parasite.
GRINCER. Crier, crisper, crisser, grinçant, grignoter, strider.
GRINCHEUX. Acariâtre, bougon, gringe, grogneur, grognon, hargneux, pimbêche, râleur, revêche, ronchon, rouspéteur.
GRINGALET. Aigu, allongé, délicat, délié, effilé, élancé, épais, étroit, fil, filiforme, fin, folié, fragile, frêle, fuselé, gracile, grêle, gros, lame, large, maigre, menu, mince, petit, pincé, pruine, ru, svelte, ténu, tôle, tulle.
GRIOTTE. Cerise, marbre.
GRIPPE. Coryza, courbature, espagnole, fébrile, influenza.
GRIS. Âne, carte, écureuil, éminence, escargot, fourrure, grison, ivre.
GRISANT. Capiteux, enivrant, entêtant, étourdissant, excitant.
GRISÂTRE. Aviné, beige, grège, nuageux, pinchard, terne, terreux.
GRISER. Ébriété, émécher, enivrer, étourdir, rêver, saouler, soûler.
GRIVE. À collier, des bois, dos olive, drenne, fauve, grivette, joues grises, litorne, mauvis, solitaire, tourd, vendangette.
GRIVOIS. Cochon, épicé, gaillard, léger, leste, licence, obscène, osé, salé.
GRIZZLI. Brun, ours.
GROGNER. Bougonner, crier, critiquer, feuler, geindre, gronder, murmurer, pester, protester, rager, râler, renauder, ronchonner.
GROIN. Butoir, museau.
GROLE. Choucas, corbeau, freux, grolle.
GRONDER. Attraper, bougonner, rabrouer, réprimander, tancer.
GROS. Adipeux, ample, arrondi, ballonné, bâti, bedonnant, bombé, enflé, épais, fort, gras, lot, lourd, massif, mot, obèse, potelé, ragot, rond.
GROSSE. Copie, douze, douzaine, enceinte, expédition, grasse, ronde.
GROSSIER. Brut, brutal, cru, dur, emporté, épais, féroce, gras, imparfait, lourd, malappris, massif, mufle, rude, rustre, salé, vil, violent, vulgaire.
GROSSIÈRETÉ. Barbarie, bassesse, brutalité, crudité, muflerie, ordure.
GROSSIR. Bomber, bouffer, dilater, empâter, enfler, épaissir, gonfler.
GROTESQUE. Bouffon, burlesque, caricature, fou, ridicule, risible.
GROTTE. Abri, antre, baume, calcaire, caverne, cavité, tanière.
GROTTE DE BELGIQUE (n. p.). Han.
GROTTE D'ESPAGNE (n. p.). Alquerti, Altamira, Casteret, Malboré.
GROTTE DE FRANCE (n. p.). Armand, Aurignac, Bédeillac, Cigalère, Dargilan, Escalère, Fuilla, Gargas, Isturitz, Labastide, Marsoulas, Montespan, Niaux, Portel, Tibiran,
GROUPE. Atelier, cadre, chœur, clique, équipe, espèce, essaim, îlot, macle, parti, pool, race, réunion, secte, série, trait, troupe, type.
GROUPER. Allier, attrouper, fédérer, joindre, masser, rallier, réunir.
GRUE. Bigue, chèvre, chouleur, échassier, glapir, gruau, gruon, témoin.
GRUGER. Avaler, briser, broyer, croquer, duper, éroder, flouer, manger, posséder, réduire, rogner, ronger, rouler, ruiner, tromper, voler.

GUENILLE. Chiffon, défroque, haillon, harde, loque, nippe, oripeau.
GUÊPE. Abeille, ammophile, corset, eumène, frelon, guêpier, ichneumon, poliste, sphex.
GUÈRE. Feu, médiocrement, peu, presque, rarement, souvent, trop.
GUÉRIDON. Bouillotte, rognon, table, trépied.
GUÉRIR. Calmer, cicatriser, opérer, panser, réchapper, récupérer, remède, rétablir, retaper, sauver, soigner, soulager, traiter.
GUERRE. Attaque, bagarre, bataille, campagne, combat, conflit, croisade, démêlé, dispute, émeute, escarmouche, lutte, révolte, sécession, soldat.
GUERRIER. Martial, militaire, militant, pair, soldat, samouraï, truste.
GUERRIÈRE (n. p.). Amazone, Bellone, Bradamante, Walkyrie.
GUET. Affût, cachette, embuscade, faction, garde, surveillance.
GUETTER. Attendre, éclairer, épier, observer, regarder, surveiller.
GUETTEUR. Historien, matelot, mirador, observateur, vigie.
GUEULE. Blason, bouche, lion, loup, obusier, ouverture, tête, visage.
GUEULER. Beugler, brailler, bramer, crier, fulminer, hurler, tempêter.
GUEULETON. Festin, gastronomie, gourmandise, repas.
GUEUX. Clochard, mendiant, miséreux, neutre, pauvre, pilon, robineux.
GUIDE. Catalogue, chaperon, chef, cicérone, conducteur, cornac, gouverneur, mène, mentor, notice, péon, phare, pilote, rêne, sherpa.
GUIDER. Conduire, conseiller, diriger, mener, orienter, piloter.
GUIDOUNE. Catin, péripatéticienne, poule, prostituée, putain, pute.
GUIGNE. Cerisier, déveine, guignon, malchance, poisse.
GUIGNOL. Bouffon, charlot, clown, fantoche, marionnette, pantin, pitre.
GUILLOTINE. Bécane, bourreau, échafaud, gibet, potence, son, veuve.
GUIMAUVE. Althaea, malvacée, marshmallow, mauve, rose trémière.
GUIMBARDE. Automobile, languette, musique, rabot, tacot, voiture.
GUINDÉ. Apprêté, coincé, compassé, constipé, empesé, pincé, raide.
GUINGUETTE. Auberge, bal, bastringue, cabaret, musette, surboum.
GUINÉE (n. p.). Jacobus, Papouasie.
GUIRLANDE. Couronne, dessin, feston, fête, fleurs, sculpture, tortis.
GUISE. Accord, amiable, gratitude, libre, malgré, volonté, volontiers.
GUITARE. Balalaïka, banjo, cithare, guimbarde, guiterne, guzla, luth, lyre, mandore, mandoline, sistre, touchette, turtulette, ukulélé.
GYMNASTE. Acrobate, athlète, coureur, sauteur, sportif, trapéziste.
GYMNASTIQUE. Acrobatie, agrès, culturisme, exercice, gym, mil, sport.
GYNÉCÉE. Bordel, femme, harem, lupanar, pistil, sérail, zénana.
GYPSE. Alabastrite, clivage, désert, plâtre, roche, rose, sable.
GYROPHARE. Ambulance, phare, policier, pompier.

H

HABILE. Adroit, agile, apte, bon, calé, capable, expert, fin, finaud, futé, ingénieux, intelligent, maître, malin, roublard, rusé, sorcier, subtil, vif.
HABILETÉ. Adresse, art, astuce, dextérité, don, grâce, ruse, tact, truc.
HABILLEMENT. Atour, gant, harde, jupe, layette, parure, toilette.

HABILLER. Accoutrer, draper, ganter, parer, revêtir, rhabiller, vêtir.
HABIT. Costume, fringue, froc, ornement, spencer, tenue, uniforme.
HABITANT. Aborigène, âme, autochtone, bois, citadin, colon, être, habitation, hôte, insulaire, natif, originaire, pays, peuple, rural.
HABITATION. Case, chalet, demeure, domicile, ermitage, fourmilière, gîte, HLM, igloo, immeuble, isba, logement, logis, maison, manoir, ménage, nid, pénate, piaule, propriété, ruche, tanière, taule, tipi, toit.
HABITER. Demeurer, hanter, loger, nicher, occuper, résider, séjourner.
HABITUDE. Dada, manie, mœurs, norme, rite, routine, tic, us, usage.
HABITUEL. Coutume, errement, manie, pli, rite, routine, tic, us, usage.
HABITUER. Aguerrir, amariner, dresser, exercer, façonner, former.
HACHE. Arme, aisseau, bipenne, cochoir, cognée, doleau, erminette, francisque, herminette, laye, merlin, minerve, tille, tomahawk.
HACHIS. Boulette, croquette, farce, godiveau, haché, pâté, taboulé.
HAFNIUM. Hf.
HAGARD. Dépaysé, dérouté, désorienté, écarté, effaré, égaré, perdu.
HAIE. Barricade, barrière, bordure, chaîne, claie, clos, clôture, cordon, échalier, enceinte, mur, palissade, rampe, saut-de-loup, trêve.
HAILLON. Chiffon, défroque, guenille, harde, loque, nippe, oripeau.
HAINE. Acrimonie, androphobie, amertume, animosité, antipathie, aversion, baver, fiel, horreur, inimitié, rancune, xénophobie.
HAÏR. Abhorrer, aigrir, détester, exécrer, irriter, rebuter, ulcérer.
HALEINE. Ail, anhélation, bouffée, brise, expiration, souffle, vent.
HALER. Berme, lé, remorquer, tirer, touer, traîner.
HÂLER. Bronzer, brunir.
HALLE. Entrepôt, foire, magasin, marché, minque, poissonnerie, salle.
HALLUCINATION. Acousmie, aliénation, apparition, autoscopie, cauchemar, chimère, délire, fantasme, folie, illusion, onirisme, vision.
HALLUCINOGÈNE. Coke, drogue, LSD, lysergique, psilocybine.
HALO. Aura, auréole, brume, cercle, lueur, nimbe, voile.
HALTE. Arrêt, escale, étape, pause, relais, répit, scale, station, stop.
HAMEAU. Bourg, bourgade, écart, îlet, lieu-dit, localité, mechta, village.
HAMPE. Banderole, bâton, bois, boucherie, dard, digon, drapeau, faux, haste, lance, manche, pique, tige, trabe.
HANDICAP. Cheval, désavantage, gêne, golf, infirmité, pénalisant.
HANDICAPÉ. Anormal, bossu, bot, déficient, déformé, estropié, infirme.
HANGAR. Abri, appentis, chartil, dépendance, entrepôt, fenil, garage.
HANNETON. Cancouële, man, scarabée, turc.
HANTER. Fréquenter, obséder, poursuivre, préoccuper, tourmenter.
HAPPER. Adhérer, agripper, attacher, attraper, prendre, saisir.
HARASSER. Éreinter, estrapasser, fatiguer, fourber, lasser; rendre.
HARCELER. Acculer, ennuyer, huer, obséder, suivre, taquiner.
HARDI. Audacieux, assuré, brave, cavalier, courageux, culotté, cynique, décidé, déluré, déterminé, effronté, énergique, entreprenant, ferme, fier, fougueux, impavide, impétueux, luron, osé, résolu, téméraire.
HARDIESSE. Aplomb, audace, courage, cran, culot, cynisme, toupet, sûr.

HAREM. Bordel, femme, gynécée, lupanar, pistil, sérail, zénana.
HARENG. Aine, bouffi, caque, clupéidé, gendarme, guais, kipper, lité, pec, proxénète, saur, sauret, saurin, sor, sprat, trinquart.
HARGNEUX. Acariâtre, bougonneux, bourru, maussade, rêche, teigneux.
HARICOT. Beurre, chevrier, dolic, flageolet, jaune, légumineuse, lingot, mange-tout, michelet, phaseolus, princesse, ragoût, soissons, vert.
HARMONIE. Accord, avenant, cadence, chœur, concert, équilibré, fanfare, mélodie, musique, orchestre, rythme, symétrie, unité, vent.
HARMONIEUX. Adapté, balancé, cohérent, épanoui, musical, régulier.
HARMONISER. Accorder, arrondir, assortir, équilibrer, homogénéiser.
HARNAIS. Collier, guide, harnachement, licou, mors, timon, trait.
HARPAGON. Avare, grigou, grippe-sou, ladre, lésineur, radin, rapiat.
HARPE. Angle, éolienne, lyre, mollusque.
HARPON. Crampon, croc, crochet, dard, digon, foène, grappin, harpeau.
HARPONNER. Affecter, arrêter, attraper, clouer, mordre, percer, piquer.
HASARD. Accident, aléa, aventure, bonheur, chance, dé, destin, déveine, errant, fortune, imprévu, jeu, occasion, pile, sort, veine.
HASARDER. Aventurer, brusquer, commettre, essayer, risquer, tenter.
HASARDEUX. Aléatoire, aventureux, extrême, fortuit, glissant, risqué.
HASSIUM. Hs.
HAST. Angon, épieu, faux, hache, hampe, haste, lance, pique, vouge.
HÂTER. Avancer, avorter, brusquer, dépêcher, forcer, presser.
HAUSSER. Accroître, augmenter, baisser, diéser, diminuer, élever, enchérir, enfler, hisser, lever, majorer, monter, relever, remonter.
HAUT. Aigu, amont, bas, crête, dessus, dressé, élancé, élevé, faîte, grand, hauteur, levé, long, perché, pôle, sommet, summum, tête.
HAUTAIN. Altier, arrogant, cavalier, distant, fier, orgueilleux, prude.
HAUTE. Chic, grande, noble, mer, voix.
HAUTEUR. Altier, altitude, apogée, cime, crête, culminant, dessus, élévation, étage, grandeur, haut, mont, montagne, montée, niveau, orgueil, pic, pinacle, sommet, stature, surplomb, taille, tête, zénith.
HAUT-LE-CŒUR. Dégoût, écœurement, nausée, répugnance, révolte.
HAVRE. Abri, asile, oasis, paix, port, refuge, repos.
HAVRESAC. Sac.
HÉBERGER. Abriter, accueillir, loger, recevoir.
HÉBÉTER. Abêtir, abrutir, ahurir, hagard, idiot, stupide.
HÉBREU. Amen, israélite, judaïque, juif, menora.
HÉCATOMBE. Boucherie, carnage, massacre, sacrifice, tuerie.
HECTOLITRE. Hl.
HECTOMÈTRE. Hm.
HÉLAS. Las, malheureusement.
HÉLER. Appeler, attirer, convier, interpeller, inviter, mander, sonner.
HÉLIANTHUS. Soleil, topinambour, tournesol.
HÉLICE. Écrou, pale, spirale, tire-bouchon, tors, turbine, vis, vrille.
HÉLIUM. He.
HÉMATITE. Émeri, ferret, ocre, oligiste.

HÉMORRAGIE. Épistaxis, exode, fuite, perte, saignée, saignement.
HÉMÉROCALLE. Asphodèle, hémerocallis, liliacée, lis, lys.
HÉPATIQUE. Anémone, bryophyte, mousse, renonculacée, riccie.
HERBE. Aconit, agrostide, alfa, andain, anémone, angélique, asclépiade, basilic, belladone, berce, cataire, chélidoine, chiendent, éléa, euphorbe, fines herbes, foin, phléole, fléole, fourrage, herbette, herbicide, fléole, foin, fourrage, gazon, graminée, gynerium, isoète, ivraie, narcisse, ortie, pulicaire, regain, sarclure, valériane, zostère.
HERBE (FINES HERBES). Aneth, anis, basilic, bourrache, camomille, carvi, fenouil, herbe aux chats, cerfeuil, ciboulette, coriandre, estragon, lavande, mélisse, marjolaine, menthe, origan, oseille, persil, romarin, sauge, sarriette, thym.
HERBE DU QUÉBEC. Anémone, apocyn, asclépiade, aster, carotte, chénopode, chicorée, dinde, échinochloa, épervière, épolobe, fraisier, galéopside, jargeau, laiteron, léontodon, lépidie, lierre, linaire, liseron, lupuline, lychnide, marguerite, matricaire, mauve, mélilot, onagre, oseille, oxalide, panais, phléole, plantain, pied-de-coq, pissenlit, potentille, à poux, prunelle, renoué, salicaire, salsifis, saponaire, sétaire, silène, stellaire, tabouret, trèfle, tussilage, verge d'or, vergerette, vesce, zizia.
HERBICIDE. Amibe, aryloxyacide, atrazine, bromacil, carbamate, diallate, diazine, diquat, diuron, fongicide, killex, lénacile, linuron, monalide, monuron, néburon, paraquat, simazine.
HERCULE (n. p.). Abyla, Alcmène, Antée, Cacus, Calpe, Déjanire, Diomède, Érymanthe, Eurysthée, Gibraltar, Hésione, Iole, Lerne, Minos, Némée, Neptune, Nesos, Nessus, Oeta, Omphale, Prométhée, Thésée.
HÈRE. Diable, homme, misérable, miséreux, pauvre.
HÉRÉTIQUE. Albigeois, apostat, arien, camisard, dissident, impie, infidèle, laps, relaps, renégat, révolté, roussi, sacrilège, séparé.
HÉRISSER. Agacer, crisper, exaspérer, excéder, horripiler, irriter.
HÉRISSON. Échinoderme, égouttoir, oursin, porc-épic, suie.
HÉRITAGE. Alleu, ayant, bien, deshérence, dot, douaire, espérance, hoir, hoirie, legs, magot, mort, patrimoine, testament, us, veuve.
HÉRITIER. Diadoque, hoir, légataire, préciput, présomptif, successeur.
HERMÉTISME. Alchimie, émeri, ésotérisme, inintelligibilité, fermé, garniture, luté, nébuleux, obscurité, opacité, scellé, secret.
HÉROÏNE. Came, championne, cocaïne, conquérante, courageuse, diamorphine, drogue, épique, guerrière, héros, neige, noble, personnage, stupéfiant, valeureuse.
HÉROÏNE (n. p.). Atalante, Iole, Iseult, Mance.
HÉRON. Bihoreau, crabier, garde-bœufs, grand, petit, ventre blanc, vert.
HÉROS. Champion, conquérant, épique, guerrier, noble, valeureux.
HÉROS (n. p.). Énée, Hamlet, Ion, Lear, Othello, Richard, Tell.
HERSE. Canadienne, émotteuse, grille, hérisson, sarrasine.
HERTZ. Hz, mégahertz.
HÉSITANT. Embarrassé, flottant, incertain, indécis, timide.

HÉSITATION. Critique, doute, euh, hem, heu, hum, incertitude, indécision, irrésolution, scepticisme, si, vraisemblablement.
HÉSITER. Balancer, barguiner, osciller, perplexe, réticence, tâtonner.
HÊTRE. Faine, fagacée, fagus, fau, fayard, fou, orne, pleureur, pourpre, sylvatica.
HEURE. Complie, demi-heure, horaire, laude, GMT, matines, minute, moment, montre, none, seconde, sexte, tierce, top, vêpres.
HEUREUX. Béat, bon, calme, content, euphorique, fortuné, réussite.
HEURT. Abordage, accident, assaut, attaque, cahot, charge, choc, collision, contrecoup, coup, émotion, ictus, impact, lutte, percussion.
HEURTER. Battre, buter, cogner, frapper, tamponner, télescoper, vexer.
HIBISCUS. Althaea, calycinus, cameroni, ketmie, malvacée, militaris, moscheutos, pedunculatus, schizopetalus, trionum.
HIBOU. Chouette, duc, effraie, grand-duc, harfang des neiges, hululer, moyen duc, nyctale, petit duc, prédateur, rapace, strigidé, ululer.
HIC. Complication, écueil, ennui, obstacle, os, pépin, problème.
HIDEUR. Affreux, infâmie, laideur, méchanceté, moche, ord, vilain.
HIE. Dame, demoiselle.
HIER. Avant, veille.
HILARITÉ. Allégresse, comique, gaieté, joie, jubilation, rire, risible.
HINDOUISME. Atman, çivaïsme, darshan, dharma, indien, indou, mantra, rajah, sivaïsme, vishnouisme.
HIPPIE. Asocial, baba, beatnik, contestataire, marginal.
HIPPIQUE. Cheval, équestre.
HIRONDELLE. Aronde, bicolore, cycliste, exocet, hirondeau, hirundinidé, granges, ironde, martinet, passereau, pourprée, ramoneur, rivage, sable, solangane, sterne, tangara.
HISSER. Arborer, déployer, dresser, élever, envoyer, guinder, lever.
HIRSUTE. Déchevelé, ébouriffé, échevelé, hérissé, poilu.
HISTOIRE. Analyse, anecdote, annales, archives, aventure, biographie, conte, ère, étude, mensonge, mythologie, narration, récit, relation, vie.
HISTORIEN. Biographe, chroniqueur, conteur, médiéviste, narrateur.
HISTORIEN (n. p.). Anselme, Arrien, Ctesias, Daru, Duruy, Gsell, Iorga, Jullian, Lacoursière, Male, Renan, Sarpi, Sorel, Taine, Veyne, Vico.
HIVER. Bise, déclin, frimas, froidure, hivernal, loup, misère, saison.
HOBEREAU. Émerillon, faucon, gentleman, noble.
HOCHER. Battre, bercer, berner, compenser, dandiner, dodeliner, frémir, glander, hésiter, jeter, osciller, peser, rouler, sauter, vaciller.
HOCKEY. Bâton, ringuette, rondelle, zamboni.
HOCKEY, CLUB DE LA LNH (n. p.). Black Hawks de Chicago, Blues de St Louis, Bruins de Boston, Canadien de Montréal, Canucks de Vancouver, Capitals de Washington, Coyotes de Phoenix, Devils de New Jersey, Flames de Calgary, Flyers de Philadelphie, Islanders de New York, Kings de Los Angeles, Lightning de Tampa Bay, Maple Leafs de Toronto, Oilers d'Edmonton, Panthers de la Floride, Penguins de Pittsburgh, Rangers de New York, Red Wings de Detroit, Sabres de Buffalo, Sénateurs d'Ottawa, Sharks de San Jose, Stars de Dallas.

HOCKEY, TROPHÉE (n. p.). Art Ross, Calder, Conn-Smythe, Frank J. Selke, Hart, James Norris, Vézina.

HOLLANDAIS. Batave, jongkeer, néerlandais.

HOLMIUM. Ho.

HOMÉLIE. Avent, discours, oraison, prêche, prédication, prône, sermon.

HOMBRE. Baste, gano, jeu, ombre, matador, tri.

HOMICIDE. Assassinat, crime, égorgement, exécution, meurtre.

HOMMAGE. Culte, dédicace, devoir, duale, lige, offrande, préface.

HOMME. Abruti, aigrefin, amant, andouille, âne, apiculteur, apollon, architecte, arlequin, athlète, attorney, avocat, avorton, bête, blanc, blanc-bec, brancardier, brave, cabochard, caïd, capitaliste, captif, cavalier, chauffeur, chef, conférencier, crétin, dandin, dandy, drôle, écrivain, énergumène, épave, époux, esclave, escogriffe, être, eunuque, exploiteur, ferrailleur, fils, fort, gaillard, garde, génie, gentleman, gnome, greffier, hère, idiot, ilote, imposteur, individu, jaune, lapin, lascar, lion, loup, luron, mâle, mari, marin, matelot, mec, meneur, millionnaire, mime, moniteur, mortel, mufle, nain, narciste, navigateur, nègre, noceur, nocher, noir, notaire, nouille, ogre, orateur, ours, ouvrier, palefrenier, paon, pantin, papa, paria, paysan, père, pistolet, plongeur, polichinelle, porc, prêtre, rat, renard, robin, rufian, salaud, satyre, scribe, sire, soldat, somite, sot, sourcier, ténor, tête, thane, touriste, usurier, vassal, vaurien, vautour, vigie, viril, voix, voleur, zéro.

HOMME POLITIQUE ALGÉRIEN (n. p.). Abbas, Ben Bella, Boudiaf.

HOMME POLITIQUE ALLEMAND (n. p.). Abetz, Brandt, Ebert, Goring, Hess, Hitler, Kohl, Neurath, Papen, Stein.

HOMME POLITIQUE AMÉRICAIN (n. p.). Bush, Carter, Clinton, Ford, Hull, Kennedy, Truman.

HOMME POLITIQUE ANGOLAIS (n. p.). Neto.

HOMME POLITIQUE ARGENTIN (n. p.). Menem, Pern, Peron.

HOMME POLITIQUE ATHÉNIEN (n. p.). Solon.

HOMME POLITIQUE AUTRICHIEN (n. p.). Adler, Raab.

HOMME POLITIQUE BELGE (n. p.). Beernaert, Destree, Eyskens, Lebeau, Spaak.

HOMME POLITIQUE BRÉSILIEN (n. p.). Dutra, Vargas.

HOMME POLITIQUE BRITANNIQUE (n. p.). Acton, Bevan, Bevin, Churchill, Cripps, Fox, Heath, Peel, Pitt, Pym, Snowden, Webb.

HOMME POLITIQUE BULGARE (n. p.). Dimitrow, Stambolijski, Zivkov.

HOMME POLITIQUE CANADIEN (n. p.). Abbott, Bennett, Borden, Bowell, Chrétien, Clark, King, Lapointe, Laurier, Macdonald, Mackenzie, Meighen, Mulrony, Papineau, Pearson, Saint-Laurent, Thompson, Trudeau, Tupper.

HOMME POLITIQUE CHILIEN (n. p.). Allende, Bello, Frei.

HOMME POLITIQUE CHINOIS (n. p.). Gnomorno, Mao.

HOMME POLITIQUE CONGOLAIS (n. p.). Lumumba, Mobutu, Naouabi.

HOMME POLITIQUE CORÉEN (n. p.). Rhee.

HOMME POLITIQUE CUBAIN (n. p.). Castro, Guevara.
HOMME POLITIQUE DANOIS (n. p.). Struensée.
HOMME POLITIQUE ÉGYPTIEN (n. p.). Nasser, Sadate.
HOMME POLITIQUE ÉQUATORIEN (n. p.). Olmedo.
HOMME POLITIQUE ESPAGNOL (n. p.). Calvosotelo, Perez.
HOMME POLITIQUE FRANÇAIS (n. p.). Arena, Auriol, Barbes, Barnave, Bert, Briand, Birague, Blum, Caillaux, Chirac, Debré, de Gaulle, Deroulede, Doumer, Garat, Gensonne, Guadet, Hébert, Isambert, Jaures, Larocque, Laval, Marat, Mollien, Mun, Péri, Ribot, Rochet, Sartine, Sée, Tallien, Tardien.
HOMME POLITIQUE GABONAIS (n. p.). Mba.
HOMME POLITIQUE GREC (n. p.). Capodistria.
HOMME POLITIQUE GUINÉEN (n. p.). Cabral.
HOMME POLITIQUE HAÏTIEN (n. p.). Lonverrure.
HOMME POLITIQUE HONGROIS (n. p.). Magy, Tisza.
HOMME POLITIQUE INDIEN (n. p.). Dessai, Gandhi, Nehru.
HOMME POLITIQUE IRAKIEN (n. p.). Aref.
HOMME POLITIQUE IRANIEN (n. p.). Kassem, Mossadegh.
HOMME POLITIQUE IRLANDAIS (n. p.). Butt, O'Brien, Ormonde.
HOMME POLITIQUE ISRAÉLIEN (n. p.). Begin, Eban, Eshkol, Peres, Shekel.
HOMME POLITIQUE ITALIEN (n. p.). Azeglio, Calvosotelo, Ciano, Cinaudi, Cipriani, Einaudi, Giano, Giolitti, Ginaudi, Gramsci, Matteotti, Moro, Mussolini, Nenni, Orlando, Rienzo, Rossi, Sturzo, Turati.
HOMME POLITIQUE JAPONAIS (n. p.). Nobunaga, Sato.
HOMME POLITIQUE LIBANAIS (n. p.). Joumblatt, Gemayel.
HOMME POLITIQUE MALGACHE (n. p.). Tsiranana.
HOMME POLITIQUE MEXICAIN (n. p.). Juarez, Sapasa, Zapata.
HOMME POLITIQUE NÉERLANDAIS (n. p.). Drees.
HOMME POLITIQUE NICARAGUAYEN (n. p.). Ortega.
HOMME POLITIQUE NIGÉRIEN (n. p.). Diori.
HOMME POLITIQUE NORVÉGIEN (n. p.). Quisling.
HOMME POLITIQUE OTTOMAN (n. p.). Pasa, Talatpasa.
HOMME POLITIQUE PAKISTANAIS (n. p.). Ziau.
HOMME POLITIQUE PÉRUVIEN (n. p.). Perez-de-Cuellar.
HOMME POLITIQUE PHILIPPIN (n. p.). Marcos.
HOMME POLITIQUE POLONAIS (n. p.). Gierek.
HOMME POLITIQUE PORTUGAIS (n. p.). Eanes, Saldanha, Soares.
HOMME POLITIQUE ROUMAIN (n. p.). Alecsandri, Bratianu, Iliescu, Iorga.
HOMME POLITIQUE RUSSE (n. p.). Beria, Ieltsine, Lenine, Staline.
HOMME POLITIQUE SALVADORIEN (n. p.). Duarte.
HOMME POLITIQUE SUISSE (n. p.). Ador, Motta.
HOMME POLITIQUE TANZANIEN (n. p.). Nyerere.
HOMME POLITIQUE TCHADIEN (n. p.). Habre.
HOMME POLITIQUE TCHÉCOSLOVAQUE (n. p.). Benes, Menderes.

HOMME POLITIQUE TURC (n. p.). Evren, Inonu, Ozal.
HOMME POLITIQUE UKRAINIEN (n. p.). Petlioura.
HOMME POLITIQUE YOUGOSLAVE (n. p.). Tito.
HOMOGÈNE. Analogue, comparable, confondu, couleur, égal, équivalent, fondu, joint, latéral, lié, lisse, net, noué, rivé, similaire, voisin, uni.
HOMOLOGUER. Confirmer, entériner, ratifier, sanctionner, valider.
HOMOSEXUEL. Gay, lesbien, lope, lopette, pédé, tante, tapette.
HONNÊTE. Décent, digne, intègre, poli, probe, scrupuleux, vertueux.
HONNEUR. As, carte, culte, dévotion, dignité, duel, élite, estime, fierté, gloire, ovation, pavois, rang, renommée, respect, roi, triomphe.
HONORAIRES. Dichotomie, émoluments, paie, rémunération, rétribution.
HONORER. Adorer, combler, décorer, fêter, révérer, saluer, vénérer.
HONTE. Affront, avanie, confusion, crainte, embarras, gêne, humilation, ignominie, opprobre, pudeur, réserve, scandale, vergogne, vilenie.
HONTEUX. Embarrassé, interdit, lâche, pauvre, penaud, piteux.
HÔPITAL. Asile, clinique, hospice, léproserie, maladrerie, osto, salle.
HORIZON. Almicantarat, ascendant, avenir, aube, jour, méridien, nuit.
HORLOGE. Ancre, cadran, carillon, cartel, clepsydre, chronomètre, comtoise, coucou, minuterie, morbier, pendule, régulateur, vrillette.
HORLOGER. Aiguilleur, bijoutier, régulateur.
HORMIS. Abstraction, excepté, hors, sauf.
HORMONE. Adrénaline, auxine, cortisone, folliculine, insuline, ocytocine, lutéine, parathormone, parathyrine, phytohormone, progestérone, sécrétine, somototrope, stimuline, testostérone, thyroxine.
HORREUR. Aversion, cauchemar, dégoût, effroi, émotion, exécrer, frisson, haine, hydrophobie, peur, photophobie, stupeur, terreur, vide.
HORRIBLE. Abominable, affreux, atroce, effrayant, hideux, vilain.
HORRIPILER. Aigrir, aviver, énerver, excéder, fâcher, irriter, révolter.
HORS. Absent, dehors, ému, excepté, extravagant, fors, hormis, réprouvé, sauf, surplomber.
HORTENSIA. Alpenglûhen, altona, ami pasquier, bénélux, chaperon rouge, constellation, corsaire, europa, floralia, goliath, hambourg, marquise, mascotte, merveille, mousmée, opaline, pirate, rosabelle, rosita, rutilan, splendeur, yola.
HORTICULTEUR. Bagueur, floriculteur, jardinier, rosiériste.
HOSTILE. Adversaire, contre, défavorable, ennemi, inamical, sentiment.
HOSPICE. Asile, clinique, hôpital, salle.
HÔTE. Amphitryon, aubergiste, convive, diffa, logeur, invité, receveur.
HÔTEL. Auberge, cambuse, caravansérail, crèche, hall, logis, lupanar, maison, motel, palace, pension, rambouillet, relais, taule.
HOTU. Nase.
HOUE. Bêche, bêchoir, binette, fossoir, hoyau, marre, sarcloir, tranche.
HOUILLE. Anthracite, boulet, brai, briquette, calamite, charbon, coke, lignite, mineur, pyrène, pyridine.

HOULE. Agitation, confus, douteux, eau, erre, flot, indécis, lame, mouton, onde, raz, ressac, roulis, tangage, tempête, vague.
HOULETTE. Autorité, bâton, commandement, direction, férule.
HOULEUX. Acculée, agité, orageux, moutonneux, tempête, vague.
HOUP. Oup.
HOUPPE. Aigrette, floc, floche, freluche, huppe, pompon, touffe, toupet.
HOURRA. Acclamation, bravo, ovation, vivat.
HOUSSE. Caparaçon, cape, chabraque, cocon, coque, enveloppe, sac, taie.
HOUX. Aigrefeuille, fragon, housset, maté, thé.
HUCHE. Coffre, maie.
HUÉ. Aubade, avanie, bruit, chahut, charivari, cri, mépris, tollé.
HUER. Ameuter, bafouer, chahuter, conspuer, honnir, siffler, vilipender.
HUILE. Ail, anis, basilic, bergamotier, bigarade, bornéol, brillantine, cajeput, camomille, camphre, cannelle, carvi, chénopode, chrême, citron, coriandre, créosol, cyprès, essentielle, estragon, eucalyptus, fenouil, genévrier, géranium, gingembre, ginseng, girofle, hysope, kérosène, lavande, oxycèdre, marjolaine, mélisse, menthe, menthol, muscade, néroli, niaouli, noix, oignon, oléolat, oranger, origan, pétrole, pin, ricin, romarin, santal, santoline, sarriette, sauge, spic, térébenthine, terpine, thuya, thym, thymol, verveine, ylang-ylang.
HUILER. Cirer, encrasser, graisser, huiler, lubrifier, oindre, salir.
HUILEUX. Adipeux, crémeux, glissant, graisseux, gras, visqueux.
HUIT. Août, canon, esse, huitaine, huitième, octave, octogone, triolet.
HUITIÈME. Octave, octid, octogone, octuple.
HUÎTRE. Acul, anisomyaria, belon, cancale, coquillage, crassostrea, écaillage, méléagrine, mollusque, moule, nacre, ostracé, peigne, perlot, pintadine, portugaise, ptériidé, ostréiculture, ostréidé, valve.
HUMAIN. Altruiste, bon, charitable, clément, compatissant, corps, doux, être, généreux, homme, mortel, philanthrope, pitoyable, sensible.
HUMBLE. Bas, discret, doux, effacé, faible, modeste, obscur, orgueilleux, pauvre, petit, réservé, simple, soumis, timide, vaniteux, vil.
HUMECTER. Arroser, baigner, bassiner, mouiller, saucer, tremper.
HUMER. Avaler, blairer, enrôler, flairer, pifer, ressentir, sentir.
HUMEUR. Atrabilaire, attitude, bile, désir, écrouelle, ennui, envie, esprit, fantaisie, flegme, goût, ire, lune, morve, mucus, pus, rire, rogne, roupie, salive, sueur, suint, synovie, tempérament, ton, tracassin.
HUMIDE. Aqueux, chaud, détrempé, eau, embrun, embué, fluide, frais, halitueux, hydraté, hygrophobe, marécage, moite, mouillé, trempé.
HUMIDIFIER. Arroser, diluer, imbiber, infuser, macérer, mouiller.
HUMILIATION. Abaissement, avanie, déshonneur, honte, vilenie.
HUMILIER. Chagriner, choquer, contrarier, mépriser, tourmenter.
HUMORISTE. Amuseur, comique, fantaisiste, ironiste, spirituel.
HUMUS. Terreau.
HUPPÉ. Aigle, chic, distingué, élégant, fortuné, rapace, riche.
HURLEMENT. Braillement, bruit, clameur, cri, glapissement.
HURLER. Aboyer, bêler, crier, rugir, tonitruer, tonner, ululer, vociférer.

HURLEUR. Alouate, crieur, singe.
HURLUBERLU. Anormal, bizarre, braque, écervelé, étourdi, fou, zigoto.
HUTTE. Buron, cabane, cahute, case, igloo, loge, niche, tente, wigwam.
HYBRIDE. Lavandin, léporidé, mélange, métis, mulet, tigron, triticala.
HYDRANGÉE (n. p.). Annabelle, Bouquet Rose, Nikko Blue, Paniculée.
HYDRATE. Borax, calamine, glucide, sapotine, terpine.
HYDROCARBURE. Acétylène, alcane, allène, allylène, amylène, benzène, butane, cyclane, diène, éthylène, hylène, octane, mazout, naphtaline, octane, pentane, propane, styrène, térébenthine, terpène, toluène.
HYDROGÈNE. H.
HYDROPISIE. Ascite, enflure, hydrocèle, hydrocéphalie, hydrothorax.
HYDROXYDE. Lithine, potasse, rouille, soude, strontiane, zincate.
HYÈNE. Carnassier, lycaon, protèle.
HYGIÉNIQUE. Confort, diététique, naturel, sain, salubre, sanitaire, santé.
HYMNE. Air, cantique, chant, chœur, choral, gloria, hosanna, marche, musique, ode, paean, péan, psaume, séquence, stance, verset.
HYPNOSE. Catalepsie, dormir, envoûtement, léthargie, narcose.
HYPNOTISER. Captiver, ensorceler, envoûter, fasciner, magnétiser.
HYPOCRITE. Bigot, cagot, déloyal, faux, félon, fourbe, franc, judas, loyal, mielleux, papelard, pharisien, rusé, simulateur, sournois, tartuffe.
HYPOTHÈSE. Conjecture, présupposer, prévision, si, supposition.
HYPOTHÈQUE. Assiette, bail, cas, gage, garantie, privilège, purge, sûreté.
HYPOTHÉTIQUE. Argument, centile, éventuel, incertain, léporide.
HYSTÉRIE. Délire, excitation, folie, frénésie, nervosité, névrose, pithiatisme, psychiatrique.
HYSTRICOÏDE. Chinchilla, porc-épic, rongeur.

I

I. Iotacisme.
IAMBE. Choriambe, pied, poème, poésie, satire, théâtre.
IBÉRIEN. Espagnol, ibère, ibéris.
IBIDEM. Ib, ibid, même.
ICHTYOL. Nase.
ICI. Ça, céans, ci, ci-gît, dedans, là.
ICTÈRE. Chlorose, cholémie, hépatite, ictère, jaunisse, leptospirose.
IDÉAL. Absolu, accompli, archétype, art, but, idylle, parfait, rêvé, type.
IDÉE. Air, aperçu, cafard, chimère, concept, dada, dyade, ébauche, ectopie, fantaisie, fiction, illusion, image, lubie, manie, mode, notion, opinion, pensée, phonétiquement, projet, rêve, songe, ton, tour, vue.
IDEM. Aussi, dito, ibidem, id, infra, itou, même, pareil, supra, susdit.
IDENTIQUE. Égal, indiscernable, même, pareil, semblable, seul, tel.
IDIOME. Langue, langage, langue, parler, patois.
IDIOT. Arriéré, bête, con, crétin, débile, demeuré, nase, sot, stupide.

IDIOTIE. Ânerie, bourde, connerie, énormité, esprit, fadaise, finesse, ingéniosité, intelligence, niaiserie, sornette, sottise, stupidité, subtilité.
IDOLÂTRER. Adorer, aimer, iconolâtrer, ignocoler, honorer, vénérer.
IDOLE. Amour, belphégor, dieu, effigie, fétiche, héros, totem.
IDUMÉE. Édom.
IDYLLE. Amour, bucolique, caprice, caristys, églogue, idéal, pastorale.
IDYLLIQUE. Agreste, arcadien, idéal, merveilleux, parfait, pastoral.
IGNARE. Analphabète, ignorant, illettré, incapable, inculte, nul.
IGNOBLE. Abject, affreux, bas, hideux, laid, odieux, repoussant.
IGNORANCE. Ânerie, bêtise, candeur, connaissance, crasse, énormité, incompétence, inconnu, instruction, insu, loi, naïf, nuit, nullité, sottise.
IGNORANT. Abruti, âne, balourd, béjaune, béotien, bête, buse, butor, candide, fat, ignare, illettré, ilote, incompétent, naïf, niais, nul, sot.
IL. Lui, se, soi.
ÎLE. Archipel, atoll, if, îlet, îlette, îlot, insulaire, javeau, oasis, Ré.
ÎLE, AÇORES (n. p.). Fayal, Flores, Jorge, Pico, Sao, Terceira.
ÎLE, ADRIATIQUE (n. p.). Rab.
ÎLE, ALÉOUTIENNES (n. p.). Adak, Agattu, Amchitka, Atka, Attu, Kiska, Randall, Shemya, Shumagin, Tanaga, Umnak, Unalaska, Unimak.
ÎLE, ANTILLES (n. p.). Antigua, Anguilla, Barbade, Cuba, Dominique, Grenade, Grenanide, Guadeloupe, Haïti, Jamaïque, Martinique, Montserrat, Nevis, Porto Rico, République dominicaine, Saint-Martin, Sainte-Croix, Sainte-Lucie, Tobago, Trinidad, Trinité.
ÎLE, ARCTIQUE (n. p.). Baffin, Banks, Devon, Ellesmere, Melville, Somerset, Svalbard, Victoria.
ÎLE, ATLANTIQUE (n. p.). Aix, Groenland, Islande, Oléron, Ré, Terre-Neuve, Yeu.
ÎLE, BAHAMAS (n. p.). Acklin, Andros, Caicos, Cat, Eleuthère, Grand-Abaco, Grand-Bahama, Grand-Inague, Long, Mayaguana, San Salvador, Turks, Turquoise.
ÎLE, BAIE JAMES (n. p.). Akimiski.
ÎLE, BALÉARES (n. p.). Cabrera, Conejera, Ibiza, Ivica, Majorque, Minorque.
ÎLE, CANADA (n. p.). Anticosti, Axel-Heiberg, Baffin, Banks, Bylot, Cap-Breton, Cornwallis, Devon, Ellesmere, Graham, Manitouline, Melville, Montréal, Prince-Édouard, Prince-Patrick, Roi-Guillaume, Somerset, Southampton, Vancouver, Victoria.
ÎLE, CANARIES (n. p.). Fuerteventura, Gomera, Hesperides, Hierro, Lanzarote, Palma, Ténériffe.
ÎLE, CAP-VERT (n. p.). Boa-Vista, Feu, Fogo, Maio, Sal, Santo Antao, Sao Nicolao, Sao Thiago.
ÎLE, CAROLINES (n. p.). Eauripik, Greenwich, Hall, Kusaie, Mokil, Namoluk, Namonuitp, Nomoi, Oroluk, Pikelot, Pingelap, Ponape, Pulusuk, Truk.
ÎLE, CROATE (n. p.). Rab.

ÎLE, CYCLADES (n. p.). Amorgos, Andros, Astipalaia, Délos, Ios, Kythnos, Makronisos, Milos, Paros, Santorin, Siros, Syra, Thira, Tinos.
ÎLE, DANEMARK (n. p.). Bornholm, Fyn, Laaland, Lolland.
ÎLE, DANUBE (n. p.). Csepel, Scepel.
ÎLE, ÉGÉE (n. p.). Eubée, Ios.
ÎLE, FIDJI (n. p.). Kandavu, Lau, Levu, Ngali, Rotuma, Suva, Vanua, Viti.
ÎLE, FRANCE (n. p.). Ré, Yeu.
ÎLE, GALAPAGOS (n. p.). Cristobal, Isabela.
ÎLE, GILBERT (n. p.). Abaiang, Abemama, Kuria, Maiana, Makin, Nukunau, Onotoa, Tabiteuea, Tamana, Tarawa.
ÎLE, GRANDE, (n. p.). Baffin, Bornéo, Célèbes, Cuba, Ellsmere, Grande-Bretagne, Groenland, Hondo, Honshu, Islande, Java, Luçon, Madagascar, Nouvelle-Guinée, Sumatra, Terre de Baffin, Terre-Neuve, Victoria.
ÎLE, GRÈCE (n. p.). Chio, Cos, Égée, Égine, Eubee, Icarie, Lesbos, Milo, Mytilene, Rhodes, Samos, Ténos.
ÎLE, GUINÉE (n. p.). Bioco.
ÎLE, HAWAII (n. p.). Hawaii, Honolulu, Kauai, Maui, Necker, Oahu.
ÎLE, IONIENNES (n. p.). Céphalonie, Corcyre, Corfou, Cythère, Ithaque, Leucade, Sphactérie, Theaki, Thiaki, Zante.
ÎLE, INDE (n. p.). Diu.
ÎLE, INDONÉSIE (n. p.). Bali, Célèbes, Java, Madura, Timor.
ÎLE, ITALIENNE (n. p.). Sardaigne, Sicile.
ÎLE, JAPON (n. p.). Hokkaïdo, Hondo, Honshu.
ÎLE, DE-LA-MADELEINE (n. p.). Allright, Amherst, Brion, Coffin, Grosse-Île, Meules.
ÎLE, MARSHALLS (n. p.). Bikar, Majuro, Maloelap, Mejit, Mili, Taka.
ÎLE, MÉDITERRANÉE (n. p.). Elbe, Chypre, Corse, If, Lerins, Malte, Sardaigne.
ÎLE, NÉERLANDAISE (n. p.). Aruba, Texel.
ÎLE, PACIFIQUE (n. p.). Célèbes, Formose, Haïnan, Kyushu, Niue, Nouvelle-Guinée, Timor, Vancouver, Victoria.
ÎLE, PHILIPPINES (n. p.). Cebu, Luçon, Luzon, Palaouan, Mindanao, Mindoro, Samar.
ÎLE, PORTUGAISE (n. p.). Açores, Madère.
ÎLE, DU SAINT-LAURENT (n. p.). Anticosti, aux Coudres, aux Grues, Bic, Bonaventure, Bouchard, Grobois, Jésus, La Ronde, Madame, Maligne, Montréal, Notre-Dame, Orléans, Sainte-Hélène, Sainte-Thérèse, Salaberry, des Sœurs.
ÎLE, SUÈDE (n. p.). Gotland.
ÎLE, VIERGES (n. p.). Leeward, Saint-Thomas, Sainte-Croix.
ILLÉGAL. Défendu, illicite, interdit, interlope, noir, pirate, proscription.
ILLICITE. Défendu, illégal, interdit, interlope, noir, pirate, proscription.
ILLICO. Aussitôt, dès, immédiatement, instantanément, sitôt, soudain.
ILLIMITÉ. Amplifié, démesuré, immense, infini.

ILLUMINER. Allumer, briller, chatoyer, éblouir, éclairer, embraser, ensoleiller, étinceler, fêter, luire, miroiter, pétiller, reluire, visionner.
ILLUSION. Erreur, fantasme, leurre, mirage, rêve, songe, utopie.
ILLUSOIRE. Chimérique, creux, fantaisiste, faux, frivole, fugace, futile, imaginaire, prestige, puéril, rêverie, simulacre, superficiel, vain.
ILLUSTRATEUR. Caricaturiste, compas, crayonneur, dessinateur, équerre, graveur, jardiniste, modéliste, règle, styliste, té, traçoir.
ILLUSTRATEUR (n. p.). Effel, Lenôtre, Reiser.
ILLUSTRE. Célèbre, connu, fameux, gloire, noble, personnage, renommé.
ÎLOT. Archipel, atoll, bloc, if, îlet, îlette, insulaire, javeau, oasis, pâté, Ré.
ILOTE. Bête, esclave, hilote, ivrogne.
IMAGE. Cliché, dessin, effigie, enluminure, emblème, estampe, figure, gravure, icône, idée, métaphore, peinture, statue, symbole, tableau.
IMAGINAIRE. Conte, esprit, faux, fictif, inexistant, irréel, utopie.
IMAGINATION. Délire, idée, manie, pensée, rêve, songe, thème, vision.
IMAGINER. Concevoir, créer, croire, découvrir, deviner, figurer, forger, inventer, juger, penser, rêver, songer, supposer, trouver.
IMBÉCILE. Âne, bête, borné, con, conard, couillon, crétin, débile, demeuré, fat, idiot, inepte, naïf, poire, sot, stupide, taré, tourte.
IMBÉCILLITÉ. Bêtise, crétinisme, idiotie, naïveté, sottise, stupidité.
IMBIBER. Abreuver, arroser, asperger, aviner, baigner, baptiser, bruire, détremper, doucher, inonder, mouiller, teindre, tremper.
IMBROGLIO. Confusion, désordre, détour, mélange, micmac, ombre.
IMITATEUR. Compilateur, contrefacteur, copieur, copiste, fausseur, mime, moutonnier, parodiste, pasticheur, plagiaire, similateur, suiveur.
IMITATEUR (n. p.). Doyon, Gagnon, Hammond, Loftus, Mondor, Paiement, Payer, Poirier, Rancourt.
IMITATION. Calque, caricature, contrefaçon, copie, faux, mime, pastiche, plagiat, parodie, reproduction, simili, simulation, singerie, toc.
IMITATRICE (n. p.). Charlebois, Deslauriers, Mercier.
IMITER. Calquer, caricaturer, compiler, contrefaire, copier, jouer, mimer, onomatopée, parodier, pasticher, picorer, singer, veiner.
IMMATRICULATION INTERNATIONALE DES VOITURES. A (Autriche), ADN (Yémen), AL (Albanie), AND (Andorre), AUS (Australie), B (Belgique), BDS (Barbade), BG (Bulgarie), BH (Honduras), BR (Brésil), BRN (Bahrein), BRU (Brunei), BS (Bahamas), BUR (Birmanie), C (Cuba), CDN (Canada), CH (Suisse), CI (Côte-d'Ivoire), CL (Sri Lanka), CO (Colombie), CR (Costa Rica), CS (Tchécoslovaquie), CY (Chypre), D (Allemagne), DK (Danemark), DOM (République dominicaine), DY (Bénin), DZ (Algérie), E (Espagne), EAK (Kenya), EAT (Tanzanie), EAU (Ouganda), EC (Équateur), ET (Égypte), ES (El Salvador), F (France), FJI (Fidji), FL (Liechtenstein), GB (Grande-Bretagne), GBZ (Gibraltar), GCA (Guatemala), GH (Ghana), GR (Grèce), GUY (Guyane), H (Hongrie), HK (Hong-Kong), HKJ (Jordanie), I (Italie), IL (Israël), IND (Inde), IRL (Irlande), IS (Islande), J (Japon), JA (Jamaïque), K (Kamputchea ou Cambodge),

KWT (Koweit), L (Luxembourg), Lao (Laos), LAR (Libye), LB (Libéria), LS (Lesotho), M (Malte), MA (Maroc), MAL (Malaysia), MC (Monaco), MEX (Mexique), MS (Maurice), N (Norvège), NA (Antilles néerlandaises), Nic (Nicaragua), NL (Pays-Bas), NR (Niger), NZ (Nouvelle-Zélande), P (Portugal), PA (Panama), PAK (Pakistan), Pe (Pérou), PI (Philippines), PL (Pologne), PY (Paraguay), R (Roumanie), RA (Argentine), RC (Chine), RCA (République centrafricaine), Rch (Chili), Rh (Haïti), RI (Indonésie), RL (Liban), RMM (Mali), ROK (Corée du Sud), RSM (Saint-Martin), RSD (Zimbabwe), RU (Burundi), RWA (Rwanda), S (Suède), SF (Finlande), SGP (Singapour), SN (Sénégal), SY (Seychelles), SYR (Syrie), T (Thaïlande), TG (Togo), TN (Tunisie), Tr (Turquie), TT (Trinité et Tobago), U (Uruguay), USA (États-Unis), V (Vatican), VN (Vietnam), Wag (Gambie), WAN (Nigeria), WG (Grenade), WL (Sainte-Lucie), WV (Saint-Vincent), YU (Yougoslavie), YV (Venezuela), Z (Zambie), ZA (Afrique du Sud), ZRE (Zaïre).

IMMÉDIATEMENT. Aussitôt, go, illico, promptement, subitement, tôt.
IMMENSE. Colossal, énorme, éléphantesque, géant, grand, infini.
IMMERGER. Baptiser, couler, mouiller, nager, noyer, plonger.
IMMERSION. Baignade, bain, étuve, trempage, trempette.
IMMEUBLE. Bâtiment, habitation, hôtel, maison, propriété, tour.
IMMOBILE. Atone, ferme, fixe, inactif, inerte, passif, stable, stupéfait.
IMMOBILISER. Ancrer, arrêter, clouer, coincer, ficher, figer, fixer, river.
IMMOBILITÉ. Ankylose, ataraxie, calme, fixité, inertie, mouvement.
IMMODESTE. Chaste, décent, humble, obscène, réservé, retenu, timide.
IMMOLER. Dévouer, donner, laisser, renoncer, sacrifier, tuer, vendre.
IMMONDE. Abject, dégoûtant, ignoble, infect, répugnant, sale, sordide.
IMMONDICE. Boue, cloaque, débris, décharge, égout, gadoue, ordure.
IMMORAL. Grivois, impur, malpropre, malséant, mœurs, obscène.
IMMORTALISER. Assurer, conserver, éterniser, pérenniser, perpétuer.
IMMORTALITÉ. Éternité, gloire, pérennité, survie, vie.
IMMORTEL. Académicien, éternel, immuable, impérissable, perpétuel.
IMMORTELLE. Acroclinium, amarantoïde, ammobium, gnaphalium, hélichrysum, helipterum, rodanthum, statice, waitzia, zeranthemum, xéranthème.
IMMUABLE. Arrêté, durable, fixe, inaltérable, même, stéréotypé.
IMMUNISER. Exempter, inoculer, mithridatiser, protéger, réceptif, trier.
IMPACT. Choc, collision, coup, effet, heurt, incidence, influence.
IMPAIR. Bêtise, incapable, ethmoïde, inhabileté, maladresse, maladroit.
IMPARFAIT. Avorté, boiteux, brut, écorné, hâtif, inachevé, inexact.
IMPARTIAL. Égal, équitable, histoire, indifférent, intègre, juste, neutre.
IMPASSIBILITÉ. Ataraxie, flegme, immobilité, placidité, stoïcisme.
IMPASSIBLE. Calme, flegmatique, froid, immobile, imperturbable.
IMPATIENT. Ardent, avide, bouillant, fébrile, fougueux, nerveux.
IMPATIENTER. Agacer, bouillir, crisper, énerver, exciter, tourmenter.
IMPAYER. Arriéré, déficit, dette, devoir, dû, emprunt, prêt, solde.

IMPECCABLE. Excellent, irréprochable, net, parfait, propre, soigné.
IMPÉRATIF. Absolu, bref, inconditionnel, ordre, pressant, va, verbe.
IMPÉRATRICE. Cantatrice, reine, souveraine, tsarine, tzarine.
IMPÉRATRICE (n. p.). Eugénie, Irène, Sissi, Tseuhi.
IMPERFECTION. Défaut, faute, malfaçon, manque, tache, tare, vice.
IMPÉRIEUX. Absolu, autoritaire, entier, exclusif, magistral, relatif.
IMPERMÉABLE. Anorak, canard, ciré, clos, étanche, gabardine, imper.
IMPERSONNEL. Banal, indifférent, neutre, on, personne, quelconque.
IMPERTINENT. Désinvolte, inconvenant, insolent, pimbêche, taquin.
IMPÉTUEUX. Emporté, endiablé, fougueux, furieux, véhément, violent.
IMPÉTUOSITÉ. Ardeur, fièvre, flamme, fougue, frénésie, furie, vivacité.
IMPIE. Apostat, athée, incroyant, païen, pêcheur, profane, renégat.
IMPLACABLE. Cruel, dur, endurci, impitoyable, inhumain, rigoureux.
IMPLANTER. Ancrer, enraciner, établir, fixer, insérer, planter.
IMPLICITE. Convenu, inexprimé, informulé, sous-entendu, tacite.
IMPLIQUER. Agir, aider, apaiser, arranger, causer, débarrasser, défendre, entreprendre, intervenir, mêler, nécessité, plaider, supposer.
IMPLORER. Adjurer, conjurer, demander, humilier, invoquer, mendier, prier, quémander, quêter, réclamer, solliciter, supplier.
IMPOLI. Effronté, grossier, inconvenant, insolent, rustaud, sans-gêne.
IMPORTANCE. Ampleur, capital, conséquence, essentiel, étendue, gabarit, grandeur, gravité, gros, intérêt, poids, pressant, quantité, rien, sérieux, somme, suffisant, urgent, utilité, valeur, vice, vue.
IMPORTANT. Capital, fort, grand, grave, majeur, tout, urgent, vital.
IMPORTER. Acheter, aggraver, apporter, chaille, chaloir, chaut, commercer, compter, imposer, intéresser, introduire, transférer.
IMPORTUN. Collant, fléau, gêneur, gluant, intrus, poison, raseur, trop.
IMPORTUNER. Assiéger, assommer, cramponner, déranger, embêter, ennuyer, excéder, obséder, persécuter, peser, raser, suer, tanner.
IMPOSANT. Grandiose, grave, majestueux, magistral, noble, solennel.
IMPOSER. Charger, commander, dicter, donner, obliger, saler, tromper.
IMPOSSIBILITÉ. Acalculie, atonie, constipation, paralysie, sclérose.
IMPOSSIBLE. Absurde, erroné, faux, imparable, insensé, saugrenu.
IMPOSTEUR. Bluffeur, charlatan, menteur, simulateur, usurpateur.
IMPÔT. Accise, annate, annone, banalité, capitation, cens, contribution, corvée, décime, dîme, droit, fisc, gabelle, lods, maltôte, ost, paulette, publicain, redevance, septain, serisette, taille, taxe, tonlieu, TPS, TVQ.
IMPOTENT. Amputé, difforme, estropié, infirme, invalide, mutilé.
IMPRÉCIS. Estompé, évasif, flou, fondu, incertain, indécis, vague.
IMPRÉGNER. Abreuver, aluner, baigner, graver, imbiber, mouiller.
IMPRESSION. Édition, effet, élancement, émotion, frappant, gêne, image, joie, poignant, saveur, sensation, stylographe, tabellaire, trace.
IMPRESSIONNABLE. Émotif, imposant, sensible, sentimental, tendre.
IMPRESSIONNER. Affecter, émouvoir, exposer, frapper, toucher.
IMPRÉVU. Aléa, brusque, fortuit, hasard, inespéré, inopiné, subit, tuile.

IMPRIMÉ. Brochure, écrit, épreuve, feuille, libelle, livre, maculature, minerve, morasse, placard, pliage, police, tract, typographie.
IMPRIMER. Éditer, estamper, fouler, graver, lister, marquer, tirer.
IMPRIMEUR. Composeur, correcteur, éditeur, graphiste, réviseur.
IMPRODUCTIF. Aride, inefficace, infécond, infructueux, ingrat, stérile.
IMPROVISÉ. Imaginé, impromptu, inopiné, subitement.
IMPRUDENCE. Danger, légèreté, maladresse, négligence, témérité.
IMPRUDENT. Audacieux, casse-cou, écervelé, léger, osé, téméraire.
IMPUDENT. Arrogant, audacieux, culotté, cynique, effronté, éhonté.
IMPUDIQUE. Honte, impur, indécent, licence, lubrique, obscène.
IMPUISSANCE. Faiblesse, incapacité, infécondité, inaptitude, stérilité.
IMPULSION. Appel, colère, disposition, élan, essor, excitation, force, instinct, mouvement, nerf, poussée, réflexe, tendance, top, vent, voix.
IMPUR. Corrompu, dépravé, dévoyé, lascif, malsain, pollué, sale, vicié.
IMPURETÉ. Abjection, bassesse, corruption, faute, gangue, immonde, indécence, lasciveté, obscénité, ordure, saleté, sanie, tache, trouble.
IMPUTER. Accuser, affecter, attribuer, créditer, prêter, référer, rejeter.
INACTIF. Amorphe, endormi, fainéant, inerte, oisif, paresseux, passif.
INACTION. Désœuvrement, fortuit, inertie, inopiné, paresse, repos.
INALTÉRABLE. Apyre, constant, durable, éternel, fixe, permanent.
INANIMÉ. Arginine, chose, empaillé, inerte, momie, mort, zombi.
INATTENDU. Accidentel, aléa, attend, brusque, étonnant, fortuit, hasard, imprévu, inespéré, inopiné, soudain, subit, surprise.
INATTENTION. Absence, erreur, faute, légèreté, mollesse, omission.
INAUGURATION. Baptême, commencement, consécration, crémaillère, début, dédicace, étrenne, ouverture, première, sacre, vernissage.
INAUGURER. Commencer, consacrer, entamer, entreprendre, instaurer.
INCALCULABLE. Considérable, illimité, indénombrable, infini.
INCANTATION. Attrait, charme, évocation, magie, prestige, sort.
INCAPABLE. Faible, frigide, gauche, ignorant, impeccable, impropre, impuissant, inapte, incompétent, insuffisant, lourd, maladroit, stérile.
INCAPACITÉ. Agénésie, alexie, amusie, anarthrie, apraxie, ignorance, impuissance, inaptitude, incompétence, ineptie, maladresse, nullité.
INCARCÉRATION. Détention, emprisonnement, internement.
INCARCÉRER. Boucler, coffrer, écrouer, emprisonner, enfermer.
INCARNATION. Annonciation, avatar, imitation, rama, réincarnation.
INCARNER. Figurer, personnifier, représenter, symboliser.
INCENDIAIRE. Érostate, pyromane, séditieux, subversif.
INCENDIE. Brasier, conflagration, extincteur, feu, pyromane, sinistre.
INCENDIER. Brûler, embraser, flamber, fumer, griller, rôtir, roussir.
INCERTAIN. Ambigu, confus, douteux, flou, indécis, sourd, vague.
INCERTITUDE. Doute, équivoque, flottement, indécision, précarité.
INCESSAMMENT. Bientôt, constamment, continuellement, toujours.
INCIDENT. Circonstance, conflit, dénouement, épisode, événement.
INCINÉRATION. Brûler, columbarium, combustion, crémation, feu.
INCISER. Cerner, couper, entailler, entamer, gemmer, ouvrir, scarifier.

INCISIF. Acerbe, acéré, acide, aigu, caustique, mordant.
INCISION. Boutonnière, césarienne, coupure, cystotomie, entaille, excision, fente, kératotomie, scarification.
INCISIVE. Dent, grignard.
INCITATION. Attaque, excitation, instigation, provocation, tentation.
INCITER. Encourager, inspirer, mû, prier, suborner, suggérer, tenter.
INCLINAISON. Appétit, aspiration, attrait, déclivité, désir, envie, gîte, goût, inflexion, obliquité, penchant, pente, talus, tendance, voie.
INCLINER. Attirer, chavirer, coucher, décliner, obliquer, pencher.
INCLURE. Avoir, contenir, enchâsser, enfermer, englober, intégrer.
INCLUS. Ajout, attaché, avec, ci-joint, déjà, intérieur, joint.
INCOGNITO. Anonymat, anonyme, inaperçu, inconnu, secret, solitaire.
INCOMMODER. Déplaire, embarrasser, gêner, importuner, indisposer.
INCOMPÉTENCE. Ignorance, inexpérience, impéritie, inaptitude, nullité.
INCONNU. Abstrait, avenir, caché, clandestin, escient, étranger, ignorance, ignoré, incognito, inédit, insu, néant, obscur, secret, x, y, z.
INCONSTANT. Capricieux, changeant, incertain, infidèle, léger, mobile.
INCONTESTABLE. Certain, flagrant, indéniable, reconnu, réel, sûr, vrai.
INCONTINENCE. Débauche, diarrhée, encoprésie, énurésie, excès.
INCONVENANT. Cavalier, déplacé, désinvolte, effronté, impertinent, impoli, impudent, incongru, incorrect, indigne, insolent, malséant.
INCONVÉNIENT. Danger, défaut, désavantage, ennui, gêne, mal, risque.
INCORPORER. Agréger, amalgamer, annexer, associer, inc., intégrer.
INCORRECT. Défectueux, erroné, fautif, impertinent, impoli, inexact.
INCORRUPTIBLE. Honnête, imputrescible, inaltérable, intègre, probe.
INCRÉDULE. Douteur, dubitatif, mécréant, perplexe, sceptique.
INCRIMINER. Accuser, attaquer, blâmer, dénigrer, révéler, vendre.
INCROYABLE. Effarant, effroyable, formidable, inimaginable, inouï.
INCROYANT. Aporétique, athée, incrédule, pyrrhonien, sceptique.
INCRUSTATION. Inlay, dépôt, nielle, pétrification.
INCRUSTER. Buriner, graver, imprimer, inscrire, intailler, xylographie.
INCUBER. Couver, couveuse, incubateur.
INCULQUER. Apprendre, enseigner, imprégner, imprimer, persuader.
INCULTE. Analphabète, aride, ignorant, illettré, incapable, nul.
INCURSION. Attaque, envahissement, invasion, irruption, raid, voyage.
INDE. Campêche, hindou, hindoustan, indigotier, indien, œillet.
INDE FRANÇAISE (n. p.). Chandernagor, Karikal, Mahé, Pondichéry, Yanaon.
INDE PORTUGAISE (n. p.). Diu, Goa.
INDÉCENCE. Immodestie, impudeur, malpropreté, nudité, obscénité.
INDÉCIS. Embarrassé, flottant, hésitant, incertain, perplexe, timide.
INDÉCISION. Ambigu, confus, doute, flottement, hésitation, généralité, imprécision, indétermination, irrésolution, obscur, perplexité, vague.
INDÉFECTIBLE. Béatitude, continuel, durable, éternel, immortalisation.
INDÉFINI. Aucun, autre, confus, illimité, immense, imprécis, indécis, indéterminé, monde, nul, on, passé, plusieurs, pronom, tel, un, vague.

INDEMNE. Entier, intact, préservé, rescapé, sauf, sauvé, survivant.
INDÉPENDANT. Absolu, autonome, libre, outre, principauté, souverain.
INDÉSIRABLE. Agaçant, embêtant, fâcheux, gêneur, importun, intrus.
INDÉTERMINATION. Doute, incertitude, indécision, résolution, scrupule.
INDEX. Bague, catalogue, dé, doigt, inventaire, liste, matière, table.
INDICATEUR. Badin, correction, date, directive, exit, index, jauge, opus.
INDICATION. Adagio, andante, avis, index, information, marque, note, opus, point, posologie, renvoi, rubrique, signe, suggestion, tuyau.
INDICE. Annonce, charge, cote, espion, marque, piste, présage, preuve, renseignement, repère, reste, signe, symptôme, trace, voie.
INDIEN. Amérindien, autochtone, hindou, indigène, indigotier, manitou, matelot, peau-rouge, sachem, totem, yoga, yogi.
INDIEN DE BOLIVIE (n. p.). Aymara.
INDIEN DU CANADA (n. p.). Abénaquis, Agnier, Algonquin, Apache, Cri, Etchemin, Goyogouin, Huron, Iroquois, Malécite, Micmac, Mohawk, Onneyout, Onnontagué, Outagami, Outaouais, Sioux, Souriquois, Tsonnontouan.
INDIEN DES ÉTATS-UNIS (n. p.). Acolaopissas, Apache, Atakapas, Catawbas, Cherokee, Cheyenne, Chinook, Chitimachas, Choctaw, Comanche, Creek, Hidatsas, Illinois, Mandan, Mohawk, Navabo, Nez Percé, Paiute, Pawnee, Pieds-Noirs, Pomo, Séminole, Seneca, Shoshone, Sioux, Tête-Plate.
INDIEN DU NOUVEAU-MEXIQUE (n. p.). Chickasaw, Choctaw, Hopis, Mimbre, Mohave, Natchez, Pueblos, Yumas.
INDIEN DU PÉROU (n. p.). Aymara, Incas.
INDIFFÉRENT. Apathie, atonie, blasé, calme, désintéressé, désinvolte, détaché, distant, égal, égoïste, froid, indolence, inertie, insensible, insouciant, marasme, mou, neutre, nonchalance, passif, sourd, tiède.
INDIGENCE. Besoin, manque, misère, nécessité, pauvreté, pénurie.
INDIGÈNE. Aborigène, amérindien, autochtone, barbare, habitant, indien, local, natif, naturel, originaire, réserve.
INDIGÈNE DU CANADA (n. p.). Abénaquis, Agnier, Algonquin, Apache, Cri, Etchemin, Goyogouin, Huron, Iroquois, Malécite, Micmac, Mohawk, Onneyout, Onnontagué, Outagami, Outaouais, Sioux, Souriquois, Tsonnontouan.
INDIGÈNE DES ÉTATS-UNIS (n. p.). Acolaopissas, Apache, Atakapas, Catawbas, Cherokee, Cheyenne, Chinook, Chitimachas, Choctaw, Comanche, Creek, Hidatsas, Illinois, Mandan, Mohawk, Navabo, Nez Percé, Paiute, Pawnee, Pieds-Noirs, Pomo, Séminole, Seneca, Shoshone, Sioux, Tête-Plate.
INDIGÈNE DU NOUVEAU-MEXIQUE (n. p.). Chickasaw, Choctaw, Hopis, Mimbre, Mohave, Natchez, Pueblos, Yumas.
INDIGÈNE DU PÉROU (n. p.). Aymara, Incas.
INDIGENT. Démuni, gueux, malheureux, misérable, nécessiteux, pauvre.
INDIGOTIER. Bleu, Inde.
INDIGNE. Abominable, bas, lâche, odieux, outré, révoltant, trivial.

INDIGNER. Écœurer, exaspérer, hérisser, outrer, révolter, scandaliser.
INDIQUER. Accuser, assigner, définir, dénoter, désigner, déterminer, dire, donner, guider, fixer, marquer, montrer, noter, tracer, voilà.
INDISCRET. Curieux, envahissant, espion, importun, intrus, inquisiteur.
INDISCUTABLE. Certain, constant, évident, formel, réel, sûr, visible.
INDISPENSABLE. Capital, eau, essentiel, important, nécessaire, vital.
INDISPOSER. Choquer, contrarier, fâcher, mécontenter, malade, vexer.
INDIUM. In.
INDIVIDU. Cave, crapule, enrôlé, escarpe, escogriffe, être, homme, hors-la-loi, lascar, malfaiteur, particulier, personnage, rôdeur, tête, salopard, sbire, soudard, tête, type, unité, voyou, zig, zigue.
INDIVISIBLE. Indécomposable, insécable, irréductible, simple, un, une.
INDOCILE. Difficile, dissipé, entêté, rebelle, récalcitrant, rétif, têtu.
INDOLENT. Apathique, atone, endormi, inactif, mou, oisif, paresseux.
INDOMPTABLE. Fier, indocile, inflexible, invincible, irréductible.
INDUBITABLE. Certain, certitude, irrécusable, manifeste, reconnu, sûr.
INDUIRE. Abuser, aveugler, égarer, enjôler, leurrer, séduire, tromper.
INDULGENCE. Bonté, charité, faveur, jubilé, mansuétude, tolérance.
INDULGENT. Affectueux, bon, clément, commode, favorable, tolérant.
INDUSTRIE. Atelier, chevalier, distillerie, fabrique, firme, habileté, métier, production, sellerie, sériciculture, tôlerie, usine.
INDUSTRIEL. Entrepreneur, fabricant, financier, manufacturier, usinier.
INDUSTRIEL ALLEMAND (n. p.). Abbe, Linde.
INDUSTRIEL AMÉRICAIN (n. p.). Eastman, Drake, Getty, Kayser.
INDUSTRIEL BRITANNIQUE (n. p.). Bessemer.
INDUSTRIEL CANADIEN (n. p.). Bombardier.
INDUSTRIEL FRANÇAIS (n. p.). Berliet, Hirn, Renault.
INDUSTRIEL QUÉBÉCOIS (n. p.). Bombardier.
INDUSTRIEL SUÉDOIS (n. p.). Nobel.
INÉDIT. Neuf, nouveau, original, prototype, rare, singulier, texte.
INEFFICACE. Impuissant, inactif, incapable, inutile, stérile, vain.
INÉGALITÉ. Accident, disparité, grigne, oscillation, saute, variation.
INÉLUCTABLE. Inévitable, fatal, fatidique, nécessaire, obligatoire.
INÉVITABLE. Fatal, fatidique, forcé, imparable, inéluctable, irrévocable.
INEPTE. Abruti, borné, con, cruche, fat, idiot, niais, simple, sot, stupide.
INERTE. Apathique, atone, éteint, immobile, inanimé, inactif, passif.
INERTIE. Apathie, atonie, indolence, léthargie, mollesse, paresse.
INEXACT. Douteux, erroné, factice, faux, irréel, postiche, prétendu.
INEXACTITUDE. Erreur, fausseté, hypocrisie, illogisme, mensonge.
INEXCUSABLE. Imaginaire, imparable, injustifiable, irréalisable.
INEXISTANT. Faux, fictif, imaginaire, inventé, négligeable, nul, zéro.
INEXPÉRIMENTÉ. Apprenti, béjaune, cancre, crédule, crétin, gauche, ignare, ignorant, inexercé, inhabile, jeune, naïf, nouveau, novice, nul.
INEXPLIQUÉ. Discrétion, énigmatique, miracle, mystère, secret.
INFAILLIBLE. Assuré, certain, immanquable, inévitable, pape, sûr.
INFÂME. Fameux, glorieux, honorable, illustre, insigne, renommé.

INFAMIE. Abjection, crime, honte, ignominie, opprobre, scandale.
INFATIGABLE. Endurci, inassouvi, increvable, inlassable, résistant.
INFECTER. Abîmer, contaminer, corrompre, empester, empoisonner, envenimer, gangrener, gâter, intoxiquer, méphisiser, puer.
INFECTION. Altération, contagion, corruption, ecthyma, gangrène, impédigo, lèpre, peste, sycosis, syphilis, tétanos, typhus, variole.
INFÉRIEUR. Bas, camelote, cave, commun, dépendant, domestique, esclave, faible, humble, jambe, moindre, nain, pacotille, petit, réduit, second, soupirail, subalterne, subordonné.
INFERNAL. Damné, diabolique, endiablé, enfer, furie, insupportable.
INFERTILE. Aride, bréhaigne, désert, désolé, desséché, épuisé, improductif, inculte, infécond, ingrat, intérêt, inutile, pauvre, stérile.
INFESTER. Désoler, dévaster, écumer, piller, polluer, ravager, saccager.
INFIDÈLE. Adultère, déloyal, félon, impie, judas, perfide, relaps, traître.
INFIME. Dérisoire, insignifiant, minime, négligeable, petit, ridicule.
INFINI. Absolu, éternel, grand, illimité, immense, immensité, infinité.
INFINITIF. Er, if, ir, oir, re.
INFIRME. Anormal, bossu, bot, déficient, déformé, estropié, handicapé.
INFIRMIÈRE. Assistante, garde, garde-malade, nurse, soignante.
INFIRMITÉ. Amputé, blessé, cécité, éclopé, manchot, mutilé, nanisme.
INFLAMMABLE. Combustible, ignifuge, impétueux.
INFLAMMATION. Adénite, alvéolite, amygdalite, annexite, aortite, appendicite, artérite, arthrite, arthrose, balanite, blennorragie, blépharite, bronchite, capillarite, cardite, carie, catarrhe, chéilite, cholécystite, colite, coronarite, corysa, cystite, dacryadénite, dermite, duodénite, encéphalite, endocardite, endométrite, entérite, entérocolite, feu, furoncle, gastrite, gingivite, glossite, hépatite, hygroma, iritis, kératite, laryngite, lymphangite, œsophagite, orchite, otite, ovarite, mastite, métrite, myélite, onyxis, ostéomyélite, pancréatite, parotidite, parulie, périarthrite, péricardite, périphlébite, péritonite, pharyngite, phlébite, pneumonie, proctite, pyélite, rectite, rétinite, rhume, sinusite, splénite, stomatite, salpingite, synovite, trachéite, typhlite, vaginite, vulvite, urétérite, uvéite.
INFLEXIBLE. Constant, dur, ferme, inhumain, raide, rigide, rigoureux.
INFLEXION. Accent, chant, détonation, diapason, modulation, son, ton.
INFLIGER. Donner, énerver, imposer, pénaliser, prescrire, sanctionner.
INFLORESCENCE. Capitule, chaton, cône, conique, conoïde, corymbe, cyme, épi, grappe, ombelle, spadice.
INFLUENCE. Action, aide, appui, ascendant, attirance, autosuggestion, domination, empire, emprise, lune, magnétisme, poids, prestige, signe.
INFLUENCER. Agir, déteindre, dominer, influer, peser, suggestionner.
INFLUER. Agir, déteindre, influencer, jouer, peser, répercuter.
INFORMATION. Avis, enquête, escient, indication, info, insu, message, nouvelle, précision, recherche, renseignement, scoop, sensation.
INFORMATIQUE. Bit, bureautique, cédérom, disque, robotique.
INFORMER. Apprendre, avertir, aviser, écrire, prévenir, renseigner.

INFORTUNE. Adversité, calamité, disgrâce, malchance, malheur, misère.
INFRACTION. Billet, contravention, crime, délit, entorse, faute, recel.
INFRUCTUEUX. Improductif, impuissant, inutile, fruit, stérile, vain.
INFUS. Atavique, congénital, hériditaire, inconscient, inné, naturel.
INFUSER. Bouillir, communiquer, inoculer, insuffler, macérer, verser.
INFUSION. Absinthe, ache, achillée, aconit, acore, adiante, adonis, agar-agar, agaric, agnus, aigremoine, ail, airelle, alchémille, algue, alkékenge, alléluia, alliaire, aloès, amandier, anémone, aneth, angélique, anis, ansérine, arbousier, argentier, argousier, aristoloche, armoise, arnica, artichaut, asaret, asperge, aspérule, aubépine, aulne, aune, aunée, aurone, badiane, baguenaudier, ballote, balsamine, barbarée, bardane, basilic, baume, belladone, berce, bergamotier, bétoine, bistorte, bleuet, bouleau, bourdaine, bourrache, brunelle, buchu, bugle, buglosse, buis, busserole, cacao, cactus, cajeput, calament, camomille, cannelle, capucine, cardère, carex, carotte, caroube, carvi, cassis, cataire, céleri, centaurée, cerfeuil, cerisier, chanvre, chardon, chélidoine, chêne, chénopode, chèvrefeuille, chicorée, chiendent, chou, cimicifuga, citron, clématite, colombo, coloquinte, coquelicot, coriandre, cresson, cumin, curry, cyprès, drosera, églantier, épinette, estragon, euphraise, fenouil, fève, ficaire, fougère, fraise, framboise, frêne, fusain, gaillet, galéga, garance, génépi, genêt, genévrier, gentiane, géranium, gingembre, ginkgo, ginseng, girofle, goudron, grassette, gratiole, grémil, grenadier, groseillier, gui, guimauve, hélianthe, hépatique, herbe, hêtre, houblon, houx, hysope, iris, joubarbe, julienne, kari, kola, laitue, lamier, laurier, lavande, levure, lichen, lierre, lilas, lin, lis, liseron, livèche, lotus, lycopode, maïs, moka, mandragore, marjolaine, marronnier, mauve, mélilot, mélisse, menthe, morelle, mouron, moutarde, muguet, mûrier, myosotis, myrte, myrtille, narcisse, nénuphar, nerprun, niaouli, noisetier, noyer, oignon, olivier, orange, oranger, origan, orme, ortie, papayer, pâquerette, passiflore, patience, pavot, pêcher, pensée, persicaire, persil, pervenche, peuplier, piment, pin, pissenlit, pivoine, plantain, poireau, poirier, poivre, poivron, pomme, pommier, potentille, pourpier, primevère, prunellier, radis, raifort, réglisse, rhubarbe, ricin, romarin, roseau, sabine, safran, salicaire, salicorne, sapin, sarriette, sauge, saule, serpolet, sombong, son, sorbier, souci, sureau, tamarin, tamier, thé, thuya, thym, tilleul, tisane, tournesol, trèfle, vanille, varech, vergerette, verveine, vigne, violette.
INGÉNIEUR. Concepteur, constructeur, engineering, théoricien.
INGÉNIEUR ALLEMAND (n. p.). Braun, Heinkel, Otto, Siemens.
INGÉNIEUR AMÉRICAIN (n. p.). Chanute, Zworykin.
INGÉNIEUR BADOIS (n. p.). Drais.
INGÉNIEUR FRANÇAIS (n. p.). Ader, Belin, Bremontier, Carnot, Caus, Citroen, Fabre, Léauté, Lenoir, Potez, Renault, Rey, Sadi, Vian.
INGÉNIEUR NORVÉGIEN (n. p.). Bull.
INGÉNIEUR SUISSE (n. p.). Maillart.

INGÉNIEUX. Adroit, astucieux, capable, génial, habile, inventif, sagace.
INGÉNU. Candide, immaculé, inexpérimenté, innocent, naïf, simple.
INGÉRER. Absorber, avaler, immiscer, insinuer, intervenir, prendre.
INGRAT. Âge, déplaisant, disgracieux, égoïste, laid, oublieux, stérile.
INGURGITER. Absorber, avaler, boire, gober, manger, ravaler, sucer.
INHABILETÉ. Faute, gaffe, gaucherie, impéritie, maladresse, stupidité.
INHABITÉ. Désert, désolé, isolé, mort, sauvage, séparé, solitaire, vide.
INHABITUEL. Anormal, étrange, insolite, inusité, nouveau, singulier.
INHUMAIN. Barbare, brutal, cruel, dénaturé, dur, méchant, sauvage.
INHUMATION. Cimetière, enterrement, fosse, funérailles, sépulture.
INHUMER. Enfouir, ensevelir, enterrer, honneur, porter, terrer.
INIMAGINABLE. Aberrant, fabuleux, impensable, inconcevable.
INITIAL. Débutant, original, originel, premier, primitif, primordial.
INITIALE. Abréviation, commencer, double, monogramme, sigle.
INITIATEUR. Agisseur, créateur, entrepreneur, ésotérisme, père.
INITIÉ. Ésotérique, hermétique, instruire, obscur, recevoir.
INJECTION. Aiguille, éperonner, insecte, pincer, piqûre, tatouage.
INJURE. Affront, avanie, insulte, invective, offense, outrage, sottise.
INJUSTE. Déloyal, illégal, immoral, indigne, indu, inique, odieux, partial.
INJUSTICE. Abus, faveur, fourberie, fraude, iniquité, tromperie.
INLASSABLE. Inassouvi, increvable, inépuisable, infatigable, patient.
INNÉ. Atavique, congénital, foncier, gêne, génétique, héréditaire, inconscient, infus, instinctif, naissance, natif, naturel, spontané.
INNOCENT. Anodin, bénin, bête, blanc, candide, crédule, demeuré, enfant, gauche, idiot, ingénu, inoffensif, naïf, niais, pur, simple.
INNOCENTER. Blanchir, défendre, disculper, excuser, justifier, résigner.
INOCCUPÉ. Désœuvré, inactif, libre, oisif, passif, vacant, vague, vide.
INOCULER. Immuniser, infuser, injecter, piquer, transmettre, vacciner.
INOFFENSIF. Anodin, bénin, bon, calme, doux, fruste, innocent, simple.
INONDATION. Cataclysme, crue, déferlement, déluge, expansion, flux.
INONDER. Abreuver, déborder, noyer, ruisseler, submerger, tremper.
INOPPORTUN. Byzantin, fâcheux, intempestif, mal, malséant, oiseux.
INQUIET. Agité, anxieux, béat, dévoré, fiévreux, pensif, rongé, triste.
INQUIÉTANT. Alarmant, angoissant, menaçant, sombre, stressant.
INQUIÉTER. Alarmer, ennuyer, frapper, obséder, préoccuper, tracasser.
INQUIÉTUDE. Agitation, angoisse, embarras, peine, scrupule, transe.
INSAISISSABLE. Évanescent, fugace, fuyant, impalpable, invisible.
INSALUBRE. Impur, malsain, maremme, nuisible, pollué, santé.
INSATIABLE. Affamé, avare, avide, cupide, dévorant, friand, vorace.
INSATISFAIT. Grognon, hargneux, inassouvi, mécontent, plaintif.
INSCRIPTION. Adhésion, affiche, affiliation, catalogue, devise, écriteau, épigraphe, épitaphe, exergue, graffiti, légende, liste, plaque, rôle, titre.
INSCRIRE. Adhérer, coter, ficher, écrire, enrôler, marquer, noter.
INSECTE. Abeille, altise, apion, araignée, blatte, bourdon, carabe, capricorne, chenille, cigale, coccinelle, coléoptère, cooloola, demoiselle, doruphore, éphémère, fourmi, grillon, guêpe, gyrin, isoptère,

lépidoptère, libellule, lucane, maringouin, mante, mite, mouche, moustique, papillon, parasite, phasme, pompile, pou, puce, puceron, punaise, sauterelle, scarabée, sialis, sphex, strepsitère, symphyte, taon, termite, xylocope, xylophage, zabre.

INSECTICIDE. Aldrine, antimite, arsenic, chlordane, DDT, dicofol, dieldrine, fluor, HCH, heptachlore, lindane, nicotine, pyrèthre, roténone, sulfure, téphrosie, toxaphène.

INSENSÉ. Aberrant, absurde, démentiel, fou, inepte, insane, saugrenu.

INSENSIBLE. Acide, analgésique, apathique, détaché, dur, endormi, engourdi, ferme, froid, glacé, inanimé, indolent, raide, sourd.

INSÉRER. Encarter, enchâsser, enficher, inclure, incruster, intercaler.

INSERTION. Aisselle, emboîture, enchâssement, jointure, justificatif.

INSIGNE. Cocarde, emblème, étole, macaron, rosette, sceptre, verge.

INSIGNIFIANT. Anodin, banal, fade, médiocre, mince, petit, vétille.

INSINUER. Glisser, immiscer, ingérer, inspirer, mêler, suggérer.

INSIPIDE. Aigre-doux, banal, eau, édulcorer, fade, plat, terne.

INSISTER. Appuyer, obséder, presser, remettre, répéter, ressasser.

INSOCIABLE. Farouche, hargneux, méfiant, sauvage, solitaire.

INSOLENT. Arrogant, audacieux, effronté, grossier, impertinent, impoli.

INSOLITE. Anormal, bizarre, étrange, inusité, rare, saugrenu.

INSOMNIE. Benzodiazépine, sommeil, veille.

INSOUCIANCE. Indolence, mollesse, négligence, nonchalance, oubli.

INSOUCIANT. Étourdi, évaporé, imprévoyant, insoucieux, léger.

INSOUMIS. Déserteur, dissident, espiègle, mutin, séditieux, transfuge.

INSPECTER. Contrôler, étudier, scruter, superviser, surveiller, vérifier.

INSPECTION. Analyse, critique, épreuve, examen, revue, test, visite.

INSPIRATION. Génie, idée, illumination, muse, plan, projet, rêve, verve.

INSPIRER. Aspirer, dicter, élever, émerveiller, figurer, humer, revenir.

INSTABILITÉ. Déséquilibre, fluctuation, mobilité, précarité, versatilité.

INSTABLE. Bancal, boiteux, branlant, nomade, précaire, vacillant.

INSTALLER. Arranger, camper, construire, établir, introniser, placer.

INSTANCE. Conjuration, prière, procès, réclamation, supplication.

INSTANT. Moment, phase, point, pressant, soudain, temps, urgent.

INSTANTANÉ. Brusque, éclat, illico, immédiat, prompt, soudain, subit.

INSTAURER. Constituer, créer, ériger, établir, fonder, instituer.

INSTINCT. Aptitude, disposition, don, grégaire, inclination, libido, sens.

INSTINCTIF. Appétence, inconscient, involontaire, machinal, réflexe.

INSTITUER. Briguer, constituer, ériger, établir, fonder, nommer, sacrer.

INSTITUT. Académie, école, collège, couvent, lycée, polyvalente.

INSTITUTEUR. Enseignant, maître, professeur, régent.

INSTRUCTION. Culture, enseignement, guide, homélie, leçon, savoir.

INSTRUIRE. Dresser, éclairer, étudier, faire, former, informer, initier.

INSTRUIT. Autodidacte, averti, calé, cultivé, éclairé, érigne, érine, érudit, expérimenté, fort, initié, lettré, pédagogue, sage, savant.

INSTRUMENT. Abaisse-langue, accessoire, accordéon, alto, aratoire, arme, arrosoir, balafon, broche, burin, ciseau, claquette, clarinette, clavecin, clé, clef, cloche, compas, cor, cornemuse, crémaillère, crible, croissant, davier, engin, équerre, étau, faucille, faux, fléau, flûte, foret, fouet, gong, guitare, hache, haltère, harpe, herse, hie, houe, jouet, lielle, lorgnon, lunette, luth, lyre, mandoline, métronome, microscope, molette, musette, navette, odomètre, orgue, outil, piano, pic, pilon, pinceau, potence, rasoir, râteau, rénette, saxophone, semoir, serpe, soufflet, spatule, tamis, télescope, thermomètre, timbale, tisonnier, ustensile, tille, toise, triangle, tuba, velte, verge, verre, viole, violon.
INSTRUMENT, MUSIQUE. Alto, baryton, basse, banjo, bois, bombard, buccin, bugle, cabrette, cithare, clairon, clarinette, clavecin, cor, cornemuse, cornet, cuivre, cymbale, diaule, flûte, gong, guimbarde, guitare, harpe, luth, lyre, pandore, piano, piccolo, scie, saxophone, tamtam, triangle, trompe, tuba, violon, violoncelle, xylophone.
INSTRUMENTAL. Orchestral, rondo, tiento, toccata.
INSUCCÈS. Avortement, chute, déconvenu, échec, défaite, four, perte.
INSUFFISANCE. Idiotie, déficience, inaptitude, médiocrité, tolérance.
INSUFFISANT. Faible, frêle, grêle, insatisfaisant, léger, pauvre, terne.
INSUFFLER. Communiquer, idée, inoculer, inspirer, instiller.
INSULAIRE. Îlien.
INSULTE. Affront, blasphème, défi, injure, mépris, offense, outrage.
INSUPPORTABLE. Atroce, déplaisant, imbuvable, infernal, intenable.
INSURGÉ. Émeutier, mutin, rebelle, révolté.
INSURRECTION. Agitation, émeute, révolution, sédition, soulèvement.
INTACT. Chaste, complet, entier, immaculé, inaltéré, inchangé, indemne, intégral, net, neuf, probe, pucelle, pur, sain, sauf, vierge.
INTANGIBLE. Immatériel, impalpable, intouchable, sacré, tabou.
INTÉGRAL. Absolu, complet, entier, exclusif, infini, intact, plein, tout.
INTÈGRE. Honnête, incorruptible, juste, probe, pur, vertueux.
INTELLIGENCE. Capacité, entendement, habileté, ouvert, science, sensé.
INTELLIGENT. Adroit, astucieux, bête, capable, doué, éclairé, éveillé, fin, fort, habile, ingénieux, intuitif, inventif, lucide, perspicace, tête.
INTEMPESTIF. Byzantin, déplacé, importun, inopportun, malvenu.
INTENABLE. Impossible, indéfendable, intolérable, irresponsable.
INTENDANT. Administrateur, amman, as, caïd, calife, chancelier, cheik, curion, despote, dey, duc, duce, économe, émir, factoton, gérant, hérésiarque, iman, maire, maître, ovate, pacha, pape, parrain, père, prote, rapin, régisseur, sachem, satan, shah, shérif, roi, tête, vizir.
INTENDANT DE LA NOUVELLE-FRANCE (n. p.). Beauharnois, Bégon, Bigot, Bochard, Bouteroue, Champigny, Chazelles, de Meules, Duchesneau, Dupuy, Hocquart, Raudot, Robert, Talon.
INTENSITÉ. Acuité, force, luminance, recrudescence, violence, voix.
INTENTER. Actionner, attaquer, commencer, ester, justifier, procès.
INTENTION. But, désir, dessein, fin, idée, motif, pensée, visée, vue.
INTERCALER. Encarter, enchâsser, insérer, interposer, introduire.

INTERCEPTER. Cacher, emparer, masquer, occulter, prendre, saisir.
INTERCEPTION. Capter, couper, éclipser, ombre, passe, prendre.
INTERDIRE. Bannir, déconcerter, défendre, embargo, embarrasser.
INTERDIT. Anathème, censure, défense, embargo, stupéfait, tabou.
INTÉRESSER. Animer, avantager, charmer, passionner, plaire, tenir.
INTÉRÊT. Annuité, arrérages, calcul, capital, cause, commission, denier, dividende, gain, nul, part, parti, profit, rente, revenu, taux, usure.
INTÉRIEUR. Âme, âtre, céans, central, dans, dedans, en, entre, familial, fond, for, foyer, inclus, individuel, interne, intériorité, intestin, intime, intrinsèque, logement, milieu, profond, sein.
INTERJECTION. Ah, aïe, bah, bof, eh, euh, gare, ha, hé, hein, hi, hip, ho, holà, houp, hum, oh, ohé, ouais, ouf, ouille, ouste, paf, pif, taratata.
INTERLOPE. Illégal, louche, mafia, malfamé, suspect, trafiquant.
INTERMÈDE. Divertissement, interlude, interruption, repos, saynète.
INTERMÉDIAIRE. Avocat, courtier, facteur, interprète, mandataire, médiateur, médium, négociateur, procureur, relais, truchement.
INTERMINABLE. Discontinuation, élancement, long, permanent.
INTERNE. Blessure, gastrite, intérieur, médecin, pensionnaire, sein.
INTERPELLER. Appeler, attirer, baptiser, bénir, caser, citer, crier, élever, enrôler, épeler, héler, intimer, maudire, rappeler, recruter.
INTERPOSER. Apaiser, arranger, composer, concilier, intervenir.
INTERPRÉTATION. Anagogie, définition, entente, traduction, version.
INTERPRÈTE. Acteur, comédien, porte-parole, traducteur.
INTERPRÉTER. Chanter, danser, définir, évaluer, prendre, traduire.
INTERROGATION. Appel, charade, colle, énigme, examen, questionnaire.
INTERROGER. Demander, examiner, poser, questionner, sonder.
INTERROMPRE. Arrêter, briser, cesser, couper, geler, rompre, séparer.
INTERRUPTEUR. Bouton, commutateur, conjoncteur, disjoncteur.
INTERRUPTION. Absence, arrêt, avortement, brisure, cessation, congé, coupure, délai, fin, grève, halte, hiatus, interception, lacune, laps, panne, pause, relâche, relais, répit, repos, rupture, saut, trêve.
INTERSTICE. Bande, barre, espace, fente, lacune, méat, palé, pore.
INTERVALLE. Distance, écart, entracte, espace, octave, quarte, ton.
INTERVENIR. Agir, aider, apaiser, arranger, immiscer, opérer, plaider.
INTERVENTION. Action, agissement, aide, intrusion, opération, secours.
INTERVERTIR. Inverser, permuter, renverser, retourner, transposer.
INTERVIEWEUR (n. p.). Auger, Blondin, Bois, Bruneau, Bureau, Cartier, Crevier, Daigneault, Dandenault, Delisle, Delmas, Desmarais, Ferland, Fontaine, Godin, Gougeon, Guèvremont, Hébert, Hurteau, Jasmin, Kemeid, Landry, Lapointe, Laurendeau, Laurin, Lauzon, Lavoie, Leblanc, Leclerc, Lemay, Lizotte, L'Herbier, Maisonneuve, Maltais, Marquis, Masson, Mercier, Morin, Olivier, Paille, Paradis, Plante, Pilon, Prévost, Proulx, Sarrazin, Sormany, Stanké, Steben, Thériault, Tremblay, Vézina, Viens.

INTERVIEWEUSE (n. p.). Auclair, Bail-Milot, Beaudoin, Berd, Biondi, Charette, Cheno Lebrun, Clermont, Cloutier, Couture, Cusson, Dansereau, Desjardins, Désy, Drolet-Douville, Dumas, Dussault, Faure, Fournier, Gagnon, Garneau, Gaudreault, Gauvin, Ghalem, Gilbert, Gratton, Grégoire, Hardy, Hébert, Laberge, Lachaussée, Lacoste, Lafond, Lajeunesse, Lalande, Lalanne, Lambert, Langlais, Langlois, Lapointe, Laporte, Lauzon, Lavigne, Le Bel, Lecavalier, Lépine, Lessard, Letendre, Lord, Magnan, Maher, Mantel, Marchand, Marie, Massicotte, Mondoux, Mongeau, Mouffe, Murray, Nadeau, Paquet, Paradis, Payette, Pelletier, Petit-Martinon, Pilote, Poirier, Poliquin, Proulx, Quesnel, Racicot, Ricard, Rodrigue, Rousseau, Roussel, Roy, Saint-André, Serei, Simard, Synnett, Trottier, Vasiloff, Verdon.

INTESTIN. Bile, boyau, chyle, côlon, duodédum, entrailles, grêle, hypogastre, rectum, transit, tripaille, tripe, tube, viscère.

INTIME. Ami, charnel, conjoint, étroit, familier, fond, intérieur, lié, personnel, physique, privé, proche, profond, secret, sexuel, tu, uni.

INTIMER. Citer, commander, enjoindre, notifier, signifier.

INTIMIDATION. Alerte, fureur, injure, outrage, menace, ultimatum.

INTIMIDER. Complexer, effaroucher, gêner, glacer, influencer, troubler.

INTIMITÉ. Alcôve, amitié, étroitesse, familiarité, fréquentation.

INTITULER. Appeler, choisir, dénommer, désigner, nommer, titrer.

INTONATION. Accent, inflexion, modulation, ton, tonalité.

INTOUCHABLE. Immuable, impalpable, intactile, intangible, paria.

INTOXICATION. Accro, bolutisme, drogue, empoisonnement, endoctrination, poison, propagande, tabagisme, urémie.

INTRAITABLE. Impitoyable, implacable, irréductible, invivable, juré.

INTRANSIGEANT. Entêté, entier, intolérant, intraitable, irréductible.

INTRÉPIDE. Audacieux, aventurier, brave, fier, hardi, valeureux.

INTRIGANT. Arriviste, aventurier, condottière, diplomate, escroc, flagorneur, fripon, habile, picaro, pirate, rusé, souple, subtil.

INTRIGUE. Action, complot, dessein, drame, embarras, imbroglio, manège, manigance, menée, micmac, pacte, ruse, stratagème, trame.

INTRINSÈQUE. Constitutif, immanent, inhérent, interne, propre.

INTRODUCTION. Engagement, intrusion, porte, préambule, préface.

INTRODUIRE. Amener, entrer, ingérer, innover, insérer, loger, mettre.

INTUITION. Clairvoyance, croyance, instinct, prétention, prévision.

INUTILE. Absurde, creux, frivole, futile, gaspillage, gratuit, inefficace, infécond, neutre, nul, oiseux, perdu, stérile, superflu, utilité, vain.

INVALIDE. Blessure, handicapé, impotent, infirme, nul, paralysé.

INVARIABLE. Certain, constant, fixe, même, précis, solide, stable.

INVASION. Attaque, déferlement, endigage, incursion, infection, razzia.

INVECTIVE. Affront, avanie, injure, insulte, offense, outrage, rixe.

INVENTAIRE. Dénombrer, description, état, liste, recensement, stock.

INVENTER. Broder, combiner, créer, deviner, forger, imaginer, penser.

INVENTEUR. Créateur, conceveur, découvreur, forgeur, penseur, trésor.

INVENTEUR (n. p.). Ader, Bell, Edison, Gutenberg, Leinn, Nobel.

INVENTION. Création, découverte, fiction, idée, mensonge, trouvaille.
INVERSE. Contraire, envers, opposé, tête-bêche, vergence, vice versa.
INVESTIGUER. Enquêter, examiner, inquisitionner, rechercher.
INVESTIR. Assiéger, cerner, engager, immobiliser, pourvoir, revêtir.
INVIOLABLE. Imprenable, invulnérable, sacré, sanctuaire, tabou.
INVISIBLE. Évanescent, fugitif, immatériel, impalpable, insaisissable.
INVITATION. Appel, congé, convocation, demande, encouragement, excitation, guerre, prié, prière, réception, réunion, signe, sortir.
INVITÉ. Ami, commensal, convive, écornifleur, hôte, parasite.
INVITER. Appeler, attirer, engager, exhorter, invoquer, prier, réunir.
INVOQUER. Appeler, convier, induire, insister, inviter, prier, réunir.
INVULNÉRABLE. Costaud, dur, fort, imbattable, immortel, résistant.
INVULNÉRABLE (n. p.). Achille.
IODE. I.
ION. Anion, cation, composite, redox.
IRASCIBLE. Atrabilaire, coléreux, emporté, rageur, susceptible.
IRE. Atrabilaire, colère, exaspéré, fulminant, furieux, hargneux, rageur.
IRIDIUM. Ir.
IRIS. Apogon, arille, aucheri, barbus, bucharica, confusa, cretensis, cristata, crocea, cypriana, ensata, évansia, flambe, germanica, iridacée, lazica, lilliput, lutescens, macrantha, mesopotamica, monnieri, montana, pallida, persica, poireau, prismatica, pulila, regelia, reticulata, setosa, sibirica, sintenis, sphylla, susiana, tenax, trojana, variegata, versicolor.
IRISER. Chromatiser, colorer, iridescent, marbrer, nacrer, opalin, zébrer.
IRLANDE (n. p.). Cork, Erne, Irois, Ulster.
IRONIE. Humour, moquerie, parodie, raillerie, rire, sarcasme, satire.
IRRÉALISABLE. Impossible, infaisable, invention, utopique.
IRRÉFLÉCHI. Brusque, dissipé, étourdi, fou, idiot, léger, sot, stupide, vif.
IRRÉFUTABLE. Décisif, inattaquable, incontestable, indiscutable.
IRRÉGULIER. Anormal, capricieux, difforme, inégal, saccadé, usurpé.
IRRÉPROCHABLE. Honnête, impeccable, inattaquable, intact, net.
IRRITABLE. Aigre, brusque, coléreux, impatient, nerveux, susceptible.
IRRITANT. Âcre, agacement, amer, colère, énervant, envie, ortie.
IRRITATION. Brûlure, colère, démangeaison, énervement, éréthisme, hargne, impatience, inflammation, lassitude, prurit, révulsion, rhume.
IRRITER. Agacer, aigrir, apaiser, aviver, blesser, brûler, calmer, démanger, énerver, ennuyer, excéder, exciter, fâcher, piquer, rubéfier.
IRRUPTION. Descente, entrée, explosion, implosion, incursion, invasion.
ISATIS. Guède, pastel, renard.
ISLAM. Chiisme, coran, ismaïlien, Mahomet, mahométisme, musulman, sunnisme, turc.
ISOLÉ. Abandonné, as, bled, conducteur, écarté, éloigné, ermite, esseulé, île, oasis, premier, reculé, retiré, rouir, seul, trié, un, vide.
ISOLEMENT. Abandon, célibat, individualisme, quarantaine, solitude.
ISOLER. Confiner, écarter, éloigner, encercler, enfermer, séparer, trier.

ISOLOMA. Amabile, bogotense, deppeana, erianthum, gesnéracée, kohleria, picta, seemanii, tydaea.
ISRAËL. Amalécite, biblique, gog, hébreu, iduméen, juif, loi, og, our, patriarche, prêtre, prophète, samarie, sion, sionisme, ur, youpin.
ISSU. Dérivé, natif, né, originaire, résultant.
ISSUE. Aboutissement, accul, après, critique, cul-de-sac, débouché, fils, funeste, mouture, ouverture, passage, porte, résultat, sortie, succès.
ITALIE. Comédie, latin, rital, romain, Rome, transalpin.
ITINÉRAIRE. Chemin, circuit, horaire, lieu, parcours, route, trajet, via.
ITOU. Aussi, idem, pareillement.
IVOIRE. Albâtre, blanc, blanchâtre, cément, dame, dent, dentine, éléphant, émail, jeton, morfil, morse, opalin, porcelaine, rohart.
IVRAIE. Chicane, chiendent, dispute, mésentente, vorge, zizanie.
IVRE. Dipsomane, éméché, gris, noir, paf, pompette, rond, saoul, soûl.
IVRESSE. Alcoolisme, débauche, ébriété, éthylisme, griserie, vertige.
IVROGNE. Alcoolique, buveur, débauché, pochard, soûlard, soûlon.
IXIA. Azureus, bridesmaid, hogarth, invincible, morphixia, sparaxis, tritonia, uranus, wurmea.
IXODE. Gluant, parasite, tique.
IZARD. Isard.

J

JABIRU. Cigogne.
JABOT. Col, cravate, dentelle, estomac, gave, gorge, gosier, poche.
JACASSER. Babiller, bavarder, bavasser, caqueter, crier, jaboter, parler.
JACOB. Benjamin, échelle, Lia.
JACINTHE. Bellevallia, brimeura, endymion, galtonia, hyacinthella, hyacinthus, liliacée, muscari, periboea, pontederia, scille, strangweia.
JACOB. Benjamin, échelle, lia.
JACQUERIE. Émeute, insurrection, rébellion, révolte, soulèvement.
JACQUET. Backgammon, matador.
JADIS. Anciennement, antan, autrefois, hier, naguère, passé.
JAILLIR. Couler, fuser, gicler, rejaillir, saillir, sortir, sourdre, venir.
JALON. Balise, cible, marque, mire, niveau, piquet, repère.
JALOUSER. Craindre, douter, envier, guetter, redouter, soupçonner.
JALOUSIE. Crainte, envie, émulation, persienne, rai, rivalité, volet.
JAMAIS. Aucun, définitivement, nul, onc, onques, sans, toujours, zéro.
JAMBAGE. Dosseret, hampe, pied-droit.
JAMBE. Amble, fémur, genou, gigot, gigue, patte, pied, pilon, tibia, tige.
JAMBIÈRE. Arme, cnémide, grève, guêtre, heuse, protecteur.
JAPONAIS. Koto, nippon, samouraï, to.
JAPONAIS (n. p.). Asie, Bouddha.
JAPPER. Aboyer, clabauder, chien, crier, cyon.
JARDIN. Clos, closerie, cour, courtil, éden, enclos, jardinet, mail, oasis, paradis, parc, potager, serre, square, terre, théâtre, verger, zoo.

JARDINIER. Arboriculteur, bêche, binette, écobue, fleuriste, gratte, horticulteur, houe, houlette, maraîcher, pépiniériste, rosiériste.
JARGON. Argot, charabia, joual, langage, langue, narquois, parler, sabir.
JARRET. Acier, capelet, jambe, malandre, mollet, poplité, trumeau.
JASER. Bavasser, bavarder, converser, jacasser, médire, papoter, parler.
JASMIN. Jasminum, officinale, oléacée, tecoma, trachelospermum.
JAUGER. Cuber, doser, graduer, marquer, mesurer, palper, peser.
JAUNE. Ambre, blond, chamois, citron, doré, or, orange, rire, safran.
JAUNE (n. p.). Asie, Chinois, Japonais.
JAUNISSE. Chlorose, hépatite, ictère, leptospirose.
JAVELOT. Arme, angon, dard, digon, flèche, haste, lance, pique, sagaie.
JE. Ego, moi.
JÉHOVAH (n. p.). Jésus, Sabaoth, Tabaoth.
JÉRÉMIADE. Bêlement, doléances, gémissement, lamentation, plainte.
JERRYCAN. Bidon, nourrice.
JÉSUS-CHRIST. Agape, croix, évangile, Messie, Nativité.
JET. Avion, douche, émission, gerbe, lancer, pluie, marteau, tir, trait.
JETER. Balancer, baver, crier, éjecter, émettre, ensemencer, éparpiller, envoyer, flanquer, lancer, pousser, regarder, ruer, semer, tirer, verser.
JETON. Marque, marron, méreau, numéro, péage, taxiphone, tessère.
JEU. Alouette, baccara, badminton, balle, baseball, belote, bingo, bridge, calembour, canasta, carte, charade, cœur, croquet, crosse, dames, dés, devinette, échec, énigme, enjeu, furet, go, golf, hockey, huit, jouet, lego, loto, loterie, marelle, neuf, pari, passe-temps, polo, poker, quille, quiz, rami, reversi, rob, rodéo, tarot, tour, truc, sport, whist.
JEUNE. Adonis, blanc-bec, diète, faim, garçon, gars, petit, page, varlet.
JEUNESSE. Adolescence, enfance, fraîcheur, jeunes, verdeur, vigueur.
JOAILLIER. Bijoutier, diamantaire, orfèvre, pierreries.
JOIE. Bonheur, délire, entrain, extase, gaieté, humeur, jubilation, liesse.
JOINDRE. Aboucher, abouter, accoler, accoupler, adjacent, agglutiner, ajointer, ajouter, annexer, assembler, coudre, enlier, latéral, lier, marier, mastiquer, mêler, nouer, relier, réunir, souder, trait, unir.
JOINT. Agrégat, ci-joint, cigarette, délit, enlier, genou, jointure.
JOINTURE. Aboutage, anastomose, gomphose, raccord, trochlée.
JOLI. Accorte, agréable, aimable, beau, bel, bijou, chouette, coquet, divin, élégant, ignoble, jojo, laid, mignon, superbe, vilain.
JOLIESSE. Charme, délicatesse, finesse, grâce.
JONC. Alèse, alliance, anneau, bague, baguette, balai, bâton, butome, canne, chevalière, juncacée, juncus, roseau, scirpe, solitaire, souchet.
JONCHER. Couvrir, parsemer, prévoir, recouvrir, tapisser.
JONCTION. Adhésion, assemblage, liaison, raccordement, union.
JONGLEUR. Enchanteur, magicien, psylle, rêveur, sorcier, troubadour.
JONQUILLE. Amaryllidacée, coucou, jeannette, narcisse, porillon, trompette.
JOUER. Exécuter, figurer, flûter, incarner, interpréter, mimer, rejouer.
JOUET. Feu, fronde, jeu, joujou, toupie, victime, yo-yo.

JOUEUR. Ailier, arrière, avant, botteur, centre, champ, claveciniste, défenseur, donneur, gardien, handballeur, hockeyeur, inter, intérieur, lanceur, organiste, pianiste, quilleur, receveur, trompettiste, violoniste.
JOUIR. Bénéficier, déguster, délecter, goûter, profiter, savourer.
JOUISSANCE. Bail, libre, plaisir, possession, privilège, usage, usufruit.
JOUR. Date, dimanche, équinoxe, férié, hier, jeudi, journée, lendemain, lumière, lundi, mardi, mercredi, période, samedi, têt, veille, vendredi.
JOURNAL (n. p.). Le Devoir, Le Droit, The Gazette, de Montréal, Le Nouvelliste, La Presse, Le Réveil de Québec, Le Soleil, La Tribune.
JOURNALISTE. Chroniqueur, correspondant, courriériste, écrivain, éditorialiste, envoyé, nouvelliste, publiciste, rédacteur, reporter.
JOVIAL. Allègre, enjoué, épanoui, gai, gaillard, joyeux, réjoui, rieur.
JOYAU. Alliance, bijou, diadème, ferronnière, ménisque, parure.
JOYEUX. Aise, allègre, enjoué, enthousiaste, épée, gai, gaillard, guilleret, heureux, joie, jovial, jubilant, luron, ravi, réjoui, riant, rieur, rire.
JUBILER. Exulter, joie, réjouir, rire, triompher.
JUDAS. Déloyal, fenêtre, infidèle, iscariotte, perfide, renégat, traître.
JUDICIEUX. Bon, fin, ingénieux, intelligent, lucide, perspicace, sain.
JUDO. Ceinture, dan, jiu-jitsu.
JUGE. Alcade, arbitre, cadi, commissaire, estime, héliaste, inquisiteur, juré, justicier, magistrat, prévôt, robe, robin, siège, tribunal, viguier.
JUGEMENT. Approbation, arrêt, attendu, avis, ban, censure, décision, décret, erreur, jugeote, justice, ordalie, raison, sentence, verdict, vu.
JUGER. Deviner, dire, estimer, évaluer, objecter, penser, prononcer.
JUGULER. Arrêter, enrayer, étouffer, maîtriser, mater, stopper.
JUIF. Bible, biblique, cachère, circoncision, exode, genèse, hébreu, israélite, judaïsme, lévite, lévitique, loi, miniane, mitzva, pharisien, pentateuque, rabbin, sémite, shema, sioniste, synagogue, torah, youpin.
JUIF (n. p.). Conservateur, Hassidim, orthodoxe, Sabra.
JUIF, FÊTE (n. p.). Hanouka, Pâque, Pessah, Pourim, Rosh Hashana, Sabbat, Shavouath, Sim'hat, Soukkot, Yom Kippour.
JUJUBIER. Cicourlier, datte, guindaulier, rhamnacée, zizyphe.
JULES. Estafier, homme, maquereau, mec, pim, proxénète, souteneur.
JUMEAU. Besson, double, deux, Gémeaux, identique, menechme, pareil, triplé, quadruplé, semblable, siamois, sosie, univitellin.
JUMEAU (n. p.). Dionne, Dupont.
JUMELLE. Longue-vue, lorgnette, lunette, microscope, télescope.
JUMENT. Baie, cheval, mule, mulet, pouliche, poulin, poulinière, suitée.
JUPE. Cotillon, cotte, crinoline, écossaise, jupette, jupon, kilt, maxi, mini, paréo, robe, tutu.
JUPON. Cotillon, filibeg, jupe, panier.
JURASSIQUE. Diplodocus, géologie, rhétien, télésaure, transjuran.
JUREMENT. Blasphème, cri, exécration, imprécation, juron, outrage.
JURER. Adjurer, exécrer, maudire, maugréer, pester, promettre, sacrer.
JURIDICTION. Arrêt, cercle, district, for, ressort, siège, sphère, tribunal.
JURIDIQUE. Judiciaire, légal, tribunal.

JURISCONSULTE. Juriste, légiste.
JURISCONSULTE FRANÇAIS (n. p.). Bigot, Camus, Domat, Dumoulin, Esmein, Fail, Lacretelle, Portalis, Preameneu, Sirey.
JURISCONSULTE HOLLANDAIS (n. p.). Grotius.
JURISCONSULTE ITALIEN (n. p.). Acursio, Alciata, Cinodepistoia.
JURISCONSULTE ROMAIN (n. p.). Ulpien.
JURISTE. Avocat, bâtonnier, criminaliste, légiste, rau.
JURISTE AMÉRICAIN (n. p.). Kelsen.
JURISTE FRANÇAIS (n. p.). Basdevant, Duverger, Esmein, Geny, Hauriou, Isambert, Ripert, Vedel.
JURISTE GREC (n. p.). Politis.
JURISTE RUSSE (n. p.). Erlanger.
JURON. Blasphème, diantre, morbleu, mot, pardi, saperlipopette, tudieu.
JUS. Cidre, coulis, gelée, moût, orangeade, punch, sirop, suc, verjus, vin.
JUSTE. Droit, équitable, exact, légal, légitime, précis, pur, sain, sûr, vrai.
JUSTESSE. Authenticité, convenance, correction, exactitude, raison.
JUSTICE. Cour, crime, droiture, équité, ester, judiciaire, juge, juridiction, magistrat, partie, procès, pureté, salle, siège, sûreté, traduire, tribunal.
JUSTIFIER. Confirmer, légitimer, motiver, préciser, valoir, vérifier.
JUVÉNILE. Actif, ardent, jeune, pimpant, vert, vif, vigoureux.
JUXTAPOSER. Accoler, ajouter, comparer, différencier, doubler, jumeler.

K

K2 (n. p.). Himalaya, Karakoram, Karakorum.
KABUKI. Chant, danse, shamisen, spectacle, théâtre.
KABYLE. Arabe, berbère, gétule.
KAKI. Brun, caque, couleur, ébénacée, figue, fruit, plaquemine, vert.
KALÉIDOSCOPE. Cylindre, miroirs, multicolore, ornement, paillettes.
KAOLIN. Argile.
KANGOUROU. Mammifère, marsupiaux, pétrogale, wallabi.
KAON. Ka.
KAPOK. Fromager, kapotier.
KARATAS. Aregelia, bromelia, néoregélia, nidularium.
KAYAC. Bateau, canoë, canot, périssoire.
KÉPI. Casquette, chapeau, chapska, coiffure, shako.
KERMESSE. Ducasse, festival, festivité, fête, foire, frairie, réjouissance.
KIDNAPPER. Disparaître, enlever, rapt, ravir, séquestrer, voler.
KILOGRAMME. Kg, kilo, livre.
KILOMÈTRE. Km, millage.
KILOTONNE. Kt.
KILOWATT. Kw.
KILOWATT-HEURE. Kwh.
KIOSQUE. Belvédère, édicule, gloriette, journal, pavillon, tonnelle.
KITSCH. Baroque, hétéroclite, pompier, rétro.
KIWI. Aptéryx.

KLAXON. Avertisseur, signal, trompe.
KNOCK-OUT. Assommé, évanoui, groggy, inconscient, KO, sonné.
KNOUT. Bastonnade, fouet, verges.
KOLA. Caféine, cola.
KRACH. Banqueroute, chute, crise, culbute, déconfiture, faillite, ruine.
KRAK. Bastide, château, citadelle, crac, fort, forteresse, fortification.
KRYPTON. Kr.
KYRIELLE. Abondance, avalanche, beaucoup, cascade, chapelet, déluge, flopée, foule, infinité, myriade, nuée, pluie, ribambelle, série, suite.
KYSTE. Abcès, chalazion, grosseur, induration, tumeur, ulcère.

L

LÀ. Ça, céans, ci, diapason, en, ici, là-bas, lieu, note, présent.
LABEUR. Besogne, corvée, occupation, fatigue, ouvrage, peine, travail.
LABIAL. Dire, écrire, lettre.
LABIACÉE. Dictame, népéta, romarin, sarriette.
LABIÉE. Bugle, ive, ivette, lamiacée, menthe, thym.
LABORATOIRE. Alchimie, cabinet, début, examen, officine, test, verre.
LABORIEUX. Actif, âpre, aride, complexe, dur, difficile, pénible, rude.
LABOUR. Agriculture, billonnage, champ, culture, défonçage, défoncement, parage, rayon, retroussage, scarifiage, terre.
LABOURABLE. Arable, charruage, fermage, hivernage.
LABOURER. Aérer, arer, bêcher, écroûter, enrayer, houer, retercer.
LABYRINTHE. Cul-de-sac, dédale, détour, enchevêtrement, lacis, oreille.
LABYRINTHE (n. p.). Ariane, Minotaure, Thésée.
LAC. Eau, étang, flaque, grau, lagon, marais, mare, rive, stymphale.
LAC (n. p.). Albert, Aral, Athabaska, Baïkal, Balaton, Balkhach, Caribou, Dubawnt, Érié, Esclaves, Eyre, Huron, Iséo, Issyk-Koul, Itaska, Khanka, Ladoga, Manitoba, Maracaibo, Michigan, Nettilling, Nicaragua, Nipigon, Nyassa, Oô, Onega, Ontario, Ours, Pô, Reindeer, Rodolphe, Supérieur, Tanganyika, Tchad, Titicaca, Torrens, Van, Vanern, Victoria, Winnipeg.
LAC D'AFRIQUE (n. p.). Albert, Kivu, Omo, Moero, Mweru, No, Nyassa, Rodolphe, Tanganyika, Tchad, Titicaca, Victoria.
LAC D'ALASKA (n. p.). Becharof, Clark, Iliamma, Teshekpuk, Wiseman.
LAC D'ASIE (n. p.). Aral.
LAC D'AUSTRALIE (n. p.). Austin, Barlee, Buhou, Carey, Eyre, Gairdner, Harris, Moore, Torrens.
LAC DE CHINE (n. p.). Bagrach, Khanka, Tarok-Tso.
LAC D'ÉCOSSE (n. p.). Loch, Ness.
LAC DE L'ONTARIO (n. p.). Abitibi, Érié, George, Huron, Nipigon, Ontario, Supérieur.
LAC DES ÉTATS-UNIS (n. p.). Alder, Alligator, Champlain, Clear, George, Michigan, Placid, Swan.
LAC D'ÉTHIOPIE (n. p.). Omo, Tana, Tsana.

LAC DE HONGRIE (n. p.). Balaton.
LAC D'ITALIE (n. p.). Averne, Côme, Iseo, Trasimene.
LAC DU MEXIQUE (n. p.). Chapala.
LAC DU QUÉBEC (n. p.). Achigan, Archambault, Argent, Aylmer, Baskatong, Beaudry, Beauport, Bersimis, Bienville, Bouchette, Brochet, Brome, Carré, Champlain, Croche, Delage, Deux-Montagnes, Écorces, Eau Claire, Etchemin, Gouin, Kiamika, Lesage, Manic, Mégantic, Memphrémagog, Mistassini, Moreau, Ouareau, Péribonca, Saint-Louis, Saint-Pierre, Saint-Jean, Simard, Témiscamingue, Whiskey.
LAC DE RUSSIE (n. p.). Baïkal, Ilmen, Ladoga, Onega.
LAC DE SUÈDE (n. p.). Malaren, Vanern, Ume.
LAC DE SUISSE (n. p.). Leman, Zoug.
LAC DE TURQUIE (n. p.). Van.
LAC DU VENEZUELA (n. p.). Maracaibo.
LACER. Attacher, boucler, ficeler, fixer, mailler, nouer, serrer.
LACET. Aiguillette, contour, corde, ferret, lac, œillet, piège, rets, tirette.
LÂCHE. Abattu, bas, capon, cerf, couard, craintif, dégonflé, détendu, faible, froussard, fuyard, mou, peureux, pleutre, poltron, vague, vil.
LÂCHER. Abandonner, casser, céder, desserrer, flancher, fléchir, laisser, larguer, livrer, parachuter, quitter, reculer, relâcher, rompre, semer.
LÂCHETÉ. Bassesse, couardise, frousse, poltronnerie, pusillanimité.
LACIS. Dédale, entrelacement, labyrinthe, nerfs, réseau, veines.
LACTÉ. Agalaxie, blanc, lait, pis, prolactine, voie.
LACONIQUE. Bref, concis, court, lapidaire, mince, peu, précis, succinct.
LACUNE. Absence, carence, hiatus, lésion, omission, trou, vacant, vide.
LADRE. Avare, lépreux, pingre, radin, regardant, scrofuleux, ruiné.
LADRERIE. Avarice, chiennerie, léproserie, lésine, lésinerie, lésion.
LAGOPÈDE. Alpin, blanche, grouse, perdrix, rochers, saules.
LAGUNE. Colline, cordon, étang, étendue, lagon, lido, liman, moere.
LAI. Frater, frère, laie, sanglier, sentier, sœur.
LAÏC. Agnostique, indépendant, laïque, neutre, séculier.
LAID. Affreux, atroce, beau, chafouin, hideux, horrible, ignoble, informe, odieux, moche, monstrueux, pou, ridé, singe, tocard, vilain.
LAIE. Allée, frère, lai, marteau, sanglier, sentier, sœur.
LAINAGE. Châle, chandail, gilet, loden, ratine, tissu, toge, toison, tuque.
LAINE. Agneline, bure, bourre, cardigan, cheviotte, chèvre, corde, coton, couaille, étain, lanice, mère, mohair, mouton, noces, ouate, poil, ruban, satin, sorie, tonte, vigogne.
LAÏQUE. Convers, lai, laïc, oblat, profane, séculier, civil.
LAISSER. Abandonner, aérer, aliéner, céder, confier, déposer, emmener, emporter, enlever, larguer, livrer, marquer, négliger, obéir, ôter, quitter, relayer, semer, suinter, tamiser, transmettre.
LAIT. Blanc, caillé, chadeau, coco, colostrum, crème, ésule, frère, lacté, lolo, peau, sœur, tétée, vache, yaourt, yogourt.
LAITEUX. Blanchâtre, lactescent, latex, opalin, pavot.

LAITON. Alliage, archal, corde, zinc.
LAITUE. Boston, chicon, composée, frisée, iceberg, lactuca, pommée, romaine, salade, ulve.
LAIZE. Lé.
LAMA. Alpaga, guanaco, vigogne.
LAMBEAU. Bribe, débris, déchiqueté, guenille, loque, morceau, partie.
LAMBIN. Flâneur, indolent, lent, lourd, nonchalant, paresseux, traînard.
LAME. Bêche, busc, canif, ciseau, dague, dos, éclisse, épée, interligne, languette, onglet, oripeau, patin, réglet, scie, serpe, tranchant.
LAMELLE. Adnée, pellicule, plectre, squame, talc, tranche.
LAMENTABLE. Minable, misérable, moche, pitoyable, piteux, triste.
LAMENTATION. Cri, doléances, geignement, jérémiades, plainte, peur.
LAMPE. Alel, ampoule, carcel, éolipyle, if, lanterne, pétoche, verrine.
LAMPER. Absorber, assouvir, avaler, boire, étancher, pomper, vider.
LANCE. Angon, ante, dard, doryphore, émet, épieu, framée, guisarme, hallebarde, hast, haste, javiline, javelot, jette, pique, sarisse, uhlan.
LANCE (n. p.). Achille.
LANCÉE. Élan, émulation, envolée, erre, essor, impulsion, saut, zèle.
LANCEMENT. Ber, départ, jet, livre, publication, réception, tir.
LANCER. Catapulter, cracher, darder, débuter, décocher, éjaculer, émettre, envoyer, jeter, lâcher, larguer, projeter, tirer, vitrioler.
LANDE. Brousse, friche, garrigue, jachère, inculte, maquis, pâtis.
LANGAGE. Argot, jargon, joual, langue, logogriphe, marivaudage, sabir.
LANGOUREUX. Alangui, amoureux, caresseur, délicat, sensible, tendre.
LANGOUSTINE. Scampi.
LANGUE. Argot, bec, canara, catalan, dard, dialecte, écossais, espagnol, espéranto, expression, grec, hindi, hindoustani, idiome, irlandais, italien, kurde, langage, laotien, latin, lette, lexique, oc, oïl, ossète, ourdou, pal, parler, parlure, pâteuse, patois, portugais, néerlandais, radula, ramage, roumain, russe, sabir, tagal, tamil, tamoul, tchèque, slavon, sabir, style, urdu, vipère, vocabulaite, volapük, yiddish.
LANGUETTE. Anche, bouveteuse, bugne, épiglotte, guimbarde, patte.
LANGUEUR. Apathie, atonie, indolence, léthargie, somnolence, torpeur.
LANGUIR. Baisser, dépérir, épuiser, fondre, mourir, traîner, végéter.
LANGUISSANT. Atone, fade, faible, lâche, langoureux, mourant.
LANIÈRE. Bande, courroie, fouet, guide, laisse, lasso, longe, sangle.
LANTERNE. Campanile, diogène, falot, fanal, feu, guillotine, lamparo, lampe, lampion, loupiote, lumière, lustre, phare, réverbère, veilleuse.
LANTHANE. La.
LAPIN. Angora, attente, belette, bouquet, bouquin, carnier, clapier, clapir, cuniculiculture, furet, garenne, gibecière, laiteron, lapereau, lièvre, myxomatose, orme, renard, terrier, tularémie.
LAPS. Apostat, durée, espace, infidèle, instant, moment, temps.
LAPSUS. Cuir, erreur, faute, janotisme, pataquès, perle, valise.
LAQUE. Cire, gomme, résine, vernis.
LAQUELLE. Que, qui, quoi.

LARCIN. Chapardage, escroquerie, kleptomane, maraude, recel, vol.
LARD. Bacon, barde, couenne, crépine, graillon, lardon, panne, porc.
LARDER. Cribler, emplir, fourrer, percer, piquer, railler, transpercer.
LARGE. Ample, avare, beaucoup, caution, évasé, généreux, grand, indulgent, largeur, litre, long, mer, partir, rat, spacieux.
LARGEUR. Ampleur, carrure, diamètre, envergure, grandeur, grosseur.
LARGUER. Balancer, déferler, déployer, détacher, déverser, droper, envoyer, jeter, lâcher, lancer, laisser, plaquer, quitter, renvoyer.
LARME. Goutte, lacrymal, larmoyer, perle, peu, pleur, rhyas, verre.
LARMOYER. Chialer, chigner, miauler, pleurer, pleurnicher, sangloter.
LARVE. Ammocète, aoûtat, asticot, axoloti, cercaire, chatouille, chenille, couvain, éruciforme, hydatide, lamprillon, larvaire, lepte, leptocéphale, man, myiase, naissain, pibale, sphex, taupe, têtard, varon, ver.
LAS. Abattu, brisé, claqué, crevé, dégoûté, écœuré, épuisé, éreinté, excédé, exténué, fatigué, fourbu, harassé, recru, rompu, vanné.
LASCIF. Amoureux, caressant, charnel, chaud, libidineux, luxurieux.
LASSANT. Crevant, décourageant, délassant, ennuyeux, fatigant.
LASSER. Claquer, décourager, délasser, ennuyer, fatiguer, harasser.
LASSITUDE. Abattement, découragement, dépit, ennui, fatigue.
LATENT. Caché, insidieux, larvé, rampant, somnolent, sous-jacent.
LATEX. Caoutchouc, chiclé, ficus, hévéa, laiteux, liquide, opium.
LATITUDE. Climat, facilité, faculté, liberté, permission, pouvoir, région.
LAURIER. Camphrier, épilobe, gloire, oléandre, lauracée, laurose, laurus, kalmia, nérion, nerium, prunus, rosacée, ruscus, victoire.
LAVABO. Aiguière, aquamanille, baignoire, entracte, fontaine.
LAVAGE. Bain, douche, lessive, nettoyage, rinçage, savon, shampooing.
LAVANDE. Aspic, labiée, lavandin, spic, statice.
LAVER. Baigner, délaver, doucher, lessiver, nettoyer, plonger, rincer.
LAVERIE. Blanchisseur, buanderie, nettoyeur.
LAVEUR. Blanchisseur, lavandier, plongeur, raton.
LAVEUSE. Blanchisseuse, buandière, lavandière, lessivière.
LAWRENCIUM. Lr.
LAXATIF. Cathartique, lavement, purgatif, purge, senne, suppositoire.
LEADER. Article, chef, décideur, directeur, meneur, premier, tête.
LÉCHER. Délecter, fignoler, finir, flatter, licher, polir, soigner, travailler.
LEÇON. Cours, instruction, morale, remontrance, répétition, théorie.
LECTURE. Anagnoste, déchiffrage, décodage, décryptage, liseur.
LÉGAL. Aloi, authentique, cause, droit, juste, loi, moratoire, permis.
LÉGENDE. Conte, fable, fée, folklore, génie, monstre, mythe, saga.
LÉGER. Aérien, agile, allégé, collation, délesté, dispos, égratignure, escarmouche, éthéré, fin, frémissement, gracile, grêle, indisposition, leste, menu, mince, ombre, plume, raté, souple, subtil, vif, volage.
LÉGÈRETÉ. Agilité, caprice, enfantillage, étourderie, facétie, frivolité, futilité, grâce, inconduite, inconsistance, irréflexion, souplesse.
LÉGIFÉRER. Admettre, juger, légaliser, prononcer, régler, statuer.
LÉGION D'HONNEUR. Chevalier, commandeur, croix, officier, troupe.

LÉGISLATEUR. Député, droit, loi, parlement, sénat, sénateur, textes.
LÉGITIME. Admissible, époux, fondé, juste, moitié, motivé, permis.
LEGS. Don, fidéicommis, fondation, héritage, laisser.
LÉGUME. Ail, artichaut, asperge, aubergine, betterave, carotte, céleri, chou, concombre, cresson, endive, épinard, fève, haricot, laitue, lentille, navet, oignon, panais, patate, poireau, pois, poivron, radis, rave, salade, salsifis, scorsonère, tomate.
LÉGUMINEUSE. Ache, arachide, aubergine, bette, céleri, chou, crosne, dolic, ers, fève, gesse, igname, lentille, lotier, lupin, mélitot, mélongène, mimosacée, orobe, palmiste, patate, pois, rave, rumex, rutabaga, salsifis, scorsonère, séné, soja, soya, topinambour, tropogogon, tupa.
LEITMOTIV. Antienne, expression, refrain, répétition, slogan, thème.
LÉMURIEN. Aye-aye, cheiromys, indri, maki, singe.
LENDEMAIN. Après, avenir, conséquence, demain, futur, suite.
LÉNIFIER. Adoucir, alléger, apaiser, atténuer, calmer, diminuer.
LENT. Aï, alangui, âne, arriéré, balourd, calme, flâneur, lambin, long, lourd, mou, nonchalant, paresseux, pou, pressé, tardif, tortue, traînard.
LENTEMENT. Adagio, doucement, gravement, lento, piano, posément.
LENTILLE. Bonnette, ers, Ésaü, fève, focal, iéna, image, lentigo, lorgnon, loupe, lunette, nævus, pois, verre, vesce.
LÉPREUX. Cagot, décrépit, fy, galeux, ladre, maladrerie, scrofuleux.
LEQUEL. Où, que, qui, quoi.
LÉSER. Attenter, blesser, désavantager, noircir, nuire, prétériter, ternir.
LÉSINER. Alène, avare, économiser, mégoter, rogner.
LÉSION. Acné, aphte, blessure, cancer, coronarite, cozarthrie, dommage, dystrophie, engelure, fissure, gelure, granulation, hépatisation, infarctus, lucite, nævus, navel, névrite, papule, plaie, trauma.
LESSIVE. Buandier, buée, lavage, nettoyage, purification, récurage.
LESSIVEUSE. Blanchisseuse, buanderie, laveuse.
LESTE. Agile, alerte, allant, allègre, cru, dispos, fringant, gaillard, guilleret, impoli, léger, libre, osé, preste, raide, souple, vert, vif.
LESTÉ. Alourdi, apige, chargé, lège, plombé, pourvoir.
LÉTHARGIE. Apathie, atonie, inertie, langueur, somnolence, torpeur.
LETTRE. Abc, alphabet, billet, bref, capitale, caractère, épître, initiale, lambda, omicron, message, missive, mot, pi, pli, ro, RSVP, spi, traite, xi.
LETTRE GRECQUE. Alpha (A), aspiré: khi (K), aspiré: phi (P), aspiré: thêta, bêta (B), delta (D), dzeta (Dz), epsilon (E), eta (E), gamma (G), iota (I), kappa (K), khi (K), lambda (L), mu (M), nu (N), oméga (O), omicron (O), phi (P), pi (P), psi (Ps), rho (R), sigma (S), tau (T), thêta (T), upsilon (U), xiksi (Ks).
LEURRE. Amorce, appât, appeau, artifice, devon, duperie, feinte, piège.
LEURRER. Abuser, bercer, berner, bluffer, duper, embobiner, tromper.
LEVAIN. Azyme, bactérie, enzyme, ferment, germe, levure, zymase.
LEVANT. Aurore, crépuscule, échelle, est, île, matin, orient.
LEVÉE. Chaussée, chelem, debout, ôtée, pli, soulèvement, terrasse.
LEVER. Abolir, armer, dresser, élever, hisser, prélever, soupeser.

LEVIER. Aide, anspect, barre, commande, cric, épar, espar, manette, manivelle, pédale, résistance, verdillon.
LÈVRE. Babine, badigoince, balèvre, bord, joue, labium, labre, lippe, masque, moue, moustache, nymphes, ri.
LÉVRIER. Afghan, barzoï, cynodrome, levrette, levron, sloughi.
LEXIQUE. Glossaire, index, jargon, nomenclature, terminologie.
LÉZARD. Basilic, caméléon, gecko, hatteria, iguane, moloch, orvet, reptile, saurien, seps, tipinamais.
LIAISON. Affinité, alliance, attachement, contact, cuir, et, fil, imbrication, lié, lien, nœud, pontage, rapport, suite, uni, union, velours.
LIANE. Cobéa, gnète, gnetum, luffa, rafflesia, strophante, vanillier.
LIBELLER. Écrire, informer, minuter, noter, ponctuer, rédiger, remplir.
LIBELLULE. Aeschne, agrion, demoiselle, odonate.
LIBER. Cambium, teille, tille.
LIBÉRAL. Généreux, large, tolérant, whig.
LIBÉRATEUR. Bienfaiteur, donateur, gratificateur, munificent, sauveur.
LIBÉRATEUR (n. p.). Messie, Moïse.
LIBÉRATION. Amnistie, décharge, émancipation, pécule, rachat, rançon.
LIBÉRER. Affranchir, dégager, délivrer, évader, gracier, quitter, sauver.
LIBERTÉ. Choix, cru, drapeau, droit, esclavage, faculté, franchise, garantie, latitude, libre, licence, né, osé, quittance, servitude.
LIBERTIN. Coquin, dépravé, galant, grivois, leste, libre, licencieux.
LIBRAIRE. Bibliothécaire, bouquiniste, livre, parution.
LIBRE. Affranchi, autonome, familier, franc, hardi, leste, net, vacant.
LICENCE. Agrégation, doctorat, liberté, plaque, permis, permission.
LICENCIEUX. Cru, gras, érotique, immoral, indécent, obscène, polisson.
LICHEN. Apothèse, lécanore, lèpre, mousse, orseille, parmélie, renne, rocella, usnée.
LICORNE. Béluga, cheval, narval.
LIE. Baissière, boue, chère, clique, dépôt, élite, et, fange, limon, populace, précipité, racaille, rebut, résidu, sédiment, vase.
LIEN. Alèse, attache, bande, câble, chaîne, corde, courroie, entrave, et, ficelle, fil, garrot, harde, hart, licou, ligature, mariage, nœud, trait.
LIER. Annexer, attacher, bander, copuler, enchaîner, engager, épaissir, et, ficeler, fixer, joindre, lacer, ligoter, marier, nouer, relier, unir.
LIERRE. Acériphyllum, araliacée, glechma, glécome, hedera.
LIEU. Abreuvoir, abri, aillade, aire, antre, asile, atelier, bagne, bal, berceau, bois, cache, camp, cantine, casino, cellier, chai, chenil, ciel, cimetière, dépôt, écurie, éden, égout, église, emplacement, endroit, enfer, entrepôt, ermitage, escale, étape, fourmilière, gare, gîte, habitat, impasse, issue, jardin, laiterie, latitude, lavoir, local, localité, logement, lointain, magasin, manège, oasis, observatoire, odéon, paradis, parc, patio, pharmacie, poste, pré, prison, promenade, purgatoire, rue, salle, saulaie, séjour, sénat, site, sortie, stade, station, sucrerie, théâtre, tribunal, urinoir, verger.
LIEUTENANT. Adjoint, enseigne, gouverneur, louvetier, lt, second.

LIEUTENANT-GOUVERNEUR GÉNÉRAL DU QUÉBEC (n. p.). Angers, Belleau, Brodeur, Caroll, Caron, Chapleau, Comtois, Fauteux, Fitzpatrick, Fiset, Gagnon, Jetté, Langelier, Lapointe, Leblanc, Masson, Patenaude, Pelletier, Pérodeau, Robitaille, Roux, Saint-Just, Thibault.
LIÈVRE. Bossu, bouquet, bouquin, capucin, garenne, gîte, hase, lagomorphe, lapin, levrault, pedetidae, pikas, relaissé, sumatra, vagir.
LIGATURE. Attache, constriction, lien, ligament, striction.
LIGATURER. Attacher, bander, copuler, enchaîner, engager, épaissir, ficeler, fixer, joindre, lacer, lier, ligoter, nouer, relier, unir.
LIGNE. Alinéa, appât, arête, article, axe, barre, biais, bouchon, contour, droite, galbe, géométrie, gras, gribiche, hachure, infanterie, laisse, poisson, profil, raie, rayure, scion, segment, strie, té, trace, trait.
LIGNÉE. Ancêtre, ascendant, descendant, enfant, race, sang, souche.
LIGOTER. Amarrer, arrêter, attacher, fixer, lacer, lier, nouer, river.
LIGUE. Alliance, bande, coalition, faction, front, parti, union.
LILAS. Mauve, prestonia, sauge, syringa, violet, villosa, vulgaris.
LIMACE. Arion, chamémidé, doris, glaucidé, escargot, limaçon, loche, mollusque, nudibranche, veronicella, vertigo.
LIMAÇON. Cagouille, colimaçon, escargot, gastéropode, limace, oreille.
LIME. Carreau, citron, demi-ronde, fraise, mollusque, râpe, riflard, rifloir, queue-de-rat, tiers-point, user.
LIMITE. Bord, borne, bout, but, cadre, confins, démarcation, étroit, extrémité, fin, front, frontière, ligne, lisière, restreint, rive, terme.
LIMITÉ. Confiné, déficient, démarqué, fini, ltée, restreint, sot.
LIMITER. Border, borner, cadrer, clore, fermer, longer, terminer.
LIMOGER. Balancer, casser, chasser, dégommer, relever, récoquer.
LIMON. Alluvion, argile, boue, citron, dépôt, loess, mancelle, vase.
LIMPIDE. Eau, clair, comprendre, facile, perle, pur, transparent.
LIN. Affinoir, afioume, chanvre, étoupe, filasse, gaze, huile, linceul, linge, linon, pape, rouir, rouissoir, saint, textile, tissu, toile.
LINCEUL. Drap, ensevelir, feu, linge, mort, poêle, sindon, suaire.
LINGE. Amict, bande, dessous, drap, essuie-main, essuie-tout, linceul, lingerie, nappe, nouet, sous-vêtement, toile, trousseau, voile.
LINGOT. Barre, culot, lingotière, or.
LINIMENT. Baume, embrocation, onguent, pommade, vaseline.
LINOTTE. Distrait, écervelé, étourdi, frivole, passereau, sizerin, tête.
LION. Affection, crinière, fauve, licube, lionceau, muflier, otarie, pissenlit, queue, roi, tigre, tigron, tueur, zodiaque.
LION (n. p.). Androclès, Belfort, Lion-sur-Mer, Némée, Saint-Marc.
LIPIDE. Lécithine, thixotropie.
LIQUÉFIER. Dégeler, diluer, dissoudre, fondre, infuser, souder.
LIQUEUR. Absinthe, alcool, alkermès, anisette, apéritif, arec, bitter, boisson, cassis, chartreuse, citronnelle, cognac, crème, curaçao, digestif, eau-de-vie, élixir, essence, marasquin, pastis, punch, ratafia, rogomme, sirop, sépia, spiritueux, suc, vespetro, vin.
LIQUIDATION. Braderie, faillite, partage, solde, suppression, vente.

LIQUIDE. Bile, boisson, boue, lait, eau, encre, essence, exsudat, flot, fondue, huile, humeur, jus, lait, larme, latex, mélasse, nectar, purin, pus, rasade, ruisseau, sang, sérosité, sérum, sève, sirop, sperme, suc, sueur, tisane, urine, venin, vesou.

LIQUIDER. Abattre, crever, finir, nettoyer, noyer, réaliser, tuer, vendre.

LIRE. Dévorer, épeler, étudier, évasion, lecteur, réciter, relire, revoir.

LIS. Acore, alstroemère, amabile, amaryllis, américain, asiatique, auratum, aurélien, concolor, candidum, cardiocrinum, hémérocalle, liliacée, lilium, lys, martagon, nénuphar, oriental, ponticum, pumilum, regale, rhodopacum, speciosum, sprekelia, tigré, tigrinum, trompette, versicolor.

LISERON. Arvensis, calystegia, convolvulacée, convolvulus, daurica, japon, pubescens, scammonia, sepium, siculus, soldanella, tuguriorum, vrillée.

LISIÈRE. Bord, bordure, borne, haie, lé, limite, orée, mur, rain, ruilée.

LISSE. Calandré, crépi, luisant, net, plan, plat, poli, rambarde, ras, uni.

LISSER. Briller, chatoyer, dorer, éblouir, lustrer, polir, reluire, vernir.

LISTE. Annuaire, carte, catalogue, compte, errata, état, inventaire, menu, nécrologie, palmarès, répertoire, rôle, série, tableau, tarif.

LIT. Alèse, ber, chevet, ciel, coite, couchette, couchis, couette, divan, dodo, drap, épi, grabat, hamac, jar, jard, justice, lire, litière, pageot, pieu, procuste, pucier, mariage, ravin, ru, ruelle, ruisseau, sofa, sultane.

LITHIUM. Li, lithine.

LITIGE. Affaire, arbitrage, contentieux, contestation, dispute, médiation.

LITTÉRATURE. Auteur, critique, écrit, idée, lettres, navet, nègre, page.

LITTORAL. Baie, berge, bord, cote, grève, marée, plage, quai, rive.

LITTORINE. Bigorneau, jocasse.

LITURGIE. Abbé, camerlingue, calice, canon, cérémonie, ciboire, clerc, culte, dom, éminence, frère, hostie, intronisation, investiture, ite, ordo, ordre, pape, père, prêtre, prieuré, religion, rit, rite, sacerdotal, synode.

LIVIDE. Blafard, blanc, blême, exsangue, hâve, pâle, terreux, vert.

LIVRE. Abécédaire, album, annales, anthologie, apologie, atlas, autobiographie, bible, biographie, bouquin, bréviaire, chiffrier, code, conte, coran, dictionnaire, écrit, encyclopédie, feuille, florilège, genèse, grimoire, guide, heure, journal, kilo, lancement, lb, libraire, livret, mémoire, missel, nombre, nouveauté, œuvre, ouvrage, page, pamphlet, posthume, roman, souvenir, syllabaire, talmud, tobie, tome, volume.

LIVRER. Céder, confier, donner, faire, fournir, lâcher, rendre, trahir.

LIVRET. Abécédaire, album, annales, anthologie, apologie, atlas, autobiographie, bible, biographie, bouquin, bréviaire, chiffrier, code, conte, coran, dictionnaire, écrit, encyclopédie, feuille, florilège, genèse, grimoire, guide, heure, journal, kilo, lancement, lb, libraire, livre, mémoire, missel, nombre, nouveauté, œuvre, ouvrage, page, pamphlet, posthume, roman, souvenir, syllabaire, talmud, tobie, tome, volume.

LOBE. Auricule, cotylédon, occipital, lèvre, lobectomie, tennis.

LOCAL. Bal, baraque, chambre, laboratoire, poste, remise, salle, serre.

LOCALISER. Borner, circonscrire, délimiter, limiter, mesurer, repérer.
LOCALITÉ. Bled, canton, cité, endroit, lieu, municipalité, village, ville.
LOCALITÉ, ALGÉRIE (n. p.). Arris, Bône, Boufarik, Collo, Dellys, Frenda, Kerrata, Marnia, Mila, Oran, Sétif, Tablat, Ténès, Vialar.
LOCALITÉ, ALLEMAGNE (n. p.). Aalan, Berlin, Bonn, Brême, Cologne, Dachau, Duren, Dusseldorf, Ems, Essens, Frankort, Freiberg, Gutersloh, Hagen, Hambour, Hanovre, Hildesheim, Hof, Lutzen, Munich, Munster, Nordhausen, Nuremberg, Ratisbonne, Stuttgart, Ulm, Witten, Worms, Zeitz.
LOCALITÉ, ANGLETERRE (n. p.). Bath, Bedford, Bolton, Bristol, Bury, Cambridge, Carlisle, Chatham, Chelsea, Chester, Deal, Derby, Durham, Eton, Gloucester, Greenwich, Hove, Lancaster, Liverpool, Londres, Manchester, Norwich, Nottingham, Oxford, Preston, Richmond, Salford, Salisbury, Sheffield, Stafford, Taunton, Wakefield, Wells, Wimbledon, Winchester, Worcester, York.
LOCALITÉ, BELGIQUE (n. p.). Alost, Anvers, Bruges, Dison, Gand, Geel, Liège, Mons, Namur, Olen, Spa, Ypres.
LOCALITÉ, CANADA (n. p.). Brandon, Calgary, Chatham, Cornwall, Dartmouth, Edmonton, Edmunston, Fredericton, Guelph, Halifax, Hamilton, Kingston, Kitchener, London, Moncton, Oshawa, Regina, Sarnia, Saskatoon, Saint-Jean, Stratford, Sudbury, Timmins, Toronto, Trenton, Vancouver, Victoria, Welland, Winnipeg, Windsor.
LOCALITÉ, ESPAGNE (n. p.). Astorga, Barcelone, Cadix, Grenade, Irun, Jaca, Linares, Lugo, Mieres, Reus, Séville, Soria, Tolède, Valence, Vich, Vigo.
LOCALITÉ, ÉTATS-UNIS (n. p.). Albany, Baltimore, Boston, Buffalo, Cambridge, Cheyenne, Chicago, Cincinnati, Cleveland, Concord, Dallas, Denver, Detroit, Erie, Hartford, Houston, Manchester, Memphis, Miami, Mobile, Montpelier, New York, Oakland, Pasadena, Phoenix, Pittsburgh, Portland, Providence, Reno, Sacramento, Salem, Seattle, Tampa, Toledo, Troy, Tucson, Tulsa, Washington, Wichita.
LOCALITÉ, FRANCE (n. p.). Albertville, Allos, Arcachon, Barcelonnette, Barrême, Bordeaux, Boulogne, Brest, Briançon, Caen, Cannes, Carcassonne, Castellane, Chamonix, Châtel, Clermont, Cluse, Colmar, Courchevel, Coutances, Dax, Dieppe, Dijon, Dinan, Draguignan, Évreux, Fréjus, Gap, Guillestre, Guingamp, Isola, La Rochelle, Lacanau, Laragne, Le Mans, Lille, Lyon, Malijai, Marseille, Mimizan, Modane, Montpellier, Morlaix, Nancy, Nantes, Nice, Nîmes, Oraison, Paris, Perpignan, Reims, Renne, Royan, Saint-Étienne, Saint-Malo, Saint-Nazaire, Saint-Tropez, Sisteron, Termignon, Tignes, Toulon, Toulouse, Tour, Val d'Isère, Valence, Valmorel.
LOCALITÉ, GRÈCE (n. p.). Argos, Arta, Drama, Patras, Thèbes, Tripolis, Volo, Xanthi.
LOCALITÉ, HONGRIE (n. p.). Baja, Eger, Sopron, Vac.
LOCALITÉ, INDE (n. p.). Agra, Calcutta, Delhi, Ellora, Mahé, Madras, Salem.

LOCALITÉ, ITALIE (n. p.). Adria, Asti, Bari, Bologne, Cagliari, Côme, Florence, Foligno, Gela, Gênes, Imola, Lecco, Milan, Monza, Naples, Padoue, Palerme, Parme, Pise, Rivoli, Salerne, Sienne, Turin, Venise, Vérone.

LOCALITÉ, JAPON (n. p.). Akita, Gifu, Hiroshima, Kobe, Kure, Kyoto, Nagasaki, Nagoya, Osaka, Sakai, Saporo.

LOCALITÉ, MEXIQUE (n. p.). Acapulco, Leon, Mérida, Mexico, Oaxaca, Puebla, Queretaro, Toluca, Veracruz.

LOCALITÉ, NIGERIA (n. p.). Nok.

LOCALITÉ, PAKISTAN (n. p.). Sui.

LOCALITÉ, PAYS-BAS (n. p.). Bergen, Breda, Delf, Ede, Pernis, Zeist.

LOCALITÉ, PÉROU (n. p.). Cuzco, Lime, Tacna.

LOCALITÉ, POLOGNE (n. p.). Bytom, Cracovie, Gdansk, Plock, Pila, Prague.

LOCALITÉ, PORTUGAL (n. p.). Béja, Faro, Porto, Tomar.

LOCALITÉ, QUÉBEC (n. p.). Acton Vale, Alma, Amos, Ancienne-Lorette, Anjou, Arthabaska, Arvida, Asbestos, Amqui, Ascot, Aylmer, Bagotville, Baie-Comeau, Batiscan, Beaconsfield, Beauceville, Beauharnois, Beauport, Bécancour, Bellefeuille, Beloeil, Bernières, Berthierville, Blainville, Boisbriand, Bois-des-Filion, Boucherville, Brossard, Buckingham, Candiac, Cap-de-la-Madeleine, Cap-Rouge, Carignan, Cartierville, Causapscal, Coaticook, Chambly, Charlemagne, Charlesbourg, Charny, Châteauguay, Chelsea, Chibougamau, Chicoutimi, Coaticook, Contrecoeur, Côte-Saint-Luc, Cowansville, Daveluyville, Delson, Deux-Montagnes, Dolbeau, Dollard-des-Ormeaux, Donnacona, Dorion, Dorval, Drummondville, East Angus, Farnham, Fleurimont, Gaspé, Gatineau, Granby, Grand-Mère, Greenfield Park, Hampstead, Hemmingford, Hull, Huntingdon, Iberville, Île-Perrot, Joliette, Jonquière, Kahnawake, Kénogami, Kirkland, La Baie, L'Acadie, Lachenaie, Lachine, Lachute, Lac-Mégantic, Lac-Noir, Lac-Saint-Charles, Lafontaine, La Pêche, La Plaine, Laprairie, La Sarre, LaSalle, L'Assomption, La Tuque, Lauzon, Laval-des-Rapides, Laval, Le Gardeur, LeMoyne, Lennoxville, Lévis, L'Islet, Longueuil, Loretteville, Lorraine, Louiseville, Macamic, Magog, Marieville, Mascouche, Masson-Angers, Matane, Mégantic, Mercier, Mirabel, Mistassini, Montebello, Mont-Joli, Mont-Laurier, Montmagny, Mont-Royal, Mont-Saint-Hilaire, Montréal, Montréal-Nord, Neuville, New-Carlisle, Nicolet, Noranda, Notre-Dame-de-l'Île-Perrot, Notre-Dame-des-Prairies, Otterburn Park, Outremont, Papineauville, Pierreville, Pincourt, Pintendre, Plessisville, Pointe-Claire, Pointe-aux-Trembles, Pointe-du-Lac, Port-Alfred, Port-Cartier, Portneuf, Prévost, Princeville, Québec, Rawdon, Repentigny, Richmond, Rigaud, Rimouski, Rivière-du-Loup, Roberval, Rock Forest, Roquemaure, Rosemère, Rouyn, Roxboro, Saint-Amable, Saint-Antoine, Saint-Athanase, Saint-Augustin-Desmaures, Saint-Basile-le-Grand, Saint-Césaire, Saint-Charles-Borromée, Saint-Bruno-de-Montarville, Saint-Chrysostôme, Saint-Constant, Saint-Émile, Saint-Étienne-de-Lauzon,

Saint-Eustache, Saint-Félicien, Saint-François-du-Lac, Saint-Georges, Saint-Hubert, Saint-Hyacinthe, Saint-Jean-sur-Richelieu, Saint-Jean-Deschaillons, Saint-Jérôme, Saint-Joseph-d'Alma, Saint-Joseph, Saint-Joseph-de-Sorel, Saint-Jovite, Saint-Lambert, Saint-Lazare, Saint-Léonard, Saint-Lin, Saint-Louis-de-France, Saint-Luc, Saint-Nicéphore, Saint-Nicolas, Saint-Ours, Saint-Pierre-aux-Liens, Saint-Raphaël-de-l'Île-Bizard, Saint-Rédempteur, Saint-Rémi, Saint-Romuald, Saint-Timothée, Saint-Tite, Saint-Vincent-de-Paul, Sainte-Agathe-des-Monts, Sainte-Anne-de-Beaupré, Sainte-Anne-de-Bellevue, Sainte-Anne-de-la-Pérade, Sainte-Anne-de-la-Pocatière, Sainte-Anne-des-Monts, Sainte-Anne-des-Plaines, Sainte-Catherine, Sainte-Julie, Sainte-Julienne, Sainte-Foy, Sainte-Marie, Sainte-Marthe-sur-le-Lac, Sainte-Marthe-du-Cap, Sainte-Rose, Sainte-Sophie, Sainte-Thérèse, Salaberry-de-Valleyfield, Senneterre, Sept-Îles, Shawinigan, Sherbrooke, Sillery, Sorel, Stanstead, Sweetsburg, Témiscamingue, Terrebonne, Thetford-Mines, Tracy, Trois-Pistoles, Trois-Rivières, Val-Bélair, Val-des-Monts, Val-d'Or, Valleyfield, Vanier, Varennes, Vaudreuil, Verchères, Verdun, Victoriaville, Waterloo, Westmount, Windsor.

LOCALITÉ, ROUMANIE (n. p.). Arad, Bacau, Brashov, Craiova, Sibiu, Turda.

LOCALITÉ, SUÈDE (n. p.). Boras, Calmar, Falun, Upsal.

LOCALITÉ, SUISSE (n. p.). Bâle, Berne, Fribourg, Genève, Lausanne, Montreux, Orbe, Sion, Tène, Wil, Zoug, Zurich.

LOCALITÉ, TUNISIE (n. p.). Béja, Gabes, Gafsa, Nabeul, Sousse, Stax.

LOCALITÉ, TURQUIE (n. p.). Adana, Antioche, Kars, Van.

LOCALITÉ, URUGUAY (n. p.). Montevideo, Salto.

LOCALITÉ, VENEZUELA (n. p.). Caracas, Maracay, Valencia.

LOCALITÉ, VIETNAM (n. p.). Dalat, Hanoï, Hue, Saïgon.

LOCALITÉ, YOUGOSLAVIE (n. p.). Ohrid, Pula, Raguse, Sarajevo, Senta, Split, Zagreb.

LOCHE. Barbote, chamémidé, doris, glaucidé, escargot, limace, mollusque, nudibranche, veronicella, vertigo.

LOCOMOTION. Circulation, déplacement, transport, voiture.

LOCOMOTIVE. Automotrice, bécane, coucou, machine, motrice, train.

LOCUTION. Cor, cri, dia, go, hoc, hue, instar, leu, quia, ric, rac, tac, visu.

LOGE. Avant-scène, box, cabane, cage, cellule, franc-maçon, gîte, habite, maçon, maison, niche, pièce, Rome, stalle, temple, vigie.

LOGEMENT. Demeure, domicile, gamelans, gîte, habitation, loge, logis, maison, nid, pénates, piaule, piôle, repaire, séjour, studio, taudis.

LOGER. Caser, habiter, jucher, gîter, louer, meubler, occuper, placer.

LOGIQUE. Argument, cartésien, cohérent, exact, raison, rhétorique.

LOGIS. Gamelans, habitation, loge, nid, piaule, piôle, repaire, taudis.

LOI. Acte, arrêt, caon, code, délit, droit, édit, fuero, lustice, légal, norme, omerta, ordonnance, règle, règlement, ripuaire, salique, thora.

LOIN. Bannir, écarté, éliminé, éloigné, étendre, évincé, là-bas, lointain, pérégrination, perpète, près, récente, reculé.

LOINTAIN. Arrière, éloignement, fond, horizon, loin.
LOIRE, CHÂTEAU (n. p.). Amboise, Anet, Angers, Azay-le-Rideau, Chambord, Chaumont, Chenonceaux, Cheverny, Chinon, Langeais, Loches, Ussé, Valençay, Villandry.
LOMBRIC. Ver.
LONG. Bordure, canapé, durable, échasse, étendu, grand, macro, maxi.
LONGER. Escorter, ester, filer, pister, ranger, serrer, suivre, talonner.
LONGTEMPS. Autrefois, depuis, interminable, lurette, piéça, tant, vieux.
LONGUE. Géminée, finalement, haleine, surdent, taillade, tard.
LONGUEUR. Cheviotte, encablure, mesure, pas, pied, pige, toué, verge.
LOQUACE. Ara, avocat, bavard, causeur, commère, crécelle, discret, indiscret, jacasseur, margot, orateur, pie, silencieux, taciturne.
LOQUE. Déchet, décombres, épave, guenille, haillon, lagan, ruine.
LORGNER. Briguer, désirer, envier, guigner, mirer, viser, vouloir.
LORSQUE. Alors, comme, lors, moment, où, quand.
LOSANGE. Carreau, fusée, géométrie, macle, polka, rhombe.
LOT. Allotir, amas, apanage, destinée, gros lot, hasard, part, partage.
LOTERIE. Bingo, hasard, loto, sweepstake, tirage, tombola, totocalcio.
LOTO. Bingo, hasard, perfecta, quaterne, quine, sweepstake, tombola.
LOTTE DE MER. Baudroie.
LOTUS. Nélombo, nénuphar, nymphéa.
LOUABLE. Bonté, digne, flatterie, gloire, habileté, méritoire, rang, vertu.
LOUAGE. Amodiation, bail, cession, ferme, fret, location.
LOUANGE. Admiration, adulation, approbation, cajolerie, dithyrambe, éloge, encens, flatteur, idole, los, louer, panégyrique, prôner, vanter.
LOUCHE. Ambigu, bigle, cuiller, oblique, suspect, strabisme, torve.
LOUCHER. Bigler, cuiller, guicher, incliner, pencher, suspecter, voir.
LOUER. Approuver, célébrer, complimenter, encenser, flatter, fréter, glorifier, louanger, magnifier, noliser, porter, prêter, prôner, vanter.
LOUFOQUE. Anormal, baroque, bigarré, cocasse, comique, curieux, drôle, étrange, farfelu, hétéroclite, inouï, insolite, lunatique, saugrenu, spécial.
LOUIS (n. p.). Cyr, Napoléon.
LOUP. Bar, carnassier, cervier, chien, clôture, erreur, fossé, haha, hurler, leu, lioube, loubine, louve, louveteau, masque, muflier, pinnopède, poisson, saint, ysengrin.
LOUPE. Compte-fils, gemme, kyste, lentille, nodosité, rate, tumeur.
LOUPER. Défaillir, échouer, faillir, gâcher, manquer, négliger, rater.
LOURD. Brut, dense, épais, grossier, matériel, pesant, pilum, sévère.
LOURDAUD. Ballot, balourd, butor, cruche, enflé, niais, pénible, stupide.
LOUSTIC. Blagueur, farceur, gaillard, lascar, numéro, plaisantin, titi.
LOUTRE. Belette, épreinte, ondatra, otarie.
LOUVE. Anspect, levier, moufle, palan.
LOUVOYER. Biaiser, fausser, obliquer, ruser, tergiverser, tournoyer.
LOVER. Blottir, enrouler, gléner, pelotonner, recroqueviller, rouler.
LOYAL. Ami, correct, dévot, dévoué, droit, féal, fidèle, fourbe, franc, honnête, régulier, sincère, sûr, trigaud, vrai.

LOYAUTÉ. Droiture, fidélité, foi, franchise, honnêteté, perfidie, rondeur.
LOYER. Fernage, intérêt, montant, prix, taux, terme, valeur.
LUBIE. Accès, arbitraire, boutade, caprice, chimère, dada, fantaisie, folie, frasque, gré, idée, lune, marotte, mode, na, plaisir, rat, tocade.
LUBRIFIER. Cirer, graisser, huiler, oindre.
LUBRIQUE. Bacchante, concupiscent, lascif, luxurieux, salace, vicieux.
LUCARNE. Fenêtre, imposte, judas, œil-de-bœuf, ouverture, tabatière.
LUCRATIF. Aubaine, avantage, bénéfice, bon, filon, gain, payant, profit.
LUETTE. Staphylin, uvule.
LUEUR. Aube, aurore, éclair, éclat, clarté, halo, lumière, lustre, rayon.
LUGUBRE. Funèbre, glauque, macabre, mortuaire, sinistre, sombre.
LUI. Elle, Éon, il, se, soi.
LUIRE. Briller, chatoyer, cirer, dorer, éblouir, lustrer, reluire, vernir.
LUISANT. Étincelant, lampyre, lumineux, lustré, poli, rutilant.
LUMEN. Lm.
LUMIÈRE. Aurore, clarté, clé, crépuscule, éclairé, éclat, éclos, feu, génie, jour, lampe, lueur, lux, né, ouverture, savant, soleil, uriel, vie.
LUMINEUX. Aveuglant, clair, éblouissant, éclatant, radieux, splendide.
LUNAIRE. Monnaie-du-pape.
LUNE. Conjoncture, dichotomie, gable, lunaison, môle, mythologie, néoménie, rêve, sélénien.
LUNETTE. Barnique, binocle, cobra, conserve, jumelle, longue-vue, lorgnon, lorgnette, microscope, naja, oculaire, os, télescope, verres.
LUPANAR. Bordel.
LUSTRE. Âge, an, brillant, cati, clinquant, écati, éclat, écru, feu, fleur, fraîcheur, glacé, gloire, lampadaire, panache, pendeloque, poli.
LUSTRER. Apprêter, briller, calandrer, catir, cirer, dorer, éblouir, frotter, glacer, laquer, lisser, moirer, peaufiner, polir, satiner, vernir.
LUTÉCIUM. Lu.
LUTH. Cistre, guitare, lyre, mandoline, mandore, théorbe.
LUTHIER (n. p.). Amati.
LUTIN. Espiègle, farfadet, génie, gnome, loup-garou, sylphe, troll.
LUTIN (n. p.). Kobold.
LUTTE. Bagarre, boxe, catch, combat, grève, jiu-jitsu, joute, judo, karaté, lice, mêlée, pancrace, prise, pugilat, querelle, savate, sumo.
LUTTER. Bagarrer, combattre, débattre, disputer, résister, rivaliser.
LUXATION. Déboîtement, désarticulation, dislocation, entorse.
LUXE. Apparat, élégance, faste, grandeur, parure, pompe, richesse.
LUXURE. Blessure, cynisme, débauche, dépravation, érotisme, laciveté, lubricité, orgie, sensualité, stupre, vice, volupté.
LUZERNE. Falcata, légumineuse, lupuline, medicago, minette, sainfoin, sativa.
LYCÉEN. Cégépien, collégien, écolier, élève, étudiant, externe, potache.
LYCOPODE. Cernuum, cryptogame, diphasium, hookeri, huperzia, lepidotis, lycopodiacée, lycopodium, phlegmaria, taxifolium.

LYNX. Caracal, carnassier, chat sauvage, félidé, felis, loup-cervier, pardinas, roux.
LYRE. Cithare, Érato, harpe, heptacorde, luth, ménure, pentacorde, poésie, psaltérion, tétracorde, vina.
LYRISME. Ardeur, chaleur, enthousiasme, luth, passion, poésie.
LYS. Acore, alstroemère, amabile, amaryllis, américain, asiatique, auratum, aurélien, concolor, candidum, cardiocrinum, hémérocalle, liliacée, lilium, lys, martagon, nénuphar, oriental, ponticum, pumilum, régale, rhodopacum, speciosum, sprekelia, tigré, tigrinum, trompette, versicolor.
LYSERGIQUE. Acide, LSD, lysercamide.
LYSOZYME. Enzyme.
LYTHRUM. Lysimaque rouge, salicaire.

M

M. Cinq.
MABOUL. Aliéné, bizarre, cinglé, dingue, idiot, fou, sonné, timbré, toqué.
MACABRE. Funèbre, glauque, lugubre, mortuaire, sinistre, sombre.
MACADAM. Asphalte, bitume, chaussée, goudron, tarmacadam.
MACAQUE. Affreux, magot, moche, rhésus, singe, vilain.
MACCHABÉE. Cadavre, carcasse, charogne, corps, momie, mort, pendu.
MACÉRER. Crucifier, humilier, infuser, mater, mortifier, rouir, tremper.
MÂCHE. Doucette, fer, rampon.
MÂCHER. Broyer, chiquer, manger, mastiquer, mâchonner, manger, mastiquer, préparer, remâcher, ruminer, triturer.
MACHIN. Bidule, bricole, chose, gadget, objet, truc.
MACHINATION. Agissement, calcul, complot, conspiration, intrigue, manège, manigance, manœuvre, objectif, organisation, projet.
MACHINE. Appareil, carde, cisaille, engin, hellébore, laminoir, métier, moulin, outil, pelle, poinçonneuse, presse, riveteuse, semoir, truc.
MACHINER. Arranger, bâcler, bâtir, brasser, but, calculer, chercher, combiner, comploter, concerter, conspirer, élaborer, exécuter, faire, forger, imaginer, intriguer, inventer, manigancer, méditer, organiser, préméditer, préparer, projeter, ruminer, spéculer, tramer.
MACHINISTE. Chauffeur, conducteur, mécanicien, mécano.
MÂCHOIRE. Âne, barres, bouche, carnassière, clavier, dent, denture, étau, ganache, mandibule, margoulette, mors, prognathe, Samson.
MÂCHONNER. Broyer, chiquer, dire, mâcher, manger, mordre, ruminer.
MAÇON. Bâtisseur, franc, frangin, frère, limousin, loge, orient.
MAÇONNERIE. Bâtiment, bétonnage, butée, cheminée, créneau, four, fourneau, jetée, joint, mur, ope, paroi, pile, quai, travertin, voûte.
MACULER. Baver, crotter, oblitérer, salir, souiller, tacher, teindre.
MADAME. Mme.
MADAGASCAR (n. p.). Hova, Madécasse, Malgache, Sakalave.
MADELEINE. Pêche, poire, prune, raisin.

MADEMOISELLE. Fille, libellule, miss, mlle.
MADONE. Vierge.
MADRIER. Chevron, colombage, croisillon, entretoise, poutre, solive.
MAGASIN. Agence, bazar, boutique, commerce, débit, dépôt, échoppe, entrepôt, épicerie, ganterie, librairie, marché, officine, salon, soute.
MAGE. Astrologie, devin, gnose, magicien, magie, zoroastre.
MAGE (n. p.). Balthazar, Gaspard, Melchior.
MAGICIEN. Aymon, cire, enchanteur, fée, mage, merlin, prestigitateur.
MAGICIEN (n. p.). Beaulne, Bergeron, Boucher, Cailloux, Choquette, Cloutier, Copperfield, Couture, Desmarais, Désy, Frédo, Gendron, Laramée, Major, Marotte, Medée, Merlin, Outerbridge, Paquette, Petit, Talbi, Vendette.
MAGISTRAT. Arabe, bourgmestre, couirs, échevin, fonctionnaire, juge, jurat, maire, polémarque, prévarication, robe, robin, toque, tribun.
MAGISTRAT FRANÇAIS (n. p.). Brisson, Dupin, Fouquier-Tinville, Harley, Talon, Thou.
MAGISTRAT GREC (n. p.). Archonte, Ephores, Thesmothète.
MAGNANIME. Clément, cœur, généreux, grand, noble.
MAGNAT. Baron, bonze, mandarin, notable, personnalité, vedette.
MAGNÉSIUM. Mg.
MAGNÉTISER. Aimanter, charmer, fasciner, hypnotiser, suggérer.
MAGNIFIQUE. Admirable, beau, belle, merveilleux, noble, splendide.
MAGOT. Crapaud, crapoussin, macaque, nain, sapajou, singe, trésor.
MAHOMET. Chérif, émir, Omar, musulman.
MAIGRE. Amaigri, amenuisé, aminci, cachectique, carcan, carcasse, décharné, émaciation, étique, étisie, grêle, marasme, mince, sec.
MAIGRIR. Amaigrir, amincir, dépérir, dessécher, fondre, mincir.
MAILLE. Anneau, boucle, chaînon, filet, maillon, monnaie, tamis.
MAILLET. Croquet, hutinet, mail, mailloche, marteau, polo.
MAILLOT. Camisole, chandail, couche, débardeur, gilet, string, tricot.
MAIN. As, atout, bote, calligraphe, carpe, chiromancie, chirurgie, dextre, écriture, façon, feuille, fion, gant, manuel, menotte, papier, patte, paume, pied, poing, poignée, posséder, roi, tenir, thénar.
MAINMISE. Ascendant, empire, emprise, influence, pouvoir, saisie.
MAINTENANT. Actuellement, aujourd'hui, déjà, or, ores, présentement.
MAINTENIR. Affirmer, coller, conserver, continuer, déjà, empoigner, enfermer, lacer, or, ores, retenir, river, serrer, séquestrer, tenir.
MAINTIEN. Air, allure, apparence, aspect, attitude, carrure, comportement, conduite, contenance, démarche, façon, figure, ligne, mine, mise, port, posture, prestance, soutien, tenue, ton, tournure, unir.
MAIRE. Alcade, bailli, bourgmestre, chef, échevin, édile, gouverneur, magistrat, municipalité, village.
MAISON. Âtre, baraque, bercail, bicoque, bastide, cambuse, cassine, chalet, coron, couvent, domicile, école, ermitage, famille, foyer, habitation, hôtel, gîte, institution, isba, logis, lupanar, maisonnette, mas, masure, ménage, nid, pension, soue, toit, tripot, villa.

MAÎTRE. Avocat, censeur, éducateur, élève, enseignant, grade, hôtel, instituteur, officier, pouvoir, roi, seigneur, virtuose, volonté.
MAÎTRESSE. Adultère, amante, concubine, favorite, liaison, passion.
MAÎTRISER. Art, dominer, dompter, église, pouvoir, vaincre, volonté.
MAJEUR. Fort, grand, grave, gros, important, ordre, urgent, vital.
MAJOR. Armée, cacique, chef, grade, premier.
MAJORATION. Augmentation, élévation, hausse, malus, montée.
MAJORER. Amplifier, enfler, gonfler, rehausser, relever, revaloriser.
MAJORITÉ. Âge, élu, mineur, nombre, plébiscite, plupart, quorum.
MAL. Douleur, fléau, louper, maladroit, malheur, mauvais, odontalgie.
MALADIE. Acné, anémie, angine, asthme, avimonose, brucellose, carie, choléra, chorée, cirrhose, coqueluche, dartrose, dermatose, diabète, diphtérie, dysenterie, eczéma, endémie, épilepsie, fièvre, frisolée, furonculose, gale, glaucome, grippe, hémogénie, herpès, lèpre, leucémie, malaria, méningite, mosaïque, muguet, néphrite, névrose, oreillons, ozène, paludisme, peste, phtiriasis, poliomyélite, psychose, rage, rhumatisme, rougeole, rubéole, typhus, scarlatine, schizophrénie, scorbut, sida, syphilis, tabès, teigne, tétanos, tuberculose, typhoïde, typhus, varicelle, variole, xérodermie, zona.
MALADIF. Chétif, faible, fluet, frêle, infirme, menu, pâle, souffrant.
MALADRESSE. Bévue, bourde, erreur, faute, gaffe, gaucherie, impair.
MALADROIT. Empoté, gauche, inapte, lourd, malhabile, pataud.
MALAISE. Angoisse, difficile, embarras, ennui, gêne, honte, incommoder, inconfort, indisposition, laborieux, mal, mésaise, nausée.
MALAXER. Manipuler, mélanger, mêler, pétrir, presser, triturer.
MALCHANCE. Déveine, guigne, malheur, mésaventure, poisse.
MALCHANCEUX. Guignard, infortuné, miséreux, soucieux, veinard.
MÂLE. Bélier, bouc, cerf, coq, daim, fils, jars, mari, taureau, viril.
MALÉDICTION. Anathème, blâme, exécration, fatalité, sort, vœu.
MALÉFICE. Charme, destin, hasard, magie, malheur, sort, sortilège.
MALENTENDU. Ambiguïté, confusion, équivoque, erreur, méprise.
MALFAISANT. Acariâtre, acerbe, affreux, agressif, amer, bienveillant, bon, brutal, cruel, excellent, malicieux, malin, mauvais, pervers.
MALFAITEUR. Apache, bandit, coquin, ennemi, escroc, mafia, voleur.
MALHEUR. Accident, adversité, affliction, calamité, cataclysme, catastrophe, chagrin, fatalité, fléau, funeste, glas, malchance, tocsin.
MALHONNÊTE. Bandit, crapule, déloyal, indélicat, véreux, vilain, voleur.
MALICE. Diablerie, espièglerie, méchanceté, saloperie, vacherie.
MALICIEUX. Coquin, espiègle, mauvais, mutin, narquois, roublard.
MALIGNE. Fatale, lymphome, mortelle, mycosis, séminome.
MALIN. Adroit, astucieux, combinard, débrouillard, dégourdi, déluré, diable, fin, finaud, futé, lascar, narquois, renard, rusé, sournois.
MALINGRE. Chétif, débile, fragile, frêle, maladif, rachitique.
MALLE. Bagage, caisse, chapelière, coffre, colis, mallette, valise.
MALLÉABLE. Doux, élastique, liant, maniable, mou, obéissant, souple.
MALMENER. Battre, brutaliser, danser, huer, lapider, molester, railler.

MALODORANT. Fétide, infection, méphitique, nauséabond, puant.
MALOTRU. Butor, goujat, grossier, malapris, malpoli, mufle, rustre.
MALPROPRE. Cochon, crasseux, infâme, salaud, sale, sordide, souillon.
MALSAIN. Égrotant, impur, insalubre, morbide, pourri, souffreteux.
MALTRAITÉ. Brimé, dépourvu, gueux, indigent, mendiant, pauvre.
MALTRAITER. Battre, brimer, houspiller, rudoyer, tirailler, tourmenter.
MALVEILLANCE. Animosité, critique, haine, malfaçon, méchanceté.
MALVEILLANT. Acerbe, aigre, brutal, cruel, haineux, méchant, vilain.
MAMAN. Fille, frère, maternel, mère, nourrice, parent, sœur, tante.
MAMELLE. Mamelon, pis, poitrine, sein, tétine, téton, trayon.
MAMMIFÈRE. Aï, âne, cerf, chameau, chevreuil, daim, élan, furet, glouton, gorille, guépard, hermite, hippopotame, hyène, labre, lama, lapin, lièvre, lion, loup, loutre, marsouin, martre, morse, mouffette, mufle, musaraigne, musc, ocelot, orignal, otarie, ours, primate, puma, rat, ratel, renne, rongeur, suisse, tatou, tapir, taupe, tigre, unau, xénarthre, zèbre, zébu.
MAMMIFÈRE CARNIVORE. Aï, belette, blaireau, caracal, chacal, chat, chaus, chien, civette, coati, colocolo, coyote, créodonte, dhole, édenté, ermine, euphère, félidé, fennec, fossa, fossane, fourmillier, furet, kodlkod, léopard, linsang, lion, loup, loutre, lycaon, lynx, mangouste, manul, martre, mouffette, ocelot, ours, panda, pangolin, panthère, paresseux, pichi, protèle, puma, putois, ratel, raton, renard, serval, suricate, tamanoir, tatou, tayra, tigre, unau, vison, xenarthre, zibeline, zorille.
MAMMIFÈRE MARIN. Balaenidae, balaenopteriae, baleine, béluga, cachalot, céphalorhynque, cétacé, dauphin, delphinapterus, delphinidae, dogong, éléphant de mer, eschrichtidae, faux-orgue, gammare, globicéphale, hypéroodon, inie, krill, lagénorhynque, lamantin, léopard de mer, lion de mer, marsouin, mésoplodon, monodontidae, morse, mysticeti, narval, odobenidae, odontocète, orcelle, orgne, otarie, phocidae, phoque, physeteridae, physeter, pinnipedia, pinnipède, platanistidae, rhytine, rorqual, sotalie, souffleur, sténo, tasmacète, veau marin, ziphiidae.
MAMMIFÈRE PRIMATE. Apelle, avahi, aye-aye, babouin, bonobo, cébidé, chimpanzé, chirogale, colobe, douc, drill, échidné, entelle, galago, gelada, gibbon, gorille, guéréza, hamadryas, hapalémur, hocheur, homme, hoolock, hurleur, indri, lagotriche, lémur, lépilémur, loris, macaque, macroscélide, magot, maki, mandrill, mangabey, microcèbe, mirza, mongos, moustac, nasique, orang-outan, ouakari, ouistiti, papion, pétrodrome, phaner, pinché, rat-éléphant, sajou, saki, sapajou, simien, singe, talapoin, tamarin, tarsier, titis, toupaye.
MAMMIFÈRE RONGEUR. Agouti, anomalure, cabiai, campagnol, capybara, castor, caviomorphe, chinchilla, cobaye, écureuil, gaufre, gerbille, gerboise, goundi, hamster, hutia, lemming, léporidé, lièvre, loir, marmotte, milan, molot, muridé, octodon, pacarana, pacas, porc-épic, ragondin, rat, souris, suisse, spalax, tamia, vistache, xérus.

MANCHE. Ante, barre, bras, cal, cape, coude, emmanchure, ente, fouet, gilet, hampe, manchette, manicle, œil, partie, revanche, rob, set, soie.
MANCHETTE. Crispin, honneur, nouvelle, rubrique, sous-titre, titre.
MANCHON. Bague, collier, gaine, lampe, louve.
MANCHOT. Bras, gauche, empereur, palmipède, pingouin.
MANDARIN. Baron, bonze, manitou, notable, personnalité, vedette.
MANDARINE. Agrume, clémentine, tangerine.
MANDAT. Commandement, contre-mandat, mission, pouvoir, siège.
MANDATAIRE. Agent, envoyé, gérant, observateur, responsable.
MANDEMENT. Avis, bref, bulle, écrit, édit, formule, exécutoire, mandat.
MANETTE. Balai, barre, levier, manche, maneton, manivelle, volant.
MANGANÈSE. Mn, rhénium.
MANGEABLE. Comestible, croquable, denrée, hygiénique, possible.
MANGEOIRE. Auge, bac, cabane, crèche, laye, maye, ripe, trémie.
MANGER. Absorber, avaler, becter, bouffer, brouter, consommer, croquer, déguster, dévorer, dîner, gaver, goûter, grignoter, happer, ingérer, mâcher, paître, pignocher, ronger, sustenter, vider.
MANGE-TOUT. Pois.
MANGOUSTE. Ichneumon, suricate.
MANGUIER. Dika, mangue, oba.
MANIABLE. Commode, élastique, facile, flexible, lâche, mou, souple.
MANIAQUE. Chicaneur, exigeant, méticuleux, obsédé, tatillon, vétilleux.
MANIE. Caprice, dada, délire, démence, égarement, fantaisie, folie, frénésie, goût, habituel, hobby, marotte, passion, tâte, tic, tocade.
MANIER. Assouplir, contrôler, prendre, tâter, toucher, tripoter.
MANIÉRÉ. Délicat, froid, pimbêche, pincé, précieux, raffiné, sec.
MANIÈRE. Abord, air, allure, attitude, conduite, coutume, élocution, état, façon, guise, instar, mise, mode, opinion, parade, pas, port, qualité, sentiment, simagrée, singerie, singularité, situation, sorte, style, tenue, ton, touche, train, us.
MANIFESTATION. Acte, action, apparition, bonté, crise, ictus, salon.
MANIFESTE. Certain, clair, évident, notoire, ouvert, patent, visible.
MANIFESTER. Affecter, afficher, affirmer, annoncer, clamer, conspuer, crier, jubiler, mener, montrer, pester, répandre, révéler, rire, tiquer.
MANIGANCER. Agir, combiner, fricoter, machiner, ourdir, tramer.
MANILLON. As, étalinguer, manille.
MANIPULATION. Manutention, marionnettiste, masseur, ostéopathe.
MANIPULER. Contrôler, manier, manœuvrer, pétrir, tripoter, triturer.
MANITOU. Baron, bonze, caïd, mandarin, notable, personnalité.
MANIVELLE. Bobine, enveloppe, giron, manette, nille.
MANNEQUIN. Épouvantail, fantoche, modèle, pantin, poupée, tarasque.
MANNEQUIN FÉMININ QUÉBÉCOIS (n. p.). Aguiar, Allaire, Allard, Aubut, Audet, Bardier, Baudains, Bédard, Bérubé, Bisson, Blais, Bluteau, Bosak, Bourbeau, Bouchard, Boucher, Bourgeois, Brûlotte, Chagnon, Chantelois, Chassé, Claveau, Collar, Cormier, Cournoyer, Desbiens, Desmarais, Draper, Dufour, Duquette, Fafard, Fay, Forget, Gagné,

Gagnon, Gaul, Gauthier, Giroux, Greene, Grimaud, Grimes, Huard, Huneault, Jarret, La Chapelle, Lafortune, Lalonde, Lamer, Lamontagne, Landry, Légaré, Lemay, Maillery, Maksad, Martin, Mollot, Moreau, Morency, Morin, Paracchia, Paradis, Philie, Plouffe, Poirier, Pompizzi, Poulin, Raymond, Rostand, Royer, Simard, St-Martin, Salois, Sauvé, Skerczak, Soudeyns, Thibault, Tremblay, Villette, Yasmeen.
MANNEQUIN FÉMININ INTERNATIONAL (n. p.). Bourbeau, Campbell, Evangelista, Moss, Schiffer, Tasha, Tennant, Yasmeen.
MANŒUVRE. Action, intrigue, manigance, ouvrier, tactique, thème.
MANŒUVRER. Actionner, contrôler, diriger, manier, naviguer, ramer.
MANOIR. Castel, château, donjon, gentilhommière, palais, Ussé.
MANQUE. Absentéisme, échec, dénuement, disette, espace, famine, faute, gêne, ignorance, inertie, irrespect, jeu, lâcheté, lacune, lenteur, misère, monotonie, nullité, perte, sottise, tiédeur, timidité, vide.
MANQUEMENT. Atonie, défaut, faute, lacune, réprimande, violation.
MANQUER. Chômer, déroger, gâcher, louper, omettre, patiner, rater.
MANSUÉTUDE. Bonté, charité, clémence, douceur, indulgence.
MANTEAU. Caban, cagoule, cape, capot, capote, gueuse, mante, paletot, pardessus, pèlerine, pelisse, plan, poncho, redingote, saie, toge, voile.
MANUFACTURE. Atelier, draperie, fabrique, industrie, usine.
MANUSCRIT. Brouillon, copie, obèle, palimpseste, papier, texte, volume.
MAPPEMONDE. Carte, globe, planisphère.
MAQUEREAU. Playboy, protecteur, proxénète, sansonnet, souteneur.
MAQUETTE. Canevas, ébauche, esquisse, modèle, plan, schéma, trame.
MAQUILLER. Camoufler, déguiser, falsifier, farder, grimer, plâtrer.
MARAÎCHER. Agriculteur, cloche, horticulteur, jardinier.
MARAIS. Acore, cistude, étang, fagne, gâtine, grisou, mare, marécage, maremme, marigot, méthane, palud, palus, salin, tourbière, varaigne.
MARASME. Attaque, atteinte, colère, colique, crise, danger, embarras, krach, manque, passion, pouffée, récession, syncope, tension.
MARBRE. Albâtre, brocatelle, calcaire, carrare, cipolin, dolomie, granite, griotte, jaspe, lumachelle, onyx, ophite, paros, stuc, terrazo, tuile, zinc.
MARBRER. Barioler, bigarrer, jasper, rayer, strier, veiner, zébrer.
MARCHAND. Bijoutier, crieur, diamantaire, disquaire, drapier, fourreur, grossiste, huilier, imagier, lunetier, opticien, quincaillier, vendeur, zinc.
MARCHANDISE. Article, camelote, denrée, montre, solde, stock, vrac.
MARCHE. Action, air, aller, allure, course, défilé, degré, démarche, échelon, escalier, fonctionne, go, ira, méthode, mouvement, pas, procession, progression, promenade, rang, retraite, tempo, va.
MARCHÉ. Bazar, boutique, braderie, épicerie, foire, hall, place, souk.
MARCHER. Aller, arpenter, arquer, avancer, balader, cheminer, clopiner, courir, déambuler, enjamber, errer, flâner, fouler, longer, mener, passer, pavaner, piéter, rôder, suivre, trotter, trottiner.
MARCHEUR. Ambulant, coureur, flâneur, piéton, promeneur, rôdeur.
MARE. Bassin, canardière, eau, étang, flaque, lagon, lagune, marais.
MARÉCAGE. Ciprière, étang, grenouillère, marais, mare, tourbière.

MARÉCHAL. Armée, chef, ferrant, ferrière, forgeron, général, renette, sans-gêne.
MARÉCHAL ALLEMAND (n. p.). Bock, Goering, Hindenburg, Keitel, Model, Paulus, Rommel.
MARÉCHAL AUTRICHIEN (n. p.). Daun.
MARÉCHAL BRITANNIQUE (n. p.). Gort, Montgomery, Raglan, Tedder, Wavell, Wilson.
MARÉCHAL FRANÇAIS (n. p.). Bazaine, Bernadotte, Berthier, Biron, Bosquet, Brune, Choiseul, Cosse, Duras, Fabert, Foch, Joffre, Juin, Lautrec, Lévis, Mortier, Ornano, Murat, Ney, Niel, Pétain, Randon, Reille, Retz, Saxe, Serurier, Tessé, Turenne, Villars.
MARÉCHAL ITALIEN (n. p.). Diaz.
MARÉCHAL JAPONAIS (n. p.). Oku, Oyama.
MARÉCHAL PRUSSIEN (n. p.). Roon.
MARÉCHAL ROUMAIN (n. p.). Antonescu.
MARÉCHAL YOUGOSLAVE (n. p.). Tito.
MARÉE. Flot, flux, jusant, mer, morte-eau, plein, raz, reflux, torquette.
MARGE. Annotation, bord, bordure, délai, espace, freinte, sursis, temps.
MARGINAL. Accessoire, annexe, asocial, incident, secondaire.
MARGUERITE. Cordage, chrysanthème, cuir, gerbera, leucanthème.
MARGOT. Pie.
MARGOULETTE. Battre, casser, dent, ganache, mâchoire, tête.
MARGUERITE. Calistephus, chrysanthème, gerbera, leucanthème, pâquerette.
MARI. Beau-frère, beau-père, cocu, conjoint, époux, père, veuve.
MARIAGE. Accord, ban, carte, divorce, dot, épithalame, épousailles, époux, lien, lit, morganatique, nef, noces, oui, union.
MARIAGE, ANNIVERSAIRES ANCIENS. Papier (1 an), coton (2 ans), cuir (3 ans), fleurs (4 ans), bois (5 ans), sucre ou fer (6 ans), laine ou cuivre (7 ans), bronze ou faïence (8 ans), faïence ou osier (9 ans), fer ou aluminium (10 ans), acier (11 ans), soie ou lin (12 ans), dentelle (13 ans), ivoire (14 ans), cristal (15 ans), porcelaine (20 ans), argent (25 ans), perle (30 ans), corail (35 ans), rubis (40 ans), saphir (45 ans), or (50 ans), émeraude (55 ans), diamant (60 ans), platine (70 ans), diamant (75 ans), chêne (80 ans).
MARIAGE, ANNIVERSAIRES MODERNES. Horloge (1 an), porcelaine (2 ans), cristal ou verre (3 ans), appareils électriques (4 ans), argenterie (5 ans), bois (6 ans), ensemble de bureau (7 ans), dentelle (8 ans), cuir (9 ans), bijoux en diamant (10 ans), bijoux à la mode (11 ans), perle (12 ans), fourrure ou tissu (13 ans), bijoux en or (14 ans), montre (15 ans), platine (20 ans), argent (25 ans), perle (30 ans), jade (35 ans), rubis (40 ans), saphir (45 ans), or (50 ans), émeraude (55 ans), diamant (60 ans), chêne (70 ans).
MARIÉ. Bigame, conjoint, épousé, polygame.
MARIER. Agencer, caser, contracter, convoler, épouser, lier, maire, unir.

MARIN. Animal, batelier, corsaire, flibustier, gabier, loup, matelot, mer, mousse, nautonier, navigateur, navire, pilote, subrécargue, torpilleur.
MARIN, MAMMIFÈRE. Balaenidae, balaenopteriae, baleine, béluga, cachalot, céphalorhynque, cétacé, dauphin, delphinapterus, delphinidae, dogong, éléphant de mer, eschrichtidae, faux-orgue, gammare, globicéphale, hypéroodon, inie, krill, lagénorhynque, lamantin, léopard de mer, lion de mer, marsouin, mésoplodon, monodontidae, morse, mysticeti, narval, odobenidae, odontocète, orcelle, orgne, otarie, phocidae, phoque, physeteridae, physeter, pinnipedia, pinnipède, platanistidae, rhytine, rorqual, sotalie, souffleur, sténo, tasmacète, veau marin, ziphiidae.
MARINIER. Batelier, croc, gaffe, marin, nautonier, passeur, pilote.
MARIONNETTE. Fantoche, guignol, mannequin, pantin, polichinelle.
MARIONNETTISTE FÉMININ (n. p.). Adam, Berthiaume, Blais, Brideau, Chevrette, Comtois, Da Silva, De Lorimier, Deslierres, Dufour, Gagnon, Garneau, Gascon, Goyette, Hudon, Lachance, Laplante, Lapointe, Legendre, Leprohon, Lewis, Mercille, Montgrain, Ouellet, Panneton, Perrault, Pilon, Rodrigue, Simard, Trahan, Tremblay, Venne.
MARIONNETTISTE MASCULIN (n. p.). Arsenault, Ayotte, Boisvert, Bourque, Boutin, Châles, Chapleau, Des Lauriers, Duclos, Dufour, Dussault, Fréchette, Gagné, Gagnon, Gélinas, Gilbert, Gladu, Gosley, Hammond, La Barre, Lacombe, Lalancette, Laliberté, Lapointe, Lavallée, Ledoux, Léger, Leroux, Martel, Meunier, Michaud, Paquette, Parenteau, Pellerin, Poitras, Rainville, Ranger, Régimbald, Robitaille, Rochon, Séguin, Tanguay, Tremblay, Trudeau, Umbriaco, Viens.
MARITIME. Abyssal, benthique, côtier, marine, nautique, naval.
MARJOLAINE. Épice, origan.
MARLOU. Estafier, jules, maquereau, pimp, proxénète, souteneur.
MARMELADE. Bouillie, capilotage, charpie, compote, confiture, coulis, couscous, crème, gadou, magma, millas, polenta, porridge, purée.
MARMITE. Braisière, cocotte, crémaillère, cuiseur, daubière, pot.
MARMITON. Cuisinier, cuistot, gâte-sauce, saucier, tournebroche.
MARMOTTE. Daman, murmel, siffle, siffleux.
MAROC. Arabe, chérifien, rif.
MAROTTE. Dada, folie, hobby, manie, tic, travers.
MARQUE. Bleu, borne, coche, égard, gage, jalon, modèle, pli, point, preuve, sceau, signe, tache, témoignage, style, titre, trace, vestige.
MARQUER. Accentuer, cocher, coter, écrire, empreindre, ferrer, graver, hachurer, noter, scorer, signer, tacheter, tatouer, tomer, tracer, zébrer.
MARQUISE. Antre, asile, auvent, cabane, cagna, casemate, chenil, couvert, dais, égide, gare, gîte, guérite, hangar, havre, niche, refuge, retraite, ruche, taud, tente, toit.
MAROQUINERIE. Basane, chèvre, galuchat, peau.
MARRANT. Amusant, comique, drôle, plaisant, rigolo, tordant.
MARS. Arès, guerre, mythologie, planète.

MARSUPIAL. Coloco, coucous, dasyure, kangourou, koala, numbat, péramèle, opossum, pétrogale, phalanger, phascolome, sarigue, thylacine, wallaby, wombat, yapok.
MARTEAU. Angrois, asseau, assette, brochoir, heurtoir, jet, laie, maillet, manche, masse, massue, merlin, oreille, picot, rivoir, smille, tille, têtu.
MARTINET. Arbalétrier, fouet, hirondelle, marteau, oiseau.
MARTRE. Belette, pékan, zibeline.
MARTYR. Saint, souffre-douleur, supplice, victime.
MARTYR CANADIEN (n. p.). Brébeuf, Chabanel, Daniel, Garnier, Goupil, Jogues, Lalemant.
MARTYR POLONAIS (n. p.). Stanislas.
MARTYR ROMAIN (n. p.). Genes, Genest.
MASCARA. Centrosome, cil, cirre, ensille, rimmel.
MASCARADE. Carnaval, déguisement, masque, momerie, uranien.
MASCULIN. Fils, garçonnier, grammaire, homme, mâle, viril.
MASQUE. Cagoule, casque, déguisement, domino, écran, visage, voile.
MASQUER. Cacher, couvrir, déguiser, détourner, occulter, voiler.
MASSACRE. Assassinat, boucherie, carnage, désastre, extermination, gâchis, guerre, hécatombe, sabotage, saccage, tuerie.
MASSACRER. Abîmer, amocher, anéantir, bousiller, décimer, démolir, détruire, égorger, exterminer, gâcher, immoler, trucider, tuer.
MASSE. Amas, bloc, écume, gramme, marteau, massue, poids, volume.
MASSICOTER. Ébarber, rogner.
MASSIF. Bois, bosquet, chaîne, compact, corpulent, énorme, épais, gaulis, gros, imposant, lourd, montagne, or, pesant, propagule, solide.
MASSIF AFRICAIN (n. p.). Cristal.
MASSIF ALGÉRIEN (n. p.). Aures, Dahra, Ouarsenis.
MASSIF ALLEMAND (n. p.). Eifel, Rhön.
MASSIF BELGE (n. p.). Ardennes.
MASSIF DES ALPES (n. p.). Adula, Ortler, Tauern.
MASSIF DE L'ASIE (n. p.). Altaï.
MASSIF DU SAHARA (n. p.). Aïr, Ksour.
MASSIF ÉCOSSAIS (n. p.). Grampians.
MASSIF ESPAGNOL (n. p.). Nevada.
MASSIF FRANÇAIS (n. p.). Ardennes, Othe, Néouvielle.
MASSIF GABON (n. p.). Belinga.
MASSIF GREC (n. p.). Pinde.
MASSIF IRANIEN (n. p.). Elbourz.
MASSIF ITALIEN (n. p.). Appennin.
MASSIF MAROCAIN (n. p.). Atlas, Rif.
MASSIF RUSSE (n. p.). Tcherski.
MASSIF SUISSE (n. p.). Aar, Adula, Midi.
MASSIF TURC (n. p.). Ararat.
MASSUE. Arme, bâton, gourdin, marteau, masse, matraque, mil, tinel.
MASTIC. Ciment, crépit, futée, mollé.
MASTIQUER. Broyer, chiquer, luter, mâcher, mâchonner, préparer.

MÂT. Antenne, artimon, beaupré, cacatois, corne, espar, gui, mestre, misaine, perche, perroquet, phare, sourd, support, terne, vergue, voile.
MATAMORE. Bravache, fanfaron, hâbleur, rodomont, vantard.
MATELAS. Coite, couette, duvet, drap, futon, grabat, plume, sommier.
MATELASSER. Bourrer, capitonner, rembourrer.
MATELOT. Batelier, gabier, hamac, lascar, loup, marin, moussaillon, mousse, timonier, vaisseau, vigie.
MATER. Dompter, dresser, épier, gagner, humilier, surmonter, vaincre.
MATERNITÉ. Accouchement, génération, hôpital, mère.
MATÉRIALITÉ. Existence, réalité.
MATÉRIAU. Béton, engin, gravois, grès, outil, maçonnerie, matière.
MATÉRIEL. Charnel, concret, corporel, engin, équipement, outil, palpable, physique, tangible, temporel, terrestre, train, visible.
MATHÉMATICIEN. Actuaire, logisticien, professeur, statisticien.
MATHÉMATICIEN ALLEMAND (n. p.). Fuchs.
MATHÉMATICIEN AMÉRICAIN (n. p.). Fisher.
MATHÉMATICIEN ÉCOSSAIS (n. p.). Gregory, Napier, Neper.
MATHÉMATICIEN FRANÇAIS (n. p.). Baire, Borel, Hadamard, Rolle, Viète, Weil.
MATHÉMATICIEN GREC (n. p.). Euclide, Thales.
MATHÉMATICIEN ITALIEN (n. p.). Beltrami.
MATHÉMATICIEN NORVÉGIEN (n. p.). Abel, Lie.
MATHÉMATICIEN SUISSE (n. p.). Euler.
MATIÈRE. Colle, crème, dépôt, lave, nife, semoule, suie, teinture, terre.
MATIN. Aube, avant-midi, aurore, crépuscule, début, matinal, rosée.
MATOIS. Ficelle, finaud, hypocrite, madré, malin, retors, roué, rusé.
MATRAQUE. Bâton, bidule, casse-tête, gourdin, trique.
MATRICAIRE. Anthémis, camomille, pyrethrum.
MATRICE. Estampe, frappe, génération, médaille, moule, utérus.
MATRICULE. Immatriculer, inscription, liste, numéro, registre.
MATURATION. Âge, aoûtement, coction, mûrir, mûrissage, véraison.
MAUDIT. Damné, détestable, exécrable, fichu, sacré, sale, satané.
MAUGRÉER. Blâmer, détester, exécrer, haïr, jurer, maudire, pester.
MAUSSADE. Acariâtre, boudeur, bourru, ennuyeux, insipide, insupportable, massacrant, morne, morose, renfrogné, rit, terne, triste.
MAUVAIS. Cabotin, déveine, funeste, grabat, mal, malheur, malin, méchant, pétoire, piquette, rafiot, rosse, sévice, tocard, vaurien.
MAUVE. Bleu, lilas, musc, parme, pourpre, violet.
MAUVIETTE. Alouette, couard, froussard, lâche, peureux, poltron.
MAXIME. Adage, ana, axiome, devise, dit, dogme, règle, sentence.
MAXIMUM. Amplitude, limite, mieux, phase, plafond, pointe, virulence.
MAZOUT. Fioul, fuel, gasoil, gazole.
MÉAT. Canal, clitoris, orifice, ouverture, trou.
MÉCANICIEN. Chauffeur, conducteur, machiniste, mécano, réparateur.
MÉCANISME. Appareil, détente, embrayage, façon, rouage, truc.
MÉCHANCETÉ. Aigreur, cruauté, félonie, fureur, malice, perversité.

MÉCHANT. Acariâtre, acerbe, affreux, agressif, amer, bienveillant, bon, brutal, cruel, excellent, malicieux, malin, mauvais, pervers, rossard.
MÈCHE. Barre, bombe, cordeau, couette, épi, fraise, guiche, séton.
MÉCONNAÎTRE. Ignorer, méjuger, mésestimer, moquer, tromper.
MÉCONNU. Épave, ignoré, incompris, inconnu, inédit, obscur, oublié.
MÉCONTENT. Fâché, geignard, grognard, grognon, hargneux, plaintif.
MÉCONTENTEMENT. Bile, colère, ennui, fureur, moue, plainte, reproche.
MÉCRÉANT. Athée, impie, incroyant, irréligieux, païen.
MÉDAILLE. Argent, avers, cuivre, ectype, fétiche, insigne, listel, médaillon, monnaie, obvers, or, pièce, plaque, revers, scapulaire.
MÉDECIN. Aliéniste, allopathe, anesthésiste, auriste, cardiologue, charlatan, chiropraticien, chirurgien, clinicien, dermatologue, docteur, externe, généraliste, hématologue, interne, major, obstétricien, ophtalmologiste, oto-rhino-laryngologiste, pathologiste, pédiatre, phoniatre, ophtalmologiste, phtisiologue, pneumologue, praticien, psychiatre, radiologue, spécialiste, stomatologiste, thérapeute, toubib.
MÉDECIN (n. p.). Esculape, Hippocrate.
MÉDECIN ALLEMAND (n. p.). Fliess, Gall.
MÉDECIN AMÉRICAIN (n. p.). Sabin.
MÉDECIN BRITANNIQUE (n. p.). Adrian, Dale, Pott, Ross.
MÉDECIN CUBAIN (n. p.). Che.
MÉDECIN ESPAGNOL (n. p.). Servet.
MÉDECIN FRANÇAIS (n. p.). Binet, Guillotin, Halpern, Itard, Lacan, Lejeune, Lépine, Marat, Pasteur, Patin, Pinel, Roux.
MÉDECIN NORVÉGIEN (n. p.). Hansen.
MÉDECINE. Acupuncture, chiropratique, chirurgie, cure, faculté, gériatrie, hippiatrie, hygiène, médical, pédiatrie, purge.
MÉDIATION. Conciliation, entremise, intervention, négociation.
MÉDICAMENT. Acologie, baume, électuaire, élixir, liniment, médecine, onguent, panacée, pilule, purge, remède, sirop, stupéfiant.
MÉDIOCRE. Fade, humble, mauvais, moyen, nul, ordinaire, vulgaire.
MÉDIRE. Arranger, attaquer, babiller, cancaner, commérer, dauber, déblatérer, jaser, potiner, ragoter.
MÉDISANCE. Accusation, anecdote, atrocité, attaque, bavardage, calomnie, cancan, clabaudage, commérage, discréditation, mal.
MÉDITER. Mûrir, penser, préparer, projeter, réfléchir, rêver, spéculer.
MÉDIUM. Astrologue, ectoplasme, extralucide, télépathe, voyant.
MÉDUSE. Aurélie, ébahi, interdit, lucernaire, ombrelle, rhizostome.
MÉDUSER. Confondre, ébahir, interloquer, pétrifier, sidérer, stupéfier.
MÉFIANCE. Crainte, défiance, doute, paranoïa, soupçon, suspicion.
MÉGALITHE. Cromlech, menhir.
MEILLEUR. As, choix, crème, élite, fleur, gratin, mieux, premier, tête.
MÉLANCOLIE. Chagrin, ennui, humeur, nostalgie, peine, tristesse.
MÉLANGE. Accouplement, alliage, alliance, amalgame, amas, brassage, cacophonie, composé, compost, confusion, métis, miction, neutre.

MÉLANGER. Brouiller, confondre, étourdir, emmêler, mêler.
MÊLÉ. Âne, bâtard, bigarré, composite, métis, mulâtre, quarteron.
MÊLÉE. Bagarre, bataille, cohue, combat, échauffourée, lutte, rixe, ruée.
MÊLER. Allier, combiner, croiser, immiscer, ingérer, mélanger, mettre.
MELLIFÈRE. Abricotier, acacia, ail, amandier, asclépiade, aster, bourrache, bruyère, cardère, carotte, céleri, centaurée, cerisier, châtaignier, chou, citronnier, courge, érable, fenouil, glycine, grande astrance, haricot, héliotrope, hellébore, houx, hysope, lavande, lavandin, lierre, lotier, luzerne, marrube, mélianthe, mélicot, mélisse, melon, menthe, moutarde, oranger, origan, pastèque, phacella, pin, pissenlit, rhododendron, romarin, sapin, sarrazin, sarriette, sauge, thym, tilleul, trèfle.
MÉLODIE. Air, aria, ariette, chanson, chant, complainte, lied, musique.
MÉLODRAME. Drame, emphase, mélo, pompeux, ronflant, solennel.
MELON. Brodé, cantaloup, cucurbitacé, d'eau, miel, pastèque, sucrin.
MEMBRANE. Amnios, aponévrose, basal, cire, choroïde, cloison, endocarde, épendyme, épiderme, fibre, filet, gaine, gangster, hymen, iris, méninge, opercule, peau, périoste, péritoine, plèvre, rétine, scérotique, tympan, volve, zeste.
MEMBRE. Agent, aile, anabaptiste, baptiste, bras, claviste, congressiste, cuisse, drus, druze, eudiste, frère, jambe, moine, mormon, nageoire, oblat, ordre, pair, patte, pauliste, pénis, peton, scout, sénateur, servite, thug, verge.
MÊME. Ainsi, aussi, auto, avec, égal, ibidem, idem, instar, itou, monotone, pareil, répétition, semblable, synonyme, suite.
MÉMOIRE. Aide, amnésie, commentaire, dire, mémo, mnémosyne, muses, note, rancunier, remâche, ressasse, rumine, tête, traité.
MENACE. Alerte, danger, fureur, injure, nuage, outrage, ultimatum.
MENACER. Avertir, braquer, effrayer, injurier, réprimander, sommer.
MÉNAGÉ. Avare, chiche, économe, grippe-sou, pingre, radin, serré.
MENDÉLÉVIUM. Md.
MENDIANT. Clochard, gueux, hère, pauvre, robineux, truand, vagabond.
MENDIER. Demander, quémander, quêter, solliciter, vagabonder.
MENER. Aller, amener, diriger, emmener, finir, guider, réussir, vivre.
MÉNESTREL. Bateleur, chanteur, fou, jongleur, poète, troubadour.
MENEUR. Agitateur, chef, démagogue, leader, maître, tête, tribun.
MÉNINGE. Arachnoïde, cerveau, cervelle, dure-mère, pie-mère.
MENSONGE. Blague, craque, feinte, histoire, imposture, menterie.
MENTAL. Cérébral, intellectuel, moral, psychique, psychisme.
MENTION. Citation, commémoraison, décoration, dire, inscription.
MENTIONNER. Citer, consigner, enregistrer, inscrire, stipuler.
MENTIR. Abuser, berner, broder, duper, fabuler, inventer, tricher.
MENTOR. Chef, cicérone, conducteur, conseiller, cornac, directeur, gouverneur, guide, péon, phare, pilote, rêne, sherpa.
MENU. Carte, délicat, élancé, faible, filiforme, fin, fluet, fragile, fretin, gracile, grêle, mièvre, mince, négligeable, petit, plat, subtil, ténu.

MENUET (n. p.). Boccherini, Bolzoni, Mozart.
MENUISERIE. About, boiserie, cérat, croisée, devis, marqueterie.
MENUISIER. Bédane, bois, bricoleur, ébéniste, gouge, parqueteur, pestum, rabot, tabletier, valet, varlope.
MÉPRIS. Arrogance, cynisme, dédain, discrédit, fi, injure, litière, misérable, moue, vilipender.
MÉPRISABLE. Abject, arrogant, canaille, crétin, cynique, fumier, gredin, ignoble, indigne, lâche, malfamé, malheureux, paria, salaud, vil, vilain.
MÉPRISE. Bévue, errata, erreur, inattention, malentendu, quiproquo.
MÉPRISER. Affronter, braver, défier, lutter, menacer, narguer.
MER. Azur, bouée, bras, canal, corail, côte, croisière, eau, fiord, fjord, flux, golfe, houle, iode, jetée, lame, large, littoral, marée, marin, maritime, morse, morue, naviguer, océan, onde, outremer, péninsule, rade, raie, raz, reflux, sel, sterne, thalassothérapie, vive, voyage.
MER D'AMÉRIQUE (n. p.). Antilles, Sargasses.
MER D'ARCTIQUE (n. p.). Barents, Beaufort, Kara, Sibérie, Tchoiugotsk.
MER D'ASIE (n. p.). Aral, Azov, Bering, Caspienne, Chine, Japon, Kara, Lapnev, Noire, Okhotsk, Oman, Sibérie.
MER D'EUROPE (n. p.). Adriatique, Baltique, Blanche, Crète, Égée, Ionienne, Irlande, Ligurie, Marmara, Méditerranée, Myrto, Noire, Nord, Norvège, Tyrrhénienne.
MER D'OCÉANIE (n. p.). Arafoura, Banda, Celèbes, Corail, Céram, Florès, Java, Moluques, Savoe, Soulou, Tasmanie, Timor.
MER DE LA LUNE (n. p.). Australe, Crisès, Fécondité, Froid, Humbolt, Humeurs, Moscou, Nectar, Nuées, Pluies, Régionales, Rêve, Sérénité, Tempêtes, Tranquillité, Vagues, Vapeurs.
MERCI. Approbation, discrétion, grâce, miséricorde, pitié, remercier.
MERCURE. Hg, vif-argent.
MÈRE. Cause, dabesse, dabuche, doche, famille, maman, marâtre, nombreuse, nourrice, patrie, pie, poule, source, supérieure, utérin.
MERISIER. Cerisier, prunus, putier.
MÉRITE. Avantage, juste, justifié, légitime, qualité, valeur.
MÉRITER. Attirer, écoper, encourir, gagner, obtenir, remporter, valoir.
MÉRITOIRE. Digne, enviable, équitable, estimable, fier, louable.
MERLE. Amérique, bleu, collier, marron, montagnes, rouge.
MERVEILLE. Bijou, joyau, miracle, phénomène, prodige, trésor.
MERVEILLEUX. Beau, divin, éblouissant, épatant, splendide, superbe.
MÉSANGE. Arlequin, bridée, brune, buissonnière, caroline, grise, huppée, lapone, mazette, meunière, noire, nonnette.
MÉSAVENTURE. Aventure, déconvenue, malchance, malheur, tuile.
MÉSENTENTE. Brouille, désaccord, désunion, discorde, dispute, froid.
MÉSOPOTAMIE. Our, Ur.
MESQUIN. Avare, chiche, méchant, médiocre, pauvre, petit, piètre.
MESSAGE. Cryptogramme, discours, fax, lettre, missive, monème, mot, pneu, SOS., sans-fil, télécopie, télégramme, télex.

MESSAGER. Ambassadeur, ange, courrier, émissaire, envoyé, estafette.
MESSE. Agnus, autel, canon, célébration, cérémonie, chant, culte, kyrie, ite, laudes, liturgie, musique, obit, office, rite, rituel, sanctus, service.
MESSIE. Christ, Sauveur.
MESSIEURS. Mm.
MESURAGE. Aréage, aunage, comparaison, métrage, stère, test.
MESURE. Acre, aire, an, archine, are, arobe, arpent, aune, brasse, chopine, erg, gallon, hectare, li, lieue, litre, mètre, mille, muid, ohm, picotin, pied, pinte, pouce, sanction, stère, verste, yu, watt.
MESURE CHINOISE. Fen, hao, hou, pou, li, yu.
MESURER. Arer, arpenter, auner, cadastrer, calibrer, chaîner, compter, corder, cuber, doser, jauger, niveler, palper, peser, raser, stérer, toiser.
MET. Place, pose.
MÉTAL. Acier, aluminium, antimoine, argent, baryum, bore, cérium, chrome, cobalt, colombium, cuivre, erbium, étain, fer, fil, fonte, holmium, indium, iridium, lanthane, magnésium, nickel, niobium, or, palladium, platine, plomb, plutonium, potassium, radium, rhénium, rubidium, sodium, tantale, terbium, thallium, titane, uranium, vanadium, yttrium, zinc, zirconium.
MÉTAMORPHOSE. Avatar, changement, forme, stryge, virescence.
MÉTHODE. Asepsie, façon, ignipuncture, jiu-jitsu, karaté, marche, mode, ordre, pédagogie, procédé, rééducation, règle, secourisme, shiatsu.
MÉTICULEUX. Fidèle, minutieux, précis, rigide, sévère, strict.
MÉTIER. Appareil, art, fonction, profession, travail.
MÉTIS. Bâtard, corneau, corniaud, créole, espèce, eurasien, hybride, mâtiné, mélange, mêlé, mulard, mulâtre, mule, mulet, octavon, zambo.
MÈTRE. Mesure, rythme, stère.
MÉTROPOLE. Capitale, évêque, patrie, séminaire, ville.
METS. Brouet, cannelloni, chère, cuisine, entrée, épice, fondue, fricot, galantine, gratin, lasagne, lie, macaroni, macédoine, manger, matelote, menu, miroton, nourriture, oignonade, paella, plat, ravioli, régal, repas, reste, ris, risotto, rot, salade, sauce, soupe, spaghetti, table.
METTEUR. Cinéaste, imprimerie.
METTEUR EN SCÈNE FÉMININ (n. p.). Aubin, Baillargeon, Beaulne, Bourque, Cloutier, Corbeil, Côté, Courchesne, Cousineau, Danis, Desgroseillers, Dion, Drolet, Dutil, Faucher, Fichaud, Filiatrault, Gagnon, Gallant, Guimond, Laberge, Lanctôt, Lantagne, Lapierre, Léger, Le Guerrier, Lepage, Leriche, Magdelaine, Magny, Malacort, Mercure, Mouffe, Nadeau, Notebaert, Pelletier, Prégent, Prévost, Raymond, Ronfard, Rossignol, Simard, Tremblay.
METTEUR EN SCÈNE MASCULIN (n. p.). Alacchi, Babin, Barbeau, Bastien, Belleau, Bergeron, Bernard, Bienvenue, Bilodeau, Binet, Blay, Boilard, Borges, Boucher, Boutet, Brass, Brassard, Bromilow, Buissonneau, Cameron, Canac-Marquis, Canuel, Caron, Chapdelaine, Charest, Cloutier, Collin, Comar, Cormier, Cyr, Da Silva, Daviau, Deguisne, Delisle, Denis, Desgranges, Desjarlais, Doucet, Drolet, Dumas,

Duparc, Dupuis, Filion, Forgues, Fortin, Gagnon, Gariépy, Gaudreault, Gaumond, Gélinas, Gélineau, Gosselin, Gouin, Grégoire, Guay, Hébert, Hlady, Ilial, Jalbert, Jean, Kotto, Labrosse, Lafortune, Lagrandeur, Laprise, Laroche, Lavallée, Leblanc, Leduc, Legault, Lelièvre, Lepage, Leroux, Lessard, Létourneau, Maheu, Marsolais, Maurac, McGill, Meilleur, Ménard, Millaire, Miller, Mondy, Monty, Nadeau, Neufeld, Niquette, Ovadis, Poirier, Poissant, Poulain, Quenneville, Quintal, Retamal, Reviv, Ricard, Richard, Ronfard, Roussel, Roy, Sabourin, Saucier, Simard, Soldevila, Spensley, St-André, Tassé, Thibodeau, Tremblay, Vincent, Wiriot.

METTRE. Abaisser, abriter, aérer, allumer, approcher, araser, armer, arrêter, asseoir, attarder, caler, camper, caser, cesser, clore, dater, défaire, dépecer, ébouriffer, écrouer, effectuer, égarer, élargir, émanciper, émettre, emmêler, empiler, encager, enfermer, enfouir, enrôler, ensacher, entasser, entraver, entreposer, entreprendre, environner, épuiser, espérer, étaler, exercer, faire, fier, fixer, friser, ganter, garer, gêner, hâter, inculper, initier, interrompre, irriter, isoler, jouer, lacérer, lancer, lever, libérer, livrer, lotir, mariner, mâter, menacer, moudre, numéroter, obliger, opposer, pendre, pétrir, placer, planter, plier, polir, poser, préparer, ranger, rationner, relâcher, relier, remettre, remplacer, renverser, résilier, retarder, rimer, roder, rouler, saccager, sanctifier, seller, semer, signer, sommer, stabiliser, tarir, taxer, tenter, terminer, terrer, tomer, tuer, vêler, vêtir, viser, vouer.

MEUBLE. Armoire, bahut, banc, buffet, bureau, cabinet, chaise, classeur, coffre, commode, console, crédence, discothèque, divan, étagère, fauteuil, lit, mobilier, prie-dieu, pupitre, sétailier, siège, table.

MEUBLER. Ameublir, démeubler, emplir, garnir, remplir, semer.

MEUGLER. Beugler, brailler, bramer, crier, hurler, mugir.

MEULE. Affiloir, aiguiser, aiguisoir, barge, broyeur, concasseur, émoudre, gerbier, moyette, pailler, ribler, sabler.

MEUNIER. Able, chevaine, chevesne, farine, mésange, minotier.

MEURTRE. Assassinat, déicide, égorgement, empoisonnement, étranglement, fratricide, hécatombe, homicide, suicide, tuerie.

MEURTRI. Avari, blessure, confus, cotir, faner, foulure, noir, taller.

MEURTRIER. Assassin, criminel, homicide, inculpé, parricide, tueur.

MEURTRISSURE. Blessure, bleu, contusion, noir, plaie, talure.

MEUTE. Bande, clique, curée, essaim, gang, horde, quête, tribu, troupe.

MEXIQUE (n. p.). Anahuac, Aztèque, Inca, Mariachi.

MEZZANINE. Balcon, corbeille, entresol, galerie, loggia.

MEZZO-SOPRANO, CHANTEUSE (n. p.). Amos, Aubé, Beaudry, Beaulieu, Beaupré, Bédard, Bergeron, Boucher, Bovet, Brehmer, Brodeur, Cartier, Chaput, Chartier, Chiocchio, Choinière, Clavet, Comtois, Corbeil, Couture-Joachim, Dansereau, Dind, Dion, Dufour, Duguay, Dumont, Dumontet, Duval, Fay, Ferland, Fillion-Biro, Fleury, Flibotte, Gaudreau, Girard, Girouard, Guyot, Harbour, Keklikian, Laferrière, Lamarche, Lambert, Lapointe, Lavigne, Leblanc, Lemelin, Lessard,

Levac, Marchand, Martin, Martineau, Matteau, Mayer, Mizera, Murray, Nelson, Novembre, Ouellet-Gagnon, Paltiel, Paquet, Pavelka, Pelletier, Poulain, Poulin-Parizeau, Racine, Rioux, Robert, Rose, Roy, St-Jean, Samson, Sanders, Senécal, Sevadjian, Tardif, Vachon, Vaillancourt, Verschelden.

MICA. Biotite, granulite, lépidolite, tuffeau.

MICMAC. Écheveau, embrouillamini, imbroglio, maquis, méli-mélo.

MICROBE. Amibe, amylobacter, arsine, bacille, bactérie, brucella, coque, entérocoque, ferment, germe, gonocoque, microcoque, nain, spirochète, spirille, streptocoque, typhose, vibrion, virgule, virus.

MIDI. Adret, après-midi, austral, déjeuner, dîner, mas, matin, méridien, oc, seps, sud, têt.

MIDINETTE. Apprentie, arpette, cousette, couturière, modiste.

MIE. Amie, chapelure, dame, goutte, miton, pain, panure, pas, rien.

MIEL, PLANTE MELLIFÈRE. Abricotier, acacia, ail, amandier, asclépiade, aster, bourrache, bruyère, cardère, carotte, céleri, centaurée, cerisier, châtaignier, chou, citronnier, courge, érable, fenouil, glycine, grande astrance, haricot, héliotrope, héllébore, houx, hysope, lavande, lavandin, lierre, lotier, luzerne, marrube, mélianthe, mélicot, mélisse, melon, menthe, moutarde, oranger, origan, pastèque, phacella, pin, pissenlit, rhododendron, romarin, sapin, sarrazin, sarriette, sauge, thym, tilleul, trèfle.

MIEUX. Bien, élite, meilleur, perle, plus, plutôt, supérieur, suprême.

MIGNON. Adorable, charmant, craquant, délicat, gentil, gracieux, joli.

MIGRAINE. Céphalalgie, céphalée, hémicrânie.

MIJOTER. Combiner, cuire, cuisiner, fricoter, manigancer, mitonner.

MILICE. Armée, bataillon, brigade, cohorte, colonne, corps, troupe.

MILIEU. Alto, âme, aura, axe, céans, centre, dans, élément, emmi, en, entourage, entre, intérieur, midi, naturel, parmi, sein, société.

MILITAIRE. Armée, cadet, civil, déserteur, galon, général, gi, goumier, grade, officier, ost, rata, serval, service, soldat, supplétif, troupier.

MILITANT. Adepte, allié, fidèle, guerrier, partisan, syndicaliste.

MILITER. Agir, combattre, engager, lutter, parler, participer, plaider.

MILLE. Date, kilo, majorité, mil, millefeuille, millésime, milli, retraite.

MILLE-PATTES. Géophile, gloméris, iule, lithobie, myriapode, scolopendre.

MILLÉSIME. Année, bouche, cuvée, date, majorité, retraite, vin, yeux.

MILLET. Blé, maïs, mil, panic, panicum, sorgho.

MILLIGRAMME. Mg.

MILLILITRE. Ml.

MILLIMÈTRE. Mm.

MILLITHERMIE. Kilocalorie, mth.

MILLIVOLT. Mv.

MIME. Contorsion, expression, gestes, mimique, pantomique, signes.

MIME FÉMININ (n. p.). Alepin, Belleau, Moisan, Paré, Sylvain.

MIME MASCULIN (n. p.). Arbour, Benoît, Boissé, Bolduc, Carez, Dagenais, Diamond, Gendreau, Lorrain, Morneau, Sauvageau, Talbot, Trudel.
MIMOSA. Acacia, amourette, néré, sensitif.
MINABLE. Gueux, hère, minus, misérable, miteux, pauvre, piteux, vil.
MINAUDERIE. Grimace, mine, moue, pitrerie, simagrée, singerie.
MINCE. Aigu, allongé, délicat, délié, effilé, élancé, épais, étroit, fil, filiforme, fin, fluet, folié, fragile, frêle, fuselé, gracile, grêle, gros, lame, large, maigre, menu, petit, pincé, pruine, ru, svelte, ténu, tôle, tulle.
MINCEUR. Finesse, gracilité, sveltesse.
MINE. Air, apparence, bouille, carrière, complexion, contenance, expression, figure, génie, houillère, or, mineur, physionomie, visage.
MINER. Caver, creuser, déduire, détruire, ronger, saper, subversif.
MINERAI. Actinote, aérolite, albite, alunite, amphibole, caliche, feldspath, ferrite, gîte, illite, mica, mine, or, spath, speiss, veine.
MINERVE. Bouclier, chouette.
MINERVE (n. p.). Acropole, Athena, Cariatide, Erechthéion, Jupiter, Parthénon, Propylée.
MINEUR. Asie, borin, coron, fourneau, galibot, génie, impubère, jeune, majorité, petit, porion, rivelaine, saper.
MINEUSE. Arpenteuse, chenille, défoliatrice, fileuse, géomètre, processionnaire, terricole.
MINIATURE. Dessin, enluminure, peinture, portrait, réduction.
MINIME. Dérisoire, minuscule, modique, nain, petit, ridicule, trace.
MINIMISER. Amortir, atténuer, diluer, diminuer, réduire, voiler.
MINISTÈRE. Cabinet, charge, entremise, fonction, portefeuille.
MINISTRE. Député, lévite, pasteur, prêtre, sous-ministre, vizir.
MINOIS. Binette, bouille, faciès, figure, frimousse, museau, visage.
MINORITÉ. Élite, frange, mineur, opposition, quantité, visible.
MINOTAR. Meunier.
MINUSCULE. Exigu, infime, minime, modique, nain, petit, trace.
MINUTE. Acte, copie, étude, heure, instant, min, moment, note, original, seconde.
MINUTER. Chiffrer, compter, copier, écrire, estimer, nombrer, tabler.
MINUTIE. Application, argutie, attention, conscience, contiguïté, détail, diligence, exactitude, lésinerie, mesquinerie, méticulosité, parcimonie, protocolaire, purisme, regardant, soin, sollicitude, scrupule, vigilance.
MIRACLE. Merveille, prodige, surnaturel, thaumaturge.
MIRAGE. Eau, illusion, imagination, lumière, merveille, mirement, rêve.
MIRE. Apothicaire, but, butte, cible, médecin, niveau, œilleton, stadia.
MIRLITON. Bigophone, flûte, flûteau, turlututu.
MIROIR. Espion, focal, foyer, glace, image, piège, réflecteur, rétroviseur.
MIROITEMENT. Brillance, chatoiement, éblouissement, mirage, reflet.
MISE. Assemblage, cave, citation, élargissement, émise, émission, enjeu, gageure, investiture, martingale, massacre, masse, part, poule, refonte, recyclage, salut, sommation, titre.

MISER. Caver, compter, gager, jouer, parier, risquer.
MISÉRABLE. Chétif, gueux, hère, miteux, pauvre, sordide, truand, vil.
MISÈRE. Besoin, dèche, détresse, épave, famine, malheur, peine, ruine.
MISÉREUX. Assisté, chétif, claquepatin, dénué, épave, fauché, gueux, hère, ilote, misérable, pauvre, robineux, ruiné.
MISÉRICORDE. Charité, clémence, indulgence, merci, pardon, pitié.
MISSILE. Engin, fusée, projectile.
MISSION. Ambassade, apostolat, charge, commission, délégation, église, émissaire, fonction, guetteur, légat, mandat, patrouille, sortie, travail.
MISSIONNAIRE. Évangéliste, messager, patrouille, prêtre, religieux.
MISSIVE. Billet, dépêche, épître, lettre, message, mot, pétition, pli.
MITAINE. Gant, marionnette, miton, moufle.
MITE. Teigne.
MITONNER. Combiner, cuire, cuisiner, fricoter, manigancer, mijoter.
MITRAILLE. Canon, mitraillette, obus, tir.
MITRAILLER. Assaillir, bombarder, fusiller, tirer.
MITRE. Évêque, fanon, mitral, tiare.
MOBILE. Agité, cause, gouvernail, inconstance, index, motif, mouvant.
MOBILIER. Ameublement, décoration, ménage, meuble.
MOBYLETTE. Cyclomoteur, mob, vélomoteur.
MOCHE. Affreux, atroce, grossier, hideux, horrible, laid, vilain.
MODE. Armure, aviation, avion, bateau, branché, camion, camionnage, cri, étouffée, étuvée, façon, genre, goût, hérédité, in, maritime, mitose, moissonnage, potentiel, régie, style, verbe, vogue, voie, viviparisme.
MODÈLE. Archétype, canon, essai, étalon, exemple, forme, mannequin, nature, nu, original, paradigme, parangon, patron, prototype, type.
MODÉRATION. Circonspection, diète, discernement, limite, mesure, pondération, raison, réserve, retenue, sagesse, sobriété, tempérance.
MODÉRER. Freiner, mesurer, ralentir, réserver, retenir, tempérer.
MODERNE. Actuel, branché, contemporain, neuf, nouveau, récent.
MODERNISER. Actualiser, rajeunir, renouveler, rénover.
MODESTIE. Décence, décorum, discrétion, fatuité, humilité, orgueil, pudeur, réserve, retenue, simplicité, suffisance, vanité, vertu.
MODIFICATION. Altération, amendement, changement, correction.
MODIFIER. Altérer, amender, changer, corriger, décaler, défaire, déguiser, dévier, manier, minéraliser, remanier, toiletter, varier.
MODIQUE. Bas, dérisoire, faible, minime, misérable, petit, ridicule.
MODULATION. Accent, am, fm, ma, mf.
MOELLE. Amourette, colonne, crâne, os, myélite.
MOELLEUX. Doux, fondant, mou, onctueux, souple, tendre, velouté.
MŒURS. Caractère, conduite, débauche, habitude, moral, moralité.
MOI. Âme, bibi, ego, empathie, je, me, mien, pascal, vous.
MOINDRE. Amoindrir, contracter, diminuer, inférieur, mineur, petit.
MOINE. Acier, bouillotte, cénobite, chaufferette, défroqué, église, froc, lama, monastère, prêtre, religieux, thérapeute, toupie, vœu.
MOINE ANGLAIS (n. p.). Bede.

MOINE ANTIOCHE (n. p.). Nestorius.
MOINE BOUDDHISTE (n. p.). Lama.
MOINE BYZANTIN (n. p.). Eutyches.
MOINE IRLANDAIS (n. p.). Colomban.
MOINE SYRIEN (n. p.). Baradai, Barabee.
MOINEAU. Domestique, friquet, passereau, piaf, pierrot, plocéidé, type.
MOIRE. Étoffe, lustrer, parque, reflet, soie.
MOIS. Août, avril, bimestriel, brumaire, décembre, février, frimaire, floréal, fructidor, germinal, janvier, juillet, juin, mai, mars, mensuel, messidor, mensualité, nivôse, novembre, octobre, pluviôse, prairial, semestre, septembre, thermidor, trimestre, vendémiaire, ventôse.
MOISIR. Chancir, croupir, gâter, pourrir, rancir, séjourner, stagner.
MOISISSURE. Acide, empuse, mucor, pénicillium, vert, zygomycètes.
MOISSON. Août, cueillage, coupage, glanage, ramassage, récolte, saison.
MOITIÉ. Abricot, as, casseau, demi, éco, épouse, époux, hémi, légitime, longe, mi, mi-temps, pamplemousse, pêche, régulier, semi.
MOL. Canton, faible, flou, inerte, lâche, mollet, mou, souple, sybarite, tendre, veule.
MÔLE. Brise-lames, digue, embarcadère, jetée, musoir, poisson-lune.
MOLAIRE. Carnassier, dent, prémolaire.
MOLESTER. Battre, brusquer, malmener, rabrouer, rudoyer, tourmenter.
MOLLESSE. Apathie, atonie, cagnardise, faiblesse, indolence, langueur, nonchalance, paresse, somnolence, vigueur, volonté, volupté.
MOLLUSQUE. Acéphale, actéon, ammonite, amphineure, anomie, aplysie, arche, argonaute, bélemnite, bénitier, bernique, bivalve, bigorneau, buccin, bulle, calmar, casquette, céphalopode, clam, cône, conque, coque, coquille, couteau, crépidula, cyprée, dentale, donace, donax, doris, encornet, escargot, fuseau, harpe, gastéropode, huître, itiérie, lamellibranche, limace, limaçon, lime, limette, littorine, lymnée, mactre, moule, mulette, murex, mye, nasse, nautile, olive, pantoufle, peigne, pélécypode, pétoncle, philine, pholade, physie, pieuvre, pinne, porcelaine, poulpe, pourpre, praire, ptéropode, rudiste, Saint-Jacques, seiche, sépia, solen, taret, telline, testacelle, trialle, vénus, violet, volute, xylophage.
MOLYBDÈNE. Mo.
MOMENT. Brune, crise, déjà, éclair, étale, halte, heure, ici, instant, spin.
MOMENTANÉ. Accalmie, armistice, congé, passager, pause, temporaire.
MOMIE. Dessécher, embaumer, fossile, natron, racornir, sclérose.
MONACO (n. p.). Grimaldi, monégasque.
MONARQUE. Autocrate, César, chef, despote, dynaste, empereur, kaiser, khan, majesté, potentat, prince, reine, ras, roi, seigneur, souverain.
MONASTÈRE. Abbaye, cloître, couvent, laure, moine, moûtier, séculier.
MONASTIQUE. Claustral, conventuel, monacal, monial, régulier.
MONCEAU. Amas, masse, noyau, nuage, paquet, pile, ramas, tas, tertre.
MONDE. Cosmos, création, foule, gens, globe, humanité, ici-bas, infini, lieu, milieu, nature, peuples, planète, réunion, société, terre, univers.

MONNAIE (PAYS). Afghan, agnelle, aspre, at, baht, balboa, belga, bolivar, cedi, centime, colon, cordoba, couronne, cruzeiro, darique, deutsche, devise, dinar, dirham, dollar, dông, drachme, écu, escudo, espèces, face, forint, franc, gourde, guarani, guinée, gulden, inti, khmer, kip, krona, kyat, kwacha, lei, lek, lempira, leone, leu, lev, lire, livre, louis, lunaire, mark, markost, napoléon, numismate, or, ore, pape, para, penny, peseta, peso, piastre, pièce, pistule, quetzal, rand, réal, reis, rial, richesse, riyal, rouble, roupie, statère, schilling, sen, séquin, sesterces, sicle, singe, sol, sucre, tael, tala, talent, tughrik, won, yen, yuan, zloty.

MONNAYER. Accorder, négocier, payer, régler, traiter, vendre.

MONOGRAMME. Abrégé, chrisme, ichtys, ihs, lettre, signature.

MONOLOGUE. Aparté, discours, monodie, radotage, soliloque, tirade.

MONOPOLE. Duopole, oligopole, privilège, régie.

MONOSACCHARIDE. Ose.

MONOTONE. Ennuyeux, grisaille, répétitif, semblable, terne, uniforme.

MONSEIGNEUR. Mgr.

MONSIEUR. Homme, M., personnalité, sieur, sir.

MONSTRE. Avorton, basilic, chimère, cyclope, démentiel, dragon, fée, géant, génie, gorgone, harpie, hippogriffe, hydre, lamie, léviathan, licorne, mauvais, minotaure, monstrueux, nain, phénix, phénomène, phocomèle, scélérat, sirène, sphinx, tarasque, tératologie.

MONSTRUEUX. Affreux, bossu, bot, bote, difforme, forme, hideux, laid.

MONT. Butte, colline, massif, montagne, monticule, mt, pic, sommet.

MONTAGNARD. Alpiniste, clephte, gavotte, girondin, highlander, kéfir, képhir, kilt, varappeur.

MONTAGNE. Aiguille, alpin, butte, chaîne, cime, colline, obstacle, massif, mont, moraine, quantité, piton, sierra.

MONTAGNE D'ALASKA (n. p.). Bear, Bona, Elias, Michalson, Redoubt, Sanford, Spurr.

MONTAGNE D'ALGÉRIE (n. p.). Onk, Zab.

MONTAGNE D'ALLEMAGNE (n. p.). Alpes, Brocken, Rhoen.

MONTAGNE DES ALPES (n. p.). Lure, Meije, Viso.

MONTAGNE D'ARGENTINE (n. p.). Acocagua, Copahue, Domuyo, Longavi, Payun, Peteroa, Pissis.

MONTAGNE D'AUSTRALIE (n. p.). Augustus, Bartie, Béal, Bruce, Isa, Magnet, Morgan, Ord, Round, Vermon.

MONTAGNE DE BOLIVIE (n. p.). Ancohuma, Huascane, Illimani, Ollague, Potosi, Sajama, Tocorpuri.

MONTAGNE DE BULGARIE (n. p.). Rila.

MONTAGNE DU CANADA (n. p.). Assiniboine, Logan, Nelson, Rocheuses.

MONTAGNE DU CHILI (n. p.). Arenal, Hudson, Isluga, Valentin.

MONTAGNE DE COLOMBIE (n. p.). Cristobal, Huila, Lina, Sotara, Tolima.

MONTAGNE DES ÉTATS-UNIS (n. p.). Aix, Antero, Bedford, Bross, Capitol, Essex, Evans, Grizzly, Jack, Lincoln, Logan, Muir, Russel, Spokane, Washington, Yale.
MONTAGNE DE FRANCE (n. p.). Blanc, Noir, Or, Saint-Michel.
MONTAGNE DE GRÈCE (n. p.). Athos, Oeta.
MONTAGNE D'ITALIE (n. p.). Cassin.
MONTAGNE DU JAPON (n. p.). Akan, Aso, Fuji, Haku, Yari.
MONTAGNE DE LA LUNE (n. p.). Alembert, Altai, Apennins, Caucase, Carpathes, Doerfel, Jura, Leibniz, Pyrénées, Taurus.
MONTAGNE DU NÉPAL (n. p.). Annapurna, Cho-Oyu, Dhaulagiri, Everest, Himalaya, Kanchenjunga, Lhotse, Makalu, Manaslu.
MONTAGNE DU PAKISTAN (n. p.). Broad Peak, Gasherbrum, K2.
MONTAGNE DE LA PALESTINE (n. p.). Nebo.
MONTAGNE DU QUÉBEC (n. p.). Adstock, Albert, Appalaches, Assem, Brome, Chics-Chocs, Cônes, Garceau, Gosford, Iberville, Jacques-Cartier, Jacques-Rousseau, Laurentides, Logan, Orford, Otish, Richardson, Royal, Sainte-Anne, Saint-Sauveur, Shefford, Table, Torngat, Tremblant.
MONTAGNE DE SUISSE (n. p.). Pilate, Rigi.
MONTAGNE DES VOSGES (n. p.). Alsace.
MONTAGNE DU TADJIKISTAN (n. p.). Zaravchan.
MONTAGNE DE THESSALIE (n. p.). Ossa.
MONTANT. Arrérages, chiffre, nombre, pot, prix, somme, tarif, taux.
MONTÉE. Côte, escalier, flux, grimpée, marchepied, monte-pente, rampe.
MONTER. Dresser, gravir, grimper, hausser, hisser, lever, marcher.
MONTICULE. Baseball, butte, cairn, dune, montagne, oesar, tertre.
MONTRE. Cadran, coucou, démonstratif, effet, étalage, étale, exhibition, horloger, léontine, oignon, parade, remontoir, salle, savonnette, tocante.
MONTRER. Arborer, ceci, déballer, déployer, désigner, empresser, étaler, exposer, guider, offrir, ostensible, surclasser, trahir, voir.
MONTURE. Assemblage, cheval, montage, selle, sertissage.
MONUMENT. Bâtiment, colonne, cromlech, dolmen, obélisque, odéon, marbre, mausolée, menhir, monolithe, pyramide, souvenir, stèle, stoupa, stupa, tombe, tombeau, totem, tour.
MONUMENTAL. Colossal, démesuré, énorme, gigantesque, immense.
MOQUER. Blaguer, chiner, goberger, mépriser, railler, taquiner.
MOQUERIE. Blague, ironie, parodie, raillerie, risée, sarcasme, satire.
MOQUETTE. Carpette, jeu, mise, natte, paillasson, tapis, tenture.
MOQUEUR. Breneux, chat, chineur, goguenard, ironique, railleur, rieur.
MORAL. Bien, bon, immoral, juste, mal, mentalité, mœurs, probe, sain.
MORALE. Admonestation, capucinade, déontologie, devoir, éthique, homélie, latitudinaire, leçon, maxime, parénèse, probité, vertu.
MORALISTE. Catholique, décideur, épicuriste, intellectuel, prédicateur.
MORALITÉ. Ascétisme, conduite, conscience, crime, intégrité, honnêteté.
MORBIDE. Impur, insalubre, malsain, morbide, pourri, souffreteux.

MORCEAU. Ana, as, bois, bloc, coin, émier, étude, fragment, hacher, lambeau, lange, lotir, miette, partie, piler, ris, tapon, tison, triturer.
MORCELER. Émietter, fragmenter, incomplet, parcellaire, partager.
MORDANT. Acerbe, acide, âcre, aigre, caustique, collant, ronger, sur, vif.
MORDRE. Appât, broyer, gruger, mâcher, mordiller, percer, perdre.
MORDU. Enragé, fanatique, fervent, fou, passionné, toqué.
MORGUE. Altier, arrogance, athanée, hautain, institut, mort, orgueil.
MORNE. Abattu, cafardeux, éteint, maussade, sombre, taciturne, terne.
MOROSE. Abattu, affecté, affligé, aigri, altéré, amer, angoissé, assombri, attristé, douloureux, ennui, mélancolique, pensif, plaintif, triste.
MORPHINE. Encéphaline, enképhaline, héroïne, méthadone.
MORS. Bride, cheval, filet, frein, guide, rêne.
MORSE. SOS., télégraphie.
MORT. Bridge, cadavre, cartes, décédé, décès, défunt, dépouille, dernier, disparu, étranglé, euthanasie, fatigué, feu, fin, glas, héritage, jeu, létal, macchabée, noyer, obit, obituaire, occis, perte, posthume, restes, séjour, testament, tombe, tombeau, trépassé, trucidé, victime.
MORTALITÉ. Disparition, fatalité, létalité, mortinatalité.
MORTEL. Ennuyeux, fatal, homme, létal, meurtrier, mortifère, péché.
MORTIER. Boue, canon, chaux, ciment, coiffure, coulis, crépi, maçon, plâtre, pilon, ruilée, torchis.
MORTIFICATION. Abstinence, affront, ascèse, austérité, cilice, continence, discipline, gangrène, haire, jeûne, macération, nécrose.
MORTIFIÉ. Affligé, conscrit, discipliné, humilié, penaud, ordonné.
MORTUAIRE. Deuil, funèbre, glas, lugubre, macabre, obsèques, triste.
MORT-VIVANT. Zombie.
MORUE. Aiglefin, aurin, barbot, barbudos, blennie, brotulide, cabillaud, carapidé, colin, estomac, gade, gadidé, grenadier, lieu, lingue, loquette, lotte, merlan, merlu, merluche, poutassou, prostitué, tacaud, tork.
MOSQUÉE. Caaba, kaaba, minbar, temple, zaouïa.
MOT. Croisés, dicton, dit, écho, épithète, expression, glossaire, grille, lapsus, maxime, monème, néologisme, nom, parole, passe, phrase, rhétorique, rime, sentinelle, synonyme, terme, usage, verbe, vers.
MOTEL. Auberge, cambuse, caravansérail, crèche, hall, hôtel, logis, lupanar, maison, palace, pension, rambouillet, relais, taule.
MOTEUR. Action, âme, cause, éolien, motivateur, nerf, promoteur.
MOTIF. Ajourer, attendu, bêtise, cause, comment, considération, excuse, fin, finalité, leitmotiv, mobile, ove, raison, sujet, thème, uni, vain.
MOTIVER. Causer, conduire, décider, entraîner, mener, proposer.
MOTOCYCLETTE. Bicyclette, chopper, motard, moto, scooter, vélo.
MOTTE. Glèbe, terre, vason.
MOU. Amolli, détendu, doux, ductile, faible, flasque, flexible, flou, herbe, lâche, inerte, mol, mollet, paresseux, poumon, souple, veule.
MOUCHARDER. Balancer, cafarder, dénoncer, donner, rapporter.

MOUCHE. Asticot, brûlot, carte, cheval, chevreuil, chiure, collant, diptère, domestique, éristale, insecte, lucilie, manne, noire, œstre, panorpe, police, stomoxe, syrphe, tachina, taon, tsé-tsé, volucelle.
MOUCHETÉ. Fleuret, marqueté, sabre, tacheté, tavelé, tigré, truite.
MOUCHETER. Garnir, marqueter, tacheter, taveler, tigrer.
MOUCHOIR. Anguillade, fichu, foulard, kleenex, linge, pochette, tissu.
MOUDRE. Broyer, écraser, piler, pulvériser, remoudre, triturer.
MOUETTE. Bonaparte, goéland, pygmée, rieuse, rosée, tridactyle.
MOUFFETTE. Conepatus, sconse, spilogale.
MOUFLE. Gant, mitaine, miton.
MOUILLÉ. Ancre, eau, canard, détrempé, humide, ruisselant, trempé.
MOUILLER. Arroser, asperger, baigner, délaver, détremper, doucher, éclabousser, humecter, inonder, rade, sécher, suer, touer, tremper.
MOULANT. Ajusté, collant, serré.
MOULE. Abaisse, bouchot, byssus, calibre, caseret, empreinte, faisselle, forme, huître, matrice, mère, modèle, mollusque, mytiliculture.
MOULER. Calligraphier, couler, épouser, fondre, former, gainer, serrer.
MOULIN. Abée, aile, aileron, bée, bief, buse, joc, meunerie, minoterie, moulinette, noix, reillère, roue, trémillon.
MOULINET. Crécelle, dévidoir, rabatteur, touret, tourniquet.
MOULT. Assez, bien, bigrement, drôlement, excessivement, extra, extrêmement, fort, fortement, furieusement, grand, hyper, infiniment, invraisemblable, joliment, particulièrement, prodigieusement, remarquablement, super, sur, tantinet, terriblement, très.
MOULU. Brisé, claqué, courbatu, éreinté, esquinté, fourbu, rompu.
MOULURE. Anglet, astragale, bague, bande, bourseau, cadre, cimaise, filet, gorge, nervure, ove, pestum, profil, scotie, stéréobate, tore.
MOURIR. Clore, crever, décéder, éteindre, finir, périr, trépasser.
MOUSQUETAIRE. Aramis, Artagnan, Athos, Porthos.
MOUSSE. Bulles, crème, écume, flocon, hypne, lichen, matelot, marin, monie, moussaillon, muscinée, neige, soda, sphaigne, urne, usnée.
MOUSSELINE. Fontange, giselle, jabot, moustiquaire, organdi.
MOUSTIQUE. Anophèle, chevreuil, cousin, diptère, maringouin, mouche noire, puceron, stégomie, tipule.
MOUTARDE. Douce, forte, ravenelle, sanve, sénevé, tartare, ypérite.
MOUTON. Agneau, agnelle, astrakan, bé, bélier, brebis, caracul, champignon, gigot, houle, humeur, hydne, laine, mérinos, mouflon, mousse, or, ovin, parc, peau, poussière, robin, suiveux, vague.
MOUTURE. Issue, grain, moudre.
MOUVANT. Agité, ambulant, animé, changeant, erratique, flottant, fluctueux, fluide, fugitif, instable, mobile, remuant, sable, volant.
MOUVEMENT. Abattée, abduction, acte, action, activité, agitation, animation, attaque, clignotement, clin, contorsion, coup, cours, cri, déplacement, ébat, ébranlement, effet, élan, émersion, envolée, évolution, flux, frétillement, geste, haussement, houle, impulsion, jet, lacet, marche, marée, manœuvre, mû, nastie, ondoiement, onde, pas,

pesade, recul, remous, revif, révolution, roulis, ruade, ruée, sursaut, tactisme, tangage, tentation, tour, va, vie, vitesse, vol, volte.
MOUVOIR. Agiter, aller, bouger, danser, errer, pousser, tirer, tourner.
MOYEN. Aide, alibi, armure, avec, biais, chemin, combinaison, détour, échappatoire, entremise, façon, filon, fin, formule, irrecevable, issue, joint, manière, par, pouvoir, rêne, savoir, secret, soin, sous, truc, voie.
MUCUS. Glaire, morve, mucine, pituité, sécrétion, suc, suint.
MUER. Actionner, changer, peau, perdre, transformer.
MUET. Coi, interdit, interloqué, parole, silencieux, taire, voix.
MUFLE. Butor, goujat, grossier, malapris, malotru, malpoli, rustre.
MUFLIER. Antirrhinum, asarina, gueule-de-loup, maurandella, maurandya, scrophulariacée.
MUGIR. Beugler, brailler, bramer, crier, hurler, meugler, rugir.
MUGUET. Aspérule, convallaria, heuchera, liliacée, muguette, terpinéol, terpinol.
MULÂTRE. Bâtard, corneau, corniaud, créole, espèce, eurasien, hybride, mâtiné, mélange, mélé, métis, mulard, mule, mulet, octavon, zambo.
MULET. Âne, bardeau, bardot, cabot, cheval, métis, muge, poisson.
MULOT. Champs, chouette, hibou, rat, ville.
MULTIPLE. Abondant, divers, maint, nombreux, pluriel, varié.
MULTIPLICATION. Clone, déca, division, essaimage, fois, règle, table.
MULTIPLICITÉ. Beaucoup, multitude, nombre, pluralisme, quantité.
MULTIPLIER. Augmenter, entasser, peupler, propager, répéter.
MULTITUDE. Amas, armée, cohue, flopée, flot, foison, foule, légion, luxe, masse, marée, nombre, nuée, quantité, tas, univers.
MUNI. Équipé, fourni, garni, pourvu.
MUNICIPALITÉ. Capitale, cité, commune, métropole, village, ville.
MUNICIPALITÉ DU QUÉBEC (n. p.). Acton Vale, Alma, Amos, Ancienne-Lorette, Anjou, Arthabaska, Arvida, Asbestos, Amqui, Ascot, Aylmer, Bagotville, Baie-Comeau, Batiscan, Beaconsfield, Beauceville, Beauharnois, Beauport, Bécancour, Bellefeuille, Beloeil, Bernières, Berthierville, Blainville, Boisbriand, Bois-des-Filion, Boucherville, Brossard, Buckingham, Candiac, Cap-de-la-Madeleine, Cap-Rouge, Carignan, Cartierville, Causapscal, Coaticook, Chambly, Charlemagne, Charlesbourg, Charny, Châteauguay, Chelsea, Chibougamau, Chicoutimi, Coaticook, Contrecœur, Côte-Saint-Luc, Cowansville, Daveluyville, Delson, Deux-Montagnes, Dolbeau, Dollard-des-Ormeaux, Donnacona, Dorion, Dorval, Drummondville, East Angus, Farnham, Fleurimont, Gaspé, Gatineau, Granby, Grand-Mère, Greenfield Park, Hampstead, Hemmingford, Hull, Huntingdon, Iberville, Île-Perrot, Joliette, Jonquière, Kahnawake, Kénogami, Kirkland, La Baie, L'Acadie, Lachenaie, Lachine, Lachute, Lac-Mégantic, Lac-Noir, Lac-Saint-Charles, Lafontaine, La Pêche, La Plaine, Laprairie, La Sarre, LaSalle, L'Assomption, La Tuque, Lauzon, Laval-des-Rapides, Laval, Le Gardeur, LeMoyne, Lennoxville, Lévis, L'Islet, Longueuil, Loretteville, Lorraine, Louiseville, Macamic, Magog, Marieville, Mascouche, Masson-Angers,

Matane, Mégantic, Mercier, Mirabel, Mistassini, Montebello, Mont-Joli, Mont-Laurier, Montmagny, Mont-Royal, Mont-Saint-Hilaire, Montréal, Montréal-Nord, Neuville, New-Carlisle, Nicolet, Noranda, Notre-Dame-de-l'Île-Perrot, Notre-Dame-des-Prairies, Otterburn Park, Outremont, Papineauville, Pierreville, Pincourt, Pintendre, Plessisville, Pointe-Claire, Pointe-aux-Trembles, Pointe-du-Lac, Port-Alfred, Port-Cartier, Portneuf, Prévost, Princeville, Québec, Rawdon, Repentigny, Richmond, Rigaud, Rimouski, Rivière-du-Loup, Roberval, Rock Forest, Roquemaure, Rosemère, Rouyn, Roxboro, Saint-Amable, Saint-Antoine, Saint-Athanase, Saint-Augustin-Desmaures, Saint-Basile-le-Grand, Saint-Césaire, Saint-Charles-Borromée, Saint-Bruno-de-Montarville, Saint-Chrysostôme, Saint-Constant, Saint-Émile, Saint-Étienne-de-Lauzon, Saint-Eustache, Saint-Félicien, Saint-François-du-Lac, Saint-Georges, Saint-Hubert, Saint-Hyacinthe, Saint-Jean-sur-Richelieu, Saint-Jean-Deschaillons, Saint-Jérôme, Saint-Joseph-d'Alma, Saint-Joseph, Saint-Joseph-de-Sorel, Saint-Jovite, Saint-Lambert, Saint-Lazare, Saint-Léonard, Saint-Lin, Saint-Louis-de-France, Saint-Luc, Saint-Nicéphore, Saint-Nicolas, Saint-Ours, Saint-Pierre-aux-Liens, Saint-Raphaël-de-l'Île-Bizard, Saint-Rédempteur, Saint-Rémi, Saint-Romuald, Saint-Timothée, Saint-Tite, Saint-Vincent-de-Paul, Sainte-Agathe-des-Monts, Sainte-Anne-de-Beaupré, Sainte-Anne-de-Bellevue, Sainte-Anne-de-la-Pérade, Sainte-Anne-de-la-Pocatière, Sainte-Anne-des-Monts, Sainte-Anne-des-Plaines, Sainte-Catherine, Sainte-Julie, Sainte-Julienne, Sainte-Foy, Sainte-Marie, Sainte-Marthe-sur-le-Lac, Sainte-Marthe-du-Cap, Sainte-Rose, Sainte-Sophie, Sainte-Thérèse, Salaberry-de-Valleyfield, Senneterre, Sept-Îles, Shawinigan, Sherbrooke, Sillery, Sorel, Stanstead, Sweetsburg, Témiscamingue, Terrebonne, Thetford-Mines, Tracy, Trois-Pistoles, Trois-Rivières, Val-Bélair, Val-des-Monts, Val-d'Or, Valleyfield, Vanier, Varennes, Vaudreuil, Verchères, Verdun, Victoriaville, Waterloo, Westmount, Windsor.

MUNIR. Armer, garnir, gréer, lotir, monter, nantir, outiller, pourvoir.

MUON. Mu.

MUQUEUSE. Aphte, endomètre, gencive, muguet, rhinite, rhume, toux.

MUR. Blet, brique, cloison, clos, clôture, dame, enceinte, étai, murer, obstacle, pan, parapet, paroi, précoce, prêt, rempart, saillant, son.

MÛRE. Framboise, fruit, noir.

MURAILLE. Archière, bouchain, fruit, meurtrière, mur, paroi, rempart.

MURER. Aveugler, boucher, camoufler, condamner, dissimuler.

MURIDÉ. Rat.

MÛRIR. Affiner, aoûter, approfondir, blé, cuire, digérer, dorer, épi, étudier, grandir, jeune, méditer, mijoter, préparer, réfléchir, vert.

MURMURE. Chuchotement, gémissement, grognement, plainte, soupir.

MURMURER. Chuchoter, geindre, gémir, grogner, ronchonner, susurrer.

MUSARDER. Badauder, baguenauder, balader, déambuler, flâner.

MUSC. Cerf, musqué, ondatra, ovibos, parfum, rat.

MUSCADE. Macis, muscadin, snob.

MUSCLE. Abaisseur, abducteur, adducteur, amyotrophie, biceps, chair, ciliaire, cœur, deltoïde, dentelé, diaphragme, force, horripilateur, intramusculaire, jambier, ligament, membrane, myocarde, myopathie, nerf, pathétique, pectine, péronier, psoas, ptérygoïdien, rotateur, risorius, scalène, soléaire, souris, sphincter, strié, tendon, tenseur, thénar, tonus, trapèze, triceps, volontaire.
MUSCLÉ. Autoritaire, brutal, droit, énergique, fort, nerveux, tarzan.
MUSE. Égérie, fleuve, fontaine, inspiration, montagne, poésie.
MUSE (n. p.). Apollon, Calliope, Clio, Érato, Euphémé, Euterpe, Hélicon, Hippocrène, Melpomène, Mnémosyne, Musagète, Polymnie, Tanit, Terpsichore, Thalie, Uranie.
MUSEAU. Groin, mufle, narine, nez, proboscidien, trompe, visage.
MUSÉE. Art, collection, conservatoire, galerie, pinacothèque, salon.
MUSICIEN. Artiste, aulète, chanteur, choriste, compositeur, cor, coryphée, flûtiste, guitariste, luthiste, maestro, mélomane, musicastre, pianiste, saxophoniste, soliste, trio, violoneux, violoniste, virtuose.
MUSIQUE. Art, canon, chant, charivari, disco, duo, étude, euphonie, harmonie, interlude, jazz, kyrie, mélodie, morceau, motet, nouba, ode, opéra, opus, prologue, rap, requiem, rock, sérielle, swing, solo, trio.
MUSIQUE, INSTRUMENT. Alto, baryton, basse, binjo, bois, bombard, buccin, bugle, cabrette, cithare, clairon, clarinette, clavecin, cor, cornemuse, cornet, cuivre, cymbale, diaule, flûte, gong, guimbarde, guitare, harpe, luth, lyre, pandore, piano, piccolo, scie, saxophone, tamtam, triangle, trompe, tuba, violon, violoncelle, xylophone.
MUSULMAN. Alcoran, aman, arabe, coran, fakir, harem, hégire, islamique, mahométan, ramadan, religion, sultan, sunnite.
MUSULMAN (n. p.). Ayatollah, Calife, Charia, Chiite, Coran, Djihäd, Émir, Hadj, Hégire, Imam, La Mecque, Mahomet, Mollah, Muezzin, Ramadan, Soufi, Sourate, Sunna, Turc, Uléma, Vizir.
MUTILER. Amputer, briser, casser, couper, diminuer, écouer, tronquer.
MUTIN. Coquin, espiègle, luron, lutin, malicieux, peste, polisson.
MUTISME. Arrêt, bâillon, calme, celé, chut, coi, paix, pause, motus, mystère, omis, pause, réticence, secret, silence, taire, temps, tu.
MUTUEL. Bilatéral, couple, dépendant, partage, réciproque, solidaire.
MYGALE. Arachnide, araignée, aranéide, argyronède, épeire, faucheur, faucheux, galéole, latrodecte, lycose, malmignate, ségestrie, tarentule, tégénaire, terrier, théridion, thomise.
MYOCARDE. Cœur, infarctus.
MYOPE. Bigle, borné, miraud, miro, perspicace, voir.
MYRIAPODE. Iule, mille-pattes, segments.
MYRTILLE. Airelle, bleuet.
MYSTÈRE. Arcane, cachotterie, doctrine, dogme, énigme, inconnu, magie, obscurité, ombre, prudence, secret, trinité, vérité, voile.
MYSTÉRIEUX. Caché, étrange, obscur, occulte, secret, ténébreux.
MYSTIFIER. Avoir, fumiste, moquer, rouler, tourmenter, tromper.
MYSTIQUE. Enragé, exalté, fanatique, illuminé, inspiré.

MYTHE. Allégorie, chimère, conte, fable, légende, récit, utopie.
MYTHIQUE. Fabuleux, illusoire, imaginaire, irréel, légendaire.
MYTHOLOGIE. Croyances, fable, légende, panthéon, récits, tradition.
MYTHOLOGIE, CRÉATURE FANTASTIQUE (n. p.). Basilic, Centaures, Cerbère, Cyclope, Dragon, Griffon, Harpie, Licorne, Minotaure, Pégase, Satyre, Sphynx, Sirène, Triton.
MYTHOLOGIE, DIEU ÉGYPTIEN (n. p.). Ammon, Anubis, Hathor, Horus, Isis, Osiris, Ptah, Râ, Seth, Thôt.
MYTHOLOGIE, DIEU DE L'OLYMPE (n. p.). Aphrodite, Apollon, Arès, Artémis, Athéna, Cronos, Dianynos, Hadès, Héphaïstos, Héra, Hermès, Hestia, Poséidon, Zeus.
MYTHOLOGIE, DIEU NORDIQUE (n. p.). Ases, Balder, Freyja, Freyr, Frigg, Heimdal, Holder, Loki, Odin, Thor, Walkyrie.
MYTHOLOGIE, HÉROS GREC (n. p.). Achille, Bellérophon, Hercule, Héraclès, Jason, Œdipe, Persée, Thèbes, Thésée, Ulysse.
MYTHOLOGIE, LÉGENDE GRECQUE (n. p.). Antigone, Delphes, Érinye, Œdipe, Mégère, Prométhée, Tantale.
MYTHOLOGIE, LÉGENDE ROMAINE (n. p.). Curiace, Horace, Rémus, Romulus.
MYTHOMANE. Caractériel, fabulateur, menteur, simulateur, voleur.
MYXOMYCÈTES. Champignon, fuligo.
MYXOVIRUS. Grippe, influenza, oreillons, pneumonie.

N

NABAB. Aisé, capitaliste, gouverneur, officier, riche, sultan, trésor.
NABOT. Avorton, freluquet, gnome, homuncule, nain, petit, trapu.
NACELLE. Barque, cabine, canot, esquif, habitacle, lest, nef, suspente.
NACRÉ. Burgau, chromatisé, irisé, moiré, opalin, perle.
NÆVUS. Envie, fraise, grain de beauté, lentigo, lentille, signe.
NAGE. Brasse, crawl, libre, natation, papillon, planche, suer, transpirer.
NAGEOIRE. Aileron, aviron, cycloptère, diptérygien, pinniforme, vessie.
NAGER. Brasse, émerger, flotter, fluctuer, natation, ramer, renflouer.
NAGUÈRE. Anciennement, antan, autrefois, jadis, passé, récemment.
NAÏADE. Déesse, dryade, hamadryade, hyade, napée, neek, néréide, nike, nymphe, océanide, oréade.
NAÏF. Bête, candide, crédule, dupe, gille, gobeur, ingénu, innocent, jobard, niais, pigeon, poire, puéril, simplet, spontané, zozo.
NAIN. Avorton, freluquet, génie, gnome, lutin, nabot, petit, pygmée.
NAISSANCE. Apparition, atavisme, berceau, création, début, don, généalogie, genèse, hérédité, infus, inné, issu, jour, légitime, natif, naturel, né, noble, origine, pedigree, retombée, souche, source.
NAÎTRE. Apparaître, commencer, éclore, percer, sortir, venir, voir.
NAJA. Cobra, serpent, uraeus.
NANA. Femme, fille, maîtresse, nénette, pépé, poupée.
NANTIR. Armer, doter, garnir, monter, pourvoir, procurer, saisir.

NAOS. Église, tabernacle, temple.
NAPPE. Couche, eau, marais, napperon, phréatique.
NAPPERON. Longe, nappe, serviette, set, sous-verre.
NARCISSE. Amaryllidacée, corbularia, coucou, hermione, jeannette, jonquille, porillon, trompette.
NARCOSE. Assoupissement, coma, hypnose, léthargie, sommeil, sopor.
NARCOTIQUE. Crack, drogue, hypnotique, opium, somnifère, soporeux.
NARGUER. Affronter, attaquer, braver, défier, lutter, menacer.
NARINE. Errhin, évent, morve, museau, naseau, nez, vibrisse.
NARQUOIS. Badineur, chineur, malin, moqueur, railleur, rieur, rusé.
NARRATEUR. Auteur, cénacle, conteur, écrivain, journaliste, lettre, nègre, poète, rédacteur, romancier, scribouilleur.
NARRATION. Conte, histoire, lai, nouvelle, récit, rédaction, roman.
NARRER. Conter, décrire, dire, raconter, rappeler, réciter, relater.
NASEAU. Narine, nase, nez, piton, truffe.
NATATION. Brasse, crawl, libre, nage, papillon, planche.
NATIF. Aborigène, autochtone, habitant, inné, naissance, originaire.
NATION. Allégeance, communauté, état, gent, patrie, pays, peuple, race.
NATIONALISER. Collectiviser, déposséder, étatiser, exproprier.
NATIONALISME. Attachement, doctrine, impérialisme, patriotisme.
NATIONALISTE. Chauvin, cocardier, impérialiste, partisan, patriote.
NATIVITÉ. Astral, naissance, Noël, thème.
NATTE. Cheveux, couffin, estère, paillasson, tapis, torchon, tresse.
NATTER. Corder, entrelacer, tresser.
NATURALISTE. Authentique, botaniste, empailleur, minéralogiste, nature, réaliste, taxidermiste, zoologiste.
NATURE. Acabit, aloi, brut, cause, écologie, entité, esprit, essence, foncier, force, indigène, inné, principe, pur, univers, vert, vrai.
NATUREL. Aborigène, aisé, ambiance, commun, élément, espèce, étoffe, humanité, indigène, ingénu, inné, naïf, naissance, natif, univers.
NATURISTE. Culturiste, nudiste.
NAUFRAGE. Avarie, désastre, épave, malheur, perdition, perte, sinistre.
NAUSÉABOND. Abject, cochon, dégueulasse, dégoûtant, écœurant, grossier, horrible, ignoble, infect, nauséeux, répugnant, sale, vireux.
NAUTONIER. Barreur, capitaine, conducteur, directeur, guide, lamaneur, locman, mentor, nocher, pilote, responsable, timonier.
NAVET. Brassica, mauvais, napus, navau, rabiole, rave, tornep.
NAVIGATEUR. Aiguilleur, bourlingueur, caboteur, découvreur, marin, pilote, voyageur.
NAVIGATEUR ANGLAIS (n. p.). Cook, Frobisher, Hudson, Vancouver.
NAVIGATEUR ESPAGNOL (n. p.). Alaminos, Alarcon, Cano, Colomb, Ojeta, Nunez, Soto, Torrès.
NAVIGATEUR FLORENTIN (n. p.). Vespucci.
NAVIGATEUR FRANÇAIS (n. p.). Cartier, Champlain.
NAVIGATEUR ITALIEN (n. p.). Cabot.
NAVIGATEUR PORTUGAIS (n. p.). Cao, Cam, Dias, Gama, Magellan.

NAVIGATION. Aérienne, astronautique, cabotage, circumpolaire, éclaireur, haut-fond, hauturière, marine, nautique, périple, yachting.
NAVIGUER. Bourlinguer, caboter, cingler, croiser, filer, piloter, voguer.
NAVIRE. Argo, bac, bateau, brick, brûlot, butanier, câblier, caravelle, cargo, corsaire, croiseur, drague, dromon, galère, galion, galiote, nef, paquebot, patrouilleur, rafiot, ravitailleur, sacoléva, sacolève, sloop, tanker, torpilleur, tramp, traversier, trière, vaisseau, vedette, yacht.
NAVRÉ. Affecté, affligé, attristé, chagriné, déçu, désappointé, peiné.
NÉ. Apparu, berceau, cadet, cré, dernier-né, éclos, fils, habitant, indigène, issu, naissance, natif, noble, nouveau-né, origine, part.
NÉANMOINS. Cependant, nonobstant, pourtant, toujours, toutefois.
NÉANT. Absence, chimère, erreur, fatuité, fumée, futilité, illusion, inexistant, nirvana, nul, rien, vacance, vacuité, vanité, vide, zéro.
NÉBULEUSE. Abscoms, amphigourique, étoile.
NÉBULEUX. Hermétique, voilé.
NÉCESSAIRE. Essentiel, fatal, indispensable, ingéniosité, papeterie.
NÉCESSITÉ. Besoin, exiger, inéluctable, malade, réclamer, urgence.
NÉCESSITEUX. Gueux, indigent, mendiant, misérable, mécréant, pauvre.
NÉCROPSIE. Autopsie, colombarium.
NÉFASTE. Déplorable, fâcheux, fatal, funeste, mauvais, mortel.
NÉGATION. Guère, in, ne, nenni, ni, nihilisme, non, pas, point, refus.
NÉGLIGÉ. Débraillé, lâché, malpropre, omis, perdant, sale, tu.
NÉGLIGEABLE. Accessoire, dérisoire, insignifiant, presque, vétille.
NÉGLIGENCE. Abandon, incurie, lâcheté, malfaçon, omission, oubli.
NÉGLIGENT. Appliqué, désordonné, lâche, paresseux, soigneux.
NÉGLIGER. Abandonner, abstenir, dédaigner, louper, omettre, oublier.
NÉGOCIANT. Acheteur, commerçant, consignataire, marchand, nt.
NÉGOCIATION. Conciliation, conversation, échange, marchandage, neutre, pourparler, préalable, tractation, transaction.
NÉGOCIER. Accorder, arranger, convenir, débattre, dialoguer, discuter, parlementer, régler, traiter, transmettre, vendre, virage.
NÈGRE. Africain, créole, mélanoderne, négrier, noir, réécriveur.
NEIGE. Avalanche, blanc, blizzard, charrue, chenu, congère, grêle, héroïne, névé, obier, perce-neige, poudrerie, viorne.
NÉNUPHAR. Jaunet, lotus, nuphar, nymphaea, nymphéa, nymphéacée.
NÉO. Nouveau.
NÉODYME. Didyme, Nd.
NÉON. Lampe, Ne.
NEPTUNIUM. Np.
NERF. Auditif, axiliaire, connectif, cubital, efférent, force, gustatif, lombaire, neurone, névrite, optique, rachidien, spinal, tendon.
NERVEUX. Convulsif, émotif, énervé, fébrile, filet, hypernerveux.
NERVI. Bandit, porteur, sbire, tueur, vaurien.
NERVURE. Arête, carde, feuille, filet, lierre, ligne, moulure, pli, saillie.
NET. Blanc, brut, clair, distinct, formel, frais, franc, intact, précis, prononcé, propre, pur, réel, sale, tranché, vide, visible.

NETTOYER. Abraser, approprier, astiquer, briquer, caréner, curer, décaper, déterger, écumer, écurer, énouer, faire, fourbir, laver, lessiver, monder, ôter, polir, purger, racler, ratisser, récurer, rincer.
NEUF. Créé, flambant, nouveau, novice, original, pur, récent, vierge.
NEUTRALISER. Absorber, enrayer, étouffer, maîtriser, paralyser.
NEVEU. Filleul, népotisme, postérité.
NÉVRALGIE. Douleur, migraine, nerf, sciatique, sensible.
NÉVROSE. Folie, hystérie, neurasthénie, névropathie, psychogenèse.
NEZ. Antilope, appendice, avant, blair, blase, camus, clairvoyance, épistaxis, fanal, goûter, narine, nase, odorat, pif, renifler, truffe.
NEZ (n. p.). Cléopâtre, Cyrano.
NI. Égal, équilibre, impartial, indifférent, neutre, tiède.
NIAIS. Ballot, balourd, benêt, bêta, bête, calino, cave, dadais, fada, godiche, habens, inepte, jobard, minus, naïf, nigaud, serin, sot.
NIAISERIE. Ânerie, bêtise, cucul, fadaise, naïveté, rien, sottise.
NICHE. Attrape, cavité, chien, enfeu, facétie, farce, maison, saint.
NICHÉE. Couvée, mue, nid, nitée.
NICKEL. Ni.
NID. Abri, aire, bauge, béjaune, couvoir, demeure, foyer, gîte, guêpier, habitation, logement, maison, niais, nichée, repaire, toit.
NIÈCE. Filleule.
NIELLE. Blé, brouillard, gerzeau, gravure, lychnis, niellure, pluie.
NIER. Contester, contredire, défendre, démentir, dénier, négateur.
NIGAUD. Ballot, balourd, benêt, bêta, bête, calino, cave, dadais, fada, godiche, habens, inepte, jobard, minus, naïf, niais, serin, sot.
NIMBE. Aura, auréole, cercle, cerne, couronne, diadème, gloire, nuage.
NIO. Ios.
NIOBIUM. Nb.
NIRVANA. Béatitude, félivité, paradis, sérénité.
NITRATE. Ammonal, azote, iode, nitre, salpêtre.
NIVEAU. Cote, degré, échelle, échelon, égal, étage, flottaison, hauteur, luxe, mire, palier, plan, ressaut, sorte, standing, taux, type.
NIVELER. Aplanir, araser, déniveler, égaliser, polir, tempérer, unir.
NOBEL, PRIX DE CHIMIE (n. p.). Alder, Anfinsen, Arrhenius, Aston, Barton, Berg, Bosch, Boyer, Brown, Buchner, Butenandt, Calvin, Chu, Cornforth, Crowfoot, Curie, Curl, Debye, Diels, Eigen, Fischer, Flory, Giauque, Gilbert, Grignard, Haber, Hahn, Harden, Hayworth, Herzberg, Hevesy, Heyrovsky, Hinshelwood, Hoffman, Fischer, Joliot-Curie, Karrer, Kendrew, Kroto, Kuhn, Langmuir, Leloir, Libby, Lipscomb, Martin, McMillan, Mitchell, Moissan, Moore, Mulliken, Natta, Nernst, Norrish, Northrop, Onsager, Ostwald, Pauling, Porter, Pregl, Prelog, Prigogine, Ramsay, Richards, Robinson, Ruzicka, Sabatier, Sanger, Seaborg, Skou, Soddy, Smalley, Stanley, Staudinger, Stein, Summer, Svedberg, Synge, Tiselius, Todd, Urey, Van't Hoff, Vigneaud, Virtanen, Von Baeyer, Von Euler-Chelpin, Walker, Wallach, Werner, Wieland, Wilkinson, Willstätter, Windaus, Wittig, Woodward, Ziegler, Zsigmondy.

NOBEL, PRIX DE LITTÉRATURE (n. p.). Agnon, Aleixandre, Anderson, Andric, Asturias, Beckett, Bellow, Benavente, Bergson, Bjornson, Böll, Bounine, Broglie, Buck, Camus, Carducci, Chadwick, Cholokhov, Churchill, Compton, Davisson, Deledda, Dirac, Echegaray, Eliot, Elytis, Eucken, Faulkner, France, Franck, Galsworthy, Gide, Gjellerup, Hamsun, Hauptmann, Heisenberg, Hemingway, Hertz, Hess, Hesse, Jensen, Jiménez, Johnson, Karlfeldt, Kawabata, Kipling, Lagerkvist, Lagerlôf, Laxness, Lewis, Maeterlinck, Mann, Martin du Gard, Martinson, Mauriac, Mistral, Mommsen, Montale, Neruda, O'Neill, Pasternak, Perrin, Pirandello, Pontoppidan, Quasimodo, Raman, Reymont, Richardson, Rolland, Russel, Sachs, Saint-John-Perse, Sartre, Seferis, Shaw, Sienkiewick, Sillanpaa, Singer, Soljenitsyne, Spitteler, Steinbeck, Sully-Prudhomme, Szymborska, Tagore, Thomson, Undset, Von Heidenstam, Von Heyse, White, Wilson, Yeats.

NOBEL, PRIX DE PAIX (n. p.). Addams, Angell, Arnoldson, Asser, Bajer, Balch, Beernaert, Borlaug, Boyd-Orr, Bourgeois, Brandt, Branting, Briand, Buisson, Bunche, Cassin, Cecil, Chamberlain, Cremer, Croix-Rouge, Dawes, Ducommun, Dunant, Estournelles, Fried, Gobat, Hammarskjôld, Henderson, Hull, Jouhaux, Kellogg, King, Kissinger, Lafontaine, Lange, Luthuli, Marshall, Moneta, Mott, Nansen, Noel-Baker, Ossietzky, Passy, Pauling, Pearson, Pire, Quidde, Ramoz-Horta, Renault, Roosevelt, Root, Saavedra, Sadate, Sakharov, Satô, Schweitzer, Sôderblom, Stresemann, Sûttner, Teresa, Wilson.

NOBEL, PRIX DE PHYSIOLOGIE-MÉDECINE (n. p.). Adrian, Arber, Axelrod, Baltimore, Banting, Bavany, Beadle, Bekesy, Bloch, Blumberg, Bordet, Bovet, Burnet, Carrel, Chain, Claude, Cori, Cormack, Cournand, Crick, Dale, Dam, Delbruck, Doherty, Doisy, Domagk, Dulbecco, Duve, Eccles, Edelman, Ehrlich, Eijkman, Einthoven, Enders, Erlanger, Euler, Fibiger, Finsen, Fleming, Florey, Forssmann, Frisch, Gajdusek, Gasser, Golgi, Granit, Guillemin, Gullstrand, Hartline, Hench, Hershey, Hesse, Heymans, Hill, Hodgkin, Holly, Hopkins, Hounsfield, Houssay, Huggins, Huxley, Jacob, Katz, Khorana, Koch, Kocher, Kornberg, Kossel, Krebs, Krogh, Landsteiner, Laveran, Lipmann, Loewi, Lorenz, Luria, Lynen, Lwoff, Medawar, Meyerhof, Minot, Monod, Morgan, Muller, Murphy, Nathan, Nicolle, Nirenberg, Ochoa, Palade, Pavlov, Porter, Ramôn Y Cajal, Reichstein, Richards, Richet, Ross, Rous, Schally, Sherrington, Smith, Spemann, Sutherland, Szent-Gyôrgyl, Tatum, Temin, Theiler, Theorell, Tinbergen, Von Behring, Wagner-Jauregg, Waksman, Wald, Warburg, Watson, Weller, Whipple, Wilkins, Yalow, Zinkernagel.

NOBEL, PRIX DE PHYSIQUE (n. p.). Anderson, Alvarez, Appleton, Bardeen, Barkla, Bassov, Becquerel, Bethe, Blackett, Bloch, Bohr, Born, Bragg, Brattain, Bridgman, Broglie, Chadwick, Chamberlain, Chen Ning-Yang, Cockcroft, Compton, Cooper, Dalén, Davisson, Dirac, Einstein, Esaki, Fermi, Feynman, Franck, Frank, Gabor, Gell-Mann, Giaever, Glaser, Glashow, Goeppert-Mayer, Guillaume, Heisengerg, Hess, Hofstadter, Jensen, Josephson, Kamerlinghonnes, Kapitza, Kastler,

Kusch, Landau, Lawrence, Lee, Lenard, Lippmann, Lorentz, Marconi, Michelson, Millikan, Môssbauer, Mott, Néel, Osheroff, Pauli, Penzias, Perrin, Planck, Powell, Prokhorov, Rabi, Raman, Rayleich, Richardson, Richter, Rôntgen, Ryle, Salam, Schrieffer, Schwinger, Segré, Shockley, Siegbahn, Stark, Stern, Tamm, Tcherenkov, Thomson, Ting, Tomonaga, Townes, Tsung Dao-Lee, Van Der Waals, Vleck, Von Laue, Weinberg, Wien, Wigner, Wilson, Zernike.

NOBEL, PRIX DE SCIENCE ÉCONOMIQUE (n. p.). Friedman, Frish, Hayek, Hicks, Kantorovitch, Koopmans, Kuznets, Leontieff, Lewis, Mead, Mirrlees, Ohlin, Samuelson, Schultz, Simon, Vickrey.

NOBÉLIUM. No.

NOBLE. Aristocrate, chevalier, digne, duc, élevé, fief, généreux, hidalgo, hobereau, né, olympien, praticien, racé, relève, roturier, sublime, titré.

NOBLESSE. Dignité, fierté, grandeur, magnanimité, nom, pompe, style.

NOCES. Cana, dot, épousailles, hymen, mariage

NOCES, ANNIVERSAIRES ANCIENS. Papier (1 an), coton (2 ans), cuir (3 ans), fleurs (4 ans), bois (5 ans), sucre ou fer (6 ans), laine ou cuivre (7 ans), bronze ou faïence (8 ans), faïence ou osier (9 ans), fer ou aluminium (10 ans), acier (11 ans), soie ou lin (12 ans), dentelle (13 ans), ivoire (14 ans), cristal (15 ans), porcelaine (20 ans), argent (25 ans), perle (30 ans), corail (35 ans), rubis (40 ans), saphir (45 ans), or (50 ans), émeraude (55 ans), diamant (60 ans), platine (70 ans), diamant (75 ans), chêne (80 ans).

NOCES, ANNIVERSAIRES MODERNES. Horloge (1 an), porcelaine (2 ans), cristal ou verre (3 ans), appareils électriques (4 ans), argenterie (5 ans), bois (6 ans), ensemble de bureau (7 ans), dentelle (8 ans), cuir (9 ans), bijoux en diamant (10 ans), bijoux à la mode (11 ans), perle (12 ans), fourrure ou tissu (13 ans), bijoux en or (14 ans), montre (15 ans), platine (20 ans), argent (25 ans), perle (30 ans), jade (35 ans), rubis (40 ans), saphir (45 ans), or (50 ans), émeraude (55 ans), diamant (60 ans), chêne (70 ans).

NOCHER. Chapon, nautonier, pilote.

NOCIF. Asphyxiant, contaminé, mauvais, nuisible, toxique, virulent.

NOCTURNE. Fêtard, minuit, nuit, nuitée, obscurité, rapace.

NODOSITÉ. Excroissance, loupe, nodule, nœud, nouure, renflement.

NOÉ. Arche, biblique, déluge, île, vin.

NOÉ (n. p.). Cham, Japhet, Sem.

NOËL. Avant, cantique, ellébore, fête, hellébore, nativité.

NŒUD. Articulation, attache, bifurcation, centre, cocarde, collet, coulant, difficulté, hic, lacs, lasso, lien, malandre, péripétie, rosette.

NOIR. Afrique, café, canaque, carbone, charbon, deuil, ébène, houille, ivre, magie, messe, nègre, or, radis, ténébreux, titane, triste.

NOIRÂTRE. Basané, bronzé, ombre, nègre, négrillon, nocturne, sépia.

NOIRCIR. Biser, discréditer, enfumer, fumer, maculer, obscurcir, salir.

NOISE. Bagarre, bisbille, combat, débat, dispute, lutte, querelle, rixe.

NOISETIER. Arachide, areca, avellana, colurna, corylacée, corylus, coudre, coudrier, maxima, noisette, noix.
NOIX. Anacarde, arec, betel, cajou, cerneau, coco, écale, enveloppe, fessier, grenoble, kola, muscade, noyer, moulin, muscade.
NOM. Attribut, connu, désignation, prénom, prête-nom, surnom, titre.
NOMADE. Ambulant, errant, itinérant, robineux, vagabond, voyageur.
NOMBRE. Algèbre, âge, beaucoup, chiffre, compte, effectif, entier, multiplicité, numéro, quantité, quorum, score, tant, tirage, vie.
NOMMER. Appeler, choisir, citer, créer, élire, épeler, placer, voter.
NON. Négation, nenni, ni, niet, pas, refus.
NONCHALANCE. Apathie, indolence, léthargie, négligence, paresse.
NORD. Arctique, bise, boréal, boussole, nordique, pôle, septentrion.
NORDIQUE. Arctique, dieu, langue, légende, mer, polaire.
NORDIQUE (n. p.). Ases, Lagerlöf, Québec, Scandinave, Suède.
NORIA. Air, chapelet, défilé, godet, sakièh, va-et-vient.
NORME. Adage, base, canon, credo, esprit, principe, raison, règle, vérité.
NOS. Notre, nous.
NOTA. Nb, note.
NOTABLE. Estime, figure, gloire, important, personnalité, remarquable.
NOTAIRE. Adjudication, dataire, étude, loi, maître, sis, tabellion.
NOTATION. Annotation, neume, observation, pensée, rudiment.
NOTE. Anacrouse, anacruse, annotation, blanche, canard, croche, do, fa, facture, finale, la, mémorandum, mi, musique, nb, noir, noire, nota, pédale, ré, remarque, ronde, scolie, si, sol, syncope, ton, tonique, ut.
NOTIFICATION. Avis, commandement, dénonciation, signification.
NOTIFIER. Annoncer, aviser, commander, dire, intimer, signifier.
NOTION. Abstraction, connaissance, conscience, doctrine, idée, vernis.
NOTOIRE. Avéré, célèbre, certain, clair, manifeste, patent, public, su.
NOTRE. Nos, nous.
NOTRE-DAME. Nd.
NOTRE-SEIGNEUR. Ns.
NOUBA. Clique, cors, cuivres, fête, harmonie, lyre, orchestre, trompes.
NOUER. Attacher, boucler, établir, joindre, lacer, lier, renouer, tordre.
NOURRICE. Assistante, berceuse, bidon, gardienne, nounou, nurse.
NOURRICIER. Lait, nourrissant, pourvoyeur, sang, sève, suc.
NOURRIR. Alimenter, allaiter, élever, entretenir, fortifier, feu, gaver, gorger, instruire, manger, rassasier, ravitailler, régaler, sustenter, tir.
NOURRITURE. Aliment, ambroisie, avoine, bouffe, boustifaille, céréale, comestible, foin, manne, nutrition, os, pain, pâture, repas, vivre.
NOUVEAU. Actuel, ancien, antique, bleu, frais, inédit, inhabituel, inouï, insolite, jeune, mode, né, néo, neuf, novice, part, récent, vert, vieux.
NOUVELLE. Actualité, bruit, cancan, conte, écho, potin, récit, roman.
NOUVELLEMENT. Jeunement, néophyte, récemment, renouvellement.
NOVICE. Apprenti, aspirant, débutant, neuf, nouveau, recrue, stagiaire.
NOYAU. Âme, atome, centre, drupe, graine, groupe, haploïde, hélion, neutron, nifé, œuf, olive, origine, pépin, proton, siploïde.

NOYER. Drupe, grenoble, inonder, juglandacée, juglans, perdre, tuer.
NU. Découvert, dégarni, dénudé, déplumé, dépouillé, désert, déshabillé, dévêtu, dévoilé, impudique, pauvre, ver, vérité, vide.
NUAGE. Altocumulus, altostratus, brouillard, brume, cirrocumulus, cirrostratus, cirrus, cumulus, ennui, nébulosité, nimbostratus, nimbus, nue, nuée, obnubiler, panne, stratus, vapeurs, voile.
NUANCE. Assortir, brin, couleur, degré, différence, finesse, gradation, grain, nuer, once, soupçon, subtilité, teint, teinte, ton, tonalité, valeur.
NUANCER. Assortir, colorer, différencier, mélanger, nuer, teinter, virer.
NUÉE. Armada, beaucoup, multitude, nuage, nue, peu, tapisserie.
NUIRE. Causer, compromettre, gêner, léser, malheur, médire, salir, tort.
NUISIBLE. Dangereux, funeste, malsain, mauvais, néfaste, nocif.
NUIT. Guet, loup, minuit, nocturne, nuitée, obscurité, phare, tort.
NUL. Aucun, caduc, incapable, néant, pas, pat, point, sans, valeur, zéro.
NUMÉRO. Folio, loustic, no, nombre, quantième, série, spectacle, suite.
NUMÉROTER. Chiffrer, coter, folioter, paginer.
NUMISMATE. Médaille, médailliste, timbre.
NUMMULITIQUE. Éocène, paléogène.
NUPTIAL. Conjugal, hyménéal, matriminial, poêle.
NURSE. Bonne, gouvernante, infirmière, nourrice.
NYCTALOPE. Voir.
NYLON. Adipique, plastique, soie.
NYMPHE. Atlantide, atlas, chenille, chrysalide, daphné, dryade, écho, grâce, hamadryade, hespéride, hyades, muse, naïade, napée, néréide, nixe, océanide, ondine, oréade, pléiade, pupe, satyre, syrinx, triton.
NYMPHÉE. Bain.
NYMPHOMANE. Obsédée, sexuelle.
NYSTAGMUS. Affection, mouvements, nerveux, oculaire.

O

OASIS. Adrar, asben, désert, eau, igli, jardin, mery, mzab, repos.
OASIS (n. p.). Aioun, Amia, Awi, Badia, Baka, Brak, Chât, Delger, Dib, Douz, Elet, Gafsa, Kaija, Obo, Oued, Ouki, Richa, Sada, Sakha, Siouah, Zabran, Zilfi.
OBÉDIENCE. Dépendance, église, obéissance, permission.
OBÉIR. Accepter, acquiescer, admettre, céder, désobéir, écouter, esclave, fléchir, incliner, inféoder, obtempérer, patrie, plier, suivre.
OBÉISSANCE. Allégeance, assujettissement, aveugle, dépendance, discipline, docilité, fidélité, joug, libre, obédience, observance, passivité, servilité, soumission, subordination, sujétion, vœu.
OBÉISSANT. Attaché, dépendant, docile, sage, soumis, souple, têtu.
OBÉLISQUE. Aiguille, carature, carrelet, clocher, dard, orphie, pin, pinacle, saperde, tarière, telson, tourillon.
OBÉRER. Alourdir, charger, endetter, grever, surcharger.
OBI. Ob.

OBIER. Boule de neige, laurier-tin, viburnum, viorne.
OBJECTER. Dire, discuter, exciper, infirmer, opposer, réfuter, rejeter.
OBJECTIF. But, cible, final, juste, lentille, obturateur, subjectif, vrai.
OBJECTION. Contestation, difficulté, estoppel, mais, observation.
OBJET. Amer, amulette, but, chef, chose, dinanderie, épave, ivoire, onde, outil, maroquinerie, stérilet, talisman, trésor, truc, ulve, ustensile.
OBLAT-MARIE. Om.
OBLIGATION. Astreinte, bien, boulet, dette, dîme, impôt, loi, nécessité.
OBLIGÉ. Dû, fatal, forcé, formel, impératif, impérieux, rigoureux, tenu.
OBLIGER. Astreindre, condamner, contraindre, forcer, lier, servir.
OBLIQUE. Biais, corne, détour, incliné, indirect, scalène, travers.
OBLIQUITÉ. Déclinaison, inclinaison, infléchissement, pente.
OBLITÉRATION. Obstruction, obturation, occlusion, opilation.
OBREPTICE. Dissimulé, furtif, inventé, mensonger, omis, subreptice.
OBSCÈNE. Cochon, érotique, impur, indécent, ordurier, sale, vicieux.
OBSCUR. Abscon, amphigourique, assombri, caché, confus, foncé, hermétique, ignoré, noir, nuageux, opaque, terne, vague, vaseux, voilé.
OBSCURCISSEMENT. Inconnu, nébulosité, occultation, vaporeusement.
OBSCURITÉ. Chaos, noir, nuage, nuit, ombre, pénombre, ténèbres.
OBSÉDANT. Hantise, lancinant, poursuite, préoccupation, tourmente.
OBSÉDER. Assiéger, hanter, poursuivre, préoccuper, tourmenter.
OBSERVATEUR. Guetteur, historien, mirador, scrutateur, vigie.
OBSERVATION. Analyser, attention, avertissement, considération, critique, étude, examen, expérience, météo, minutieuse, note, obéissance, pensée, réflexion, remarque, réprimande, reproche.
OBSERVER. Accomplir, acquitter, analyser, avertir, conformer, considérer, critiquer, épier, étudier, examiner, garder, mirer, noter, obéir, pratiquer, réfléchir, regarder, remarquer, remplir, rendre, réprimander, suivre, tâter, tenir, toiser, veiller, vigie, voir.
OBSESSION. Ennui, hantise, fixe, idée, manie, psychose, souci, tracas.
OBSTACLE. Abattis, difficulté, dirimant, empêchement, entrave, mur.
OBSTINATION. Entêtement, insistance, opiniâtreté, résistance, ténacité.
OBSTINÉ. Buté, endurci, entêté, mule, opiniâtre, tenace, têtu.
OBSTRUCTION. Atrésie, congestion, embolie, engorgement, engouement, iléus, oblitération, obstacle, occlusion, résistance.
OBSTRUER. Barrer, bloquer, boucher, embarrasser, embouteiller, encombrer, encrasser, engorger, fermer, oblitérer, opiler.
OBTEMPÉRER. Céder, exécuter, incliner, obéir, soumettre.
OBTENIR. Acheter, avoir, capter, extorquer, gagner, glaner, sortir.
OBTURER. Aurifier, boucher, fermer, obstruer, photographier.
OBUS. Bombe, boulet, canon, marmite, mortier, ogive, projectile.
OCCASION. Aubaine, brocante, cas, cause, chance, circonstance, facilité, fois, hasard, heure, incidence, lieu, moment, piège, temps, terrain.
OCCASIONNER. Amener, appeler, apporter, attirer, causer, créer, donner, engendrer, entraîner, faire, fournir, motiver, porter, prêter.
OCCIDENT. Alliés, couchant, ouest, océan, ponant, soleil.

OCCIRE. Assassiner, tuer.
OCCLUSION. Fermeture, iléus, opilation, vovulus.
OCCULTISME. Alchimie, ésotérisme, gnose, hermétisme, illumination, kabbale, magie, mystère, psychomancie, radiesthésie, spiritisme.
OCCUPATION. Activité, dada, emploi, état, fonction, giron, place, travail.
OCCUPÉ. Absorbé, accablé, accaparé, actif, affairé, assujetti, chargé, écrasé, employé, engagé, indisponible, pris, tenu.
OCCUPER. Affairer, agir, assiéger, mener, réoccuper, tenir, vaquer.
OCÉAN. Abîme, abondance, abysse, flots, gouffre, immensité, mer.
OCÉAN (n. p.). Antarctique, Arctique, Atlantique, Indien, Pacifique.
OCTROYER. Accorder, allouer, attribuer, concéder, consentir, donner.
OCULISTE. Ophtalmologiste, ophtalmologue, optométriste.
ODE. Anacréontique, cantique, chant, épode, hymne.
ODEUR. Argent, arôme, bouche, brûlé, évent, fragrance, fumet, goût, graillon, parfum, pestilence, relent, roussi, sainteté, sauvagine, senteur.
ODORAT. Antenne, flair, fumet, odeur, olfaction, pif, nez, roussi, sens.
ŒDIPE (n. p.). Antigone, Étéocle, Ismène, Jocaste, Laïus, Polynice, Sphinx.
ŒIL. Achromatopsie, anchylop, atone, bigle, calot, cil, cornée, cristallin, cyclope, emmétrope, glaucome, globe, greffe, iris, larme, loucher, mirette, ocelle, ophtalmie, orbite, organe, pousse, prunelle, pupille, quinquet, regard, rétine, taie, talion, uvée, vision, voir, vue, yeux.
ŒIL-DE-BŒUF. Fenêtre, lucarne, oculus.
ŒILLET. Barbatus, deltoïde, dianthus, grenadin, inde, lacet, tagète.
ŒNOTHÈRE. Onagre.
ŒSTRUS. Estrogène, œstrogène, rut.
ŒUF. Caviar, coco, coque, coquille, couvain, couvée, couvi, frai, germe, graine, incubation, larve, lente, omelette, oosphère, origine, ovale, ové, ovocyte, ovotide, ovule, nichet, rogue, seiche.
ŒUVRE. Anthologie, art, berquinade, carène, création, dessin, fable, nouvelle, opéra, ouvrage, page, poème, récit, roman, sculpture, travail.
OFFENSANT. Amer, blessant, choquant, injurieux, insultant, vexant.
OFFENSE. Affront, avanie, blessure, coup, injure, insulte, outrage, péché.
OFFENSER. Blesser, injurier, léser, outrager, outrer, piquer, vexer.
OFFENSIF. Agressif, bagarreur, batailleur, brutal, football, violent.
OFFICE. Charge, culte, devoir, domestique, emploi, fonction, liturgie, messe, none, nouveauté, offrande, religion, salut, service, titre.
OFFICIEL. Arbitre, authentique, certificat, commissaire, juge, public.
OFFICIER. Adjudant, agréé, amiral, avoué, bey, capitaine, caporal, colonel, coroner, élu, greffier, héraut, huissier, lieutenant, général, licteur, maire, maréchal, notaire, rang, sénéchal, sergent, shérif.
OFFRANDE. Adresse, aumône, cadeau, charité, denier, don, donation, envoi, holocauste, hommage, oblation, offre, opisthodome, vœu.
OFFRE. Avance, enchère, objet, offrande, opa, soumission, surenchère.
OFFRIR. Acheter, dédier, donner, immoler, porter, régaler, sacrifier.
OFFUSQUER. Blesser, choquer, déplaire, injurier, insulter, ulcérer.

OGRE. Anthropophage, croquemitaine, géant, goule, lamie, vampire.
OIE. Ansériforme, bécassine, bernache, blanche, cacarder, civet, jars, oiselle, oison, outarde, palme, rosière.
OIGNON. Ail, bulbe, caïeu, ciboule, ciboulette, cor, échalote, montre.
OINDRE. Baume, bénir, consacrer, crémer, enduire, frictionner, frotter, graisser, huiler, oing, oint, onguent, lubrifier, sacrer.
OISEAU. Acanthis, accipiter, accipitridé, acridothère, actitis, aechmophorus, aegithalos, aegolius, aeronaute, aethia, agelaius, aigle, aigle-pêcheur, aigrette, aimophila, aix, ajaia, alauda, alaudidé, albatros, alca, alcédinidé, alcidé, alectoris, alle, alouette, alque, amazili, amazilia, ammodramus, ammoapiza, amphispiza, anas, anatidé, anatiné, anhinga, ani, ansériné, apodidé, apodiformes, aramidé, ardéidé, autour, avocette, balbuzard, barge, bec-en-ciseaux, bécard, bécasse, bécasseau, bécassine, bec-croisé, bec-scie, bendirei, bergeronnette, bernache, bihoreau, bombycillidé, bruant, bulcus, busard, buse, butor, caille, canard, canari, cane, caprimulgidé, caprimulgiformes, caracara, cardinal, carouge, carougette, casse-noix, cathartidé, certhiidé, chama, chamaéidé, charadriidé, charadriiformes, chardonneret, chemineau, chevalier, chevêche, chevêchette, chouette, cigogne, cincle, circé, colibri, colin, colombigalline, colombine, condor, coq, corbeau, cormoran, corneille, coulicou, courlan, courlis, couroucou, crécerelle, cygne, dendrocygne, diablotin, dickcissel, dindon, duc, durbec, échasse, effraie, eider, élanion, émeu, engoulevent, épervier, érismature, étourneau, faisan, faucon, fauvette, flamant, fou de Bassan, foulque, frégate, fuligule, gallinule, garrot, geai, gélinotte, géocoucou, gerfaut, gobe-moucheron, gode, goéland, goglu, gorge-bleu, grand-duc, gravelot, grèbe, grimpereau, grive, grivette, gros-bec, grue, guifette, guignette, guillemot, guiraca, harelde, harfang, harle, havelde, héron, hibou, hirondelle, huart, huîtrier, ibis, ictérie, jacana, jars, jaseur, junco, keskidi, labbe, lagopède, linotte, macareux, macreuse, mainate, marmette, marouette, martin, martin-pêcheur, martinet, maubèche, mergule, merle, merle bleu, mésange, milan, milouin, milouinan, moineau, moqueur, morillon, moucherolle, mouette, naucière, noddi, nyctale, oie, olor, oriole, ortalide, outarde, paille-en-queue, paon, paruline, passereau, passerine, pélican, perdrix, perroquet, petit-duc, pétrel, phalarope, phénopèple, pic, pie, pie-grièche, pigeon, pingouin, pinson, pintade, pioui, pipit, pivert, plectrophane, plongeon, pluvier, pouillot, poule, puffin, pygargue, pyrrhuloxia, quiscale, râle, récollet, rémiz, roitelet, roselin, rossignol, rouge-gorge, sansonnet, saphir, sarcelle, serin, sitelle, sizerin, solitaire, spatule, sporophile, sterne, sturnelle, sucrier, sylvette, tangara, tarin, tétras, tohi, toucan, tourdelle, tourne-pierre, tourterelle, traquet, troglodyte, trogon, tyran, tyranneau, vacher, vanneau, vautour, verdin, viréo.
OISEUX. Épineux, inactif, inutile, musard, oisif, paresseux, vain.
OLAV. Olaf.
OLFACTION. Dysosmie, flair, fumet, odeur, pif, nez, odorat, roussi, sens.

OLIBRIUS. Excentrique, fantaisiste, hâbleur, original, phénomène, type.
OLIGARCHIE. Argyrocratie, aristocratie, ploutocratie, synarchie.
OLIVE. Actinote, couleur, donace, donax, huile, maye, olivâtre, olivette, picholine, scouffin.
OLIVIER. Caducée, élaeagnus, oléastre, oléiculteur, olivaie, olivastre, oliveraie, osmanthus.
OMBELLIFÈRE. Anet, aneth, anis, carvi, céleri, cumin, persil, rave, sium.
OMBRE. Apparence, couvert, estompe, fantôme, noir, nuage, ocre, obscurité, opacité, pénombre, secret, soupçon, trait, versant.
OMETTRE. Cacher, escamoter, négliger, oublier, passer, sauter, taire.
OMISSION. Ellipse, faute, lacune, manque, oubli, prétérition, restriction.
ON. Autre, gens, quelqu'un.
ONCLE. Avunculat, case, tante, tonton.
ONCLE (n. p.). Sam, Tom.
ONDE. Antenne, eau, écho, flot, hertz, mer, radar, son, ultrason, vague.
ONDOYANT. Changeant, flamboyant, flottant, houle, ondulant, varié.
ONDULER. Calamistrer, flotter, friser, ondoyer, papillonner, spirale.
ONGLE. Corne, coupe-ongles, éperon, ergot, griffe, rubis, sabot, serre.
ONGUENT. Baume, cérat, crème, embrocation, emplâtre, liniment, miton, oindre, parfum, pommade, populéum.
ONOMATOPÉE. Ah, aïe, bah, bip, boum, chut, clac, clic, cocorico, couic, euh, flac, hi, paf, patata, pif, plouf, tac, teuf-teuf, tic, tictac, toc, zest.
OPAQUE. Abstrus, clair, couvrant, diaphane, émail, épais, grès, jaspe, mystérieux, obscur, ombre, sibyllin, sombre, ténébreux, transparent.
OPÉRA. Bouffe, comique, danse, drame, lyrique, opérette, oratorio, ouverture, rat, spectacle, vaudeville.
OPÉRA, AUTEUR (n. p.). Absil, Beethoven, Bellini, Berlioz, Charpentier, Cherubini, Indy, Mendelssohn, Mozart, Puccini, Rossini, Schubert, Smetana, Tchaïkovski, Verdi, Wagner.
OPÉRA D'ABSIL (n. p.). Peau d'âne.
OPÉRA DE BELLINI (n. p.). Norma.
OPÉRA DE CHERUBINI (n. p.). Médée.
OPÉRA DE GLUCK (n. p.). Alceste.
OPÉRA DE MASSENET (n. p.). Manon.
OPÉRA DE PUCCINI (n. p.). Bohême, Madame Butterfly, Tosca, Turandot.
OPÉRA DE ROSSINI (n. p.). Guillaume Tell.
OPÉRA DE VERDI (n. p.). Aida, Otello.
OPÉRA DE VINCENT D'INDY (n. p.). Fervaal.
OPÉRATEUR. Cadreur, conducteur, guérisseur, manipulateur.
OPÉRATION. Ablation, action, addition, agio, arrestation, bouclage, calcul, césarienne, change, chirurgie, circoncision, curetage, dévaluation, division, enquête, entreprise, exérèse, formalité, frappe, intervention, lever, multiplication, paracentèse, purge, rafle, règle, report, siège, sorcellerie, soustraction, suture, tri, vivisection.
OPÉRER. Agir, faire, muter, piller, procéder, recouper, résorber, saisir.

OPINER. Adopter, choisir, croire, déclarer, émettre, estimer, juger, oui.
OPINIÂTRE. Accrocheur, entêté, obstiné, raide, tenace, têtu.
OPINION. Avis, blâme, credo, dogme, école, erreur, estimé, goût, hérésie, idée, imagination, paradoxe, rang, sens, sentiment, thèse.
OPIUM. Codéine, diacode, élixir, morphine, narcotique, papavérine, pavot, stupéfiant.
OPPORTUN. Attentisme, convenable, inopportun, intempestif.
OPPOSÉ. Adverse, antipode, contraire, derrière, différent, divergent, envers, extrême, inverse, pôle, résistant, rétrograde, revers, veto.
OPPOSER. Contrer, dédire, exclure, nier, obvier, objecter, réagir, réfuter.
OPPOSITION. Contraste, litige, lutte, non, refus, résistance, verso, veto.
OPPRESSEUR. Despote, dictateur, dominateur, envahisseur, occupant, persécuteur, potentat, tortionnaire, tyran, usurpateur.
OPPRIMER. Accabler, asservir, courber, fouler, soumettre, subjuguer.
OPTION. Alternative, choix, dilemme, élection, préférence, stellage.
OPUNTIA. Nopal, raquette.
OPUS. Op.
OR. Au, aurifère, carat, claim, clinquant, doré, dorure, lingot, métal, monnaie, noces, orfèvre, oripeau, paillette, richesse, veau, vermeil.
OR (n. p.). Midas, Pactole, Saturne.
OR NOIR. Pétrole.
ORACLE. Devin, divination, opinion, prédiction, prophète, vérité.
ORAGE. Cyclone, dégât, fureur, mistral, ouragan, tempête, typhon, vent.
ORAGEUX. Agité, colère, déchaîné, nuageux, tempétueux, tourmenté.
ORAISON. Discours, éloge, méditation, orémus, pater, prière.
ORAL. Bucal, dire, écrire, parler, plaidoirie, verbal.
ORANGE. Agrume, bigarade, bergamote, clémentine, jaune, mandarine, navel, sanguine, sardoise, valence, zeste.
ORANGER. Bigaradier, choisya, citrus, maclura, néroli.
ORATEUR. Avocat, baratineur, causeur, cicéron, conférencier, débateur, diseur, foudre, harangueur, prêcheur, prédicateur, rhéteur, tribun.
ORCHESTRE. Ensemble, fanfare, gamelan, harmonie, musique, opéra.
ORCHESTRER. Diriger, instrumenter, organiser, réorchestrer.
ORCHIDÉE. Ada, aéricole, irène, liparis, néottie, ophis, ophrys, rhizotome, sabot-de-vénus, salep.
ORDINAIRE. Banal, commun, connu, moyen, normal, pauvre, usuel.
ORDONNANCE. Édit, capulaire, décret, jugement, loi, mander, ordre, prescription, règle, règlement, rescrit, soldat.
ORDONNÉ. Exigé, organisé, mandé, prêtre, réglé, statué.
ORDONNER. Classer, commander, consigner, décerner, dire, disposer, harmoniser, imposer, mander, obliger, organiser, prescrire, sommer.
ORDRE. Agencement, alignement, arrangement, chronologie, classement, commandement, consigne, harmonie, injonction, jarretière, loi, mandat, nature, ordonnance, rang, rit, système, va, vœu.
ORDRE RELIGIEUX, HOMME (n. p.). Assomptionniste, Bénédictin, Capucin, Carme, Clerc de Saint-Viateur, Dominicain, Eudiste,

Franciscain, Frère de l'Instruction chrétienne, Frère de la Charité, Frère du Sacré-Cœur, Frère des Écoles chrétiennes, Frère Mariste, Jésuite, Oblat, Missionnaire d'Afrique, Père Blanc d'Afrique, Père du Saint-Sacrement, Père Mariste, Prêtre de Saint-Sulpice, Rédemptoriste, Trappiste.

ORDRE RELIGIEUX, FEMME (n. p.). Augustine, Bénédictine, Carmélite, Clarisse, Fille du Calvaire, Fille de la Charité, Fille réparatrice du Divin-Cœur, Petite fille de Saint-Joseph, Petite Franciscaine de Marie, Petite Sœur des Pauvres, Religieuse du Sacré-Cœur, Sœur adoratrice du Précieux-Sang, Sœur de la Divine Providence, Sœur de la Providence, Sœur de l'Assomption de la Sainte-Vierge, Sœur de la Miséricorde, Sœur de Notre-Dame de Charité du Bon-Pasteur, Sœur de Notre-Dame-du-Bon-Conseil, Sœur de Notre-Dame-du-Perpétuel-Secours, Sœur Grise, Sœur missionnaire de l'Immaculée Conception, Sœur de Notre-Dame des Anges, Sœur missionnaire du Christ-Roi, Sœur Oblate, Ursuline.

ORDURE. Bourre, caca, chiure, crasse, débris, déchets, détritus, excrément, fange, fiente, fumier, gadoue, merde, poussière, rebut.

ORDURIER. Grossier, ignoble, immonde, infâme, obscène, sale, saloperie.

OREILLE. Âne, aqueduc, cérumen, enclume, escalope, étrier, eustache, limaçon, labyrinthe, lobe, manette, marteau, otite, ouïe, ourlet, paracentèse, pavillon, poignée, rocher, trompe, tympan, vestibule.

OREILLER. Chevet, coussin, polochon, taie, traversin.

OREILLONS. Abricot, ourle, parotide, pêche.

ORFÈVRE. Argent, art, bijou, bijoutier, burin, ciseau, ciselet, dé, échoppe, éloi, filigrane, or, résingle, saie, sautoir, surtout, tracelet, turc.

ORGANE. Aile, antenne, bec, cœur, corne, corps, dent, foie, journal, œil, membre, muscle, nerf, nez, peau, pénis, pétale, pied, plante, rein, revue, sens, sexe, toc, utérus, viscère.

ORGANIQUE. Embolie, physiologique, physique, somatique, stase.

ORGANISATION. BBC, CIA, FAO, NASA, OCDE, OEA, OIT, OMS, ONU, OPEP, OTAN.

ORGANISER. Agencer, axer, fixer, monter, nouer, planifier, régler.

ORGANISME. Anticorps, central, embryon, microorganisme, service.

ORGANITE. Lysosome, nitrosé, plaste, suc.

ORGASME. Éjaculation, extase, jouissance, paradis, spasme, volupté.

ORGE. Bière, blé, céréale, cervoise, drêche, écourgeon, escourgeon, froment, grain, malt, paumelle, scotch, seigle, whisky.

ORGELET. Chalaze, furoncle, hordéole, tumeur.

ORGUE. Laie, lomonaire, pédale, soupape, tuyau.

ORGUEIL. Dignité, égoïsme, fatuité, fermeté, fierté, futile, gloire, vanité.

ORGUEILLEUX. Altier, arrogant, bouffi, crâneur, empesé, faraud, fat, fier, flambard, glorieux, guindé, hautin, paon, poseur, sot, vain, vanité.

ORIENT. Arabe, Asie, eau, Égypte, est, hindou, levant, lustre, maçon, oriental, pierrerie, soleil, turc, Ur.

ORIENTER. Aiguiller, axer, canaliser, centrer, diriger, lieu, reconnaître.

ORIFICE. Anus, astrésie, cathéter, cratère, glotte, ombilic, méat, narine, naseau, œillard, ostiole, ouverture, pore, pupille, pylore, trou, vulve.
ORIGAN. Amaracus, bâtarde, dictame de Crète, marjolaine.
ORIGINAIRE. Aborigène, autochtone, génération, habitant, indigène, inné, issu, natif, naturel, primitif, sorti, venu, vernaculaire.
ORIGINAL. Bizarre, différent, distinct, drôle, excentrique, inclassable, inédit, initial, insolite, neuf, nouveau, originel, rare, source, texte, type.
ORIGINE. Base, berceau, cause, début, départ, germe, habitant, naissance, né, noble, premier, principe, souche, source, tête, type.
ORIGNAL. Cerf, élan.
ORLE. Trêcheur.
ORME. Aloum, attente, homeau, lapin, ormeau, ormille, ptelea, torpillard, ulmacée, ulmus, ypréau, zelkova.
ORNÉ. Brodé, décoré, étoilé, gemmé, lauré, paré, tarabiscoté.
ORNEMENT. Aiguilette, arc, bande, bracelet, chamarrure, chasuble, cimier, cœur, collier, cordon, dorure, enjolivement, épaulette, épi, étoile, étole, feston, fleuron, fanfreluche, jabot, mitre, orle, ors, ove, paon, parure, raide, revers, rosace, ruban, tiare, urne, vermiculure.
ORNER. Adorner, agrémenter, ajouter, assaisonner, barder, border, broder, chamarrer, colorer, dorer, embellir, enluminer, illustrer, imager, moulurer, nieller, nimber, parer, tapisser, tarabiscoter.
ORNIÈRE. Cartayer, fondrière, habitude, routine, trace, trou.
ORPAILLEUR. Or, pailleteur, vin.
ORPHELIN. Abandonné, frustré, orphelinat, privé, pupille.
ORPIN. Anacampseros, byrnesia, gormania, graptopetalum, perruque, rhodiola, sedastrium, sédum, verniculaire.
ORTIE. Actinie, anémone, dioïca, formique, lamier, lamium, urens, urtica, urticacée.
ORTHODOXIE. Catholicisme, conformiste, doctrine, hésychasme, higoumène, ligne, norme, prêtre, règle, sunna, vérité, vrai, uniate.
ORTHOGRAPHIER. Calligraphier, composer, consigner, dactylographier, écrire, griffonner, marquer, noter, rédiger, taper, tester, tracer.
OS. Arête, astragale, calcanéum, canon, carcasse, clavicule, coccyx, coronal, côte, crâne, croupion, cubitus, cunéiforme, dent, engrais, éthmoïde, fémur, fourchette, frontal, humérus, hyoïde, iliaque, olécrane, omoplate, osselet, ossements, mâchoire, pariétal, péroné, phalange, pisiforme, radius, régloir, rotule, sacrum, sésamoïde, spnénoïde, sternum, tibia, tschion, uncuis, vertèbre, vomer, zygoma.
OSCILLER. Balancer, baller, branler, dodeliner, hésiter.
OSCILLATION. Balancement, hésitation, libration, mouvement.
OSEILLE. Acide, aigrette, argent, oxalique, patience, purée, rumex, surelle, vinette.
OSER. Avant, chercher, efforcer, encourir, goûter, risquer, tenter, venir.
OSIER. Banne, ciste, obier, saule, saulaie, van, viorne, vime.
OSMIUM. Os.

OSSATURE. Armature, canevas, charpente, longeron, os, pan, squelette.
OSSEMENT. Carcasse, os, relique, restes, squelette.
OSSELET. Enclume, étrier, marteau.
OSTENSOIR. Custode, montre, orgueil, reliquaire.
OSTRACISER. Bannir, boycotter, éliminer, quarantaine, repousser.
OTAGE. Caution, esclave, gage, garant, prisonnier, répondant.
ÔTER. Abolir, abroger, annuler, arracher, confisquer, couper, cueillir, déballer, débarrasser, déblayer, déboiser, décapiter, décharner, déclouer, décrotter, déduire, défalquer, déferrer, dégager, dégainer, déganter, dégommer, dégrafer, délester, démancher, dénicher, dénuder, déplumer, dépocher, dépolir, déposséder, dépoter, dépouiller, déraciner, dérater, désaérer, désarmer, déshabiller, déshériter, désosser, destituer, détacher, détrôner, dévêtir, dévisser, éborgner, écaler, écheniller, écrémer, effacer, effeuiller, égrener, éliminer, émonder, emporter, enlever, énouer, entamer, épiler, éplucher, épousseter, épucer, épurer, équeuter, érater, essuyer, étêter, évincer, exclure, excommunier, exproprier, expurger, extirper, extorquer, glaner, lever, libérer, mutiler, parer, peler, plumer, prélever, prendre, priver, radier, ramasser, raser, ravir, rayer, retirer, retrancher, rogner, sarcler, séparer, sevrer, soustraire, ternir, tirer, tuer, vider, voler.
OU. Alias, soit.
OUBLI. Absence, amnésie, cocidille, égarement, erreur, faute, ingratitude, lacune, manque, négligence, omission, pardon.
OUBLIER. Abandonner, délaisser, désapprendre, lâcher, laisser, manquer, négliger, omettre, passer, perdre, sauter, sortir, taire.
OUBLIEUX. Distrait, étourdi, indifférent, ingrat, insouciant, négligent.
OUEST. Alliés, couchant, est, levant, occident, orient, ponant.
OUI. Accord, agrément, assentiment, assurément, aveu, bien, bon, certes, évidemment, ja, mariage, merci, oc, oil, opiner, parfait, si, soit.
OUÏE. Auditif, entendre, inaudible, oreille, oyant, sens, sourd, surdité.
OUÏR. Entendre, ouïe, ouï-dire.
OUR. Ur.
OURAGAN. Bourrasque, cyclone, orage, tempête, tornade, trouble.
OURDIR. Brasser, combiner, comploter, machiner, tisser, tracer, tramer.
OURS. Arctique, brun, busserole, callisto, ermite, grizzli, misanthrope, noir, otarie, oursin, ourson, panda, plantigrade, sauvage, solitaire.
OURSIN. Châtaigne, hérisson, melon, spatangue, test.
OUSTE. Oust.
OUTARDE. Bernache, canepetière, cravant, empereur, nonnette, oie.
OUTIL. Alène, alésoir, bêche, binette, buis, brunissoir, burin, ciseau, clé, clef, dé, ébauchoir, équerre, étau, faucille, faux, filière, gratte, houe, jabloir, lime, marteau, oiseau, pelle, pioche, plane, plantoir, râble, rabot, raclette, racloir, rodoir, râteau, rénette, résingle, ripe, scie, serfouette, tournevis, truc, truelle, trusquin, varlope, vrille.
OUTRAGE. Affront, ans, avanie, délit, fouet, injure, insulte, offense.
OUTRAGER. Bafouer, conspuer, huer, injurier, insulter, maudire, violer.

OUTRANCE. Démesure, enflure, exagération, excès, exubérance.
OUTRE. Excessif, fort, indigné, par-dessus, plus, révolté, utricule.
OUVERT. Accessible, béant, délabré, éclos, entamé, entrouvert, épanoui, évasé, fendu, fente, franc, inauguré, percé, troué, stomatoscope.
OUVERTURE. Abée, angle, baie, béer, commencer, cratère, créneau, écoutille, écubier, esse, évasure, fenêtre, fente, fermeture, gueulard, hublot, inauguration, laparotomie, lucarne, méat, narine, nocturne, orifice, ouïe, panneau, pore, prélude, soupirail, trou, troué, tubulure.
OUVRAGE. Annuaire, atlas, bible, bijou, brochure, copie, corvée, dais, devis, digue, écluse, écrit, émail, essai, étude, fort, four, guide, iconographie, implexe, labeur, livre, môle, monument, mur, opéra, oriel, peine, plan, poème, production, ravelin, redan, redent, relief, roman, statue, tableau, tâche, traité, travail, treillis, usuel, voûte.
OUVRIER. Canut, claviste, débardeur, ébéniste, éboueur, foreur, homme, leveur, lissier, maçon, mineur, nattier, péon, praticien, repasseur, scieur, sellier, tanneur, terrassier, tisserand, tourneur.
OUVRIÈRE. Abeille, cheville, fourmi.
OUVRIR. Canaliser, clé, clef, éclore, entrouvrir, éventrer, soutirer.
OVALE. Circuit, courbe, écu, ellipsoïde, football, oblong, œuf, ové.
OVATION. Acclamation, applaudissement, hourra, triomphe, vivat.
OVE. Échine, orle, ornement, ovale, ovoïde.
OVIN. Bélier, bœuf, bouc, bouquetin, bovidé, brebis, chèvre, moufflon, mouton, ovidé.
OVULE. Anatrope, cellule, embryon, funicule, germe, graine, nucelle, œuf, ovaire, placenta.
OXYDATION. Acrylique, étain, oxygène, ozone, patine, térébique.
OXYDE. Aétite, alumine, baryte, bioxyde, chaux, émail, erbine, étain, éther, glucine, litharge, lithine, magétite, massicot, métal, rouille, rutile, safre, silice, tutie, urane, ytterbium, yttria, zircone.
OXYDER. Brûler, détériorer, détruire, ronger, rouiller.
OXYGÈNE. Air, anoxie, gaz, O, oxygéner, ozone, sang.
OZONE. Air, assainisseur, couche, gaz.

P

PACAGE. Bestiaux, herbage, pâturage, pâture, pré.
PACHA. Ali, commandant, oisif, paresseux.
PACHYDERME. Éléphant, hippopotame, ongulé, porc, rhinocéros.
PACIFIER. Adoucir, apaiser, arranger, calmer, retenir, tranquilliser.
PACIFIQUE. Belliqueux, calme, débonnaire, doux, paisible, placide.
PACTE. Accord, alliance, contrat, convention, paix, traité.
PAF. Ivre.
PAGAYER. Avironner, ramer.
PAGE. Destin, encart, feuille, feuillet, folio, forme, garçon, garde, marge, paginer, papier, passage, recto, signet, verso.
PAGEOT. Lit.

PAIE. Appointements, cachet, commission, droit, émoluments, gages, honoraires, indemnité, jeton, loyer, paiement, prêt, prime, pourboire, rétribution, salaire, service, solde, traitement, versement, virement.
PAIEMENT. Acompte, acquitter, à-valoir, annuité, avance, règlement.
PAÏEN. Agnostique, athée, hérétique, idolâtre, impie, incrédule, incroyant, infidèle, irréligieux, mécréant, néophyte, polythéiste.
PAILLE. Brie, chalumeau, chaume, empailleur, épi, fétu, fourrage, glu, humus, intermédiaire, litière, natte, poutre, ruiné.
PAILLON. Tontine.
PAIN. Azyme, baguette, chanteau, chapelure, croissant, croûte, fesse, flûte, hostie, maie, miche, mie, miette, oba, pita, porteuse, sagou, sec.
PAIR. As, deux, égal, hors, lord, noble, premier, sénat.
PAIRE. Apparier, couple, deux, full, joindre.
PAISIBLE. Agité, aimable, béat, calme, coi, doux, luette, modéré, pacifique, pantouflard, pénard, perturbé, placide, tranquille, troublé.
PAÎTRE. Brouter, gagner, herbeiller, manger, pacager, pâturer, viander.
PAIX. Bonheur, calme, entente, harmonie, repos, sérénité, union.
PAL. Croix, flanc, pieu, vergette.
PALAIS. Bouche, casino, castel, château, cour, couronne, demeure, goût, hôtel, justice, luette, manoir, palace, sérail, ulite, vatican, voûte.
PALAIS (n. p.). Alcazar, Bagello, Bruhl, Buckingham, Bourbon, Chaillot, Dam, Doges, Élysée, Évêché, Kremlin, Médicis, Pitti, Prado, Sérail, Vatican, Verdala, Versailles, Westminster, Zappelon.
PÂLE. Blanc, blême, bleu, gris, hâve, maladif, mauve, plat, terne, vert.
PALEFROI. Cheval, coursier, destrier, monture.
PALETTE. Aube, bat, battoir, couchoir, férule, pale.
PALIER. Carré, étage, phase, rampe, recette, rez-de-chaussée, volée.
PÂLIR. Blêmir, changer, éteindre, flétrir, ternir.
PALISSADE. Barrière, clôture, fortification, lice, mur.
PALLADIUM. Pd.
PALLIER. Adoucir, affaiblir, amoindrir, atténuer, cacher, calmer, déguiser, mitiger, modérer, pourvoir, remédier, sauver, voiler.
PALMIER. Arec, cocotier, dattier, doum, élis, latanier, nipa, rotang.
PALMIPÈDE. Anatidé, canard, chien, cormoran, cygne, fou, fuligule, goéland, hirondelle, oie, manchot, mouette, pélican, pingouin, sterne.
PALOMBE. Biset, colombin, pigeon, ramier.
PALPER. Empocher, encaisser, manifeste, sensible, tâter, toucher.
PAMPHLET. Encart, blason, brochure, diatribe, écho, feuille, livre, satire.
PAMPLEMOUSSE. Agrume, grappe, pomelo.
PAN. Aégipan, flanc, lupercale, mur, panique, partie, syringe, syrinx.
PANACÉE. Catholiçon, guérir, médicament, remède, solution.
PANACHE. Allure, bariolé, culbuter, lustre, mélange, mêlé, plumet.
PANARIS. Abcès, paronyme, tourniole.
PANAX. Aralia, ginseng.
PANÉGYRIQUE. Apologie, compliment, éloge, félicitations, louange.
PANIC. Mil, millet, moha.

PANIER. Banne, bourriche, cabas, casse, cloyère, corbeille, corbillon, couffin, élite, gabion, hotte, manne, nacelle, nasse, rasse, scouffin, van.
PANNE. Accident, accroc, arrêt, barde, boucherie, couenne, coupure, graisse, lard, incident, interruption, poutre, suspens, voile.
PANNEAU. Banche, cadre, claie, écran, filet, métope, stop, vitre, volet.
PANNONCEAU. Affiche, carte, écriteau, écusson, enseigne, placard.
PANSE. Abdomen, bedaine, bide, crépine, estomac, rumen, ventre.
PANSEMENT. Bandage, crêpe, compresse, gaze, ouate, sparadrap.
PANTALON. Braie, culotte, froc, pantin, knicker, quadrille, sarouel.
PANTHÈRE. Léopard.
PANTIÈRE. Pantène, pantenne.
PANTIN. Arlequin, bamboche, bouffon, clown, guignol, jouet, joujou, mannequin, margotin, marionnette, pantalon, polichinelle, poupée.
PANTOUFLE. Charentaise, chausson, mocassin, mule, savate.
PAON. Orgueilleux, paonne, paonneau.
PAPAL. Intégriste, papalin, papimane, papiste, ultramondain.
PAPE. Ablégat, bref, chef, concile, conclave, encyclique, légat, nonce, œcuménique, père, pontif, Saint-Siège, serviteur, tiare, vicaire.
PAPE (n. p.). Adrien, Agapit, Agathon, Alexandre, Anaclet, Anicet, Anastase, Anthère, Benoit, Boniface, Caius, Calixte, Célestin, Clément, Conon, Constantin, Corneille, Damase, Dieudonné, Dionysius, Donus, Éleuthère, Étienne, Eugène, Eusèbe, Eutychien, Évariste, Fabien, Félix, Formose, Gélase, Grégoire, Hilaire, Honorius, Hormisdas, Hygin, Innocent, Jean, Jean-Paul, Jules, Landon, Léon, Libère, Lin, Lucius, Marc, Marcel, Marcellin, Martin, Melchiade, Nicolas, Pascal, Paul, Pélage, Pie, Pontien, Romain, Sabinien, Serge, Séverin, Silvère, Simplice, Sirice, Sisinnius, Sixte, Soter, Sylvestre, Symnaque, Télesphore, Théodore, Urbain, Valentin, Victor, Vigile, Vitalien, Zacharie, Zéphirin, Zozime.
PAPIER. Argent, assiette, billet, carton, coupe, cuve, émeri, épair, espèces, feuille, filigrane, forme, journal, main, noces, oignon, page, parchemin, papillote, pontuseau, rame, serviette, tenture, vélin, vergé.
PAPILLON. Acidalie, adonis, aglossa, agrotide, alucite, argus, argynne, cache, carpocapse, cocon, conelle, danaïde, eudémis, gonelle, leucanie, lycène, machaon, mars, morio, phalène, piéride, pyrale, saturnie, satyre, sépiole, sphinx, teigne, uranie, vanesse, vulcain, xanthie, zeuzère, zygène.
PAPILLONNER. Agiter, butiner, débattre, flirter, folâtrer, voltiger.
PAPILLONNANT. Agité, clignotant, flottant, instable, mobile, mouvant.
PAPOTAGE. Bavardage, cancan, caquetage, commérage, ragot.
PAQUEBOT. Bateau, liner, navire, transat, transatlantique, vaisseau.
PAQUET. Bagage, balle, ballot, ballotin, baluchon, bêtise, colis, emballage, liasse, masse, pile, quantité, sachet, tas.
PAR. Via.
PARABOLE. Allégorie, apologue, fable, histoire, image, morale, symbole.
PARACHUTISTE. Para, sauteur, stick.
PARADE. Crédence, carrousel, défilé, montre, revue, riposte, tenue.

PARADIS. Balcon, céleste, ciel, éden, élysée, havre, nirvana, oasis, Olympe, pigeonnier, poulailler, royaume, sein, séjour, Walhalla.
PARADOXE. Absurdité, contradiction, énormité, originalité, singularité.
PARAGRAPHE. Développement, intertitre, passage, verset.
PARAÎTRE. Aspect, briller, naître, poindre, sembler, simuler, surgir.
PARALYSER. Annihiler, arrêter, bloquer, immobiliser, neutraliser.
PARALYSIE. Anesthésie, ankylose, asthénie, atonie, atrophie, catalepsie, hémiplégie, monoplégie, paraplégie, sclérose, parésie.
PARAPET. Abri, balustrade, mur, muraille, muret.
PARAPHER. Apostiller, contresigner, griffer, signer, viser.
PARAPHRASE. Développement, fantaisie, imitation, traduction, targum.
PARAPHRASER. Amplifier, commenter, éclaircir, expliquer, imiter.
PARAPLUIE. Marquise, ombrelle, parasol, pébroc, pépin, riflard.
PARASITE. Acarus, amibe, argas, champignon, douve, écornifleur, ectoparasite, gale, gui, insecte, ixode, larve, lente, œstre, oxyure, pou, puce, superflu, taenia, teigne, ténia, tique, urédo, varron, ver.
PARASOL. Abri, ombrelle.
PARC. Clayère, jardin, marenne, ménagerie, pâturage, tortille, zoo.
PARCELLE. Copeau, étincelle, grain, limaille, lopin, miette, partie.
PARCHEMIN. Cosse, diplôme, garde, juif, manuscrit, palimpseste, papier, titre, vélin.
PARCIMONIEUX. Avaricieux, économe, favorable, ladre, marchandeur.
PARCOURIR. Arpenter, battre, courir, dévaler, lire, monter, visiter, voir.
PARCOURS. Chemin, étape, itinéraire, link, ronde, route, tour, tracé.
PARDESSUS. Imperméable, jaquette, manteau, outre, surtout, veste.
PARDON. Absolution, excuse, grâce, miséricorde, oubli, rémission.
PARDONNER. Absoudre, condamner, excuser, expier, grâcier, oublier, reprendre, remettre, réprimander, réprouver, souffrir, stigmatiser.
PARE-BRISE. Grattoir, lave-glace, vignette.
PAREIL. Adéquat, ainsi, aussi, conforme, égal, ibidem, id, idem, ita, itou, même, pair, réciproque, semblable, sic, similaire, tel.
PAREILLEMENT. Aussi, avenant, mêmement, parallèlement.
PAREMENT. Décoration, ornement, parure, revers, surface.
PARENT. Agnat, aïeul, aïeux, aîné, allié, ancêtre, apparenté, ascendant, bru, cadet, cognat, colatéral, consanguin, consort, cousin, dabe, époux, famille, frère, gendre, germain, mari, mère, neveu, nièce, oncle, père, proche, procréateur, sang, siens, sœur, tante, utérin.
PARENTÉ. Affinité, analogie, classificatoire, degré, liaison, lien, union.
PARENTHÈSE. Disgression, écart, épisode, parabase, placage.
PARER. Adoniser, afistoler, arrêter, attifer, diaprer, éluder, embellir, esquiver, éviter, orner, parure, pigeonner, pomponner, remédier.
PARESSEUX. Aboulique, ai, indolent, cancre, fainéant, flâneux, inerte, lambin, mou, négligent, nonchalant, oisif, singe, unau.
PARFAIRE. Arranger, châtier, ciseler, enjoliver, fignoler, finir, lécher, limer, parachever, peaufiner, perler, polir, raboter, raffiner, soigner.

PARFAIT. Absolu, achevé, bien, complet, conjugaison, divin, élite, excellent, fignolé, fin, idéal, impeccable, incomparable, irréprochable, magistral, mûr, perfection, perle, prétérit, peaufiné, rare, réussi.
PARFOIS. Quelquefois, rarement.
PARFUM. Aromate, arôme, baume, bouquet, eau, encens, essence, extrait, fragrance, fumet, haleine, huile, nard, odeur, onguent, senteur.
PARFUMER. Ambrer, anis, aromatiser, dégager, embaumer, odorer.
PARIER. Défier, enjeu, gager, jouer, miser, risquer.
PARKING. Garage, parc, parcage, stationnement.
PARLEMENT. Assemblée, chambre, député, douma, sénateur, urne.
PARLER. Aborder, annoncer, bafouiller, baragouiner, bléser, causer, claironner, crier, dauber, débiter, dire, discourir, évoquer, exposer, exprimer, haranguer, hurler, jacter, jargonner, jaser, joual, nasiller, patois, péronier, placoter, prononcer, tarir, tonner, trahir, vociférer.
PARLEUR. Causeur, conférencier, crieur, diseur, gueuleur, jaseur, pie.
PARMI. Chez, dans, de, emmi, en, entre, milieu, sur, trier.
PARODIE. Calque, caricature, copie, glose, imitation, moquer, singerie.
PAROI. Aile, apic, cadre, claustra, cloison, éponte, mur, muraille, voûte.
PAROISSE. Clocher, commune, cure, église, feu, hameau, village.
PAROISSIEN. Eucologe, fidèle, messe, missel, ouaille, prière.
PAROLE. Aménité, ânerie, annotation, aparté, aphasie, apophtegme, assurance, compliment, discours, élocution, éloge, énormité, expression, gentillesse, grimoire, impiété, injure, jactance, langage, langue, malentendu, menace, mot, objurgations, ordure, propos, sottise, verbe.
PAROLIER. Auteur, chansonnier, librettiste, poète.
PAROXYSME. Accès, acmé, apothéose, colère, comble, crise, exacerbation, extrême, faîte, maximum, perfection, summum, survolté.
PARPAILLOT. Agnostique, anticlérical, athée, calviniste, protestant.
PARQUER. Enfermer, garer, stationner.
PARQUET. Carrelage, chevron, justice, moquette, parqueterie, plancher, sol, tapis, tribunal, tuile.
PARRAIN. Caution, compère, garant, introducteur, témoin, tuteur.
PARSEMER. Étendre, étoiler, recouvrir, répandre, saupoudrer, semer.
PART. Aller, contingent, départ, déplace, écot, lopin, lot, partage, participe, particule, partie, quota, quirat, ration, ristourne, va.
PARTAGE. Dichotomie, division, loti, partition, répartition, séparation.
PARTAGER. Assoler, débiter, découper, dépecer, diviser, fragmenter, graduer, liquider, lotir, morceler, partir, répartir, séparer, ventiler.
PARTANCE. Appareillage, début, départ, embarquement, exode.
PARTENAIRE. Acolyte, adjoint, affidé, aide, allié, ami, associé, collègue, compagnon, complice, copain, correspondant, équipier, joueur, second.
PARTERRE. Corbeil, massif, pelouse, planche, plate-bande, public.
PARTI. Ami, bannière, brigue, cabale, camp, cause, clan, coalition, ému, faction, famille, groupe, inféodé, opte, part, partie, partisan, secte.
PARTICIPE. Bu, dû, eu, lu, mû, né, part, plu, prend, pu, su, tu, vu.
PARTICIPER. Apporter, assister, collaborer, coopérer, militer, tremper.

PARTICULARITÉ. Anecdote, caractéristique, modalité, propriété, rareté.
PARTICULE. Atome, corpuscule, da, de, di, du, ka, lepton, méson, micelle, morceau, muon, neutron, nucléon, oc, poudre, van, vice, von.
PARTICULIER. Bizarre, distinct, individu, propre, rare, spécial, unique.
PARTIE. Fraction, hémi, justice, lopin, lot, manche, mat, mi, miette, moitié, morceau, parcelle, part, particule, portion, rob, semi, set.
PARTIR. Abandonner, aller, battre, cavaler, décamper, défiler, déloger, départ, détaler, émigrer, exiler, filer, fuir, quitter, rogner, sortir, venir.
PARTISAN. Acolyte, adepte, adhérent, affidé, affilié, allié, ami, disciple, fanatique, féal, fidèle, membre, militant, parti, recrue, séide, tenant.
PARTITION. Indépendance, musique, reprise, séparation, tableur.
PARU. Éclos, né, publié, semblé, sorti.
PARURE. Ajustement, atour, bijou, coquetterie, diadème, joyau, ornement, nippe, parer, parement, toilette.
PARVENIR. Arriver, obtenir, réussir, sauter, succéder, tomber, venir.
PARVENU. Agioteur, arriviste, figaro, pu, rasta, rastaquouère, réussi.
PAS. Andain, appui, aucun, clerc, col, danse, enjambée, étape, foulée, goutte, jalon, marche, négation, nul, peu, point, préséance, progrès, promenade, prose, seuil.
PASCAL. Pa.
PASSABLE. Acceptable, admissible, médiocre, mettable, potable.
PASSADE. Amourette, aventure, béguin, caprice, fantaisie, flirt, liaison.
PASSAGE. Allée, berme, brèche, canal, citation, col, corridor, couloir, coursive, défilé, détroit, endroit, extrait, galerie, gorge, gué, issue, pas, passe, pertuis, pont, porte, ras, rue, saut, seuil, texte, trait, verset.
PASSAGER. Durable, éphémère, évanescent, fugitif, précaire, rapide.
PASSE. Canal, chenal, circulation, circule, coup, défilé, détroit, état, histoire, issue, passe-partout, position, rétrospection, situation, veille.
PASSE (n. p.). Aa, Agout, Adour, Ain, Allier, Ariège, Aron, Aude, Dniepr, Elbe, Escant, Eure, Iding, Ienisseï, Ill, Indre, Isère, Iton, Leine, Loir, Moselle, Oise, Orb, Orne, Saône, Tarn, Vienne.
PASSÉ. Accompli, ancien, antan, aoriste, autrefois, conjugaison, défunt, ex, hier, jadis, mort, omis, prétérit, rétroactif, révolu, tradition, tu.
PASSÉ COMPOSÉ. Alibi, verbe.
PASSEMENT. Agrément, aiguillette, broderie, chenille, cordon, crépine, dentelle, dragonne, épaulette, filet, frange, galon, ganse, gland, picot.
PASSER. Aller, conclure, couler, couper, cribler, croiser, devancer, devenir, dissiper, écouler, enfuir, entrer, énumérer, étendre, évoluer, excéder, filtrer, fixer, franchir, fusiller, herser, hiverner, lécher, loger, moduler, mourir, omettre, pardonner, pourlécher, raser, ratatiner, refiler, rincer, sasser, sortir, tamiser, tirer, transmettre, traverser.
PASSEREAU. Accenteur, alouette, becfigue, bec-fin, bruant, bulbul, calao, carouge, chama, cincle, colibri, corbeau, corneille, étourneau, fauvette, geai, gobe-mouches, grimpereau, grive, gros-bec, hirondelle, jaseur, merle, mésange, moineau, moqueur, moucherolle, oriole, pie, pinson, pipit, roitelet, sittelle, tangara, tarin, troglodyte, veuve, viréo.

PASSE-PARTOUT. Clé, clef.
PASSE-TEMPS. Agrément, amusement, distraction, jeu, plaisir.
PASSIF. Actif, bilan, engourdi, grammaire, perte, supporter, verbe.
PASSION. Amour, désir, élan, faible, joie, rage, rêve, sentiment, vice.
PASSIONNÉ. Ardent, brutal, chaud, épris, exalté, féru, fou, mordu.
PASSIVITÉ. Amorphe, apathique, atone, éteint, inaction, inertie.
PASSOIRE. Crible, filtre, tamis, trépied, trier, ustensile.
PASTEL. Cocagne, couleur, guède, isatis.
PASTEUR. Berger, ministre, missionnaire, pâtre, prêtre, révérend.
PASTICHER. Caricaturer, contrefaire, imiter, parodier.
PASTORALE. Bergerette, bucolique, églogue, idylle, symphonie.
PATAUGER. Barboter, gadouiller, patouiller, patrouiller, piétiner.
PÂTE. Abaisse, barbotine, beigne, beignet, cannelloni, colle, croûte, lasagne, macaroni, mortier, nouille, pâté, pâtisserie, ravioli, spaghetti, spaghettini, tagliatelle, tortellini, vermicelle, vol-au-vent.
PATENTE. Autorisation, brevet, contribution, diplôme, impôt, licence.
PATIENCE. Calme, constance, courage, flegme, impatience, réussite.
PÂTISSERIE. Baba, biscuit, brioche, chou, coulis, éclair, friand, gâteau, gaufre, macaron, nanan, pâté, pet, plaisir, religieuse, rissole, tarte.
PATOIS. Argot, charabia, dialecte, idiome, langue, parlure, sabir.
PATRIARCHE. Ancestral, biblique, chef, prophète, tribu, vieillard.
PATRIARCHE (n. p.). Abraham, Cham, Japhet, Job, Mathusalem, Noé, Sem, Seth.
PATRIE. Apatride, civisme, expatrié, nation, patriote, pays, rapatrier.
PATRIMOINE. Bien, héritage, mobilier, part, propriété, succession.
PATRIOTE. Chauviniste, civisme, cocardier, nationaliste, séparatiste.
PATRIOTE (n. p.). Bouchette, Cardinal, Cartier, Chénier, Decoigne, Duquet, Hamelin, Narbonne, Nelson, Papineau, Perrault, Portneuf, Sanguinet, Simard, Viger.
PATRON. Boss, chef, maître, modèle, protecteur, saint, tenancier.
PATTE. Adresse, carrefour, cuissot, épaulette, ergot, habileté, jambe, jarret, main, pied, pince, ride, sabot, serre, tarse, technique.
PÂTURAGE. Alpage, auge, parc, pacage, pâture, prairie, pré, terre.
PÂTURE. Affenage, appât, engrais, herbage, nourriture, pâtis, pitance.
PAUPÉRISME. Dénuement, manque, misère, pauvreté.
PAUPIÈRE. Blépharite, cil, clin, clignement, conjonctivite, orgelet.
PAUSE. Arrêt, attente, chant, halte, point, repos, silence, soupir, station.
PAUVRE. Aisé, appauvri, chétif, clochard, cossu, démuni, gueux, fortuné, hère, indigent, job, ladre, minable, miséreux, riche, ruiné.
PAUVRETÉ. Besoin, disette, famine, misère, pénurie, pétrin, stérilité.
PAVER. Briqueter, carreler, couvrir, daller, damer, macadam, repaver.
PAVILLON. Abri, aile, bannière, belvédère, berne, bungalow, chalet, cor, cottage, drapeau, étendard, gloriette, guérite, kiosque, maison, muette, oreille, rotonde, tente, tonnelle, tente, tourelle, villa.
PAVOT. Calmant, coquelicot, huile, morphine, œillette, olivette, opium, papaver, ponceau, somnifère.

PAYE. Impayé, paiement, péage, rétribution, salaire, solde, terme.

PAYS. Bled, bourg, campagne, contrée, état, lieu, nation, patrie, région.

PAYS (n. p.). Afghanistan, Afrique du Sud, Albanie, Algérie, Allemagne, Andorre, Arabie Saoudite, Argentine, Australie, Autriche, Bahrein, Bangladesh, Barbade, Belgique, Bélize, Bénin, Bhoutan, Birmanie, Bolivie, Bosnie, Botswana, Brésil, Brunei, Bulgarie, Burkina Faso, Burundi, Cambodge, Cameroun, Canada, Cap-Vert, Ceylan, Chili, Chine, Chypre, Colombie, Comores, Congo, Corée du Nord, Corée du Sud, Costa Rica, Côte-d'Ivoire, Croatie, Cuba, Dahomey, Danemark, Djibouti, Dominique, Égypte, El Salvador, Émirats, Équateur, Espagne, Estonie, États-Unis, Éthiopie, Finlande, France, Gabon, Gambie, Géorgie, Ghana, Grèce, Grenade, Grenadines, Guatemala, Guinée, Guyana, Guyane, Haïti, Haute-Volta, Honduras, Hongrie, Inde, Indonésie, Irak, Iran, Irlande, Islande, Israël, Italie, Jamaïque, Japon, Jordanie, Kampuchéa, Kenya, Koweït, Laos, Lesotho, Lettonie, Liban, Libéria, Liechtenstein, Libye, Lituanie, Luxembourg, Madagascar, Malawi, Malaisie, Maldives, Mali, Malte, Maroc, Maurice, Mauritanie, Mexique, Monaco, Mongolie, Mozambique, Namibie, Népal, Nicaragua, Niger, Nigeria, Norvège, Nouvelle-Guinée, Nouvelle-Zélande, Oman, Ouganda, Pakistan, Panama, Papouasie, Paraguay, Pays-Bas, Pérou, Philippines, Pologne, Portugal, Puerto Rico, Qatar, République dominicaine, Réunion, Rhodésie, Roumanie, Royaume-Uni, Russie, Rwanda, Sainte-Lucie, Saint-Marin, Saint-Vincent, Salvador, Salomon, Samoa, Sénégal, Seychelles, Sierra Leone, Singapour, Slovaquie, Slovénie, Somalie, Soudan, Sri Lanka, Suède, Suisse, Surinam, Swaziland, Syrie, Taïwan, Tanzanie, Tchad, Tchécoslovaquie, Thaïlande, Tobago, Togo, Trinidad, Tunisie, Turquie, Uruguay, Vatican, Venezuela, Vietnam, Yémen, Yougoslavie, Zaïre, Zambie, Zimbabwe.

PAYS D'AFRIQUE (n. p.). Afrique du Sud, Algérie, Angola, Bénin, Botswana, Burundi, Cabinda, Cameroun, Cap, Congo, Djibouti, Égypte, Éthiopie, Gabon, Gambie, Ghana, Guinée, Kenya, Lesotho, Libéria, Libye, Madagascar, Mali, Maroc, Mauritanie, Mozambique, Namibie, Natal, Niger, Nigéria, Orange, Ouganda, Rhodésie, Rwanda, Sénégal, Somalie, Soudan, Swaziland, Tanganie, Tchad, Togo, Transvaal, Tunisie, Zaïre, Zambie, Zimbabwe.

PAYS D'AMÉRIQUE CENTRALE (n. p.). Bahamas, Costa Rica, Cuba, Haïti, Honduras, Mexique, Nicaragua, Panama, République dominicaine.

PAYS D'AMÉRIQUE DU NORD (n. p.). Canada, États-Unis.

PAYS D'AMÉRIQUE DU SUD (n. p.). Argentine, Bolivie, Brésil, Chili, Colombie, Costa Rica, Indochine, Guyane, Pérou, Venezuela.

PAYS D'ARABIE (n. p.). Katar, Oman, Qatar, Arabie Saoudite, Yémen.

PAYS D'ASIE (n. p.). Arabie, Chine, Irak, Iran, Japon, Mésopotamie, Mongolie, Palestine, Perse, Russie, Syrie, Turquie.

PAYS DES BALKANS (n. p.). Afghanistan, Arabie, Birmanie, Bornéo, Cambodge, Ceylan, Chine, Corée, Inde, Indonésie, Irak, Iran, Iraq, Japon, Laos, Malésie, Mésopotamie, Mongolie, Népal, Pakistan, Palestine, Perse, Russie, Syrie, Taiwan, Thaïlande, Turquie, Vietnam.

PAYS D'EUROPE (n. p.). Albanie, Allemagne, Angleterre, Autriche, Baltes, Belgique, Bulgarie, Croatie, Danemark, Eire, Espagne, Estonie, Finlande, France, Grande-Bretagne, Grèce, Hongrie, Irlande, Italie, Lettonie, Luxembourg, Norvège, Pologne, Portugal, Roumanie, Russie, Slovaquie, Suède, Suisse, Tchécoslovaquie, Turquie, Yougoslavie.

PAYS DU PROCHE-ORIENT (n. p.). Israël, Liban, Syrie.

PAYS DE L'OCÉANIE (n. p.). Australie, Nouvelle-Zélande.

PAYSAGE. Cadre, décor, horizon, panorama, perspective, site, vue.

PAYSAGISTE. Architecte, décorateur, dessinateur, jardinier, peintre.

PAYSAN. Campagnard, fellah, habitant, péon, poète, rural, rustre.

PEAU. Acné, basane, bolbos, croupon, couenne, cuir, gourme, impétigo, kératose, lèpre, lupus, maroquinerie, mue, nævus, pelage, pellagre, pellicule, pelure, pityriasis, prurigo, psoriasis, rubéfaction, suède.

PÊCHE. Aiche, ansière, esche, filet, halieutique, oreillons, poisson.

PÉCHÉ. Avarice, capital, colère, envie, faute, gourmandise, impénitence, impiété, ire, luxure, mal, mortel, orgueil, paresse, tache, vice, véniel.

PÉCORE. Animal, bête, cheptel, pecque, pimbèche, pintade.

PÉDAGOGIE. Didactique, éducation, enseignement, instruction, scolaire.

PÉDAGOGUE. Didacticien, éducateur, enseignant, maître, professeur.

PÉDALE. Cyclisme, levier, manivelle, palonnier, pédalier, sang-froid.

PÉDANT. Bonze, censeur, cuistre, doctoral, fat, sot, us, vaniteux.

PEIGNE. Affinoir, garde, drège, grège, mollusque, râteau, ros, séran.

PEIGNER. Arranger, brosser, carder, coiffer, houpper, soigner.

PEIGNOIR. Déshabillé, robe, sortie de bain.

PEINDRE. Peinturlurer, poser, repeindre, ripoliner, spatuler, veiner.

PEINE. Affliction, ahan, amende, bannissement, calamité, châtiment, dam, déportation, difficulté, fatigue, guillotine, mal, misère, mort, pendaison, prison, punition, purger, ronce, supplice, tracas, travail.

PEINER. Affliger, ahaner, chagriner, débattre, déplaire, émouvoir, fâcher, fatiguer, lutter, remuer, sévir, suer, toucher, trimer, troubler.

PEINTRE. Animalier, aquarelliste, artiste, badigeonneur, barbouilleur, figuratif, fresquiste, imagier, pastelliste, portraitiste, paysagiste, rapin.

PEINTRE ALLEMAND (n. p.). Altdorfer, Baldung, Cranach, Durer, Ernst, Holbein, Klee, Mengs.

PEINTRE AMÉRICAIN (n. p.). Allston, Bolton, Chase, Cole, Davis, Drake, Eakins, Freeman, Fuller, Hart, Heaffy, Healy, Hopper, Hunt, Muller, Morse, Nicoll, Page, Peale, Steele, Sully, Volk, Weir, West, Whistler, Wood.

PEINTRE ANGLAIS (n. p.). Beachey, Blake, Brown, Cooper, Etty, Foster, Gibson, Henry, Hoppner, Hunt, Lely, Morris, Murray, Pettie, Raeburn, Turner.

PEINTRE BELGE (n. p.). Delvaux, Ensor, Meunier, Navez, Rops, Wiertz.

PEINTRE CANADIEN (n. p.). Bolduc, Bonnet, Borduas, Eaton, Gagnon, Leduc, Lemieux, Krieghoff, Fortin, Massicotte, Morrice, Pellan, Riopelle, Russell, Villeneuve.
PEINTRE CUBAIN (n. p.). Lam.
PEINTRE ESPAGNOL (n. p.). Alvarez, Arroya, Cano, Dali, Goya, Mirò, Moralès, Murillo, Picasso, Sanchez, Vélasquez, Zurbaran.
PEINTRE FLAMAND (n. p.). Bruegel, Eyck, Mabuse, Moro, Rubens, Vos.
PEINTRE FRANÇAIS (n. p.). Arp, Atlan, Boilly, Boucher, Buffet, Cabanel, Caron, Cézanne, Cheret, Delacroix, Denis, Estève, Fouquet, Fromentin, Gauguin, Gleizes, Ingres, Latour, Legros, Lenain, Lhote, Manessier, Manet, Masson, Matisse, Monet, Morisot, Poussin, Renoir, Seurat, Toulouse-Lautrec, Utrillo, Vien, Vuillard, Watteau.
PEINTRE GREC (n. p.). Antiphile, Apelle, Greco, Polygnote, Protogénès, Timanthe, Zeuxis.
PEINTRE HOLLANDAIS (n. p.). Bol, Brauwer, Hobbema, Maas, Potter, Rembrandt, Weenix.
PEINTRE ITALIEN (n. p.). Bellini, Caranche, Carra, Lippi, Michel-Ange, Modigliani, Moretto, Raphaël, Reni, Rosa, Rosselli, Rosso, Sarto, Spada, Tiepolo, Tintoret, Tisi, Titien, Tura, Vasari, Veronese, Vinci, Zucchi.
PEINTRE JAPONAIS (n. p.). Tessais.
PEINTRE NÉERLANDAIS (n. p.). Dou, Steen, Vermeer.
PEINTRE SUISSE (n. p.). Klee, Liotard.
PEINTURE. Aquarelle, art, cadre, couleur, fresque, gouache, grisaille, image, lavis, marine, pastel, portrait, paysage, ripolin, tableau, vue.
PELAGE. Fourrure, isatis, livrée, manteau, peau, poil, robe, toison.
PELER. Dérober, écorcer, écorcher, éplucher, muer, ôter, racler, rober.
PÈLERIN. Coquille, dévot, fidèle, requin, touriste, visiteur, voyageur.
PÈLERINAGE. Culte, défilé, dévotion, jubilé, liesse, pardon, voyage.
PÈLERINE. Berthe, camail, cape, capuchon, collet, mozette, veste.
PELISSE. Fourrure, manteau.
PELLE. Bêche, drague, écope, épuisette, étrier, godet, grattoir, spatule.
PELLICULE. Bande, cliché, couche, cuticule, écalure, enveloppe, envie, épaisseur, épiderme, film, lamelle, membrane, oiseau, peau, pépie.
PELOTE. Balle, boule, manoque, maton, peloton, rebot, sphère.
PELOUSE. Gazon, herbe, prairie, vertugadin.
PELUCHE. Poilu, toutou, velu.
PÉNALISATION. Destitution, punition, sanction.
PÉNALITÉ. Amende, astreinte, punition, sanction, surtaxe.
PÉNATES. Abri, demeure, foyer, habitation, logis, maison, refuge.
PENAUD. Confus, contrit, déconcerté, déconfit, embarrassé, gêné.
PENCHANT. Amour, attrait, caprice, couché, désir, faiblesse, génie, goût, obligeance, malice, méchanceté, passion, pente, tendance, volonté.
PENCHER. Abaisser, baisser, chanceler, coucher, décliner, descendre, déverser, favoriser, incliner, obliquer, porter, pousser, trébucher.
PENDAISON. Coupable, damner, gibet, hart, potence.
PENDANT. De, durant, lâche, lorsque, pour, puisque, quand, tandis.

PENDRE. Assassiner, balancer, repentir, retenir, soutenir, traîner, tuer.
PENDULE. Balancier, cartel, coucou, horloge, montre, réveil, trotteuse.
PÉNÉTRATION. Finesse, infection, infusion, miction, osmose, percée.
PÉNÉTRER. Accéder, aller, aventurer, embarquer, enfoncer, engager, entrer, imbiber, larder, lire, mêler, percer, piquer, transir, trou.
PÉNIBLE. Amer, ardu, cassant, difficile, dur, effort, éprouvant, fâcheux, fatigant, fort, honte, lourd, pesant, poignant, rude, triste, tuant, vide.
PÉNICHE. Barge, bateau, chaland, embarcation.
PÉNINSULE. Avancée, langue, presqu'île.
PÉNITENCE. Absolution, abstinence, austérité, carême, châtiment, contrition, expiation, jeûne, mortification, pardon, punition, sacrement.
PÉNITENCIER. Bagne, geôle, prison.
PÉNITENT. Ascète, ermite, flagellant, jeûneur, pèlerin, repentant.
PENNE. Aile, aileron, empennage, plume, rectrice, rémige.
PENSÉE. Adage, âme, axiome, but, cauchemar, cœur, compréhension, concept, dogme, esprit, idée, raison, rêvasserie, rhétorique, sentiment.
PENSER. Aviser, croire, espérer, imaginer, juger, méditer, rêver, songer.
PENSIF. Absent, absorbé, abstrait, contemplatif, méditatif, occupé, philosophe, préoccupé, rêveur, songeur, soucieux.
PENSION. Internat, institution, logement, maison, rente, retraite.
PENSIONNAIRE. Élève, hôte, interne, locataire, pupille.
PENSIONNAT. Collège, cours, école, institution, internat, lycée, pension.
PENSIONNER. Arrenter, entretenir, octroyer, pourvoir, renter, retraiter.
PENTE. Côte, descente, égout, escarpement, rampe, talus, versant.
PÉNURIE. Absence, crise, disette, embarras, manque, pauvreté, rareté.
PÉPIER. Chanter, crier, gazouiller, jacasser, piauler.
PÉPINIÈRE. Arboriculture, arbre, couvent, école, fleur, horticulture, jardinage, mine, plante, origine, séminaire, source, syviculture.
PÉPITE. Nugget, or, poussière.
PERÇANT. Aigu, pénétrant, piquant, pointu, taraudant, térébrant.
PERCE-NEIGE. Galantine, nivéole, violette de la chandeleur, violier.
PERCEPTIBLE. Audible, inaudible, insaisissable, sensible, visible.
PERCEPTION. Audition, fisc, gustation, levée, œil, sensation, vision.
PERCER. Aléser, creuser, crever, cribler, enferrer, fenestrer, forer, larder, ouvrir, perforer, piquer, réussir, saborder, saigner, trouer.
PERCEVOIR. Entendre, lever, ouïr, recevoir, saisir, sentir, toucher, voir.
PERCHE. Âge, bar, gaffe, juchoir, mât, pieu, rame, tendeur, tuteur.
PERCHER. Accrocher, brancher, demeurer, jucher, loger, nicher, placer.
PERÇU. Droit, dû, inouï, ouï, reçu, touché, vu.
PERCUSSION. Batterie, choc, collision, coup, heurt, impulsion, marteau.
PERDRE. Adirer, baguenauder, changer, démâter, égarer, flâner, fondre, gâter, mourir, muer, pâtir, peler, périmer, périr, ravir, ruiner, tomber.
PERDREAU. Bartavelle, chanterelle, ganga, grouse, lagopède, pouillard.
PERDRIX. Chukar, gélinotte, glaréole, grise, tétras.
PERDU. Abîmé, avis, avertissement, condamné, cuit, désert, détourné, écarté, égaré, éloigné, isolé, fichu, foutu, gâché, incurable, lointain, ôté.

PÈRE. Aïeul, assassin, auteur, beau-père, compositeur, consanguin, créateur, fondateur, géniteur, papa, parent, patrimoine, sénateur.
PERFECTION. Absolu, achèvement, beauté, couronnement, divinement, entéléchie, excellence, fin, fini, idéal, maturité, parfait, qualité.
PERFECTIONNER. Améliorer, corriger, élaborer, parachever, retoucher.
PERFIDE. Déloyal, infidèle, rusé, scélérat, traître.
PERFIDIE. Déloyauté, droiture, franchise, infidélité, loyauté, noirceur, ruse, scélératesse, sincérité, traîtrise.
PERFORER. Cavité, forer, larder, pénétrer, percer, poinçonner, térébrer, trouer, vriller.
PÉRIL. Danger, détresse, écueil, hasard, menace, piège, récif, risque.
PÉRILLEUX. Alarmant, critique, dangereux, difficile, hasardeux, risqué.
PÉRIMÈTRE. Bord, circonférence, contour, distance, enceinte, pourtour.
PÉRIODE. Année, automne, avent, congé, cueillette, décade, degré, durée, époque, ère, étape, été, heure, hiver, néogène, nuaison, octave, œstrus, phase, printemps, rut, saros, semailles, session, stage, temps.
PÉRIPÉTIE. Avatar, catastrophe, crise, épisode, incident, nœud, trouble.
PÉRIR. Couler, décimer, faucher, immoler, mourir, noyer, tomber, tuer.
PÉRISSABLE. Caduc, corruptible, court, éphémère, fragile, fugace, incertain, instable, mortel, passager, précaire.
PÉRISSOIRE. As, barque, canoë, canot, kayak, pirogue, yole.
PERLE. Bijou, boule, eau, erreur, goutte, grain, œil, orient, lapsus, mil, noces, olivette, phénix, pintadine, semence.
PERMANENT. Continu, durable, éternel, fixe, immobile, stable, toujours.
PERMETTRE. Accepter, accorder, acquiescer, admettre, agréer, approuver, autoriser, concéder, endurer, laisser, oser, passer, tolérer.
PERMIS. Approbation, droit, légal, légitime, licence, licite, loisible.
PERMISSION. Approbation, autorisation, dispense, habilitation, passe.
PERNICIEUX. Dangereux, fatal, funeste, malin, malsain, nocif, nuisible.
PERPENDICULAIRE. Apothème, droit, flèche, hauteur, pied, théorème.
PERPÉTUEL. Constant, continuel, éternel, fréquent, habituel, incessant.
PERPLEXE. Agité, incertain, indécis, embarrassé, soupçonneux.
PERQUISITION. Descente, enquête, fouille, recherche, visite.
PERRON. Degré, entrée, escalier, galerie, montoir, seuil.
PERROQUET. Ara, cacatoès, conure, euphème, jacquot, lori, perruche.
PERRUCHE. Inséparables.
PERRUQUE. Cheveux, coiffure, moumoute, postiche, tignasse.
PERSE. Chah, Iran, islam, mazdéisme, satrape, shah, zend, zoroastre.
PERSÉCUTER. Martyriser, obséder, poursuivre, torturer, tourmenter.
PERSÉVÉRANCE. Constance, obstination, opiniâtreté, patience, ténacité.
PERSÉVÉRER. Continuer, insister, obstiner, patienter, tenir.
PERSIENNE. Battant, jalousie, loqueteau, volet.
PERSIL. Apiol, condiment, épice.
PERSISTANCE. Durée, néoténie, réverbération, stroboscopie, vitalité.
PERSISTER. Continuer, demeurer, durer, persévérer, subsister.
PERSONNAGE. Dignitaire, fat, héros, individu, nom, rôle, scène, type.

PERSONNALITÉ. Connu, ego, légume, notable, quelqu'un, sommité.
PERSONNE. Adjoint, adulte, agitateur, agrégé, allié, amant, ami, âne, ange, annonceur, apiculteur, arbitre, arriviste, artiste, as, ascète, assassin, aventurier, bohème, boiteux, brigand, cave, chaperon, chorégraphe, cleptomane, client, coco, compatriote, crétin, crieur, défendeur, délateur, député, détenue, diététicienne, dresseur, écervelé, échalote, économe, électeur, élégante, élève, emplâtre, émule, ermite, espion, étranger, être, étudiant, évadé, extra, fauteur, fidèle, gens, girouette, homme, hôte, hôtelier, iconolâtre, idole, inculpé, individu, intrus, juge, ladre, lauréat, leader, libérateur, limace, locataire, luron, maître, malchanceuse, manucure, marionnette, mec, mécène, mécréant, médium, membre, meunier, miséreux, moi, monde, mortel, moutardier, nabot, naturaliste, négociant, noceur, notable, nouille, nul, numismate, ogre, oint, on, orateur, otage, parti, patient, pédant, peintre, penseur, personnalité, pie, poire, poison, preneur, prévenu, propriétaire, qui, quidam, raseur, raté, receveur, recrue, renard, renégat, rentier, ribaud, rieuse, salaud, saligaud, secrétaire, seigneur, signataire, soldeur, sophiste, sorcier, sosie, souillon, statue, tacticien, teigne, tenancier, thaumaturge, tiers, titan, tortionnaire, touriste, tuteur, type, vandale, unijambiste, usurpateur, vaurien, videur, vigneron, vipère, zigoto.
PERSPICACE. Avisé, clairvoyant, fin, éveillé, intelligent, sagace, subtil.
PERSPICACITÉ. Discernement, flair, observation, sagacité, vue.
PERSUADER. Amadouer, attirer, capter, captiver, convaincre, décider, éblouir, émouvoir, enjôler, entraîner, exciter, exhorter, gagner, graver, inculquer, insinuer, inspirer, parler, saisir, séduire, tenter, toucher.
PERTE. Aliénation, amnésie, analgésie, anorexie, aphasie, apraxie, coma, décès, deuil, échec, hémorragie, ire, mal, manque, mue, naufrage, ruine.
PERTURBATION. Apraxie, dérangement, lésion, orage, trouble.
PERTURBER. Déranger, émotionner, gêner, traumatiser, troubler.
PERVERS. Licence, méchant, noir, sadique, vicieux.
PERVERSION. Abjection, anomalie, avarice, corruption, débauche, dépravation, folie, masochisme, méchanceté, sadisme, stupre, vice.
PESANT. Charge, encombrant, épais, gros, grossier, important, indigeste, lourd, massif, mastoc, poids, pondéreux, stupide, surchargé.
PESANTEUR. Apesanteur, densité, fardeau, gravité, lourdeur, utricule.
PESER. Appuyer, balancer, charger, coûter, mesurer, presser, tarer.
PESSIMISTE. Alarmiste, défaitiste, maussade, mélancolique, optimiste.
PESTER. Colère, enrager, fumer, invectiver, maronner, rager, rogner.
PESTICIDE. Fongicide, herbicide, insecticide, raticide.
PÉTALE. Aile, corolle, étendard, feuille, fleur, labile.
PÉTARD. Bruit, fessier, pistolet, scandale, sensation.
PÉTILLANT. Bruit, effervescent, étincelant, moussant.
PÉTILLER. Briller, chatoyer, crépiter, étinceler, jaillir, mousser, péter.
PÉTIOLE. Feuille, gaine, queue.

PETIT. Ample, atome, bas, chétif, considérable, court, élevé, exigu, faible, fluet, grand, haut, limité, minime, minuscule, peu, rabougri.
PÉTITION. Demande, instance, placet, prière, requête, sollicitation.
PÉTOCHE. Peur.
PÉTOIRE. Fusil.
PETON. Pied.
PÉTRIFIER. Ébahir, éclair, pierre, tonnerre.
PÉTRIN. Embarras, maie, pain.
PÉTRIR. Assouplir, broyer, façonner, fouler, fraiser, gâcher, gonfler, malaxer, manipuler, masser, mélanger, modeler, presser, remplir.
PÉTROLE. Essence, fuel, gaz, gazoline, kérosène, naphte, vaseline.
PÉTULANT. Action, ardeur, badin, brio, fol, fou, geste, turbulent, vif.
PEU. Atome, bagatelle, bref, brin, broutille, élémentaire, élite, guère, goutte, grain, guère, larme, lueur, maille, médiocre, miette, mince, passager, petit, pointe, quantité, rare, rien, succinct, tantinet, zeste.
PEUPLADE. Collectivité, ethnie, groupe, horde, peuple, race, tribu.
PEUPLE. Commun, foule, gent, habitant, horde, masse, monde, multitude, nation, peuplade, plèbe, populace, population, populo, prolétariat, public, racaille, race, sous-peuplé, tribu, vulgaire.
PEUPLÉ. Fourni, fréquenté, habité, surpeuplé, vivant.
PEUPLIER. Aloyard, argenté, aubrelle, balsamier, baumier, blanc, canada, caroline, faux-tremble, gris, grisard, hollande, italie, liard, lombardie, noir, palmer, pible, pivou, pyramidal, salicoside, sargent, tremble, velu, virginie, ypréau.
PEUR. Anxiété, crainte, effroi, émoi, frayeur, frousse, fuite, phobie, poltronnerie, souleur, suée, terreur, trac, transe, trouille, veinette.
PEUREUX. Audacieux, anxieux, brave, couard, courageux, craintif, froussard, fuyard, héros, poltron, trouillard, vaillant, valeureux.
PEUT-ÊTRE. Éventuellement, possible, probablement.
PHARE. Balise, fanal, feu, flambeau, lanterne, sémaphore.
PHARMACEUTIQUE. Apothicaire, guérison, médicinale, officine, plante.
PHASE. Apparence, aspect, avatar, changement, crise, degré, échelon, étape, forme, lune, palier, partie, période, quartier, stade, transition.
PHÉNIX. Aigle, as, fleur, génie, idéal, modèle, nec, perle, prodige.
PHÉNOL. Crésol, dioxine, naphtol, resorcine, thymol.
PHÉNOMÈNE. Arc-en-ciel, cycle, météore, mirage, personnage, phase.
PHILANTHROPE. Bienfaisant, bob, charitable, donnant, généreux.
PHILOSOPHE. Cynique, humaniste, idéologue, penseur, sage, sophiste.
PHILOSOPHE ALLEMAND (n. p.). Adorno, Brentano, Hegel, Otto, Nietzsche.
PHILOSOPHE AMÉRICAIN (n. p.). Emerson, Searle.
PHILOSOPHE AUTRICHIEN (n. p.). Steiner.
PHILOSOPHE BRITANNIQUE (n. p.). Mill, Reid, Spencer.
PHILOSOPHE CHINOIS (n. p.). Lao-Tseu.
PHILOSOPHE ÉCOSSAIS (n. p.). Hume, Reid.
PHILOSOPHE ESPAGNOL (n. p.). Ors.

PHILOSOPHE FRANÇAIS (n. p.). Berr, Camus, Cioran, Ey, Foucault, Guitton, Levinas, Ramus, Ribot, Ricœur, Sartre, Taine.
PHILOSOPHE GREC (n. p.). Anacharsis, Anaxagorus, Antisthène, Archelaos, Arrien, Bias, Callisthène, Carnéade, Celce, Chilon, Cléobule, Cratippe, Chrysippe, Démocritus, Éléates, Éléatiques, Empédocle, Épicure, Épiménide, Ératosthène, Heraclitus, Jamblique, Leucippe, Ménippe, Myson, Phédon, Phérécyde, Pittacos, Platon, Proclus, Socrate, Solon, Thalès, Themistios, Zénon.
PHILOSOPHE HOLLANDAIS (n. p.). Spinoza.
PHILOSOPHE INDIEN (n. p.). Aurobindo.
PHILOSOPHE ITALIEN (n. p.). Bruno, Vanini.
PHILTRE. Amour, aphrodisiaque, breuvage, décoction, élixir, magie.
PHLOX. Aida, albo-roséa, aquarelle, bijou, blue eyes, brigadier, caroline, Van den berg, Charles Curtiss, charlotte, daisy hill, dépressa, Élisabeth Arden, Elisabeth Campbell, ensifolia, grandiflora, hilda, Jacqueline Maille, Jules Sandeau, Kathe, lilacina, malmaison, marianne, marjerie, orange, Rembrandt, signal, sophie, spitfire, starfire, turandot.
PHOQUE. Alaska, barbu, capuchon, crabier, cystiphore, gris, loup, marbré, marin, moine, otarie, pinnipède, rubans, selle, Weddell.
PHOSPHATE. Apatite, turquoise, uranite.
PHOSPHORE. P.
PHOTOGRAPHIE. Achrome, album, diaphragme, écran, film, microfilm, photo, photocopie, photostat, portrait, pose, posemètre, vue.
PHRASE. Allusion, bribe, exemple, expression, neume, période, style.
PHTISIE. Consomption, étisie, tuberculose.
PHYSICIEN. Chimiste.
PHYSICIEN ALLEMAND (n. p.). Einstein, Laud, Lenard, Ohm, Röntgen, Wien.
PHYSICIEN AMÉRICAIN (n. p.). Bell, Bethe, Edison, Henry, Pupin.
PHYSICIEN AUTRICHIEN (n. p.). Hess, Mach.
PHYSICIEN BELGE (n. p.). Melsens.
PHYSICIEN BRITANNIQUE (n. p.). Aston, Born.
PHYSICIEN DANOIS (n. p.). Oersted.
PHYSICIEN FRANÇAIS (n. p.). Bélin, Biot, Bose, Curie, Fabry, Néel, Nollet.
PHYSIONOMIE. Air, aspect, expression, faciès, figure, physique, visage.
PHYSIQUE. Corporel, matériel, mathématique, mil, physionomie, sexe.
PIAILLER. Criailler, crier, jaboter, jaser, piauler.
PIANISTE. Accompagnateur, musicien.
PIANISTE AMÉRICAIN (n. p.). Brubeck, Evans, Garner, Jarrett, Lewis, Monk, Peterson, Solal, Tatum, Taylor.
PIANISTE AUTRICHIEN (n. p.). Brendel.
PIANISTE FRANÇAIS (n. p.). Nat.
PIANO. Clavecin, crapaud, épinette, queue.
PIASTRE. Dollar, gourde.
PIC. Aiguille, escarpe, ger, midi, mont, oiseau, rivelaine, têt.

PIC, OISEAU. Arlequin, de Californie, calotte rouge, des chênes, chevelu, à cocarde, à dos barré, à dos brun, à dos noir, à dos rayé, à face blanche, flamboyant, à front doré, grand, de Lewis, maculé, mineur, à moustaches rouges, à poitrine rouge, rosé, des saguaros, à tête blanche, à tête rouge, tridactyle, à ventre jaune, à ventre rose, à ventre roux, de Williamson.

PICCOLO. Octavin, picrate, vin.

PICHOLINE. Olive.

PIE. Agace, agasse, avocette, bavard, boréale, cheval, épeichette, méninge, passereau, phraseur, pie-grièche, pieux, vêtement.

PIE-GRIÈCHE. Boréale, grise, migratrice.

PIÈCE. Alaise, boudoir, cabinet, canon, caractère, échecs, filière, fût, monnaie, morceau, organe, part, prélude, salle, théâtre, tonneau, unité.

PIÈCE DE BOIS. Âge, arêtier, bâcle, barre, billot, chevron, étrésillon, hie, linteau, mât, pieu, poteau, poutre, rame, sep, solive, timon, tréteau.

PIÈCE D'ÉCHEC. Blanche, cavalier, dame, fou, noire, pion, reine, roi, tour.

PIÈCE DE MUSIQUE. Barcarolle, berceuse, impromptu, motet, sonate.

PIÈCE D'UN NAVIRE. Ancre, bastingage, étambot, foc, mât, pont, timon.

PIÈCE DE THÉÂTRE. Comédie, féerie, pastorale, revue, rôle, tragédie.

PIED. Anapeste, arpion, astragale, bas, bot, calcanéum, cap, cep, chaussure, griffe, jambe, métatarse, myriapode, orteil, pas, patte, peton, piédestal, pince, plante, serre, support, tarse, vers.

PIÈGE. Aiche, appât, appeau, attrape, cage, esche, filet, gluau, leurre, nasse, panneau, ratière, rets, souricière, syllabe, trappe, traquet.

PIERRE. Aétite, aigue-marine, améthyste, brique, caillou, calcul, camée, castine, claveau, corindon, diamant, émeraude, galet, gemme, gravelle, grenat, grès, gypse, hépatite, intaille, jade, lapis, liais, marbre, malachite, margelle, menhir, mica, obélisque, œil-de-chat, œil-de-tigre, olivine, opale, pendeloque, péridot, perle, pierrerie, ponce, roc, roche, rubis, sanguine, saphir, silex, tombe, topaze, tourmaline, turquoise, voûte, zircon.

PIERRE DE NAISSANCE. Grenat (janvier), améthyste (février), aigue-marine (mars), diamant (avril), émeraude (mai), perle (juin), rubis (juillet), péridot (août), saphir (septembre), opale (octobre), topaze (novembre), turquoise (décembre).

PIERROT. Drôle, individu, masque, moineau, pantin, zig, zigoto.

PIÉTÉ. Dévotion, édification, recueillement, religion, respect, sainteté.

PIÉTINER. Agiter, fouler, frapper, patauger, piaffer, taper, trépigner.

PIÈTRE. Chétif, dérisoire, faible, insignifiant, médiocre, mesquin, minable, misérable, miteux, pauvre, petit, ridicule, singulier, triste.

PIEU. Bâton, échalas, épi, épieu, pal, palis, perche, pilori, pilot, piquet.

PIEUX. Ascète, béat, bigot, bouchot, cagot, croyant, dévot, pie, religieux.

PIÈZE. Pz.

PIGEON. Biset, capucin, carme, cave, colombin, dindon, dupe, eu, fuie, gogo, goura, naïf, palombe, ramier, tarte, tourte, tourterelle.

PIGMENT. Bêta-carotène, bétanine, chlorophylle, couleur, flavonoïde, grain, lutéine, lycopène, phycocyanine, quercétine, tache.
PIGMENTÉ. Agrémenté, coloré, fleuri, orné, tacheté.
PILAF. Épice, riz.
PILASTRE. Antre, colonne, montant, pile, pilier, soutien, support.
PILE. Accu, amas, assiette, bac, défaite, dépôt, ensemble, exact, face, générateur, insuccès, pont, revers, solaire, tablier, tas, volée.
PILER. Broyer, concasser, corroyer, piétiner, pulvériser, triturer.
PILIER. Ante, balustre, colonne, défenseur, jambe, soutien, support.
PILLAGE. Dévastation, invasion, rapine, ravage, razzia, saccage.
PILLARD. Bandit, brigand, détrousseur, écumeur, saccageur, voleur.
PILLER. Abîmer, détruire, envahir, plagier, ravager, ruiner, voler.
PILON. Battre, bourroir, broyeur, cuisse, destruction, jambe.
PILONNER. Bombarder, cogner, détruire, écraser, frapper, marteler.
PILORI. Carcan, clouer, flétrir, mépris, poteau, signaler, vindicte.
PILOTE. Barreur, capitaine, chasseur, conducteur, copilote, lamaneur, ligne, locman, marin, nautonier, nocher, requin, responsable, timonier.
PILULE. Bol, boule, boulette, cachet, comprimé, dragée, gélule, pellet.
PIMBÊCHE. Bêcheuse, caillette, chipie, mijaurée, pécore.
PIMENT. Aromate, carive, corail des jardins, poivre d'Espagne, poivron.
PIN. Albicaule, argenté, aristé, arole, autriche, balfour, blanc, chihuahua, cône, coulter, elliot, englemann, épicéa, épineux, gemme, glabre, gomme, gris, jeffrey, marais, mélèze, monterey, muriqué, pinède, pignons, pinastre, piquant, pive, ponderosa, rigide, rouge, sapin, des sables, souple, sucre, sylvestre, tardif, torrey, virginie, vrillé.
PINACLE. Apogée, comble, faîte, haut, sommet, vantardise.
PINARD. Aligoté, alsace, anjou, asti, ayse, beaujolais, blanc, blanquette, bordeaux, brouilly, cellier, chablis, chais, champagne, château, chianti, clairet, crémant, cru, déci, dive, falerne, fruité, ginguet, ivre, larme, mâcon, madère, malaga, médoc, moselle, moût, muscadet, muscat, nectar, pineau, pinot, piquette, pomerol, pommard, porto, pouilly, retsina, rioja, rond, rosé, rouge, rouquin, sancerre, sauterne, sève, sherry, tocane, vendange, vermouth, vigne, vin, vinaigre, xérès.
PINCÉ. Affecté, étudié, maniéré, mince.
PINCE. Barrette, bigoudi, casse-noix, clip, davier, épiloir, frisoir, outil.
PINCEAU. Ante, barbichette, blaireau, brosse, élancé, ente, hampe, putois, style, touffe.
PINCER. Arrêter, mordre, piquer, prendre, presser, saisir, serrer.
PINGOUIN. Guillemot, macareux, manchot, mergule, palmipède.
PINGRE. Avare, chiche, grippe-sou, lésineur, radin, serré, tire-sou.
PINNIPÈDE. Morse, otarie, phoque.
PINTE. Chope, chopine, demi, fillette, lait, litre, roquille, setier.
PIOCHE. Bigot, bine, binette, creuser, houe, hoyau, pic, piémontaise.
PIOCHER. Besogner, bûcher, creuser, étudier, fouiller, fouir, peiner.
PION. Dame, échec, pièce, soldat, surveillant.
PIONNIER. Bâtisseur, créateur, découvreur, défricheur, promoteur.

PIPE. Bouffarde, cachotte, calumet, chibouque, cigarette, houka, jacob, kalioun, narguilé, pipette, tabac, trompe, truque.
PIPER. Attraper, crier, frouer, glousser, leurrer, tromper, tricher.
PIPI. Anurie, urine.
PIQUANT. Acide, âcre, aigre, aigu, amer, épine, fort, pointu, sel, vif.
PIQUE. Âcre, as, carte, dame, dard, dépit, épine, javelot, lance, piqûre.
PIQUER. Coudre, dérober, larder, mordre, percer, pincer, tatouer, voler.
PIQUET. Bâton, garde, pal, perche, pic, pieu, tuteur.
PIQUETER. Borner, jalonner, marquer, piquer, tracer.
PIQUETTE. Boisson, boîte, buvande, criquet, leçon, pile, rossée, volée.
PIQÛRE. Dé, mouche, moustique, poindre, seringue, stupéfiant.
PIRATE. Bandit, brigand, boucanier, contrebandier, corsaire, écumeur, escroc, filou, flibustier, forban, requin, voleur.
PIRATE (n. p.). Barberousse.
PIROGUE. Bateau, canoë, canot, embarcation, pinasse, uba, yole.
PIROUETTE. Acrobatie, cabriole, danse, galipette, moulinet, toupie, tour.
PIS. Mamelle, pire, tétine.
PISCINE. Baignoire, bain, bassin, nager, plonger, pataugeuse, thermes.
PISSENLIT. Barabant, bédane, chiroux, dent-de-lion, salade, taracanum.
PISSER. Anurie, couler, évacuer, fuir, pissoter, rédiger, suinter, uriner.
PISTACHE. Arachide, cacahuète.
PISTE. Autodrome, chemin, corde, hors-piste, sentier, trace.
PISTER. Dépister, épier, filer, guetter, racoler, suivre, surveiller, tracer.
PISTIL. Gynécée, ovaire, reproduction.
PISTOLET. Arme, arquebuse, calibre, feu, flingot, flingue, fusil, mitrailleur, pétard, pétoire, revolver, rigolo, seringue.
PISTOLET (n. p.). Browning, Colt.
PISTON. Appui, intervention, parrainage, patronage, protection, recommandation, soutien.
PITANCE. Aliment, gage, manger, nourriture, pâtée, ration, repas.
PITEUX. Confus, contrit, honteux, minable, miteux, piètre, pitoyable.
PITIÉ. Apitoyer, bonté, charité, clémence, cœur, commisération, compassion, dur, merci, miséricorde, plainte, sentiment, sympathie.
PITOYABLE. Compatissant, déplorant, funeste, généreux, mal, médiocre, méprisable, minable, misérable, moche, navrant, triste.
PITRE. Acrobate, baladin, bouffon, clown, comédien, comique, rigolo.
PITTORESQUE. Beau, cachet, coloré, couleur, original, site, typique.
PIVERT. Pic.
PIVOT. Appui, axe, base, centre, origine, racine, soutien, support.
PIVOTER. Axer, changer, organiser, tourner.
PLACARD. Affiche, armoire, avis, buffet, criteau, pancarte, penderie.
PLACE. Alésia, barreau, emplacement, endroit, espace, gîte, halle, lieu, parc, parvis, position, poste, rang, siège, site, situation, sur, terrain.
PLACER. Aposter, armer, caler, caser, déplacer, déposer, disposer, espacer, établir, fixer, insérer, interposer, installer, mettre, poser, positionner, poster, rajuster, ranger, remiser, serrer, servir, situer.

PLACIDE. Calme, décontracté, doux, flegmatique, froid, modéré, serein.
PLAFOND. Caisson, lambris, limite, plancher, soffite, solive, voûte,
PLAGIER. Approprier, copier, imiter, piller, prendre, puiser, voler.
PLAIDER. Défendre, intenter, irrecevabilité, postuler, suspicion.
PLAIDOIRIE. Action, apologie, défense, réquisitoire.
PLAIE. Blessure, bleu, brûlure, coupure, lésion, morsure, ulcère.
PLAIE (n. p.). Égypte.
PLAINDRE. Accuser, crier, geindre, gémir, lamenter, pleurer, réclamer.
PLAINE. Bassin, campagne, delta, étendue, pampa, prairie, steppe.
PLAINTE. Cri, grief, lamentation, murmure, pétition, pleur, reproche.
PLAINTIF. Dolent, geignant, gémissant, grincheux, plaignant.
PLAIRE. Agréer, amuser, attirer, charmer, ravir, satisfaire, séduire.
PLAISANT. Agréable, amusant, attrayant, beau, bon, charmant, cocasse, comique, drôle, gai, gentil, plaisantin, riant, rigolo, turlupin.
PLAISANTER. Badiner, blaguer, charrier, moquer, railler, rire, spirituel.
PLAISANTERIE. Astuce, attrape, badinage, bagatelle, bêtise, blague, bouffonnerie, boutade, canular, dérision, facétie, farce, fin, frime, gag, moquerie, quolibet, rire, rocambole, satire, sel, tour, turlupinade.
PLAISANTIN. Bouffon, farceur, fin, joueur, mystificateur, rieur.
PLAISIR. Agrément, aise, amitié, bonheur, charme, délice, ébats, gaieté, gré, hédonisme, jeu, joie, régal, rire, sadisme, satisfaction, volupté.
PLAN. Abrégé, cadre, canevas, carte, compas, dessin, épure, équerre, étalon, idée, plane, plat, poli, projet, règle, tir, té, topo, traçoir, uni.
PLANCHE. Ais, aises, alaise, alèse, arbre, couche, dessin, dosse, madrier, merrain, plinthe, selle, tableau, tablette, théâtre, tremplin, tuile.
PLANCHER. Étage, parquet, plafond, plateforme, pont, sol, solive.
PLANCHETTE. Abaque, aisseau, bardeau, escarlopette, panneau, tirette.
PLANÈTE. Apex, ascendant, astre, astrologie, décan, ellipse, étoile, lune, orbite, satellite, sectil, soleil, terre, trine.
PLANÈTE (n. p.). Achille, Cérès, Hector, Hermès, Junon, Jupiter, Mars, Mercure, Neptune, Pallas, Patrocle, Pluton, Saturne, Terre, Uranus, Vénus, Vesta.
PLANIFIER. Agencer, arranger, combiner, composer, organiser, régler.
PLANT. Cépage, pépinière, semis, tige.
PLANTATION. Amandaie, aunaie, bananeraie, boisement, boulaie, orangeraie, oseraie, peuplement, reboisement, repiquage, rizière.
PLANTE D'APPARTEMENT. Abutilon, adiantum, aechmea, agave, aloe, aloès, ananas, anthurium, aphelandra, aralia, asparagus, asplenium, aspidistra, azalée, bégonia, billbergia, blechnum, cactus, caladium, cereus, chamaedorea, cissus, clivia, cocos, codiaeum, cordyline, dracaena, échinocactus, échinopsis, épiphyllum, eucalyptus, fatshedera, fatsia, ficus, fittonia, fuchsia, géranium, gloxinia, hédera, hibiscus, kentia, maranta, nephrolépis, nidularium, opuntia, pandanus, pédéromia, philodendron, phoenix, platycerium, primula, pteris, violette, vriesia, xeranthenum, yucca, zéa.

PLANTE ANNUELLE. Absinthe, acroclinium, ageratum, alyssum, amarante, ancolie, anémone, asclépiade, aster, balsamine, basilic, bégonia, bouton d'or, bugrane, capucine, cassolette, célosie, centaurée, chirette, chrysanthème, clarkia, cobée, coléus, coquelicot, coréopsis, cosmos, cyclamen, dahlia, dimorphotheca, douve, épiaire, fuchsia, gaillarde, gazania, géranium, gesse, gessette, girarde, giroflée, gloire-du-matin, godétia, gueule-de-loup, gypsophile, immortelle, impatiens, ipomée, jarosse, laiteron, lamier, lathyrus, lavatère, lin, lotier, lupin, lunaire, luzule, maceron, malope, matricaire, mauve, mignardise, millet, mimulus, morelle, mouron, muflier, némésie, nigelle, œillet, ononide, pâquerette, passiflore, pavot, pensée, pétunia, philodendron, phlox, pied-d'alouette, pourpier, renoncule, réséda, ricin, rudbeckia, salpiglossis, sauge, scabieuse, silène, soleil, souci, tabac, tagette, thlaspi, tournesol, verveine, volubilis, waitzia, zinnia.

PLANTE AQUATIQUE. Châtaigne, cornuelle, faux aloès, jacinthe d'eau, jaunet, jonc, lentille d'eau, limnocharis, lis des étangs, lotus, lysichitum, macre, massette, ményanthe, myriophyllum, nénuphar, orontium, peltandra, pistia, pontederia, pontédérie, rose d'eau, roseau, sagittaire, saluinia, saururus, scirpe, souchet, stratiotes, typha, utricularia, victoria, villarsia.

PLANTE AROMATIQUE. Ail, aneth, anis, aspic, barigoule, basilic, bipinelle, bourrache, cerfeuil, ciboulette, coriandre, cranson, cumin, dictame, estragon, farigoule, fenouil, frigoule, laurier, lavande, lavandin, marjolaine, mélisse, menthe, mignotise, monarde, moutarde, myrrhis, origan, persil, pimprenelle, pote, pouilleux, raifort, romarin, safran, saladette, sanguisorbe, sarriette, sauge, savourée, serpolet, spic, thym.

PLANTE BISANNUELLE. Buglosse, campanule, digitale, giroflée, lunaire, myosotis, œillet, pâquerette, pavot, pensée.

PLANTE FLOTTANTE. Aponogeton, azolla, elodea, hottonia, jacinthe, lotus, myriophyllum, nénuphar.

PLANTE GRASSE (CACTÉE). Agave, artichaut, bougie, cactier, cactus, cierge, échinocactus, épiphyllum, euphorbe, ficoïde, figuier, joubarbe, kalanchoe, lithops, lobivia, lophocereus, mamillopsis, mamillaire, matucana, melocactus, mesem, mila, monanthès, monvillea, nopal, nopalea, oponce, opuntia, oreille d'éléphant, orpin, pâquerette, parodia, pattes de lapin, pectinaria, perruque, peyotl, pfeiffera, piaranthus, poivre de muraille, pourpier, pouya, princesse de la nuit, puya, raquette, rebutia, rhipsalis, rochea, rosularia, sarcocaulon, sedum, seticereus, solisia, sorcière, stapelia, stapelie, stetsonia, titanopsis, verniculaire, zygocactus.

PLANTE GRIMPANTE. Betel, clochette, jasmin, kadsura, kennedia, lierre, liseron, luffa, margose, maurandya, menispermum, mikania, momordica, papareh, poivrier, pomme, pyrostegis.

PLANTE INSECTIVORE. Drosera, grassette, pinguicula, rossolis, utricularia.

PLANTE MÉDICINALE. Barbotine, bonne-femme, espergonte, grapelle, gratteron, herbe aux chats, lampourde, mélisse, moutarde, oreille de lièvre, orvale, plantain, romarin, rue, sauge, sclarée, serve, tanacée, tanaisie, tête-noire, toute-bonne, valériane, xanthium.

PLANTE MELLIFÈRE. Abricotier, acacia, ail, amandier, asclépiades, aster, bourrache, bruyère, cardère, carotte, céleri, centaurée, cerisier, châtaignier, chou, citronnier, courge, érable, fenouil, glycine, grande astrance, haricot, héliotrope, héllébore, houx, hysope, lavande, lavandin, lierre, lotier, luzerne, marrube, mélianthe, mélicot, mélisse, melon, menthe, moutarde, oranger, origan, pastèque, phacella, pin, pissenlit, rhododendron, romarin, sapin, sarrazin, sarriette, sauge, thym, tilleul, trèfle.

PLANTE VIVACE. Achée, amaryllis, ansérine, aspergette, auricule, berlue, bleuet, bouton d'or, bugrane, cassolette, cataire, cerisier d'amour, chirette, chrysanthème, cinéaire, clandestine, coquelicot, coucou, crocus, dentelaire, douve, éplaire, faux buis, faux lis, fenouil, fougère, fuschia, galantine, gesse, gessette, ginseng, girarde, grassette, gremil, gueule-de-loup, herbe aux chats, ixia, jacinthe, jarosse, jeannette, jonc, jonquille, julienne, kochia, laiteron, lamier, lantana, lanterne, lathyrus, leucosum, liatris, libertia, lilas, limaguère, lin, linaire, linnée, liriope, lis, lobelia, lopezia, lotier, lunaire, lupin, luzerne, luzula, luzule, lychnis, lycopode, lycoris, lys, lysimaque, lythrum, maianthème, marabout, marguerite, marrube, martagon, matricaire, mauve, mélisse, meum, mignardise, mil, millet, mimule, molinia, monnaie-du-pape, monnayère, muflier, muguet, muscari, myosotis, naegelia, narcisse, nemesia, némésie, nepeta, nérine, nivéole, nummulaire, œillet, ononide, ononis, orchidée, orge, ortie, orvale, osmonde, ourisia, oxalis, panax, pâquerette, passerose, pavot, pédiculaire, pensée, perce-neige, persicaire, pervenche, pétunia, phlox, phytolaque, pigamon, pivoine, plumet, porillon, potentille, pourpier, primerolle, primevère, pulsatille, pyrole, renouée, rudbeckia, salicaire, sauge, scille, sclarée, sénécon, serve, sidalcée, silène, solanum, spirée, statice, stipa, tabac, trèfle, trille, trolle, tulipe, valériane, véronique, verveine, violette, violier, voilier, wulfenia.

PLANTER. Abandonner, arborer, élever, ficher, piquer, transplanter.

PLAQUE. Armure, crapaudine, croûte, dalle, disque, écusson, fourrure, glome, halo, inscription, lame, pancarte, repère, stèle, taque.

PLAQUER. Abandonner, aplatir, appliquer, balancer, coller, lâcher.

PLASTIQUE. Corps, forme, malléable, nylon, physique, souple, vinyle.

PLAQUETTE. Brochure, couche, disque, éclisse, feuille, frein, globulin, livraison, livret, magazine, revue, sabot, stèle, tessère.

PLAT. Assiette, banal, morceau, égal, entrée, entremets, gnocchi, lisse, moussaka, paella, pièce, plan, poli, potée, ragoût, ravier, risotto, service, spécialité, uni, vaisselle.

PLATEFORME. Balcon, belvédère, échafaud, estrade, étage, galerie, hune, palier, plancher, quai, ras, tablier, terrasse.

PLATEAU. Mesa, montagne, planèze, scène, set, table, tampon, théâtre, tourne-disque, tréteau.
PLATINE. Pt.
PLATITUDE. Bassesse, courbette, fadaise, servilité, sottise, vilenie.
PLÂTRE. Chaux, coquille, couvert, crépi, déguisé, dissimilé, fardé, faux, gypse, maçon, mortier, pierre, simulé, solin, statue.
PLAUSIBLE. Apparent, bien, prétexte, probable, trompeur, visible, vrai.
PLÈBE. Client, foule, peuple, populace, prolétariat, racaille, tribun.
PLÉBISCITER. Choisir, confirmer, élire, voter.
PLÉIADE. Constellation, foule, étoile, mythologie, nombre, nymphe.
PLEIN. Abondant, ample, animé, bondé, bourré, chargé, comble, complet, couvert, débordant, dense, dodu, étoffé, farci, fort, gras, gros, ivre, massif, nourri, potelé, ras, rempli, replet, rond, saturé, seul, vidé.
PLEINEMENT. Animé, bondé, bourré, délié, étoffé, rassasier, saturer.
PLÉONASME. Battologie, cheville, datisme, grammaire, tautologie.
PLÉTHORE. Abondance, excès, réplétion, saturation, surplus.
PLEUR. Hi, jérémiades, larme, plaintes, pleurs, sanglots.
PLEURER. Chialer, gémir, lamenter, miauler, pleurnicher, sangloter.
PLEURNICHER. Brailler, braire, chialer, chigner, gémir, lamenter, larmoyer, miauler, plaindre, pleurer, sangloter, vagir, zerver.
PLEUTRE. Couard, froussard, lâche, peureux, poltron, trouillard, veule.
PLEUVOIR. Arroser, bruiner, couler, dégringoler, flotter, inonder, pisser, pleuvasser, pleuviner, pleuvoter, pluvioter, tomber, tremper.
PLI. Aine, bouillon, corne, couture, creux, étiré, fanon, friser, fronce, levée, message, mot, repli, revers, ride, routine, saignée, sillon.
PLIANT. Accommodant, complaisant, docile, facile, faible, flexible.
PLIE. Alèse, carrelet.
PLIER. Arquer, céder, corner, couder, courber, doubler, enrouler, fausser, fermer, fléchir, plisser, ployer, mourir, succomber, tordre.
PLISSER. Crêper, friper, froisser, froncer, gaufrer, gercer, plier, rider.
PLOMB. Pb, Saturne, sceau.
PLONGER. Abîmer, baigner, couler, échauder, endeuiller, tremper.
PLONGEUR. Baigneur, homme-grenouille, pingouin, scaphandrier.
PLOYER. Accoutumer, assujettir, courber, fléchir, plier, recourber.
PLUIE. Abat, averse, bruine, eau, embrun, giboulée, grêle, ondée, orage.
PLUMAGE. Livrée, maillé, manteau, pennage, plumes.
PLUMARD. Lit.
PLUME. Auteur, calame, camail, couteau, duvet, écriture, huppe, penne, plumule, poil, ptéryle, rémige, style, stylo, tectrice, vibrisse.
PLURIEL. Pl.
PLUS. Beaucoup, bis, davantage, encore, excès, item, maximum, mieux, outre, prime, rab, supérieur, surplus, surtout, sus, trop.
PLUSIEURS. Macédoine, maint, mainte, moult, multitude, polygame, polyglotte, polyvalent, quelques, total, tmèse, union, versicolore.
PLUTONIUM. Pu.

PNEU. Bandage, bleu, boudin, boyau, dépêche, enveloppe, exprès, pneumatique, pompe, télégramme.
PNEUMATIQUE. Bandage, bleu, boudin, boyau, dépêche, enveloppe, exprès, pneu, pompe, télégramme.
PO. Éridan, pasdus, transpadan.
POCHARD. Buveur, débauché, ivrogne, soûlard, soûlon.
POCHE. Abajoue, bâche, caillette, civette, cuiller, estomac, fonte, gésier, gousset, jabot, kangourou, musc, panse, psautier, sac, vessie, violon.
POCHETÉE. Âne, béjaune, bête, borné, buse, con, crétin, dadais, fat, idiot, ignorance, imbécile, naïf, niais, nigaud, poire, sot, stupide, valeur.
POÊLE. Brûleur, chaleur, crêpière, cuisinière, feu, four, fourneau.
POÈME. Acrostiche, ballade, bucolique, cantate, élégie, énéide, épopée, geste, lai, ode, poésie, quatrain, rime, sonnet, stance, strophe, vers.
POÉSIE. Fable, lyrisme, ode, poème, rime, sonnet, strophe, vers.
POÈTE. Auteur, barde, chantre, cigale, écrivain, rimeur, versificateur.
POÈTE ALLEMAND (n. p.). Arndt, Aue, Hebbel, Heine, Hesse, Voss.
POÈTE AMÉRICAIN (n. p.). Frost, Pound, Longfellow, Whitman.
POÈTE AUTRICHIEN (n. p.). Celan, Lenau.
POÈTE BRÉSILIEN (n. p.). Durao.
POÈTE BRITANNIQUE (n. p.). Collins, Eliot, Gray, Milton, Wyatt, Young.
POÈTE CHILIEN (n. p.). Neruda.
POÈTE FRANÇAIS (n. p.). Apollinaire, Aragon, Barbier, Bataille, Baudelaire, Belleau, Boileau, Chenier, Corneille, Cros, Desnos, France, Garnier, Hugo, Lamartine, Magny, Malherbe, Mallarmé, Orléans, Ponge, Ponsard, Prévert, Racine, Rimbaud, Ronsard, Rostand, Rousseau, Valéry, Verlaine, Vicaire, Vigny, Villon.
POÈTE GREC (n. p.). Aède, Alcée, Arion, Avienus, Bacchylide, Callinos, Diphile, Euripide, Homère, Mimnerme, Nonos, Phrynichos, Quintus, Seferis, Sophocle, Stace, Stésichore, Théognis, Thespis.
POÈTE HONGROIS (n. p.). Ady, Arany.
POÈTE INDIEN (n. p.). Ausone.
POÈTE IRLANDAIS (n. p.). Moore.
POÈTE ITALIEN (n. p.). Berni, Caro, Dante, Marino, Rosa, Saba.
POÈTE LATIN (n. p.). Accius, Ausone, Catulle, Lucain, Naevius, Ovide, Perse.
POÈTE QUÉBÉCOIS (n. p.). Crémazie, Ferland, Fréchette, Garneau, Grandbois, Lavallée, Leclerc, Miron, Narrache, Nelligan, Saint-Denys-Garneau, Savard, Vigneault.
POÈTE RUSSE (n. p.). Einsenine, Lessenine.
POÈTE SUÉDOIS (n. p.). Ekelof, Euripide, Ling, Stiernhielm, Tegner.
POIDS. As, carat, charge, densité, drachme, épaisseur, étalon, force, frai, grain, gramme, last, livre, lourdeur, marc, masse, mesure, mine, once, ort, pesanteur, pesée, poussée, quintal, sicle, statère, tare, tonne.
POIGNANT. Douloureux, émouvant, empoignant, navrant, piquant.

POIGNARD. Arme, baïonnette, coutelas, crid, criss, dague, épée, fer, kandjar, kriss, lame, manche, navaja, scramasaxe, stylet, surin.
POIGNARDER. Blesser, darder, égorger, frapper, harponner, piquer.
POIGNÉE. Crémone, espagnolette, grain, groupe, manche, manette.
POIL. Barbe, bourre, brosse, chevelure, cheveu, cil, crin, duvet, foin, jarre, laine, mantelure, moustache, mue, nu, ongle, peigne, pelage, pinceau, plume, selle, soie, sourcil, tisonné, toison, vibrisse.
POILU. Barbu, chevelu, moustachu, pelu, pubescent, velu, villeux.
POINÇON. Alène, ciseau, coin, épissoir, mandrin, marque, style, trait.
POINT. Abscisse, cap, cardinal, chalaze, commissure, direction, est, ouest, mûr, négation, nord, pas, pointe, pleurodynie, sommet, sud, vue.
POINTE. Acéré, acuminé, aigu, aube, barbe, bec, cap, clou, corne, cuspide, échoppe, ergot, estoc, picot, piton, rivet, rostre, sommet, tôt.
POINTER. Ajuster, arriver, braquer, contrôler, diriger, marquer, mirer, noter, orienter, paraître, régler, tirer, tendre, venir, vérifier, viser.
POINTU. Acéré, acuminé, affiné, affûté, aigu, appointé, effilé, piquant.
POIRE. Bergamote, bési, blanquette, bonasse, catillac, crassane, coing, doyenne, duchesse, hâtiveau, muscadelle, naïf, poirier, rousselet.
POIREAU. Allium, attendre, mérite, poirette, porette, porreau.
POIREAUTER. Attendre, différer, espérer, languir, retarder, traîner.
POISON. Aconitine, antiar, appât, apprêt, arsenic, ciguë, curare, datura, digitaline, strychnine, tanghin, toxine, toxique, upas, venin, virus.
POISSER. Arrêter, couvrir, déveine, encrasser, enduire, engluer, salir.
POISSON. Ablette, achigan, alose, anchois, ange, anguille, arête, aurins, ayu, baliste, bar, barbeau, barbotte, barbue, barracuda, baudroie, béloaga, blanchaille, blennie, brème, brochet, cabot, capelan, carassin, carpe, chabot, colin, crapet, crapet-soleil, corégones, cyprin, darne, doré, dormeur, églefin, épée, éperlan, espadon, esturgeon, flet, flétan, gade, gardon, goujon, gouramis, grenadier, grondin, grunion, guppy, hareng, harenguet, hotu, ide, lampris, lamproie, lépisoste, lieu, lingue, loche, lotte, malachigan, maquereau, maskinongé, médaka, menuisaille, menuise, merlan, merlu, merluche, mérou, meunier, morue, muge, mulet, murène, myxine, nase, nasique, omble, ombre, opah, orphie, ouitouche, ouananiche, pégase, perchaude, perche, picarel, piranha, plie, poisson-castor, poulamon, poutassou, quinnat, raie, requin, sandre, sardine, saumon, scalaire, scare, sébaste, silure, sole, spatule, sprat, squale, squawfish, sterlet, surmulet, tacaud, tambour, tanche, tarpon, tétra, tétrodon, thon, torpille, torsk, truite, turbot, vandoise, vieille, voilier, xiphophore.
POITRINE. Buste, carrure, cœur, coffre, corsage, côte, décolleté, estomac, gorge, hampe, jabot, pectoral, poumon, sein, thorax, torse.
POIVRIER. Betel, cubeda, piper, pipéracée, nigrum.
POIX. Calfat, colle, galipot, goudron, ligneul, résine.
POKER. As, brelan, carré, dés, quinte, paire, royal, séquence, zanzi.
POLAIRE. Antarctique, arctique, austral, boréal, étoile, nordique.
POLÉMIQUE. Apologétique, controverse, débat, discussion, dispute.

POLI. Affable, aimable, bienséant, châtié, civil, correct, courtois, éclat, galant, glacé, honnête, lisse, mat, net, plan, plat, ras, terne, uni.
POLICE. Assurance, commissariat, cop, FBI, flic, gendarme, Gestapo, milice, MP, policier, poilet, poste, PP, RCMP, SQ, SS, vingt-deux.
POLICIER. Agent, ange, bobby, chien, cogne, condé, détective, flic, garde, gardien, gendarme, limier, poulet, roman, roussin, sbire.
POLIR. Cirer, dégrossir, égriser, limer, lisser, poncer, retoucher, unir.
POLITESSE. Agréer, cérémonie, décence, respect, tact, urbanité.
POLITICIEN ALGÉRIEN (n. p.). Abbas, Ben Bella, Boudiaf.
POLITICIEN ALLEMAND (n. p.). Abetz, Brandt, Ebert, Goring, Heus, Hitler, Neurath.
POLITICIEN AMÉRICAIN (n. p.). Bush, Clinton, Kennedy.
POLITICIEN ANGOLAIS (n. p.). Neto.
POLITICIEN AUTRICHIEN (n. p.). Raab.
POLITICIEN BELGE (n. p.). Beernaert, Destree.
POLITICIEN BRÉSILIEN (n. p.). Dutra.
POLITICIEN BRITANNIQUE (n. p.). Bevin, Churchill, Cripps, Peel, Pitt.
POLITICIEN BULGARE (n. p.). Zivkov.
POLITICIEN CANADIEN (n. p.). Abbott, Bennett, Borden, Bowell, Chrétien, King, Laurier, Macdonald, Mackenzie, Meighen, Mulrony, Papineau, Pearson, Saint-Laurent, Thompson, Trudeau, Tupper.
POLITICIEN CHILIEN (n. p.). Frei.
POLITICIEN CONGOLAIS (n. p.). Lumumba.
POLITICIEN CORÉEN (n. p.). Rhee.
POLITICIEN ÉGYPTIEN (n. p.). Nasser.
POLITICIEN FRANÇAIS (n. p.). Auriol, Barnave, Caillaux, de Gaulle, Doumer, Gensonne, Guadet, Laval, Marat, Mollien, Mun, Rochet, Sartine, See.
POLITICIEN GREC (n. p.). Capodistria.
POLITICIEN HONGROIS (n. p.). Nagy, Tisza.
POLITICIEN IRANIEN (n. p.). Mossadegh.
POLITICIEN IRLANDAIS (n. p.). Obrien.
POLITICIEN ISRAÉLIEN (n. p.). Eshkol.
POLITICIEN ITALIEN (n. p.). Calvosotelo, Ciano, Cipriani, Einaudi, Mussolini, Rossi.
POLITICIEN NORVÉGIEN (n. p.). Quisling.
POLITICIEN OTTOMAN (n. p.). Pasa.
POLITICIEN PORTUGAIS (n. p.). Eanes.
POLITICIEN ROUMAIN (n. p.). Alecsandri, Bratianu, Iorga.
POLITICIEN RUSSE (n. p.). Beria, Ieltsine, Lenine, Staline.
POLITICIEN SUISSE (n. p.). Ador.
POLITICIEN TCHADIEN (n. p.). Habre.
POLITICIEN TCHÉCOSLOVAQUE (n. p.). Benes, Menderes.
POLITICIEN UKRAINIEN (n. p.). Petlioura.
POLITICIEN YOUGOSLAVE (n. p.). Tito.
POLITIQUE. Anarchie, campagne, doctrine, parlementaire, tract.

POLLUER. Crotter, maculer, noircir, profaner, salir, souiller, tacher.
POLONIUM. Po.
POLTRON. Capon, couard, craintif, froussard, lâche, peureux, pleutre.
POLYGONE. Apothème, décagone, heptagone, hexagone, octogone.
POLYPE. Acétabule, alvéole, bras, coelentéré, corne, tubipore.
POMMADE. Baume, crème, embrocation, lanoline, liniment, rosat, uve.
POMME. Api, atalante, calville, capendu, châtaigne, cidre, lobo, patate, paradis, pépin, pigne, pommier, macintosh, reinette, tomate.
POMME (n. p.). Adam, Ève, Tell.
POMMIER. Baccata, coronaria, doucin, malus, pathos, prunifolia, pumila, sirène, solennel, surin, sylvestri, tailleur.
POMPE. Apparat, calandre, canon, cylindre, faste, lance, luxe, seringue.
POMPETTE. Amboulé, éméché, gai, ivre, joyeux.
POMPEUX. Déclamatoire, emphatique, solennel, somptueux.
POMPIER. Fellation, sapeur, sirène, solennel, pathos, tailleur.
PONCIF. Banalité, bateau, cliché, idée, lieu, topique, truisme, vieillerie.
PONCTUEL. Assidu, exact, fidèle, régulier, religieux, scrupuleux.
PONDÉRATION. Agitation, déséquilibre, équilibre, fébrilité, nervosité.
PONT. Arc, arche, bac, butée, culée, entrepont, gué, jetée, passerelle, péage, pont-levis, pile, ponton, tablier, tillac, trigone, viaduc, voûte.
PONTIFE. Bonze, évêque, pédant, légat, pape, prélat, prêtre, vicaire.
POOL. Communauté, consortium, entente, groupement.
POPULACE. Canaille, écume, foule, lie, pègre, peuple, racaille, tourbe.
POPULAIRE. Célébrité, gloire, légendaire, peuple, plébéen, prolétaire.
PORC. Cochon, cochonnet, épic, goret, glouton, grogne, ladre, laie, marcassin, pécari, pachyderme, phacochère, porcelet, potamochère, pourceau, sabiroussa, sanglier, soie, solitaire, truie, verrat.
PORCELAINE. Bibelot, biscuit, chine, faïence, mollusque, noces, saxe.
PORCHERIE. Auge, boiton, étable, porcher, soue.
PORE. Fissure, interstice, intervalle, lenticelle, orifice, oscule, trou.
PORT. Abri, attache, bassin, havre, jetée, maintien, posture, rade.
PORT D'ALGÉRIE (n. p.). Alger, Annaba, Arzeu, Bône, Bougie, Delly, Oran.
PORT D'ALLEMAGNE (n. p.). Altona, Brême, Emdem, Hambourg, Kiel, Peenemunde, Wismar.
PORT D'ANGLETERRE (n. p.). Bristol, Birkenhead, Chatham, Douvres, Exeter, Grimsby, Hull, Lancaster, Liverpool, Londres, Newcastle, Plymouth, Preston, Truro
PORT D'AUSTRALIE (n. p.). Albert, Augusta, Darwin, Geelong, Hobart, Sydney.
PORT DE BANGLADESH (n. p.). Chittagonci.
PORT DE BELGIQUE (n. p.). Anvers, Nieuport, Zeebrugge.
PORT DE BRÉSIL (n. p.). Arcaju, Natal, Niteroi, Recife, Santos.
PORT DE BULGARIE (n. p.). Varna.
PORT DE CAMBODGE (n. p.). Kompongsom, Sihanoukville.

PORT DU CANADA (n. p.). Aklavik, Amherts, Brest, Cacouna, Canso, Caraquet, Darmouth, Digby, Fogo, Halifax, Kingston, Louisbourg, Owensound, Plaisance, Sarnia, Shédiac, Sydney, Toronto, Trenton, Trinity, Vancouver, Windsor, Yarmouth.
PORT DU CHILI (n. p.). Antofagasta, Aranco, Arauco, Arenas, Arica, Caldera, Coquimbo, Iquique, Punta, Valparaiso.
PORT DE CHINE (n. p.). Amoy, Canton, Dairen, Hong-Kong, Macao, Shanghai, Swatow, Taku, Tsingtao, Xiamen, Yental.
PORT DE CHYPRE (n. p.). Limassol.
PORT DE COLOMBIE (n. p.). Buenaventura, Cienaga.
PORT DE CORÉE DU SUD (n. p.). Pusan, Ulsan.
PORT DE CORÉE DU NORD (n. p.). Nampo.
PORT DU COSTA RICA (n. p.). Limon.
PORT DE CROATIE (n. p.). Split.
PORT DE CUBA (n. p.). Gibara, Havane, Nuevitas, Preston, Santiago.
PORT DU DANEMARK (n. p.). Aarhus, Alborg, Arhus, Elseneur, Halborg, Odense, Nyborg, Randers.
PORT D'ÉCOSSE (n. p.). Aberdeen, Ayr.
PORT D'ÉGYPTE (n. p.). Suez.
PORT D'ESPAGNE (n. p.). Algésiras, Alicante, Alméria, Aviles, Barcelone, Bilbao, Cadix, Carthagène, Centa, Dundee, Ferrol, Gijon, Huel Va, Magala, Mataro, Porbou, Tarragone, Valence, Vigo.
PORT DES ÉTATS-UNIS (n. p.). Baltimore, Erie, Los Angeles, Mobile, New Haven, Newport, New York, Norfolk, Portland, Townshend.
PORT D'ÉTHIOPIE (n. p.). Assab.
PORT DE FINLANDE (n. p.). Abo, Oulu, Pori, Reykjavik, Turku, Vaasa.
PORT DE FRANCE (n. p.). Antibes, Auray, Belz, Brest, Caen, Calais, Ciotat, Dieppe, La Rochelle, Le Havre, Marseille, Mèze, Nantes, Nice, Palais, Rochefort, Saint-Malo, Strasbourg, Toulon.
PORT DU GABON (n. p.). Owendo.
PORT DU GHANA (n. p.). Sekondi, Tema.
PORT DE GRÈCE (n. p.). Éleusis, Pirée, Volos.
PORT DU GUATEMALA (n. p.). Ocos.
PORT DU HONDURAS (n. p.). Téla.
PORT D'INDE (n. p.). Bombay, Diu, Goa, Surat.
PORT D'INDONÉSIE (n. p.). Cirebon, Manado, Medan, Palembang, Tjirebon.
PORT D'IRAN (n. p.). Abadan.
PORT D'IRAK (n. p.). Basta, Fao.
PORT D'IRLANDE (n. p.). Cobh, Cork, Fastnet, Calway.
PORT D'ISRAËL (n. p.). Acre, Akko, Ashdod, Eilat, Elath, Haifa, Goteborg, Netanya.
PORT D'ITALIE (n. p.). Acieale, Amalfi, Ancône, Anzio, Bari, Barletta, Brindisi, Catane, Cefalu, Cefaw, Gaète, Gela, Naples, Orties, Palerme, Rialto, Spezia, Tarente, Trieste.

PORT DU JAPON (n. p.). Aomori, Antonio, Beppu, Chiba, Hiroshima, Kagoshima, Kobe, Kuré, Moji, Mozi, Muroban, Nagasaki, Nagoya, Oita, Osaka, Otaru, Sasebol, Takamatsu, Tokio, Ube, Yokohama, Yokosuma.
PORT DU LIBAN (n. p.). Tripoli.
PORT DU LUXEMBOURG (n. p.). Mertert.
PORT DU MAROC (n. p.). Agadir, Casablanca, Essaouira, Kenitra, Larache, Lyautey, Mohammedia, Safi, Tanger.
PORT DU MEXIQUE (n. p.). Acapulco, Campêche, Mazatlan, Progreso, Tampico, Veracruz.
PORT DU MOZAMBIQUE (n. p.). Beira.
PORT DE NORVÈGE (n. p.). Narvik.
PORT DES PAYS-BAS (n. p.). Rotterdam, Vlaardingen.
PORT DU PÉROU (n. p.). Callao, Chimbote, Iquitos, Talara.
PORT DES PHILIPPINES (n. p.). Bacolod, Batangas, Iloilo, Luçons, Negros.
PORT DU PORTUGAL (n. p.). Faro, Porto, Setubal.
PORT DU QUÉBEC (n. p.). Baie-Comeau, Cacouna, Gaspé, Montréal, Québec, Sept-Îles, Sorel, Trois-Rivières.
PORT DE RUSSIE (n. p.). Gorki, Kirov, Leningrad, Oufa, Rostov, Saratov.
PORT DE SUÈDE (n. p.). Goteborg, Lulea, Malmo, Norreping, Pitea, Umea.
PORT DE SUISSE (n. p.). Bâle.
PORT DE TAHITI (n. p.). Papeete, Vaiété.
PORT DE TANZANIE (n. p.). Dares, Salaam, Salam, Tanga.
PORT DE TERRE-NEUVE (n. p.). Bonavista, Botwood, Marystown, Placentia, St John.
PORT DE TUNISIE (n. p.). Sfax, Sousse.
PORT DE TURQUIE (n. p.). Adalia, Anc, Antalya, Dniepropetrovsk, Iskenderun, Istanbul, Izmir, Sinop.
PORT D'UKRAINE (n. p.). Ievpatoria, Odessa.
PORT DU VIETNAM (n. p.). Camranh, Danang, Nhatrang.
PORT DU YÉMEN (n. p.). Aden.
PORT DE YOUGOSLAVIE (n. p.). Kotor, Rijeka, Split, Zadar.
PORT DU ZAÏRE (n. p.). Matadi.
PORTE. Accès, barrière, chasseur, entrée, hayon, hec, herse, huis, issue, passage, pêne, porche, portail, poterne, portière, seuil, vantail, verrou.
PORTE (n. p.). Jérusalem, Rome, Thèbes, Trézène, Turquie.
PORTÉ. Assené, attiré, champ, conduit, degré, disposé, élément, enclin, hauteur, mis, niveau, rayon, sphère, soutien, support, tendance.
PORTEFAIX. Bricole, coltineur, crocheteur, faquin, phrygane, porteur.
PORTEFEUILLE. Bourse, carton, classeur, porte-monnaie, trousse.
PORTER. Aller, arborer, asséner, barder, blesser, décider, descendre, élever, encliner, entraîner, étendre, étrenner, inscrire, lever, outrer, puer, rendre, retirer, scandaliser, subordonner, tendre, transporter.
PORTEUR. Ânée, coltineur, commissionnaire, courrier, coursier, débardeur, estafette, facteur, laptot, livreur, messager, nervi.

PORTIER. Bignole, cerbère, chasseur, concierge, gardien, geôlier, gorille, huissier, piploque, suisse, tourier, veilleur.
PORTION. Arc, champ, corps, fragment, lot, part, pièce, ration, zone.
PORTIQUE. Péristyle, porche, porte, tambour, torana, vestibule.
PORTRAIT. Album, buste, effigie, figure, gravure, image, tableau.
PORTRAITISTE. Caricaturiste, imagier, figuriste, graveur, peintre.
PORTRAITISTE (n. p.). Apelle, Ghirlandaio, Lely, Nadar, Nos, Vandyck.
PORTUGAL (n. p.). Açores, Escudo, Lisbonne, Lusitanie, Madère.
POSE. Calme, exposition, froid, grave, instantané, réfléchi, sage.
POSER. Agir, atterrir, engluer, mettre, miner, placer, situer, soulever.
POSEUR. Affecté, fat, maniéré, minaudier, pédant, prétentieux, snob.
POSITIF. Absolu, certain, évident, exact, formel, oui, précis, réel, vrai.
POSITION. Attitude, cas, condition, disposition, estime, gisement, guêpier, inclinaison, lieu, place, point, sis, site, stable, tête-bêche.
POSSÉDER. Ai, aie, ait, as, avoir, connaître, démoniaque, détenir, eu, jouir, ont, pourvu, propriété, situer, vaincre.
POSSESSIF. Captatif, exclusif, intolérant, leur, ma, mes, miens, mon, nos, notre, sa, ses, son, ta, tes, ton, vos, votre.
POSSIBILITÉ. Cas, chance, croyance, débouché, embauche, éventualité, faculté, moyen, permission, pouvoir, probabilité, sursis, virtualité.
POSSIBLE. Admissible, applicable, compétitif, compréhensible, concevable, douteux, espérance, éventuel, exécutable, facile, facultatif, faisable, hasardeux, incertain, libre, loisible, plausible, potentiel, pouvoir, praticable, probable, réalisable, virtuel, vraisemblable.
POST-SCRIPTUM. P.-S.
POSTE. Émetteur, emploi, essencerie, garde, observatoire, radio, vigie.
POSTER. Aposter, embusquer, établir, installer, loger, placer, planter.
POSTÉRIEUR. Après, avenir, cul, derrière, nuque, suivant, ultérieur.
POSTÉRITÉ. Avenir, descendant, enfant, fils, génération, progéniture.
POSTICHE. Ajouté, artificiel, factice, faux, moumoute, perruque.
POSTULANT. Aspirant, candidat, demandeur, poursuivant, prétendant.
POSTURE. Allure, attitude, contenance, pose, position, situation, station.
POT. Chance, cruche, jacquelin, jacqueline, jarre, marmite, pichet, poterie, potiche, récipient, terrine, vase.
POTABLE. Acceptable, bon, buvable, passable, possible, pur, sain.
POTAGE. Bisque, bouillie, bouillon, cille, consommé, crème, coulis, julienne, lavasse, lavure, louche, minestrone, oille, philtre, soupe.
POTASSIUM. K.
POTEAU. Colonne, mât, pièce, pieu, pilori.
POTELÉ. Charnu, dodu, gras, grassouillet, gros, plein, poupard, rond.
POTENCE. Corde, estrapade, gibet, gibier, patibulaire, portemanteau, victime.
POTENTIEL. Évolution, force, possible, prospect, tension, virtuel.
POTENTILLE. Atrosanguinea, aurea, fruticosa, nepalensis, quintefeuille.
POTERIE. Céramique, faïence, figurine, grès, porcelaine, terre.

POTIN. Bruit, cancan, causer, jaser, médisance, on, tapage.
POTION. Boire, breuvage, élixir, guérir, looch, magie, médicament.
POTIRON. Carabaça, citrouille, courge, cuje, poutiron.
POU. Lécanie, lente, mélophage, morpion, phtirius, tique, toto, vermine.
POUCE. Doigt, po.
POUDRE. Came, égrisée, kif, iris, malt, pulvérin, sciure, talc, vermoulure.
POUDRER. Broyer, enfariner, maquiller, moudre, sabler, saupoudrer.
POUFFER. Amuser, badiner, marrer, moquer, pâmer, rire, tordre.
POULAILLER. Cabane, cage, mue, paradis, volière.
POULE. Agami, caqueter, cocotte, coq, enjeu, fille, foulque, gallinacée, gallinule, géline, glousser, jeu, mise, œuf, poularde, poulette.
POULET. Barbecue, chapon, coq, lettre, policier, poulette, poussin.
POULIE. Agrès, bigue, brin, cône, corde, gréement, palan, réa, rouet.
POULINIÈRE. Cheval, jument, pouliche.
POULIOT. Treuil.
POULPE. Mollusque, pieuvre.
POUMON. Aspirer, expirer, haleine, mou, poitrine, rejeter, respirer.
POUPÉE. Bébé, catin, étoupe, figurine, filasse, mâchoire, mandrin, mannequin, pansement, poupard, poupon.
POUPON. Bambin, bébé, enfant, nourrisson, poupée.
POUR. Afin, but, contre, intention, faveur, pendant, pro, vouloir.
POURCENTAGE. Adjudication, degré, probabilité, proportion, taux.
POURCHASSER. Chasser, poursuivre, talonner, traquer.
POURPRE. Cardinal, dignité, purpurin, rocher, rouge, royal, tyr.
POURQUOI. Ainsi, aussi, cause, comment, intention, motif, raison.
POURRIR. Avarier, corrompre, décomposer, gâter, putréfier, ulcérer.
POURSUITE. Après, justice, lièvre, persécution, recherche, retraite.
POURSUIVRE. Cerf, chasser, continuer, courir, foncer, forcer, harceler, importuner, intenter, justice, lièvre, pourchasser, rechercher, traquer.
POURTANT. Autant, cependant, mais, néanmoins, toutefois.
POURTOUR. Bord, circonférence, circuit, entourer, périmètre, tour.
POURVOIR. Armer, dédicacer, don, douer, monter, munir, nantir, orner.
POURVU. Muni, nanti, posséder, puisse.
POUSSE. Bourgeon, bouton, bouture, drageon, greffe, plumule, talle.
POUSSÉE. Bourrade, choc, coup, éclos, élan, enclin, épaulée, grandi, impulsion, jet, mû, née, point, pression, propulsion, refrain, tendance.
POUSSER. Acculer, bousculer, boutonner, chasser, couiner, crier, éloigner, émettre, étendre, exciter, huer, hurler, inciter, jeter, lever, mener, mouvoir, mugir, piauler, propulser, refouler, rugir, vagir.
POUSSIÈRE. Anéantir, atome, balayure, boue, cendre, débris, détritus, efflorescence, escarbille, miette, moudre, pollen, poudre, sable, stuc.
POUTRE. Ais, bau, boulin, chevêtre, étai, étambot, hec, jas, longeron, madrier, paille, pieu, planche, poutrelle, soffite, solive, sapine.
POUVOIR. Action, choix, dictature, évoquer, faculté, force, habileté, latitude, liberté, moyen, munir, ordre, pu, règne, thaumaturgie, trône.

PRAIRIE. Alpage, champ, embouche, engane, herbage, lande, noue, pacage, pampa, pâtis, pâturage, pelouse, pré, savane, steppe, vallée.
PRASÉODYME. Pr.
PRATIQUE. Achalandé, acheteur, acquis, adapté, aisé, art, astucieux, commode, efficace, émérite, facile, possible, routine, usage, usuel.
PRATIQUER. Acquérir, boycotter, castrer, charcuter, déboucher, éprouver, essayer, exécuter, exercer, expérimenter, faire, miner, occuper, perforer, piper, skier, sodomiser, tâter, vasectomiser.
PRÉ. Alpage, champ, embouche, engane, herbage, lande, noue, pacage, pampa, pâtis, pâturage, pelouse, prairie, savane, steppe, vallée.
PRÉCARITÉ. Brièveté, caducité, évanescence, fragilité, fugacité.
PRÉCÉDENT. Avant, avant-garde, ouverture, pré, préambule, prénatal.
PRÉCÉDER. Annoncer, antérieur, anticiper, ci, dépasser, devancer, diriger, distancer, émaner, marcher, passer, placer, prendre, prévenir.
PRÉCEPTE. Aphorisme, apophtegme, conseil, dogme, formule, leçon.
PRÊCHER. Annoncer, catéchiser, conseiller, convertir, discourir, enseigner, évangéliser, exhorter, instruire, sermonner, vanter.
PRÉCIEUX. Avantageux, beau, bon, cher, parfait, rare, riche, utile.
PRÉCIPICE. Abîme, anfractuosité, aven, cavité, crevasse, gouffre, ravin.
PRÉCIPITATION. Affolement, brusquerie, fondre, fougue, frénésie, hâte, lenteur, longueur, palpitation, pluie, rapidité, ruer, vitesse.
PRÉCIPITER. Brusquer, courir, élancer, foncer, jeter, presser, tomber.
PRÉCIS. Abrégé, absolu, bref, catégorique, certain, clair, concis, conforme, distinct, exact, fin, juste, net, pile, réel, rigoureux, traité.
PRÉCISER. Délimiter, détailler, déterminer, expliciter, spécifier, stipuler.
PRÉCISION. Clarté, concision, exactitude, justesse, minutie, rigueur.
PRÉCURSEUR. Ancêtre, annonciateur, devancier, fourrier, initiateur, inventeur, messager, prédécesseur, prophète.
PRÉCURSEUR (n. p.). Adam, Icare.
PRÉCOCE. Hâtif, prématuré, sénilisme.
PRÉCONISER. Louer, prêcher, prôner, recommander, vanter.
PRÉCURSEUR. Ancêtre, guide, larve, pionnier, prédécesseur, premier.
PRÉDICATION. Chaire, discours, mission, oracle, prophétie, sermon.
PRÉDICTION. Astrologie, horoscope, présage, prophétie, révélation.
PRÉDIRE. Annoncer, augurer, dire, présager, pronostic, prophétiser.
PRÉDISPOSER. Amadouer, amener, disposer, enclin, incliner, penchant, préparer, tendance.
PRÉFACE. Avant-propos, avis, canon, introduction, notice, préambule.
PRÉFÉRENCE. Goût, option, partialité, penchant, plutôt, prédilection.
PRÉFIXE. Ab, abs, ad, aer, anté, anti, archi, auto, bi, co, déca, deuto, di, dia, éco, épi, éso, ex, extra, géo, hect, hémi, hyper, im, in, infra, inn, inter, intra, ir, iso, juxta, kilo, me, meg, mes, méso, méta, mi, micro, milli, mono, nécro, néo, ob, oct, octo, para, per, phil, pico, post, pré, pseudo, re, rétro, semi, simili, sub, super, supra, syn, télé, tétra, thermo, trans, ultra.
PRÉHISTOIRE. Ancien, archéologie, fossile, géologie, paléontologie.

PRÉJUDICE. Atteinte, baraterie, dam, dommage, gêner, perte, tort.
PRÉJUGÉ. Erreur, habitude, idée, œillère, opinion, parti pris, passion, préoccupation, présomption, routine, snob, supposition, tradition.
PRÉLAT. Cardinal, exarque, monsignore, pape, pontife, primat.
PRÉLÈVEMENT. Amortissement, biopsie, coupe, ponction, saignée.
PREMIER. Abc, aîné, ancêtre, as, aube, chef, créateur, début, ébauche, entame, étrenne, genèse, initial, origine, maire, meilleur, patron, pionnier, précurseur, prime, roi, supérieur, têtard, tête, un.
PREMIER (n. p.). Adam, Épiméthée, Icare.
PREMIER MINISTRE DU CANADA (n. p.). Abbott, Bennett, Borden, Bowell, Chrétien, King, Laurier, Macdonald, Mackenzie, Meighen, Mulrony, Pearson, Saint-Laurent, Thompson, Trudeau, Tupper.
PREMIER MINISTRE DU QUÉBEC (n. p.). Bouchard, Bourassa, Boucherville, Chapleau, Chauveau, Duplessis, Flynn, Godbout, Gouin, Johnson, Joly, Lesage, Marchand, Mercier, Mousseau, Ouimet, Parent, Ross, Tachereau, Taillon.
PREMIÈRE. Avant, début, pandore, inédit, générale, reine.
PRENDRE. Aborder, accaparer, adopter, affréter, agripper, aimer, assumer, attester, attraper, boire, capter, capturer, cesser, coincer, conspirer, courir, décamper, dérober, dîner, écrémer, déjeuner, dîner, empoigner, engager, enlever, épouser, imiter, intercepter, jouer, lire, louer, mouler, naître, noter, obvier, ôter, parer, partir, pêcher, peser, piger, pincer, prélever, rapiner, ravir, relever, respirer, rire, saisir, servir, souper, soustraire, succéder, surprendre, tergiverser, voler.
PRÉNOM. Antécédent, apôtre, évangéliste, nom, pape, saint.
PRÉNOM FÉMININ (n. p.). Abeille, Adèle, Adrienne, Agathe, Agnès, Alberte, Alexandra, Alice, Amélie, Andrée, Angèle, Angélique, Anne, Antoinette, Ariane, Aurore, Audrey, Barbara, Béatrice, Bernadette, Berthe, Blanche, Brigitte, Carine, Carmen, Carole, Catherine, Cécile, Céline, Chantal, Charlotte, Chloé, Christiane, Christine, Claire, Claude, Clémence, Colette, Colombe, Constance, Corinne, Danièle, Danielle, Daphné, Denise, Diane, Dolorès, Dominique, Dorothée, Édith, Éliane, Élisabeth, Élise, Élodie, Émilie, Emmanuelle, Estelle, Esther, Ève, Fabienne, Fernande, Florence, France, Francine, Françoise, Frédérique, Gabrielle, Gaétane, Geneviève, Georgette, Géraldine, Ghislaine, Gilberte, Ginette, Gisèle, Hélène, Henriette, Huguette, Ingrid, Irène, Isabelle, Jacinthe, Jacqueline, Jeanne, Jessica, Jocelyne, Josée, Joséphine, Josette, Judith, Julie, Justine, Karine, Laure, Liane, Liliane, Lyne, Lise, Lorraine, Louise, Luce, Lucie, Madeleine, Marcelle, Marguerite, Marianne, Marie, Marie-Pierre, Martine, Mathilde, Maude, Mélanie, Michèle, Micheline, Mireille, Monique, Muriel, Nathalie, Nicole, Odette, Odile, Olga, Ophélie, Pamela, Pascale, Paule, Rachèle, Raymonde, Régine, Renée, Rolande, Rose, Sandra, Sandrine, Sarah, Simone, Solange, Sophie, Stéphanie, Suzanne, Sylvie, Thérèse, Valérie, Vanessa, Véronique, Violette, Virginie, Viviane, Yolande, Yvonne, Zoé.

PRÉNOM MASCULIN (n. p.). Adrien, Aimé, Alain, Albert, Alexandre, Alexis, Alphonse, André, Antoine, Armand, Arthur, Benjamin, Benoît, Bernard, Bertrand, Bruno, Cédric, Charles, Christian, Christophe, Claude, Clément, Daniel, David, Denis, Dominique, Edmond, Édouard, Émile, Émilien, Emmanuel, Éric, Érik, Ernest, Étienne, Fernand, Florent, François, Frédéric, Gabriel, Gaétan, Gaston, Georges, Gérald, Gérard, Ghislain, Gilbert, Gilles, Grégoire, Guillaume, Guy, Henri, Hervé, Hubert, Hugues, Jacques, Jean, Jérémie, Jérôme, Jocelyn, Joël, Joseph, Jules, Julien, Justin, Lambert, Laurent, Léon, Lionel, Louis, Luc, Lucien, Marc, Marcel, Martin, Mathieu, Maurice, Maxime, Michel, Nicolas, Noël, Olivier, Oscar, Pascal, Patrice, Patrick, Paul, Philippe, Pierre, Raoul, Raphaël, Raymond, Régis, Rémi, René, Richard, Robert, Roger, Roland, Romain, Romuald, Samuel, Sébastien, Serge, Simon, Stéphane, Sylvain, Thomas, Trista, Valentin, Victor, Vincent, Wilfrid, Xavier, Yann, Yannick, Yves.

PRÉOCCUPÉ. Chagriné, ennuyé, inquiet, libre, pensif, songeur, soucieux.

PRÉPARATIF. Apprêt, armement, branle-bas, dispositif, organisation.

PRÉPARATION. Calcul, cosmétique, émulsion, entraînement, hachis, jus, marinade, organisation, pain, pâte, projet, saumure, tablette, vin.

PRÉPARÉ. Accommodé, arrangé, brut, disposé, écru, improvisé, ort.

PRÉPARER. Couver, cuire, doser, élaborer, façonner, praliner, trousser.

PRÉPOSÉ. Agent, bibliothécaire, commis, employé, pompiste.

PRÉPOSITION. Après, avant, avec, chez, contre, dans, de, deçà, delà, depuis, dès, en, entre, envers, fors, hormis, hors, malgré, négation, par, parmi, pendant, pour, sans, sauf, selon, sous, suivant, sur, trans, vers.

PRÉROGATIVE. Attribut, attribution, avantage, don, droit, faculté, honneur, juridiction, pouvoir, préséance, privilège.

PRÈS. Adjacent, attenant, contigu, contre, court, limitrophe, loin, mitoyen, proche, ras, récent, tangente, touchant, voici, voisin.

PRÉSAGE. Annonce, augure, horoscope, menace, signe, symptôme.

PRESBYTÈRE. Abbé, couvent, curé, curiale, maison, puritain.

PRESCRIPTION. Arrêté, commandement, décision, décret, édit, loi, observation, ordonnance, péremption, règlement, rite, usucapion.

PRESCRIRE. Annuler, commander, dicter, observer, ordonner, régler.

PRÉSÉANCE. Avantage, pas, pouvoir, prérogative, privilège.

PRÉSENCE. Absence, alibi, assiduité, disparition, éloignement, essence, existence, infestation, omniprésence, régularité, supporter.

PRÉSENT. Actuel, aujourd'hui, cadeau, contemporain, courant, don, dot, étrenne, existant, immédiat, legs, offrande, moderne, réalité, verbe.

PRÉSENTEMENT. Actuellement, nouvellement, ores, récemment.

PRÉSENTER. Aligner, amener, arranger, avoir, dessiner, diriger, disposer, donner, étaler, exhiber, expliquer, exposer, importer, mériter, minimiser, montrer, offrir, porter, poser, posséder, produire, proposer.

PRÉSERVER. Abriter, aider, aile, assurer, dé, éviter, garer, égide, éviter, garder, mécène, obombrer, protéger, providence, sauver, secourir, toit.

PRÉSIDENT. Coprésident, chef, conseiller, directeur, PDG, septennat.

PRÉSOMPTUEUX. Ambitieux, fat, humble, modeste, réservé, simple.
PRESQUE. Approximativement, négligeable, peu, quasi, quasiment.
PRESQU'ÎLE. Isthme, péninsule.
PRESSANT. Impérieux, important, instant, urgent.
PRESSÉ. Dépêché, étreint, hâté, impatient, lent, serré, touffu, urgent.
PRESSENTIMENT. Demande, futur, intelligence, intuition, prédiction.
PRESSENTIR. Demander, deviner, douter, flairer, prédire, sentir.
PRESSER. Accélérer, dépêcher, étreindre, exciter, hâter, imprimer, peser, pétrir, pousser, repasser, serrer, talonner, tasser, vendanger.
PRESSOIR. Cave, cellier, fouloir, hec, maillotin, oppression, vigne, vin.
PRESTANCE. Air, allure, aspect, carrure, maintien, mine, tenue.
PRESTATION. Aide, allocution, apport, assermentation, discours, laïus.
PRESTE. Actif, agile, diligent, habile, prompt, souple, urgent, vif, vite.
PRESTIDIGITATEUR. Acrobate, artiste, escamoteur, illusionniste, jongleur, magicien, manipulateur, truqueur.
PRESTIGE. Auréole, charme, gloire, illusion, influence, magie, pouvoir.
PRÉSUMER. Augurer, conjecturer, croire, soupçonner, supposer.
PRÊT. Avance, créance, dette, emprunt, location, mûr, paré, subside.
PRÉTENDRE. Affirmer, alléguer, aspirer, avancer, déclarer, dire, fiancé, flatter, garantir, lorgner, prétendant, prétexter, soutenir, vouloir.
PRÉTENTIEUX. Crâneur, fat, fier, morveux, orgueilleux, présomptueux, sot, vain, vaniteux.
PRÉTENTION. Ambition, crânerie, dandysme, orgueil, présomption.
PRÊTER. Aider, confier, créditer, écouter, entendre, imputer, louer, ouïr.
PRÉTEXTE. Allégation, alibi, apparence, argument, cause, couleur, robe.
PRÉTEXTER. Alléguer, arguer, excuser, justifier, objecter, opposer.
PRÊTRE. Abbé, archevêque, aumônier, bonze, célébrant, chanoine, curé, druide, évêque, lama, missionnaire, monseigneur, pape, vicaire.
PRÊTRESSE. Bacchante, druidesse, pythie, pythonisse, vestale.
PREUVE. Adminicule, affirmation, alibi, argument, charge, copie, critère, gage, indice, logique, motif, raison, reçu, témoignage, témoin.
PRÉVALOIR. Dominer, emporter, prédominer, primer, supplanter.
PRÉVENANT. Affable, agréable, aimable, avenant, complaisant, poli.
PRÉVENIR. Alerter, avertir, devancer, empressement, éviter, remédier.
PRÉVISION. Alerter, attente, avertissement, avis, budget, indexation.
PRÉVOIR. Alerter, avertir, aviser, deviner, flairer, indexer, sentir.
PRIER. Adorer, adjurer, appeler, demander, inviter, invoquer, supplier.
PRIÈRE. Angélus, appel, ave, bénédicité, canon, credo, demande, gloria, introït, libera, litanie, oraison, orémus, requête, requiem, salve, salut.
PRIEUR. Abbé, bénéficier, cloître, doyen, oblat, religieux, supérieur.
PRIE-DIEU. Agenouilloir, genou.

PRIMATE. Apelle, avahi, aye-aye, babouin, bonobo, chimpanzé, chirogale, colobe, douc, drill, échidné, entelle, éroïde, galago, gelada, gibbon, gorille, guéréza, hocheur, homme, hoolock, hurleur, indri, lagotriche, lémuridé, lémurien, lémur, loris, macaque, magot, maki, mandrill, mirza, mongo, moustac, nasique, orang-outan, ouakari, ouistiti, papion, pinché, sajou, saki, sapajou, simien, singe, talapoin, tamarin, tarsier, totis, toupaye.

PRIME. Assurance, boni, escompte, report, récompense, surprime.

PRIMEVÈRE. Auricule, coucou, fleur de printemps, primerolle.

PRIMEUR. Commencement, étrenne, fraîcheur, nouveauté, prémices.

PRIMITIF. Ancien, archaïque, brut, initial, originaire, premier.

PRINCE. Altesse, archiduc, calife, consort, émir, héritier, magnat, monarque, nabab, noble, page, rajah, ras, raz, règne, roi, sultan, vizir.

PRINCIPAL. Âme, axe, centre, clé, clef, directeur, dominant, essentiel, fondamental, maître, nerf, pivot, prédominant, premier, primordial.

PRINCIPE. Agent, âme, archétype, axe, axiome, base, cause, clé, clef, credo, critère, essence, germe, idée, loi, nature, norme, origine, pensée, postulat, règle, sève, source, soutien, suc, unité, vérité, vie, virus.

PRIORITÉ. Aîné, antériorité, avant, droit, précellence, préséance.

PRIS. Affairé, bu, débordé, eu, occupé.

PRISE. Butin, capture, clé, clef, ciseau, conquête, dispute, emprise, enlèvement, levée, moyen, proie, querelle, râfle, saisie, scène, unité.

PRISME. Dispersion, parallélépipède, polyèdre, réfraction, spectre.

PRISON. Cabane, cachot, cage, carcéral, cellule, écrou, ergastule, forçat, forteresse, geôle, ham, pénitencier, trou, tôle, violon.

PRISONNIER. Bagnard, captif, cep, condamné, déporté, détenu, esclave, forçat, galérien, interné, otage, relégué, séquestré, transporté, taulard.

PRIVATION. Anorexie, besoin, captivité, défaut, faim, famine, inanition, jeûne, manque, perte, rareté, retenue, sans, sevrage, surdité, vide.

PRIVÉ. Apprivoisé, caché, dépourvu, froid, incognito, individuel, intérieur, intime, libre, muet, particulier, personnel, sec, sevré.

PRIVER. Démunir, dépouiller, déshériter, interner, sevrer, sourd.

PRIVILÈGE. Apanage, avantage, caste, dispense, droit, faveur, licence.

PRIVILÉGIÉ. Avantagé, choisi, élu, favorisé, nanti, pourvu, riche.

PRIX. Cher, cours, coût, devis, inconvénient, loyer, rançon, taux, valeur.

PRIX NOBEL DE CHIMIE (n. p.). Alder, Anfinsen, Arrhenius, Aston, Barton, Bosch, Boyer, Brown, Buchner, Butenandt, Calvin, Chu, Cornforth, Crowfoot, Curie, Curl, Debye, Diels, Eigen, Fischer, Flory, Giauque, Grignard, Haber, Hahn, Harden, Hayworth, Herzberg, Hevesy, Heyrovsky, Hinshelwood, Fischer, Joliot-Curie, Karrer, Kendrew, Kroto, Kuhn, Langmuir, Leloir, Libby, Lipscomb, Martin, McMillan, Mitchell, Moissan, Moore, Mulliken, Natta, Nernst, Norrish, Northrop, Onsager, Ostwald, Pauling, Phillips, Porter, Pregl, Prelog, Prigogine, Ramsay, Richards, Robinson, Ruzicka, Sabatier, Sanger, Skou, Seaborg, Soddy, Smalley, Stanley, Staudinger, Stein, Summer, Svedberg, Synge, Tiselius, Todd, Urey, Van't Hoff, Vigneaud, Virtanen, Von Baeyer, Von

Euler-Chelpin, Walker, Wallach, Werner, Wieland, Wilkinson, Willstätter, Windaus, Wittig, Woodward, Ziegler, Zsigmondy.

PRIX NOBEL DE LITTÉRATURE (n. p.). Agnon, Aleixandre, Anderson, Andric, Asturias, Beckett, Bellow, Benavente, Bergson, Bjornson, Böll, Bounine, Broglie, Buck, Camus, Carducci, Chadwick, Cholokhov, Churchill, Compton, Davisson, Deledda, Dirac, Echegaray, Eliot, Elytis, Eucken, Faulkner, France, Franck, Galsworthy, Gide, Gjellerup, Hamsun, Hauptmann, Heisenberg, Hemingway, Hertz, Hess, Hesse, Jensen, Jiménez, Johnson, Karlfeldt, Kawabata, Kipling, Lagerkvist, Lagerlôf, Laxness, Lewis, Maeterlinck, Mann, Martin du Gard, Martinson, Mauriac, Mistral, Mommsen, Montale, Neruda, O'Neill, Pasternak, Perrin, Pirandello, Pontoppidan, Quasimodo, Raman, Reymont, Richardson, Rolland, Russel, Sachs, Saint-John-Perse, Sartre, Seferis, Shaw, Sienkiewick, Sillanpaa, Singer, Soljenitsyne, Spitteler, Steinbeck, Sully-Prudhomme, Szymborska, Tagore, Thomson, Undset, Von Heidenstam, Von Heyse, White, Wilson, Yeats.

PRIX NOBEL DE PAIX (n. p.). Addams, Angell, Arnoldson, Asser, Bajer, Balch, Beernaert, Borlaug, Boyd-Orr, Bourgeois, Brandt, Branting, Briand, Buisson, Bunche, Cassin, Cecil, Chamberlain, Cremer, Croix-Rouge, Dawes, Ducommun, Dunant, Estournelles, Fried, Gobat, Hammarskjôld, Henderson, Hull, Jouhaux, Kellogg, King, Kissinger, Lafontaine, Lange, Luthuli, Marshall, Moneta, Mott, Nansen, Noel-Baker, Ossietzky, Passy, Pauling, Pearson, Pire, Quidde, Ramoz-Horta, Renault, Roosevelt, Root, Saavedra, Sadate, Sakharov, Satô, Schweitzer, Sôderblom, Stresemann, Sûttner, Teresa, Wilson.

PRIX NOBEL DE PHYSIOLOGIE-MÉDECINE (n. p.). Adrian, Arber, Axelrod, Baltimore, Banting, Bavany, Beadle, Bekesy, Bloch, Blumberg, Bordet, Bovet, Burnet, Carrel, Chain, Claude, Cori, Cormack, Cournand, Crick, Dale, Dam, Delbruck, Doherty, Doisy, Domagk, Dulbecco, Duve, Eccles, Edelman, Ehrlich, Eijkman, Einthoven, Enders, Erlanger, Euler, Fibiger, Finsen, Fleming, Florey, Forssmann, Frisch, Gajdusek, Gasser, Golgi, Granit, Guillemin, Gullstrand, Hartline, Hench, Hershey, Hesse, Heymans, Hill, Hodgkin, Holly, Hopkins, Hounsfield, Houssay, Huggins, Huxley, Jacob, Katz, Khorana, Koch, Kocher, Kornberg, Kossel, Krebs, Krogh, Landsteiner, Laveran, Lipmann, Loewi, Lorenz, Luria, Lynen, Lwoff, Medawar, Meyerhof, Minot, Monod, Morgan, Muller, Murphy, Nathan, Nicolle, Nirenberg, Ochoa, Palade, Pavlov, Porter, Ramôn Y Cajal, Reichstein, Richards, Richet, Ross, Rous, Schally, Sherrington, Smith, Spemann, Sutherland, Szent-Gyôrgyl, Tatum, Temin, Theiler, Theorell, Tinbergen, Von Behring, Wagner-Jauregg, Waksman, Wald, Warburg, Watson, Weller, Whipple, Wilkins, Yalow, Zinkernagel.

PRIX NOBEL DE PHYSIQUE (n. p.). Anderson, Alvarez, Appleton, Bardeen, Barkla, Bassov, Becquerel, Bethe, Blackett, Bloch, Bohr, Born, Bragg, Brattain, Bridgman, Broglie, Chadwick, Chamberlain, Chen Ning-Yang, Cockcroft, Compton, Cooper, Dalén, Davisson, Dirac, Einstein, Esaki, Fermi, Feynman, Franck, Frank, Gabor, Gell-Mann,

Giaever, Glaser, Glashow, Goeppert-Mayer, Guillaume, Heisengerg, Hess, Hofstadter, Jensen, Josephson, Kamerlinghonnes, Kapitza, Kastler, Kusch, Landau, Lawrence, Lee, Lenard, Lippmann, Lorentz, Marconi, Michelson, Millikan, Môssbauer, Mott, Néel, Osheroff, Pauli, Penzias, Perrin, Planck, Powell, Prokhorov, Rabi, Raman, Rayleich, Richardson, Richter, Rôntgen, Ryle, Salam, Schrieffer, Schwinger, Segré, Shockley, Siegbahn, Stark, Stern, Tamm, Tcherenkov, Thomson, Ting, Tomonaga, Townes, Tsung Dao-Lee, Van Der Waals, Vleck, Von Laue, Weinberg, Wien, Wigner, Wilson, Zernike.

PRIX NOBEL DE SCIENCE ÉCONOMIQUE (n. p.). Friedman, Frish, Hayek, Hicks, Kantorovitch, Koopmans, Kuznets, Leontieff, Lewis, Mead, Mirrlees, Ohlin, Samuelson, Schultz, Simon, Vickrey.

PROBABILITÉ. Apparence, certitude, croyance, fiabilité, hypothèse.

PROBABLE. Acceptable, apparent, éventuel, plausible, possible, prévisible, rationnel, vraisemblable.

PROBANT. Certain, concluant, décisif, éloquent, évident, logique.

PROBITÉ. Conscience, délicatesse, droiture, fidélité, honnêteté, incorruptibilité, intégrité, justice, loyauté, morale, rectitude, vertu.

PROBLÈME. Clé, colle, difficulté, énigme, ennui, faim, hic, os, question, souci, thème.

PROCÉDÉ. Allure, attitude, cinérama, conduite, détrempé, dispositif, façon, fonderie, formule, méthode, moyen, offset, phototypie, queue, recette, simili, similigravure, sténo, typographie, variation.

PROCÉDER. Agir, balancer, découler, émaner, faire, relever, tâtonner.

PROCÉDURE. Avoué, chicane, dire, méthode, poursuite, référé, urgence.

PROCÈS. Action, affaire, cause, crime, démarche, fond, instance, justice.

PROCESSION. Cérémonie, cortège, défilé, file, marche, pardon, suite.

PROCHAINEMENT. Autre, avant-coureur, bientôt, immédiat, imminence, incessamment, proche, rapproché, sous peu.

PROCHE. Adjacent, attenant, avoisinant, contigu, imminent, limitrophe, parent, près, rapproché, ressemblant, semblable, sur, voici, voisin.

PROCLAMATION. Annonce, ban, déclaration, propagation, publication.

PROCLAMER. Annoncer, confesser, crier, déclarer, divulguer, propager.

PROCRÉER. Accoucher, créer, enfanter, engendrer, former, régénérer.

PROCURER. Assurer, avoir, caser, donner, fournir, loger, livrer, pouvoir.

PROCUREUR. Accusateur, avocat, défenseur, magistrat, substitut.

PRODIGE. Bollé, étonnement, merveille, miracle, phénomène, virtuose.

PRODIGIEUX. Admirable, beaucoup, colossal, extraordinaire, fou, génial.

PRODIGUE. Avare, bon, charitable, économe, généreux, large, libéral.

PRODUCTEUR. Agriculteur, auteur, créateur, industriel, inventeur.

PRODUCTION. Accord, apparition, création, cru, ouvrage, produit, récolte, rendement, sidérurgie, suppuration, surproduction.

PRODUIRE. Agacer, agir, alliage, arriver, causer, citer, créer, crier, donner, faire, grincer, écrire, élancer, émettre, faire, fructifier, générer, léser, mousser, opérer, pondre, rapporter, ronfler, siffler, soutenir.

PRODUIT. Acier, blé, carré, cirage, crème, cru, cuvée, effet, fruit, fumé, gel, grésille, héroïne, huile, légume, lessive, mascara, miel, nouveauté, œuf, ovaire, porcelaine, recette, récolte, savon, soie, tôle, travail, usure.
PROÉMINENT. Apparent, arcade, bossu, bouton, gros, haut, saillant.
PROFANATION. Abus, avilissement, pollution, sacrilège, souillure, viol.
PROFANER. Avilir, déflorer, gâter, polluer, salir, souiller, ternir, violer.
PROFÉRER. Dire, émettre, jeter, prononcer, rugir, vociférer, vomir.
PROFESSEUR. Enseignant, maître, prof, régent, toge, universitaire.
PROFESSION. Art, carrière, emploi, état, gagne-pain, métier, robe, vie.
PROFESSIONNEL. Architecte, avocat, chirurgien, comptable, dentiste, herboriste, ingénieur, journaliste, médecin, notaire, pro, spécialiste.
PROFIL. Aubaine, bénéfice, contour, côté, dessin, gain, galbe, parti.
PROFIT. Acquêt, aubaine, avantage, bénéfice, bien, boni, butin, casuel, compte, émolument, faveur, fruit, gain, lucre, parti, pour, revenu.
PROFOND. Abîme, abstrait, bas, creux, haut, impénétrable, obscur.
PROFONDEUR. Abîme, abysse, creux, hauteur, intensité, pénétration.
PROFUSION. Abondance, déborder, prodigalité, pulluler, rare, luxe.
PROGRÈS. Amélioration, avancement, bond, degré, essor, étape, mieux.
PROGRESSER. Améliorer, avancer, cheminer, élever, gagner, monter.
PROHIBER. Admettre, arrêter, autoriser, censurer, condamner, défendre, empêcher, exclure, inhiber, interdire, permettre, prévenir.
PROIE. Aigle, butin, capture, dépouille, faucon, prise, rapace, victime.
PROJECTEUR. Lampe, limière, passerelle, phare, réflecteur, spot.
PROJECTILE. Balle, bombe, boulet, cartouche, flèche, fusée, grenade, obus, missile, mitraille, obus, pruneau, roquette, torpille, trait.
PROJECTION. Cinémascope, composant, diaporama, film, spot, vidéo.
PROJET. Bill, but, canevas, carton, dessin, devis, fin, ébauche, esquisse, étude, idée, intention, loi, maquette, plan, rêve, schéma, si, utopie, vue.
PROJETER. Bâtir, combiner, jeter, méditer, mûrir, penser, rêver, songer.
PROLÉTAIRE. Indigent, ouvrier, pauvre, paysan, plébéien, salarié.
PROLONGATION. Continuation, délai, retard, suite, supplément, survie.
PROLONGEMENT. Appendice, axone, cône, pourtour, procès, queue.
PROLONGER. Abréger, accroître, allonger, augmenter, continuer, diminuer, durer, écourter, pousser, raccourcir, survivre, tenir, traîner.
PROMENADE. Balade, chevauchée, circuit, course, croisière, échappée, errance, excursion, flâner, mail, pas, tour, vadrouille, virée, voyage.
PROMESSE. Acceptation, assurance, ban, billet, contrat, engagement, expectative, fiançailles, fidélité, foi, gageure, honneur, offre, otage, oui, parole, prometteur, protestation, serment, signe, singe, vent, vœu.
PROMÉTHÉUM. Pm.
PROMETTEUR. Aguichant, blé, encourageant, engageant, si, suborneur.
PROMETTRE. Affirmer, annoncer, assurer, certifier, déclarer, donner, engagement, espérer, fiancer, jurer, obliger, offrir, prédire, vouer.
PROMONTOIR. Avancée, belvédère, cap, éminence, éperon, falaise.
PROMOTEUR. Animateur, auteur, cause, centre, créateur, réalisateur.
PROMOTION. Accession, avancement, élévation, nomination, triomphe.

PROMOUVOIR. Bombarder, élever, ériger, nommer, porter, pousser.
PROMPT. Actif, coléreux, colérique, irascible, lent, preste, rapide, vif.
PROMPTITUDE. Célérité, entrain, fougue, hâte, lenteur, vivacité.
PROMULGUER. Décréter, divulger, édicter, émettre, savoir, publier.
PRÔNER. Affirmer, assurer, célébrer, louer, prêcher, préconiser, vanter.
PRONOM DÉMONSTRATIF. Celle, celles, celle-ci, celle-là, celles-ci, celles-là, celui, celui-ci, celui-là, ceux, ceux-ci, ceux-là.
PRONOM FAMILIER. Te, toi, tu.
PRONOM INDÉFINI. Aucun, autre, autrui, chacun, nul, on, personne, plusieurs, quelqu'un, quiconque, rien, tel, tout, un, une, unes, uns.
PRONOM PERSONNEL. Elle, elles, en, eux, il, ils, je, la, le, les, leur, lui, me, moi, nous, se, soi, te, toi, tu, vous, y.
PRONOM POSSESSIF. Leur, leurs, mien, mienne, miennes, miens, nôtre, nôtres, sien, sienne, siennes, siens, tien, tienne, tiennes, tiens, vôtre, vôtres.
PRONOM RELATIF. Auquel, auxquelles, auxquels, desquelles, desquels, dont, duquel, laquelle, lequel, lesquelles, lesquels, que, qui, quoi.
PRONONCÉ. Accentué, accusé, arrêté, ferme, marqué, souligné, visible.
PRONONCER. Articuler, dicter, dire, émettre, énoncer, exprimer, formuler, juger, jurer, nasaliser, nommer, parler, proférer, rendre.
PRONONCIATION. Accent, bégaiement, débit, dystomie, élocution, iotacisme, lambdacisme, logopédie, nez, parole, phrasé, synalèphe.
PRONOSTIC. Annonce, apparence, conjecture, jugement, prophétie.
PROPAGANDE. Battage, campagne, croisade, persuasion, publicité.
PROPAGATION. Avancement, diffusion, expansion, rayonnement.
PROPAGER. Colporter, courir, circuler, diffuser, répandre, semer, voler.
PROPHÈTE. Augure, bible, devin, gourou, malheur, nabi, patriarche, prédicateur, pythonisse, starets, vaticinateur, voyant.
PROPHÈTE (n. p.). Amos, Cassandre, Élie, Élisée, Élisse, Eubage, Isaïe, Jérémie, Mahomet, Nabi, Nathan, Omar, Oracle, Osée, Protée, Sibylle.
PROPHÉTISER. Annoncer, deviner, fiction, futur, patriarche, prédire.
PROPICE. Ami, bon, commode, contraire, favorable, néfaste, utile.
PROPORTION. Dimension, dosage, moyen, pièce, rapport, sur, vaste.
PROPORTIONNER. Convenir, doser, évaluer, mesurer, moyenner.
PROPOS. Baliverne, bave, but, duo, gaudriole, radotage, ritournelle.
PROPOSER. Dire, exposer, formuler, libeller, négocier, offrir, présenter.
PROPOSITION. Assertion, axiome, offre, lemme, loi, marché, motion, offre, ouverture, phrase, projet, théorème, thèse, toast, ultimatum.
PROPRE. Annexe, apte, blanc, bon, clair, crasse, distinct, essentiel, intrinsèque, luisant, net, nettoyer, nom, pur, sain, sale, style, taille.
PROPRETÉ. Clarté, décence, élégance, fraîcheur, netteté, pureté.
PROPRIÉTAIRE. Actionnaire, châtelain, maître, possesseur, seigneur.
PROPRIÉTÉ. Bien, capital, domaine, efficacité, faculté, jouissance, maison, posséder, possessif, pouvoir, qualité, titre, usage, vertu.
PROPULSEUR. Action, effort, élan, force, moteur, poussée, réacteur.
PROSCRIRE. Abolir, bannir, blâmer, chasser, exiler, expulser, rejeter.

PROSE. Auteur, langage, poème, poésie, prosaïque, roman, séquence.
PROSPECTUS. Affiche, annonce, avis, brochure, dépliant, feuille, tract.
PROSPÉRER. Aller, fleurir, gagner, grandir, grossir, marcher, réussir.
PROSPÉRITÉ. Abondance, argent, bonheur, gloire, richesse, succès.
PROSTITUÉE. Call-girl, catin, cocotte, courtisane, fille, garce, grue, péripatéticienne, poupée, putain, pute, racoleuse, roulure, traînée.
PROTACTINIUM. Pa.
PROTECTEUR. Aide, ange, appui, armure, asile, cuirasse, défenseur, garde, gardien, gorille, mécène, patron, père, saint, soutien, tuteur.
PROTECTION. Abri, aile, appui, égide, patronage, sauvegarde, tutelle.
PROTÉGER. Abriter, aider, barder, cuirasser, défendre, patronner.
PROTÉINE. Aleurone, amine, gélatine, globuline, myosine, ovalbumine, sérine.
PROTESTANT. Anglican, baptiste, calviniste, conformiste, évangéliste, fondamentaliste, huguenot, luthérien, mennonite, méthodiste, mormon, orangiste, piétiste, presbytérien, puritain, quaker, réformé.
PROTESTER. Affirmer, arguer, assurer, attaquer, clabauder, contester, crier, désapprouver, grogner, objecter, râler, réclamer, rouspéter, ruer.
PROTOXYDE. Litharge.
PROTOZOAIRE. Amibe, cilié, coccidie, euglène, foraminifère, infusoire, noctiluque, paramécie, radiolaire, rhizopode, stendor, volvoce, volvox, vorticelle.
PROTUBÉRANCE. Apophyse, apostume, bosse, élévation, éminence, excroissance, gibbosité, mamelon, monticule, piton, saillie, tubérosité.
PROUE. Avant, bateau, cap, nez, poupe, vaisseau, yacht.
PROUESSE. Bravoure, exploit, performance, record, vaillance.
PROUVER. Arguer, avérer, déduire, établir, montrer, réfuter, révéler.
PROVENIR. Découler, émaner, issu, naître, partir, sortir, tenir, venir.
PROVERBE. Adage, aphorisme, bible, dicton, maxime, pensée, pièce, précepte, réflexion, saynète, scène, sentence, tel.
PROVERBIAL. Connu, gnomique, sentencieux, traditionnel, typique.
PROVINCE. Canton, comté, département, duché, état, principauté.
PROVINCE DE L'ARABIE SAOUDITE (n. p.). Asir, Nedjd, Nedjed.
PROVINCE DE BELGIQUE (n. p.). Anvers, Brabant, Flandre, Hainaut, Hesbaye, Liège, Limbourg, Luxembourg, Namur.
PROVINCE DU CANADA (n. p.). Alberta, Colombie-Britannique, Île-du-Prince-Édouard, Manitoba, Nouveau-Brunswick, Nouvelle-Écosse, Ontario, Québec, Saskatchewan, Terre-Neuve.
PROVINCE DE CHINE (n. p.). An-Houel, Anhwei, Chekiang, Chensi, Fukien, Heilungkiang, Henan, Honan, Hopei, Hunan, Hupe, Hupei, Kansu, Kiangsi, Kiaangsu, Kirin, Kwangsi-Chuang, Kwangtung, Kwiechow, Shansi, Shensi, Shantung, Sinkiang, Szechwan, Tibet, Tsinghai, Yunan.
PROVINCE D'ESPAGNE (n. p.). Alava, Albacete, Alicante, Almeria, Avila, Bacelona, Badajoz, Basques, Biscaye, Burgos, Caceres, Cadiz, Castellon, Ciudad-Real, Cordoba, Cuenca, Gerona, Guadalajara,

Guipuzcoa, Huelva, Huesca, Jaen, La Coruna, Lerida, Lugo, Madrid, Magala, Murcia, Navarra, Orense, Oviedo, Palencia, Pontevedra, Salamanca, Santander, Saragosse, Séville, Soria, Tarragona, Teruel, Toledo, Valladolid, Valencia, Vascongadas, Vizlaya, Zamoro.

PROVINCE D'IRLANDE (n. p.). Leinster, Ulster.

PROVINCE DE L'INDE (n. p.). Agra, Aoudh, Andhra, Bengale, Berar, Bihar, Bombay, Gujarat, Katch, Kerala, Madhya, Madras, Maharastra, Mysope, Oriss, Penjab, Pradesh, Rajasthan, Utar.

PROVINCE DE L'ITALIE (n. p.). Abruzze, Émilie-Romagne, Latium, Ligurie, Lombardie, Lucanie, Marches, Molise, Ombrie, Piémont, Sicile, Toscane, Trentin, Tridentine, Vénétie.

PROVINCE DES PAYS-BAS (n. p.). Drenthe.

PROVISION. Amas, avance, chèque, dépôt, encas, munition, provende.

PROVISOIRE. Bref, court, intérim, passager, temporaire, transitoire.

PROVOCATION. Cartel, cause, défi, excitation, irritation, tentation.

PROVOQUER. Agacer, allumer, amener, amorcer, braver, causer, convier, défier, émouvoir, entraîner, exciter, irriter, naître, tenter.

PROXÉNÈTE. Entremetteur, gigolo, jules, mac, pim, souteneur.

PROXIMITÉ. Approche, avoisiner, confins, degré, pour, près, voisinage.

PRUDE. Bégueule, chaste, honnête, modeste, pudique, puritain.

PRUDENCE. Attention, minutie, précaution, réserve, sagesse, vigilance.

PRUDENT. Avisé, calme, circonspect, mesuré, sage, timide, timoré.

PRUNE. Agen, cerisette, damas, diapré, ente, madeleine, mirabelle, moyeu, pruneau, prunelle, prunus, quetsche, reine-claude.

PRUNIER. Dominotier, marmottier, prunellier, prunus, ximénie.

PRUNUS. Abricotier, amandier, cerasus, cerisier, laurier, merisier, myrobolan, pêcher, persica, prunier.

PSAUME. Cantique, chant, complies, laudes, motet, pénitentiaux, sacré.

PSEUDONYME. Anagramme, cryptonyme, nom, plume, surnom.

PSYCHANALYSE. Analyse, caractère, étude, mental, pénétration.

PSYCHIATRE (n. p.). Freud.

PSYCHIQUE. Conscient, intellectuel, mental, moral, spirituel.

PSYCHOLOGIE. Âme, caractère, mental, pénétration.

PSYCHOLOGIQUE. Influence, intellectuel, psychique.

PSYCHOLOGUE AMÉRICAIN (n. p.). Skinner, Watson.

PSYCHOSE. Confusion, délire, démence, folie, obsession, paranoïa.

PUANT. Chanceux, dédaigneux, fétide, hirsin, malodorant, nauséabond.

PUBLIC. Agora, assemblée, assistance, audience, auditeur, auditoire, café, chambrée, collectivité, foire, forum, foule, galirie, huis clos, ivresse, lecteur, parterre, privé, salle, scandale, spectateur.

PUBLICATION. Annonce, apparition, ban, dénonciation, divulgation, édition, hebdomadaire, journal, lancement, livre, ouvrage, magazine, mensuel, parution, proclamation, recueil, revue, sortie, tabloïd, tirage.

PUBLICITÉ. Affichage, battage, néon, propagande, réclame, slogan.

PUBLIER. Aviser, crier, donner, édicter, éditer, faire, lancer, tirer, voir.

PUCE. Chique, daphnie, talitre.

PUCELLE. Puceau, vierge.
PUCERON. Aleurode, chermès, coccinelle, cochenille, kermès, lanifère, lanigère, rhynchotes.
PUDEUR. Chasteté, décence, honneur, honte, pureté, réserve, vertu.
PUDIQUE. Chaste, décent, délicat, honte, prude, pur, sage, vergogne.
PUER. Empester, empuantir, infecter, sentir, renfermé, sentir.
PUÉRIL. Enfantillage, frivole, futile, inutile, neutre, stérile, vain.
PUGILAT. Boxe, catch, ceste, combat, judo, lutte, pancrace, rixe.
PUGILISTE. Athlète, batailleur, boxeur, catcheur, judoka, lutteur.
PUIS. Alors, après, ensuite, outre, subséquemment.
PUISER. Baqueter, glaner, pêcher, pomper, pucher, seau, tirer, urne.
PUISQUE. Attendu, dès, parce que.
PUISSANCE. Autorité, capacité, effet, efficacité, empire, énergie, étoile, faculté, force, intensité, loi, magie, possibilité, pouvoir, vigueur, watt.
PUITS. Artésien, aven, bure, coffrage, igue, mine, puisard, raval, sonde.
PULPE. Bouillie, casse, chair, tamarin, tourteau.
PULVÉRISER. Atomiser, broyer, détruire, fixer, moudre, vaporiser.
PUMA. Couguar, cougouar, guépard, eyra.
PUNAISE. Acanthe, actée, cimicaire, gendarme, naucore, nèpe, pentatome, rhynchotes, vélie.
PUNIR. Battre, châtier, coller, condamner, corriger, flétrir, frapper, infliger, mater, redresser, réprimer, saler, sanctionner, sévir, venger.
PUNITION. Amende, châtiment, correction, pensum, sanction, talion.
PUPILLE. Atropine, enfant, lire, myopie, œil, orphelin, prunelle.
PUPITRE. Ambon, bureau, clavier, console, lutrin, table.
PUR. Blanc, chaste, clair, droit, fin, franc, inaltéré, innocent, intact, irréprochable, limpide, naturel, net, saint, serein, vertueux, vierge.
PURÉE. Aligot, bouillie, coulis, estoufade, garbure, misère, pauvreté.
PURETÉ. Blancheur, candeur, chasteté, clarté, droiture, eau, fraîcheur, idéal, innocent, intégrité, limpidité, netteté, pudeur, pur, vertu.
PURGATIF. Cathartique, dépuratif, drastique, évacuant, hydragogue.
PURGER. Curer, débarrasser, dégager, évacuer, expulser, purifier.
PURIFICATION. Ablution, aération, affinage, baptême, épuration.
PURIFIER. Absterger, affiner, assainir, balayer, bluter, clarifier, décanter, déféquer, déterger, épurer, laver, purger, raffiner, sasser.
PURITAIN. Austère, chaste, étroit, janséniste, prude, protestant.
PUS. Abcès, boue, chassie, collection, écoulement, gourme, humeur, ichor, pyurie, sanie, suppurer.
PUSTULE. Abcès, adénite, apostème, apostume, bouton, bube, budon, chancre, clou, confluence, dépôt, écrouelle, élevure, éruption, tumeur.
PUTRÉFIER. Décomposer, empester, gâter, infecter, moisir, pourrir.
PUTOIS. Brosse, fourrure, furet, mustélidés, vison.
PYGARGUE. Aigle, mer, orfraie.
PYGMÉE. Nain, négrille.
PYLÔNE. Colonne, pilier, portail, support, tour, trinôme.
PYRALE. Carpocapse, chenille, maladie, papillon.

PYRAMIDE. Aiguille, apothème, chéops, chéphren, escalade, mykérinos.
PYTHAGORISME. Ascétisme, hermétisme, métempsychose.
PYTHON. Boa, diasis, molure, morélia, réticulé, serpent, royal, tigre.
PYTHONISSE. Astrologue, devin, magicien, oracle, sorcier, voyant.
PYURIE. Ulcère, urine.
PYXIDE. Boîte, capsule, couvercle, hostie.

Q

QAT. Hallucinogène, kat, kath, plante.
QUADRANT. Arc, cercle, circonférence, grade.
QUADRATURE. Angle, calcul, carré, cercle, contradiction, faux, gageure, impossibilité, problème, réduction.
QUADRILATÈRE. Carré, losange, parallélogramme, quadrangle, trapèze.
QUADRILLAGE. Carroyage, grille, investissement, moustiquaire, trame.
QUADRILLE. Carrousel, équipe, figure, peloton, reprise, troupe.
QUADRIPÈDE. Âne, bélier, bœuf, bouc, caribou, castor, chameau, chat, cheval, chien, girafe, lama, lapin, lion, rat, singe, tigre, vache, zèbre.
QUADRUMANE. Singe.
QUADRUPLER. Accroître, augmenter, développer, multiplier, valoriser.
QUAI. Appontement, cale, débarcadère, dock, embarcadère, gare.
QUALIFICATIF. Adjectif, appellation, nom, nos, notre, vos, votre, titre.
QUALIFIER. Appeler, classer, désigner, nommer, onduler, titrer, traiter.
QUALITÉ. Actualité, acuité, agilité, aloi, âme, attrait, authenticité, automaticité, bonté, don, dose, douceur, éclat, égal, eutocie, facilité, goût, hauteur, ingéniosité, inné, légalité, léger, mode, mutabilité, noblesse, nocivité, nom, paternité, permutabilité, plus, promptitude, sévérité, simplicité, solidité, tant, tare, tendreté, timbre, unité, vertu.
QUAND. Comme, lorsque, moment.
QUANTITÉ. Airée, bouchée, carat, cuillerée, dose, duite, excès, flopée, fournée, inconnue, kyrielle, nombre, masse, montant, multitude, myriade, pierre, ponte, rhumb, somme, stère, tétée, trinôme, unité.
QUARANTAINE. Boycottage, confinement, index, interdit, isolement.
QUART. Bord, garde, gobelet, récipient, service, timbale, veille.
QUARTIER. Blason, camp, fraction, ghetto, morceau, partie, pâté, périphérie, pièce, portion, secteur, tambour, tranche, trompette, zone.
QUARTZ. Agate, améthyste, aventurine, cristal, grès, hyalin, gneiss, granit, grès, jaspe, œil-de-chat, œil-de-tigre, rubicelle, rubis, silex.
QUASI. Comme, cuisse, pratiquement, près, presque, quasiment.
QUADRAIN. Couplet, épigramme, impromptu, pièce, poème, strophe.
QUÉBEC. QC, Qué.
QUELCONQUE. Banal, commun, courant, insignifiant, médiocre, objet, ordinaire, personnage, plat, tissu, trêve, vague.
QUELQUE. Certain, divers, environ, on, quantité, si, tout, un.
QUELQUEFOIS. Fois, occasion, parfois, rarement.
QUELQU'UN. Grand, important, magnat, notable, personne, tel, un.

QUÉMANDER. Demander, importuner, mendier, quêter, solliciter.
QUENOTTE. Dent.
QUERELLE. Affaire, lagarade, altercation, bagarre, bataille, bisbille, débat, démêlé, esclandre, grabuge, lutte, maille, noise, rixe, scène.
QUERELLER. Agacer, bagarrer, braver, chicaner, narguer, tempêter.
QUESTION. Charade, colle, comment, demande, énigme, épreuve, interrogation, où, problème, qui, quoi, réflexion, supplice, torture.
QUESTIONNER. Demander, enquérir, interroger, poser, rechercher.
QUÊTER. Chercher, demander, mendier, rechercher, solliciter, suivre.
QUEUE. Anus, appendice, balai, billard, caudal, couette, conclusion, fin, fouet, léonure, leu, paon, piano, sortie, tige, traîne, vêtement.
QUIET. Apaisé, béat, benoît, calme, coi, paisible, rassuré, reposé.
QUIÉTUDE. Ataraxie, béatitude, calme, repos, sérénité, tranquillité.
QUILLE. Abat, boulle, dalot, grosse, petite, réserve.
QUIPROQUO. Bêtise, bévue, erreur, gaffe, imbroglio, intrigue, méprise.
QUITTANCE. Acquit, apurement, décharge, patente, reçu, récépissé.
QUITTER. Abandonner, déloger, lâcher, laisser, partir, renoncer, semer.
QUOI. Autrement, laquelle, lequel, quel, quelle, raison, sinon, sujet.
QUOLIBET. Huée, injure, ironie, moquerie, plaisanterie, raillerie, rire.
QUOTE-PART. Contribution, cotisation, écot, prorata, quotité, tantième.
QUOTIDIEN. Accoutumé, banal, continuel, jour, journal, journalier.
QUOTIENT. Capacité, densité, masse, pression, quantité, QI.

R

RABÂCHER. Ennuyer, parler, radoter, redire, répéter, ressasser.
RABAIS. Adjudication, bonification, diminution, moindre, remise, solde.
RABAISSER. Abaisser, abattre, baisser, déprécier, écraser, mépriser.
RABAN. Amarre, cordage, tresse.
RABAT. Pli, rabat-joie, volet.
RABATTRE. Abaisser, déchanter, déduire, ôter, racoler, relâcher, river.
RABAT-JOIE. Éteignoir, pisse-vinaigre, triste, trouble-fête.
RABOT. Bouvet, colombe, doucine, gorget, menuisier, pestum, varlope.
RABOTEUX. Cahot, inégal, rude, rugueux.
RABOUTER. Aboucher, joindre, raccorder.
RACAILLE. Lie, plèbe, populace, rebut, vermine.
RACCOMMODER. Arranger, rapiécer, ravauder, réparer, repriser.
RACCOMPAGNER. Conduire, escorter, flanquer, guider, reconduire.
RACCORD. Enchaînement, épissure, joint, liaison, transition.
RACCORDER. Accorder, épissurer, joindre, relier, ruiler, unir.
RACCOURCIR. Abréger, contracter, couper, détour, diminuer, écourter, guillotiner, résumer, rétracter.
RACCOURCISSEMENT. Contraction, embuvage, extraction, rétraction.
RACE. Bâtard, ethnie, famille, gens, lignée, métis, nation, sang, souche.
RACHITIQUE. Chétif, débile, héliothérapie, maigre, noué, rabougri.

RACINE. Alizari, base, bulbe, caïeu, colombo, émule, euphorbe, ipéca, ipécacuana, griffe, povotante, radicelle, raifort, ricin, séné, traçante.
RACLER. Écharner, curer, écorcher, enlever, érafler, frayer, frotter, gratter, limer, nettoyer, raboter, ramoner, râper, ratisser, riper, sarcler.
RACLOIR. Curette, étrille, racle, raclette, strigile.
RACONTER. Conter, dire, exposer, narrer, réciter, relater, retracer.
RADEAU. Bateau, brelle, ras.
RADIAN. Rad.
RADICAL. Absolu, complet, définitif, rationnel, révolutionnaire, sec.
RADIER. Barrer, biffer, démarquer, effacer, gommer, gratter, rayer.
RADIO. CBF, CFCF, CIEL, CITÉ, CJAD, CJMS, CKAC, CKOI, CKMF, CKVL.
RADIOGRAPHIE. Anglographie, cholécystographie, cystographie, hystérographie.
RADIS. Altise, rave.
RADIUM. Niton, Ra.
RADON. Rn.
RADOUCIR. Adoucir, alléger, apaiser, calmer, limer, modérer, polir.
RAFALE. Bourrasque, poudrerie, tempête, tornade, tourbillon.
RAFFINÉ. Affiné, alambiqué, brut, distingué, élégant, fin, parfait, sucre.
RAFLER. Accaparer, approprier, enlever, gagner, ratiboiser, voler.
RAGE. Animosité, colère, crise, fureur, furie, irritation, tollé, violence.
RAGOÛT. Blanquette, bourguignon, cassoulet, civet, fricassée, gibelotte, hochepot, mets, navarin, pot-pourri, rata, ratatouille, salmis, salpicon.
RAIDE. Affecté, ankylosé, austère, dur, empesé, engourdi, ferme, fixe, fort, guindé, inébranlable, inflexible, rigide, rigoureux, tendu.
RAIDIR. Amurer, bander, durcir, empeser, engourdir, fixer, tendre.
RAIE. Bande, canal, ligne, lisière, onde, onyx, pontuseau, rayé, rayon, rayure, sillon, spectre, strie, striure, tiret, trace, trait, zébrure.
RAIFORT. Cran de Bretagne, cranson, moutarde des moines, radis.
RAILLER. Bafouer, chiner, critiquer, ironiser, moquer, rire, satiriser.
RAILLERIE. Caricature, insinuation, ironie, plaisanterie, sarcasme.
RAINURE. Adent, cannelure, coche, costière, coupure, cran, creux, crevasse, échancrure, encoche, entaille, gorge, jable, rayure, vergeture.
RAIRE. Bramer, raller, réer.
RAISIN. Cépage, chasselat, cuve, grappe, malagat, merlot, morillon, muscat, olivette, pineau, râpe, suc, treille, uval, vendange, vigne, vin.
RAISON. Argument, cause, équilibre, fol, fou, jugement, logique, modération, motif, philosophie, pondération, preuve, rime, vain.
RAISONNABLE. Argument, compréhensif, équilibré, intelligent, logique, modéré, preuve, probable, prudent, réaliste, réfléchi, sage, sensé.
RAISONNEMENT. Absurde, argument, dilemme, donc, raison, sens.
RAISONNER. Inférer, penser, philosopher, prouver, réfuter, spéculer.
RÂLE. Agonie, marouette, râlement, stertoreux.
RALENTIR. Décélérer, freiner, inhibitif, modérer, parachute, retarder.
RALENTISSEMENT. Dépression, diminution, relâchement, retard, stase.
RALLIER. Adhérer, adopter, approuver, assembler, réformer, rejoindre.

RALLONGER. Accroître, allonger, ajouter, augmenter, déployer, tirer.
RAMAGE. Chant, gazouillement, gazouillis, pépiement.
RAMASSER. Amasser, charger, glaner, râteler, récolter, relever, tapir.
RAMBARDE. Balustrade, batayole, garde-corps, lisse, rampe.
RAME. Aviron, branche, godille, liesse, pagaie, pale, papier, ramette.
RAMEAU. Arçon, branche, brindille, chimère, dard, écot, osier, mère, pampre, pleyon, ramification.
RAMENER. Amener, ranimer, rapatrier, ressusciter, rétablir, retirer.
RAMER. Avironner, canoter, godiller, nager, pagayer.
RAMEUR. Canotier, espalier, galérien, skiff.
RAMIER. Colombin, palombe, pigeon.
RAMIFICATION. Branche, cor, embranchement, étendre, subdivision.
RAMPE. Balustrade, montée, passerelle, pilastre, reptile, serpent.
RANCŒUR. Aigreur, amertume, rancune, ressentiment.
RANCUNE. Dent, haine, rancœur, rancunier, ressentiment, vengeance.
RANG. Avant, degré, égal, file, grade, ligne, ordre, place, tête, tour.
RANGÉE. Colonnade, balustrade, file, haie, ligne, rampe, rang, travée.
RANGER. Aligner, classer, combiner, garer, mettre, placer, soumettre.
RANIMER. Attiser, exciter, guérir, rajeunir, raviver, recréer, refaire.
RAPACE. Aegypiidé, aquilidé, bubonidé, falcinidé, strigidé, vulturidé.
RAPACE DIURNE. Aigle, autour, balbuzard, bondrée, busaigle, busard, buse, circaète, condor, crécerelle, écoufle, émerillon, émouchet, épervier, faucon, gerfaut, griffon, gypaète, harpie, hobereau, laneret, lanier, milan, orfraie, pandion, percnoptère, sarcoramphe, serpentaire, spizaète, uraète, urubu, vautour.
RAPACE NOCTURNE. Bubo, chat-huant, chevêche, chouette, duc, effraie, harfang, hibou, hulotte, scops, strix.
RÂPER. Égruger, limer, peler, pulvériser, racler, rafler, user.
RAPETISSER. Décroître, diminuer, raccourcir, ratatiner, réduire, rétrécir.
RAPIAT. Acare, avide, chiche, cupide, gain, mesquin, pingre, radin.
RAPIDE. Accéléré, actif, agile, alerte, atalante, brusque, cascade, cursif, diligent, fulgurant, lent, leste, long, prompt, traînard, véloce, vif, vite.
RAPIDITÉ. Boutade, promptitude, vélocité, vitesse, vivacité, volubile.
RAPIÉCER. Raccommoder, rafistoler, ravauder, réparer, repriser, retaper.
RAPIÈRE. Épée.
RAPPEL. Acclamation, appel, évocation, commémoration, mémento, mémoire, mention, mobilisation, souvenance, souvenir.
RAPPELER. Commémorer, évoquer, raconter, retracer, souvenir.
RAPPORT. Accord, affinité, analogie, aspect, bulletin, calibre, causalité, connexion, cote, dossier, impôt, indice, intervalle, juger, latitude, lien, méridien, natalité, parenté, pi, produit, ratio, relation, revenu, terme.
RAPPORTER. Capitaliser, citer, donner, porter, référer, répéter, rendre.
RAPPROCHEMENT. Alliance, flirt, ralliement, réunion, serrage.
RAPPROCHER. Associer, attiser, joindre, pincer, rallier, réunir.
RAPT. Enlèvement, kidnapping.
RAQUETTE. Ping-pong, squash, tennis.

RARE. Abondant, ami, anormal, bizarrerie, cher, commun, courant, étrange, exceptionnel, extraordinaire, fréquent, inaccoutumé, inouï, insolite, inusité, inusuel, or, ordinaire, rarissime, surprenant, unique.
RAS. Court, égal, étoffe, lisse, pelé, plan, plat, poli, uni.
RASER. Couper, effleurer, ennuyer, friser, frôler, passer, peler, tondre.
RASSASIER. Apaiser, assouvir, bourrer, calmer, contenter, donner, gaver, gorger, nourrir, repaître, satisfaire, saturer, soûler.
RASSEMBLEMENT. Attroupement, manifestation, ralliement, réunion.
RASSEMBLER. Ameuter, grouper, joindre, rallier, recruter, réunir, unir.
RASSURER. Apaiser, consoler, rassurant, tranquilliser.
RASTAQUOUÈRE. Étranger, intrigant.
RAT. Campagnol, cave, chandelle, chiche, danseuse, mulot, musqué, ondatra, potorou, queue, rongeur, souris, surmulot, xérus.
RATATINÉ. Desséché, flétri, noué, pelotonné, rabougri, replié, ridé.
RATER. Esquinter, gâcher, glisser, louper, manquer, omettre, oublier.
RATIBOISER. Approprier, lessiver, plumer, rafler, ratisser, tuer.
RATIFIER. Approuver, avaliser, confirmer, consacrer, entériner, plébisciter.
RATION. Bout, division, dose, fraction, fragment, lot, morceau, part.
RATISSER. Gratter, lessiver, plumer, racler, ratiboiser, ruiner.
RATITES. Aptéryx, autruche, casoar, émeu, kiwi, nandou.
RATTACHEMENT. Annexion, branchement, jonction.
RATTRAPER. Attraper, indexation, raccrocher, regagner, rejoindre.
RATURER. Barrer, biffer, corriger, effacer, gommer, gratter, rayer.
RAUQUE. Âpre, enroué, éraillé, guttural, rocailleux.
RAVAGER. Détruire, dévaster, infester, piller, ruiner, saccager, sévir.
RAVIGOTER. Ranimer, réanimer, remonter, revigorer.
RAVIR. Arracher, charmer, enchanter, enlever, ôter, plaire, prendre, séduire, transporter.
RAVISSANT. Agréable, aimable, attirant, beau, captivant, charmant, enchanteur, enivrant, fascinant, gracieux, kleptomane, séduisant.
RAVIVER. Rafraîchir, ranimer, ragaillardir, réanimer.
RAYER. Abîmer, annuler, barrer, biffer, effacer, érafler, miel, radier, rai, raie, régler, strier, tracer, zébrer.
RAYON. Degré, diamètre, jet, lueur, lumière, miel, rai, stand, trait, UV.
RAZ-DE-MARÉE. Tempête, tsunami.
RAZZIA. Attaque, détruire, entourer, incursion, invasion, pillage.
RÉACTION. Allergie, catalyser, conséquence, divergence, effet, propulsion, réflexe, répulsif, turbo.
RÉAGIR. Bouder, braver, irriter, lutter, résister, sceller, sensibiliser.
RÉALISATEUR. Concepteur, créateur, metteur, producteur, vidéaste.
RÉALISER. Comprendre, concrétiser, créer, faire, liquider, vendre.
RÉALITÉ. Authenticité, certitude, exactitude, réel, véracité, vérité.
RÉAPPARITION. Abréaction, émersion, rechute, résurrection, retour.
REBELLE. Gréviste, hérétique, indocile, insoumis, insurger, mutin, résistant, révolté, révolutionnaire.

REBORD. Bande, bord, garde, jatte, margelle, orée, orle, ourlet.
REBUFFADE. Abandonner, gifle, refus, résistance.
REBUT. Déchet, dépotoir, écume, étoupe, excrément, grenaille, lie, lin, ordure, racaille, rancart, résidu, reste, rognure, soie, strasse.
REBUTER. Dégoûter, déplaire, effrayer, ennuyer, lasser, rejeter, solder.
RÉCALCITRANT. Docile, entêté, fermé, indocile, obéissant, rétif, souple.
RÉCAPITULER. Analyser, bordereau, exposer, répéter, résumer.
RÉCENT. Actuel, chaud, frais, hier, jeune, moderne, naguère, neuf, nouveau.
RÉCEPTION. Cocktail, gala, lancement, partie, soirée, vernissage.
RECETTE. Bénéfice, fruit, gain, méthode, procédé, produit, profit.
RECEVOIR. Abriter, accepter, accueillir, adopter, agréer, avoir, capter, cuir, écoper, émarger, essuyer, gagner, héberger, hériter, initier, loger, obtenir, palper, prendre, récolter, sentir, souffrir, subir, toucher, voir.
RÉCHAUFFER. Chauffer, guérir, ranimer, rebrûler, recuire, revenu.
RÊCHE. Aigre, âpre, calleux, râpeux, revêche, rogue, rude, rugueux.
RECHERCHÉ. Adinisé, apprêt, couru, examen, manière, primé, rare.
RECHERCHE. Enquête, onanisme, prospection, revue, spéculation.
RECHERCHER. Courir, briguer, enquérir, mendier, pourchasser, quêter.
RÉCIPIENT. Assiette, auge, bain, ballon, bénitier, beurrier, bidon, bocal, bock, bouilloire, brasero, burette, chaudron, chope, contenant, crachoir, creuset, cuve, encrier, enveloppe, fromager, gobelet, godet, jatte, lampion, lessiveuse, marmite, matras, piscine, plat, pot, poubelle, ramequin, réservoir, seau, seille, tasse, terrine, têt, théière, thermos, tinette, tonneau, tourie, turbotière, urne, vase, verre.
RÉCIPROQUE. Accord, aide, alliance, bilatéral, échange, entraide, marché, mutuel, pacte, pareille, protocole, solidaire, traité, transaction.
RÉCIT. Anecdote, conte, chronique, épopée, fable, histoire, historiette, légende, mythe, narration, parabole, rapport, roman, saga, version.
RÉCITAL. Aubade, audition, concert, sérénade.
RÉCITER. Annoncer, déclamer, dire, mémoriser, raconter, rapporter.
RÉCLAMATION. Appel, demande, dû, grève, plainte, requête, tollé.
RÉCLAME. Affichage, annonce, battage, bruit, propagande, publicité.
RÉCLAMER. Appeler, crier, demander, dû, exiger, protester, vouloir.
RECLUS. Cloîtré, détenu, emprisonné, enfermé, isolé, retiré, solitaire.
RÉCOLTE. Annone, cueillette, fenaison, glandée, moisson, olivaison, produit, semence, vendange, vinée.
RECOMMANDER. Conseiller, exhorter, préconiser, prôner, soutenir.
RECOMMENCER. Dito, ibidem, idem, réapparaître, récidiver, réitérer, refaire, remettre, renouveler, rentamer, répéter, reprendre, revenir.
RÉCOMPENSE. Bénéfice, citation, diplôme, excitation, félix, gratification, loyer, médaille, oscar, pourboire, prime, prix, salaire, travail, tribut.
RÉCONCILIER. Absolution, accord, aimer, approbation, convention, grâce, harmonie, médiation, pardon, rémission, transiger, union.
RECONDUIRE. Accompagner, chasser, conduire, éconduire, escorter, expulser, raccompagner, ramener, réintégrer, renouveler.

RÉCONFORTER. Aider, conforter, consoler, réanimer, remonter, retaper.
RECONNAISSANCE. Aveu, gratitude, gré, obligation, reçu, résipiscence.
RECONNAÎTRE. Admettre, avérer, avouer, ensaisiner, identifier, punir.
RECONNU. Avoué, connu, constat, convention, examen, nié.
RECONSTITUER. Reconstruire, refaire, réformer, remailler, restaurer.
RECOUPE. Griot.
RECOUPEMENT. Comparaison, liaison, parallèle, parangon, rapport.
RECOURS. Appel, demande, pourvoi, ressource, servir, user, voie.
RECOUVERT. Capsulé, déguisé, enterré, fermé, parsemé, plaqué, verni.
RECOUVREMENT. Crédit, facture, perception, rachat.
RECOUVRER. Aciérer, avoir, dorer, enduire, enrober, ensabler, étamer, paver, ravoir, regagner, renaître, revêtir, tapisser, toucher, vernir.
RECOUVRIR. Cacher, coiffer, couvrir, masquer, napper, paver, voiler.
RÉCRÉATION. Divertissement, école, fête, jeu, jouissance, partie, plaisir.
RÉCRÉER. Amuser, divertir, ébaubir, égayer, jouer, recommencer.
RÉCRIMINER. Accuser, crier, huer, injurier, réclamer, rejeter, riposter.
RECRUDESCENCE. Augmentation, exacerbation, hausse, progrès, regain.
RECRU. Accablé, avachi, brisé, courbatu, fatigué, las, rendu.
RECTA. Exactement, ponctuellement.
RECTANGLE. Angle, droit, figure, parallélépipède, quadrilatère.
RECTEUR. Amplissime, directeur, intrant.
RECTIFIER. Aléser, corriger, distiller, exact, modifier, redresser, tuer.
RECTILIGNE. Direct, directionnel, droit, figure, ligne.
RECTITUDE. Droiture, fermeté, honnêteté, justesse, justice, logique.
RECTO. Endroit, envers, feuille, page, papier, verso.
REÇU. Accueilli, acquis, bulletin, état, décharge, quittance, quitus, récépissé, reconnaissance, warrant.
RECUEIL. Album, ana, analectes, anthologie, atlas, bible, bouquin, brochure, catalogue, chrestomathie, code, écrit, formulaire, livre, psautier, rituel, sermonnaire, silves, solfège, spicule, varia, ysopet.
RECUEILLEMENT. Chrestomathie, ferveur, pitié, prière, retrouvaille.
RECUEILLIR. Amasser, choisir, gagner, glaner, hériter, lever, pêcher, penser, obtenir, rassembler, recevoir, récolter, réunir, subir, tirer.
RECULÉ. Creux, éloigné, haut, isolé, temps.
RECULER. Avancer, caler, caner, céder, culer, décaler, distancer, éloigner, régresser, reléguer, replier.
RÉCURER. Assainir, astiquer, balayer, blanchir, brosser, cirer, curer.
RÉDACTEUR. Auteur, échotier, écriveur, journaliste, nègre, scénariste.
RÉDACTION. Article, blanc, écrire, libellé, narration, résumé, texte.
REDEVANCE. Annate, auteur, cens, débit, dîme, impôt, lods, obligation, pourcentage, royauté, tribut.
REDEVENIR. Rajeunir, refleurir, reprendre, ressaisir, reverdir.
RÉDIGER. Composer, construire, dresser, écrire, élaborer, libeller.
REDINGOTE. Habit, lévite, manteau, soutane.
REDIRE. Bégayer, rabâcher, radoter, rappeler, réitérer, répéter, rimer.

REDONNER. Rafraîchir, ranimer, réanimer, remettre, rendre, rétablir.
REDOUTE. Appréhention, crainte, fête, fortification.
REDOUTER. Apeurer, appréhender, craindre, effrayer, fêter, fortifier.
REDRESSER. Cambrer, corriger, dégauchir, dévoiler, lever, relever.
RÉDUCTION. Chirurgie, diminution, net, rabais, restreint, rétrécir.
RÉDUIRE. Abaisser, abréger, affaiblir, aléser, amoindrir, amortir, atomiser, atténuer, baisser, broyer, changer, comprimer, diminuer, émietter, forcer, grainer, grener, gruger, incinérer, léviger, limer, limiter, minimiser, moudre, râper, tasser, triturer, unifier, user.
RÉDUIT. Annihilé, élémentaire, gamelan, râpé, soupente, volière.
RÉEL. Actuel, admis, assuré, certain, concret, congru, évident, effectif, établi, exact, fait, net, positif, précis, solide, sûr, vain, véritable, vrai.
REÉR. Épargne, régime.
REFAIRE. Recommencer, réformer, rempiéter, réparer, restaurer.
RÉFECTION. Anaplastie, raccommodage, réparation, restauration.
RÉFECTOIRE. Cafétéria, cambuse, cantine, cène, mess, popote, salle.
RÉFÉRENDUM. Consultation, élection, plébiscite, séparation, scrutin.
REFILER. Céder, donner, doter, léguer, livrer, passer, porter, rendre.
RÉFLÉCHIR. Calculer, cogiter, combiner, luire, méditer, miroiter, penser, peser, poser, observer, repenser, répéter, rêver, ruminer, scintiller.
RÉFLECTEUR. Abat-jour, catadioptre, cataphote, miroir, réverbère.
REFLET. Brillant, chatoyant, flamboyant, mirage, opale, satiné.
REFLÉTER. Briller, citer, dicter, dire, exposer, mirer, narrer, publier.
RÉFLEXION. Aparté, attention, commentaire, pensée, réaction, reflet.
RÉFORMATEUR. Innovateur, redresseur, regénérateur, rénovateur, hus.
RÉFORME. Amélioration, amendement, annulation, changement, correction, croisade, élimination, innovation, protestant.
REFOULER. Bannir, chasser, pousser, renfermer, rentrer, repousser.
REFRAIN. Chant, flonflon, répétition, ritournelle, turlutte, turlurette.
REFROIDIR. Air, attiédir, calmer, congeler, frapper, frigorifier, froid, glacer, rafraîchir, réchauffer, réfrigérer, tiédir, tuer.
REFUGE. Abri, aile, asile, cabane, ermitage, fuite, gîte, halte, havre, oasis, recours, ressource, retraite, toit.
REFUS. Abstention, défaut, déni, négation, acceptation, nier, niet, non, rébellion, rebuffade, rebut, rejet, renvoi, résistance, veto.
REFUSER. Contester, décliner, dénier, éconduire, étendre, nier, priver, rebeller, rebiffer, recaler, récuser, regimber, renier, résister, retaper.
RÉFUTER. Attaquer, confondre, nier, renvoyer, répliquer, répondre.
REGAGNER. Rallier, rattraper, recrudescence, récupérer, retrouver.
RÉGAL. Festin, gastronomie, gourmandise, friandise, manger, os, plaisir.
REGARD. Atone, attention, ci-contre, clin d'œil, inaperçu, œil, œillade, ouverture, vis-à-vis, vue, yeux.
REGARDER. Admirer, contempler, dévisager, envisager, épier, fixer, mirer, observer, piger, remarquer, repaître, toiser, viser, voir, zieuter.
RÉGENTER. Commander, diriger, dominer, gérer, manier, régir, régner.
REGIMBER. Indocile, rebiffer, résister, ruer.

RÉGIME. Autarcie, bananier, conduite, cure, diète, direction, état, fascisme, gouvernement, jeûne, monarchie, règle, terrorisme.
RÉGION. Aire, antipode, contrée, lieu, marais, pays, terre, terroir, zone.
RÉGION, FRANCE (n. p.). Alsace, Aquitaine, Auvergne, Basse-Normandie, Bourgogne, Bretagne, Centre, Champagne-Ardenne, Corse, Franche-Comté, Haute-Normandie, Île-de-France, Languedoc-Roussillon, Limousin, Loire, Lorraine, Midi-Pyrénées, Nord, Picardie, Poitou-Charentes, Provence-Côte d'Azur, Rhône-Alpes.
RÉGIR. Administrer, déterminer, diriger, gérer, gouverner, régler.
REGISTRE. Album, cadastre, journal, livre, matrice, minutier, obituaire, plumitif, répertoire, rôle, sommier, terreur, ton, tonalité, voix.
RÈGLE. Canon, code, coutume, édit, équerre, formalité, formule, leçon, loi, mire, norme, ordre, té, rite, talon, taux, toise, traçoir, vernier.
RÈGLEMENT. Accord, arrêté, ban, canon, charte, code, consigne, décret, discipline, édit, loi, ordonnance, principe, solde, statue, talon.
RÉGLER. Arrêter, caler, liquider, mesurer, ranger, solder, statuer.
RÉGNER. Dynastie, empire, époque, gouverner, reine, roi, trône.
REGRET. Chagrin, déplaisir, expiation, nostalgie, remords, repentir.
RÉGULATEUR. Contrôle, épi, fixer, limite, règle, rivière, tune, vitesse.
RÉGULIER. Authentique, bien, continu, convention, égal, époux, exact, juste, légal, normal, ordre, parfait, religieux, rituel, séculier, vérité.
RÉHABILITER. Blanchir, couvrir, décharger, disculper, laver, rétablir.
REHAUSSER. Assaisonner, augmenter, embellir, louer, ranimer, relever.
REIN. Dos, éreinter, lombes, pierre, pyramide, rénal, rognon, urine.
REINE. Abeille, candace, dame, ménagère, miss, roi, rose, souveraine.
REINE D'ANGLETERRE (n. p.). Anne, Catherine, Elizabeth, Marie, Victoria.
REINE DE BABYLONIE (n. p.). Sémiramis.
REINE DES BELGES (n. p.). Astrid.
REINE D'ÉGYPTE (n. p.). Cléopâtre, Hatshepsout, Néfertiti, Nitakrit, Nitokris, Saba.
REINE DE PHRYGIE (n. p.). Niobé.
REINE D'ESPAGNE (n. p.). Isabelle.
REINE DE JUDAS (n. p.). Athalie.
REINE DES PAYS-BAS (n. p.). Wilhelmine.
RÉINTÉGRER. Entrer, rentrer, rétablir, revenir.
RÉINTRODUIRE. Recycler, réinsérer.
RÉITÉRATION. Fois, ré, recommencement, refaire, répétition.
REÎTRE. Brutal, cavalier, grossier, mercenaire, soudard.
REJAILLIR. Bondir, éclabousser, jaillir, mouvement, retomber.
REJET. Contre-rejet, débouté, enjambement, évacuation, mal-aimé, paria, pousse, refus, spirée.
REJETER. Cracher, débouter, éjecter, éructer, expectorer, jeter, nier, rebuter, recracher, reculer, refuser, repousser, réprouver, vomir.

REJETON. Accru, bion, bourgeon, bouton, bouture, courson, drageon, fils, gourmand, greffe, marcotte, œilleton, pousse, scion, surgeon, talle.
REJOINDRE. Rallier, rattraper, regagner, retrouver, revenir, réunir.
RÉJOUIR. Amuser, charmer, chanter, égayer, féliciter, jubiler, ravir.
RÉJOUISSANCE. Agapes, fête, gai, gaudir, jubilation, liesse, noce, ris.
RELÂCHE. Arrêt, détente, escale, hivernage, purge, répit, repos, trêve.
RELÂCHEMENT. Abattement, écart, indifférence, license, ptôse.
RELÂCHER. Desserrer, élargir, lâcher, laisser, libérer, relaxer, respirer.
RELAIS. Course, halte, hôtel, mansion, poste.
RELATER. Dire, narrer, raconter, rapporter.
RELATIF. Degré, dont, poids, proportionnel, que, quel, qui, quoi.
RELATION. Contact, équipollence, liaison, rapport, récit, témoignage.
RELAXER. Détendre, innocenter, libérer, relâcher, reposer.
RELÈVEMENT. Amendement, compte, dévers, rajustement.
RELEVÉ. Abrupt, bordereau, compte, élite, épicé, fade, révoqué, salé.
RELEVER. Ennoblir, épicer, ramasser, redresser, rehausser, retrousser.
RELIEF. Bosse, crête, creux, enflure, lier, œil, modelé, mont, saillie.
RELIER. Brocher, cartonner, chaîner, coudre, couvrir, joindre, marbrer, raccorder, reste, unir.
RELIGIEUSE. Carmélite, clarisse, dominicaine, grise, mante, mère, moniale, nonne, pauline, odile, pâtisserie, sœur, ursuline, visitandine.
RELIGIEUX. Bouddhiste, bonze, carme, cloître, congréganiste, croyant, dévot, ermite, foi, frère, jésuite, juif, juste, moine, mystique, oblat, pape, père, pieux, pratiquant, prêtre, rabbin, sacré, séculier, trinitaire.
RELIGION. Anglicanisme, brahmanisme, catholicisme, confession, croyance, culte, dévotion, doctrine, ferveur, foi, islamisme, judaïsme, laïque, liturgie, protestantisme, shintoïsme, taoïsme, théologie, vaudou.
RELIGION (n. p.). Adventiste du Septième Jour, Armée du Salut, Baha'isme, Bouddhisme, Catholique, Confucianisme, Hindouisme, Islamisme, Jaïnisme, Judaïsme, Mormon, Protestant, Quaker, Science Chrétienne, Sikhisme, Shintoïsme, Taoïsme, Témoin de Jéhovah, Zoroastrisme.
RELIGION CATHOLIQUE. Abbé, amen, archevêque, archidiocèse, auréole, bedeau, bible, bulle, canon, canoniser, cardinal, clergé, couvent, curé, diocèse, encyclique, évangéliste, évêque, hérésie, indulgence, I.N.R.I., latin, maronite, moine, nonne, pape, pasteur, pontife, relique, révérend, romain, vicaire.
RELIGION ISLAMISTE (n. p.). Ayatollah, Calife, Charia, Chiite, Coran, Djihäd, Émir, Hadj, Hégire, Imam, La Mecque, Mollah, Muezzin, Ramadan, Soufi, Sourate, Sunna, Sunnite, Uléma, Vizir.
RELIGION PROTESTANTE (n. p.). Adventiste, Anglican, Baptiste, Calviniste, Luthérien, Mennotite, Méthodiste, Pentecôtiste, Presbytérien, Quaker.
RELIQUAIRE. Châsse, coffret, fierte, monstrance, to.
RELIQUAT. Redevoir, reste, solde.
RELUIRE. Astiquer, brasiller, briller, chatoyer, éblouir, éclairer, rutiler.

REMÂCHER. Remastiquer, répéter, ressasser, ruminer.
REMANIEMENT. Colluvion, correction, histogenèse, modification.
REMARQUABLE. As, brillant, éclatant, éminent, émérite, épatant, ère, étonnant, extraordinaire, formidable, frappant, important, marquant, mémorable, notable, note, saillant, scolie, signalé, supérieur, unique.
REMARQUE. Apostille, dire, note, notice, observation, pensée, scolie.
REMARQUER. Constater, discerner, distinguer, noter, observer, voir.
REMBOURSER. Amortir, couvrir, défrayer, dépenser, payer, restituer.
REMÈDE. Antidote, antirabique, baume, béchique, calmant, carminatif, drogue, électuaire, médecine, médicament, népenthès, nervin, onguent, orviétan, panacée, potion, sérum, tisane, vermifuge.
REMÉDIER. Arranger, corriger, guérir, obvier, pallier, parer, sauver.
REMERCIER. Bénir, chasser, congé, congédier, gratifier, louer, merci.
REMETTRE. Absoudre, atermoyer, délier, délivrer, différer, expier, guérir, livrer, payer, raccommoder, rafraîchir, ramener, ravigoter, reconnaître, recorder, redistribuer, redresser, relâcher, relever, remémorer, remémoriser, rendre, réparer, reprise, ressemeler, restaurer, restituer, rétablir, retaper, retarder, rétrocéder, réviser.
REMISE. Abri, cabanon, dépôt, garage, grâce, hangar, trêve.
REMISER. Cacher, caser, différer, garer, ranger, serrer, transférer.
REMONTRANCE. Blâme, réprimande, reproche, semonce, sermon.
REMORQUER. Câble, charrier, entraîner, haler, tirer, touer, traîner, trimbaler.
REMOUS. Agitation, battement, cadence, cahot, frisson, houle, vague.
REMPART. Bouclier, enceinte, escarpement, fortification, muraille.
REMPLACE. Adjoint, aide, double, doublure, intérim, vicaire, vice.
REMPLACEMENT. Intérim, mutation, relève, repiquage, repiquement.
REMPLACER. Changer, déloger, doubler, hériter, relayer, suppléer.
REMPLI. Bondé, bourré, comble, complet, dense, enflammé, enflé, farci, garni, gorgé, gros, imbu, mine, occupé, pétri, plein, pénétré, saturé.
REMPLIR. Bourrer, caser, combler, compléter, emplir, farcir, fourrer, garnir, gorger, liaisonner, ouiller, pénétrer, plomber, truffer, verser.
REMUER. Agir, agiter, balancer, ballotter, bercer, bouger, brandiller, brandir, branler, brasser, broncher, bercer, clignoter, émouvoir, frétiller, gigoter, grouiller, mouvoir, piétiner, piocher, secouer, touiller.
RÉMUNÉRATION. Agio, casuel, fret, gain, indemnité, salaire, traitement.
RENAISSANCE. An, métempsychose, palingénésie, progrès, renouveau.
RENARD. Amarante, argenté, fennec, glapir, goupil, isatis, roux, terrier.
RENCHÉRIR. Ajouter, augmenter, dépasser, hausser, majorer, monter.
RENCONTRE. Blason, choc, duel, entrevue, heurt, hiatus, réunion.
RENCONTRER. Aborder, accoster, croiser, hanter, trouver, visiter, voir.
RENDEMENT. Abondance, fécondité, productivité, rapport, récolte.
RENDEZ-VOUS. Assignation, audience, entrevue, réceptacle.

RENDRE. Abêtir, abrutir, accélérer, adorer, adoucir, aérer, aggraver, aigrir, alambiquer, alanguiser, aléser, aliéner, alléger, allumer, alourdir, amatir, amender, amollir, anémier, animer, annuler, anoblir, approfondir, assagir, assainir, assimiler, assurer, attendrir, atténuer, attiédir, autoriser, aveulir, aviver, blanchir, bleuir, bomber, canaliser, clarifier, consolider, délivrer, divulguer, durcir, écourter, égaliser, égayer, élaborer, élargir, élever, émanciper, engourdir, enlaidir, enivrer, ennoblir, enrouer, entériner, épaissir, épurer, exciter, fourbir, généraliser, griser, grossir, habiliter, hâter, hébéter, humaniser, illustrer, immortaliser, immuniser, légaliser, lisser, mûrir, nécessiter, neutraliser, niveler, noircir, onduler, orner, polir, poncer, radoucir, râler, ranimer, rapetisser, raréfier, rassurer, réaliser, rectifier, régulariser, remercier, renvoyer, restituer, rétrécir, salir, séculariser, servir, simplifier, sonner, stériliser, ternir, titulariser, universaliser, visiter, voir.
RENDU. Accablé, allé, assommé, avachi, brisé, fatigué, fourbu, recru.
RENÉGAT. Apostat, déloyal, félon, hérétique, infidèle, perfide, traître.
RENFERMÉ. Enveloppe, obituaire, ozoné, remugle, salifère, secret.
RENFERMER. Contenir, enfermer, entourer, inclure, receler, serrer.
RENFLEMENT. Ballon, bosse, bulbe, galbe, ganglion, jabot, pomme.
RENFORCER. Accentuer, affermir, armer, augmenter, fortifier, garnir.
RENGAINE. Chaîne, refrain, reprise, répétition, tirade, scie, série, suite.
RENIER. Abjurer, changer, désavouer, déserter, renoncer, répudier.
RENIFLER. Aspirer, flairer, humer, priser, renâcler, répugner, sentir.
RENNE. Caribou, chevreuil, orignal.
RENOMMÉE. Célébrité, gloire, illustre, nom, notoriété, réputation, vogue.
RENONCER. Abdiquer, abjurer, aliéner, démissionner, désister, résigner.
RENONCIATION. Abandon, abdication, cessation, découragement, démission, désistement, finir, modération, quittance, résignation.
RENOUVEAU. Éveil, printemps, renaissance, retour.
RENOUVELER. Nover, redoubler, refaire, rénover, répéter, revivre.
RENOUVELLEMENT. Changement, reconduction, regain, renaissance.
RÉNOVATION. Changement, réforme, réparation, transformation.
RENSEIGNEMENT. Fait, fiche, guide, indice, information, message, tuyau.
RENSEIGNER. Avertir, aviser, brancher, dire, documenter, éclairer, édifier, fixer, indiquer, informer, initier, instruire, sonder, tuyauter.
RENTE. Annuité, bénéfice, loyer, mense, pension, revenu, tontine.
RENTRÉE. Classe, encaissement, littéraire, perception, recette, retour.
RENTRER. Couvre-feu, entrer, rappeler, recouvrer, refouler, réintégrer.
RENVERSE. Abat, chute, culbute, intersection, marche arrière.
RENVERSER. Abattre, culbuter, éculer, épater, jeter, saccager, vider.
RENVOI. Ajournement, astérisque, balle, cassation, congé, destitution, exclusion, ite, marque, note, référence, remise, report, rot, sursis.
RENVOYER. Ajourner, couper, rapatrier, relancer, retentir, traduire.
REPAIRE. Antre, fort, gîte, habitation, logement, nid, retraite, tanière.

RÉPANDRE. Agrainer, arroser, couvrir, déverser, disperser, disséminer, émaner, emplir, épandre, éparpiller, épartir, essaimer, étaler, fluer, paver, pleurer, ressemer, semer, sentir, surgir, verser, universaliser.
RÉPANDU. Connu, diffus, épars, étendu, profus, public, semé, su, versé.
RÉPARER. Bricoler, dépanner, erratum, expier, obturer, raccommoder, rafistoler, refaire, rafraîchir, rajuster, rentrayer, replâtrer, restaurer.
RÉPARTIE. Argument, boutade, drôlerie, gag, mot, pique, réplique, réponse, riposte, saillie, spirituel, trait.
RÉPARTITION. Cession, distribution, horaire, ordre, quote-part, taxe.
REPAS. Agape, banquet, brunch, cène, collation, déjeuner, dîner, festin, frugal, gala, goûter, gueuleton, lippée, lunch, médianoche, menu, orgie, popote, régal, reste, réveillon, ripaille, soupe, souper, tétée, thé.
REPASSER. Affiler, affûter, aiguiser, défriper, émorfiler, émoudre, fer, gendarme, lisser, planche, mémoriser, relire, retourner, revenir.
REPÊCHER. Aider, choisir, dépanner, jeune, recrue, soutenir, tendre.
REPENTANT. Contrit, mari, marri, pénitent, résipiscence.
REPENTIR. Contribution, honte, regretter, remords.
REPÈRE. Corne, curseur, décan, degré, échelon, jalon, marque, mire.
RÉPÉTER. Bisser, double, écho, itérative, leitmotiv, pléonasme, rabâcher, radoter, redire, ressasser, scier, seriner, tautologie, trisser.
RÉPÉTITION. Allitération, assonance, bi, bis, chaîne, écho, fois, fréquence, ibidem, id, idem, rechute, redite, refrain, rengaine, reprise, resucée, retour, révision, scie, série, suite, tirade, trémolo.
RÉPIT. Armistice, cesse, délai, dilatoire, interruption, latence, pause, rémission, repos, sieste, tranquillité, trêve.
REPLACER. Rasseoir, remboîter, remettre, rétablir.
RÉPLÉTION. Abondance, excès, gras, plein, plénitude, pléthore, satiété.
REPLI. Arète, barbillon, déroute, faux, hélix, ourlet, nœud, revers, ride.
REPLIEMENT. Autisme, dépression, introversion, reploiement.
REPLIER. Blottir, border, friser, froncer, gercer, plisser, rider, trousser.
RÉPLIQUER. Argumenter, pérempter, raisonner, répartir, répondre.
REPLOIEMENT. Invagination, repliement.
REPLOYER. Recourber, réfléchir, replier.
RÉPONDANT. Caution, écho, endosseur, garant, garantie, otage, parrain.
RÉPONDRE. Affirmer, clouer, dire, façon, garantir, muet, objecter, raisonner, récriminer, réfuter, répliquer, rétorquer, riposter, tac.
RÉPONSE. Dis, non, oracle, oui, réplique, riposte, solution, verdict.
REPORTER. Décalquer, imprimer, journaliste, proroger, réélire, retarder.
REPOS. Arrêt, campo, cessation, cesse, césure, congé, couché, détente, entracte, étape, halte, inaction, lit, oasis, paix, port, répit, sieste, sûr.
REPOSER. Arrêter, cesser, délasser, détendre, dormir, giser, souffler.
REPOSOIR. Autel, pied.
REPOUSSANT. Effroyable, exécrable, hideux, laid, rébarbatif, répugnant.
REPOUSSER. Bannir, chasser, écarter, excuser, rejeter, refouler, refuser.
REPRENDRE. Ôter, renaître, renouer, rentrer, repenser, retirer, retaper.
REPRÉSENTANT. Agent, envoyé, légat, nonce, vendeur, voyageur.

REPRÉSENTATION. Buste, description, dessin, figure, idée, idéographie, image, imitation, logo, peinture, personnification, plan, proportionnelle, reproduction, rêve, scène, sigle, statue, symbole, théâtre, trace, vue.
REPRÉSENTER. Décrire, désigner, dessiner, figurer, idéaliser, imaginer, imiter, jouer, mimer, peindre, personnifier, reproduire, symboliser.
RÉPRESSIF. Absolu, arbitraire, correctif, ferme, punitif, tyrannique.
RÉPRIMANDE. Blâme, leçon, menace, morale, savon, semonce, tance.
RÉPRIMANDER. Avertir, blâmer, engueuler, gronder, menacer, morigéner, moucher, prêcher, savonner, semoncer, sermonner, tancer.
REPRISE. Gong, rattrapage, reconquête, relance, répété, round, volée.
REPRISER. Raccommoder, rapiécer, ravauder, rempiéter, stopper.
REPROCHE. Accusation, blâme, censure, compliment, critique, diatribe, éloge, grief, louange, plainte, remarque, remords, savon, semonce.
REPRODUCTION. Copie, étalon, imitation, pollen, reflet, spore, sosie.
REPRODUIRE. Calquer, copier, doubler, imiter, répéter, singer, tirer.
REPTILE. Alligator, amphisbène, caméléon, céraste, chélonien, crocodile, crotale, diplodocus, élaps, gavial, gecko, hattéria, ichtyosaure, iguane, iguanodon, lézard, moloch, ophidien, orvet, ptéranodon, python, saurien, scinque, serpent, stégosaure, tortue, varan, vipère, zonure.
REPU. Assouvi, bourré, dégoûté, rassasié, saturé, soûl, sursaturé.
RÉPUBLIQUE. Calendrier, état, oiseau, nation, président, sénat, tisserin.
RÉPUGNANCE. Antipathie, aversion, dégoût, haine, nausée, répulsion.
RÉPUGNANT. Dégoûtant, écœurant, exécrable, infect, malpropre.
RÉPUGNER. Déplaire, rebuter, rechigner, refuser, renâcler, renifler.
RÉPULSION. Attraction, attrait, aversion, dégoût, haine, horreur, répugnance.
RÉPUTÉ. As, célèbre, connu, éminent, fameux, renommé, signalé, vogue.
REQUÉRIR. Contraindre, interpeller, invitation, réclamer, sommer.
REQUÊTE. Appel, demande, démarche, instance, invitation, pétition, placet, prière, quête, réquisition, rogaton, service, supplication.
REQUIN. Aiguillat, ange de mer, baleine, blanc, dormeur, émissole, griset, lamie, léopard, lézard, lutin, marteau, pèlerin, remorqueur, renard de mer, roussette, scie, squale, tapis, taupe, tigre.
RESCAPÉ. Indemne, miraculé, sauf, sauvé, survivant.
RÉSEAU. Canalisation, encercler, filet, lacis, serveur, station, trame.
RÉSERVE. Abajou, cartouche, économie, distant, exception, impertinence, impudence, indiscrétion, insolence, modeste, nuée, piste, privé, prudence, pudique, retenu, sauf, simple, stock, trésor.
RÉSERVE AMÉRINDIENNE (n. p.). Kahnawake, Maliotenam, Pilogan.
RESERVER. Destiner, garder, laisser, louer, ménager, préparer, retenir.
RÉSERVOIR. Aquarium, bac, ballast, barrage, bassin, cellier, citerne, cuve, étang, lac, retenue, silo, timbre, vase, vessie, vivier.
RÉSIDENCE. Aire, cour, cure, demeure, Élysée, maison, palais, séjour.
RÉSIDER. Consister, demeurer, habiter, loger, occuper, siéger, tenir.

RÉSIDU. Boue, brai, cendre, copeau, débris, déchet, escarbille, fond, lie, limaille, marc, mélasse, reste, rillons, saburre, sédiment, tartre, vase.
RÉSIGNER. Accepter, avaler, céder, consoler, endurer, renoncer, subir.
RÉSILIATION. Abrogation, annulation, congé, renonciation.
RÉSILLE. Entrelacement, filet, labyrinthe, lacis, réseau, réticule, tissu.
RÉSINE. Aloès, ambre, arcanson, ase, assa, baume, benjoin, brai, calfat, cire, copal, encens, galipot, gemme, glu, gomme, goudron, haschisch, oliban, mastic, myrrhe, oribus, pin, sandaraque, térébenthine.
RÉSIPISCENCE. Attrition, contrition, désespoir, pénitence, regret.
RÉSISTANCE. Dureté, endurance, fermeté, force, inertie, lutte, ohm, mou, mutinerie, rénitence, rhéostat, sédition, solidité, ténacité, volt.
RÉSISTER. Affermir, braver, cabrer, chicaner, défendre, désobéir, durer, fixer, lutter, maugréer, opposer, raidir, réagir, refuser, tenir.
RÉSOLU. Brave, constant, décidé, déterminé, gonflé, hardi, prêt.
RÉSOLUTION. Complot, décision, dessein, division, indécision, lâcheté, parti, projet, réduction, séparation, transformation, vœu, volonté.
RÉSONANCE. Bruit, écho, retentissement, son, sonorité, syntonie.
RÉSONNER. Bruire, entendre, marteler, retentir, sonner, tinter.
RÉSORBER. Abolir, calculer, dénouer, dissoudre, solutionner, trancher.
RÉSOUDRE. Décider, deviner, exécuter, finir, juger, liquider, régler.
RESPECT. Déférence, égard, estime, révérence, ritualisme, vénération.
RESPECTABLE. Digne, dignitaire, imposant, majesté, patriarche, sacré.
RESPECTER. Déférer, estimer, honorer, imposer, saluer, tenir, vénérer.
RESPIRATION. Anhélation, apnée, asphyxie, aspiration, bouffée, expiration, haleine, inhalation, râle, souffle, soupir.
RESPIRER. Anhéler, aspirer, bâiller, époumoner, étouffer, exhaler, expirer, haleter, inhaler, inspirer, poumon, pousser, souffler, soupirer.
RESPLENDIR. Brasiller, briller, chatoyer, éblouir, éclater, rayonner.
RESPONSABILITÉ. Culpabilité, endossé, garantie, participation.
RESPONSABLE. Auteur, chef, comptable, condamnable, conscient, coupable, dirigeant, fautif, garant, pendable, punissable.
RESSAISIR. Raccrocher, rattraper, retrouver.
RESSASSER. Rebâcher, redire, remâcher, répéter, ruminer.
RESSEMBLANCE. Affinité, air, analogie, connexion, désaccord, différence, disparité, image, parenté, portrait, semblable, similitude.
RESSEMBLER. Apparenter, penser, rappeler, rapprocher, tenir.
RESSENTIMENT. Animosité, dépit, haine, ire, rancune, vengeance.
RESSENTIR. Avoir, dévorer, donner, éprouver, inspirer, sentir, souffrir.
RESSERRÉ. Aigu, aminci, canal, étroit, fin, menu, mince, serré, silo.
RESSERREMENT. Étranglement, étreinte, raideur, rigidité, trisme.
RESSERRER. Amincir, diminuer, étouffer, étrangler, serrer, tasser.
RESSORT. Ardeur, audace, bravoure, cœur, courage, cran, énergie.
RESSOURCE. Adresse, aisance, alibi, appui, aptitude, défense, excuse, expérience, ingéniosité, mine, moyen, opulence, prospérité, richesse.
RESSUSCITER. Animer, réanimer, renaître, reprendre, revenir, revivre.

RESTANT. Chicot, débris, fond, rebut, résidu, reste, solde, trace.
RESTAURANT. Auberge, bistrot, brasserie, brassette, buffet, buvette, cabaret, cafétéria, cantine, carte, pizzeria, popote, taverne.
RESTAURER. Manger, nourrir, reconstruire, réparer, rétablir.
RESTE. Chicot, déblai, débris, décharge, déchet, décombres, demeure, épave, fossile, if, issue, miette, relief, résidu, rogaton, vert, vestige.
RESTER. Attarder, attendre, demeurer, durer, éterniser, fatiguer, habiter, immortaliser, maintenir, relief, subsister, tenir, traînasser.
RESTITUER. Redonner, régurgiter, remettre, rendre, rétablir, vomir.
RESTREINDRE. Adoucir, borner, diminuer, limiter, renfermer, rétrécir.
RESTREINT. Diminué, étroit, limité, petit, rétréci.
RESTRICTIF. Diminutif, limitatif, prohibitif, répressif.
RÉSULTAT. Apparoir, appert, bilan, but, décision, effet, fin, fruit, issue, portée, produit, reste, score, somme, stérile, suite, tentative, vain, vie.
RÉSULTER. Découler, issu, naître, provenir, suivre, tenir, trouver, venir.
RÉSUMÉ. Abrégé, analyse, aperçu, bref, concis, court, cursif, digest, épiphonème, épitomé, exposé, notice, petit, précis, sommaire, synopsis.
RÉSUMER. Abréger, condenser, écrire, exposer, récapituler, réduire.
RÉTABLIR. Colmater, décoder, guérir, raffermir, ramener, refaire, réinstaller, réintégrer, relever, réparer, replacer, restaurer, restituer.
RÉTABLISSEMENT. Convalescence, guérison, recouvrement, salut.
RETAPER. Décorer, embellir, enjoliver, enrichir, garnir, parer, réparer.
RETARD. Décalage, délai, démodé, lenteur, périmé, remise, tard.
RETARDER. Arrêter, arriéré, différer, ralentir, reculer, retenir, tarder.
RETEINDRE. Azurer, brillanter, bruir, chiner, ciseler, friser, gaufrer, glacer, gommer, lustrer, moirer, ocrer, racinette, rocouer, satiner.
RETENIR. Arrêter, contenir, digue, filet, fixer, garder, louer, tenir.
RETENTIR. Frapper, fuser, mugir, remplir, rebondir, résonner, tinter.
RETENTISSANT. Ample, bruyant, éclatant, fort, gros, sonore, tonitruant.
RETENU. Calme, chaste, contenu, correct, décent, délicat, digne, discret, distant, froid, grave, honnête, mesuré, modéré, modeste, poli, prude.
RETENUE. Contrainte, décence, discrétion, mesure, modération, pudeur.
RÉTIF. Difficile, entêté, frondeur, hargneux, indocile, insoumis, passif, rebelle, rêche, regimbant, révolté, rude, têtu, vicieux, volontaire.
RETIRER. Curer, démettre, dominer, dessaisir, écarter, enlever, étriper, isoler, lever, ôter, partir, pêcher, repêcher, retraiter, seul, tirer, vider.
RETOMBER. Gain, rechuter, récidiver, redescendre, rejaillir, replonger.
RETORS. Astucieux, chafouin, ficelle, fin, malin, roublard, roué, rusé.
RETOUCHE. Correction, modification, rectification, rehaut.
RETOUCHER. Corriger, limer, rectifier, remanier, reprendre, revoir.
RETOUR. Contre-choc, renaissance, ressac, résurrection, réveil, rime.
RETOURNEMENT. Cabriole, changement, reniement, renversement.
RETOURNER. Bêcher, biner, émouvoir, replier, revoler, revoter, tourner.
RETRACER. Conter, débiter, décrire, détailler, développer, évoquer, expliquer, exposer, narrer, peindre, raconter, rappeller, rapporter.

RÉTRACTER. Dédire, nier, reprendre, resserrer, retirer, revenir.
RETRAIT. Abolition, décrochage, éloignement, recul, reflux, repli.
RETRAITE. Abri, ermitage, gîte, habitation, pension, recul, reculer, refuge, retiré, revenu, seul, solitude, vieillesse.
RETRAITER. Aliéner, réformer, remiser, replier, retirer, retourner.
RETRANCHEMENT. Abréviation, abri, coupure, déduction, front, ligne.
RETRANCHER. Amputer, couper, déduire, écrémer, émonder, enlever, épurer, étêter, expurger, mutiler, ôter, rabattre, rogner, tailler.
RÉTRÉCI. Borné, contracté, diminué, étranglé, étroit, exigu, resserré.
RÉTRÉCISSEMENT. Col, diminution, étranglement, myosis, sténose.
RÉTRIBUER. Avancer, défrayer, dépenser, financer, honorer, payer, prépayer, régler, rémunérer, soudoyer, subvenir, surpayer, verser.
RÉTROGRADER. Aléser, alléger, arrière, diluer, diminuer, pâlir, reculer.
RETROUSSER. Écarter, rebiquer, relever, remonter, soulever, trousser.
RETROUVER. Reconquérir, recouvrer, récupérer, reprendre, trouver.
RÉTROVISEUR. Focal, glace, miroir, réflecteur, spéculaire.
RETS. Filets, lacs, piège.
RÉUNION. Agapes, anthrax, assemblée, bal, brelan, carillon, claque, collège, colonie, duo, enquête, épissure, escadre, faisceau, flottille, groupe, jamboree, jonction, ligature, litée, meeting, mélange, meute, pléiade, plénum, portée, quatuor, quintette, ramassis, rame, raout, salade, séance, société, soirée, tas, trio, union, zooglée.
RÉUNIR. Amasser, assembler, brider, concentrer, coudre, encercler, enquêter, épisser, grouper, joindre, lacer, mêler, rassembler, unir.
RÉUSSIR. Aboutir, arriver, avoir, bonheur, briller, but, couronner, déboucher, marcher, mener, parvenir, percer, prospérer, trouver.
RÉUSSITE. Bonheur, chance, combine, défaite, échec, gain, insuccès, patience, pu, revers, succès, thème, triomphe, veine, victoire.
REVANCHE. Châtiment, compensation, consolation, dédommagement, Némésis, punition, réparation, représailles, rétorsion, retour, riposte.
RÊVE. Ambition, cauchemar, désir, espérance, évasion, fantasme, idée, lit, onirisme, rêvasserie, séjour, songe, utopie, vision.
RÉVEIL. Commencement, coq, éruption, éveil, ranimation.
RÉVEILLE-MATIN. Cadran, coq, horloge.
RÉVEILLER. Éveiller, ranimer, raviver, ressusciter, revivre, tirer.
RÉVÉLATION. Communication, divulgation, dévoilement, indiscrétion.
RÉVÉLER. Arborer, avérer, cacher, communiquer, déballer, découvrir, déployer, désigner, dire, étaler, exhiber, lu, redire, su, trahir, vu.
REVENANT. Apparition, double, ectoplasme, esprit, fantôme, lémure.
REVENDIQUER. Adresser, attribuer, briguer, demander, réclamer.
REVENIR. Réintégrer, rentrer, repasser, ressusciter, revivre, revoir.
REVENU. Arrérage, fabrique, guéri, impôt, intérêt, mense, nominataire, produit, rapport, réapparu, rente, rentrée, ressuscité, synodie, viager.
RÉVERBÈRE. Lampadaire, lanterne, lumière, reflet.
RÉVÉRENCE. Affection, courbette, courtoisie, culte, déférence, égard, estime, honneur, prosternation, respect, salamalec, salut, vénération.

REVERS. Accident, défaite, dos, échec, ennui, envers, médaille, verso.
REVÊTEMENT. Béton, carapace, enduit, garniture, pavé, perré, pilosité.
REVÊTIR. Couvrir, décorer, garnir, habiller, orner, recouvrir, vêtir.
REVÊTU. Armé, blindé, couvert, cuirassé, défendu, flanqué, protégé.
RÊVEUR. Absent, absorbé, abstrait, méditatif, occupé, pensif, songeur.
REVIREMENT. Changement, crise, nuance, phase, retour, virage.
RÉVISER. Corriger, réécrire, réparer, repasser, revoir, superviser.
RÉVISEUR. Censeur, correcteur, corrigeur, faute, lecteur, vérificateur.
REVIVRE. Évoquer, réincarner, renaître, renouveler, ressusciter.
REVOIR. Corriger, examen, parfaire, potasser, rectifier, relire, remanier.
RÉVOLTANT. Bouleversant, choquant, criant, dégoûtant, indigne.
RÉVOLTE. Dissident, émeute, indigné, mutin, outré, révolutionnaire.
RÉVOLTER. Choquer, colère, crier, indigner, insurger, mutiner, rebeller.
RÉVOLU. Accompli, achevé, déroulé, écoulé, fini, passé, sonné, terminé.
RÉVOLUTION. An, carmagnole, cataclysme, circuit, convulsion, courbe, cycle, écliptique, ellipse, orbite, périple, pi, rotation, tourmente.
RÉVOLUTIONNAIRE. Activiste, agitateur, anarchiste, contestataire, desperado, émeutier, extrémiste, factieux, insurgé, militant, nihiliste, novateur, rebelle, révolté, séditieux, subversif, terroriste.
REVOLVER. Arme, barillet, colt, fusil, pistolet, rifle.
RÉVOQUER. Casser, débarquer, débouter, déchoir, limoger, suspendre.
REVUE. Défilé, inspection, magazine, parade, périodique, rubrique.
RHAPSODIE. Mélange, poète, ramas.
RHÉNIUM. Re.
RHÉSUS. Facteur, macaque, Rh, singe.
RHÉTORIQUE. Argument, éloquence, exemple, grammaire.
RHINOCÉROS. Barrir.
RHODIUM. Rh.
RHUM. Alcool, eau-de-vie, ratafia, tafia.
RHUMATISME. Arthrite, arthrose, douleur, goutte, lumbago, sciatique.
RHUME. Catarrhe, coryza, grippe, pharyngite, rhinite, toux.
RIBAMBELLE. Abondance, avalanche, beaucoup, cascade, chapelet, déluge, flopée, foule, infinité, kyrielle, myriade, nuée, série, suite.
RICANER. Bouffer, fou, glousser, mépriser, rire.
RICHE. Abondant, aisé, cossu, Crésus, fortuné, grenu, huppé, milliardaire, millionnaire, multimillionnaire, nanti, nourri, opulent, parvenu, possédant, pourvu, or, pactole, pauvre, Pérou, rentier, samit.
RICHESSE. Abondance, aisance, argent, biens, butin, écu, fortune, gêne, luxe, misère, opulence, or, pactole, pauvreté, prospérité, trésor.
RIDE. Creux, crispation, ligne, patte-d'oie, peau, pli, raie, ratatiné, sillon.
RIDEAU. Arbre, baldaquin, banne, château, cil, conopée, courtine, draperie, galon, moustiquaire, store, tenture, théâtre, toile, vitrage.
RIDER. Froncer, grimacer, marquer, plisser, ratatiner, raviner, strier.
RIDICULE. Absurde, cloche, cocasse, comique, guignol, risible, sac, sot.
RIDICULISER. Affubler, bafouer, berner, brocarder, moquer, railler.

RIEN. Absence, âne, aucun, bu, cancre, dénué, épuisé, fainéant, frelampier, goutte, intérêt, iota, mais, mie, néant, niaiserie, non, nu, nul, pas, peu, point, sans, sec, seulement, tari, valeur, vide, zéro.
RIEUR. Content, enjoué, épanoui, gai, heureux, moqueur, rigolard.
RIGIDE. Austère, bandé, grave, flexible, mou, raide, règle, souple.
RIGIDITÉ. Consistance, dureté, orthodoxe, raideur, sévérité, solidité.
RIGOLARD. Content, enjoué, épanoui, gai, heureux, moqueur, rieur.
RIGOLE. Caniveau, cassis, coupure, fossé, lapié, ruisseau, ségala, sillon.
RIGOLER. Amuser, badiner, égayer, marrer, moquer, rire, tordre.
RIGOLO. Amusant, comique, drôle, marrant, plaisant, tordant.
RIGOUREUX. Âpre, austère, dur, étroit, mathématique, serré, sévère.
RIGUEUR. Âpreté, cruauté, dure, fermeté, inclémence, pur, sévérité.
RIMAILLEUR. Correspondant, métromane, poète, rimeur, versificateur.
RIME. Assonance, consonance, corbillon, dominante, monorime, vers.
RING. Arène, boxeur, coin, estrade, lutteur, planches, podium.
RINGARD. Tire-braise, tisonnier.
RIRE. Amuser, badiner, éclat, égayer, gai, glousser, hilarité, joie, marrer, moquer, pâmer, pouffer, quolibet, railler, ri, ricaner, rictus, rigoler, rioter, ris, risée, risette, rosorius, sourire, zygomatique.
RIS. Boucherie, jeu, veau, voile.
RISIBLE. Amusant, burlesque, cocasse, comique, drôle, farce, ridicule.
RISQUE. Abri, aléa, conséquence, danger, épreuve, essai, éventualité, hasard, péril, possibilité, responsabilité, susceptibilité, témérité.
RISQUÉ. Aléatoire, audacieux, aventureux, chanceux, cru, dangereux, exposé, failli, frisé, hasardé, imprudent, osé, salé, téméraire, tenté.
RISQUER. Chercher, efforcer, encourir, frôler, goûter, oser, tâter, tenter.
RISTOURNE. Diminution, escompte, guelte, prime, rabais, remise.
RITAL. Italien.
RITE. Ablution, cérémonie, habitude, liturgie, règle, sacrement.
RIVAGE. Baie, berge, bord, côte, dune, grève, marée, plage, quai, rive.
RIVAL. Adversaire, candidat, concurrent, émule, ennemi, prétendant.
RIVALISER. Concourir, concurrencer, défier, disputer, égaler, lutter.
RIVALITÉ. Antagonisme, combat, compétition, conflit, jalousie.
RIVE. Bac, berge, bord, côte, gué, littoral, pont, rivage.
RIVETER. Ferrer, mater, pointer, river, turc.
RIVIÈRE. Affluent, bijou, canal, eau, fleuve, gué, lit, ruisseau, vanne.
RIVIÈRE D'AFRIQUE (n. p.). Logone, Oued, Sangha, Vaal.
RIVIÈRE D'ALGÉRIE (n. p.). Chéliff, Dra, Isly, Isser, Massa, Sebou, Sig.
RIVIÈRE D'ALLEMAGNE (n. p.). Aller, Eder, Elster, Havel, Haye, Helme, Hunte, Isar, Jetze, Lahn, Lauter, Lech, Leine, Main, Mulde, Ohre, Oste, Paar, Peene, Rott, Ruhr, Saale, Salzach, Spree, Vils, Wertach.
RIVIÈRE D'ALSACE (n. p.). Ill.
RIVIÈRE D'ANGLETERRE (n. p.). Ain, Aire, Auon, Cain, Exe, Ouse, Ribble, Severn, Swale, Tamas, Tenfi, Test, Till, Trent, Tyne, Usk, Yare.
RIVIÈRE D'ARGENTINE (n. p.). Salado.
RIVIÈRE D'AUVERGNE (n. p.). Cère, Dore, Sioule.

RIVIÈRE D'ASIE (n. p.). Araxe, Ili.
RIVIÈRE DE BELGIQUE (n. p.). Beek, Bosch, Dendre, Dyle, Lesse, Masse, Mark, Nethe, Ourthe, Roer, Rupel, Sambre, Senne, Velpe, Vesdre.
RIVIÈRE DE BOLIVIE (n. p.). Beni.
RIVIÈRE DU BRÉSIL (n. p.). Acara, Acu, Almas, Apore, Araca, Balsas, Canoas, Capim, Claro, Coari, Curva, Doce, Iacu, Ica, Ilha, Ijui, Itui, Iva, Jari, Jaue, Negro, Pardo, Paru, Pore, Poti, Purus, Sono, Tapajos, Xingu.
RIVIÈRE DE BULGARIE (n. p.). Iskar.
RIVIÈRE DU CANADA (n. p.). Albany, Assiniboine, Athabaska, Bow, Churchill, Dubawnt, Esclave, Hay, Klondike, La Paix, Liard, Mackenzie, Nelson, Niagara, Ottawa, Pelly, Porcupine, Red Deer, Saskatchewan, Souris, Saint-Jean, Winnipeg, White, Yukon.
RIVIÈRE DE CHINE (n. p.). Han-K, Ili, Kiang, Kinlin, Lo-Ho, Miru, Si-Ho, Tao-Kiang, Tatou, Tatsi, Tsien-Tang,
RIVIÈRE DE COLOMBIE (n. p.). Ariari, Cauca, Feza, Funza, Négro, Sinu.
RIVIÈRE D'ESPAGNE (n. p.). Alagon, Arba, Cea, Cega, Ebro, Esla, Genil, Jabalon, Jucar, Manzanares, Narcea, Navia, Seda, Segre, Segura, Sil, Sorraie, Tage, Tajo, Talund, Ter, Tietar, Yeltes, Zancara.
RIVIÈRE DES ÉTATS-UNIS, Alabama (n. p.). Coosa, Perdido, Sipsey, Tensaw.
RIVIÈRE DES ÉTATS-UNIS, Alaska (n. p.). Canning, Copper, Happy, Koyukuk, Meade, Noatak, Susitna, Utokok.
RIVIÈRE DES ÉTATS-UNIS, Arizona (n. p.). Fossil, Verde, Zuni.
RIVIÈRE DES ÉTATS-UNIS, Arkansas (n. p.). Bayou, Buffalo, Cache, Missouri, Red, Saline, White.
RIVIÈRE DES ÉTATS-UNIS, Californie (n. p.). Benito, Eel, Fresno, Kern, Kings, Mad, Mojave, Salmon, Scott, Shasta, Ynez.
RIVIÈRE DES ÉTATS-UNIS, Caroline (n. p.). Black, Bush, Catawba, Dan, Saluda, Sandy, Tiger.
RIVIÈRE DES ÉTATS-UNIS, Colorado (n. p.). Alamosa, Conejos, Cucharas, White, Yampa.
RIVIÈRE DES ÉTATS-UNIS, Connecticut (n. p.). Byram, Mad, Mianus, Middle, Nepaug, Norwalk, Shepaug, Stiill, Thames.
RIVIÈRE DES ÉTATS-UNIS, Dakota (n. p.). Deep, Elm, Goose, Knife, Moreau, Owl, Park, Rush, Souris, White.
RIVIÈRE DES ÉTATS-UNIS, Delaware (n. p.). Indian, Leipsic, Smyrna.
RIVIÈRE DES ÉTATS-UNIS, Floride (n. p.). Chipola, Kissimee, Mantee, Myakka, Peace, Suwannee.
RIVIÈRE DES ÉTATS-UNIS, Georgie (n. p.). Altamaha, Flint, Ogeechee.
RIVIÈRE DES ÉTATS-UNIS, Idaho (n. p.). Boise, Bruneau, Castle, Clearwater, Lemhi, Lost, Middle, Moose, Pack, Palouse, Raft, Teton.
RIVIÈRE DES ÉTATS-UNIS, Illinois (n. p.). Apple, Fox, Green, Illinois, Iroquois, Mckee, Plum, Wabash.

RIVIÈRE DES ÉTATS-UNIS, Indiana (n. p.). Blue, Eel, Iroquois, Lost, Obig, Pigeon, Wabash, White, Whitewater.
RIVIÈRE DES ÉTATS-UNIS, Iowa (n. p.). Boyer, Cedar, Floyd, Fork, Iowa, Sioux, Turkey.
RIVIÈRE DES ÉTATS-UNIS, Kansas (n. p.). Cimarron, Hill, Marais des Cygnes, Nemaha, Neosho, Saline, Solomom.
RIVIÈRE DES ÉTATS-UNIS, Kentucky (n. p.). Barren, Clark, Licking, Little, Salt.
RIVIÈRE DES ÉTATS-UNIS, Louisiane (n. p.). Atchafalaya, Grand, Ouachita, Red, Temsas.
RIVIÈRE DES ÉTATS-UNIS, Maine (n. p.). Allagash, Aroostook, Dead, Kennebec, Machias, Moose, Pleasant.
RIVIÈRE DES ÉTATS-UNIS, Maryland (n. p.). Agawan, Chester, Ipswick, Nashua, North, Patapsco, Patuxent, Potomac, Taunton, Ware.
RIVIÈRE DES ÉTATS-UNIS, Michigan (n. p.). Betsy, Deer, Flint, Muskegon, Pigeon, Pine, Sable, Sturgeon, White, Whitefish.
RIVIÈRE DES ÉTATS-UNIS, Minnesota (n. p.). Battle, Bear, Cloquet, Kettle, Lost, Middle, Minnesota, Pelican, Roseau, Tamarac, Thief.
RIVIÈRE DES ÉTATS-UNIS, Mississippi (n. p.). Amite, Bogue, Leaf, Noxubee, Skuna, Tallahatchie, Tombigbee, Yazoo.
RIVIÈRE DES ÉTATS-UNIS, Missouri (n. p.). Big, Chariton, Current, Meramec, Osage, Platte.
RIVIÈRE DES ÉTATS-UNIS, Montana (n. p.). Arrow, Bighorn, Judith, Madison, Poplar, Powder, Smith, Teton, Tongue.
RIVIÈRE DES ÉTATS-UNIS, Nebraska (n. p.). Colamus, Dismal, Snake.
RIVIÈRE DES ÉTATS-UNIS, Nevada (n. p.). Bruneau, Kings, Marys, Quinn.
RIVIÈRE DES ÉTATS-UNIS, New Hampshire (n. p.). Ammonoosuc, Baker, Mohawk, Saco.
RIVIÈRE DES ÉTATS-UNIS, New Jersey (n. p.). Batsto, Kill, Maurice, Oswego, Ramapo, Toms, Wading.
RIVIÈRE DES ÉTATS-UNIS, New York (n. p.). Beaver, Deer, Delaware, Grass, Oswegatchie, Salmon, Saranac, Schroon, Susquehanna.
RIVIÈRE DES ÉTATS-UNIS, Nouveau-Mexique (n. p.). Canadian, Conchas, Conejos, Mancos, Pecos.
RIVIÈRE DES ÉTATS-UNIS, Ohio (n. p.). Chagrin, Hocking, Huron, Mohican, Ohio, Scioto, Tiffin, Wabash.
RIVIÈRE DES ÉTATS-UNIS, Oklahoma (n. p.). Blu, Canadian, Cimarron, Red, Washita.
RIVIÈRE DES ÉTATS-UNIS, Oregon (n. p.). Chetco, Columbia, Day, Lost, Owyhee, Rogue, Santiam, Sixes, Umpqua, White.
RIVIÈRE DES ÉTATS-UNIS, Tennessee (n. p.). Buffalo, Clinch, Duck, Emory, Gap, Kelso, Loosahatchie, Sequatchie.
RIVIÈRE DES ÉTATS-UNIS, Texas (n. p.). Canadian, Devils, Llano, Nauidad, Nueces, Saba, Sabine, White.
RIVIÈRE DES ÉTATS-UNIS, Utah (n. p.). Green, Rafael, Raft, Sevier.

RIVIÈRE DES ÉTATS-UNIS, Vermont (n. p.). Barton, Clyde, Coaticook, Mad, Mill, Moose, Olittle, Trout, Waits, Winooski.
RIVIÈRE DES ÉTATS-UNIS, Virginie (n. p.). Anna, Cacapan, Coal, Dan, Otter, Pocatalico, Slate, Stauton, Williams, Willis.
RIVIÈRE DES ÉTATS-UNIS, Washington (n. p.). Cascade, Cispus, Kettle, Nooksack, Sanpoil, Skagit, Snake, Soleduck, Twisp, Yakima.
RIVIÈRE DES ÉTATS-UNIS, Wisconsin (n. p.). Apple, Chippewa, Flambeau, Jumbo, Namekagon, Oconto, Wolf, Yellow.
RIVIÈRE DES ÉTATS-UNIS, Wyoming (n. p.). Bighorn, Cheyenne, Greybull, Hoback, Laramie, Platte, Powder, Shohone, Tongue.
RIVIÈRE D'ÉTHIOPIE (n. p.). Omo.
RIVIÈRE DE FRANCE (n. p.). Aa, Ain, Aire, Aisne, Agout, Arve, Aube, Baise, Cère, Creuse, Cure, Drôme, Erdre, Essonne, Eure, Gartempe, Hers, Iton, Loir, Loue, Lys, Maine, Marne, Midou, Moselle, Nievre, Oise, Ourcq, Pau, Sarre, Save, Tarne, Verdon, Vézere.
RIVIÈRE DE GRÈCE (n. p.). Aliakmon, Eurotas, Evinos, Ladon, Vistritsa.
RIVIÈRE DE GUADELOUPE (n. p.). Sens.
RIVIÈRE DE HONGRIE (n. p.). Bodrog, Gyoma, Kapos, Koros, Mures, Tisza.
RIVIÈRE DE L'INDE (n. p.). Banas, Dudna, Hagari, Hydaspe, Jamna, Koel, Luni, Parban, Penner, Sankh, Satiedj, Siller, Sutlej, Taptir, Yamuna.
RIVIÈRE D'INDOCHINE (n. p.). Mekong, Salouen.
RIVIÈRE D'ITALIE (n. p.). Adda, Adige, Agri, Allia, Aniene, Arno, Drave, Este, Liri, Maira, Mincio, Nera, Oglio, Reno, Salso, Sesia, Taro, Trebie.
RIVIÈRE DU GUATEMALA (n. p.). Chiroy, Lyaston, Sarstrin.
RIVIÈRE DU JAPON (n. p.). Gokâse, Kiso, Mogamigawa, Oirase, Takkiri, Teskio, Umyu.
RIVIÈRE DU LUXEMBOURG (n. p.). Alzette, Chiers.
RIVIÈRE DU MAROC (n. p.). Isly.
RIVIÈRE DU MEXIQUE (n. p.). Ameca, Atayac, Culiacan, Mayo, Mixteco, Rio Grande, San Pedro, Verde.
RIVIÈRE DU NIGÉRIA (n. p.). Benoue.
RIVIÈRE DU PAKISTAN (n. p.). Sind, Sutle.
RIVIÈRE DU PÉROU (n. p.). Apurimac, Moranon, Mayo, Mazan, Namay, Ocona, Purus, Tigre, Ucayali, Uritu.
RIVIÈRE DE POLOGNE (n. p.). Brda, Bug, Bzoura, Dosse, Dunajec, Eider, Narew, Neisse, Nida, Odra, Pisa, Rawa, Stupia, Warta, Wetna.
RIVIÈRE DU PORTUGAL (n. p.). Tage.
RIVIÈRE DU QUÉBEC (n. p.). Abitibi, Betsiamites, Chamouchouane, Chaudière, Chicoutimi, Coulonge, de La Lièvre, Dumoine, Eastmain, Gatineau, Grande-Baleine, Kaniapiskau, Madawaska, Manicouagan, Marguerite, Matane, Mattawin, Miramichi, Mistassini, Moisie, Natashquan, Outaouais, Outardes, Péribonca, Richelieu, Romaine, Rouge, Rupert, Saguenay, Saint-François, Saint-Maurice, Waswanipi, Yamaska.

RIVIÈRE DE ROUMANIE (n. p.). Aiud, Blaj, Ineu, Mures, Olt, Risle, Siret, Somes.
RIVIÈRE DE RUSSIE (n. p.). Dema, Desna, Dvina, Ilet, Ipou, Kama, Lgov, Meja, Moskova, Nitsa, Obva, Oka, Ounja, Pripiat, Rouika, Sestra, Soj, Tobol, Vitim, Vop.
RIVIÈRE DE SCANDINAVIE (n. p.). Ore, Ume.
RIVIÈRE DE SIBÉRIE (n. p.). Angara, Irtych, Lena, Tom.
RIVIÈRE DE SLOVAQUIE (n. p.). Alagon, Aliaga, Almonte, Ariza, Cea, Cega, Cinca, Vah, Vau.
RIVIÈRE DE SUISSE (n. p.). Aar, Aare, Banova, Doubs, Inn, Orbe, Reuss, Rhin, Saane, Sarine, Tessin, Thur, Toss.
RIVIÈRE DE TCHÉCOSLOVAQUIE (n. p.). Hornad, Jizera, Neisse, Ohre, Slana.
RIVIÈRE DU VENEZUELA (n. p.). Aro, Caroni, Caura, Ipiri, Negro, Ortuco, Suata, Tigre, Tocuyo.
RIVIÈRE DU VIETNAM (n. p.). Song-Bo, Song-Ca, Song-Chu, Tien-Yen.
RIVIÈRE DE YOUGOSLAVIE (n. p.). Cerna, Drave, Piva, Save, Treska.
RIXE. Bagarre, bataille, combat, mêlée, querelle.
RIZ. Arak, blé, céréale, pilaf, pilau, raki, saké, saki.
ROBE. Alezan, arzel, aube, aubère, cafetan, chambre, cheval, chiton, cigare, costume, djellaba, épitoge, fourreau, froc, gandoura, haik, jupe, lamée, mini, peau, peignoir, péplum, poil, prétexte, rochet, sari, simarre, soutane, surplis, toge, toilette, traîne, tunique, vêtement.
ROBINET. Bain, chantepleure, col-de-cygne, eau, prise, robinetterie.
ROBOT. Androïde, automate, machine.
ROBUSTE. Athlète, fort, hercule, puissant, résistant, solide, vigoureux.
ROCAILLEUX. Caillouteux, dentelaire, dur, graveleux, rude, staphylier.
ROCAMBOLE. Ail, bagatelle, plaisanterie.
ROCAMBOLESQUE. Abracadabrant, bizarre, drôle, ébouriffant, étonnant, étrange, fantastique, formidable, impensable, incroyable, paradoxal.
ROCHE. Agate, albâtre, andésite, aplite, ardoise, argile, bauxite, calcaire, cipolin, craie, diapir, diorite, ectinite, écueil, éluvion, falun, gneiss, granit, granite, granulite, gravier, grès, gypse, houille, jaspe, lignite, limon, lumachelle, marne, pierre, ponce, rétinite, roc, rocher, sable, schiste, silex, suénite, tripoli, tuf.
ROCHER. Banc, bloc, boulder, caillasse, caillou, écueil, éperon, estoc, étoc, galet, falaise, mollusque, murex, pic, pierre, pourpre, récif, roc, roche.
RÔDER. Errer, flâner, frotter, polir, tournoyer, vagabonder, vaguer.
RÔDEUR. Apache, bandit, chemineau, malfaiteur, robineux, vagabond.
ROGATON. Rebut, reliefs, restes, rognure.
ROGNER. Couper, diminuer, massicoter, pester, retrancher, rager, user.
ROGNON. Abat, cuisseau, rein, silex, veau.
ROI. Cadeau, chef, échec, empereur, justice, lion, mage, monarque, pair, pharaon, prince, reine, royal, royaume, sire, souverain, triboulet, tsar.
ROI D'ALBANIE (n. p.). Zog, Zogu.

ROI D'ANGLETERRE (n. p.). Alfred, Athelstan, Canute, Charles, Edgar, Édouard, Edmond, Edred, Edwy, Egbert, Etheirer, Ethelbald, Ethelbert, Ethelred, Ethelwulf, Étienne, George, Guillaume, Hardicanute, Harold, Henri, Jacques, Jean, Knut, Richard.
ROI D'AQUITAINE (n. p.). Caribert, Pépin.
ROI D'ARABIE (n. p.). Fahd.
ROI D'ARAGON (n. p.). Alphonse, Ferdinand, Jacques, Jean, Pierre.
ROI D'ATHÈNES (n. p.). Égée.
ROI D'AUSTRALIE (n. p.). Dagobert.
ROI DE BABEL (n. p.). Hammourabi.
ROI DE BABYLONE (n. p.). Balthazar, Bel-Shar, Nabuchodonosor, Nabonide.
ROI DE BAVIÈRE (n. p.). Otton.
ROI DE BELGIQUE (n. p.). Albert, Léopold.
ROI DE BOURGOGNE (n. p.). Boson, Dagobert, Gontran, Rodolphe, Thierry.
ROI DE BULGARIE (n. p.). Boris.
ROI DE CASTILLE (n. p.). Alphonse, Ferdinand, Henri, Philippe, Pierre.
ROI DU DANEMARK (n. p.). Canut, Christian, Christophe, Dan, Éric, Érik, Frédéric, Harald, Knut, Olof, Magnus, Valdemar.
ROI D'ÉCOSSE (n. p.). Ballieul, Baliol, Banco, Babquo, Bruce, Brus, David, Donald, Duncan, Edgar, Fergus, Guillaume, Jacques, Kenneth, Macbeth, Malcolm, Robert.
ROI D'ÉGYPTE (n. p.). Ahmès, Amasis, Amenemhat, Aménophis, Amménémès, Apriès, Busiris, Chéops, Chephren, Danaos, Farouk, Fouad, Ménès, Mykérinos, Nechao, Nectanebo, Neforit, Néphéritès, Osymandias, Ousirtesen, Pharaon, Psammetik, Ptolémée, Ramsès, Sethi, Séti, Thoutmès, Touthmôsis, Toutankhamon.
ROI D'ESPAGNE (n. p.). Alphonse, Bonaparte, Ferdinand, Philippe.
ROI DE FRANCE (n. p.). Carloman, Charles, Eudes, François, Henri, Hugues-Capet, Jean, Lothaire, Louis, Louis-Philippe, Philippe, Raoul, Robert.
ROI DE GERMANIE (n. p.). Arnoul, Arnulf, Conrad, Frédéric, George, Henri, Louis, Otton, Philippe, Rodolphe.
ROI DE GRÈCE (n. p.). Alexandre, Constantin, Georges, Otton, Paul.
ROI DE HONGRIE (n. p.). Aba, André, Corvin, Émery, Étienne, Ladislas, Louis, Mathias, Venceslas.
ROI D'HAÏTI (n. p.). Christophe.
ROI DES HÉBREUX (n. p.). David, Saül.
ROI DES HUNS (n. p.). Attila.
ROI D'IRAK (n. p.). Faïcal.
ROI D'IRAN (n. p.). Chah.
ROI D'ISRAËL (n. p.). Achaz, Amri, Asa, Baasa, Baeza, David, Éla, Jéroboam, Joachaz, Joas, Joram, Hoshea, Manahem, Osée, Ochosias, Salomon.

ROI D'ITALIE (n. p.). Charles, Humbert, Lothaire, Louis, Pépin, Rodolphe.
ROI DE JUDAS (n. p.). Abia, Achaz, Amon, Asa, Joram, Josias.
ROI DE NAVARRE (n. p.). Alphonse, Charles, Jean, Louis, Sanche, Thibault.
ROI DE NORVÈGE (n. p.). Christian, Frédéric, Haakon, Harald, Olaf, Olof, Oscar.
ROI DES OSTROGOTHS (n. p.). Athalaric, Baduila, Totila.
ROI DE PERSE (n. p.). Artaterxès, Assuérus, Cambyse, Cyrus, Darios, Darius, Ismail, Nadir, Pahlavi, Sapor, Xerzès.
ROI DE PHRYGIE (n. p.). Midas.
ROI DE POLOGNE (n. p.). Alexandre, Auguste, Bathori, Boleslas, Casimir, Charles, Jean, Midas, Mieszko, Sigismond, Sobrieski, Stanislas.
ROI DU PORTUGAL (n. p.). Alphonse, Carlos, Charles, Édouard, Emmanuel, Jean, Louis, Pierre, Sébastien.
ROI DE PRUSSE (n. p.). Frédéric, Guillaume.
ROI DE ROME (n. p.). Anvus, Martius, Numa-Pompilius, Romulus, Servius-Tullius, Tarquin, Tullus-Hostilius.
ROI DE SPARTE (n. p.). Agis, Leonidas.
ROI DE SUÈDE (n. p.). Canut, Charles, Christian, Éric, Érik, Frédéric, Gustave, Harald, Knut, Magnus, Olof, Oscar.
ROI DE TYR (n. p.). Hiram.
ROI DES WISIGOTHS (n. p.). Alaric, Amalaric, Ataulf, Ataulphe, Athanagilde, Euric, Léovigilde, Recarède, Rodéric, Rodrigue, Théodoric.
ROI DE YOUGOSLAVIE (n. p.). Alexandre.
RÔLE. Acteur, clé, comparse, état, fonction, frime, liste, personnage, star, tableau, théâtre, travesti, utilité, vamp.
ROMAIN, EMPEREUR (n. p.). Alexandre, Antonin, Apostolat, Auguste, Aurélien, Balbin, Balbinus, Caligula, Caracalla, Carin, Carus, Claude, Commode, Constance, Constant, Constantin, Decius, Didius, Dioclétien, Domitien, Émilien, Eugène, Florien, Galba, Galère, Gallien, Gallus, Geta, Gordien, Gratien, Hadrien, Héliogabale, Jovien, Julianus, Licinius, Marc-Aurèle, Macrin, Magnence, Maxence, Maxime, Maximien, Maximin, Néron, Nerva, Numérien, Octave, Othon, Pertinax, Philippe l'Arabe, Probus, Pupien, Septime, Sévère, Tacite, Théodose, Tibère, Titus, Trajan, Valens, Valentinien, Valérien, Vérus, Vespasien, Vittelius.
ROMAN. Action, anecdote, conte, feuilleton, histoire, intrigue, livre, manuscrit, nouvelle, prologue, rêve, romanesque, scénario, thriller.
ROMANCIER. Auteur, écrivain, nouvelliste, pseudonyme.
ROMANCIER ALLEMAND (n. p.). Bettelheim, Durrenmatt, Hamsun, Hegel, Hesse, Jung, Jünger, Mann, Marx, Nietzsche, Singer, Süskind, Zweig.
ROMANCIER AMÉRICAIN (n. p.). Asimov, Brunner, Cadwell, Capote, Carnegie, Clancy, Clarke, Clavell, Cook, Coonts, Cooper, Crichton, Cussler, Daley, DeMille, Dick, Faulkner, Fitzgerald, Follett, Forsyth, Gray, Greene, Hailey, Hemingway, Higgins, Hitchcock, King, Lawrence,

Ludlum, Mailer, Melville, Michener, Miller, Poe, Puzo, Segal, Steinbeck, Twain, Wells, West, Wilde.

ROMANCIER ANGLAIS (n. p.). Collins, Defoe, Dickens, Disraéli, Doyle, Greene, Kipling, Lawrence, Reid, Richardson, Shaw, Stevenson, Wells.

ROMANCIER ÉCOSSAIS (n. p.). Scott.

ROMANCIER ESPAGNOL (n. p.). Cervantès, Garcia Marquez.

ROMANCIER FRANÇAIS (n. p.). Alain-Fournier, Apollinaire, Aristote, Attali, Aymé, Balzac, Bataille, Baudelaire, Bazin, Beaumarchais, Berger, Bernanos, Bodard, Camus, Chateaubriand, Clavel, Cocteau, Corneille, Daninos, Daudet, Descartes, Diderot, Dumas, Exbrayat, Féval, Feydeau, Flaubert, Frossard, Gallo, Gide, Giono, Giraudoux, Green, Hémon, Hugo, Jacquard, Kessel, Laborit, La Fontaine, Leblanc, Leroux, Lévy, Loti, Maupassant, Mauriac, Maurois, Mérimée, Molière, Montaigne, Monteilhet, Montesquieu, Musset, Nourissier, Ohnet, Péguy, Platon, Prévost, Proust, Rabelais, Racine, Radiguet, Renard, Rolland, Romains, Rostand, Rousseau, Sade, Sartre, Stendhal, Sue, Sulitzer, Troyat, Vercors, Verlaine, Verne, Villon, Voltaire, Zola.

ROMANCIER ITALIEN (n. p.). Eco

ROMANCIER PRUSSIEN (n. p.). Arnim.

ROMANCIER QUÉBÉCOIS (n. p.). Aquin, Aktouf, Alain, Anderson, Andrès, Angers, Antoine, Archambault, Arnau, Assiniwi, Aubin, Audet, Babineau, Baillargeon, Baillie, Barcelo, Beauchamp, Beauchemin, Beaudet, Beaudoin, Beaudry, Beaulieu, Beausoleil, Bédard, Bégin, Béguin, Bélanger, Belec, Bergeron, Bernier, Berthiaume, Bertrand, Bérubé, Bessette, Bigras,Blackburn, Blais, Boissay, Boisvert, Boivin, Bonenfant, Boulerice, Boulizon, Bourdon, Brassard, Brière, Brillant, Brochu, Brodeur, Brossard, Brouillard, Brouillette, Bruens, Bujold, Bureau, Bussières, Cadet, Caron, Chabot, Chamberland, Champagne, Champetier, Charbonneau, Charland, Charron, Chatillon, Choquette, Chrétien, Claveau, Clavet, Comeau, Coppens, Corriveau, Cossette, Côté, Cyr, Daignault, Dansereau, Day, De Lorimier, De Vernal, Delisle, Delorme, Des Rosiers, Des Ruisseaux, Descheneaux, Désy, Dion, Dionne, Dor, Doré, Drache, Dubois, Ducharme, Duguay, Duhaime, Dumont, Dupont, Dupuis, Dussault, Duval, Fasciano, Favreau, Ferland, Filion, Findley, Folch-Ribas, Fournier, Francoeur, Gaboury, Gagnon, Garneau, Garon, Gaudet, Gauthier, Gay, Gélinas, Gemme, Gendreau, Gendron, Genest, Gérin, Germain, Gervais, Gobeil, Godbout, Godin, Gosselin, Gratton, Gravel, Graveline, Grignon, Guillemet, Haeck, Hazelton, Hébert, Hénault, Hétu, Homel, Horic, Hus, Isabelle, Jacob, Jacques, Jasmin, Julien, Kattam, Kemp, Laberge, Labrie, Lacasse, Laferrière, Lalonde, Languirand, Laplante, Lavoie, Leblond, Leclerc, Lemelin, Lemieux, Lemoine, Léveillé, Lévesque, Mainville, Major, Malenfant, Marchand, Martin-Laval, Mathieu, Matteau, Meunier, Miron, Monette, Mongrain, Montmorency, Morissette, Noël, Ohl, Olivier, Ollivier, Ouellet, Ouellette, Paradis, Paré, Pelchat, Piché, Plante, Poissant, Poliquin, Poulin, Poupart, Pratte, Prieur, Proulx, Roy, Saïa, Savard,

Simard, Smith, Soucy, Soulières, Stanké, Thériault, Tremblay, Turgeon, Vadeboncoeur, Vaillancourt, Vallières, Vanasse, Vastel, Vigneault, Zumthor.

ROMANCIER RUSSE (n. p.). Boulgakov, Dostoïevski, Gogol, Soljenitsyne, Tchekhov, Tolstoï.

ROMANCIER SUISSE (n. p.). Rod.

ROMANCIÈRE ALLEMANDE (n. p.). Frank.

ROMANCIÈRE AMÉRICAINE (n. p.). Brontë, Chase-Riboud, French, Higgins-Clark, Jong, Kubler-Ross, Lessing, MacLaine, McCullough, Nin, Oates, Rendell, Steel, Susann, Taylor-Bradford, Walters.

ROMANCIÈRE ANGLAISE (n. p.). Austen, Cartland, Christie, Cornwell, Highsmith, James, Westmacott, Woolf.

ROMANCIÈRE CHILIENNE (n. p.). Allende.

ROMANCIÈRE FRANÇAISE (n. p.). Arnothy, Avril, Boissard, Bourin, Cardinal, Chapsal, Charles-Roux, Colette, Collange, Deforges, Dolto, Dorin, Frain, Groult, Lacamp, Laclos, Le Varlet, Mallet-Joris, Monsigny, Pisier, Rivoyre, Sagan, Sand.

ROMANCIÈRE ITALIENNE (n. p.). Deledda.

ROMANCIÈRE QUÉBÉCOISE (n. p.). Allard, Alonzo, Anctil, Aubry, Baillargeon, Bazin, Beaudry, Bersianik, Bissonnette, Blais, Blouin, Boisjoli, Boisvert, Bombardier, Bouchard, Boucher, Brault, Brière, Brossard, Bussières, Cadieux, Cardinal, Champagne, Cholette, Claudais, Cloutier, Corbeil, Côté, Cousture, Cyr, D'Amour, Daveluy, De Gramont, De Lamirande, Demers, Déry, Desrochers, Doyon, Dubé, Dumont, Ferretti, Ferron, Gagnon, Gauvin, Ghalem, Grisé, Harvey, Hébert, Jacob, Juteau, Laberge, Lacasse, Lanctôt, Larouche, Larue, Lasnier, Lavigne, Lemieux, Lévesque, Loranger, Maillet, Major, Mallet, Marchessault, Marineau, Martin, Michel, Miville-Deschênes, Monette, Noël, Ouellette, Ouellette-Michalska, Ouvrard, Paquette, Paris, Payette, Pelland, Plamondon, Poisson, Proulx, Rainville, Renaud, Robert, Roy, Ruel, Saint-Denis, Sarfati, Sauriol, Simard, Thériault, Tremblay, Villemaire, Villeneuve.

ROMPRE. Briser, casser, couper, désaxer, écorner, édenter, éreinter.

RONCE. Barbelé, épine, mûrier, roncier.

ROND. Balle, ballon, bâton, bombe, boule, cerceau, cercle, cerne, circonférence, éclisse, étoile, ivre, jeton, lune, miche, orbe, orbite.

RONDE. Atriau, autour, ballon, chanson, grosse, musique, patrouille.

RONDELLE. Confetti, disque, procédé, tranche.

RONFLER. Bourdonner, bruire, dormir, respirer, ronronner, vrombir.

RONGER. Corroder, dévorer, éroder, grignoter, manger, mordre, user.

RONGEUR. Agouti, anomalure, cabiai, campagnol, capybara, castor, caviomorphe, chinchilla, cobaye, écureuil, gaufre, gerbille, gerboise, goundi, hamster, hutia, lemming, léporidé, lièvre, loir, marmotte, milan, mulot, muridé, octodon, pacarana, pacas, porc-épic, ragondin, rat, souris, spalax, suisse, surmulot, tamia, viscache, xérus.

ROSACÉE. Abricotier, alisier, allouchier, amandier, aubépine, cerisier, cognassier, lobe, merisier, néflier, pêcher, poirier, pommier, ronce, rose, sorbier, vitrail.
ROSE. Béril, béryl, diamant, neavi, pompon, rosacé, rosette, rosier, thé.
ROSE TRÉMIÈRE. Althaea, passe-rose, primerose.
ROSEAU. Açore, arundo, bambou, calame, canne, chalumeau, férule, gynérium, jonc, massette, mirliton, papyrus, phragmite, pipeau.
ROSÉE. Aiguail, gelée, gouttelette, perle.
ROSIER. Églantier, évelyn, floribunda, grandiflora, grimpant, intrigue, othello, peace, polyantha, sericea, solitude, voodoo.
ROSIER, ARBUSTE. Agnes, Bonica, Cuthbert, Hansa, Henry Kelsey, Jens Munk, John Cabot, John Franklin, Martin Frobisher, William Baffin.
ROSIER FLORIBUNDA. Arnaud Delbard, Centennial, Challenger, Deb's Delight, Europeana, Girl Guide, Lilli Marlene, Little Devil, Mountbatten, Rose Marie, Velveteen, V.O.N. Canada, Warrior.
ROSIER GRANDIFLORA. Golden Giant, Jacques Cartier, Jeannine, John A. Macdonald, Queen Elizabeth.
ROSIER GRIMPANT. Altissimo, Campanile, Fluorescent, Golden Showers, Imperial Blaze, New Dawn, Sir Wilfrid Laurier, Snow Drift, White Dawn.
ROSIER HYBRIDE DE THÉ. Apogee, Atoll, Audrey Meiklejohn, Black Ruby, Blue Nile, Camera, Can Can, Candid, Champagne, Chicago Peace, Colourama, Crêpe de Chine, Dolce Vita, Double Delight, Epidor, Fragrant Cloud, Grand Mogul, Great Century, Great Nord, Halleluiah, Isobel Champion, John Bradshaw, John Snowball, Lancome, Madame Delbard, Northern Lights, Northern Gold, Papa Meilland, Parthenon, Peace, Pink Peace, Princess Margaret, Saphir, Summer Sunset, Tiffany, Tourmaline, Tropicana, Versailles, Vienna Charm, Woman.
ROSSE. Bat, carcan, carne, chameau, cheval, haridelle, méchant, teigne.
ROSSER. Battre, cogner, étriller, frapper, rouer, tabasser, vaincre.
ROSSERIE. Cruauté, dureté, hargne, jalousie, malice, noirceur, vacherie.
ROT. Éructation, renvoi, roter, rôti.
ROTATION. Charnière, cylindre, effet, manivelle, toupie, tour.
RÔTI. Boucherie, bœuf, cuit, plat, rosbif, rôt.
RÔTIE. Grillée, havi, pain, rissolé, rissolette, saisi, toasté, torrifié.
RÔTIR. Braiser, brasiller, bronzer, brûler, cuire, frire, griller, hâler, mijoter, réduire, rissoler, rôtir, roussir, saisir, sauter, torréfier.
ROUBLARD. Adroit, astucieux, combinard, déluré, farceur, malin, rusé.
ROUBLE. Rbl.
ROUE. Aube, boulon, buse, came, engrenage, esse, essieu, jante, moulinet, moyeu, noix, pneu, poulie, rai, rayon, réa, sabot, volant.
ROUER. Battre, cogner, dauber, étriller, rosser, tabasser.
ROUGE. Amarante, andrinople, baie, bordeaux, brique, capucine, carmin, carotte, cerise, cinabre, cramoisi, écarlate, ire, pourpre, rougeâtre, rougeaud, rubicond, rutilant, vermeil, vermillon, violacé, vultueux.

ROUILLE. Ankylose, brun, champignon, parasite, rouquin, urédinée.
ROULEAU. Bande, boa, bobine, cylindre, papier, quenelle.
ROULEMENT. Ban, ra, galet, rataplan, tambour.
ROULER. Balancer, bouler, duper, enrouler, lover, tourner, tromper.
ROULOTTE. Caravane, maison, motorisé, ourlet, remorque, tente.
ROUPILLER. Dormir, sommeiller.
ROUQUINER. Poil-de-carotte, roux.
ROUSPÉTER. Plaindre, protester, rager, râler, renauder.
ROUSSIN. Âne, cheval, policier.
ROUTE. Amer, autoroute, bord, borne, chaussée, chemin, ellipse, itinéraire, laie, marche, menée, orbite, piste, RR, Rte, via, voie, voyage.
ROUTINE. Bureaucratie, coutume, habitude, ornière, pli, préjugé, us.
ROYALISTE. Chouan, légitimiste, monarchiste, nominataire, roi, ultra.
ROYAUME. Heptarchie, nation, principauté.
ROYAUTÉ. Couronne, dignité, monarchie, sceptre, souveraineté, trône.
RUBAN. Bavolet, comète, faveur, jarretelle, lisière, padou, sparganier.
RUBICOND. Audace, congestionné, cramoisi, écarlate, oser, rouge.
RUBIDIUM. Rb.
RUBIS. Ongle, noces, spinelle.
RUDBECKIA. Dracopis, hirta, lepachys, ratibida, trloba.
RUDE. Âcre, amer, âpre, ardu, brut, cru, dur, fort, rauque, rêche, sec.
RUDIMENTAIRE. Adobe, brut, début, embryon, imparfait, simple.
RUDOYER. Abîmer, arranger, bafouer, bourrer, brimer, brusquer, critiquer, éreinter, étriller, frapper, secouer, tarabuster, tyranniser.
RUE. Allée, artère, avenue, boulevard, chaussée, chemin, cours, cul-de-sac, galerie, impasse, mail, passage, pavé, ruelle, traboule, venelle.
RUÉE. Attaque, course, curée, descente, désordre, or, paille, panique.
RUELLE. Alcôve, avenue, boulevard, chat, chaussée, cours, cul-de-sac, galerie, impasse, mail, passage, pavé, rue, traboule, venelle.
RUGINE. Xystre.
RUGUEUX. Âpre, inégal, raboteux, rauque, rêche, rude.
RUINÉ. Cuit, débâcle, faillite, fatal, fauché, fichu, mort, perdu, perte.
RUINE. Banqueroute, décombres, échec, ors, renversement, vestige.
RUINER. Démolir, dépouiller, nettoyer, perdre, piller, raser, ravager.
RUISSEAU. Caniveau, cassis, fossé, rigole, rivelet, rivière, ru, ruisselet, ruisson, ruz.
RUISSELET. Caniveau, cassis, fossé, rigole, rivelet, ru, ruisseau, ruz.
RUMEUR. Avis, bruit, confusion, dire, éclat, on, opinion, médisance, murmure, nouvelle, potin, ragot, tapage, transpire, tumulte.
RUMINANT. Alpaga, antilope, bœuf, bovidé, camélidé, cerf, cervidé, chamois, chèvre, chevreuil, daim, élan, girafe, girafidé, lama, mufle, okapi, orignal, ovidé, tragulidé, ure, urus, vache, yack, yac.
RUMINER. Mâcher, régurgiter, remâcher, repasser, repenser, ressasser.
RUPIN. Aristo, riche.
RUPTURE. Abattée, arrêt, ban, bris, brouille, casser, cassure, décalage, déchirure, divorce, écart, fracas, fracture, impact, suspension.
RURAL. Agreste, bucolique, campagnard, champêtre, pastoral, rustique.

RUSÉ. Adroit, artificieux, astucieux, cauteleux, chafouin, combinard, dol, filou, fin, finaud, fourbe, futé, habile, hypocrite, intelligent, inventif, malin, matois, narquois, perfide, piège, renard, retors, roublard.
RUSE. Art, astuce, calcul, carotte, cautèle, détour, embûche, feinte, ficelle, finesse, fourberie, malice, manège, piège, retors, tour.
RUSTIQUE. Agreste, campagnard, champêtre, nature, paysan, simple.
RUTHÉNIUM. Ru.
RUTILANT. Ardent, brasillant, brillant, éclatant, étincelant, rouge.
RYTHME. Accord, assonance, cadence, clausule, cycle, danse, eurythmie, harmonie, mesure, mouvement, nombre, retour, son, tempo.
RYTHMER. Accorder, harmoniser, marquer, mesurer, régler, souligner.

S

SABAYON. Aromate, crème, œuf, sucre, vin.
SABBAT. Assemblée, boucan, chahut, désordre, repos, tapage, tumulte, vacarme.
SABLE. Arène, banc, béton, calcul, castine, dune, falun, gravier, grève, jar, lest, lise, maerl, mouvant, noir, pierre, roche, rose, sablon, silt.
SABLER. Avaler, boire, fêter, ingurgiter, lamper.
SABOT. Chaussure, cheval, fer, galoche, maréchal, patin, socque, toupie.
SABOT (n. p.). Denver.
SABRE. Coutelas, épée, escrime, espadon, glaive, latte, yatagan.
SAC. Bagage, besace, bissac, bourse, coussin, duvet, ensiler, gibecière, groupe, havresac, pillage, taie, scrotum, sporange, vésicule, vessie.
SACCADÉ. Abrupt, brusque, convulsé, intermittent, marche, trépidé.
SACCAGER. Bouleverser, détruire, dévaster, piller, ravager, renverser.
SACCHAROSE. Inverti, sucre.
SACERDOTAL. Amict, aube, chasuble, étole, lin, liturgie, ordre, ors.
SACHEM. Chef, indien, tribu, vieillard.
SACHET. Amulette, paquet, poche, pochette, ponce, relais, sac, tisane.
SACOCHE. Bourse, gibecière, sabretache, sac.
SACREMENT. Baptême, communion, confession, confirmation, eucharistie, extrême-onction, mariage, ordre, pénitence, réconciliation.
SACRIFICE. Agneau, aruspice, autel, hécatombe, holocauste, hostie, immolation, ite, libation, oblation, offrande, messe, taurobole, victime.
SACRIFIER. Dévouer, donner, immoler, laisser, renoncer, vendre.
SACRISTAIN. Bedeau, concierge, église, gardien.
SADISME. Cruauté, délectation, manie, perversion, sadomasochisme.
SAFRAN. Crocus, jaune, spigol.
SAGE. Conseiller, modéré, philosophe, prudent, réglé, savant, sensé.
SAGESSE. Calme, connaissance, dent, discernement, docilité, prudence, raison, réflexion, retenue, sagacité, sapience, sérénité, vertu.
SAIGNÉE. Canal, phlébotomie, prélèvement.
SAIGNEMENT. Hémorragie, épistaxis, menstruation, otorragie.
SAIGNER. Ensanglanter, ressaigner, sang, tirer, tuer, vaisseau.

SAILLIE. Angle, arête, aspérité, avance, balèvre, bec, bosse, bourrelet, cheville, came, corne, côte, dent, ergot, solin, sourcil, thénar, trait.
SAIN. Aéré, hygiénique, naturel, profitable, pur, sage, salubre, salutaire, santé, sauf, sensé, tonique, valide, vigoureux.
SAINDOUX. Axonge, graisse, porc.
SAINT. Apôtre, béat, bienheureux, dulie, esprit, évangéliste, glorieux, icône, image, martyre, nimbe, patron, prénom, sacré, sanctifier, St.
SAISI. Apeuré, confisqué, ému, engourdi, étonné, étourdi, happé, perçu, rôti, stupéfié, surpris, transi.
SAISIR. Agripper, percevoir, piger, pincer, prendre, rafler, ravir, tenir.
SAISON. Automne, époque, équinoxe, été, hiver, printemps, solstice.
SALAIRE. Appointements, cachet, émoluments, fixe, gages, gain, honoraires, indirect, journée, mensualité, minimum, paie, paye, rémunération, rétribution, solde, traitement, trésor, vacation.
SALAUD. Baveux, immonde, infâme, malpropre, saligaud, voyou.
SALE. Cochon, crotté, malpropre, négligé, ordure, porc, taché, vilain.
SALÉ. Cru, dessalé, exagéré, fort, mer, note, obscène, océan, pec, pré, relevé, resalé, salaison, saumâtre, saur, sauret, sel, sévère, sor.
SALETÉ. Boue, cochonnerie, crasse, crotte, ordure, résidu, tache.
SALICYLATE. Bétol, salol, spinal.
SALIR. Abîmer, gâcher, gâter, polluer, saloper, souiller, tacher, ternir.
SALIVE. Bave, crachat, écume, humeur, mousse, postillon, ptyalisme, saburre, sialisme.
SALLE. Antichambre, auditorium, cénacle, chambre, cinéma, classe, dortoir, échaudoir, étude, exèdre, galerie, hall, loge, mess, naos, odéon, parloir, pièce, planétarium, prétoire, réfectoire, studio, trinquet.
SALOON. Bar, Far West.
SALOPERIE. Cochonnerie, immondice, impureté, salissure, souillure.
SALPÊTRE. Eau-forte, nitre, salite.
SALTIMBANQUE. Acrobate, antipodiste, artiste, baladin, bateleur, bouffon, charlatan, clown, farceur, funambule, jongleur, nomade.
SALUBRE. Hygiénique, sain, santé.
SALUER. Acclamer, adorer, échanger, honorer, ovationner, présenter.
SALUT. Adieu, ave, courbette, hommage, révérence, salamalec.
SALUTAIRE. Bienfaisant, profitable, sain, santé, utile.
SALUTATION. Ave, bonjour, bonsoir, geste, révérence, salut.
SALVIA. Sauge.
SAMARIUM. Sm.
SAMOURAÏ. Bushido, guerrier, soldat.
SANATORIUM. Cure, hôpital, sana, solarium.
SANCTIFIER. Béatifier, bénir, canoniser, consacrer, fêter, sacrer.
SANCTION. Amende, blâme, peine, pénalisation, punition, retenue.
SANCTUAIRE. Asile, église, refuge, temple.
SANG. Aorte, cœur, cruel, cruor, hémoglobine, laqué, leucocylose, mononucléose, race, saignée, sanguin, sérum, veine, vie.

SANG-FROID. Aplomb, assurance, audace, calme, fermeté, flegme, froideur, impassibilité, maîtrise, patience, tranquillité.
SANGLIER. Babiroussa, bauge, cochon, défense, groin, laie, marcassin, pécari, phacochère, porc, quartanier, ragot, soie, solitaire.
SANS. Absolu, acatène, anodin, aphone, aptère, atone, avachi, bête, chimérique, dépourvu, direct, droit, édenté, entier, éternel, étêté, fade, faible, fin, futile, gratuit, illimité, immédiat, incessamment, inculte, inerte, inodore, insipide, insu, léger, libre, maigre, mauvais, miséreux, mou, naïf, nomade, nu, nul, pâle, piètre, privation, privé, prostré, pur, sauf, sec, seul, sot, terne, tous, unanime, uni, vrac.
SANS-GÊNE. Aisé, audacieux, culot, effronté, impoli, impolitesse, ingérence, intrusion, poltron, toupet.
SANSONNET. Étourneau, passereau.
SAOUL. Aviné, éméché, émoustillé, enivré, grisé, ivre, noir, soûl.
SAPER. Affouiller, attaquer, creuser, détruire, habiler, miner, subversif.
SAPIN. Fiacre, conifère, sapinière, sapinette.
SARCASME. Ironie, moquerie, raillerie, rire, sardonique.
SARCLER. Biner, échardonner, enlever, extirper, nettoyer, serfouir.
SARCOPHAGE. Cercueil, tombe.
SARDINE. Allache, alose, galon, mess, sagax.
SARMENT. Accolage, branche, fagot, liane, moissine, poivrier, rameau, sautelle, vigne.
SARRASIN. Blé, crêpe, herse.
SAS. Crible, écluse, tamis, vannelle.
SASSER. Tamiser, trier.
SATAN. Démon, diable, diabolique, éden, enfer, infernal.
SATAN (n. p.). Méphistophélès.
SATELLITE. Allié, géostationnaire, lune, partisan, tueur.
SATELLITE (n. p.). Amalthée, Ariel, Callisto, Deimos, Dione, Enceladus, Europe, Ganymède, Hypérion, Japet, Lo, Lune, Mimas, Miranda, Néréide, Obéron, Phobos, Phoebe, Rhéa, Tethys, Thémis, Titan, Titania, Triton, Umbriel.
SATIÉTÉ. Dégoût, nausée, quantité, réplétion, satisfaction, saturation.
SATIRE. Catilinaire, diatribe, épode, esprit, factum, libelle, moquerie.
SATISFACTION. Bonheur, joie, raison, réparation, satiété, vanité.
SATISFAIRE. Apaiser, assez, contenter, goûter, plaire, rassasier, servir.
SATISFAIT. Apaisé, béat, bien, calme, comblé, content, don, heureux, insatisfait, mécontent, rassasié, rassuré, repu, soulagé, vainqueur.
SATURÉ. Abondant, écœuré, gavé, plein, rassasié, repu, sursaturé.
SAUCE. Aillade, béchamel, mayonnaise, mirepoix, mouiller, poulette, ravigote, roux, vinaigrette.
SAUCISSE. Cervelas, coiffe, chipolata, crépinette, gendarme.
SAUCISSON. Baloné, chorizo, gendarme, mortadelle, rosette, salami.
SAUF. Abstraction, avec, dehors, exception, exclusion, fors, hormis, hors, indemne, intact, ôté, préservé, réserve, sain, sinon, tous, tout.
SAUGE. Orvale, salvia, sclarée, serve, toute-bonne.

SAULE. Alba, amandier, arroyo, aubier, babylone, bebb, blanc, bonpland, caprea, caroline, daphné, discolore, drapé, feutré, fragile, hastata, hooker, lisse, osier, mackenzie, marsault, noir, pacifique, pêcher, pleureur, pourpre, salix, saulaie, scouler.
SAUMÂTRE. Âcre, amer, désagréable, grau, salé.
SAUMON. Atlantique, bécard, bosse, fontaine, omble, ouananiche, Pacifique, sockeye, truite.
SAUPOUDRER. Fariner, givrer, mêler, saler, verrer.
SAURET. Saur.
SAURIEN. Alligator, amblyrhynque, amphisbène, anolis, caméléon, crocodile, caïman, gavial, gecko, iguane, lézard, moloch, reptile, varan.
SAUT. Axel, ballon, bond, cabriole, cahot, cascade, culbute, croupade, danse, gambade, jeté, ricochet, salto, soubresaut, sursaut, voltige.
SAUTER. Bondir, cahoter, cuire, danser, exulter, omettre, passer.
SAUVAGE. Barbare, bestial, brut, cruel, farouche, fauve, Indien.
SAUVER. Échapper, éluder, enfuir, évader, éviter, fuir, guérir, libérer.
SAVANT. Alma, averti, avisé, calé, clerc, cultivé, docte, éclairé, érudit, expert, fort, informé, instruit, lettré, mage, philosophe, sage, savoir.
SAVEUR. Acide, aigre, amertume, bouquet, charme, doux, fade, fumet, goût, ignorance, parfum, piquant, plat, poivré, salé, sapidité, sucré.
SAVOIR. Acquérir, art, bagage, connaissance, capacité, culture, doctrine, éducation, érudition, lettre, mander, science, su, truc, voir.
SAVOIR-VIVRE. Bienséance, doigté, éducation, politesse, protocole, tact.
SAVON. Algarade, remontrance, savonnette, semonce, shampooing.
SAVONNER. Gourmander, nettoyer, réprimander, tancer.
SAVOURER. Agréable, déguster, délecter, goûter, jouir, succulent, tâter.
SCABREUX. Corsé, difficile, grossier, libre, licencieux, obscène.
SCANDALE. Actif, algarade, barouf, bruit, choc, désordre, éclat, émotion, esclandre, étonnement, honte, indignation, léger, passif, tapage, vilain.
SCANDALEUX. Choquant, déplorable, offensant, outrant, tapageur.
SCANDINAVE. Aquavit, danois, nordique, norvégien, renne, suédois.
SCANDIUM. Sc.
SCARABÉE. Anomala.
SCEAU. Cachet, empreinte, justice, marque, plomb, poinçon, scel, tamier, timbre, visa.
SCÉLÉRAT. Bandit, coquin, criminel, filou, fripon, infâme, larron.
SCÈNE. Acte, algarade, avanie, coulisse, décor, parade, plan, planche, plateau, rampe, séance, séquence, sketch, spectacle, tableau, théâtre.
SCEPTICISME. Aporétique, doute, incrédulité, nihilisme, pyrrhonisme.
SCHÉMA. Canevas, dessin, diagramme, ébauche, formule, graphique.
SCIE. Air, dosseret, égoïne, godendard, mouche, musique, refrain, rengaine, sauteuse, sciotte, trait.
SCIEMMENT. Délibérément, escient, exprès, insu, savoir, volontaire.
SCIENCE. Aéronautique, agrologie, agronomie, archéologie, arithmétique, art, balistique, biologie, blason, botanique, chimie, climatologie, déontologie, diététique, eugénisme, géologie, géométrie,

idéologie, mathématique, médecine, minéralogie, numismatique, océanologie, œnologie, onirologie, paléontologie, pathologie, pédagogie, physiologie, physique, sociologie, symbolique.
SCIER. Araser, couper, fendre, refendre, séparer, zigouiller.
SCINTILLER. Briller, clignoter, étinceler, lumière, miroiter, papillonner.
SCONSE. Mouffette.
SCORIE. Déchet, laitier, mâchefer, porc, résidu, suin, suint.
SCOUT. Cheftaine, éclaireur, guide, louveteau, ranger, routier.
SCRIBE. Bureaucrate, copiste, écrivain, gratteur, greffier, logographe.
SCRIBOUILLEUR. Bureaucrate, écrivain, journaliste.
SCROFULE. Abcès, bubon, écrouelle, ganglion, humeur, strume, tumeur.
SCRUPULE. Délicatesse, exactitude, hésitation, poids, soin.
SCRUPULEUX. Attentif, correct, délicat, exact, fidèle, honnête, juste, maniaque, méticuleux, minutieux, pointilleux, ponctuel, précis, strict.
SCRUTATEUR. Examinateur, inquisiteur, inspecteur, vérificateur.
SCULPTER. Assembler, buriner, bustier, ciseler, couler, façonner, figurer, former, fouiller, gouger, graver, modeler, mouler, riper, tailler.
SCULPTEUR. Animalier, artiste, bustier, ciseau, ciseleur, gouge, imagier, mannequin, modeleur, musée, ognette, ripe, statuaire, tailleur.
SCULPTEUR (n. p.). Aleijadinho, Bartholdi, Bernin, Brancusi, Calder, Cellini, Claudel, Donatello, Ghenzi, Giacometti, Girardon, Houdon, Michel-Ange, Moore, Phidias, Rodin.
SCULPTEUR BRITANNIQUE (n. p.). Caro, Moore.
SCULPTEUR FLAMAND (n. p.). Siloe.
SCULPTEUR FRANÇAIS (n. p.). Arp, Etex, Falconet, Pajou, Pujet, Rodin.
SCULPTEUR GREC (n. p.). Antênor.
SCULPTEUR ITALIEN (n. p.). Canova, Michel-Ange, Verrocchio.
SCULPTEUR NÉERLANDAIS (n. p.). Sluter.
SCULPTEUR QUÉBÉCOIS (n. p.). Bonet, Bourgault, Côté, Laliberté, Vaillancourt.
SCULPTEUR SUISSE (n. p.). Tinguely.
SCULPTURE. Ajouré, armature, bosse, buste, ciselage, dard, décoration, figurine, glyptique, gravure, grisaille, image, maquette, modelage, moulure, plastique, relief, statuaire, statue, statuette, stèle, taille.
SÉANCE. Assemblée, assises, audience, audition, cinéma, concert, pièce, projection, représentation, réunion, session, spectacle, théâtre.
SÉANT. Assis, bien, convenable, décent, derrière, genou.
SEAU. Chaudière, palanche, récipient, seille, vache.
SEC. Aride, déshydraté, desséché, dry, dur, fruit, maigre, privation, stérile, tari, vidé.
SÉCHER. Assécher, déshydrater, dessécher, essorer, privation, priver.
SÉCHOIR. Haloir, sèche-cheveux.
SECOND. Aide, allié, bis, cadet, deuxième, lieutenant, sous-chef.
SECONDE. Aide, cadette, éclair, instant, minute.
SECONDAIRE. Accessoire, dinosaure, mineur, polyvalente, subalterne.
SECONDER. Aider, assister, collaborer, favoriser, secourir, servir.

SECOUER. Agiter, branler, cahoter, hocher, locher, rouler, vibrer.
SECOURIR. Aider, assister, associer, délivrer, obliger, sauver, servir.
SECOURS. Abri, aide, appui, assistance, aumône, grâce, morse, renfort, rescousse, SOS, subside.
SECOUSSE. Cahot, choc, commotion, coup, période, séisme, temps.
SECRET. Anonyme, charade, cachotterie, clé, clef, dérobé, discret, énigme, état, intime, latent, mèche, professionnel, recette, sceau, truc.
SECRÉTAIRE. Armoire, bureau, copiste, dactylo, dactylographe, écritoire, meuble, notaire, rédacteur, scribe, scribouillard, serpent.
SÉCRÉTER. Dégoutter, distiller, élaborer, filer, gicler, saliver, suer.
SÉCRÉTION. Bile, biligenèse, diurèse, excrétion, glaire, humeur, lactation, larme, mucus, salive, sébum, sérum, sueur, venin.
SECTE. Association, coryphée, école, méthodiste, parti, puritain, zen.
SECTE (n. p.). Cyniques, Cathares, Méthodistes, Mormons, Ordre du Temple Solaire, Quakers, Sikhs.
SECTEUR. Cercle, division, domaine, fief, partie, quaker, rayon, zone.
SECTION. Cellure, coupure, division, fraction, Gestapo, groupe, laisse, névrotomie, paragraphe, partie, portion, tartre, ténotomie, zone.
SÉDIMENT. Alluvion, apport, boue, dépôt, féculence, lie, tartre, varve.
SÉDITION. Agitation, complot, désordre, émeute, grève, révolte.
SÉDUCTEUR. Enjôleur, charmeur, débaucheur, suborneur, tombeur.
SÉDUCTION. Attrait, charme, coquetterie, flirt, galanterie, prestige, rapt.
SÉDUIRE. Charmer, conquérir, convaincre, corrompre, débaucher, déshonorer, détourner, enjôler, ensorceler, fasciner, plaire, suborner.
SÉDUM. Anacampseros, byrnesia, gormania, graptopetalum, orpin, perruque, rhodiola, sedastrium, verniculaire.
SEGMENT. Créneau, diagonale, médiane, morceau, somite, vecteur.
SEICHE. Mollusque, raisin.
SEIGLE. Ergot, glui, grain, méteil, orge, ségala, whisky.
SEIGNEUR. Châtelain, chef, dieu, écuyer, gentilhomme, hobereau, lige, maître, monarque, noble, satrape, sieur, sir, sire, sultan, suzerain.
SEILLE. Bac, chaudière, récipient, seau.
SEIN. Buste, giron, mamelle, nichon, parechocs, poitrine, téton.
SEING. Acte, reçu, signature, volonté.
SÉJOUR. Arrêt, ciel, éden, enfer, habitation, lieu, nuitée, paradis, parfasse, pause, prison, quarantaine, stage, vacances, villégiature.
SEL. Acétate, alun, arséniate, borate, bromate, butyrate, carbonate, chlorate, chlorure, citrate, cyanure, Eno, esprit, ferrate, ferrite, fin, fluorure, halogène, iodate, iodure, muriate, nacl, nitrate, nitrite, oléate, persel, phosphate, picrate, silicate, spirituel, sulfate, sulfure, uranate, urate, vitriol.
SÉLECTION. Assortiment, choisi, collection, écrémé, élection, élite, espèce, éventail, génération, gratin, recueil, réunion, tri, triage.
SÉLECTIONNER. Adopter, aimer, choisir, distinguer, nominer, trier.
SÉLÉNIUM. Se.

SELLE. Arçon, bât, bidet, cacolet, diarrhée, excrément, fonte, harnachement, pommeau, sangle, tenue.
SELON. Après, conformément, dépendre, fonction, notamment, penser.
SEMAILLES. Enblavage, ensemencement, épandage, semis.
SEMBLABLE. Analogue, apparenté, assorti, autre, commun, comparable, conforme, égal, équivalent, homologue, identique, jumeau, kif-kif, même, ménechme, pareil, proche, similitude, sorte, sosie, tel, voisin.
SEMBLANT. Apparaître, aspect, feindre, impression, même, simulacre.
SEMELLE. Crampon, lame, patin, soulier, talon.
SEMENCE. Ensemencer, fruit, germe, graine, pépin, semis, sperme.
SEMER. Diaprer, disperser, emblaver, parsemer, propager, répandre.
SÉMINAIRE. Alumnat, colloque, communauté, école, institut, pépinière.
SÉMITE. Arabe, araméen, israélite, juif, phénicien, sémitique.
SEMONCE. Admonestation, blâme, censure, critique, engueulade, improbation, mercuriale, objurgation, plainte, remarque, reproche.
SÉNATEUR. Assemblée, conscrit, chambre, conseil, curie, député, pair, parlementaire, questeur.
SENS. Âme, avis, contresens, côté, direction, externe, face, faculté, goût, intelligence, interprétation, interne, odorat, opinion, organe, orientation, ouïe, palais, sentiment, signification, tête, toucher, vue.
SENSATION. Agacement, agnosie, aigreur, aura, chaleur, émoi, émotion, euphorie, excitation, fatigue, froid, hallucination, odeur, oppression, picotement, phosphène, sentiment, surprise, tact, tiraillement, vertige.
SENSÉ. Intelligent, raisonnable, sage, sain, stupide.
SENSIBLE. Affectif, apparent, charnel, clair, compatissant, cruel, délicat, distinct, douillet, dur, émotif, fragile, impitoyable, impressionnable, inhumain, notable, romantique, sentimental, touché, vif, vulnérable.
SENSUALITÉ. Chair, débauche, luxure, passion, plaisir, sexe, volupté.
SENTENCE. Adage, aphorisme, apophtegme, arbitrage, axiome, devise, dicton, dit, jugement, maxime, mot, parole, pensée, slogan, verdict.
SENTEUR. Arôme, bouquet, effluve, émanation, empyreume, exhalaison, fétidité, fragrance, fumet, odeur, parfum, trace, vent.
SENTIER. Cavée, chemin, draille, glissoir, laie, layon, lé, piste, rime.
SENTIMENT. Admiration, âme, amitié, amour, avis, colère, crainte, détresse, émoi, émulation, envie, foi, goût, haine, honnêteté, honte, indignation, intérêt, orgueil, peur, pitié, rire, sens, tact, tendresse, vide.
SENTINE. Bourbier, charnier, cloaque, décharge, égout, fagne, voirie.
SENTINELLE. Épieur, garde, gardien, guetteur, veilleur, vigie.
SENTIR. Apprécier, arôme, blairer, dégager, éprouver, éventer, exhaler, flairer, halener, humer, juger, odeur, penser, percevoir, pifer, puer, remarquer, renifler, respirer, ressentir, sens, subodorer, trouver.
SEOIR. Convenir.
SÉPARATION. Adieu, borne, cloison, départ, désunion, diaphragme, dichotomie, diérèse, disjonction, division, divorce, fente, haie, mort, mur, perte, plancher, raie, rupture, sas, scission, tamisage, tmèse, tri.
SÉPARÉ. Absolu, dégagé, distinct, isolé, particulier, pur, seul, unique.

SÉPARER. Abstraire, analyser, arracher, casser, cliver, cloisonner, couper, disloquer, diviser, écarter, écrémer, éloigner, enlever, épurer, espacer, exfolier, exiler, fendre, isoler, scier, trancher, trier, zester.
SEPT. Arc-en-ciel, chandelier, martyrs, merveilles, péchés, sacrements, sages, vaches.
SEPTENTRION. Anordir, boréal, hyperboréen, nordique, polaire.
SÉPULTURE. Caveau, crypte, fosse, mausolée, monument, tombe.
SÉQUOIA. Conifère, endl, taxidiacée, wellingtonia.
SÉRAIL. Eunuque, harem, milieu, organisation, palais.
SÉRIE. As, beaucoup, cycle, étude, évolution, fibrillation, gamme, groupe, instance, jeu, lacet, note, ontogenèse, séquence, suite, trilogie.
SÉRIEUX. Austère, grave, posé, raisonnable, réel, réfléchi, sage, sévère.
SERIN. Bête, canari, étourdi, niais, nigaud, passereau, sot, tapette.
SERMENT. Affidavit, caution, jurer, leude, parjure, promesse, vœu.
SERMON. Avent, discours, homélie, oraison, prêche, prédication, prône.
SERMONNER. Admonester, avertir, blâmer, condamner, corriger, critiquer, fustiger, gronder, haranguer, infliger, réprimander, tancer.
SERPE. Ébranchoir, élagueur, fauchard, faucille, faux, gouet, serpette.
SERPENT. Amphiptère, anaconda, aspic, basilic, boa, bungare, caducée, céraste, cobra, corail, coronelle, couleuvre, crotale, devin, élaps, haje, hydre, naja, ophidien, orvet, python, reptile, sonnettes, trigonocéphale, typhlops, uraeus, vipère.
SERRÉ. Avare, ébéniste, dru, entassé, gêné, rapproché, rat, tassé.
SERRER. Comprimer, corseter, écraser, enlacer, enserrer, entasser, esquisser, étreindre, ferler, lacer, mordre, presser, tasser, visser.
SERRURE. Bénarde, cadenas, clé, clef, gâche, huis, loquet, pêne, verrou.
SERT. Domestique, employé, servi, service, use, utile.
SERTIR. Assembler, bijou, chatonner, emboîter, encadrer, encastrer, enchâsser, enchatonner, fixer, insérer, intercaler, monter.
SÉRUM. Penthotal, olasma, vaccin.
SÉRUM-ALBUMINE. Sérine.
SERVANTE. Boniche, bonne, domestique, employée, serveuse, sigisbée.
SERVI. Abîmé, neuf, inusité, inutile, usagé, usé.
SERVIABLE. Aimable, attentionné, bienveillant, bon, brave, charitable, civil, complaisant, déférent, empressé, galant, obligeant, officieux, poli.
SERVICE. Desserte, extra, identité, judiciaire, obit, quart, trésor, utilité.
SERVIETTE. Débarbouillette, guenille, linge, sac, torchon, valise.
SERVILE. Abject, humilité, laquais, plat, rampant, serf, soumis, souple.
SERVIR. Aider, motiver, piloter, punir, remplacer, suivre, tenir, utiliser.
SERVITEUR. Bedeau, domestique, laquais, larbin, maître, page, valet.
SESSION. Assises, audience, congrès, débat, délibération, symposium.
SEUIL. Alpha, aube, bord, commencement, début, entrée, pas, porte.
SEUL. A cappella, as, délaissé, dernier, ermite, esseulé, exclusif, isolé, premier, reclus, retiré, seulement, solitaire, solo, un, unique.
SÈVE. Activité, dynamisme, énergie, fermeté, force, puissance, sang.

SÉVÈRE. Acerbe, austère, autorité, doux, exigeant, humain, impitoyable, implacable, indulgent, insensible, mordant, rigide, rigoureux, strict.
SÉVÉRITÉ. Autorité, draconien, dureté, étroit, intransigeance, rigidité.
SÉVIR. Battre, châtier, consigner, corriger, punir, réprimer, sanctionner.
SEVRER. Appauvrir, démunir, déposséder, enlever, ôter, ravir, séparer.
SEX-APPEAL. Attrait, charme, piquant.
SEXE. Entrecuisse, escargot, genre, fellation, frigidité, ithyphalle, libido, lingam, phallus, priape, saphisme, sensualité, sexologie, virilité.
SEXE (n. p.). Amphigame, Androgyne, Éon, Épicène, Hermaphrodite.
SHAKESPEARE (n. p.). Ariel, Hamlet, Iago, Ophélie, Othello.
SI. Oui, prometteur, tant, tel, tellement.
SIAMOIS. Chat, jumeaux, siam, thaï.
SIBYLLE. Alcine, Armide, Circé, magicienne, prophétesse, pythie.
SIDÉRAL. Astral, ciel, comète, étoile, galaxie, lune, planète, soleil.
SIDÉRÉ. Déprimé, ébahi, éberlué, effaré, foudroyé, stupéfait, surpris.
SIÈCLE. Âge, ans, cycle, durée, époque, ère, étape, jours, moment.
SIÈGE. Banc, blocus, centre, chaise, escabeau, escarpolette, est, fauteuil, lieu, pape, rotin, séant, sein, selle, sis, stalle, strapontin, trépied, trône.
SIÉGER. Assiéger, diriger, être, gésir, gîter, résider, selle, tenir, trôner.
SIESTE. Assoupissement, dodo, méridienne, repos, somme.
SIEUR. Sr.
SIFFLEMENT. Acouphène, psitt, pst, sibilation, sss.
SIFFLER. Bruit, chien, conspuer, hêler, honnir, huer, respirer, siffloter.
SIFFLET. Appeau, huchet, pipeau, serinette, signal.
SIGLE. Abrégé, abréviation, acronyme, emblème, initiale, lettre, logo, monogramme, trigramme.
SIGNAL. Appel, chamade, feu, fusée, gong, indice, mire, signe, SOS, top.
SIGNALER. Accuser, alerter, avertir, citer, dénoncer, marquer, montrer.
SIGNATURE. Aval, contreseing, émargement, endos, endossement, estampille, griffe, paraphe, sceau, scel, seing, souscription, visa.
SIGNE. Accent, annonce, augure, auspice, bécarre, bémol, caractère, cédille, clé, clef, dièse, galon, indice, miracle, neume, nique, note, pause, pi, pianissimo, plus, point, présage, promesse, silence, trait, zéro.
SIGNE AZTÈQUE. Aigle, ane, caïman, chevreuil, chien, crocodile, eau, fleur, jaguar, lapin, lézard, maison, mort, ocelot, pluie, roseau, serpent, silex, singe, tremblement de terre, vautour, vent.
SIGNE CHINOIS. Bœuf, buffle, chat, cheval, chèvre, chien, cochon, coq, dragon, poule, rat, serpent, singe, tigre.
SIGNE ÉGYPTIEN. Amon-ra, Anubis, Bastet, Geb, Horus, Isis, Nil, Mout, Osiris, Sekhmett, Seshat, Seth, Toth.
SIGNE ISLAMISTE. Cèdre, chameau, cimeterre, dague, est, etcheveria, étoile, fennec, lune, nord, olivier, ouest, sable, serpent, soleil, sud.
SIGNE OCCIDENDAL. Balance, Bélier, Cancer, Capricorne, Gémeaux, Lion, Poissons, Sagittaire, Scorpion, Taureau, Verseau, Vierge.

SIGNE TIBÉTAIN. Bracelet, buffle, cerf-volant, cobra, cristalline, gardien, gong, lune, moine, soleil, stèle, tortue.
SIGNIFICATION. Esprit, extension, métaphore, sémantique, sens, terme.
SIGNIFIER. Déclarer, dénoter, désigner, dire, donner, intimer, rimer.
SILENCE. Arrêt, bâillon, calme, celé, chut, coi, paix, pause, motus, mutisme, mystère, omis, pause, réticence, secret, taire, temps, tu.
SILENCIEUX. Aphone, coi, morne, muet, taciturne, taire, tranquille.
SILHOUETTE. Allure, aspect, contour, forme, galbe, ligne, ombre, port.
SILICATE. Actinote, albite, béryl, calamite, cérite, disthène, émeraude, grenat, jade, péridot, pyroxène, stéatite, talc, thorite, zéolite, zéolithe, zircon.
SILICE. Calcédoine, quartz, silicule.
SILICIUM. Agate, émail, jaspe, mica, opale, quartz, silex, Si, verre.
SILLAGE. Eau, houache, passage, sillon, strioscopie, trace, vestige.
SILLON. Creux, enrue, javelle, raie, rayon, ride, strie, striure, trace.
SIMILITUDE. Accord, affinité, analogie, concordance, conformité, connexe, harmonie, même, parenté, pareil, ressemblance, semblable.
SIMPLE. Aisé, facile, familier, fou, franc, humble, ingénu, modeste, naïf, niais, obscur, pauvre, pur, seul, sophistiqué, sot, spartiate, un, une.
SIMPLICITÉ. Aisance, bonhomie, modestie, naïveté, naturel, rusticité.
SIMPLIFIER. Normaliser, réduire, schématiser, standardiser, styliser.
SIMULACRE. Air, aspect, feinte, frime, imitation, mensonge, semblant.
SIMULATION. Dissimulation, feinte, image, imitation, pathomimie, ruse.
SIMULER. Affecter, faire, feindre, imiter, jouer, peindre, semblant.
SINCÈRE. Authentique, clair, cordial, direct, droit, entier, faux, franc, honnête, hypocrite, loyal, menteur, net, ouvert, sérieux, simple, vrai.
SINCÉRITÉ. Authenticité, cordialité, contrition, droiture, fidélité, foi, franchise, hypocrisie, justesse, loyauté, naturel, netteté, vérité.
SINÉCURE. Emploi, filon, fonction, fromage, pantoufle, situation.
SINGE. Aï, alouate, aotus, apelle, araignée, atèle, babouin, bradype, cacajao, callicèbe, capucin, chimpanzé, colobe, douc, drill, entelle, éroïde, fagotin, gelada, gibbon, gorille, guenon, guéréza, hocheur, hoolock, hurleur, laineux, lion, macaque, magot, mandrill, mangabey, moustac, nasique, orang-outan, ouakaris, ouistiti, papion, patas, rhésus, saï, saïmiri, sajou, saki, sapajou, siamang, talapoin, tamarin, titis, vert.
SINGER. Affecter, calquer, copier, imiter, jouer, même, mimer, parodier.
SINGULIER. Bizarre, caractéristique, curieux, drôle, épatant, étrange, extraordinaire, particulier, rare, remarquable, seul, unique, un.
SINISTRE. Dommage, funeste, incendie, naufrage.
SINON. Autrement, défaut, excepté, faute, sauf, sans.
SINUEUX. Courbe, détour, méandre, onde, ondulant, spirale, tortueux.
SINUOSITÉ. Anfractuosité, courbe, détour, méandre, onde, pli, repli.
SINUS. Angle, cavité, cercle, concavité, cosinus, courbure, pli, sinuosité.
SIRE. Roi, triste.
SIRÈNE. Ambulance, dugong, police, pompier.

SIROP. Béthique, café, capillaire, cocktail, dépuratif, diacode, érable, fortifiant, grenadine, julep, limon, looch, mélasse, orgéat, pectoral.
SIROTER. Absorber, avaler, boire, buvoter, déguster, gobelotter, goûter, humer, ingurgiter, lamper, laper, licher, lipper, picoler, pinter, prendre, régalade, sabler, savourer, toast, trait, trinquer, vider.
SITE. Canton, coin, endroit, lieu, localité, paysage, place, spectacle, vue.
SITUATION. Abcès, abois, aisance, cas, circonstance, dans, détresse, dilemme, état, exposition, filon, galère, gêne, impasse, juxtaposition, litispendance, oasis, position, rang, sous, stage, sujet, sur, tendon.
SITUÉ. Assis, campé, condition, état, latéral, lieu, sis, unilatéral.
SITUER. Aviser, dénicher, figurer, juger, lieu, penser, placer, trouver.
SIX. Guitare, juin, sixième, six-huit, VI.
SKETCH. Comédie, pantomime, saynète, scène.
SLAVE. Boyard, bulgare, russe, slovaque, tchèque, ukrainien.
SNOB. Affecté, apprêté, distant, emprunté, faiseur, snobinard.
SOBRE. Abstème, abstinent, austère, classique, continent, court, dépouillé, frugal, modéré, nu, pondéré, simple, sommaire, tempérant.
SOBRIÉTÉ. Discrétion, frugalité, modération, simplicité, tempérance.
SOBRIQUET. Nom, surnom.
SOCIABLE. Accommodant, affable, agréable, aimable, civil, facile, liant.
SOCIALISTE. Communiste, marxiste, progressiste, social-démocrate.
SOCIÉTAIRE. Associé, collègue, compagnon, confrère, membre.
SOCIÉTÉ. Académie, collectivité, compagnie, église, hétérie, ordre, salon.
SOCLE. Acrotère, base, buste, fond, piédestal, scabellon, statif, support.
SODIUM. Na, sel.
SŒUR. Béguine, converse, elle, fille, frère, frangine, laie, lait, mère, moniale, nonne, religieuse, siamoise, sœurette, Sr, tante.
SOI. Accaparer, ego, individualiste, inné, foncier, lui, maîtrise, modestie, posséder.
SOI-DISANT. Apparent, faux, prétendu, supposé.
SOIE. Aspe, bombasin, bombyx, cocon, fibre, foulard, grège, magnan, marceline, nylon, organsin, schappe, sériculture, rayonne, tussah.
SOIF. Altération, assoiffé, besoin, boire, désaltérer, désir, envie, or.
SOIGNÉ. Coquet, cure, étudié, léché, mis, pansé, poli, recherché, tenu.
SOIGNER. Chouchouter, choyer, dorloter, fignoler, gâter, panser, traiter.
SOIGNEUSEMENT. Consciencieusement, curieusement, méticuleusement, minutieusement, précieusement, scrupuleusement, soigneux.
SOIN. Attention, cure, minutie, scrupule, thérapeutique, traitement.
SOIR. Agape, brune, crépuscule, dîner, nuit, sérénade, soirée, souper.
SOL. Carrelage, dallage, do, fa, glèbe, la, mi, noue, ocre, parquet, patrie, pied, plancher, ré, si, terre.
SOLDAT. Archer, armée, capitaine, colonel, combattant, conscrit, cuirassier, dragon, éclaireur, estradiot, général, guerrier, homme, lancier, mercenaire, militaire, officier, papal, poilu, ranger, recrue, réserviste, sapeur, sentinelle, sergent, tirailleur, vélite, zouave.
SOLDAT AMÉRICAIN. GI, ranger.

SOLDAT COLONIAL. Goumier, marsouin, méhariste, spahi, tabor.
SOLDAT ÉTRANGER. Bachi-bouzouk, cipaye, harki, heiduque, janissaire, mamelouk, mameluk, palikare, pandour, papalin, tommy.
SOLDAT GREC. Evzone, fustanelle, hoplite.
SOLDAT ROMAIN. Centurion, décurion, prétorien, vélite.
SOLDE. Aubaine, émolument, paie, paye, prêt, reliquat, reste, salaire.
SOLDER. Bonifier, brader, démarquer, différencier, escompter, purer.
SOLEIL. Astre, Galarneau, hélianthe, midi, occident, ouest, Phébus, Râ, solstice, tournesol, zénith.
SOLENNEL. Acte, cérémonie, éclatant, fastueux, fête, grave, gravité, imposant, officiel, pompeux.
SOLIDAIRE. Associé, dépendant, engagé, joint, lié, responsable, uni.
SOLIDARITÉ. Aide, camaraderie, entraide, fraternité, mutualité.
SOLIDE. Certain, corps, dense, dur, épais, ferme, fixe, fort, géométrie, massif, matière, objet, octaèdre, positif, réel, robuste, roc, stable, sûr.
SOLIDIFIER. Coaguler, concréter, congeler, cristalliser, durcir, glacer.
SOLIDITÉ. Consistance, densité, dureté, fermeté, résistance, robustesse.
SOLIPÈDE. Âne, cheval, zèbre.
SOLITAIRE. Bijou, diamant, écarté, ermite, porc, sanglier, seul, ver.
SOLITUDE. Délaissement, désert, isolement, retraite, thébaïde, vide.
SOLLICITER. Demander, mendier, postuler, quémander, quêter, tenter.
SOLLICITUDE. Attention, bienveillance, intérêt, soin, souci.
SOLO. Individu, sans, seul, un.
SOLUTION. Aérosol, clé, clef, éventration, halte, hiarus, issue, javel, lacune, lessive, pause, rémission, répit, réponse, résultat, rupture, sol.
SOMBRE. Brumeux, chagrin, coulé, couvert, foncé, maussade, morne, noir, nuageux, nuit, obscur, ombreux, opaque, ténébreux, voilé.
SOMBRER. Abîmer, chavirer, couler, malheur, renverser, tomber.
SOMMATION. Avenir, citation, interpellation, intimation, ordre.
SOMME. Argent, dette, débit, dormir, dû, enjeu, ensemble, jeton, mise, monnaie, obole, pécule, pot-de-vin, prêt, prime, quantité, redevance, sieste, sommier, sou, soulte, total, tout.
SOMMEIL. Anesthésie, assoupissement, dodo, dormir, hypnose, inaction, léthargie, repos, roupillon, sieste, somme, somnolence, stupéfiant, torpeur.
SOMMEILLER. Dormir, endormir, reposer, roupiller, sieste.
SOMMELIER. Bouteille, caviste, échanson, œnologue, vin.
SOMMER. Assigner, avertir, citer, commander, contraindre, décréter, demander, enjoindre, exiger, forcer, imposer, interpeller, intimer.
SOMMET. Aiguille, alpinisme, arête, ballon, calotte, cime, crâne, crête, dent, faîte, haut, hauteur, maximum, montagne, paroxysme, pic, tête.
SOMNIFÈRE. Calmant, diacode, narcotique, œillette, opium, soporifique.
SOMNOLENT. Assoupi, endormi, hypnagogique, reposé, torpeur.
SOMPTUOSITÉ. Apparat, brillé, luxe, pompeux, princier, splendide.

SON. Accent, accord, acoustique, blé, bran, bruit, chant, décibel, écho, émission, glume, inflexion, intonation, modulation, mur, musique, note, onde, résonance, sonorité, tache, test, timbre, ton, tonalité.
SONDAGE. Aérosondage, élection, enquête, examen, forage, résultat.
SONDE. Ballon, bougie, cathéter, drain, explore, île, tarière, trépan, tube.
SONDER. Analyser, apprécier, chercher, creuser, descendre, étudier, explorer, mesurer, pressentir, questionner, reconnaître, scruter, tâter.
SONGE. Gîte, illusion, oniromancie, rêve, vision.
SONGER. Aviser, mesurer, penser, peser, projeter, réfléchir, rêver.
SONGEUR. Absent, absorbé, distrait, léger, penseur, rêveur, visionnaire.
SONNANT. Liquide, pétant, sonore, tapant.
SONNE. Carillon, cloche, réveil, révolu, tapant, téléphone.
SONNER. Appeler, carillonner, corner, résonner, retentir, tinter, vibrer.
SONNERIE. Angélus, appel, ban, cloche, diane, glas, quête, tintement.
SONNETTE. Campane, clarine, clochette, crotale, drelin, serpent.
SONORE. Bruyant, éclatant, musical, phonétique, retentissant, top.
SOPHISTIQUÉ. Captieux, erroné, faux, frelaté, paralogique, spécieux.
SOPRANO, CHANTEUSE (n. p.). Allison, Amos, Arpin, Arsenault, Baillargeon, Banini-Giroux, Barrette, Bastien, Beauchamp, Beaumier, Bédard, Bélanger, Bellavance, Bellégo, Bernard, Berthiaume, Bilodeau, Blier, Boky, Boucher, Burla, Cadbury, Camirand, Caron, Carrier, Chalfoun, Charbonneau, Cimon, Claude, Côté, Cousineau, Couture, Crépeau, Dansereau, Daviault, D'Éon, De Repentigny, Desmarais, Desrosiers, Dion, Drolet, Duchemin, Dugal, Duguay, Dulude, Dumontier, Dussault, Duval, Edwards, Fabien, Figiel, Findlay, Forget, Fortin, Frenette, Gagné, Gagnier, Gates, Gauthier, Gendron, Gingras, Grenier, Guay, Guérard, Guérin, Hurley, Husaruk, Jolin-Laurencelle, Karam, Katazian, Kinslow, Kutz, Laberge, Lachance, Lafontaine, Lalonde, Lambert, Lamoureux, Lapointe, Laterreur, Leboeuf, Lebrun, Legault, Lemay, Lemieux, Le Myre, Lespérance, Lessard, Longpré, Lord, Marchand, Marcotte, Marquette, Martel, Martin, Masella, McGuire, Mercier, Murray, Nadeau, Ohlmann, Pagé, Parent, Paulin, Pelletier, Phaneuf, Picard, Pilon, Plante, Postill, Poulin-Parizeau, Poulyo, Robert, Saint-Denis, Savoie, Séguin, Selkirk, Simard, Sperano, Tiernan, Tremblay, Trudeau, Vachon, Vaillancourt, Vallée-Jalbert, Van Der Hoeven, Verret.
SORBET. Crème, dessert, fruit, glace, rafraîchissement.
SORBIER. Alisier, cormier.
SORCELLERIE. Alchimie, cabale, charme, conjuration, diablerie, divination, enchantement, ensorcellement, hermétisme, horoscope, incantation, magie, maléfice, occultisme, philtre, rite, sort, sortilège.
SORCIER. Alchimiste, astrologue, devin, enchanteur, ensorceleur, envoûteur, griot, mage, magicien, nécromancien, sabbat, thaumaturge.
SORCIÈRE. Alcine, Armide, Circé, diseuse, fée, magicienne, sirène.
SORDIDE. Abject, bas, cochon, ignoble, impur, ladre, malpropre, sale.
SORNETTE. Baliverne, bêtise, chanson, fadaise, faribole, malédiction.

SORT. Aléa, chance, destin, destinée, fatal, hasard, loterie, magie, sortir.
SORTE. Caste, catégorie, clan, classe, division, espèce, état, famille, forme, genre, groupe, manière, ordre, race, rang, sortir, type, variété.
SORTIE. Algarade, attaque, césarienne, colère, débouché, éclat, éclore, émoulue, éruption, exode, hernie, issue, orée, originaire, sortir.
SORTILÈGE. Bénéfice, charme, évocation, maléfice, miracle, sort.
SORTIR. Amen, éclore, émané, émis, émoulu, exsuder, issu, jaillir, gagner, lever, naître, né, partir, paru, pousser, saillir, sortie, sourd.
SOSIE. Jumeau, ménechme, pendant, réplique.
SOT. Âne, béjaune, bête, borné, buse, con, crétin, dadais, fat, idiot, ignorance, imbécile, naïf, niais, nigaud, poire, stupide, valeur.
SOTTISE. Ânerie, bêtise, crétinerie, ineptie, ignorance, injure, niaiserie.
SOUBASSEMENT. Base, cave, fond, podium, socle, sous-sol, tambour.
SOUBRESAUT. Cahot, convulsion, saccade, secousse, spasme, sursaut.
SOUBRETTE. Confidente, demoiselle, lisette, servante, suivante.
SOUCHE. Arbre, aristocrate, bête, branche, descendance, estoc, famille, origine, né, noble, race, racine, tige, titré, tronc.
SOUCI. Agitation, alarme, angoisse, anxiété, aria, bile, chagrin, crainte, crin, cure, émoi, ennui, inquiétude, pensée, préoccupation, soin, tracas.
SOUCIEUX. Anxieux, indifférent, inquiet, préoccupé, sombre, tracassé.
SOUCOUPE. Ovni, sébile, sous-tasse, tasse.
SOUDAIN. Apoplexie, aussitôt, brusque, brutal, coup, éclat, foudroyant, fulgurant, immédiatement, imprévu, inopinément, prompt, subit.
SOUDARD. Drille, goujat, plumet, reître, sabreur, soldat, spadassin.
SOUDER. Adhérer, braser, corroyer, emboîter, joindre, ressouder, unir.
SOUDOYER. Acheter, arroser, corrompre, graisser, payer, stipendier.
SOUE. Cochon, étable, porcherie.
SOUFFLE. Air, âme, bombé, bouclé, bouffée, bouffi, boursouflé, essoufler, éteint, haleine, inspiration, insuffler, respiration, vent, vie.
SOUFFLER. Alchimie, ébrouer, éteindre, mémoire, reposer, respirer.
SOUFFLET. Baffe, beigne, beignet, calotte, claque, coup, emplâtre, gifle, giroflée, mandale, mornifle, pain, taloche, tape, tarte, torgnole.
SOUFFLETER. Battre, calotter, claquer, confirmer, gifler, injurier.
SOUFFRANCE. Arrêté, chagrin, dam, douleur, élancement, expiation, jour, mal, maladie, malaise, misère, peine, rage, suspendu, tracas.
SOUFFRIR. Douleur, éprouver, essuyer, mal, pâtir, peiner, supplice.
SOUFRE. S.
SOUHAIT. Aspiration, attente, désir, gré, imprécation, réciproque, vœu.
SOUHAITER. Demander, désirer, donner, espérer, rêver, vouloir.
SOUILLER. Baver, entacher, laver, salir, tacher, tarer, teinter, ternir.
SOUILLON. Cochon, crasseux, dégoûtant, grossier, malpropre.
SOUILLURE. Bavure, crasse, crotte, immondice, impureté, intact, maculature, net, ordure, pâté, pur, saleté, sali, salissure, tache, vomi.
SOÛL. Assouvi, biberon, boire, bourré, ivre, paf, rassasié, rond, saoul.
SOULAGER. Adoucir, aider, apaiser, alléger, calmer, consoler, débarrasser, décharger, délivrer, guérir, réconforter, remède.

SOÛLERIE. Arsouillement, avinement, beuverie, cuite.
SOULÈVEMENT. Émeute, excitation, répulsion, révolte, révolution, saut.
SOULEVER. Ameuter, attrouper, élever, exciter, hisser, lever, révolter.
SOULIER. Astic, chaussure, clou, escarpin, lacet, richelieu, savate, talon.
SOULIGNER. Accentuer, écrire, insister, noter, relever, scander.
SOUMETTRE. Céder, déposer, faisander, fixer, grever, laminoir, livrer, méditer, obéir, offrir, opérer, plier, réglementer, subir, tester, visser.
SOUMIS. Docile, humble, imposé, rampant, résigné, souple, usiné.
SOUMISSION. Adjudication, devis, inférieur, offre, ordre, résignation.
SOUPÇON. Crainte, défiance, doute, jalousie, méfiance, suspicion.
SOUPÇONNER. Craindre, douter, flairer, méfier, présumer, suspecter.
SOUPÇONNEUX. Défiant, inquiet, jaloux, méfiant, ombrageux, suspicieux.
SOUPE. Bouillon, consommé, crème, gratinée, lavasse, minestrone, panade, potage.
SOUPESER. Calculer, compter, estimer, évaluer, juger, nombrer, peser.
SOUPIRAIL. Abat-jour, châssis, fenêtre, saut-de-loup.
SOUPIRER. Aimer, aspirer, convoiter, respirer.
SOUPLE. Agile, élastique, félin, flexible, gracieux, lâche, liant, malléable.
SOUPLESSE. Agilité, aisance, élasticité, flexibilité, légèreté, maniabilité.
SOURCE. Cause, filon, fontaine, laser, mère, naissance, origine, vent.
SOURCIL. Cil, glabelle, taroupe, tique.
SOURD. Amorti, assourdi, caché, caverneux, creux, doux, enroué, étouffé, jaillis, mat, mou, secret, silence, sortir, sourdingue, voilé.
SOURICIÈRE. Piège, traquenard.
SOURIRE. Plaire, rictus, rire, risette.
SOURIS. Chauve-souris, chicoter, gigot, musaraigne, ordinateur, oreille, rat, rongeur.
SOURNOIS. Affecté, dissimulé, doucereux, faux, fourbe, malin, rusé.
SOUS. Dessous, immergé, inférieur, soutien, temps.
SOUSCRIRE. Abonner, approuver, consentir, cotiser, oc, oïl, or, oui, payer, signer.
SOUSTRACTION. Âge, diminution, ôter, enlever, esquiver, retrancher.
SOUSTRAIRE. Déduire, dérober, détourner, enlever, ôter, receler, voler.
SOUTENEUR. Estafier, jules, maquereau, pimp, proxénète.
SOUTENU. Accepté, défendu, plausible, prétendre, ptôse, thèse.
SOUTENIR. Adosser, affirmer, aider, approuver, appuyer, assurer, écrire, élever, étayer, porter, prétendre, rentoiler, subir, supporter.
SOUTERRAIN. Antre, bulbe, câble, catacombe, cave, caveau, caverne, crypte, drain, égout, excavation, galerie, grotte, mine, nappe, prison, taupe, té, tige, voûte.
SOUTIEN. Accore, aide, appui, base, ber, ceinture, colonne, défense, entretoise, étai, mât, os, pied, pieu, pivot, support, tin, tréteau, tuteur.
SOUTIRER. Élider, estamper, obtenir, prendre, tirer, transvaser, vider.
SOUVENIR. Cadeau, idée, mémoire, pensée, rappeler, ressentiment.
SOUVENT. Beaucoup, courant, fréquent, habituel, maintes.

SOUVERAIN. Absolu, autorité, chah, despote, duc, empereur, monarque, monnaie, pape, pouvoir, potentat, reine, roi, sultan, suprême, tsar.
SOYEUX. Doux, duveteux, fin, lisse, moelleux, satiné, velouté, velouteux.
SPACIEUX. Ample, étendu, étroit, grand, gros, large, petit, resserré, vaste.
SPARTE. Grecque, magistrat, spart.
SPÉCIALISTE. As, botaniste, criminologue, entomologiste, expert, gréeur, marbier, navigateur, politologue, spéléologue, visagiste.
SPÉCIFIER. Désigner, fixer, normaliser, préciser, propre, stipuler.
SPECTACLE. Danse, féerie, naumachie, pièce, représentation, scène, vue.
SPECTATEUR. Auditeur, auditoire, public, téléspectateur, témoin.
SPECTRE. Apparition, arc-en-ciel, cauchemar, crainte, double, couleurs, ectoplasme, esprit, fantôme, lémure, ombre, prisme, revenant, vision.
SPÉCULER. Agio, entreprendre, intelligence, méditer, penser, science.
SPERME. Épididyme, flagellum, graine, laité, semence.
SPHÈRE. Anneau, bille, boule, cercle, domaine, dôme, pôle, rayon.
SPIRALE. Arc, boudin, cercle, circiné, cirrhe, courbe, fileter, liseron, tarauder, vrille.
SPIRÉE. Aruncus, filipendula, reine-des-prés, ulmaire.
SPIRITISME. Astrologie, magie, numérologie, télékinésie.
SPIRITUEL. Abstrait, allégorique, âme, délicat, déluré, esprit, figuré, fin, humoriste, immatériel, impalpable, intellectuel, joyeux, malin, mental, moral, mordant, plaisant, psychique, salé, sel, souple.
SPIRITUEUX. Alcool, allylique, amylique, cognac, flegme, gin, liqueur, menthe, kirsch, rhum, rye, scotch, vodka, whisky.
SPLEEN. Cafard, chagrin, ennui, hypocondrie, mélancolie, nostalgie.
SPLENDIDE. Admirable, beau, beauté, bel, briller, somptueux, superbe.
SPOLIER. Capter, déposséder, dol, éviction, frauder, léser, ôter, voler.
SPONTANÉ. Franc, inconscient, inné, libre, naturel, propre, volontaire.
SPORADIQUE. Clairsemé, constellé, dispersé, dissocié, divisé, épars.
SPORANGE. Indusie, spore, urne.
SPORE. Apothécie, asque, champignon, conidie, hyménium, thèque.
SPORT. Athlétisme, baseball, basketball, boxe, exercice, exploit, golf, gymnastique, hockey, jeu, luge, lutte, motonautisme, nage, natation, patinage, polo, raquette, rugby, ski, tennis, tir, turf, voile, yachting.
SPORTIF. Actif, athlète, joueur, sélectionné, senior.
SPUMEUX. Baveux, bouillonnant, écumeux, mousseux, spumescent.
SQUALE. Aiguillat, ange de mer, baleine, blanc, dormeur, émissole, galuchat, griset, lamie, léopard, lézard, lutin, maillet, marteau, orque, pèlerin, remorqueur, renard de mer, requin, rochier, roussette, scie, squale, tapis, taupe, tigre, touille.
SQUELETTE. Canevas, carcasse, charpente, hyoïde, mort, os, ossature.
STABILITÉ. Aplomb, assiette, assise, certitude, consistance, équilibre.
STABLE. Assis, durable, ferme, fixe, habituel, image, larve, leste, solide.
STADE. Degré, étape, état, forum, germe, larve, phase, piste, transition.
STAGE. Alumnat, arrêt, moment, passage, période, séjour, station.
STAGNANT. Dormant, immobile, inactif, lent, marécageux, mort.

STALLE. Banquette, box, église, gradin, loge, miséricorde, place, siège.
STANCE. Chant, couplet, poème, poésie, strophe, tercet.
STATION. Arrêt, attitude, gare, halte, pause, poste, posture, spa, stage.
STATION BALNÉAIRE (n. p.). Audence, Eilat, Morgat, Ostie, Pesaro.
STATION DE SPORTS D'HIVER (n. p.). Arosa, Avorias, Grisons, Igls, Ischgl, Orres, Mongie.
STATION THERMALE (n. p.). Arosa, Dax, Neris, Spa, Uriage.
STATIONNER. Arrêter, camper, garer, immobiliser, placer, ranger.
STATUE. Atlante, bronze, buste, cariatide, colosse, corniche, idole, figure, figurine, idole, image, orant, sculpture, sel, soutien, télamon.
STATUETTE. Bilboquet, biscuit, chine, figurine, godenot, magot, marionnette, marmot, marmouset, pagode, poupée, poussah, santon.
STATURE. Carrure, charpente, colosse, géant, grandeur, hauteur, taille.
STATUT. Arrêté, canon, charte, code, concordat, consigne, constitution, décret, discipline, édit, institution, loi, mandement, ordonnance, règle.
STÈLE. Cippe, colonne, pierre, tombe.
STEPPE. Lande, pampa, plaine, prairie, veld.
STÉRADIAN. Sr.
STÉRILE. Aride, bréhaigne, désert, désolé, desséché, épuisé, improductif, inculte, infécond, infertile, ingrat, intérêt, inutile, pauvre.
STÉRILISER. Aseptiser, désinfecter, épuiser, étuver, javelliser, purifier.
STÉROL. Cholestérol, ergostérol.
STILICON. Rufian.
STIMULER. Aiguiser, animer, doper, émouvoir, exciter, éperonner, intermotiver, piquer, pousser, ranimer, relever, remuer, toucher.
STOPPER. Arrêter, bloquer, freiner, immobiliser, mouiller, réparer.
STRAMOINE. Datura.
STRATAGÈME. Artifice, astuce, calcul, manège, piège, ruse, tactique.
STRATÉGIE. Clé, clef, conduite, manœuvre, obstruction, ruse, tactique.
STRICT. Exact, étroit, littéral, mitigé, sévère, vrai.
STRONTIUM. Sr.
STROPHANTUS. Liane, ouabaïne.
STROPHE. Couplet, dizain, laisse, ode, quadrain, septain, stance, tercet.
STRUCTURE. Artefact, canevas, composition, forme, ordre, squelette.
STUDIEUX. Accrocheur, appliqué, chercheur, fouilleur, travailleur, zélé.
STUDIO. Appartement, atelier, chambre, décor, garçonnière, stulette.
STUPÉFAIT. Abasourdi, baba, éberlu, étonné, inouï, sidéré, surpris.
STUPÉFIANT. Crack, dormir, drogue, haschich, héroïne, inouï, morphine, narcose, narcotique, opium, piqué, seringue, surprenant.
STUPÉFIER. Ahurir, ébahir, effarer, étonner, méduser, surprendre.
STUPIDE. Abruti, bête, borné, con, crétin, débile, idiot, imbécile, sot.
STUPIDITÉ. Bêtise, connerie, crétinisme, imbécillité, ineptie, sottise.
STUPRE. Concupiscence, corruption, immodestie, impudicité, impureté, indécence, lascivité, libertinage, licence, lubricité, luxure, salacité.
STYLE. Allure, art, attitude, design, écriture, élocution, expression, façon, facture, langage, langue, manière, pistil, plume, ton, tour.

SU. Escient, insu, savoir.
SUAIRE. Drap, linceul, voile.
SUAVE. Agréable, délectable, délicat, doux, fragrance, pénible, rude.
SUBALTERNE. Bas, inférieur, sans-grade, subordonné.
SUBDIVISER. Désunir, définir, diviser, échelonner, fractionner, lotir, morceler, partager, répartir, sectionner, séparer, tabler.
SUBDIVISION. Chambre, curie, partie, secteur, tableau, titre, tranche.
SUBIR. Accepter, écraser, endurer, éprouver, essuyer, examen, obéir, punir, recevoir, réprimander, ressentir, sentir, souffrir, supporter.
SUBIT. Brusque, hâtif, imprévu, inattendu, inopiné, soudain, subito.
SUBJUGUER. Amadouer, apprivoiser, attirer, capter, captiver, charmer, conquérir, gagner, envoûter, fasciner, persuader, séduire, soumettre.
SUBLIME. Beau, céleste, divin, élevé, grand, haut, noble, pompeux.
SUBMERGER. Arroser, couvrir, déborder, engloutir, ensevelir, envahir, inonder, mouiller, noyer, occuper, recouvrir, transgresser, tremper.
SUBORDONNÉ. Conjonction, dépendant, domestique, esclave, humble, inférieur, serveur, sans-grade, relatif, soumis, subalterne, vassal.
SUBSISTANCE. Aliment, denrée, entretien, intendance, lait, matière, moelle, nourriture, pain, pitance, quintessence, sang, sève, suc.
SUBSISTER. Continuer, couver, durer, être, exister, rester, surnager.
SUBSTANCE. Abrasif, amadou, cérumen, cire, cristal, curare, cutine, émail, épice, essence, gel, gluten, gomme, graisse, héparine, humeur, ionone, ivoire, kinase, légumine, levain, matte, miel, musc, nacre, nourriture, pitance, poison, qat, remède, résine, sel, suc, urée.
SUBSTANTIF. Annexe, nom, supin.
SUBSTITUER. Biaiser, blesser, commuer, enlever, remplacer.
SUBTERFUGE. Dérobade, fuite, pirouette, ruse.
SUBTIL. Délicat, délié, habile, intelligent, léger, quintessence, spirituel.
SUBTILISER. Dérober, escamoter, quintessencier, soustraire, voler.
SUBTILITÉ. Délicatesse, finesse, intelligence, minutie, raffinement.
SUBVENTION. Aide, don, impôt, prêt, secours, subside.
SUBVERSION. Bouleversement, contestation, indiscipline, mutinerie, renversement, révolution, sédition.
SUC. Aloès, chicotin, coulis, eau, gastrique, gelée, intestinal, jus, kino, larme, latex, moût, opium, rob, sapa, sève, substance, verjus.
SUCCÉDER. Alterner, continuer, dérouler, enchaîner, hériter, relayer, relever, remplacer, suivre, supplanter, suppler, venir.
SUCCÈS. Avantage, bonheur, exploit, gain, gloire, performance, prospérité, prouesse, réussite, triomphe, trophée, victoire, vogue.
SUCCESSEUR. Continuateur, épigone, héritier, remplaçant, suivant.
SUCCESSION. Dévolution, échelle, escalier, évolution, gamme, héritage, hoirie, mortaille, rafale, rotation, roulement, train, série, suite.
SUCCINCT. Abrégé, accourci, anecdote, bref, compentieux, concis, condensé, contracté, court, diffus, notice, prolixe, sommaire, verbeux.
SUCCOMBER. Abattement, céder, choir, malheur, mourir, périr, tomber.
SUCCURSALE. Agence, annexe, branche, division, filiale, tremplin.

SUCE. Sangsue, lèvre, pou, pieuvre, tentaculifère, vampire, ventouse.
SUCER. Aspirer, baiser, buvoter, déguster, humer, lipper, saliver, téter.
SUCRE. Caramel, cassonade, chocolat, doux, fructose, galactose, hexase, lactose, maltose, mélasse, miel, saccharol, sirop, tréhalose, vergeoise.
SUCRER. Adoucir, édulcorer, embellir, lochage, mieller, toucher.
SUCRERIE. Bonbon, chatterie, confiserie, douceur, friandise, nanan.
SUD. Antarctique, austral, méridional, midi.
SUD-EST. SE, suet.
SUD-OUEST. Libeccio, SO.
SUER. Couler, excréter, exsuder, moitir, nage, suinter, transpirer.
SUEUR. Chaleur, écume, excrétion, fatigue, fièvre, transpiration.
SUFFISAMMENT. Abondant, assez, bien, capable, gloire, mûr, satiété.
SUFFISANT. Assez, bien, congru, convenable, correct, satisfaisant.
SUFFIXE. Algie, andrie, crate, gramme, graphe, ien, is, ite, logie, mètre, phagie, phone, préfixe, sphère, tomie.
SUFFOCANT. Accablant, agaçant, asphyxiant, chaud, étouffant, torride.
SUFFRAGE. Approbation, choix, élection, voix, vote, urne.
SUGGÉRER. Dicter, indiquer, inspirer, persuader, recommander.
SUGGESTION. Avertissement, inspiration, instigation.
SUICIDER. Assassiner, hara-kiri, immoler, saborder, supprimer, tuer.
SUINTER. Couler, dégouliner, exsuder, fuir, pleurer, suer, transpirer.
SUITE. Air, ballet, continuation, cortège, danse, épopée, escalier, etc., fil, filon, fur, liste, mélodie, mots, note, numéros, pagination, pétarade, premier, prolongement, rangée, série, séquelle, succession, variété.
SUIVANT. Acolyte, aide, après, avant, autre, ci, confident, disciple, et, filé, futur, pisté, postérieur, selon, subséquent, succession, ultérieur, us.
SUIVI. Assidu, constant, continu, durable, éternel, incessant, infini.
SUIVRE. Accompagner, aller, ester, filer, longer, obéir, pister, talonner.
SUJET. Cause, désagrément, être, étude, fable, lieu, maladif, matière, moi, mortel, motif, objet, on, rageur, scène, suspect, texte, thème, titre.
SUJÉTION. Attache, carcan, chaîne, condition, dépendance, esclavage, joug, obédience, soumission, subordination, vassalité.
SULFATE. Alun, argyrose, epsomite, galène, gypse, kiesérite, vitriol.
SULFURE. Blende, chalcosine, cinabre, galène, pyrite, vermillon.
SULTAN. Hautesse, musulman, pacha, seigneur, sérail, sultanat, roi.
SUMMUM. Apogée, comble, excès, faîte, fort, limite, maximum, zénith.
SUPERFLU. Attirail, exagéré, inutile, redondant, surabondant, trop.
SUPÉRIEUR. Abbé, as, chef, directeur, doyen, élevé, émérite, éminent, général, génial, haut, maître, mère, patron, premier, prieur.
SUPERIORITÉ. Prédominance, préeminence, suprématie, transcendance.
SUPERLATIF. Excessif, extraordinaire, parfait, très.
SUPERPOSER. Coïncider, étager, imbriquer, interférer, liter, mettre.
SUPERSTITION. Amulette, croyance, hasard, magie, peur, soin, vampire.
SUPERSTRUCTURE. Château, dunette, kiosque, passerelle.
SUPPLÉMENT. Accessoire, addenda, additif, addition, ajout, appendice, cahier, extra, net, plus, rab, rallonge, remplacement, surcroît, surplus.

SUPPLICATION. Appel, demande, ferveur, oraison, prière, requête.
SUPPLICE. Affliction, bûcher, croix, crucifiement, dam, douleur, écartèlement, enfer, estrapade, flammes, géhenne, knout, lapidation, pal, peine, potence, question, roue, souffrance, torture, tourment.
SUPPLIER. Adjurer, appeler, conjurer, convier, demander, implorer, insister, presser, prier, réclamer, recommander, requérir, solliciter.
SUPPLIQUE. Demande, pétition, requête, prière, supplication.
SUPPORT. Affût, atalante, bras, cariatide, chevalet, cintre, épontille, essieu, faucre, gaine, if, isolateur, lampadaire, mât, patère, piédestal, pilier, servante, socle, soutien, stencil, télamon, tin, tréteau, vau.
SUPPORTER. Blairer, endurer, épauler, éprouver, résister, subir, tolérer.
SUPPOSÉ. Admis, apocryphe, attribué, censé, conjectural, cru, douteux, espérer, factice, faux, imaginaire, incertain, présage, présumé, pseudo.
SUPPOSER. Admettre, conjecturer, extrapoler, imaginer, inventer, penser, poser, présumer, présupposer.
SUPPOSITION. Conjonction, hypothèse, opinion, présomption, si, soit.
SUPPRESSION. Anesthésie, anurie, coupure, diète, élision, privation.
SUPPRIMÉ. Aboli, détruit, enlevé, étouffé, ôté, retranché, tu, tué.
SUPPRIMER. Annuler, élider, enlever, épiler, ôter, raser, rayer, tuer.
SUPRÉMATIE. Hégémonie, majesté, pouvoir, souverain, supériorité.
SUPRÊME. Dernier, divin, final, grand, parfait, puissant, ultime.
SUR. Acide, aigre, amer, assurance, assuré, avéré, certain, clair, convaincu, dessus, douteux, évident, exact, fermenté, fidèle, haut, incertain, persuadé, réel, sinécure, supériorité, suri, tourné, vrai.
SURCHARGER. Abrutir, alourdir, bourrer, corriger, farcir, net, travailler.
SURÉLÉVATION. Adjudication, augmentation, exhaussement, mascaret.
SÛREMENT. Absolument, assurément, certainement, certes, évidemment, fatalement, forcément, obligatoirement.
SÛRETÉ. Asile, assurance, caution, gage, garantie, pompe, siège, verrou.
SUREAU. Hièble, sambéquier, sambu, sambucus, yèble.
SUREXCITER. Admirer, délirer, emballer, énerver, rêver, songer.
SURFACE. Aire, are, base, disque, extérieur, façade, glacis, intrados, orbe, parement, photosphère, pi, plan, superficie, tamis, tranche.
SURGIR. Émerger, naître, paraître, ressurgir, sortir, venir.
SURMENER. Claquer, crever, fatiguer, peiner, vider, suer, trimer, user.
SURMONTER. Dompter, franchir, mater, sommer, surpasser, vaincre.
SURNATUREL. Divin, inexplicable, magique, miraculeux, surhumain.
SURNOM. Appel, épiphane, plume, pseudonyme, sobriquet.
SURNOMMER. Appeler, caser, dénommer, désigner, dire, renommer.
SURPASSER. Dépasser, dominer, emporter, laisser, prédominer, primer.
SURPLOMBER. Couronner, couvrir, dépasser, dominer, planer, régner.
SURPRENANT. Anormal, bizarre, brusque, curieux, drôle, épatant, étonnant, étrange, formidable, imprévu, magique, nouveau, rapide.
SURPRENDRE. Confondre, étonner, intriguer, renverser, stupéfier, voir.
SURPRIS. Ébahi, étonné, interloqué, renversé, stupéfait, stupéfié.

SURPRISE. Cadeau, commotion, confusion, consternation, ébahissement, embarras, étonnement, inattendu, piège, stupéfaction.
SURSAUTER. Bondir, exploser, exulter, sauter, tressaillir, tressauter.
SURSIS. Arrêt, attente, délai, pause, remise, répit, surséance, trêve.
SURTOUT. Bleu, caban, casaque, cotte, éminemment, notamment, par-dessus, particulièrement, sarrau, souquenille, tablier.
SURVEILLANCE. Aguet, attention, conduite, contrôle, épiement, faction, filature, filtrage, garde, guet, inspection, mirador, tutelle, vigilance.
SURVEILLANT. Argousin, argus, garde, geôlier, maître, pion, préfet.
SURVEILLER. Épier, espionner, garder, guetter, noter, regarder, veiller.
SURVENIR. Advenir, apparaître, arriver, surgir, venir.
SURVIVANT. Indemne, miraculé, naufragé, rescapé, vivace, vivant.
SUS. Accessoire, addenda, additif, addition, ajout, appendice, cahier, extra, haro, net, plus, rab, rallonge, remplacement, surcroît, surplus.
SUSCEPTIBLE. Capable, chatouilleux, érectile, rachetable, vibratile.
SUSCITER. Amener, apporter, attirer, bondir, causer, créer, déchaîner, déclencher, déterminer, élever, fomenter, fournir, inspirer, porter.
SUSPECT. Apocryphe, douteux, équivoque, interlope, louche, malfamé.
SUSPENDRE. Arrêter, cesser, enrayer, geler, interrompre, pendre.
SUSPENDU. Arrêté, censuré, fermé, interdit, révoqué, saisi, stoppé.
SUSPENSION. Apnée, crise, délai, grève, pause, relâche, repos, trêve.
SUTRA. Morale, recueil, rituel, soutra.
SUTURER. Coudre, joindre, recoudre, réunir, transiter.
SVELTE. Allongé, délicat, délié, effilé, élancé, étroit, filiforme, fin, fluet, fragile, fuselé, gracile, grêle, maigre, menu, mince, souple, ténu.
SYBARITE. Délicat, épicurien, raffiné, sensuel, viveur, voluptueux.
SYLLOGISME. Argument, logique, raisonnement.
SYMBOLE. Apparence, attribut, chiffre, cv, devise, emblème, épaulette, figure, image, logo, lys, lx, mg, ml, mn, mth, nm, pa, signe, sueur, tr.
SYMBOLE CHIMIQUE. Actinium (Ac), aluminium (Al), américium (Am), antimoine (Sb), argent (Ag), argon (A), arsenic (As), astate (At), azote (N), baryum (Ba), berkélium (Bk), béryllium (Be), bismuth (Bi), bore (B), brome (Br), cadmium (Cd), cæsium (Cs), calcium (Ca), californium (Cf), carbone (C), cérium (Ce), chlore (Cl), chrome (Cr), cobalt (Co), cuivre (Cu), curium (Cm), dysprosium (Dy), einsteinium (E), erbium (Er), étain (Sn), europium (Eu), fer (Fe), fermium (Fm), fluor (F), francium (Fr), gadolinium (Gd), gallium (Ga), germanium (Ge), hafnium (Hf), hélium (He), holmium (Ho), hydrogène (H), indium (In), iode (I), iridium (Ir), krypton (Kr), lanthane (La), lithium (Li), lutécium (Lu), magnésium (Mg), manganèse (Mn), mendélévium (Mv), mercure (Hg), molybdène (Mo), néodyme (Nd), néon (Ne), neptinium (Np), nickel (Ni), niobium (Nb), nobélium (No), or (Au), osmium (Os), oxygène (O), palladium (Pd), phosphore (P), platine (Pt), plomb (Pb), plutonium (Pu), polonium (Po), potassium (K), praséodyme (Pr), prométhéum (Pm), protactinium (Pa), radium (Ra), radon (Rn), rhénium (Re), rhodium (Rh), rubidium (Rb), ruthénium (Ru), samarium (Sm), scandium (Sc), sélénium (Se),

silicium (Si), sodium (Na), soufre (S), strontium (Sr), tantale (Ta), technétium (Tc), tellure (Te), terbium (Tb), thallium (Ti), thorium (Th), thulium (Tm), titane (Ti), tungstène (W), uranium (U), vanadium (V), xenon (Xe), ytterbium (Yb), yttrium (Y), zinc (Zn), zirconium (Zr).
SYMPATHIE. Affinité, communion, entente, estime, intérêt, xénophilie.
SYMPHONIE. Chœur, concert, entente, harmonie, musique, union.
SYMPTÔME. Indice, marque, présage, prodrome, signe, syndrome.
SYNARCHIE. Énarchie, oligarchie, ploutocratie, technocratie.
SYNDICAT. Association, compagnonnage, confédération, coopération, corporation, fédération, mutuelle, société, travail, trust, union.
SYNONYME. Adéquat, approchant, équivalence, équivalent, expression, même, pareil, remplaçant, similitude, substitut.
SYNTHÈSE. Assimilation, combinaison, compromis, fusion, réciproque.
SYPHILIS. Chancre, vérole.
SYSTÈME. Absolutisme, atonalité, bertillonnage, conscription, déisme, élitisme, esclavagisme, fiscalité, homéopathie, macadam, martingale, métrique, moyen, rappel, solaire, théorie, troc, utopie, vocalisme, yoga.
SYSTOLE. Cœur, contraction, diastole, oreillette, périsystole.
SYZYGIE. Conjonction, lune, marée, opposition, soleil.

T

TABAC. Chique, cigare, cigarette, fumer, gris, havane, manoque, nicotine, passage, perlot, peton, pétun, priseur, tabagie.
TABAGIE. Débit, dépanneur, épicerie, pharmacie, tabac, variété.
TABASSER. Battre, boxer, cogner, fesser, gifler, punir, rouer, taper.
TABERNACLE. Église, naos, néos, parvis, pavillon.
TABLE. Autel, aveux, barème, bureau, carte, console, couvert, établi, étal, hachoir, joue, maie, nie, pot-de-vin, répertoire, soulte.
TABLEAU. Affiche, aquarelle, bilan, cadre, calendrier, cote, craie, croquis, croûte, dessin, écran, état, damier, embu, état, figure, flou, gouache, liste, paysage, peintre, peinture, plan, rôle, tarif, toile, vue.
TABLETTE. Abaque, dalle, étagère, plaque, rayon, style, tessère, volet.
TABLIER. Avant, bavette, blouse, pont, salopette, serpillière, surtout.
TABOU. Interdit, inviolable, sacré.
TABOURET. Escabeau, escabelle, sellette, siège.
TACHE. Accroc, albugo, bavure, bleu, crasse, envie, éphélide, lentigo, lunule, macule, meurtrissure, nævus, ocelle, ordure, pâte, pétéchie, pige, sale, saleté, salissure, son, souillure, spot, taie, travail, vibice.
TACHER. Barbouiller, essayer, maculer, marchander, salir, souiller.
TACHETER. Barioler, bigarrer, daim, griveler, jasper, maculer, marqueter, moucheter, oceller, ocelot, piquer, piqueter, rayer, taveler.
TACITURNE. Amer, assombri, cachotier, morne, silencieux, sombre.
TACT. Acquis, contact, délicatesse, diplomatie, habile, tactile, toucher.
TACTIQUE. Conduite, façon, manière, manœuvre, menée, stratégie.
TAFFETAS. Pongé, poult-de-soie, surah, tissu, trentain, zénana.

TAILLE. Calibre, cambrure, carrure, ceinture, charpente, coupe, crayon, dimension, élagage, envergure, format, grandeur, gravure, guêpe, hauteur, longueur, mesure, port, serpe, stature, svelte, tournure.
TAILLER. Biseauter, cliver, écharper, émonder, étêter, retailler, tondre.
TAILLEUR. Coupeur, couturier, culottier, essayeur, faiseur, giletier, habilleur, pompier, talc.
TAILLIS. Bois, brout, buisson, cépée, gaulis, maquis, taille.
TAIRE. Arrêter, avaler, boucler, cacher, celer, chut, dit, garder, mimer, motus, omis, retenir, sauter, secret, silence, souffler, tenir, tu, voiler.
TALC. Silicate, stéatite, tailleur.
TALENT. Aisance, aptitude, art, bosse, brio, capable, chic, don, esprit, étoffe, faculté, force, génie, habile, intelligence, mérite, virtuose.
TALISMAN. Abraxas, amulette, brevet, fétiche, grigri, mascotte, or, phylactère, porte-bonheur, porte-chance, totem.
TALOCHE. Baffe, beigne, beignet, claque, gifle, soufflet, tape, talmouse.
TALON. Achille, mule, rouge, souche.
TALONNER. Poursuivre, suivre, tourmenter.
TALUS. Ados, berge, butte, côté, escarpe, falaise, parapet, remblai.
TAMARIS. Hapalidés, tamarin.
TAMBOUR. Baguette, ban, batterie, bongo, breloque, broderie, caisse, chamade, fla, pigeon, rataplan, ta, tam-tam, timbale, trompette.
TAMIS. Blutoir, chinois, crible, filtre, passoire, sas, sasser, vanne.
TAMISER. Bluter, cribler, épurer, filtrer, passer, sasser, trier, vanner.
TAMPON. Balle, gong, lance, ouate, tapette, tapon, vadrouille.
TAMPONNER. Calfater, choquer, cogner, emboutir, étendre, fermer, frapper, frotter, heurter, oindre, percuter, télescoper.
TANGENTE. Approchant, approximatif, rayon, tg, voisin.
TANGIBLE. Actuel, admis, assuré, authentique, certain, concret, effectif, établi, exact, fondé, juste, matériel, positif, réel, toucher, visible, vrai.
TANIÈRE. Aire, antre, bauge, breuil, gîte, repaire, renardière, retraite.
TANT. Aussi, mesure, probable, quote-part, si, tantième, tellement.
TANTALE. Ta.
TANTÔT. Alternance, après, bientôt, parfois.
TAON. Abeille, guêpe, mouche.
TAPAGE. Boucan, bruit, chahut, fracas, potin, sabbat, sérénade, train.
TAPE. Baffe, beigne, beignet, bourrade, caresse, claque, coup, gifle, soufflet, tape, talmouse.
TAPER. Battre, emprunter, frapper, nerfs, plaire, quémander, rosser.
TAPIS. Carpette, jeu, mise, moquette, natte, paillasson, tenture.
TAPISSER. Appliquer, cacher, coiffer, coller, enduire, garnir, tendre.
TAQUINER. Agacer, asticoter, blaguer, lutiner, tarabuster, tourmenter.
TARD. Avant, délai, retard, ultérieur.
TARDER. Atermoyer, attarder, lambiner, lanterner, retarder, traîner.
TARÉ. Défaut, défectuosité, dégénéré, idiot, malfaçon, pesé, vice, vil.
TARI. Asséché, consumé, épuisé, éteint, sec, séché, vidé.
TARIN. Nez.

TARTE. Cipaille, clafoutis, gâteau, pizza, tartelette, tourtière.
TARTINER. Beurrer, composer, étaler, étendre, graisser, huiler, rédiger.
TAS. Accumulation, agrégat, amas, amoncellement, attirail, beaucoup, bloc, camelle, concentration, dépôt, enclume, ensemble, fatras, meule, monceau, mulon, multitude, nombre, paille, pile, quantité, stère.
TASSE. Bol, chope, coupe, gobelet, godet, quart, soucoupe.
TASSEAU. Liteau.
TASSEMENT. Affaissement, faix.
TASSER. Compacter, damer, entasser, pilonner, prendre, presser.
TÂTER. Balancer, essayer, hésiter, palper, savourer, sonder, toucher.
TÂTONNEMENT. Aveuglette, balbutiement, désarroi, doute, hésitation.
TATOU. Priodonte, tatouage.
TAUDIS. Bidonville, bauge, cambuse, gatelas, maison, réduit, trou.
TAURE. Génisse, vache.
TAUREAU. Api, beugle, bœuf, corrida, Jupiter, toréador, vache, zodiaque.
TAUX. Conversion, cours, évaluation, intérêt, loyer, pourcent, usure.
TAVERNE. Auberge, bar, brasserie, brassette, cabaret, café, restaurant.
TAXE. Dégrèvement, droit, excise, impôt, surtaxe, taxation, TPS, TVQ.
TAXIDERMISTE. Animal, empaillage, naturaliste.
TECHNÉTIUM. Tc.
TECHNIQUE. Art, irrigation, méthode, moyen.
TECK. Tek.
TÉGUMENT. Arille, carapace, cuticule, peau, tegmen, test.
TEIGNE. Calvitie, favus, gerce, mégère, mite, rogne, tille.
TEINDRE. Azurer, brillanter, bruir, chiner, ciseler, friser, gaufrer, glacer, gommer, lustrer, moirer, ocrer, racinette, rocouer, satiner.
TEINT. Basané, blême, bronzé, fard, hâle, grillé, mat, mine, rose, terne.
TEINTE. Couleur, fraîcheur, lividité, matité, opalence, pâleur, tonalité.
TEL. Identique, inouï, nu, pareil, proverbe, semblable, téléphone, sic.
TÉLAMON. Atlante.
TÉLÉGRAMME. Bleu, câble, dépêche, message, pli, pneu, télex.
TÉLÉPHONE. Allô, appel, code, interurbain, régional, sonnerie, tel, watt.
TÉLÉVISION. Caméra, écran, magnétoscope, poste, télé, téléviseur, tv.
TELLEMENT. Si, tant.
TELLURE. Te.
TÉMÉRAIRE. Audacieux, brave, courageux, hardi, imprudent, intrépide.
TÉMOIGNAGE. Amitié, aveu, gage, hommage, indice, preuve, signe, test.
TÉMOIGNER. Jurer, marquer, mépriser, prouver, rechigner, siffler.
TÉMOIN. Accusateur, assistant, auditeur, caution, déposant, garant, observateur, parrain, recors, second, spectateur, visu.
TEMPE. Accroche-cœur, larmier.
TEMPÉRAMENT. Caractère, comptant, disposition, équilibre, froid, humeur, mesure, milieu, organisation, prédisposition, versement.
TEMPÉRANCE. Abstinence, chasteté, continence, discrétion, économie, frugalité, modération, retenue, sage, sobriété.
TEMPÉRATURE. Canicule, chaleur, climat, fièvre, froid, temps.

TEMPÉRER. Adoucir, afflaiblir, amortir, apaiser, arrêter, assagir, assouplir, atténuer, borner, calmer, corriger, diminuer, modérer, régler.
TEMPÊTE. Blizzard, bourrasque, colère, cyclone, grain, mistral, orage, ouragan, poudrerie, rafale, tornade, tourbillon, trombe, typhon, vent.
TEMPLE. Basilique, capitole, cathédrale, chapelle, église, fanum, loge, mosquée, pagode, panthéon, spéos, synagogue, tholos, ziggourat.
TEMPORAIRE. Constant, court, durable, éphémère, fragile, fugitif, incertain, momentané, occasionnel, passager, permanent, précaire.
TEMPOREL. Charnel, laïc, mortel, séculier, sensuel, terrestre.
TEMPORISER. Ajourner, arrêter, arriérer, atermoyer, attendre, décaler, différer, éloigner, prolonger, promener, ralentir, reporter, surseoir.
TEMPS. Âge, aoriste, an, année, automne, avenir, avent, carême, carnaval, date, délai, demain, été, fort, frai, gel, hier, hiver, intermède, jour, loisir, matinée, mue, nuit, passé, période, prévention, printemps, rabiot, récréation, rut, séance, session, soirée, somme, stage, tenue.
TENACE. Coriace, entêté, intrépide, persévérant, résistant, têtu.
TÉNACITÉ. Acharnement, assiduité, cramponnement, entêtement, fermeté, obstination, opiniâtreté, persévérance, volonté.
TENAILLÉ. Étreint, griffé, pince, préoccupé, tourmenté, tracassé.
TENDANCE. Affinité, attirance, direction, disposition, effort, élan, impulsion, penchant, prédisposition, propension, pulsion, tendre.
TENDON. Achille, ligament, muscle, nerf, tendinite, ténotomie, tirant.
TENDRE. Aboutir, agneau, bander, but, délicat, déployer, doux, fondant, fragile, mendier, moelleux, mou, oiseler, penchant, porter, pousser, prédisposition, propension, raidir, retendre, sensible, tendance, viande.
TENDREMENT. Affectueusement, cher, chéri, pieusement, sollicitude.
TENDRESSE. Adoration, affection, amitié, amour, attachement, bonté, cœur, complaisance, dévotion, dévouement, dilection, douceur, égards, flamme, gentillesse, inclination, passion, prédilection, sentiment, zèle.
TENDU. Dur, gênant, grave, inflexible, main, raide, rigide, ruade.
TÉNÈBRES. Enfer, érèbe, noirceur, nuit, obscurité, ombre, voile.
TENEUR. Composition, contenu, contexte, écriture, objet, salinité, texte.
TÉNIA. Cénure, cœnure, échinocoque.
TENIR. Adhérer, ai, as, avoir, badiner, conserver, considérer, croire, détenir, dresser, écarter, écouter, embrasser, entretenir, estimer, étreindre, eu, garder, joindre, lever, médire, occuper, parer, porter, radoter, représenter, réputer, résister, serrer, siéger, soutenir, tenu.
TENNIS. As, avantange, balle, coup, court, droit, égalité, espadrille, filet, lob, manche, match, partie, out, raquette, revers, set, smash.
TÉNOR. Célébrité, chanteur, figure, gloire, sommité, star, ténorino, voix.
TÉNOR ESPAGNOL (n. p.). Domingo.
TÉNOR FRANÇAIS (n. p.). Fay, Nourrit, Trial.
TÉNOR ITALIEN (n. p.). Caruso, Rubini.

TÉNOR QUÉBÉCOIS (n. p.). Aubry, Barrette, Bélanger, Bernier, Bilodeau, Bisson, Bizier, Blanchette, Blouin, Boisvert, Boutet, Cantin, Champoux, Charette, Comeau, Corbeil, Côté, Coulombe, De Hêtre, Denys, Desbiens, Desmeules, Dionne, Doane, Dubord, Duguay, Duval, Fortin, Fournier, Gagnon, Gauvin, Glogowski, Gosselin, Gray, Guérin, Guillemette, Guinard, Guindon, Hargreaves, Joanness, Jodry, Lacourse, Laflamme, Landry, Langelier, Lanouette, Laperrière, Latour, Leclerc, Legault, Léonard, Lessard, Lortie, McAuley, McLean, Morin, Nolet, Ouellette, Panneton, Pellerin, Pelletier, Perras, Perreault, Perron, Peters, Philipp, Piché, Pilon, Robitaille, Rompré, Saint-Gelais, Schrey, Simard, Smith, Tardif, Tremblay, Trépanier, Turcotte, Vallée, Verreau, Webber.
TENSION. Brouille, cœur, crise, désaccord, désunion, discorde, dispute, dissidence, division, effort, extension, froid, pression, tendre, volt.
TENTATIVE. Coup, démarche, ébauche, esquisse, essai, impasse, oser.
TENTE. Abri, banne, campement, chapiteau, essai, hutte, iourte, képi, ose, pavillon, risque, taud, toile, velarium, yourte, wigwam.
TENTER. Affrioler, aguicher, allécher, attacher, attirer, captiver, charmer, entreprendre, essayer, oser, risquer, séduire, solliciter.
TENU. Astreint, contraint, eu, mince, obligé, petite, tenir.
TENUE. Débraillé, délicat, esseulé, menu, nu, petit, posture, siégé.
TERBIUM. Tb.
TERGIVERSER. Atermoyer, biaiser, changer, feinter, hésiter, indécis.
TERME. Adieu, borne, bout, but, congé, crédit, délai, échéance, fin, final, limite, loyer, mesure, mot, mythologie, pôle, signe, texte, thèse.
TERMINAISON. Apothéose, cas, désinence, fin, résultat, suffixe, us.
TERMINER. Accomplir, achever, arranger, arrêter, capiter, cesser, clore, conclure, consommer, dénouer, épuiser, finir, liquider, onguler, polir.
TERNE. Amorti, blafard, blême, brillant, couleur, décoloré, délavé, éclatant, effacé, embu, livide, mat, morne, pâle, poli, sombre, usé.
TERNIR. Altérer, amatir, assombrir, décolorer, défraîchir, éclipser, effacer, éteindre, faner, flétrir, gâter, polir, salir, tacher.
TERRAIN. Abatis, aérodrome, aire, clos, court, culture, esplanade, friche, golf, grève, lice, lieu, lopin, marais, marécage, pelouse, pinède, piste, prairie, rocaille, roseraie, savane, semis, sol, talus, terre, turf.
TERRASSE. Bar, belvédère, digue, esplanade, plateforme, promenade, replat, tertre, toit, trottoir, vire.
TERRASSER. Abattre, battre, démolir, renverser, vaincre.
TERRE. Ados, boue, champ, duché, humus, gadoue, glaise, glèbe, guéret, île, labour, monde, ocre, poussière, sol, seigneurie, tenure, terrain, turf.
TERREUR. Affolement, affres, alarme, angoisse, appréhension, crainte, effroi, épouvante, frayeur, horreur, panique, peur, révolution, terrible.
TERREUX. Livide, malpropre, pâle, paysan.
TERRIBLE. Abominable, affreux, dantesque, drame, dur, effrayant, effroyable, énorme, épouvantable, excessif, redoutable, tragique.
TERRITOIRE. Diocèse, enclave, finage, paroisse, province, région, zone.
TERROIR. Ancien, cru, pays, terre.

TERTRE. Amas, butte, hauteur.
TESSON. Fragment, morceau, ostracon, têt, test.
TEST. Épreuve, essai, examen.
TESTAMENT. Biens, codicille, don, héritage, legs, nuncupatif, olographe.
TÊTE. Avant, caboche, cap, cerveau, chef, chevet, cime, cou, crâne, début, épi, esprit, file, froc, guillotine, hauteur, hure, mental, mine, occiput, premier, roi, sinciput, sommet, supérieur, test, têt, turc.
TÉTER. Attirer, presser, sucer.
TÉTINE. Mamelle, pis, sein, sucette, tétin, tette.
TÉTRARQUE. Chef, gouverneur.
TÊTU. Absolu, accrocheur, acharné, âne, buté, docile, entêté, entier, insoumis, intraitable, obéissant, mulet, mutin, obstiné, opiniâtre, persévérant, récalcitant, rétif, soumis, tenace, volontaire.
TEXTE. Alinéa, copie, discours, document, écrit, extrait, leçon, livre, livret, morceau, note, œuvre, original, partie, passage, sacré, teneur.
TEXTILE. Agave, chanvre, coton, fibre, laine, lin, teiller, tissu.
TEXTURE. Agencement, constitution, structure, substance, tissu.
THALLIUM. Tl.
THAUMATURGIQUE. Religieux, sacré, sorcier, spirituel, surnaturel.
THÉÂTRE. Acte, brigadier, cantonade, comédie, couturière, création, dramatique, drame, générale, inattendu, opéra, pièce, planches, plateau, première, rôle, scène, spectacle, subit, tréteaux.
THÈME. Dire, idée, leitmotiv, matière, motif, sujet, traduction, visuel.
THÉOLOGIE. Apologétique, gnose, origène, religion, vertu.
THÉOLOGIEN. Casuiste, consulteur, docteur, gnostique, uléma, soufi.
THÉORICIEN. Penseur, philosophe, scientifique, spéculateur, tactitien.
THÉORIE. Axiome, base, convention, doctrine, dogme, donnée, élément, idée, loi, maxime, pensée, philosophie, réflexion, spéculation, système.
THÉORIQUE. Abstrait, conceptuel, doctrinal, hypothétique, idéal, imaginaire, rationnel, scientifique, spéculatif, systématique, vaseux.
THÉRAPEUTIQUE. Cure, intervention, médication, régime.
THERMIE. Th.
THÉSAURISER. Amasser, avarice, capitaliser, économiser, empiler, entasser, épargner, ménager, placer, planquer, trésor.
THÈSE. Affirmation, argument, idée, opinion, soutenance, système.
THON. Bonite, germon, madrague, pélamide, thonine.
THORAX. Buste, cœur, corselet, écu, pectoraux, poitrine, torse, tronc.
THORIUM. Th.
THULIUM. Tm.
THYM. Barigoule, farigoule, frigoule, mignotise, pote, pouilleux, serpolet.
TIBIA. Anatomie, cheville, jambe, os.
TIC. Caprice, convulsion, dada, fantaisie, fièvre, frénésie, fureur, goût, grimace, habitude, hobby, manie, manière, nerf, rictus, stéréotype.
TIÈDE. Apathique, attiédi, calme, doux, modéré, moite, neutre.
TIÉDEUR. Chaleur, flegme, indifférence, mou, nonchalance, refroidi.
TIERCE. Carte, flanc, tiercelet.

TIERCER. Tercer, terser
TIERS. Arbitre, chef, délégation, médiateur, négociateur, témoin, tronc.
TIGE. Acaule, canisse, caulescent, cépée, clou, éperon, gourmand, liane, paille, pétiole, plesse, queue, rhizome, sonde, stipe, talle, turion, vis.
TIGRE. Chaton, fauve, feuler, kouffa, miaule, rauquer, tiglon, tigron.
TIMBRE. Album, cloche, enveloppe, gond, marque, philatélie, son, voix.
TIMIDE. Audacieux, complexé, craintif, farouche, gauche, gêné, hésitant, honteux, humble, indécis, maladroit, peureux, réservé.
TIMORÉ. Apeuré, craintif, intimidé, peureux, poltron, timide.
TINTAMARRE. Bacchanale, barouf, baroufle, bastringue, bordel, boucan, brouhaha, bruit, cacophonie, carillon, chahut, charivari, cri, désordre, éclat, esclandre, foin, potin, scandale, sérénade, tapage, tohu-bohu.
TINTEMENT. Bruit, carillon, cloche, ding, glas, son.
TINTER. Bruit, clocheter, résonner, sonner, tintamarre.
TIR. Enfilade, feu, fourchette, fusiller, lancement, volée.
TIRADE. Couplet, discours, explication, monologue, paraphrase, suite.
TIRAGE. Accroc, anicroche, aria, bec, cahot, chardon, danger, difficulté, édition, épine, hic, imprimerie, journal, livre, loterie, magazine, train.
TIRAILLER. Écarteler, souffrir, tirer, tourmenter.
TIRANT. Charpente, courant, eau, flottaison, viande.
TIRELIRE. Cagnotte, caisse, cochon, crapaud, grenouille, tontine, tronc.
TIRER. Amener, attirer, créer, dégainer, déterrer, écosser, émaner, enlever, flinguer, hâler, imprimer, jouer, jouir, naître, ôter, retirer, rétracter, saigner, sauver, sonner, tracer, traire, utiliser, venger, viser.
TIREUR. Astrologue, cartomancien, diseur, hâleur, tracteur, voyant.
TISANE. Apozème, bouillon, décoction, gruau, hydrolé, infusion, liquide, macération, menthe, remède, solution, tilleul, tisanière, verveine.
TISSAGE. Chaîne, lirette, ourdir, tisserand, tissu.
TISSER. Aménager, arranger, brocher, broder, combiner, entretisser, fabriquer, natter, ourdir, rapprocher, retisser, tramer, tresser.
TISSERAND. Licier, métier, peigne, séran, tisseur, tissu, trame.
TISSERIN. Africain, herbe, passériforme, républicain.
TISSEUSE. Araignée, étaminière, parques.
TISSU. Adipeux, albène, albumen, basin, claie, coton, coutil, crêpé, crépon, dentelle, derme, drap, étamine, étoffe, filet, finette, greffon, jersey, lacerie, lard, liber, liège, lin, linge, madapolam, moire, nansouk, natte, nodal, peau, pilou, popeline, pulpe, rabane, ratine, ruban, serge, soie, suédine, toile, tresse, tricot, tulle, tussor, tweed, velours, zénana.
TITANE. Ti.
TITAN. Colosse, cyclope, géant, Goliath, Hercule, malabar, monstre.
TITANESQUE. Babylonien, colossal, considérable, cyclopéen, démesuré, éléphantesque, énorme, étonnant, excessif, fantastique, formidable, géant, gigantesque, grand, immense, monstrueux, prodigieux.
TITANIC (n. p.). Terre-Neuve, White Star.

TITRE. Abbé, altesse, baron, chah, comte, duc, éminence, émir, essai, frontispice, iman, lord, maestro, maître, marquis, médaille, messire, nom, père, prince, révérend, revue, sainteté, sir, sire, sultan, titulaire.
TITRE ANGLAIS. Esquire, lady, lord, milady, milord, sir, sirdar.
TITUBANT. Balançant, basculant, branlant, chancelant, faible, flageolant, glissant, hésitant, incertain, oscillant, trébuchant, vacillant.
TITULAIRE. Attitré, créancier, gradué, palme, propriétaire, titre.
TOC. Camelote, factice, faux, imitation, pacotille, verroterie.
TOILE. Arantèle, bâche, bande, batiste, calicot, chintz, coton, cretonne, écran, étoffe, étui, filet, jute, lin, linceul, linge, linon, peinture, perse, rosconne, tableau, tissu, voile, zéphyr.
TOILETTE. Atour, costume, habit, linge, parure, tenue, vêtement.
TOISON. Cheveux, lainage, laine, poil.
TOIT. Abri, auvent, couverture, dais, gîte, parapluie, toiture, tortue.
TOITURE. Couverture, faîte, habitation, terrasse, toit.
TÔLE. Étain, fer-blanc, prison, volet.
TOLÉRER. Accepter, accorder, acquiescer, admettre, agréer, autoriser, avaler, concéder, consentir, endurer, excuser, permettre, souffrir.
TOLLÉ. Blâme, bruit, chahut, charivari, clameur, cri, haro, huée, sifflet.
TOMAHAWK. Arme, hache, massue.
TOMATE. Ketchup, olivette, pomme d'amour.
TOMBE. Funéraire, hypogée, mastaba, mausolée, tombeau, tumulus.
TOMBEAU. Caveau, cénoraire, cercueil, cinéraire, cippe, columbarium, corbillard, fosse, koubba, mastaba, pierre, sépulcre, sépulture, spéos.
TOMBER. Basculer, choir, chuter, culbuter, débouler, ébouler, écrouler, glisser, neiger, périr, pleuvoir, soir, souscrire, succomber, valdinguer.
TOMBOLA. Arlequin, bingo, hasard, fête, loterie, loto, tirage.
TON. Accent, accord, air, bruit, clé, clef, couleur, diapason, do, écho, façon, gamme, genre, grave, la, mode, note, parole, sol, son, verbe.
TONALITÉ. Couleur, inflexion, intonation, nuance, son, teinte, timbre.
TONDAISON. Coupage, épluchage, grattage, rasage, taillage, tonte.
TONDRE. Couper, dépouiller, ébarber, raser, retondre, tailler, tonsurer.
TONITRUER. Crier, ébruiter, éclater, foudroyer, fulminer, invectiver.
TONNE. Masse, poids.
TONNEAU. Baril, barrique, benne, botte, boucaud, caque, charge, cuve, foudre, fût, futaille, mèche, muid, pipe, récipient, seau, tine, tune, vase.
TONNELLE. Abri, berceau, charmille, gloriette, kiosque, pergola.
TONNER. Crier, détoner, éclater, fulminer, gronder, rouler, tomber.
TONNERRE. Éclair, foudre, fulguration, orage, tempête, terrible.
TOPINAMBOUR. Artichaut, citrouille, poire, soleil vivace, tertifle.
TOQUÉ. Aliéné, bizarre, dément, fou, maniaque, névrosé, timbré.
TORDANT. Amusant, bidonnant, bouffon, cocasse, comique, crevant, désopilant, drôle, farce, hilarant, impayable, plaisant, ridicule, risible.
TORDRE. Boudiner, cintrer, cordeler, courber, croiser, déformer, distordre, entortiller, gauchir, rouler, tirebouchonner, tourner, vriller.

TORDU. Bancal, bancroche, cagneux, circonflexe, contourné, contracté, courbé, déjeté, difforme, entortillé, gauche, recroquevillé, tors, vrillé.
TORNADE. Bourrasque, cyclone, orage, ouragan, tempête, typhon.
TORPEUR. Abattement, assoupissement, langueur, léthargie, sommeil.
TORPILLE. Gymnote, sous-marin.
TORPILLER. Briser, enterrer, escamoter, étouffer, neutraliser.
TORRENT. Arve, drac, eau, gave, gardon, lavande, ravine, rivière.
TORRIDE. Brûlant, chaud, cuisant, desséchant, étouffant, froid, rouge.
TORSE. Buste, poitrine, taille, thorax, tordu, tors, tronc.
TORT. Absent, affront, atteinte, avanie, blessure, brèche, casse, coup, dam, détriment, dommage, faute, grief, injure, léser, nuire, préjudice.
TORTILLARD. Train.
TORTILLER. Allure, détourner, friser, hésiter, manger, tordre, tourner.
TORTUE. Alligator, batagur, boîte, bouclier, boueuse, caret, casque, céraste, chélonien, cistude, diamanté, émyde, frange, kinixys, luth, musquée, pyxide, reptile, toit, trionyx, vorace.
TORTUEUX. Courbe, détour, droit, flexueux, serpentueux, sinueux.
TORTURE. Affliction, calvaire, douleur, martyre, question, souffrance, supplice, tenaillement, tourmente, tortionnaire, victime.
TÔT. Précoce, prématuré, promptement, rapide, temps, vite.
TOTAL. Absolu, complet, entier, exhaustif, franc, global, intact, intégral, parfait, plein, plénier, radical, somme, tout.
TOTALITÉ. Entièrement, masse, plénitude, tout, universalité.
TOTEM. Ancêtre, aulique, bande, clan, emblème, ethnie, famille, figure, gad, genre, horde, peuplade, signe, symbole, tribal.
TOUCHÉ. Ému, note, nuance, peiné, peu, teinte.
TOUCHER. Aboutir, adjacent, approcher, atteindre, attraper, contigu, dû, effleurer, émerger, émouvoir, frapper, gagner, heurter, impressionner, jouxter, manier, palper, percevoir, près, relâcher, tâter, tâtonner.
TOUFFE. Aigrette, amas, bouquet, buisson, cépée, chignon, crêpe, crête, crinière, femme, houppe, huppe, mèche, pinceau, têtard, toupet.
TOUFFU. Dru, épais, garni, hérissé, hirsute, huppé, pressé, serré.
TOUJOURS. Assidu, constant, éternel, perennité, perpétuité, uniforme.
TOUPET. Calvitie, confiance, hardiesse, moumoute, perruque, touffe.
TOUPIE. Clé, mégère, moine, pirouette, sabot, taille, toton, turbine.
TOUR. Beffroi, campanile, ceinture, clocher, donjon, échec, façon, guet, minaret, passe, pièce, plaisanterie, spire, taille, Tr, truc, virée.
TOUR (n. p.). Babel, CN, Eiffel, Pise.
TOURBILLON. Bourrasque, grain, rafale, remous, trombe, turbulence.
TOURELLE. Chambre, coupole, hile, tir, tour.
TOURILLON. Tolet, volée.
TOURISTE. Estivant, vacancier, voyageur.
TOURMENTER. Agacer, agiter, envier, gêner, harceler, infester, lanciner, moquer, mouvementer, ronger, tanner, tenailler, torturer, vexer.
TOURNAILLER. Errer, rôder, tourner.
TOURNANT. Angle, coude, courbe, courbure, méandre, retour, virage.

TOURNÉE. Promenade, torgnole, tour, virée, visite, volée, voyage.
TOURNER. Anordir, berner, braquer, cinéma, contourner, détourner, dévier, faner, finir, girer, nordir, persifler, pirouetter, railler, rôder, rouler, ruminer, sur, suri, tordre, tour, tournoyer, virer, virevolter.
TOURNIQUET. Aspérité, banc, bourriquet, moulinet.
TOURNURE. Air, allure, angle, aspect, bouffant, cachet, chic, côté, couleur, grammaticale, expression, face, forme, manière, style, tour.
TOURTEAU. Dormeur, maton, poupart, résidu.
TOUSSER. Cracher, éternuer, époumoner, respirer, spasme, toussoter.
TOUT. Amas, bloc, chaque, comble, complet, ensemble, entier, fatras, global, imbu, intact, intégralité, masse, monceau, multitude, panacée, pile, plénier, pléthore, ramassis, quiconque, sauf, somme, tas, total.
TOUTEFOIS. Cependant, mais, néanmoins, nonobstant, pourtant, seulement.
TOUX. Expectoration, rhume, tousserie, toussotement.
TOXINE. Anatoxine, poison.
TOXIQUE. Arsenic, asphyxiant, délétère, maligne, nocif, poison, venin.
TRACAS. Agacerie, alarme, aria, brimade, chicane, contrariété, difficulté, ennui, obsession, souci, souffrance, tourmente, vexation.
TRACE. Bavure, empreinte, erre, indice, itinéraire, linéament, note, ornière, pas, piste, plan, relent, reste, sillage, sillon, vermoulure, voie.
TRACER. Crayonner, décrire, dessiner, disposer, écrire, établir, frayer, marquer, ouvrir, règle, représenter, retracer, té, tirer, tracelet.
TRACT. Affiche, affichette, feuille, libelle, pamphlet, papier, vignette.
TRADITION. Ancestral, errement, habitude, histoire, rite, rituel, us.
TRADITIONALISTE. Classique, conformiste, conventionnel, sage.
TRADUCTEUR. Exégète, interprète, paraphraseur, scoliaste.
TRADUCTION. Adaptation, déchiffrement, explication, interprétation, thème, translation, transposition, version.
TRADUIRE. Changer, citer, comprendre, déchiffrer, déférer, expliquer, exprimer, gloser, indiquer, interpréter, justice, porter, rendre, traîner.
TRAFIC. Agio, billonnage, circulation, commerce, débit, encan, fricotage, gain, magouillage, manigance, négoce, simonie, traite, tripotage.
TRAFIQUER. Agioter, boursicoter, brader, bricoler, brocanter, colporter, combiner, débiter, échanger, fourguer, fricoter, magouiller, négocier.
TRAGÉDIE. Acteur, comédie, drame, film, malheur, muses, théâtre.
TRAHIR. Abandonner, décevoir, découvrir, défection, dénoncer, déserter, desservir, divulguer, duper, indiquer, lâcher, livrer, manquer, révéler, tromper, vendre.
TRAIN. Allure, arroi, bagage, convoi, équipage, erre, luxe, marche, omnibus, rail, rame, rapide, ruade, suite, tortillard, transport, vie.
TRAÎNER. Amener, attirer, charrier, conduire, entraîner, errer, flâner, guérir, hâler, lambiner, marcher, mener, ramper, remorquer, tirer.
TRAIT. Adresse, angon, attelle, boire, flèche, framée, hast, javeline, liaison, ligne, rature, soulignement, tiret, tracer, union, visage.

TRAITÉ. Accord, argument, convention, cours, discours, essai, étude, loi, manuel, mémoire, notions, ordre, pacte, réciprocité, règle, thèse, union.
TRAITEMENT. Avanie, comportement, cure, élixir, émolument, ergothérapie, gain, phytothérapie, salaire, soin, solde, thalassothérapie.
TRAITER. Appeler, brasser, cajoler, dorloter, gâter, jouer, malmener, manier, ménager, mener, purger, rabrouer, saler, snober, vexer.
TRAJECTOIRE. Gerbe, itinéraire, montée, orbite, rayon, tracé.
TRAJET. Aller, chemin, cheminement, circuit, course, direction, distance, espace, itinéraire, marche, parcours, route, tour, voyage.
TRAME. Chaîne, intrigue, menée, suite, tisserand, tissu, usure.
TRAMER. Aménager, arranger, brasser, combiner, comploter, conspirer, machiner, manigancer, monter, nouer, ourdir, préparer, tisser, tresser.
TRAMWAY. Impériale, rail, tram.
TRANCHANT. Acéré, affilé, affirmation, affûté, aigu, aiguisé, coupant, dos, émorfilé, émoulu, émoussé, fil, hache, net, repassé, sec, taillant.
TRANCHE. Canapé, coupe, darne, écu, émincé, escalope, fil, lèche, morceau, part, partie, portion, quartier, rondelle, rôtie, tartine.
TRANCHER. Arbitrer, arrêter, choisir, conclure, contraster, convenir, décréter, définir, délibérer, déterminer, détonner, disposer, finir, juger, ordonner, prononcer, régler, résoudre, solutionner, statuer, vider.
TRANQUILLE. Béat, calme, coi, confiant, dormant, impassible, lent, paisible, peinard, quiet, rasséréné, rassuré, serein, silencieux, sûr.
TRANQUILLISER. Adoucir, alarmer, apaiser, apprivoiser, assurer, calmer, rasséréner, rasseoir, rassurer, reprendre, sécuriser, troubler.
TRANQUILLITÉ. Apaisement, calme, paix, quiétude, sécurité, sérénité.
TRANSACTION. Accord, affaire, cession, compromis, crise, négoce.
TRANSCRIPTION. Copie, double, duplicata, minute, original, polycopie.
TRANSCRIRE. Calquer, écrire, enregistrer, expédier, inscrire, noter.
TRANSE. Crise, délire, émotion, exaltation, extase, peur, souci.
TRANSFÉRER. Céder, déplacer, fonctionner, muter, transporter, virer.
TRANSFORMATION. Avatar, changement, correction, digestion, forme, métamorphose, mue, ozonisation, réalisation, refonte, vaporisation.
TRANSFORMER. Aménager, changer, corriger, former, innover, mêler, muer, mûrir, réduire, refaire, rénover, retaper, tanner, virer.
TRANSFUGE. Apostat, déserteur, faux, fourbe, insoumis, judas, perfide.
TRANSIGER. Accéder, accepter, accorder, céder, faiblir, prêter, traiter.
TRANSITION. Glissement, intermédiaire, liaison, passage, pont, raccord.
TRANSLUCIDE. Clair, cristallin, diaphane, hyalin, limpide, transparent.
TRANSMETTRE. Céder, confier, dire, donner, envoyer, inoculer, passer.
TRANSMISSION. Contagion, contamination, diffusion, émission, épidémie, étendre, expansion, extension, héritage, progrès, télépathie.
TRANSPARENCE. Clarté, cristallin, diaphane, eau, épair, filigrane, mirer.
TRANSPERCER. Crever, cribler, embrocher, empaler, percer, traverser.
TRANSPIRATION. Diaphorèse, étuve, évaporation, perspiration, sueur.
TRANSPIRÉ. Bruit, respire, rumeur.
TRANSPIRER. Cacher, couler, dégouliner, dire, percer, rumeur, suer.

TRANSPLANTER. Greffer, repiquer, transférer, transporter.
TRANSPORT. Avion, bateau, brouettage, camionnage, cargo, charroi, circulation, déplacement, extase, fret, héliportage, ire, ligne, locomotive, roulage, route, train, transfert, véhicule, via, voie, voiture.
TRANSPORTÉ. Ardent, brûlant, chaud, dévot, emballé, ivre, mû, ravi.
TRANSPORTER. Aller, charrier, déplacer, mener, porter, véhiculer.
TRANSPOSER. Alterner, changer, convertir, déplacer, extrapoler, intervertir, inverser, modifier, permuter, renverser, traduire.
TRANSPOSITION. Adaptation, anagramme, calque, métathèse, permutation, renversement, traduction.
TRANSVASER. Décanter, dépoter, frelater, siphonner, soutirer, verser.
TRAPPE. Oubliette, piège.
TRAPU. Carré, costaud, court, courtaud, dru, ferme, fort, grand, gros, herculéen, massif, mastoc, musclé, nabot, nain, résistant, solide.
TRAQUENARD. Appât, piège, poursuite, tromperie.
TRAVAIL. Acte, ébénisterie, ergomanie, étude, fonte, journée, maçonnerie, mal, œuvre, ouvrage, peine, pige, sueur, tri, trime.
TRAVAILLER. Agir, besogner, bosser, bricoler, bûcher, chiner, cultiver, écosser, œuvrer, piocher, rendre, produire, suer, tracer, trimer.
TRAVAILLEUR. Aide, apprenti, artisan, bosseur, commis, compagnon, employé, ergomaniaque, journalier, ouvrier, prolétaire, salarié.
TRAVERS. Biais, côté, défaut, faible, flanc, lacune, malfaçon, vice.
TRAVERSE. Barrage, croisillon, jet, obstacle, passage, rail, traversine.
TRAVERSER. Brocher, croiser, empaler, larder, passer, percer, piquer.
TRAVERSIN. Chevet, coussin, oreiller, polochon.
TRAVESTI. Déguisement, domino, gai, mascarade, masque, uranien.
TRÉBUCHER. Achopper, broncher, buter, chanceler, chavirer, chopper, osciller, tituber, vaciller.
TRÈFLE. Carte, chance, lotier, luzerne, menyanthe.
TREILLAGE. Berceau, claie, clôture, espalier, jardin, palissade, taille.
TREILLIS. Barrière, claie, clôture, grillage, jardin.
TREMBLANT. Alarmé, apeuré, effrayé, ému, transi, vacillant.
TREMBLEMENT. Agitation, convulsion, frémissement, frisson, saccade, secousses, séisme, soubresaut, spasme, trépidation, vibration.
TREMBLER. Chanceler, craindre, danser, flageoler, frémir, frissonner, grelotter, palpiter, remuer, tituber, trembloter, trépider, vibrer.
TREMPÉ. Acier, imbibé, inondé, marinade, plongé, sauce, tempérament.
TREMPER. Arroser, baigner, essaimer, mariner, mouiller, rincer, saucer.
TREMPLIN. Batoude, gymnastique, plongeoir.
TRÉPAN. Drille, foret, mèche.
TRÉPAS. Décès, mort, tombe.
TRÈS. Affreusement, assez, bien, bigrement, drôlement, excessivement, extra, extrêmement, fort, fortement, furieusement, grand, hyper, infiniment, invraisemblable, joliment, moult, particulièrement, prodigieusement, remarquablement, super, sûr, tantinet, terriblement.
TRÉSOR. Argent, eldorado, fortune, magot, pactole, paragon, pirate.

TRÉSORIER. Argentier, avare, caissier, chevalier, comptable, payeur.
TRESSAUTER. Bondir, broncher, énerver, étonner, frémir, frissonner, sauter, sursauter, tiquer, trembler, tressaillir, vibrer.
TRESSE. Baderne, cadenette, cordon, couette, macaron, natte, soutache.
TRESSER. Arranger, assembler, cordelière, enrubanner, natter, osier.
TRÉTEAUX. Bateleur, baudet, histrion, théâtre.
TREUIL. Cabestan, caliorne, chèvre, giron, nille, palan, tirefort, vindas.
TRÈVE. Armistice, interruption, moratoire, répit, repos, suspension.
TRI. Choix, classement, criblage, élimination, enlevé, tamiser, volet.
TRIAGE. Assortiment, choix, crème, gratin, option, préférence, tri.
TRIBADE. Gouine, lesbienne, Sapho, vrille.
TRIBU. Aulique, bande, clan, érié, ethnie, famille, gad, genre, groupe, horde, peuplade, peuple, phratrie, race, totem, tribal.
TRIBU (n. p.). Abénakis, Agniers, Algonquins, Andastes, Apaches, Assiniboins, Atticamèques, Chactas, Cheyennes, Chipaouais, Corrois, Cris, Hurons, Iroquois, Malécites, Micmacs, Mohicans, Montagnais, Sioux, Susquehannas,
TRIBUN. Cicéron, débateur, entraîneur, orateur, parleur, rhéteur.
TRIBUNAL. Accusé, agréé, appel, aréopage, assises, avoué, aulique, barre, bâtonnier, chambre, comité, conseil, cour, curie, instance, juge, justice, palais, parquet, plaidoyer, prétoire, procédure, siège.
TRIBUTAIRE. Affluent, assujetti, débiteur, dépendant, imposable, obligé, redevable, rivière, soumis, sujet, vassal.
TRICHER. Berner, biseauter, duper, filouter, jeu, piper, tromper.
TRICHERIE. Malversation, pont, tromperie.
TRICHEUR. Dupeur, filou, fraudeur, fripon, maquignon, mauvais, joueur.
TRICOT. Aiguille, chandail, gilet, lainage, macramé, maillot, veste.
TRIER. Assortir, choisir, favoriser, isoler, préférer, réviser, séparer.
TRIMER. Marcher, peiner, surmener, travailler.
TRINGLE. Barre, broche, lisse, porte-serviettes, râtelier, trace, verge.
TRINITÉ. Fils, IHS, I.N.R.I, J.-C., Jésus-Christ, Messie, NS, NSJC, Verbe.
TRIOMPHE. Arc, briller, capitole, coupe, gloire, ovation, pavois, succès.
TRISTE. Abattu, affecté, affligé, aigri, altéré, amer, angoissé, assombri, attristé, deuil, douloureux, ennui, mélancolique, pensif, plaintif.
TRISTESSE. Abandon, amertume, atrabile, austérité, chagrin, dégoût, dépression, mélancolie, morosité, nostalgie, renfrognement, vague.
TROC. Change, échange, ers, lentilles, marché, permutation.
TROIE. Cheval.
TROIE (n. p.). Achille, Ajax, Énée, Épéos, Hector, Hélène, Ilion, Ménélas, Mentor, Myrmidon, Nestor, Pergame, Stentor, Ulysse.
TROIS. Brelan, épode, mages, mousquetaires, rois, ter, tiare, tierce, tiers, tertio, triade, trio, triple.
TROMPE. Cor, éléphant, eu, fourmilier, oreille, proboscidien, trompette.
TROMPER. Abuser, berner, décevoir, dol, duper, égarer, enjôler, errer, flouer, frauder, gourer, gruger, induire, léser, leurrer, mentir, méprendre, piper, posséder, refaire, rouler, trahir, tricher, truc.

TROMPETTE. Buccin, champignon, clairon, cornet, sonnerie, tambour.
TROMPEUR. Captieux, décevant, fallacieux, fraudeur, menteur, tricheur.
TRONC. Anatomie, arbre, ars, billot, branche, chott, colonne, corps, écot, fût, lignée, stipe, tige, tirelire, torse.
TRÔNE. Autorité, dynastie, monarchie, régner, royauté, siège, souveraineté, succession.
TROP. Beaucoup, cru, démesuré, excès, excessif, inexorable, obèse, plus, superflu, surfaire, toqué, très, trop-plein.
TROPHÉE. Butin, coupe, laurier, médaille, oscar, panoplie, prix, scalp.
TROPIQUE. Cancer, Capricorne.
TROTTOIR. Pavé, plateforme, prostitution, quai.
TROU. Abîme, antre, boire, brèche, caverne, cavité, clapier, coupure, creux, dalot, entonnoir, fente, fosse, narine, normand, œil, œillet, ope, ouverture, passage, pénétrer, perforer, piqûre, puit, terrier, vide.
TROUBADOUR. Barde, félibre, jongleur, ménestrel, poète, trouvère.
TROUBLE. Agnosie, amaurose, brouillé, brumeux, confusion, délire, dérangement, désordre, diplopie, dyslexie, égaré, émeute, émoi, émotion, ému, équivoque, fangeux, ivre, flou, hébéphrénie, opaque, orage, perturbation, révolution, sombre, terne, caseux, vésanie.
TROUBLÉ. Agité, dérangé, égaré, embarrassé, ému, hagard, ivre.
TROUBLER. Agiter, ahurir, désorganiser, effarer, perturber, retourner.
TROUÉE. Brèche, clairière, échappée, faille, ouverture, percée, quille.
TROUER. Crever, défoncer, forer, miter, ouvrir, percer, perforer.
TROUFION. Cadet, carabin, garde, recrue, soldat, vétéran, zouave.
TROUILLE. Peur, suée.
TROUPE. Armée, escorte, harde, harpail, mascarade, régiment, soldats.
TROUPEAU. Cheptel, grégaire, harde, harpail, manade, meute, ranz.
TROUSSE. Botte, étui, faisceau, gerbe, plumier, poche, sac, sacoche.
TROUSSEAU. Affaires, clé, clef, dot, effets, habits, layette, linge, lingerie.
TROUVAILLE. Astuce, création, découverte, idée, invention, nouveauté.
TROUVER. Admirer, citer, considérer, découvrir, dégoter, dénicher, dépister, désigner, deviner, éprouver, figurer, indiquer, inventer, pêcher, relever, rencontrer, résoudre, sentir, surprendre, voir.
TRUC. Art, astuce, bidule, chose, combinaison, moyen, stratagème.
TRUQUER. Abuser, berner, décevoir, dol, duper, égarer, enjôler, errer, flouer, frauder, gourer, gruger, induire, léser, leurrer, mentir, méprendre, piper, posséder, refaire, rouler, trahir, tricher, truc.
TSAR. Lion, monarque, pair, pharaon, prince, royal, sire, souverain.
TSAR (n. p.). Alexis, Chouiski, Ivan, Michel, Nicolas, Pierre le Grand.
TU. As, es, taire, tué, vous.
TUBE. Canon, chanson, conduit, diode, éprouvette, estomac, gibus, iconoscope, macaroni, néon, périscope, queusot, schnorchel, siphon, tétrode, triode, tuyau.
TUBERCULOSE. Bacillose, lupus, phtisie, poumon, silicose.
TUER. Abattre, assassiner, descendre, égorger, étouffer, étrangler, étriper, lapider, massacrer, nettoyer, saigner, servir, trucider.

TUEUR. Assassin, égorgeur, étrangleur, meurtrier, nervi, sicaire.
TUILE. Accident, argile, biscuit, brique, égout, imbriqué, toit, toiture.
TUMEUR. Abcès, adénite, adénome, anévrisme, angiome, anthrax, cancer, capelet, chalaze, chancre, chéloïde, énostose, épervin, épulide, fibrome, gliome, javart, kyste, lipome, myome, néoplasme, papillome, polype, ranule, sarcome, squirre, tanne, ulcère, verrue, xanthome.
TUMULTE. Bagarre, bruit, chahut, cohue, foire, orage, tapage, train.
TUNGSTÈNE. Métal, platine, stellite, W.
TUNIQUE. Angusticlave, broigne, chiton, dalmatique, dolman, éphod, kimono, laticlave, peau, redingote, robe, tissu, uvée, veste.
TURC. Émir, hanneton, mahomet, musulman, ottoman, raïa, rivetage.
TURQUIE. Divan, moquette, porte, tapis.
TUTELLE. Aide, appui, assistance, auspice, autorité, bénédiction, couverture, défense, égide, garantie, patronage, protection, support.
TUTEUR. Ascendant, comptable, garantie, parrain, patron, soutien.
TUYAU. Boyau, canal, conduit, durit, gaine, gargouille, information, orgue, pipe, renseignement, tube.
TUYAUTER. Cisailler, indiquer, informer, renseigner.
TYMPAN. Fronton, gable, oreille, pignon, voûte.
TYPE. Homme, imprimerie, lettre, modèle, moule, sorte, zig, zigue.
TYPHON. Bourrasque, cyclone, orage, ouragan, rafale, tempête, tornade.
TYPIQUE. Caractéristique, distinctif, dominant, idéal, pittoresque.
TYPOGRAPHE. Compositeur, imposeur, imprimeur, minerviste, prote.
TYPOGRAPHIQUE. Astérisque, cadratin, caractère, casse, édition, fonte, format, frappe, imprimé, œil, miroir, police, tiret, veuve.
TYRAN. Autocrate, cruel, despote, dictateur, dominateur, draconien, maître, oiseau, oppresseur, persécuteur, roi, roitelet, souverain.
TYRAN (n. p.). Néron, Ugolin.
TZIGANE. Bohémien, nomade, romanichel, sanskrit, tsigane, zingaro.

U

U. Cavalier, crampillon, hyoïde.
UBAC. Adret, montagne, ombre, versant.
UBIQUITÉ. Dieu, partout.
UKULÉLÉ. Guitare, Hawaii, musique.
ULCÉRATION. Abcès, aphte, cancer, cautère, ladre, tumeur, ulcère.
ULCÉRER. Blesser, brûler, choquer, crever, énerver, envenimer, extirper, fermer, froisser, mûrir, offenser, offusquer, pourrir, vexer.
ULTÉRIEUR. Antérieur, après, postérieur, proroger, suivant.
ULTIME. Dernier, extrême, final, terminal, suprême.
ULYSSE (n. p.). Argus, Calypso, Circé, Cyclope, Elpénor, Eumée, Ithaque, Laërte, Mentor, Pénélope, Télémaque, Troie.
UN. As, aucun, autre, certain, maint, nul, quelque, quelqu'un, seul.
UNANIME. Absolu, chœur, collectif, commun, identique, opinion, tous.

UNI. Adjacent, ami, confondu, couleur, égal, femme, fondu, intime, joint, latéral, lié, lisse, mari, net, noué, plan, plat, poli, ras, rivé, voisin.
UNIFORME. Accidenté, changeant, continu, costume, divers, droit, égal, homogène, même, nuancé, pareil, plat, régulier, simple, tenue, varié.
UNIMENT. Également, franchement, régulièrement, net, simplement.
UNION. Ars, bloc, communion, liaison, ligue, mariage, réunion, syndicat.
UNIQUE. As, incomparable, isolé, premier, rare, seul, supérieur, un.
UNIR. Accoupler, agencer, agglutiner, agréger, allier, annexer, apparier, assembler, associer, assortir, attacher, attribution, communier, confondre, coupler, cumuler, et, fondre, grouper, harmoniser, joindre, jumeler, lier, liguer, maire, marier, mélanger, rassembler, relier.
UNITÉ. Accord, ampère, are, as, bar, bel, bit, btu, carat, cv, erg, hectare, joule, kilomètre, litre, lumen, lux, mètre, micron, ohm, pied, pouce, régiment, rem, rhé, stère, tex, ton, var, union, watt.
UNIVERS. Ciel, cosmos, création, microcosme, monde, nature, tout.
UNIVERSEL. Adage, commun, complet, encyclopédique, général, mondial, œcuménique, omniscient, panacée, polyvalent, tout.
UNIVERSITÉ. Académie, école, enseignement, faculté, recteur, supérieur.
URANIEN. Homosexuel, pédéraste, pédophile, travesti.
URANIUM. U.
URBAIN. Citadin, cité, communal, municipal, ville.
URE. Auroch, bison, bœuf, urus.
URÉE. Aminoplaste, azotémie, cathéter, engrais.
URGENT. Important, pressant, pressé.
URINE. Anurie, eau, pipi, pissat, pisse, prostate, purin, rein.
URINOIR. Édicule, latrines, pissoir, pissotière, vespasienne.
URNE. Amphore, bouteille, canope, pot, potiche, vase, vote.
USAGE. Abus, activité, application, consommation, coutume, dégradation, destination, destruction, disposition, emploi, exercice, fabrication, fonction, fonctionnement, habitude, hétérométrie, jouissance, maniement, marche, mœurs, recours, us, utilisation.
USAGÉ. Abîmé, amorti, avachi, classique, coutume, culotté, déchiré, déformé, défraîchi, délavé, épuisé, jetable, thèse, vieil, vieux, us, usé.
USÉ. Banal, détérioré, éculé, fané, fini, gâté, las, mûr, vétuste, vieux.
USER. Abîmer, abraser, abuser, amoindrir, araser, biaiser, corroder, effacer, effriter, élimer, émeri, émousser, entamer, épointer, épuiser, érafler, éroder, fatiguer, finasser, gâter, laminer, limer, meuler, miner, mordre, râper, rayer, roder, ronger, ruser, saper, servir, vider.
USINE. Aciérie, atelier, centrale, entreprise, fabrique, fonderie, forge, industrie, maïserie, manufacture, raffinerie, scierie, verrerie.
USITÉ. Accoutumé, commun, consacré, constant, courant, fréquent.
USTENSILE. Bassine, brûloir, chope, cuiller, cuillère, gril, instrument, lanterne, lèchefrite, outil, panier, pincette, râpe, rôtissoire, turlutte.
USUEL. Admis, banal, commun, courant, coutumier, habituel, reçu.
USURE. Corrosion, effilochage, effritement, émoussement, érosion.
USURIER. Agioteur, avare, prêteur, séraphin.

USURPER. Abuser, accaparer, adjuger, anticiper, appliquer, emparer, empiéter, emprunter, occuper, prendre, rafler, ravir, souffler, voler.

UT. Do.

UTILE. Bon, charge, efficace, expédient, important, indispensable, inutile, intérêt, nécessaire, profitable, rôle, salutaire, théâtre.

UTILISATEUR. Client, habitué, jouisseur, profiteur, usager, usufruitier.

UTILISER. Employer, étrenner, exploiter, profiter, servir, tirer, user.

UTOPIQUE. Chimérique, idéal, illusion, imagination, impossible, rêve.

UVULE. Luette, prononciation, vibration.

V

VA. Aller, déplacer, encouragement, voltampère.

VACANCE. Arrêt, congé, coupure, dignité, fonction, pause, période, permission, pont, relâche, répit, repos, séjour, temps, villégiature.

VACANCIER. Estivant, touriste, visiteur, voyageur.

VACANT. Disponible, inoccupé, intérim, libre, ouvert, vague, vide.

VACARME. Boucan, bruit, chahut, charivari, fracas, tapage.

VACCIN. Épidémie, guérir, injection, inoculation, rage, santé, sérum.

VACCINER. Immuniser, inoculer, piquer, prémunir, préserver.

VACHE. Beugler, bœuf, bouse, dugong, génisse, grasses, io, maigres, meugler, mugir, pis, sirène, tarine, taure, taureau, vachette, veau.

VACHERIE. Coup, désagréable, fâcheux, méchant, rosserie, tuile.

VACILLER. Chanceler, chavirer, cligner, tanguer, tituber, trembler.

VAGABOND. Bohémien, chemineau, clochard, cloche, erre, flâneur, itinérant, mendiant, nomade, robineux, rôdeur, trimardeur, trôleur.

VAGABONDER. Errer, galvauder, promener, rôder, traînasser.

VAGUE. Abstrait, agitation, barre, confus, douteux, eau, erre, flot, général, houle, indécis, lame, mouton, on, onde, raz, ressac, risette.

VAGUER. Déferler, divaguer, errer, flotter, friser, généraliser, troubler.

VAILLANCE. Bravoure, chèrement, courage.

VAILLANT. Brave, courageux, lâche, peureux, poltron, preux, sou, valeureux.

VAIN. Absurde, creux, effet, fat, faux, fier, fugace, illusoire, imaginaire, intérêt, inutile, nul, orgueilleux, prétentieux, stérile, vanité, zéro.

VAINCRE. Accabler, anéantir, annihiler, balayer, bousculer, chasser, débander, décimer, écraser, exténuer, repousser, terrasser, triompher.

VAINCU. Conquis, culbuté, écrasé, enfoncé, eu, invincible, perdant.

VAINQUEUR. Champion, conquérant, dessus, dominateur, dompteur, gagnant, lauréat, suffisant, triomphateur, victorieux.

VAISSEAU. Bateau, birème, bol, corsaire, corvette, gréer, flotte, frégate, marin, mât, matelot, navire, nef, noliser, trière, trimère, vase, voile.

VAISSEAU SANGUIN. Aorte, artère, vasculaire, veine.

VAISSELLE. Argenterie, assiette, dressoir, légumier, plat, plateau, poterie, saladier, salière, saucière, soucoupe, soupière, sucrier, tasse.

VALET. Carte, crispin, flatterie, lad, laquais, larbin, Scapin, serviteur.

VALEUR. Cote, estime, important, note, nul, prix, qualité, rareté, titre.
VALEUREUX. Brave, courageux, intrépide, preux.
VALIDATION. Homologation, périmé, ratification, sain, visa.
VALIDE. Admis, bien, bon, dru, fort, gaillard, robuste, sain, valable.
VALISE. Bagage, cantine, coffre, malle, mallette, sac, serviette, valoche.
VALLÉE. Canyon, col, combe, couloir, gorge, prairie, ravin, ria, vallon.
VALOIR. Atteindre, coûter, égaler, équivaloir, faire, mériter, vanter.
VALSE. Boston, changement, danse, instabilité, java, quatre-temps.
VALSEUR. Charmeur, danseur, débrouillard, testicule.
VALVE. Charnière, écaille, endocardite, fermer, cœur, nacre, valvule.
VAMPIRE. Dracula, goule, ogre, sangsue, strige, stryge, suceur.
VANADIUM. V.
VANITÉ. Affectation, complaisance, crânerie, défaut, enflure, fat, fatuité, fier, gloriole, importance, infatuation, jactance, orgueil, ostentation, présomption, prétention, snobisme, suffisance, vain.
VANNE. Allusion, barrage, blague, bonde, déversoir, empellement, las, pâle, plaisanterie, secouer.
VANNELLE. Conduite, écluse, ouverture, porte.
VANTER. Applaudir, bluffer, enorgueillir, exagérer, flatter, glorifier, grossir, louanger, louer, mousser, pavoiser, prévaloir, prôner, targuer.
VAPEUR. Air, bruine, buée, éolipyle, gaz, nuée, pyroscaphe, rosée, suée.
VAPOREUX. Aérien, ému, flou, indécis, ivre, léger, vague.
VAPORISATEUR. Atomisateur, fixateur, pulvérisateur, sublimateur.
VAPORISER. Goutte, mouiller, pulvériser, volatiser.
VARECH. Algue, fucus, goémon, iode.
VARIABLE. Changeant, flottant, incertain, inconsistant, inconstant, indécis, irrésolu, ondoyant, phase, relatif, verbe.
VARIATION. Changement, chant, différence, écart, eustatisme, type.
VARICE. Hémorroïde.
VARIÉ. Bariolé, bigarré, changeant, complexe, différent, disparate, divers, hétéroclite, marbré, mélangé, mêlé, modifié, nuancé, tigré.
VARIER. Accorder, alterner, bigarrer, changer, commuer, différencier, discorder, diversifier, mélanger, moirer, nuancer, osciller, panacher.
VARIÉTÉ. Beaucoup, bigarrure, classification, dialecte, différence, disparité, diversité, espèce, mélange, multiplicité, race, riche, uni.
VARIOLE. Alastrim, bouton, éruption, fièvre, peau, picotte, pustule.
VARLOPE. Rabot.
VASE. Amphore, ballon, bol, boue, bouteille, buire, calice, canette, canope, cérame, ciboire, cornue, fange, hanap, jarre, jatte, limon, matras, patène, pot, potiche, récipient, seau, tasse, urinal, urne, verre.
VASTE. Ample, énorme, étendu, grand, océan, mer, panorama.
VAURIEN. Bandit, coquin, galapiat, gouape, gredin, sacripant, voyou.
VAUTOUR. Condor, épervier, faucon, griffon, percnoptère, urubu.
VEAU. Amourette, bœuf, fagoue, gouet, mou, noix, ris.
VEDETTE. Acteur, artiste, bateau, chanteur, étoile, gloire, idole, star.
VÉGÉTAL. Algue, arbre, fleur, flore, fruit, légumineuse, plante.

VÉGÉTARIEN. Frugivore, herbivore, io, macrobiotique, végétalien.
VÉGÉTER. Durer, exister, subsister, vivoter, vivre.
VÉHÉMENCE. Animosité, éloquence, feu, fougue, impétuosité, violence.
VÉHICULE. Aérotrain, astronef, auto, automobile, autopompe, avion, bateau, bicyclette, blindé, bolide, bus, camion, charrette, éfourceau, fourgonnette, jeep, navette, tacot, tracteur, traîneau, voiture, wagon.
VEILLÉE. Party, quart, soirée, surboum, tutélaire, vigile.
VEILLER. Aider, bichonner, cajoler, chouchouter, choyer, défendre, dorloter, garder, monter, préserver, rester, secourir, soigner, surveiller.
VEILLEUR. Épieur, factionnaire, garde, gardien, guet, guetteur, vigie.
VEINE. Airure, azygos, cave, chance, délit, filon, hasard, inspiration, porte, ronce, sang, saphène, vaisseau.
VÉLO. Bécane, biclou, bicycle, bicyclette, clou, tandem, tricycle, triporteur, vélocipède, vélocross, vélomoteur, vélopousse.
VÉLOCITÉ. Promptitude, rapidité, vitesse.
VELOURS. Cuir, floche, facile, panne, peluche, velvet.
VÉNAL. Corrompu, fonction, intéressé, mercenaire, prix, véreux.
VENDANGE. Cagnotte, connaissance, cueillette, jeunesse, récolte, vigne, vin.
VENDEUR. Commerçant, commis, diamantaire, marchand, représentant.
VENDRE. Adjuger, aliéner, bazarder, brader, brocanter, cameloter, casser, céder, coller, débiter, défaire, démarcher, dénoncer, détailler, discuter, échanger, écouler, épuiser, exporter, fourguer, marchander, mévendre, monnayer, négocier, placer, réaliser, refiler, rétrocéder, revendre, sacrifier, servir, solder, trafiquer, trahir, troquer.
VENELLE. Rue, ruelle.
VÉNÉNEUX. Bolet, champignon, empoisonné, mandragore, morelle.
VÉNÉRATION. Culte, fétichisme, hommage, respect, révérence, sacré.
VÉNÉRER. Admirer, aimer, apprécier, considérer, estimer, respecter.
VENGEANCE. Animosité, compensation, réclamation, réparation, représailles, rétorsion, revanche, riposte, talion, vendetta, vindicte.
VENGEANCE (n. p.). Némésis.
VENGER. Châtier, corriger, frapper, laver, punir, redresser, sévir.
VENIN. Aconitine, arsenic, bouillon, curare, gobbe, narcotique, poison.
VENIR. Aborder, aboutir, aller, amener, appel, approcher, arriver, avancer, échoir, entrer, futur, naître, parvenir, revenir, suivre, vaincre.
VENT. Air, alizé, amure, aquilon, auster, autan, bise, blizzard, bora, borée, bourrasque, brise, cers, chinook, cyclone, étésien, haleine, mistral, noroît, orage, orgue, rafale, simoun, tornade, voile, zéphyr.
VENTE. Bazar, broquante, commerce, comptoir, contrebande, criée, débit, directe, échange, encan, enchère, gros, mévente, solde.
VENTILATION. Aération, air, climatisation, répartition, soufflerie.
VENTRE. Abdomen, basset, bedaine, bedon, bide, brioche, buffet, coffre, hara-kiri, hypogastre, panse, rampe, sac, ventral.
VENU. Allé, éclos, issu, né, reçu.
VENUE. Accession, approche, arrivée, avènement, entrée, survenue.

VÉNUS (n. p.). Adonis, Anadyomène, Dioné, Énée, Éros, Éryx, Priape.
VER. Apode, arénicole, ascaride, asticot, bilharzie, chenille, ciron, cirre, douve, filaire, flat, helminthe, iule, larve, lombric, nématode, néréide, néréis, nu, oxyure, planaire, sabelle, sangsue, serbule, solitaire, strongle, strongyle, tænia, taret, ténia, térébelle, trichine, vermidien.
VÉRACITÉ. Authenticité, franchise, vérité, vrai.
VÉRANDA. Auvent, balcon, gloriette, kiosque, varangue, verrière.
VERBAL. Idiolecte, oral, parlé, verbe.
VERBE. Actif, auxiliaire, attributif, conditionnel, conjugaison, contracté, déclaratif, défectif, déponent, factitif, futur, imparfait, impératif, impersonnel, indicatif, infinitif, intensif, irrégulier, mode, moyen, oral, parfait, parole, participe, passé, passif, plus-que-parfait, présent, pronominal, réciproque, réfléchi, régulier, subjonctif, transitif, trinité.
VERDÂTRE. Jade, oasis, olivâtre, vert.
VERDIR. Blanchir, blêmir, colorer, pâlir, peindre, verdoyer.
VERDURE. Feuillage, feuille, gazon, herbage, herbe, parterre.
VERGE. Anatomie, fléau, fouet, gland, jalon, pénis, prépuce, tringle.
VERGER. Jardin, ouche, plantation, pomme.
VERGNE. Aulne, aune, verne.
VERGUE. Agrès, antenne, capelage, corne, gui, mât, orientation, voile.
VÉRIDIQUE. Authentique, exact, fidèle, franc, vrai.
VÉRIFICATION. Analyse, confirmation, considération, contrôle, critique, démonstration, enquête, épluchage, épreuve, essai, étude, évaluation, examen, expérience, expertise, filtrage, inspection, justification, observation, pointage, récolement, révision, surveillance, test.
VÉRIFIER. Analyser, apurer, confirmer, confronter, considérer, contrôler, critiquer, démontrer, enquêter, éplucher, éprouver, essayer, étudier, évaluer, examiner, expertiser, filtrer, inspecter, juger, justifier, observer, pointer, récoler, repasser, réviser, revoir, surveiller, tester.
VÉRITABLE. Authentique, efficace, naturel, réel, vrai, vraiment.
VÉRITÉ. Absolu, axiome, dogme, doxologie, foi, juste, oracle, orthodoxie, postulat, principe, preuve, réalité, science, sûreté, théorème, vrai.
VERMINE. Canaille, parasite, pou, puce, punaise, saleté, racaille.
VERNIS. Ailante, ciré, émail, enduit, fixé, glacé, gomme, laque, résine.
VERRE. Azur, ballon, bock, calcin, canon, carreau, coupe, cristal, demi, flûte, gobelet, lunette, pot, pyrex, smalt, soyer, tournée.
VERRUE. Chélidoine, fic, nævus, papillome, peau, poireau.
VERS. Alexandrin, mètre, poésie, rimes, rythme, verset.
VERSANT. Adret, brisis, contrepente, côte, coteau, pente, raillère, ubac.
VERSEMENT. Dépôt, paiement, redevance.
VERSER. Arroser, couler, déverser, distiller, entonner, épancher, épandre, infuser, instiller, larmoyer, mettre, payer, pleurer, répandre, servir, soutirer, transfuser, transvaser, transverser, transvider, vider.
VERSET. Antienne, graduel, poésie, satanique, vers.
VERSIFIER. Dire, expliquer, poésie, rimailler, rimer, ronsardiser.
VERSO. Dos, opisthographe, opposition, revers, rôle.

VERT. Bleu, céladon, cru, glauque, jade, jaune, leste, nil, pers, olivâtre, osé, pré, sinople, tapis, turquoise, verdoyant, vert-de-gris.
VERTÈBRE. Animal, atlas, axis, colonne, oiseau, poisson, reptile.
VERTICAL. Aplomb, debout, droit, hampe, perpendiculaire.
VERTIGE. Auriculaire, éblouissement, désarroi, déséquilibre, étourdissement, évanouissement, ivresse, oreille, saisissement, trouble.
VERTU. Charité, clémence, décence, efficacité, énergie, espérance, foi, miséricorde, parénèse, prudence, qualité, tempérance.
VESPASIENNE. Pissoir, urinoir.
VESSE-DE-LOUP. Lycoperdon, vesce-de-loup.
VESTE. Anorak, blazer, blouson, boléro, caban, cabi, canadienne, cardigan, carmagnole, défaite, dolman, doudoune, échec, hoqueton, jaquette, pourpoint, saharienne, tunique, vareuse, veston, vêtement.
VESTIBULE. Antichambre, aqueduc, entrée, hall, narthex, oreille.
VESTIGE. Apparence, débris, décombres, marque, reste, ruine, trace.
VÊTEMENT. Anorak, barboteuse, bas, blouson, bore, bure, canadienne, chemise, ciré, cotte, coule, effet, gilet, guenille, haillon, imperméable, lainage, mante, paletot, pantalon, peignoir, pèlerine, nippe, robe, saie, salopette, saye, surcot, surplis, treillis, tutu, vareuse, veste, veston.
VÉTÉRINAIRE. Hippiatre.
VÊTIR. Costumer, couvrir, endosser, enfiler, mettre, prendre, revêtir.
VÉTUSTE. Ancien, branlant, chancelant, délabré, périmé, usé, vieux.
VEUF. Célibataire, douaire, seul, viduité.
VEULE. Capon, couard, craintif, dégonflé, lâche, lope, mou, peureux.
VEUVE. Douaire, douairière, guillotine, feu, mari, masturbation.
VEXER. Chagriner, choquer, contrarier, déplaire, mépriser, tourmenter.
VIANDE. Boucan, boucherie, bouilli, broche, casher, carpaccio, chair, grillade, haché, macreuse, pâté, paupiette, rillettes, rôt, rôti, terrine.
VIBRATION. Balancement, gong, onde, son, ultrason, tremblement.
VICE. Adultère, cochon, défaut, érotique, famille, horreur, hypocrisie, lascif, lubrique, luxurieux, malformation, passion, sadique, salace, sensuel, tare, titre, vertu, vicieux, voluptueux, vrille.
VICIER. Abâtir, altérer, avarier, corrompre, dégrader, dénaturer, détériorer, détraquer, esquinter, gâter, meurtrir, perdre, pourrir, tarer.
VICIEUX. Corrompu, débauché, dépravé, gâté, obscène, roué, taré.
VICISSITUDE. Aléas, changement, hasard, imprévu, retour, variation.
VICTIME. Émissaire, hostie, jouet, martyr, proie, souffre-douleur.
VICTOIRE. Palme, réussite, succès, triomphe.
VIDE. Âme, cavité, creux, désert, disponible, futile, inhabité, inoccupé, inutile, léger, libre, manque, néant, nu, stérile, trou, vacant, vain, veuf.
VIDER. Débarrasser, déblayer, dégager, dégarnir, délester, écoper, enlever, évacuer, nettoyer, ôter, priver, soulager, verser, vidanger.
VIDANGE. Ballastage, changement, dépotoir, éboueur, fosse.
VIE. Air, âme, biographie, curriculum, destin, destinée, éternité, existence, germe, intimité, odyssée, rangée, soleil, survie, vit, vivre.

VIEILLARD. Ancien, âgé, baderne, chenu, croulant, géronte, Nestor, patriarche, pépé, schnock, sénile, vieux.
VIERGE. Blanc, brut, hymen, icône, innocent, intact, madone, neuf, nouveau, puceau, pucelle, pur, rosière, vestale, vigne, zodiaque.
VIEUX. Âgé, amorti, ancien, antique, archaïque, autrefois, baderne, caduc, cassé, décrépit, déjà, nouveau, vétéran, usé, vétuste, vieil.
VIF. Agile, aigu, alerte, animé, âpre, chaud, déluré, dru, éclair, espiègle, fringant, impétueux, intense, léger, leste, pétulant, preste, rapide.
VIGILANT. Actif, agile, alerte, animé, déluré, garde, maigre, soin.
VIGILANCE. Attention, garde, guet, protection, soin, zèle.
VIGNE. Ampélopsis, cep, cépage, clos, cochylis, cru, hautin, lambruche, lambrusque, mildiou, oïdium, pampre, phylloxéra, plant, raisin, rot, sarment, terroir, treille, uval, vignoble, vin.
VIGNE (n. p.). Bacchus, Noé.
VIGNETTE. Collant, cul-de-lampe, dessin, estampille, gravure, image.
VIGNOBLE. Clos, cru, erbue, œnologue, vendange, vigne, vigneron, vin.
VIGOUREUX. Costaud, dru, fort, jeune, robuste, solide, valide, vif.
VIGUEUR. Atone, dru, énergie, force, mièvre, nerf, sève, ton, verdeur.
VIL. Abject, bas, fumier, galeux, honteux, infâme, lâche, lie, taré.
VILAIN. Affreux, hideux, laid, méchant, moche, odieux, ord, ort, toc.
VILLA. Bungalow, chalet, chartreuse, cottage, maison, pavillon.
VILLAGE. Bled, bourg, bourgade, douar, hameau, localité, patelin, ville.
VILLE. Bourg, bourgade, centre, cité, hameau, lieu-dit, localité, village.
VILLE, AFGHANISTAN (n. p.). Bamiyan, Harat, Herat, Kaboul.
VILLE, AFRIQUE DU SUD (n. p.). Benoni, Bloemfontein.
VILLE, ALASKA (n. p.). Anchorage.
VILLE, ALBANIE (n. p.). Tirana.
VILLE, ALGÉRIE (n. p.). Alger, Arris, Arziw, Batna, Bejaia, Beskra, Bône, Boufarik, Boujie, Collo, Dellys, Frenda, Kerrata, Marnia, Mila, Msila, Oran, Saida, Sétif, Stif, Tablat, Tbessa, Ténès, Tipasa, Vialar.
VILLE, ALLEMAGNE (n. p.). Aachen, Aalan, Aschaffenburg, Augsbourg, Baden-Baden, Bamberg, Bautzen, Bayreuth, Berchtesgaden, Berlin, Bielefeld, Bochum, Bonn, Brême, Celle, Cologne, Dachau, Duren, Dusseldorf, Ems, Erfurt, Essen, Frankfort, Freiberg, Fulda, Gera, Giessen, Gutersloh, Hagen, Halle, Hambourg, Hanau, Hanovre, Herne, Hildesheim, Hof, Iena, Lindau, Lunen, Lutzen, Marl, Munich, Munster, Neuss, Nordhausen, Nuremberg, Oranienburg, Ratisbonne, Siegen, Spire, Stuttgart, Ulm, Wiesbaden, Witten, Worms, Zeitz.
VILLE, ANGLETERRE (n. p.). Bath, Bedford, Bolton, Bristol, Bury, Cambridge, Carlisle, Chatham, Chelsea, Chester, Deal, Derby, Durham, Eton, Gloucester, Greenwich, Hove, Lancaster, Liverpool, Londres, Manchester, Norwich, Nottingham, Oxford, Preston, Richmond, Salford, Salisbury, Sheffield, Stafford, Taunton, Wakefield, Wells, Wimbledon, Winchester, Worcester, York.
VILLE, ANGOLA (n. p.). Benguela, Luanda.
VILLE, ARABIE SAOUDITE (n. p.). Médine.

VILLE, ARGENTINE (n. p.). Salta, Ushuaia, Viedma.
VILLE, AUSTRALIE (n. p.). Adelaide, Perth.
VILLE, AUTRICHE (n. p.). Badgastein, Enns, Graz, Linz, Salzbourg, Vienne, Wels.
VILLE, BANGLADESH (n. p.). Bapisal.
VILLE, BELGIQUE (n. p.). Aalst, Aarschot, Alost, Andenne, Anvers, Arlon, Ath, Bastogne, Binche, Bruges, Bruxelles, Charleroi, Diest, Dinan, Dison, Eeklo, Gand, Geel, Huy, Ieper, Léau, Lessines, Liège, Louvain, Menen, Mons, Namur, Nieuport, Ninove, Olen, Roeselare, Spa, Thuin, Tielt, Ypres, Wavre.
VILLE, BIÉLORUSSIE (n. p.). Bobrouisk, Brest, Grodno, Minsk.
VILLE, BOLIVIE (n. p.). Oruro, Sucre, La Paz.
VILLE, BRÉSIL (n. p.). Belem, Blumenau, Brasilia, Campos, Goiania, Natal, Niteroi, Olinda, Pelotas, Recife, Rio, Santos, Teresina.
VILLE, BULGARIE (n. p.). Sofia, Sliven, Sumen, Vraca.
VILLE, CAMEROUN (n. p.). Bafoussam, Bamenda, Edéa.
VILLE, CANADA (n. p.). Anjou, Brandon, Calgary, Chatham, Cornwall, Dartmouth, Edmonton, Edmunston, Fredericton, Guelph, Halifax, Hamilton, Kingston, Kitchener, London, Moncton, Oshawa, Regina, Sarnia, Saskatoon, Saint-Jean, Stratford, Sudbury, Timmins, Toronto, Trenton, Vancouver, Victoria, Welland, Winnipeg, Windsor.
VILLE, CHILI (n. p.). Arica, Osorno, Santiago, Serena, Talca.
VILLE, CHINE (n. p.). Anshan, Anyang, Baoding, Baotou, Beijing, Bengbu, Benqi, Benxi, Benzi, Caton, Hefei, Pékin, Shanghai, Tsi-nan, Yarkand, Xian.
VILLE, CHYPRE (n. p.). Larnaka.
VILLE, CISJORDANIE (n. p.). Bethleem.
VILLE, COLOMBIE (n. p.). Armenia, Barrancabermeja, Barranquilla, Bogota, Cali, Éger, Ibagué, Medellin, Neiva.
VILLE, CORÉE DU SUD (n. p.). Anyang, Pousan, Séoul, Taegu.
VILLE, DANEMARK (n. p.). Copenhague, Elseneur.
VILLE, ÉCOSSE (n. p.). Ayr, Glasgow, Nairn, Perth.
VILLE, ÉGYPTE (n. p.). Alexandrie, Assiout, Assouan, Asyut, Edfou, Esneh, Isna, Le Caire, Louqsor, Louxor, Tanis, Tantah.
VILLE, ÉQUATEUR (n. p.). Ambato, Quito.
VILLE, ESPAGNE (n. p.). Albacete, Alcantara, Alcoy, Almaden, Antequera, Aranjuez, Astorga, Avila, Badajoz, Badalona, Bailen, Baracaldo, Barcelone, Bilbao, Cadix, Cuenca, Elche, Grenade, Irun, Jaca, Jaen, Len, Linares, Lorca, Lugo, Madrid, Mieres, Orense, Oviedo, Palencia, Reus, Séville, Soria, Teruel, Tolède, Valence, Vich, Vigo.
VILLE, ÉTATS-UNIS (n. p.). Akron, Albany, Albuquerque, Allentown, Amarillo, Anaheim, Arlington, Atlanta, Austin, Baltimore, Beaumont, Bellingham, Berkeley, Bethlehem, Birmingham, Boston, Buffalo, Cambridge, Cheyenne, Chicago, Cincinnati, Cleveland, Concord, Dallas, Denver, Detroit, Erie, Fresno, Hartford, Houston, Manchester, Memphis, Miami, Mobile, Montpelier, New York, Oakland, Omaha,

Pasadena, Peoria, Phoenix, Pittsburgh, Portland, Providence, Reno, Sacramento, Salem, Seattle, Tampa, Toledo, Troy, Tucson, Tulsa, Washington, Wichita.

VILLE, ÉTHIOPIE (n. p.). Aksoum, Asmara, Axoum, Harar.

VILLE, FINLANDE (n. p.). Esbo, Espoo, Helsinki, Lahti, Vantaa.

VILLE, FRANCE (n. p.) . Albertville, Allos, Arcachon, Barcelonnette, Barême, Bordeaux, Boulogne, Brest, Briançon, Caen, Cannes, Carcassonne, Castellane, Chamonix, Châtel, Clermont, Cluse, Colmar, Courchevel, Coutances, Dax, Dieppe, Dijon, Dinan, Draguignan, Elne, Épinal, Évreux, Fréjus, Gap, Guillestre, Guingamp, Isola, La Rochelle, Lacanau, Laragne, Le Mans, Lille, Lyon, Malijai, Marseille, Mimizan, Modane, Montpellier, Morlaix, Nancy, Nantes, Nice, Nîmes, Oraison, Paris, Perpignan, Reims, Renne, Rouen, Royan, Saint-Étienne, Saint-Malo, Saint-Nazaire, Saint-Tropez, Sisteron, Termignon, Tignes, Toulon, Toulouse, Tour, Val-d'Isère, Valence, Valmorel.

VILLE, GHANA (n. p.). Accra, Tamale.

VILLE, GAULE (n. p.). Avaricum, Bibracte, Lutèce, Tolbiac.

VILLE, GRANDE-BRETAGNE (n. p.). Basildon, Bath, Bedford, Birkenhead, Birmingham, Blackpool, Bolton, Ely, Epsom, Eton, Leeds, Londres, Luton, Stirling, Wells.

VILLE, GRÈCE (n. p.). Argos, Arta, Athènes, Corinthe, Drama, Lamia, Larissa, Lépante, Patras, Thèbes, Tripolis, Volo, Xante, Xanthi.

VILLE, HOLLANDE (n. p.). Amsterdam.

VILLE, HONGRIE (n. p.). Baja, Budapest, Debrecen, Éger, Gyor, Pecs, Sopron, Szeged, Vac.

VILLE, INDE (n. p.). Agra, Ahmadabac, Ahmadnagar, Ahmedabad, Ajmer, Akola, Aligarh, Allahabad, Amravati, Amritsar, Asansol, Aurangabad, Bangalore, Barddhaman, Bareilly, Belgaum, Bellary, Benares, Bhadravati, Bhagalpur, Bhatpara, Bhavnagar, Bhilainagar, Bhopal, Bhubaneswar, Bijapur, Bikaner, Bilaspur, Calcutta, Ellore, Eluru, Gaya, Ilahabad, Indore, Mahé, Madras, Meerut, New Delhi, Patna, Pune, Salem, Simla, Srinagar, Varanasi.

VILLE, INDONÉSIE (n. p.). Balikpapan, Bandoeng, Bandung, Banjermassin, Bogor.

VILLE, IRAK (n. p.). Amara, Arbil, Bagdad, Erbil, Hilla.

VILLE, IRAN (n. p.). Ahvaz, Arak, Arbil, Ardabil, Bassora, Basra, Erbil, Ispahan, Kum, Ourmia, Qom, Qum, Téhéran.

VILLE, IRLANDE (n. p.). Armagh, Belfast, Tipperary.

VILLE, ISRAËL (n. p.). Beersheba, Lod, Jaffa, Jérusalem, Tel-Aviv.

VILLE, ITALIE (n. p.). Andria, Agrigente, Alexandrie, Anagni, Andria, Aoste, Aquila, Aquilee, Arezzo, Ascoli, Assise, Asti, Avellino, Bardonneche, Bari, Barletta, Benevent, Bergame, Biella, Bobbio, Bologne, Cagliari, Cesena, Côme, Cosenza, Éle, Enna, Este, Faenza, Florence, Foligno, Forli, Gela, Gênes, Gorizia, Imola, Ivrée, Lecco, Lodi, Milan, Monza, Naples, Otrante, Padoue, Paestum, Palerme, Parme, Pesaro, Pise, Ravenne, Rome, Salerne, Sienne, Sorrente, Suse, Tivoli, Torre, Turin, Udine, Urbino, Varese, Venise, Vérone.

VILLE, JAPON (n. p.). Akashi, Akita, Amagasaki, Asahigawa, Asahikaga, Asahikawa, Beppu, Fugi, Gifu, Hiroshima, Ise, Itami, Kobe, Kofu, Kure, Kyoto, Maebashi, Mito, Nagano, Nagasaki, Nagoya, Nara, Oita, Omiya, Omuta, Osaka, Otaru, Otsu, Saga, Sakai, Sapporo, Suita, Tokyo, Toyama, Tsu, Ube, Uji, Yao.
VILLE, KENYA (n. p.). Nairobi.
VILLE, LETTONIE (n. p.). Iegava.
VILLE, LIBAN (n. p.). Baalbeck, Balbek, Beyrouth, Saïda, Tyr.
VILLE, LIBYE (n. p.). Benghazi, El-Beida.
VILLE, LUXEMBOURG (n. p.). Bettembourg, Petange, Sanem.
VILLE, MACÉDOINE (n. p.). Amphypolis, Bitola, Bitolj, Monastir, Ohrid.
VILLE, MADAGASCAR (n. p.). Antsirabe, Fianarantsoa.
VILLE, MALI (n. p.). Bamako, Gao, Mopti, Ségou, Sikasso.
VILLE, MAROC (n. p.). Berkane, Fès, Nador, Taza.
VILLE, MEXIQUE (n. p.). Acapulco, Len, Leon, Mérida, Mexico, Oaxaca, Puebla, Queretaro, Tepic, Tijuana, Toluca, Veracruz.
VILLE, NIGÉRIA (n. p.). Aba, Abeokuta, Ède, Enugu, Ibadan, Ife, Ila, Ilesha, Ilorin, Kaduna, Kano, Os, Zaria.
VILLE, NORVÈGE (n. p.). Bergen, Mo, Oslo.
VILLE, PALESTINE (n. p.). Endor, Gaza, Jérusalem, Silo.
VILLE, PAYS-BAS (n. p.). Alkmaar, Amersfoort, Amsterdam, Apeldoorn, Arnhem, Assen, Bergen, Breda, Delf, Edam, Ède, Emmen, Gouda, Haarlem, La Haye, Leyde, Nimegue, Utrecht, Velsen, Venlo, Zeist.
VILLE, PÉROU (n. p.). Arequipa, Ayacucho, Cuzco, Ica, Iquitos, Lima, Nisibis, Piura, Sidon, Tacna.
VILLE, PHILIPPINES (n. p.). Angeles, Baquio, Batangas.
VILLE, POLOGNE (n. p.). Auschwitz, Belxec, Bialystok, Bytom, Cracovie, Gdansk, Lodz, Opole, Plock, Pila, Radom, Sopot, Torun, Varsovie.
VILLE, PORTUGAL (n. p.). Aveiro, Barreiro, Batalha, Beja, Braga, Evora, Faro, Fatima, Lisbonne, Porto, Tomar.
VILLE, QUÉBEC (n. p.). Acton Vale, Alma, Amos, Ancienne-Lorette, Anjou, Arthabaska, Arvida, Asbestos, Amqui, Ascot, Aylmer, Bagotville, Baie-Comeau, Batiscan, Beaconsfield, Beauceville, Beauharnois, Beauport, Bécancour, Bellefeuille, Beloeil, Bernières, Berthierville, Blainville, Boisbriand, Bois-des-Filion, Boucherville, Brossard, Buckingham, Candiac, Cap-de-la-Madeleine, Cap-Rouge, Carignan, Cartierville, Causapscal, Coaticook, Chambly, Charlemagne, Charlesbourg, Charny, Châteauguay, Chelsea, Chibougamau, Chicoutimi, Coaticook, Contrecœur, Côte-Saint-Luc, Cowansville, Daveluyville, Delson, Deux-Montagnes, Dolbeau, Dollard-des-Ormeaux, Donnacona, Dorion, Dorval, Drummondville, East Angus, Farnham, Fleurimont, Gaspé, Gatineau, Granby, Grand-Mère, Greenfield Park, Hampstead, Hemmingford, Hull, Huntingdon, Iberville, Île-Perrot, Joliette, Jonquière, Kahnawake, Kénogami, Kirkland, La Baie, L'Acadie, Lachenaie, Lachine, Lachute, Lac-Mégantic, Lac-Noir,

Lac-Saint-Charles, Lafontaine, La Pêche, La Plaine, Laprairie, La Sarre, LaSalle, L'Assomption, La Tuque, Lauzon, Laval-des-Rapides, Laval, Le Gardeur, LeMoyne, Lennoxville, Lévis, L'Islet, Longueuil, Loretteville, Lorraine, Louiseville, Macamic, Magog, Marieville, Mascouche, Masson-Angers, Matane, Mégantic, Mercier, Mirabel, Mistassini, Montebello, Mont-Joli, Mont-Laurier, Montmagny, Mont-Royal, Mont-Saint-Hilaire, Montréal, Montréal-Nord, Neuville, New-Carlisle, Nicolet, Noranda, Notre-Dame-de-l'Île-Perrot, Notre-Dame-des-Prairies, Otterburn Park, Outremont, Papineauville, Pierreville, Pincourt, Pintendre, Plessisville, Pointe-Claire, Pointe-aux-Trembles, Pointe-du-Lac, Port-Alfred, Port-Cartier, Portneuf, Prévost, Princeville, Québec, Rawdon, Repentigny, Richmond, Rigaud, Rimouski, Rivière-du-Loup, Roberval, Rock Forest, Roquemaure, Rosemère, Rouyn, Roxboro, Saint-Amable, Saint-Antoine, Saint-Athanase, Saint-Augustin-Desmaures, Saint-Basile-le-Grand, Saint-Césaire, Saint-Charles-Borromée, Saint-Bruno-de-Montarville, Saint-Chrysostôme, Saint-Constant, Saint-Émile, Saint-Étienne-de-Lauzon, Saint-Eustache, Saint-Félicien, Saint-François-du-Lac, Saint-Georges, Saint-Hubert, Saint-Hyacinthe, Saint-Jean-sur-Richelieu, Saint-Jean-Deschaillons, Saint-Jérôme, Saint-Joseph-d'Alma, Saint-Joseph, Saint-Joseph-de-Sorel, Saint-Jovite, Saint-Lambert, Saint-Lazare, Saint-Léonard, Saint-Lin, Saint-Louis-de-France, Saint-Luc, Saint-Nicéphore, Saint-Nicolas, Saint-Ours, Saint-Pierre-aux-Liens, Saint-Raphaël-de-l'Île-Bizard, Saint-Rédempteur, Saint-Rémi, Saint-Romuald, Saint-Timothée, Saint-Tite, Saint-Vincent-de-Paul, Sainte-Agathe-des-Monts, Sainte-Anne-de-Beaupré, Sainte-Anne-de-Bellevue, Sainte-Anne-de-la-Pérade, Sainte-Anne-de-la-Pocatière, Sainte-Anne-des-Monts, Sainte-Anne-des-Plaines, Sainte-Catherine, Sainte-Julie, Sainte-Julienne, Sainte-Foy, Sainte-Marie, Sainte-Marthe-sur-le-Lac, Sainte-Marthe-du-Cap, Sainte-Rose, Sainte-Sophie, Sainte-Thérèse, Salaberry-de-Valleyfield, Senneterre, Sept-Îles, Shawinigan, Sherbrooke, Sillery, Sorel, Stanstead, Sweetsburg, Témiscamingue, Terrebonne, Thetford-Mines, Tracy, Trois-Pistoles, Trois-Rivières, Val-Bélair, Val-des-Monts, Val-d'Or, Valleyfield, Vanier, Varennes, Vaudreuil, Verchères, Verdun, Victoriaville, Waterloo, Westmount, Windsor.

VILLE, ROUMANIE (n. p.). Alba, Arad, Bacau, Braila, Brashov, Bucarest, Cluj, Craiova, Galati, Iasi, Iassy, Jassi, Orades, Resita, Sibiu, Turda.

VILLE, RUSSIE (n. p.). Abakan, Angarsk, Arademgodorok, Armavir, Atchinsk, Balakovo, Barnaoul, Belgorod, Belovo, Berezniki, Bielgorod, Bielovo, Biisk, Birobidjan, Blagovechtchensk, Moscou, Orel, Oufa, Oulan-Oude, Oussourisk, Penza, Stalingrad, Toula, Vladivostok, Vyborg.

VILLE, SAHARA (n. p.). Bechard, El-Aiun.

VILLE, SLOVAQUIE (n. p.). Nitra, Tioumen.

VILLE, SUÈDE (n. p.). Boras, Calmar, Eskilsiuna, Falun, Goteborg, Lund, Motala, Orebro, Stockholm, Upsal.

VILLE, SUISSE (n. p.). Aarau, Aigle, Altdorf, Arbon, Arosa, Bale, Baden, Bâle, Bellinzona, Berne, Bienne, Einsiedeln, Fribourg, Genève, Kloten, Lausanne, Lucerne, Lugano, Montreux, Mora, Morges, Olten, Orbe, Renens, Sion, Wil, Zoug, Zurich.
VILLE, SYRIE (n. p.). Alep, Emese, Hama, homs.
VILLE, TCHÉCOSLOVAQUIE (n. p.). Brno, Most, Opara, Prague, Usti.
VILLE, THAÏLANDE (n. p.). Ayuthia, Bangkok.
VILLE, TUNISIE (n. p.). Béja, Bizerte, Gabes, Gafsa, Kef, Nabeul, Sousse, Stax, Tunis.
VILLE, TURQUIE (n. p.). Adana, Adapazari, Ankara, Antioche, Balikesir, Edirne, Kars, Istanbul, Izmir, Nicée, Sivas, Urfa, Van.
VILLE, UKRAINE (n. p.). Ialta, Kherson, Kiev, Nikopol, Rovno, Torez, Yalta.
VILLE, URUGUAY (n. p.). Montevideo, Paysandu, Salto.
VILLE, VENEZUELA (n. p.). Barquisimeto, Caracas, Maracay, Valencia.
VILLE, VIETNAM (n. p.). Dalat, Hanoï, Hue, Saïgon.
VILLE, YOUGOSLAVIE (n. p.). Bor, Belgrade, Ohrid, Maribor, Mostar, Nis, Pula, Raguse, Sarajevo, Senta, Split, Zadar, Zagreb.
VILLE, ZAÏRE (n. p.). Bandudu.
VIN. Aligoté, alsace, anjou, asti, ayse, beaujolais, blanc, blanquette, bordeaux, brouilly, cellier, chablis, chais, champagne, château, chianti, clairet, crémant, cru, déci, dive, falerne, fruité, ginguet, ivre, larme, mâcon, madère, malaga, médoc, moselle, moût, muscadet, muscat, nectar, pinard, pineau, pinot, piquette, pomerol, pommard, porto, pouilly, retsina, rioja, rond, rosé, rouge, rouquin, sancerre, sauterne, sève, sherry, toscane, vendange, vermouth, vigne, vinaigre, vinasse, xérès.
VINAIGRE. Acétol, mère.
VIOLATION. Crime, délit, impétuosité, infraction, manquement.
VIOLENCE. Agressivité, brusquerie, contrainte, dureté, furie, rudesse.
VIOLENT. Amer, âpre, ardent, emporté, fougueux, impétueux, virulent.
VIOLER. Démesurer, forcer, obliger, opprimer, profaner, violenter.
VIOLET. Aubergine, framboise, indigo, lilas, mauve, pourpre, prune.
VIOLON. Alto, basse, contrebasse, Ingres, prison, viole, violoncelle.
VIOLON (n. p.). Stradivarius.
VIOLONISTE. Ménétrier, premier, soliste, violoneux, virtuose.
VIOLONISTE (n. p.). Casals, Enesco, Leclair, Stern.
VIORNE. Alisier, obier, pimbina.
VIPÈRE. Ammodyte, aspic, céraste, guivre, heurtante, méchant, ophidien, péliade, pyramide, reptile, serpent, venin, vipereau, vive.
VIRAGO. Carne, carogne, charogne, dragon, gendarme, grenadier, harpie, largue, maritorne, mégère, rompière, tricoteuse.
VIRER. Amure, changer, renvoyer, tourner.
VIRTUOSITÉ. Acrobatie, art, as, brio, capacité, possibilité.
VIS. Pas, vissé, puni, rivet, vrille.
VISA. Approbation, attestation, ita, licence, lu, mira, passeport, vu.

VISAGE. Binette, bobine, bouille, couperose, face, faciès, figure, frimousse, masque, minette, minois, portrait, tête, traits, trombine.
VISCÈRE. Abdomen, corps, estomac, étriper, intestin, rate, rein, tête.
VISER. Ajuster, désirer, lorgner, mirer, pointer, regarder.
VISIBLE. Apparent, clair, distinct, net, ostensible, percevable, précis.
VISIÈRE. Abat-jour, casquette, garde-vue, képi.
VISION. Apparition, épiphanie, extase, idée, obsession, rêve, révélation.
VISITE. Audience, contact, démarche, entrevue, examen, expertise, fouille, inspection, perquisition, réception, rendez-vous, ronde, tournée.
VISITER. Fouiller, fréquenter, hanter, rencontrer, voir, voyager.
VISQUEUX. Adhérent, collant, épais, gluant, gras, morve, sirupeux.
VISSER. Assujettir, attacher, fixer, immobiliser, joindre, river, serrer.
VIT. Est, existe, mort, vie, vivre.
VITAMINE. Adermine, aneurine, ascorbique, axérophtol, calciférol, carotène, folique, lactoplavine, thiamine.
VITE. Abrégé, dare-dare, intelligent, presto, prompt, subito, tôt, trait.
VITELLUS. Oeuf.
VITESSE. Agilité, allure, anémomètre, célérité, diligence, erre, force, hâte, nœud, précipitation, presse, prestesse, promptitude, rapidité, régime, tachymètre, temps, vélocité, vite, vivacité.
VIVACE, PLANTE. Achée, amaryllis, ansérine, aspergette, auricule, berlue, bleuet, bouton-d'or, bugrane, cassolette, cataire, cerisier d'amour, chirette, chrysanthème, cinéaire, clandestine, coquelicot, coucou, crocus, dentelaire, douve, éplaire, faux-buis, faux-lis, fenouil, fougère, fuschia, galantine, gesse, gessette, ginseng, girarde, grassette, gremil, gueule-de-loup, herbe-aux-chats, ixia, jacinthe, jarosse, jeannette, jonc, jonquille, julienne, kochia, laiteron, lamier, lantana, lanterne, lathyrus, leucosum, liatris, libertia, lilas, limaguère, lin, linaire, linnée, liriope, lis, lobelia, lopezia, lotier, lunaire, lupin, luzerne, luzula, luzule, lychnis, lycopode, lycoris, lys, lysimaque, lythrum, maianthème, marabout, marguerite, marrube, martagon, matricaire, mauve, mélisse, meum, mignardise, mil, millet, mimule, molinia, monnaie-du-pape, monnayère, muflier, muguet, muscari, myosotis, naegelia, narcisse, nemesia, némésie, nepeta, nérine, nivéole, nummulaire, œillet, ononide, ononis, orchidée, orge, ortie, orvale, osmonde, ourisia, oxalis, panax, pâquerette, passerose, pavot, pédiculaire, pensée, perce-neige, persicaire, pervenche, pétunia, phlox, phytolaque, pigamon, pivoine, plumet, porillon, potentille, pourpier, primerolle, primevère, pulsatille, pyrole, renouée, rudbeckia, salicaire, sauge, scille, sclarée, sénécon, serve, sidalcée, silène, solanum, spirée, statice, stipa, tabac, trèfle, trille, trolle, tulipe, valériane, véronique, verveine, violette, violier, voilier, wulfenia.
VIVACITÉ. Alacrité, animation, ardeur, colère, mouvement, pétulance.
VIVANT. Animé, debout, fort, organisé, ressuscité, sauvé, viable, vif.
VIVE. Ardent, beaucoup, fort, intense, œuvre, navire, vif, vit.
VIVIFIER. Activer, agir, animer, créer, exister, revivifier, vivre.

VIVRE. Conserver, continuer, durer, être, exister, habiter, nourriture, passer, rabiot, respirer, rester, revivre, végéter, victuailles, vivoter.
VOCABLE. Lapsus, locution, mot, nom, monème, parole, terme.
VOCABULAIRE. Argot, concordance, dictionnaire, index, langage, langue, lexique, nomenclature, mot, prégnance, terminologie.
VOCIFÉRER. Clamer, crier, parler, tonitruer.
VŒU. Affirmer, désirer, jurer, promettre, souhaiter, soupirer, volonté.
VOGUE. Coqueluche, faveur, fête, flotte, fureur, mode, réputé.
VOIE. Aiguille, artère, assentir, avenue, boulevard, chemin, eau, impasse, indice, opposition, quai, rail, rocade, route, rue, stère, trace.
VOILE. Amure, artimon, cargue, étrangloir, foc, hunier, litham, misaine, nuée, panne, perroquet, ris, spi, taleth, tapecul, tréou, vélum.
VOILIER. Bateau, catamaran, cotre, génois, goélette, lougre, trimaran.
VOILURE. Agrès, câble, étai, hauban, hune, mât, palan, toile, voile.
VOIR. Analyser, apercevoir, apprécier, aviser, constater, consulter, croiser, découvrir, démêler, discerner, distinguer, entrevoir, éprouver, étaler, étudier, envisager, fréquenter, jauger, juger, naître, noter, observer, percevoir, planer, regarder, repérer, savoir, supporter.
VOISIN. Lieu, maison, près, prochain, proche, proximité.
VOITURE. Auto, automobile, autorail, bagnole, baladeuse, berline, bolide, break, cabriolet, char, coupé, fiacre, fardier, fourgonnette, guimbarde, jardinière, landau, limousine, tacot, torpédo, van, véhicule.
VOITURIER. Camionneur, charretier, cocher, routier, transporteur.
VOIX. Alto, baryton, basse, castrat, contralto, dessus, élu, haute-contre, mezzo-soprano, soprano, sopraniste, taille, ténor, ténorino, urne, vote.
VOL. Brigandage, cambriolage, décollage, envol, essor, extorsion, pillage, raid, racket, rapine, rase-mottes, spoliation, survol, tire, volée.
VOLAGE. Changeant, inconstant, infidèle, léger, papillon.
VOLAILLE. Basse-cour, canard, cane, canette, caneton, chapon, coq, dinde, dindon, dindonneau, jars, oie, oison, mue, pâton, pintade, pintadeau, poulailler, poule, poulet, poussin, volatile.
VOLANT. Badminton, copie, jabot, marge, moineau, roue, sambuque.
VOLCAN. Cheminée, coulée, cratère, éruption, lave, montagne, orle, pic.
VOLCAN (n. p.). Aconcagua, Apo, Aso, Erebus, Etna, Hékla, Krakatoa, Misti, Niragongo, Popocatepetl, Soufrière, Stromboli, Vésuve.
VOLÉE. Battre, dégelée, essor, pile, raclée, rossée, tannée, tripotée.
VOLER. Aile, aviateur, avion, choper, dérober, dévaliser, entôler, essor, filouter, flotter, hélicoptère, gruger, monter, planer, prendre, rafler, rincer, rosser, sauter, soustraire, spolier, subtiliser, tanner, usurper.
VOLET. Battant, contrevent, jalousie, persienne, rideau, store, trié, vent.
VOLEUR. Aiglefin, bandit, brigand, cambrioleur, canaille, chenapan, cleptomane, escroc, filou, fripon, larron, pillard, tire-laine, truand.
VOLONTÉ. Aboulie, aise, bienveillance, caprice, caractère, courage, cran, décision, décret, désir, énergie, gré, intention, opiniâtreté, oracle, projet, résolution, ressort, souhait, testament, tester, vouloir, vue.
VOLTAIRIEN. Anticlérical, athée, caustique, jacobin, sceptique.

VOLUME. Ampleur, calibre, capacité, cône, contenance, cubage, densité, dimension, espace, géométrie, grandeur, grosseur, livre, menu, mesure, ouvrage, roman, solide, stère, tome.
VOLUMINEUX. Charnu, énorme, épais, fort, gros, lourd, rond, trapu.
VOLUPTÉ. Délectation, épectase, jouissance, strape, sybaritisme.
VOMIR. Chasser, cracher, dégobiller, dégorger, dégueuler, détester, évacuer, expectorer, expulser, régurgiter, rejeter, rendre, restituer, tir.
VOMISSEMENT. Émétique, hématémèse, pituite.
VORACE. Avide, faim, glouton, goulu, gourmand, ogre, uranoscope.
VOTE. Adoption, bulletin, consultation, élection, opinion, plébiscite, référendum, scrutin, suffrage, urne, votation, voix.
VOUÉ. Consacré, prédestiné, promis, sacrifié.
VOULOIR. Aimer, ambitionner, arrêter, aspirer, briguer, chercher, commander, convoiter, daigner, décider, désirer, efforcer, entendre, envier, exiger, guigner, lorgner, pouvoir, souhaiter, volonté.
VOUS. Êtes, elle, elles, eux, il, ils, tu, lui.
VOÛTE. Arc, arcade, arceau, arche, berceau, ciel, cintre, coupole, dais, dôme, firmament, galerie, hypogée, intrados, palais, voussure.
VOUTÉ. Bossu, cintré, convexe, courbé, rond.
VOYAGE. Balade, circuit, croisière, déplacement, excursion, exil, expédition, incursion, itinéraire, odyssée, passage, pèlerinage, pérégrination, périple, raid, tourisme, tournée, traversée, visite.
VOYAGER. Aller, bourlinguer, circuler, déplacer, incognito, naviguer.
VOYAGEUR. Excursionniste, explorateur, globe-trotter, nomade, passager, pèlerin, promeneur, ravenala, touriste, visiteur.
VOYAGEUR (n. p.). Énée, Œdipe, Ulysse.
VOYANT. Astrologue, cartomancien, devin, diseur, magicien, prophète.
VOYOU. Canaille, crapule, frappe, gouape, gredin, loulou, vermine.
VRAI. Ami, assuré, authencité, avéré, certain, confirmé, conforme, connu, droit, exact, faux, formel, franc, juste, loyal, réel, sûr, vérité.
VRAIMENT. Plausible, probable, réellement, voire, vraisemblable.
VRILLE. Cirre, drille, filament, foret, hélice, lesbienne, liseron, mèche, nervé, perceuse, spirale, taraud, tarière, tordu.
VUE. Aperçu, aspect, avis, but, cécité, eu, idée, intention, invisible, lunette, myopie, œil, panorama, paysage, point, sens, site, vision, yeux.
VULGAIRE. Bas, brut, commun, épais, grossier, populaire, trivial, vil.
VULVE. Clitoris, femme, féminité, hymen, mammifère, vagin.

W

WAGON. Conduit, fourgon, impériale, rame, tombereau, train, voiture.
WAGONNET. Benne, decauville, draisine, lorry, mine.
WAPITI. Bois, cerf, cervus.
WARRANT. Avance, caution, dépôt, ducroire, gage, garantie, prêt.
WATER-POLO. Ballon, eau, handball, nageur.
WASHINGTON (n. p.). Potomac.

WATT. Ampoule, W.
WEBER. Wb.
WEEK-END. Congé, dimanche, samedi, vacances.
WESTERN. Cowboy, film, indien.
WHARF. Appontement, débarcadère, embarcadère, jetée, ponton, quai.
WHISKY. Avoine, Bailey, bourbon, eau-de-vie, orge, rye, scotch, seigle.
WHIST. Carte, rob, tri, trick.
WIGWAM. Cabane, case, hutte, tente.
WISIGOTH. Alaric, arianisme, Espagne, germanique, Goth, Thrace.
WON. Corée, monnaie.
WU. Chinois, dialecte, Shanghai.
WYANDOTTE. Coq, poule.

X. Axe, dix, inconnu, rayon.
XANTHIUM. Grapelle, gratteron, lampourde.
XÉNON. Xe.
XYLÈNE. Xylol.
XÉNOPHILIE. Affectation, générosité, maniérisme, ouverture.
XÉNOPHOBE. Chauviniste, colon, étranger, immigrant, raciste, voyageur.
XÉRÈS. Amontillado, jerez, manzanilla, sherry.
XYLOCOPE. Abeille, charpentière, menuisière.
XYLOPHONE. Clavier, cymbalum, mailloche, marimba, percussion.
XYSTE. Galerie, gymnaste, jardin, piste.

Y

Y. Axe, chromose, être, inconnue, pairle, yttrium.
YACHT. Bateau, cruiser, navire, ponton, régate, vaisseau, yole.
YAK. Bœuf, yack.
YACK. Yak.
YANKEE. Américain, Amerloque, gringo, ricain.
YETTERBIUM. Yb.
YEUX. Albinos, cerne, larme, lu, lunette, oculiste, œil, ophtalmologiste, regard, sourcil, vision, vue.
YOGA. Asana, hindou, méditation, Nadeau, relaxation, yogi.
YOGI. Ascète, contemplatif, fakir, sage.
YOGOURT. Glacophile, yaourt, yoghourt.
YO-YO. Descendre, disque, ficelle, monter.
YTTRIUM. Y.
YUAN. Chine, monnaie.
YUCCA. Agave, baïonnette espagnole, cordyline, dague espagnole.

Z

ZAGAIE. Abeille, aiguille.
ZAIN. Cheval, chien, étalon, pelage.
ZAPPER. Changer, chercher, déplacer, passer, sonder, tourner, varier.
ZÈBRE. Âne, cheval, daw, dauw, dozeb, individu, okapi, poulin, type.
ZÉBRURE. Hachure, marque, raie, rayure, strie.
ZÉBU. Asie, bœuf, bosse.
ZÉLÉ. Actif, ardent, diligence, élan, enthousiasme, fanatique, fièvre.
ZEN. Bouddhiste, cha-no-yu, ikebana, satori.
ZÉNITH. Apogée, astrologie, comble, méridien, nadir, point.
ZÉPHYR. Air, coton, toile, vent, zéphir.
ZÉRO. Absence, anéantir, asymptote, aucun, bagatelle, effacer, éteindre, néant, nier, non, nul, ras, rayer, rien, sans, valeur, vide.
ZESTE. Écorce, faible, peau, petit, peu, zest.
ZEUS (n. p.). Io.
ZÉZAYER. Bléser, dire, parler, zozoter.
ZIBELINE. Martre, mustélidé, sable, toque.
ZIEUTER. Bigler, flirter, regarder, zyeuter.
ZIG. Individu, malin, type, zigoto, zigue, zinzin.
ZIGOUILLER. Assassiner, liquider, tuer.
ZIGZAG. Chicane, crochet, détour, entrechat, lacet, tournant.
ZINC. Avion, galvanisation, Zn.
ZIRCONIUM. Zr.
ZIZANIE. Désunion, discorde, mésintelligence, plante, riz.
ZIZI. Bruant, pénis, sexe.
ZODIAQUE. Balance, Bélier, Cancer, Capricorne, Décan, Gémeaux, Lion, Poissons, Sagittaire, Scorpion, sextil, Taureau, trine, Verseau, Vierge.
ZONE. Aire, bande, bled, classe, domaine, endroit, espace, halo, lieu, patelin, pays, quartier, région, secteur, sphère, surface, territoire.
ZOOPHYTE. Phytozoaire.
ZOUAVE. Bête, chacal, fantassin, soldat.
ZOZO. Naïf, niais.
ZOZOTER. Bléser, zézayer.
ZYGOTE. Cellule, champignon, œuf, zygomycètes.
ZYZOMYS. Rat.